De regio's van deze gids:
(zie de kaart op de binnenflap)

1 Marseille en omgeving   blz. 81
2 Aix-en-Provence en Sainte-Victoire blz. 181
3 Arles en de Camargue   blz. 209
4 De Alpilles en de Montagnette   blz. 243
5 Avignon en Pays des Sorgues   blz. 291
6 Orange en omgeving   blz. 335
7 Comtat Venaissin en de Ventoux blz. 369
8 Omgeving van de Luberon   . blz. 400

D0280147

Provence

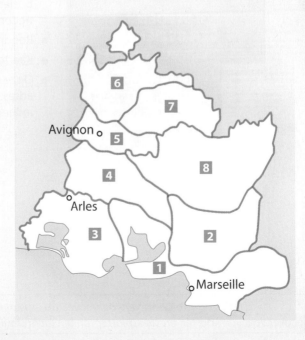

De Groene Reisgids
Een gids in 3 delen

1/ DE REIS VOORBEREIDEN

De reis voorbereiden:
- Reiswijzer
- Voor het vertrek
- Wat is er te doen?
- Met het gezin
- Memo

2/ DE PROVENCE ONDER DE LOEP

Onder de loep:
- Tradities en levenskunst
- Geschiedenis
- Economie
- Natuur en landschappen
- Kunst en cultuur

3/ STEDEN EN BEZIENS-WAARDIGHEDEN

Verken uw bestemming:
- Onze selectie van bezienswaardig-heden
- Rondritten
- Kaarten
- Onze selectie adressen voor ieders budget

Verklaring van symbolen (achterste flap omslag) en overzicht van kaarten en stadsplattegronden (achteraan in de gids)

De Groene Reisgids
Ontdek uw bestemming

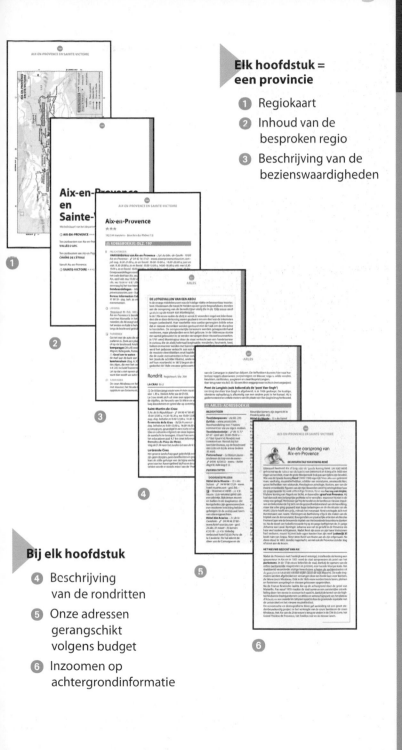

Elk hoofdstuk = een provincie

1. Regiokaart
2. Inhoud van de besproken regio
3. Beschrijving van de bezienswaardigheden

Bij elk hoofdstuk

4. Beschrijving van de rondritten
5. Onze adressen gerangschikt volgens budget
6. Inzoomen op achtergrondinformatie

Inhoud

1/ DE REIS VOORBEREIDEN

REISWIJZER

Met de auto................................. 8
Met de trein................................ 8
Met het vliegtuig....................... 9

VOOR HET VERTREK

Klimaat...................................... 10
Nuttige adressen...................... 10
Overnachten............................. 11
Uit eten..................................... 13

WAT IS ER TE DOEN?

Rubrieken in alfabetische
    volgorde................................ 14

MET HET GEZIN

Activiteitenoverzicht................ 23

MEMO

Evenementen............................ 25
Leestips..................................... 28

2/ DE PROVENCE ONDER DE LOEP

TRADITIES EN LEVENSKUNST

Vaste afspraken........................ 32
Een vleugje folklore................. 33
Kerst in de Provence................ 34
Traditionele stierengevechten...... 35
Gastronomie............................. 36
    *Een ontdekkingreis
    naar truffelland*.................... 41

GESCHIEDENIS

De oudheid............................... 42
Chronologie.............................. 45
    *Marseille-Provence 2013:
    veelbelovend…*...................... 49

ECONOMIE

De 'tuin van Frankrijk'.............. 50
    De geur van lavendel........... 51
Toekomstperspectieven........... 51

NATUUR EN LANDSCHAPPEN

Gevarieerde landschappen....... 53
Flora... 56
Fauna.. 56
Milieu.. 57

KUNST EN CULTUUR

Architectuur.............................. 59
ABC van de architectuur.......... 61
Schilderkunst............................ 68
Kunstnijverheid........................ 70
Literatuur.................................. 71
Podiumkunst............................. 73
Film... 73
Enkele bekende personen........ 78
    In de voetsporen van…........ 76

3/ STEDEN EN BEZIENSWAARDIGHEDEN

1 MARSEILLE EN OMGEVING

Marseille 82
  De stroom van de tijd.......................96
De calanques 125
  *De calanques, een kwetsbare
  natuurschat* 130
Cassis 134
La Ciotat....................................141
De Côte Bleue..........................146
Martigues..................................152
Aubagne....................................162
Massif de la Sainte-Baume............170

2 AIX-EN-PROVENCE EN SAINTE-VICTOIRE

Aix-en-Provence.......................182
  *Aan de oorsprong van Aix-en-
  Provence*...................................... 186
Sainte-Victoire......................... 204

3 ARLES EN DE CAMARGUE

Arles 210
  Arles in grote lijnen 219
De Camargue.............................231
  Landschap van de Camargue..... 232

4 DE ALPILLES EN DE MONTAGNETTE

Salon-de-Provence.......................... 244
Saint-Rémy-de-Provence..............253
De Alpilles.................................263
Les Baux-de-Provence...................271
  De lotgevallen van Les Baux........ 272
Tarascon....................................278

5 AVIGNON EN PAYS DES SORGUES

Avignon 292
Villeneuve-lez-Avignon.................316
  Over olijfolie 324
L'Isle-sur-la-Sorgue 326
Fontaine-de-Vaucluse.....................329

6 ORANGE EN OMGEVING

Orange 336
  Orange en Nederland 338
Valréas 348
Vaison-la-Romaine 353
  Voor- en tegenspoed in Vaison... 355
Dentelles de Montmirail............... 362

7 COMTAT VENAISSIN EN DE VENTOUX

Carpentras 370
  *Carpentras en het Comtat
  Venaissin*...................................... 373
Pernes-les-Fontaines 379
Venasque 384
Mont Ventoux........................... 386
Sault 393

8 OMGEVING VAN DE LUBERON

Apt 402
Luberongebergte 407
  Een beschermde regio...................412
Roussillon..................................424
Gordes.......................................430
Abbaye de Sénanque 434
Cavaillon....................................437
La Tour-d'Aigues........................... 442
Abbaye de Silvacane.......................451
Manosque.................................. 453
Forcalquier................................ 462

Register 472
Kaarten en plattegronden 480
Woordenlijst.............................481

1/
DE REIS VOORBEREIDEN

M. Barraud/Ojo Images/Photononstop

Reiswijzer

Met de auto

DE GROTE VERKEERSADERS

Wie met de auto naar de Provence wil rijden, heeft de keus uit diverse reisroutes. Via Luxemburg kunt u het best de A31 tot Beaune nemen en dan verder de *Autoroute du Soleil*, de **A6**. Gaat u via Parijs, neem dan de A1, de Boulevard Périphérique rond de Franse hoofdstad, en dan de A6. Ter hoogte van Orange splitst de snelweg: zo voert de A9 naar Nîmes en de Languedoc, terwijl de **A7** de vallei van de Durance volgt naar Aix-en-Provence.
Verkeersinformatie – www.autoroutes.fr.

MICHELINKAARTEN

Kaart van Frankrijk 721.
Regionale kaart 527 (PACA).
Detailkaarten: 332 (Drôme, Vaucluse), **334** (Alpes-de-Haute-Provence, Hautes-Alpes) en **340** (Bouches-du-Rhône, Var).
Zoomkaarten: 112 (Vallée du Rhône), **113** (Provence, Camargue) en **114** (Pays varois, Gorges du Verdon). Online: routeplanner op **www.ViaMichelin.fr**.

Met de trein

HOOFDSPOORLIJNEN

Zowel vanuit Nederland als vanuit België zijn er rechtstreekse verbindingen naar Parijs met de hogesnelheidstrein THALYS.
Voor Nederland: ☏ 0900 9696 of www.thalys.nl en www.ns.nl.
Voor België: ☏ 02 528 28 28 of www.thalys.be en www.b-rail.be.
De Zon-Thalys rijdt tijdens de zomervakantie elke zaterdag rechtstreeks vanuit Amsterdam en Brussel naar Avignon en Marseille.
Vanuit Parijs vertrekken tal van TGV's naar Avignon (2.40 uur), Nîmes (2.50 uur), Aix-en-Province en Marseille (3 uur).
Informatie en reserveringen – ☏ 36 35 (€ 0,34/min.) - www.voyages-sncf.com

TER-TREINEN

De lijn Marseille-Aubagne-Toulon loopt via de Calanques en de

AFSTANDEN (in km)	Aix	Arles	Avignon	Manosque	Marseille	Orange
Aix	-	76	82	58	30	102
Arles	76	-	38	133	93	86
Avignon	82	38	-	133	98	31
Manosque	58	133	133	-	86	146
Marseille	30	93	98	86	-	124
Orange	102	86	31	146	124	-

lijn Marseille-Miramas gaat naar de Camargue. Tussen Marseille en Avignon kunt u stoppen in Salon-de-Provence, Cavaillon, Arles, Tarascon en Orange. Vanuit Marseille rijden deze treinen rechtstreeks naar Aix-en-Provence.
Informatie en reserveringen – ✆ 36 35 (€ 0,34/min.) www.ter-sncf.com.

LER-TREINEN

Er rijden ongeveer twintig verschillende LER-treinverbindingen door de regio: de lijn Marseille-Carpentras komt langs Aix-en-Provence, Cavaillon en L'Isle-sur-la-Sorgue; de lijn Arles-Avignon loopt langs Tarascon; de lijn Avignon-Digne langs Cavaillon, de dorpen in de Luberon (Robion, Coustellet, Apt), le Pays de Forcalquier (Saint-Michel-l'Observatoire, Mane, Forcalquier, Niozelles), Lurs, Peyruis en Château-Arnoux; de lijn Marseille-Forcalquier voert langs Aix-en-Provence, Manosque, Volx, St-Maime, Dauphin en Mane.
Informatie – ✆ 0 891 024 025 (€ 0,22/min.) - www.infociao.com.

Met het vliegtuig

LUCHTVAARTMAATSCHAPPIJEN

Er zijn luchthavens in Nice, Toulon, Marseille en Avignon. Zoek op het internet naar goedkope vluchten of informeer bij de onderstaande luchtvaartmaatschappijen.
KLM – ✆ 020 474 77 47 of www.klm.nl
Brussels Airlines – ✆ 070 35 11 of www.brusselsairlines.com
Air France
Nederland ✆ 020 654 57 20 of www.airfrance.nl
België ✆ 070/22 24 66 of www.airfrance.be
Ryanair – www.ryanair.com

REGIONALE LUCHTHAVENS

Aéroport Marseille Provence – In Marignane, 22 km ten noordwesten van Marseille - ✆ 04 42 14 14 14 - www.marseille.aeroport.fr Naast dit vliegveld bevindt zich de **Aéroport low-cost Marseille Provence (mp2)** – ✆ 04 42 14 14 14 - www.mp2.aeroport.fr

VERBINDINGEN MET DE LUCHTHAVEN

Aéroport Marseille Provence – Er is een directe **busdienst** tussen het vliegveld en de stad Marseille (duur 25 min.). Vertrek vanaf het treinstation elke 20 min. van 5.10 tot 0.10 uur; vertrek vanaf de luchthaven elke 20 min. van 4.30 tot 23.30 uur. € 8,50 enkele reis (tot 12 jaar € 4).
Informatie – ✆ 0 892 700 840 - www.navettemarseilleaeroport. com.
Er rijden ook bussen naar Aix-en-Provence vanaf station Aix-TGV (30 min.). Vertrek vanaf het station (perron nr 4) elke 30 min. van 4.40 tot 22.40 uur; vertrek vanaf het vliegveld elke 30 min. van 5.30 tot 23.30 uur. € 7,80 enkele reis (tot 6 jaar gratis). **Informatie** – ✆ 0 811 880 113 of 04 42 14 31 27 - www.navetteaixtgvaeroport.com. Minder vaak (maar dagelijks) rijden er bussen tussen Digne en Manosque, Salon-de-Provence, Saint-Maximin en Vitrolles.
Low-cost-luchthaven Marseille Provence (mp2) – De bussen die naar de gewone luchthaven rijden, stoppen ook bij mp2. Ga voor de vervoer in de tegengestelde richting naar het vertrekpunt van de bussen voor de gewone luchthaven 400 m verderop.
Reken voor vervoer met een **taxi** € 45 overdag en € 55 tussen 19.00 en 7.00 uur en op zo en feestdagen om naar het stadscentrum te komen.

Voor het vertrek

Klimaat

ZOMER

Een zaligheid voor wie naar zon snakt: het is warm en het regent amper! Het kwik schommelt meestal rond de 30 ˚C. Zo nu en dan wordt de atmosfeer opgefrist door soms homerisch onweer. De zomer is ook de tijd voor een zwempartijtje in zee of een wandeling langs het water door verkwikkende dorpen zoals L'Isle-sur-la-Sorgue, Pernes-les-Fontaines, Venasque, … ofwel in de buurt van Sault, waar uitgestrekte lavendelvelden bloeien. In juli en augustus zijn de festivals in volle gang.

ċ De toegang tot de bergen is strikt gereglementeerd *(zie blz. 22)*.

HERFST

Dit seizoen wordt gekenmerkt door regenval als gevolg van Atlantische depressies: soms zijn er heuse wolkbreuken. Toch blijft de herfst een aangename periode voor rustige wandelingen zonder de mensenmassa van het hoogseizoen.

WINTER

Meestal relatief zacht en zonnig, al zijn de geduchte windvlagen van de mistral bepaald koud. Sneeuw valt er maar uiterst zelden, behalve in hooggelegen gebieden zoals de Mont Ventoux, waar geskied wordt. In de winter draaien de molens volop en wordt de olijvenoogst tot kostbare olie geperst. Wie in december komt, beleeft een Provençaalse kerst met markten vol *santons*, een nachtmis en aan tafel de 'dertien nagerechten' *(zie blz. 38)*.

LENTE

De Atlantische depressies zijn opnieuw van de partij (meestal minder hevig dan in de herfst) en wisselen af met mooie, bijna zomerse dagen. Blijf echter op uw hoede, want de mistral kan hevig tekeer gaan (neem een extra 'wolletje' mee). In de Camargue begint het seizoen van de feria's (van maart tot september), de ideale periode dus om naar een arena te trekken of een uitstapje naar de calanques te maken.

TELEFONISCHE INFOLIJNEN

Météo France – ℘ 32 50 (€ 1,35/per gesprek + € 0,34/min.) - www.meteo.fr
Het weerbericht per departement – ℘ 0 899 71 02 gevolgd door het nummer van het departement (€ 1,35/per gesprek + € 0,34/min.)

Nuttige adressen

INSTELLINGEN

Comité régional de tourisme Provence-Alpes-Côte d'Azur – Maison de la Région - 61 la Canebière - CS 10009 - 13231 Marseille Cedex 01 - ℘ 04 91 56 47 00 - www.decouverte-paca.fr

Comités départementaux de tourisme
Bouches-du-Rhône – Le Montesquieu - 13 r. Roux-de-Brignoles - 13006 Marseille - ℘ 04 91 13 84 13 - www.visitprovence.com
Vaucluse – 12 r. du Collège-de-la-Croix - BP 50147 - 84008 Avignon

Cedex 1 - ☎ 04 90 80 47 00 -
www.provenceguide.com
**Agence de développement tou-
ristique des Alpes-de-Haute-
Provence** – Immeuble François-
Mitterrand - BP 170 - 04005 Digne-
les-Bains Cedex - ☎ 04 92 31 57 29 -
www.alpes-haute-provence.com

Toeristenbureaus
♿ De adressen van de toeris-
tenbureaus staan in de rubriek
'Inlichtingen' van het hoofdstuk
'De Provence onder de loep'.
Online: een schat aan informatie
over toerisme in Frankrijk op
www.franceguide.com

TOERISTISCHE INFORMATIE VOOR
MENSEN MET EEN HANDICAP

Bezienswaardigheden die toegankelijk zijn voor mensen **met een
handicap** zijn aangeduid met het
symbool ♿.

Toegankelijkheid van de
toeristische infrastructuur
Bekijk de bezienswaardigheden met het label **Tourisme et
Handicap** op de website www.fran-
ceguide.com, rubriek 'Voyageurs',
onderdeel 'Tourisme et Handicap'.
**Association Tourisme et
Handicaps** – 43 r. Marx-Dormoy -
75018 Paris - ☎ 01 44 11 10 41 -
www.tourisme-handicaps.org

Toegankelijkheid van
vervoersmiddelen
Trein – De gids *Mobilité réduite* is

gratis verkrijgbaar in de stations en
shops van de SNCF.
U kunt ook contact opnemen met
SNCF Accès Plus – ☎ 0 890 640 650
(€ 0,11/min., 7.00-22.00 uur) - www.
accessibilité.sncf.fr. Een gratis service voor gehandicapten, waarmee
u 48 uur van tevoren uw reis kunt
boeken op 350 stations in Frankrijk,
waarvan 25 in PACA.
Vliegtuig – Bij Air France kunnen mindervaliden gebruikmaken
van de dienstverlening **Saphir**
(☎ 0 820 01 24 24). Kijk voor meer
details op www.airfrance.fr.

Overnachten

☺ **Goed om te weten** – Online
reserveren kan bij de Comités
départementaux de tourisme en
bij sommige toeristebureaus die
verder ook interessante aanbiedingen voor korte trips hebben.

ONZE KEUZE

Onze keuze om te overnachten
vindt u onder het 'Adresboekje'
aan het eind van de beschrijvingen
van de belangrijkste plaatsen in
het hoofdstuk 'De Provence onder
de loep'.
De adressen zijn onderverdeeld
in prijscategorieën *(zie de tabel
hieronder)*. De vermelde prijzen
komen overeen met de hoogste en laatste tarieven voor een
tweepersoonskamer in het hoogseizoen.

PRIJSCATEGORIEËN				
	Overnachten		Uit eten	
	Platteland	Grote steden	Platteland	Grote steden
Goedkoop	€ 45 en minder	€ 65 en minder	€ 14 en minder	€ 16 en minder
Doorsneeprijzen	€ 45 tot € 65	€ 65 tot € 100	€ 14 tot € 25	€ 16 tot € 30
Wat meer luxe	€ 65 tot € 100	€ 100 tot € 160	€ 25 tot € 40	€ 30 tot € 50
Pure verwennerij	vanaf € 100	vanaf € 160	vanaf € 40	vanaf € 50

Hotels

We geven de prijs per nacht voor twee personen en de prijs voor het ontbijt wanneer die niet inclusief is. In sommige hotels is het restaurant ook toegankelijk voor mensen die niet in het hotel verblijven. Kijk voor een uitgebreidere keus in rode **Hotel-restaurantgids Frankrijk** van Michelin waarin hotels in heel Frankrijk worden aanbevolen.

Chambres d'hôte

De prijzen per nacht zijn inclusief ontbijt. In sommige gevallen wordt ook een **table d'hôte**, meestal een avondmaaltijd aangeboden, speciaal voor de gasten van het huis. Reserveren voor uw overnachting is van harte aanbevolen.

CAMPINGS

De **Guide Camping France** van Michelin biedt jaarlijks een selectie van de terreinen die regelmatig door de inspecteurs van Michelin worden gecontroleerd. In de gids staat praktische informatie over de klasse, prijs, voorzieningen, en of er bungalows, caravans of chalets worden verhuurd.

OVERNACHTEN OP HET PLATTELAND

Maison des gîtes de France et du tourisme vert – 56 r. St-Lazare - 75439 Paris Cedex 09 - ℘ 01 49 70 75 75 - www.gites-de-france.com. De organisatie informeert over logies in de verschillende departementen en publiceert gidsen over de mogelijkheden om op het platteland te overnachten (gîtes, chambres en tables d'hôte, camping à la ferme).

Fédération des Stations vertes de vacances et Villages de neige – BP 71698 - 21016 Dijon Cedex - ℘ 03 80 54 10 50 - www. stationverte.com. De 588 *stations* zijn geschikt voor het hele gezin. De stations staan bekend om de goede kwaliteit van hun voorzieningen, de hartelijke ontvangst en uitstekende organisatie.

🐝 **Goed om te weten** – In de Provence zijn acht gemeentes die het label 'Stations vertes de vacances' hebben gekregen: Aubagne, Beaumes-de-Venise, Bedoin, Forcalquier, Lagnes, Mallemort, Sault en Valréas.

Bienvenue à la ferme – Service agriculture et tourisme - 9 av. George-V - 75008 Paris - ℘ 01 53 57 11 50 - www.bienvenue-a-la-ferme. com. Hier kunt u per regio en per departement zoeken naar fermes-auberges, campings à la ferme en fermes de séjour.

OVERNACHTEN VOOR TREKKERS

www.gites-refuges.com en de gids *Gîtes d'étape et refuges* van A. en S. Mouraret, die online is te downloaden, zijn vooral geschikt voor liefhebbers van langeafstandswandelingen, bergwandelingen en -beklimmingen, skiën, toerfietsen en kanovaren.

JEUGDHERBERGEN

Stayokay – www.stayokay.com
VJH (Vlaamse Jeugdherbergcentrale) – www. vjh.be
Fédération unie des auberges de jeunesse – 27 r. Pajol - 75018 Paris - ℘ 01 44 89 87 27 - www.fuaj.org

🐝 **Goed om te weten** – Er zijn bij de FUAJ aangesloten jeugdherbergen in Arles, Cassis, Fontaine-de-Vaucluse, Manosque, Marseille en Tarascon.

Ligue française pour les auberges de jeunesse (LFAJ) – 67 r. Vergniaud - bâtiment K - 75013 Paris - ℘ 01 44 16 78 78 - www. auberges-de-jeunesse.com

🐝 **Goed om te weten** – Er zijn bij de LFAJ aangesloten auberges in Aix-en-Provence, Avignon, Carpentras en aux Saintes-Maries-de-la-Mer.

RESERVEREN

Fédération nationale des comités départementaux de tourisme (RN2D) – 74-76 r. de Bercy - 75012 Paris - ℘ 01 44 11 10 20 - www.destination-france. net. Overkoepelende organisatie, reserveringen per departement: hotels en chambres d'hôte, maar ook erkende verhuurbedrijven en korte thematische trips.
Fédération nationale Clévacances – 54 bd de l'Embouchure – 31022 Toulouse Cedex 2 - ℘ 05 61 13 55 66 - www.clevacances.com.

HOTELKETENS

Er zijn enkele eenvoudige, maar zeer betaalbare ketens (minder dan € 50 per kamer):
B&B – ℘ 0 892 782 929 (€ 0,34/min.) - www.hotel-bb.com;
Etap Hôtel – ℘ 0 892 688 900 (€ 0,34/min.) - www.etaphotel.com - **Formule 1** – www.hotelformule1. com.
Iets duurder (vanaf € 60 per kamer), met iets meer comfort en service:
Campanile – ℘ 0 825 003 003 (€ 0,15/min.) - www.campanile.fr;
Ibis – ℘ 0 825 880 000 (€ 0,15/min.) - www.ibishotel.com;
Kyriad – ℘ 0 825 003 003 (€ 0,15/min.) - www.kyriad.fr.

Uit eten

Een selectie van restaurants is opgenomen in de rubriek 'Adresboekje' in het hoofdstuk 'De Provence onder de loep'.
De adressen zijn onderverdeeld in prijscategorieën, op basis van de hoogste en laagste tarieven in het hoogseizoen.

ONZE KEUZE

We hebben diverse **restaurants** geselecteerd, zodat iedereen iets van zijn gading kan vinden. Uiteraard komt de streekkeuken aan bod, maar ook klassieke en gastronomische etablissementen, naast eenvoudige eethuizen.
Bij enkele **fermes-auberges** staan authentieke landbouwproducten op het (vaste) menu, dat wordt geserveerd in een gezellige sfeer. Reserveren verplicht! Wilt u meer keus? In de rode **Hotel-restaurantgids France** van Michelin worden restaurants in heel Frankrijk aanbevolen.

LABELS

Belangrijke plaatsen om te proeven
De **Vallée des Baux** (olijfgaard), **Beaumes-de-Venise** (muskaatwijn), **Châteauneuf-du-Pape** (wijn), **Apt** (gekonfijte vruchten) en de streek van **Forcalquier** (olijfolie uit Lurs, de aperitieven met aromatische planten en kaas uit Banon). Online: **www.sitesremarquables dugout.com**

Bistrots de Pays
Maak tijdens uw verblijf in de Provence (Luberon, Haut Vaucluse, Mont Ventoux, Pays de Forcalquier) kennis met de 'Bistrots de Pays'. In deze gezellige dorpscafé's staat voor een vriendelijke prijs dagelijks een ander menu op de kaart waarin veel streekproducten zijn verwerkt. Reserveer en kom op tijd, er is een beperkt aantal plaatsen beschikbaar. Zie **www.bistrotdepays.com** voor een compleet overzicht.

Villes de terroir
Diverse steden en dorpen zijn een verbintenis aangegaan met restaurants die regionale gerechten serveren. Menu's van € 15 tot € 25, een 'Assiette du Terroir' voor € 10 en een 'Petit Gourmet'-menu. Apt, Aubagne, Carpentras, Cavaillon, Martigues en Tarascon kunt u bezoeken in combinatie met een lunch onder de formule 'Journée Terroir et Patrimoine'. Meer informatie: **www.villes-de-terroir.com**

Wat is er te doen?

✆ Uitgebreid documentatiemateriaal over de diverse activiteiten is verkrijgbaar bij de **Comités départementaux** en de **Comités régionaux de tourisme** (*zie blz. 10*). Kijk voor meer adressen van bedrijven en organisaties onder 'Bezienswaardigheden' en 'Activiteiten' in de adresboekjes van de steden of de websites in deze gids.

ARCHEOLOGIE

DRAC Provence-Alpes-Côte d'Azur – Service régional de l'Archéologie - 21 allée Cl.-Forbin - 13100 Aix-en-Provence - ✆ 04 42 99 10 00.

😊 **Goed om te weten** – In mei publiceert het tijdschrift *Archéologia* een lijst met opgravingsterreinen waar ze vrijwilligers kunnen gebruiken.
Online: **www.archeologia-magazine.com**

BALLONVAREN

De Provence bekeken vanuit een heteluchtballon, onder meer boven de **Luberon**. Een lijst met erkende ballonvaarders is verkrijgbaar bij de plaatselijke toeristenbureaus.
✆ *Zie onder Gordes, blz. 434*

BERGBEKLIMMEN

Met ruim 200 km klimroutes is **Bouches-du-Rhône** het best uitgeruste departement van Frankrijk. Klimfanaten kunnen terecht in de bekende calanques en op de bergtoppen van de Sainte-Victoire, en daarnaast ook in het Massif de la Sainte-Baume, de Alpilles en de Garlaban. Verder bezit de **Vaucluse** fraaie rotswanden op de Dentelles de Montmirail, rond de Falaises de Buoux, Venasque, Fontaine-de-Vaucluse en Oppède-le-Vieux.
Club alpin français Marseille-Provence – 14 quai de Rive-Neuve - 13007 Marseille - ✆ 04 91 54 25 84 - http://cafmarseille.free.fr
Online: **www.ffme.fr**, kaart van de klimplekken in Frankrijk en technische beschrijvingen.

BOOTTOCHTEN

Boottochten en cruises op de **Rhône** en de kanalen van de **Petite Camargue**: inlichtingen respectievelijk in Avignon *(zie onder deze naam)* en Les Saintes-Maries-de-la-Mer *(zie onder deze naam)*.
Vertrek vanuit **Marseille** *(zie onder deze naam)* naar het Château d'If, de Îles du Frioul en de calanques; vanuit **La Ciotat** en **Cassis** *(zie onder deze namen)* naar de calanques.

BROCANTE

L'Isle-sur-la-Sorgue is internationaal bekend onder brocante-liefhebbers. Er zijn ongeveer 300 antiquariaten en talloze kunstateliers (vooral geopend in het weekend). Twee keer per jaar, met Pasen en op 15 augustus, is er een gigantische internationale markt met 500 antiek- en curiosaverkopers die duizenden bezoekers trekt. Helaas zijn de prijzen soms wel hoog. Voordeliger is de rommelmarkt Les Arnavaux in **Marseille** op zondag waar antiekwinkels te vinden zijn naast de gebruikelijke verkoop van primeurgroenten. Op de brocantes van **Villeneuve lez Avignon** (zaterdagochtend) en **Carpentras** (zondagmiddag) staan ongeveer vijftig handelaars (meubels, boeken en snuisterijen).

DUIKEN

Met ruim 250 duikplekken en meer dan 80 wrakken is de Provençaalse kust een geliefde bestemming voor deze sport. Duiken kan in **Marseille** *(zie onder deze naam)* en in de **Calanques** *(zie onder Cassis en La Côte Bleue)*, maar ook in het Parc naturel aquatique du Mugel bij **La Ciotat** *(zie onder deze naam)*.

🐚 **Goed om te weten** – Duikers kunnen **zes buitengewone plekken** verkennen: scheepswrakken zoals dat van de *Chaouen*, een Marokkaans vrachtschip dat schipbreuk leed bij het Île du Planier (voor de kust van Marseille); de *Drôme*, een wrak op 51 m diepte; of het in 1903 gezonken passagiersschip *Liban* voor het Île Maïre. Verder zijn er de natuurgebieden Les Impériaux, bekend om de enorme rode hoornkoralen; La Cassidaigne, een zone aan de voet van een vuurtoren op ongeveer 6 km van Cassis waar het krioelt van de vissen; of het Île Verte bij La Ciotat, een gebied boordevol vis en onderwaterflora.

Fédération française d'études et de sports sous-marins – 24 quai de Rive-Neuve - 13284 Marseille Cedex 07 - ☎ 04 91 33 99 31 - www.ffessm.fr

GOLF

Liefhebbers van de 'swing' hebben de beschikking over elf golfterreinen (9 en 18 holes) in de Bouches-du-Rhône (Aix-en-Provence, Allauch, Arles, Baux-de-Provence, Cabriès, Fuveau, Mallemort, Marseille, Miramas, Mouriès en St-Martin-de-Crau), en vier in de Vaucluse (Morières-lès-Avignon, Orange, Saumane en Vedène). De **golfpass Provence** biedt toegang tot 3 of 5 *greenfees* (geldig op 16 aangesloten golfterreinen in de regio). Online: **www.golfpass-provence.com**

INDUSTRIEEL TOERISME

Bezoekers kunnen terecht in de pastisstokerij Janot in **Aubagne**, de zeepziederij Marius Fabre in **Salon-de-Provence**, de calissons-fabriek Léonard Parli in **Aix** en een meloenenkas in **Cavaillon**. Een oud mijngebied bevindt zich in **Gréasque** *(zie Aix-en-Provence)*.

KANOËN EN KAJAKKEN

Op rivieren

In de Provence wordt op de **Sorgue** *(voir Fontaine-de-Vaucluse)* en de Rhône gekanood en gekajakt. **Fédération départementale de canoë-kayak du Vaucluse** – Maison départementale des sports - 4725 rocade Charles-de-Gaulle - 84000 Avignon - ☎ 04 26 03 17 25 ou 06 11 52 16 73 - www.canoe-paca.fr en www.kayak-avignon.fr

Op zee

Ontdek de **Calanques** met een zeekajak. Inlichten bij de toeristenbureaus. **Fédération départementale de canoë-kayak des Bouches-du-Rhône** – 109 av. Pierre-Mendès-France - BP 135 - 13008 Marseille - ☎ 04 91 76 51 41.

KOKEN EN OENOLOGIE

Kookcursussen

Geweldig in trek zijn de kookcursussen die bekende chef-koks organiseren. Meer informatie is te vinden op de websites van de diverse restaurants: Le Jardin de la Tour *(zie Avignon)*, La Chassagnette *(zie Camargue)*, Le Garage *(zie Martigues)*, Le Moment *(zie Marseille)* en hotel-restaurant La Fontaine *(zie Venasque)*.

🐚 **Goed om te weten** – De plaatselijke toeristenbureaus, zoals dat van Marseille, organiseren workshops of een kennismaking met de legendarische bouillabaisse.

In het glaasje

Het oenotoerisme zit in de lift, en dat geldt ook voor de workshops wijndegustatietechniek.

Meer informatie is te vinden bij de toeristenbureaus van de wijnbouwgebieden (Alpilles, Côtes du Rhône, Cassis, Dentelles de Montmirail).

Andere adressen zijn de Espace vin in Cairanne, de École de Dégustation in Mouriès en de chambres d'hôtes The Wine B&B in Châteauneuf-du-Pape *(zie 'Adresboekje' in Orange)* en het Maison de la Truffe et des Vins du Luberon van Ménerbes *(zie onder het Luberongebergte)*.

Verder zijn er de Académie du vin et du goût in Roquemaure, en de wijnuniversiteit van Suze-la-Rousse. En niet te vergeten: de wandelpaden die zijn aangelegd door wijnbouwgebied, zoals in het Domaine des Terres Blanches in Saint-Rémy-de-Provence *(zie onder deze naam)*.

LAVENDEL

Deze plant wordt massaal geteeld in de Haut Vaucluse, de Ventoux en de Luberon. Ter ere van de lavendel worden corso's gehouden in Valréas begin augustus en in Sault tot 15 augustus.

Les Routes de la lavande – www.routes-lavande.com. Beroepsorganisatie die in 1996 is opgericht om de lavendelproductie te ondersteunen. De organisatie geeft een **praktisch gidsje** uit en een kalender met arrangementen, workshops en activiteiten van de lente tot de herfst.

MARKTEN

De bekendste markten staan vermeld in het '**Adresboekje**' aan het eind van de beschrijvingen van de belangrijkste plaatsen in het hoofdstuk 'De Provence onder de loep'.

☺ **Goed om te weten** – Op een 'boerenmarkt' worden alleen producten van eigen oogst rechtstreeks aan de consumenten verkocht. Doorverkopen is verboden.

Truffelmarkten

Van half november tot half maart.
Carpentras – Vrijdag om 9.00 uur. Markt voor vaklui en een kleine markt voor particulieren.
Richerenches – Zaterdag om 10.00 uur. Groothandelsmarkt en kleine markt voor particulieren.

MEDIA

Kranten en tijdschriften

De belangrijkste regionale **dagbladen** zijn *La Provence* (www.laprovence.com) en *La Marseillaise* (www.lamarseillaise.fr) voor Bouches-du-Rhône, *Vaucluse Matin* (www.ledauphine.com) voor de Vaucluse en *Le Dauphiné libéré* (www.ledauphine.com) voor de Drôme en de Alpes-de-Haute-Provence. Van elke krant verschijnen diverse lokale edities.

Regionale **tijdschriften**: *Marseille l'Hebdo* (www.marseillelhebdo.com) is een weekblad dat zich richt op de actualiteit van Marseille; *Le Ravi* (www.leravi.org) is een satirisch maandblad dat zijn eigen licht werpt op de regionale realiteit; *Terre de Provence* (www.terreprovence-mag.com) is een tweemaandelijks tijdstrift met streekgebonden reportages.

Er verschijnen overigens ook **gratis kranten** met informatie over de actuele cultuur en uitgaansleven, zoals *Ventilo* (wekelijks), *Sortir Marseille Provence* (tweewekelijks), *À nous Marseille-Aix* (tweewekelijks), *César* (maandelijks), *Zibeline* (maandelijks) en *Trottinette* (maandelijks, vol informatie over wat er te zien en te doen is met de kinderen).

Televisie

France 3 Méditerranée (http://mediterranee.france3.fr), het regionale kanaal van France 3 besteedt veel aandacht aan de lokale actualiteit vooral tussen 19.00 en 20.00 uur, en **M6** gedurende de hele week 6 minuten zendtijd per dag aan de regionale actualiteit.

Via de sateliet en de kabel richt **La Chaîne Marseille** (www.lachaine marseille.fr) zich op de locale actualiteit en **Télé Locale Provence** (www.tlp.fr) bestrijkt heel Pays d'Aix, de Luberon en de Haute-Provence. Liefhebbers van voetbal (of beter gezegd van Olympique Marseille!) kunnen alle wedstrijden en laatste berichten over hun club volgen op **OM TV** (www.om.net).

Via internet zendt **Mativi Marseille** (www.mativi-marseille. fr) reportages uit over Marseille en omgeving.

Radio

De zenders van de Provence, **France Bleue Provence**, **France Bleue Vaucluse** en **France Bleue Drôme**, vallen allerdrie onder het netwerk van Radio France. In Marseille is een groot aantal locale radiostations, waaronder **Radio Grenouille** (88.8 FM, www. grenouille888.org), dat bijzonder wordt gewaardeerd om zijn muziekprogrammering en vrije geluiden, en **Radio Galère** (88.4 FM), een zender die zeer betrokken is bij de plaatselijke gemeenschap.

NOODNUMMERS

Politie – 🖉 17.
Brandweer – 🖉 18 of 112.
Ambulancedienst – 🖉 15.
SOS Médecins – 🖉 36 24 (€ 0,12/ min.).
Antigifcentrum – 🖉 04 91 75 25 25 (Marseille).

OP ZEE

Zeevissers hebben geen enkele vergunning nodig zolang de opbrengst voor persoonlijk verbruik is bestemd. Er bestaan wel voorschriften voor het vangen van **zee-egels**: dit is enkel toegestaan van november tot half april, maximaal vier dozijn per persoon, en alleen exemplaren groter dan 5 cm, zonder de stekels.

🐚 **Goed om te weten** – Vissen is verboden in de twee zones die beheerd worden door het **Parc marin de la Côte Bleue** (Carry-le-Rouet en Cap-Couronne).

Fédération française des pêcheurs en mer – Résidence Alliance, centre Jorlis - 64600 Anglet - 🖉 05 59 31 00 73 - www.ffpm-national.com

PLEZIERVAART

De meeste kustplaatsen hebben een haven met goede voorzieningen en speciale aanlegplaatsen voor bezoekers op doortocht.

De toeristenbureaus verstrekken inlichtingen over de kantoren van de havenmeester (*capitainerie*) en de plekken waar men voor anker kan gaan. Online: **www.ffports-plaisance.com**

RONDLEIDINGEN

In de meeste steden worden rondleidingen aangeboden. In de grote steden vaak het hele jaar door, in de kleinere steden meestal alleen tijdens het hoogseizoen. Informatie is verkrijgbaar via de toeristenbureaus, vergeet niet te reserveren als dat nodig is, in de zomerperiode zijn de rondleidingen snel volgeboekt.

🕯 Raadpleeg ook de rubriek 'Praktische informatie' bij de steden, in het hoofdstuk 'Onder de loep' waar rondleidingen staan genoemd die wij de moeite waard vinden.

Bovendien is het mogelijk een aantal steden en plaatsten in de Provence te bezoeken met een **audiogids**: deze zijn te beluisteren nadat u de MP3-bestanden via internet hebt gedownload op uw MP3-speler, iPod, walkman, Palm, mobiele telefoon enzovoort.

PocketVox – www.pocketvox.com. Hier kunt u een van de 9 audiorondleidingen downloaden (voor € 5) of een pakket met verschillende rondleidingen en wandelingen (voor € 15): het Pays aixois (Aix-en-Provence, de abdij van Silvacane, château de Lourmarin, een voordracht over het leven en werk van Paul Cézanne), de Alpilles (Arles, Avignon, Les Baux-de-Provence, opgravingen uit de oudheid en het klooster Saint-Paul-de-Mausole in Saint-Rémy), Avignon en de Luberon (Avignon, Fontaine-de-Vaucluse, Gordes en de *bories*, Roussillon met zijn okerrotsen).

Villes et Pays d'art et d'histoire

Onder deze door het ministerie van Cultuur en Communicatie toegekende titel vallen 149 steden en streken die hun architectuur en erfgoed actief verlevendigen en onder de aandacht brengen. Op dit moment zijn er drie steden in de Provence die deze titel hebben gekregen: **Arles**, **Carpentras** en **het graafschap Venaissin**.

Er zijn algemene en specifieke rondleidingen (van anderhalf uur of langer) door gidsen-vertellers en erfgoedambassadeurs. Ontdekkingstochten en workshops rond het thema erfgoed voor kinderen op woensdag, zaterdag en tijdens schoolvakanties.

Inlichtingen bij de toeristenbureaus van deze steden op **www.vpah. culture.fr**.

SOUVENIRS

Een keus van adressen van winkels en ambachtslieden staat vermeld onder de 'Adresboekjes' aan het eind van de beschrijving van de belangrijkste plaatsen in het deel 'De Provence onder de loep'.

Voor smulpapen

Zet uw tafel in het zonnetje en neem vooral enkele streekproducten mee terug naar huis. Het is moeilijk om verse producten, zoals meloen uit Cavaillon of aarbeien uit Carpentras, goed te houden tijdens een lange reis, maar er zijn heerlijke specerijen en verpakte regionale gerechten te koop in meeste delicatessenwinkels: bijvoorbeeld **tapenades**, **anchoïade**, **saucisson** uit Arles en **terrines de taureau** voor bij de borrel; **olijfolie** uit Nyons en de Vallée des Baux-de-Provence; **truffels** uit Carpentras en Richerenches om te verwerken in diverse gerechten; en de **ratatouille**, **rijst uit de Camargue** en **fijne spelt** uit Sault smaken prima bij vlees en visgerechten.

Liefhebbers van zoetigheid komen aan hun trekken met de **navettes** uit Marseille en de **croquants** van Arles, de **calissons** uit Aix-en-Provence, de **papelines** van Avignon, de **geconfijte vruchten** uit Apt, de **berlingots** van Carpentras en de **nougat** uit Saint-Didier en Sault. *Voor een selectie zie de 'Adresboekjes' bij elke stad.*

Ten slotte kunt u uw drankvoorraad aanvullen met de onvermijdelijke **pastis**, maar ook met wijn uit de talloze wijnkelders die de Provence rijk is.

Voor thuis

Aardewerk, keramiek en *santons* – **Aubagne** *(zie blz. 162)* is nog altijd het belangrijkste keramiekcentrum van de streek, waar naar eeuwenoud gebruik in meer dan 40 ateliers de kunst van de gebakken klei worden voortgezet. Er worden tuinartikelen verkocht (bloempotten), traditioneel gebruiksaardewerk (vaatwerk) en eigentijdse creaties.

Wie graag *santons* mee naar huis neemt om een Provençaalse accent te geven aan het interieur of de kerststal te decoreren, doet er goed aan die te kopen bij een van de vele ambachtslieden in **Aubagne**, **Aix-en-Provence** of **Marseille**, waar men meestal ook de werkplaats kan bezoeken.

Provençaalse stoffen – Overal in de winkels en op de markten zijn Provençaalse stoffen te vinden, gekleurd bedrukt katoen en geborduurde *boutis* (quilts) *(zie blz. 71)*. **Souleïado** (www.souleiado.com), is een van meest vooraanstaande merken, met winkels in Aix, Arles, Avignon, Baux-de-Provence, Marseille, Saint-Rémy, Saintes-Maries-de-la-Mer, Tarascon en Vaison.

Zeep – Dit traditionele en natuurlijke product komt weer in zwang. Het wordt verkocht in brokken van 600 g. (voor de puristen), in staven en als vloeistof, en wordt gemaakt met allerlei geuren (honing, lavendel, jasmijn, kaneel, enzovoort). Het is overal in de Provence te koop, maar in **Marseille** *(zie blz. 121)* is een winkel met een enorme keus en in **Salon-de-Provence** *(zie blz. 252)* betaalt u bij de twee zeepmakerijen die nog in bedrijf zijn de fabrieksprijs.

SPELEOLOGIE

De Calanques *(zie blz. 125)*, het Plateau d'Albion *(zie blz. 394)* en de streek van Fontaine-de-Vaucluse *(zie blz. 329)* staan bekend om hun talloze *avens* (grotten) en trekken veel liefhebbers van de speleologie. Voor informatie over de plaatsen die bezocht kunnen worden en een overzicht van de clubs die opleidingen en begeleiding bieden: **Comité régional de spéléologie Provence-Alpes** – LIPAM - Revers de la Sure - le Logis Neuf - 13010 Marseille - ☎ 06 81 52 90 53 - www.ffspeleo.fr.

TOERFIETSEN

'Accueil Vélo'
Dit kwaliteitslabel garandeert een optimale ontvangst van fietstoeristen. De brochure met alle adressen van hotels, restaurants en fietsverhuur kan gratis worden gedownload op de website van het Comité du Tourisme du Vaucluse: **www.provence-a-velo.fr**

Belangrijkste routes
Uitgestippelde routes: wie de voorkeur geeft aan vlak terrein, vindt vijf routes in de **Camargue** *(zie onder deze naam)*.
Het departement **Vaucluse** is een paradijs voor toerfietsers met een veertigtal routes en rondritten in de omgeving van de Dentelles de Montmirail, de Enclave des Papes, de wijngaarden van de Côtes du Rhône en de Luberon. De allerdappersten wagen zich aan de Mont Ventoux *(zie onder die namen)*.

Documentatiemateriaal
Bij het Comité départemental de tourisme is gratis een kaart verkrijgbaar met alle mogelijke fietsroutes (voor toerfietsen en mountain bikes) in de **Bouches-du-Rhône**. Het Comité départemental de cyclotourisme du **Vaucluse** publiceert een *cyclo-guide* met 35 routes. Deze gids en de *topogids Spécial V I I*, met 10 gemarkeerde fietsroutes op de Mont Ventoux, zijn gratis verkrijgbaar.
In de toeristenbureaus van de **Haut Vaucluse** is gratis de gids *Je me bouge* te verkrijgen met gedetailleerde informatie over 14 fietsroutes van 9,5 tot 45 km. Die zijn ook te downloaden via de site van de Association pour le développement du haut Vaucluse: www.hautvaucluse.com
Vélo Loisir en Luberon (☎ 04 92 79 05 82, www.veloloisirluberon.com), een lokaal initiatief, tipt drie gemarkeerde fietsroutes: 'Autour du Luberon à vélo' (236 km), 'Les Ocres à vélo' (50 km) en 'Le Pays de Forcalquier-montagne de Lure' (78 km). Deze organisatie adviseert

ook uitgebreid over het ondernemen van de tocht.

🐝 **Goed om te weten** – Wie de
afdaling van de Mont Ventoux wil
maken, moet de inspanning die dat
kost niet onderschatten; het is gevaarlijk en vergt serieuze voorbereiding.

TREKTOCHTEN TE PAARD

Niet alleen ervaren ruiters kunnen
genieten van de grote hoeveelheid mogelijkheden om er met
een paard op uit te trekken in de
Provence, en dan met name in de
Camargue *(zie blz. 240)*, het Pays
d'Aix *(zie onder deze naam)*, de
Luberon *(zie onder deze naam)*, de
Pays de Forcalquier *(zie onder deze
naam)* en de Montagnette *(zie onder
Tarascon)*. Er zijn talrijke centra en
boerderijen waar paarden te huur
zijn, voor een rondrit van een uur
tot trektochten van een week.
**Comité régional de tourisme
équestre de Provence** –
28 pl. Roger-Salengro - 84300
Cavaillon - 📞 04 90 73 24 63.
Online: routebeschrijvingen per
departement op **www.tourisme-
equestre.fr**

TREKTOCHTEN TE VOET

Belangrijkste wandelroutes
Er lopen talloze *sentiers de grande
randonnée* (GR) door de Provence.
De **GR 4** (Royan-Grasse) verbindt
de Atlantische Oceaan met de
Middellandse Zee via de Mont
Ventoux; de **GR 42** (Saint-Étienne-
Avignon) volgt het Rhônedal; de
GR 6 verbindt de Aquitanië met de
Alpen, volgt de loop van de Gard
tot in Beaucaire en duikt vervolgens
de Alpilles en de Luberon in. Langs
de noordkant van de Mont Ventoux
loopt de **GR 9**: deze route verbindt
de Jura met de Var, via het Plateau
du Vaucluse, de Luberon, de bergen
van de Sainte-Victoire en Sainte-
Baume. De GR 63, 653 (Camargue),

92, 97 en 98-51 (Calanques van
Marseille tot Cassis) zijn varianten
hierop.
Naast de GR bestaan er nog een
heleboel *sentiers de petite randonnée* (**PR**), wandelroutes van enkele
uren tot 48 uur.
**Comité régional de la randonnée
pédestre PACA** – 3 r. des Étoiles -
13090 Aix-en-Provence -
📞 04 42 38 28 84 -
http://paca.ffrandonnee.fr

Documentatiemateriaal
De Fédération française de randonnée pédestre publiceert *topogidsen*
(online te koop: www.ffrandonnee.
fr).
Het pakketje *Balades et randonnées en Provence* bevat 20 uitvoerig beschreven trektochten die
regelmatig een update krijgen. Het
wordt uitgegeven door het Comité
départemental du tourisme des
Bouches-du-Rhône.
Het Comité départemental du tourisme van de **Vaucluse** verstrekt
op aanvraag de brochure *Je me
bouge*, met 8 uitvoerig beschreven
trektochten en andere buitenacti-
viteiten.

🐝 **Goed om te weten** – Ook in de
verkeersbureaus, de toeristebureaus en de Parcs naturels régionaux zijn meestal gratis folders
van trektochten verkrijgbaar.

♿ Wie meer wil begrijpen van het
landschap, kan een trektocht met
begeleiding maken, met name in
Les Alpilles *(zie onder deze naam)*,
in de **heuvels rond Marseille in de
voetsporen van Pagnol** *(zie onder
Aubagne)* of in de **Luberon** *(zie onder deze naam)*.

Toegang tot de
bergmassieven
Om bosbranden tegen te gaan,
is de doorgang van personen en
voertuigen bij verordening van de
prefect binnen sommige bosgebie-
den aan strenge regels gebonden:
van 1 juni tot 30 september voor de

Bouches-du-Rhône; van 1 juli tot 30 september voor de Vaucluse.

Op basis van de weersvoorspellingen van Météo France publiceert de prefectuur dagelijks een kaart met het brandrisico per massief. Die kaart is dagelijks vanaf 19.00 uur te bekijken op de websites van de prefecturen. De informatie kan ook telefonisch worden opgevraagd:

Bouches-du-Rhône – ℘ 04 91 15 00 00 (receptie) et 0811 20 13 13 (stemcomputer in het hoogseizoen) - www.bouches-du-rhone. pref.gouv.fr

Vaucluse – ℘ 04 88 17 80 00 - www.vaucluse.pref.gouv.fr

Alpes-de-Haute-Provence – ℘ 0892 68 02 04 - www.alpes-de-haute-provence.pref.gouv.fr

♿ Verder verstrekken de **Syndicats d'initiative** en de **toeristenbureaus** ook inlichtingen.

Uitrusting

Zelfs wie een bewegwijzerde route volgt, doet er goed aan met een kaart of topogids op pad te gaan. Vergeet ook geen water, hoed en zonnecrème mee te nemen.

🐾 **Goed om te weten** – Teenslippers en sandalen zijn niet geschikt voor wandeltochten over de kiezelwegen en hobbelige straatjes in hooggelegen dorpen. Draag wandelschoenen die zijn aangepast aan de duur en het niveau van de tocht, blootsvoets lopen kan altijd na de wandeling.

VISSEN

Waarschuwing voor vissers

Op meren en rivieren

Houd rekening met de landelijke en plaatselijke regelgeving en koop bij een erkende hengselsportvereniging een visvergunning voor het lopende jaar in het departement van uw keuze. Betaal de vereiste belastingen of koop een dagkaart.

🐾 **Goed om te weten** – Wegens de vervuiling van de **Rhône** met pcb's mogen sommige vissoorten niet gegeten worden (elft, paling, lamprei, karper, meerval).

Fédération nationale de la pêche en France et de la protection du milieu aquatique – 17 r. Bergère - 75009 Paris - ℘ 01 48 24 96 00 - www.federationpeche.fr

Op zee

Zeevissers hebben geen enkele vergunning nodig zolang de opbrengst voor persoonlijk verbruik is bestemd. Er bestaan wel voorschriften voor het vangen van **zee-egels**: dit is enkel toegestaan van november tot maart, maximaal vier dozijn per persoon, en alleen exemplaren groter dan 5 cm, zonder de stekels.

🐾 **Goed om te weten** – Vissen is verboden in twee zones die beheerd worden door het **Parc marin de la Côte Bleue** (Carry-le-Rouet en Cap-Couronne).

Fédération française des pêcheurs en mer – Résidence Alliance, centre Jorlis - 64600 Anglet - ℘ 05 59 31 00 73 - www.ffpm-national.com

ZEILEN

Fédération française de voile – 17 r. Henri-Bocquillon - 75015 Paris - ℘ 01 40 60 37 00 - www.ffvoile. fr. Hier vindt u een lijst van alle zeilclubs die zijn aangesloten bij de FFV.

De FFV heeft een netwerk van **Points Plage FFVoile** (www.point plage.fr) opgezet waar 116 nautische centra bij zijn aangesloten die voordelige aanbiedingen hebben voor materiaalhuur, privélessen, zeil- en andere watersportcursussen (windsurf, catamaran, zwaardboot, kajak). Met de 'Pass'sensation' kunt u op drie plaatsen in de Provence een sport naar uw eigen keuze uitkiezen: 25 tickets (€ 92), 50 tickets (€ 170) of 100 tickets (€ 316).

CV Martigues – 18 bd Tourret de Vallier - 13500 Martigues - ✆ 04 42 80 12 94.

ASPTT Voile Marseille – Port de la Pointe-Rouge - 13008 Marseille - ✆ 04 91 16 35 93 - www.asptt-voile-marseille.com

Société nautique de La Ciotat – Nouveau port de plaisance - av. Wilson - 13600 La Ciotat - ✆ 04 42 71 67 82.

Martigues en **La Ciotat** dragen ook het label 'stations nautiques' omdat ze gegarandeerd de beste omstandigheden bieden om aan watersport te doen.

France Stations nautiques – 17 r. Henri-Bocquillon - 75015 Paris - ✆ 01 44 05 96 55 - www.france-nautisme.com

ZWEMMEN

Licht hellende stranden met fijn zand (La Ciotat) of wat steiler (Les Stes-Maries-de-la-Mer), rotsachtige kreekjes (de calanques, de Côte Bleue, Îles du Frioul), kiezelstranden (Marseille, Cassis, de Côte Bleue) en zelfs stranden met gras (Plage Borély bij Marseille)… er is voor elk wat wils!

Is het water schoon? Kijk op: **http://baignades.sante.gouv.fr**. Aan de kust bevinden zich enkele erkende naturistenstranden (Martigues, Fos-sur-Mer en Piémanson bij Arles).

Online : **www.onenaturism.com**

Met het gezin

In de hierna volgende overzichts-tabel is een aantal bezienswaardig-heden geselecteerd die u en uw kinderen zal boeien. U herkent ze in het hoofdstuk 'De Provence onder de loep' aan het pictogram ▲▲.

STAD OF PLAATS	NATUUR	MUSEA, TERREINEN	ONTSPANNING
Aix-en-Provence	Écomusée de la Forêt méditerranéenne (Gardanne)	Muséum d'histoire naturelle; Oud mijngebied (Gréasque)	Bezichtiging van een calis-sonfabriek; werkplaats van een santonnier
Alpilles		La Petite Provence du Paradou, molen van Daudet (Fontvieille)	Minitreintje Les Alpilles
Apt			Vrijetijdscentrum
Arles	Marais du Vigueirat		
Aubagne	Wandelroutes 'In de voet-sporen van Marcel Pagnol'	Musée d'Art sacré (Allauch)	Le Petit Monde de Pagnol
Avignon		Musée de l'Œuvre (palais des Papes); pont Saint-Bénezet	Boottocht op de Rhône, rondrit met een deuxche-veaux, toeristentreintje
Les Baux-de-Provence		Musée des Santons; château	
Calanques	Verkenning van de Calanques des Goudes en van Sormiou		Boottochten (vanuit Mar-seille, Cassis, La Ciotat)
Camargue	Parc ornithologique de Pont-de-Gau; stranden van Piémanson en Beauduc		Tochten te paard
Carpentras	Écomusée des Appeaux (Saint-Didier)	Musée de la musique mécanique (Mormoiron)	Bezichtiging van een confiserie
Cassis	Sentier découverte du Petit Prince		Toeristentreintje
La Ciotat	Basiscursus duiken		Parc OK Corral
Côte Bleue	Stranden van Sausset-les-Pins, Verdon en Sainte-Croix		'Train bleu' (toeristische TER-lijn)
Forcalquier	Centre d'astronomie de Saint-Michel		
Gordes		Village des Bories	
L'Isle-sur-la-Sorgue	Grotten van Thouzon		
Manosque	Maison de la Biodiversité		Plan d'eau des Vannades
Marseille	Stranden van Le Prophète, Prado en Pointe-Rouge	Muséum d'histoire naturelle; musée du Terroir marseillais; préau des Accoules; musée-boutique de l'OM en rondleiding in het Stade Vélodrome; musée du Santon M.-Carbonel	Boottochten naar het Château d'If, de Îles du Frioul en de Calanques; veerboot; 'Grand tour' met een bus; toeristen-treintje
Martigues	Grand Parc de Figuerolles		Miniport de l'Olivier
Mont Ventoux	Mountainbikeroutes		
Orange		Voorstelling in het Théâtre antique; Forteresse de Mornas (bezichtiging in oude klederdracht); Parc Alexis Gruss (Piolenc)	Tocht te paard
Roussillon	Sentiers des ocres	Conservatoire des ocres	Colorado Aventures (avonturenpark, Rustrel)

STAD OF PLAATS	NATUUR	MUSEA, TERREINEN	ONTSPANNING
Salon-de-Provence	Zoo de La Barben	Musée de l'Empéri; Musée Grévin de Provence; Maison de Nostradamus	
Sault	Centre de découverte de la nature		
Tarascon		Château royal de Provence; Espace Tartarin	Tocht te paard (Montagnette)
La Tour-d'Aigues		Musée de Géologie et d'Ethnographie (La Roque-d'Anthéron)	
Saint-Rémy-de-Provence		Musée des Alpilles	
Villeneuve lez Avignon	Parc du Cosmos	Musée du Vélo et de la Moto en Musée des Enfants (Domazan)	Parc Amazonia (Roquemaure)

Memo

Evenementen

Hier volgt een selectie vande belangrijkste evenementen in de
Provence. Een aantal daarvan is
opgenomen in het 'Adresboekje', in
het hoofdstuk 'De Provence onder
de loep'.

JANUARI

Aix-en-Provence en Marseille –
Herdersspelen in het Provençaals in
schouwburgen en kerken (de hele
maand).

FEBRUARI

Carry-le-Rouet (Côte Bleue) –
Oursinades (eerste drie zondagen):
degustatie van zee-egels in de
haven.
Carpentras – Feest van de truffel
en de wijn (eerste zondag) ter ere
van het zwarte goud.
Marseille – Feest van Maria-
Lichtmis in de Basilique Saint-Victor
(02/02): bedevaart naar Notre-
Dame-de-la-Garde en wijding van
de boten.

MAART-APRIL

Aix-en-Provence – Les Rencontres
du 9e art, stripfestival.

APRIL

Villeneuve lez Avignon – Fête de
la Saint-Marc (laatste weekend):
feest rond het thema wijn en wingerd.

PASEN

Arles – Feria pascale (van Witte
Donderdag tot Tweede Paasdag): in
het amfitheater, startschot van het
seizoen van de *aficionados* van het
stierenvechten.
L'Isle-sur-la-Sorgue –
Brocantemarkt (grootste van de
Provence, naast die van augustus).

MEI

La Nuit des musées –
Avondopenstelling van de Franse
musea (van zonsondergang tot
1.00 u 's nachts).
Arles – Fête des gardians (1 mei):
groot veehoudersfeest met processie.
Bouc-Bel-Air –Zeldzame en mediterrane planten in de Jardins
d'Albertas (laatste weekend).
Saintes-Maries-de-la-Mer –
Pèlerinage des Gitans (24 mei) en
Pèlerinage des Saintes (25 mei).

PINKSTEREN

Saint-Rémy-de-Provence –
Fête de la transhumance.
Weekend: feest van de seizoens-
trek van het kleinvee (geiten en
schapen), een van de beroemste in
Zuid-Frankrijk.

JUNI

Boulbon (Alpilles) – Procession
des bouteilles (1 juni), stoet met
alleen mannen, wijding van de
nieuwe wijn.
Salon-de-Provence –Historische
reconstructie (einde van de maand).
Tarascon – Fêtes de la Tarasque
(laatste weekend): groot volksfeest
rond een legendarisch monster.

JULI

Aix-en-Provence – Internationaal
festival voor de dichtkunst, een van
de meest prestigieuze van Frankrijk.

Arles – Pegoulado (vrijdag voor de eerste zondag van de maand): avondoptocht in traditionele klederdracht.

Avignon – Theater- en dansfestival. Sinds 1947 bekleden de beroemde 'In en Off'-festivals de eerste plaats van het Europese theaterseizoen.

Beaucaire – Fêtes de la Madeleine (tien laatste dagen), een historische herschepping van de middeleeuwse jaarmarkten.

Cavaillon – 'Melons en fêtes' (weekend voor 14 juli), de meloen staat centraal.

Châteaurenard – La charrette de Saint-Éloi (van de eerste zondag tot dinsdag).

Graveson – Fête de la Saint-Éloi (laatste weekend): optochten met praalwagens voor de patroon van de hoefsmeden.

Marseille – Festival de Marseille, hedendaagse dans en muziek. Mondial de pétanque (wereldkampioenschap jeux de boules) in het Parc Borély (begin juli).

Martigues – Fêtes de la mer et de la Saint-Pierre (eerste weekend), met wijding van boten.

Orange – Chorégies: opera's en symfonische concerten in het antieke theater. Een must voor de liefhebbers van het genre.

Saint-Maximin-la-Sainte-Baume – Fête de Sainte-Marie-Madeleine (zo. na 22 juli), in de basiliek.

Valréas – Cuvée du Marot (tweede zondag), 10.000 magnumflessen rode wijn worden uit de grotten van het kasteel gehaald, waar ze één jaar gerijpt hebben.

JULI-AUGUSTUS

Lacoste – Opera- en theaterfestival in de voormalige steengroeven van het kasteel van Markies de Sade.

La Roque-d'Anthéron, klooster van Silvacane – internationaal pianofestival (laatste week juli en drie eerste weken van aug.): vooraanstaande pianisten in een uitzonderlijke omgeving.

Villeneuve lez Avignon – Rencontres d'été de la Chartreuse, hoogstaande hedendaagse literatuur.

BEGIN JULI TOT HALF SEPTEMBER

Arles – Les Rencontres internationales de la photographie: vooraanstaand festival van de fotografie.

Cabrières-d'Avignon, L'Isle-sur-la-Sorgue, Goult, Roussillon en Abbaye de Silvacane – International festival van de Luberon voor strijkkwartetten.

Saint-Rémy-de-Provence – Festival Organa, in de Collégiale Saint-Martin, internationaal orgelfestival.

AUGUSTUS

Aubagne – Argilla (weekend na 15 aug., oneven jaren): keramiekfeest.

Carpentras – Festival voor joodse muziek (eerste week): herdenking van de geschiedenis van de Joden en de paus in de synagoge.

Châteauneuf-du-Pape – Fête de la Véraison (eerste weekend), feest van de wijnbouwers in middeleeuwse sfeer. Mag u niet missen!

Gordes – Festival Soirées d'Été (eerste helft aug.), in het Théâtre des Terrasses.

L'Isle-sur-la-Sorgue – Brocantemarkt (weekend van 15 aug.): samen met de paasmarkt de grootste van zijn soort in de Provence.

Salon-de-Provence – Festival de l'Empéri (eerste helft): solisten van de beroemdste orkesten.

Sault – Lavendelfeest (15 aug.): snijden van lavendel, markten, geurige optochten.

Tarascon – Médiévales (derde weekend van aug.), de stad in middeleeuwse sfeer (optochten, er worden historische gebeurtenissen nagespeeld).

Vaison-la-Romaine – Choralies internationales (eerste helft, om de drie jaar, de volgende is in 2013), meerstemmige koorzang in het antieke theater.

Valréas – Corso de la lavande (eerste zaterdag en maandag van aug.), optocht met praalwagens.

SEPTEMBER

Journées du patrimoine – Derde weekend van september. Twee dagen lang opent het Franse erfgoed zijn deuren: kastelen, musea, tuinen, monumenten en binnenpleinen, maar ook ongewone plekken.

Arles – Feria en rijstfeest (vrijdag tot zondag, begin sept.): onderdompeling in de tradities van de Camargue.

Cassis – Wijnfeest (eerste zondag): kennismaking met de beste witte wijnen van de Provence.

Manosque – Festival van de letterkunde 'Les Correspondances', gewijd aan de briefschrijfkunst.

Marseille – Marsatac, festival van de hedendaagse muziek (laatste weekend van de maand) in La Friche la Belle de Mai.

SEPTEMBER-OKTOBER

Roquevaire – Internationaal Orgelfestival (half sept.-begin okt.), een van de meest prestigieuze van Frankrijk.

OKTOBER

Marseille – La Fiesta des Suds, bijzonder populair feest van de wereldmuziek in en rond de haven.

Saintes-Maries-de-la-Mer – Pèlerinage des Saintes (weekend rond 22 okt.): bedevaart.

NOVEMBER

Tarascon, Gardanne – Markt met *santons*, kerststalpoppetjes (laatste weekend).

EIND NOVEMBER TOT EIND DECEMBER

Arles – Salon international des santonniers (santonmakers) in het Cloître Saint-Trophime (tot half jan.).

Marseille – Foire aux santons: de belangrijkste beurs van de streek, alle santonmakers zijn present.

DECEMBER

Aix – Markt van de dertien nagerechten (de week voor Kerstmis), voor traditionele lekkernijen.

Aubagne – Biënnale van de santonkunst (eerste weekend, even jaren), in een van de grote centra.

Istres – Herdersfeest (begin dec.): doortocht van de kuddes.

Mouriès – Feest van de nieuwe olie (eerste weekend), in de belangrijkste olieproducerende gemeente van Frankrijk (dal van Les Baux-de-Provence).

24 DECEMBER

Allauch – Nachtmis met herdersprocessies.

Arles – Traditionele kerstwake en nachtmis (Saint-Trophime).

Les Baux-de-Provence – Fête des bergers et messe de minuit.

Saint-Michel-de-Frigolet – Herdersfeest en nachtmis.

Saint-Rémy-de-Provence – Nachtmis met *pastrage* (herdersfeest).

Saintes-Maries-de-la-Mer – Nachtmis met offerande van de herders, veehouders, rijsttelers en vissers.

Séguret – Voorstelling van het hersspel *Li Bergié de Séguret*.

Tarascon – Nachtmis met *pastrage* (herdersfeest).

Leestips

ALGEMEEN, TOERISME

De Provence, de mooiste steden in beeld, H. Attlee, Veltman, 2003.
Markten in de Provence, D. Long, De Lantaarn, 1998.
Provence, Alpen-Côte d'Azur-Corsica (National Geographic), M. Paoli, Muntinga, 2004.
Provence & Côte d'Azur, R. Bakker Arbeiderspers, 2011.
Provence interiors, L. Lovatt-Smith, heruitgave door A. Muthesius, Benedikt Taschen Verlag, 1996.
Provence, kunst, architectuur, landschap, Könemann, 2000.
The French country table, Pottery and faience of Provence, B. Duplessy, Abrams, 2003.
Wat en Hoe Frans, Kosmos Taalgids, Z&K Uitgevers, 2004.

GESCHIEDENIS, KUNST EN TRADITIES

De beeldtaal van de christelijke kunst, J. van Laarhoven, Boom/SUN, 2003.
De natuur als atelier, Het Franse landschap van Corot tot Cézanne, L. d'Albis, Waanders, 2004.
Een culturele geschiedenis van Frankrijk, J. Noorman, Uitgeverij Olympus, 2004.
Langs de Route du Soleil, K. Kamphuis, Het Spectrum, 2007.
Paul Cézanne, N. Nonhoff, Könemann (reeks Kunstmini), 2005.
Romaanse kunst, R. Toman, Könemann, 1996.
Living in Provence, Dane McDowell, Thames & Husdon, 2003.

GASTRONOMIE

Aan tafel in Provence, C. Williams & D. Holuigue, Lantaarn, 2003.
Brieven uit mijn bastide. Gastronomische verkenningen in de Provence, L.M. Faber, Culinaire Boekerij.

Chez Bru, Fijne smaken uit de Provence, J.-P. Gabriel en W. Bru, Allmedia, 2003.
Heerlijk Frankrijk. Een smaakvolle ontdekkingsreis door Frankrijks vele wijnstreken, H. Duijker, Het Spectrum, 2001.
La France Gourmande. Een culinaire rondreis langs Franse markten en festivals, M. Charpentier, Culinaire Boekerij, 2004.
La Carte, Tafelwoordenboek voor de Franse keuken, R. Smits, Podium, 2002.
Smaken en geuren van olijfolie, O. Baussan, Schuyt, 2003.
Tables d'hôtes. Aan tafel bij Belgen in Frankrijk, E. De Decker & P. Jacobs, Lannoo, 2005.

FIETSEN EN WANDELEN

Fietswegwijzer Provence, G. De Graaf, Elmar, 2001.
Wandelgids Provence, G. Henke, ANWB, 2001.

LITERATUUR

Als een god in de Provence, verhalenbundel, Bruna, 2001.
De adem van Mistral. Een reis door de geschreven Provence, S. Van den Bossche, Atlas, 1999.
De fiets, de klas en de Provence..., Th. de Vos, Free Musketeers, 2007.
De geheimen van Marseille, E. Zola, Bigot & Van Rossum, 1993. (oorspronkelijk uit 1867)
De krekels van de Provence, Brieven uit mijn Mas, G. Durnez, Lannoo, 2004.
De man die bomen plantte, J. Giono, Van Arkel, 2001.
De misstap van pastoor Mouret, E. Zola, Wereldbibliotheek, 2005.
De olijventijd, De olijvenoogst, De olijfgaard, Carol Drinkwater, The House of Books, 2006.
De Provence. Reisverhalen, Pandora Atlas, 2003.
De truffelminnaar, G. Sobin, Anthos, 2001.

Een jaar in de Provence (2004), *Een goed jaar* (2004) en *Ontknoping in de Provence* (2003), P. Mayle, Het Spectrum.
Geuren van de Provence, Lady W. Fortescue, Forum, 2004.
Het theater van de wreedheid, Antonin Artaud, IJzer, 2008 (vertaald door Simon Vinkenoog).
Het treintje van de weemoed. Een wandeling in de Provence, R. Bakker, De Arbeiderspers, 2001.
Hier viel Van Gogh flauw, Frans dagboek, A.F.Th. van der Heijden, Querido, 2004.
Horizon Marseille, D. Niedekker en Harold Naayer, Elmar, 2000.
Joie de Vivre in de Provence, M. Leurs, Free Musketeers, 2011.
Passie voor de Provence, Y. Lenard, Het Spectrum, 2000.
Plat du jour, Tout va bien en *C'est la vie*, M. Bril & Bril, Prometheus, 2010.

Provençaalse sprookjes uit de reeks Sprookjes uit de Wereldliteratuur, Elmar, 2002.
Reisdagboek 1981, J.J. Voskuil, Dominicus, Gottmer/Becht, 2000.
Terug naar de Provence, F. Hébrard, Archipel, 1996.
Tijm, truffels & tuinen. Leven in de Luberon, A. Dingwall-Main, Het Spectrum, 2002.
Teringzooi (2002), *Chourmo* (2003), *Solea* (2004), *Misdaad in Marseille* (2005), *Eindpunt Marseille* (2007), J. C. Izzo, De Geus.
Marius; Fanny; César; Jean de Florette; Manon des Sources; Angèle; Topaze; La Gloire de mon père; Le Château de ma mère; Le Temps des secrets, M. Pagnol, verz. Le Livre de Poche (boeken van een uitgesproken Provençaalse auteur).

2/ DE PROVENCE ONDER DE LOEP

Olijfbomen in de Alpilles
G. Roland / Prisma/Age fotostock

Tradities en levenskunst

Het zomert, licht en zonnewarmte alom, sjirpende krekels en de zoete geuren van vijgenbomen. In het prieeltje is de tafel gedekt: fleurig laken in Provençaalse kleuren, een schaaltje olijven en koele, beslagen pastisglazen. Tijd voor het aperitief en voor een rondje sterke verhalen. De Provence is immers een streek van tradities waar petanque, corrida, bouillabaisse en aioli ritme geven aan het bestaan.

Vaste afspraken

Er zijn zo van die hardnekkige clichés. Zo zou elke Provençaal van nature lui en apathisch zijn. Vergeet het maar! Dergelijke gemeenplaatsen zijn niet van toepassing op het merendeel van de bewoners, die dezelfde bezigheden hebben als hun landgenoten in Parijs of Rijsel. Toch is het *dolce vita* niet ver weg, en dat heeft veel van doen met het milde klimaat, de geurige natuur en het blauwe water. En geloof al die plaatselijke zeurpieten maar niet: ze overdrijven.

SCHIETEN OF PLAATSEN

Van het centrum van Marseille tot het kleinste dorpje in het binnenland zijn nog altijd banen voor het jeu de boules te vinden, wellicht een van de best bewaarde tradities. De **petanquespelers** (petanque is *pieds tanqués*, onbeweeglijke voeten) en **longuespelers** (*longue*: Provençaals spel dat op een groter veld wordt gespeeld) betreden de arena en beginnen aan hun spel. De beoordeling van de afstand tussen ballen en *cochonnet* geeft aanleiding tot heftige disputen: met de grootste zelfverzekerdheid beweert elke speler over een onfeilbare ingebouwde meetlat te beschikken, om zich uiteindelijk neer te leggen bij de beslissing. Een niet te missen schouwspel!

NEMEN OF PASSEN

In de Provençaalse bars zitten er altijd wel enkele mannen te kaarten. Of ergens in een hoekje ligt er een

Saintes-Maries-de-la-Mer, festival van de *abrivado*
C. Moirenc / Hemis.fr

tapijtje te wachten op de volgende spelers. Plaatselijk wordt nogal vaak *belote contrée*, een soort klaverjassen, gespeeld. Om te winnen worden alle mogelijke troeven ingezet: pokerface bij het delen, spieken, concentratie verstoren, seintjes en gebaren, alles is toegelaten onder het motto: 'als je onder vrienden niet een beetje vals mag spelen, is er niks meer aan!' (Marcel Pagnol, *Marius*).

SIËSTA

Een moment waaraan niet mag worden getornd! Iedereen, groot en klein, jong en oud, houdt zich aan het ritueel van het 'middagdutje'. Als de hitte na het eten toeslaat, worden de luiken gesloten en dommelt het huis in. Alleen het scherpe gesjirp van de krekels is dan nog te horen. Maar ook hier past weer een kanttekening: de vele werknemers doen niet aan siësta, wegens tijdgebrek. Ze houden alleen siësta tijdens de vakantie.

'DROIT AU BUT'

Telkens wanneer de gelegenheid zich voordoet, zijn tienduizenden bewoners van Marseille present op de thuismatchen van Olympique Marseille, de mythische voetbalclub van de havenstad. Het tweejaarlijkse treffen met het team van de hoofdstad geldt zelfs als een klassieker. Olympique

Marseille schonk de Franse nationale ploeg enkele bijzonder getalenteerde spelers. De thuismatchen worden gespeeld in het Stade Vélodrome *(zie blz. 103)*, dat ook, als er geen wedstrijden zijn, druk wordt bezocht. De rondleiding achter de schermen wordt dan gegeven door een gids van het toeristenbureau.

Een vleugje folklore

WE DANSEN DE FARANDOLE ...

Provençalen zijn geboren feestvierders. Een topmoment breekt aan wanneer de eerste maten van de **farandole** weerklinken. Hand in hand laten de dansers zich meeslepen door de zesachtstemaat, terwijl virtuoze **trommelslagers** met de linkerhand de *galoubet*, een fluitje met een scherpe klank, bespelen en met de rechterhand trommelen.

IEDER ZIJN KOSTUUM

De prachtigste kostuums zijn nog steeds te bewonderen bij speciale vieringen. Een alom bekend voorbeeld is de **Arlésienne**, met haar sierlijke waaier, lange rok en lijfje met strak aansluitende mouwen. Op dit lijfje is een kunstig geplooide ruche van tule bevestigd, met daaroverheen een halsdoek van kant, wit of in een bij de rok passende kleur. De mannen houden het soberder: een wit hemd, aan de hals dichtgeknoopt met een fijn touwtje, soms een donker vest eroverheen, een linnen broek met brede rode of zwarte band en een breedgerande vilten hoed.

Kerst in de Provence

De Provençalen herinneren zich misschien niet altijd hun roots, maar met de kerstdagen sluiten ze zich weer massaal aan bij de eeuwenoude traditie. Van 4 december (Sint-Barbara) tot Lichtmis op 2 februari wordt hun leven bepaald door kleurige kerststallen, de kersttarwe (*blad de Calendo*), de feestmaaltijd en de feestelijkheden na het 'pastrage'-ritueel.

KERSTSTALLEN MET SANTONS

Als onvoorzien gevolg van de Franse Revolutie van 1789 werden de *santons* geboren. De kerken gingen dicht en dus verdwenen ook de kerststallen. Mensen gingen thuis kerststalletjes opzetten en om hen te helpen kwam een beeldensnijder uit Marseille, **Jean-Louis Lagnel**, die beeldjes maakte voor kerken, op het idee kerstfiguurtjes te creëren die hij voor een klein prijsje kon verkopen.

Uit ruwe klei boetseerde hij in een naïeve stijl bijbelse figuurtjes en Provençaalse typetjes, die hij liet drogen en daarna met waterverf in de bontste kleuren beschilderde. De Heilige Familie en de wijzen, de herders met hun schaapjes trokken samen op met de trommelaar, de scharenslijper, de molenaar, zigeuners, de blinde met zijn begeleider, de oudjes, Bartholomeus…

Weldra zette elk gezin zijn eigen stalletje op, een feest dat al de zondag voor kerst begon en waarnaar jong en oud lang hadden uitgekeken. In een miniatuurlandschap, vaak met kunst- en vliegwerk in elkaar geknutseld, trokken de santons in een lange stoet naar de stal van Bethlehem, om het Jezuskind (dat pas op 24 december om middernacht in zijn kribbetje werd gelegd) te aanbidden en geschenken aan te bieden – evengoed uien en vis als mirre en wierook!

☙ Zie ook: het Musée des Santons in Les Baux-de-Provence en tijdens de kerstperiode de santonmarkten in Marseille en Aix *(zie onder deze namen en de Evenementenkalender, blz. 26)*.

HET PASTRAGERITUEEL

De avond van 24 december begint traditioneel met de **cachofio**, het aansteken van de kerststronk, een taak voor de jongste en de oudste van het gezelschap. Samen wijden zij een boomstronk met gekookte wijn en brengen die naar de haard, terwijl ze de woorden uitspreken: *que l'an que vèn se sian pas mai, que siaguen pas mens* ('dat als we komend jaar niet met meer zijn, we tenminste niet met minder zijn'). Daarna steken ze het houtblok in brand. De familie kan nu aan tafel gaan. Deze is gedekt met drie tafelkleden, waarop drie kandelaars worden gezet (symbool van de Heilige Drievuldigheid) en drie schoteltjes met kersttarwe. Daarbij komen dertien broden. Het menu bestaat uit zeven gerechten, met bijpassende wijnen, en wordt afgesloten met de befaamde **dertien nagerechten**: studentenhaver (noten, hazelnoten, vijgen, amandelen en rozijnen), verse vruchten, de haardkoek en zwarte en witte noga.

Vele dorpen houden de traditie van de levende kerststallen nog in ere om de geboorte van Jezus uit te beelden. De nachtmis begint met **lou pastrage**: terwijl de priester het Kind in zijn kribbe legt, roepen de klokken de herders op. Begeleid door engelen en trom melaars verschijnen zij, met op een verlichte kar een lammetje dat zij aan Jezus aanbieden. Op dat ogenblik zetten trommels en fluiten kerstgezangen en oude Provençaalse liederen in, die door de dorpsbewoners in koor worden meegezongen.

VAN NIEUWJAAR TOT LICHTMIS

Op tweede kerstdag beginnen de **Pastorales**: de voorstelling van de zoektocht van Jozef naar een onderkomen voor de nacht. Na oud en nieuw, dat iedereen op 31 december in familiekring viert, komt het driekoningenfeest, de eerste zondag van januari. Bij die gelegenheid wordt de driekoningentaart gegeten, een krans van zoet brooddeeg met gekonfijt fruit, waarin een geroosterde boon verstopt zit.

Op 2 februari, 40 dagen na de geboorte van Christus, worden met Lichtmis de Zuivering van Maria en haar komst naar de tempel gevierd. Op het programma staan dan een processie met groene kaarsen, de zegening van het vuur en, in Marseille, het eten van *navettes*, kleine koekjes in de vorm van een bootje, waarmee de aankomst van de Maria's in de Provence wordt gesymboliseerd. Deze dag van vreugde sluit de kersttijd af, de stalletjes worden opgeborgen.

Traditionele stierengevechten

De Provençaalse stierengevechten hebben hun oorsprong in de Camargue, maar integreerden ook de Spaanse tradities. Zij zijn sterk verweven met de volksaard en geven tegenwoordig aanleiding tot zeer diverse feestelijkheden. Het bekendst is wel de feria van Arles. Overal brengen zowel de echte corrida's als de **courses camarguaises** gepassioneerde massa's op de been.

DE COURSES CAMARGUAISES

In het stierenseizoen heerst er onder de **manades** (kudden zwarte stieren, begeleid door witte paarden) een sfeer van uitgelaten spanning. Arles is de onbetwiste voortrekker in het land van de *bouvino*, maar ook in tal van andere steden is de corridakalender van april tot oktober goed gevuld. Hoogtepunt is de 'Gouden rozet' in juli; in oktober wordt het seizoen afgesloten met de trofee der *raseteurs*.

Grootse momenten zijn de **ferrades**, wanneer een jonge stier het brandmerk van de eigenaar 'ingeprent krijgt' met een gloeiend heet ijzer, de paardenrennen onder de *gardians* of veehoeders en de rozettenloop (*course camarguaise* of *libre*). Deze stierenloop, een karakteristieke traditie in de Camargue, was lange tijd voorbehouden aan boerenknechten. Later mocht iedereen zijn kans wagen. Tegenwoordig moet dit alles volgens vaste regels gebeuren en wordt er alleen nog in de arena 'gevochten' door beroepstoreadors.

SPAANSE CORRIDA'S

De Spaanse corrida werd in 1853 geïntroduceerd in Nîmes. Tegenwoordig heeft een *aficionado*, een fanatiek liefhebber van stierengevechten, het wel bijzonder druk: **corridas** (waarbij de stier gedood wordt), **novilladas** (gevechten met jonge stieren, de eerste stap in de carrière van een torero), en **corridas de rejón** (te paard) volgen elkaar van april tot september in hoog tempo op.

Buiten de arena ...

Elk jaar lokken de **ferias** van Arles duizenden liefhebbers. Dagenlang weerklinkt de vrolijke en meeslepende muziek van de *peñas* (fanfares), in de *bodegas* (bars) stromen wijn en pastis rijkelijk, op de bals worden *sevillanas* gedanst en tus-

---

KLEIN LEXICON VAN DE STIERENGEVECHTEN

Bannes: horens.

Bravo: koosnaam voor een agressieve stier.

Capelado: optocht van de *raseteurs* bij het begin van de rozettenloop.

Cocardier: de naam voor de vaak gecastreerde stier; *biou* kan ook.

Matador de toros: de 'stierendoder' die de genadestoot moet geven.

Simbèu: het getemde rund dat de kudde begeleidt en na afloop van de wedstrijd in de arena wordt gelaten om weerbarstige stieren terug naar de kraal te helpen leiden.

Raseteur: de man in hagelwit pak die de stier uitdaagt en de rozet tussen zijn horens probeert te bemachtigen.

Tenues blanches (withemden): de naam voor de *raseteurs*.

---

sen twee gevechten door proberen de supporters de stieren uit te dagen, die in de straten losgelaten worden. Vroeger galoppeerden de stieren naar het dorp waar de corrida werd gehouden, begeleid door veehoeders te paard. Vandaag worden zij met een veewagen gebracht, maar de *abrivado* (aankomst), *bandido* (vertrek) en *encierros* (het loslaten) van de stieren gaan traditioneel nog steeds met veel gejoel en tumult gepaard.

... en binnen

Als het grote moment is aangebroken, begint de corrida met een *paseo* (begroeting). De *picadores* voeren enkele passen uit en proberen vervolgens met hun lans de stieren op te peppen. Dan volgt de *torero*, die zijn *banderillo's* in de hals van het dier plant. Na trompetgeschal begint hij aan zijn 'dans' met de *muleta* (rode lap), die plechtig zal eindigen met de *estocada* (genadesteek). Als de matadors volgens jury en publiek goed hebben gevochten, krijgen zij de oren of de staart van hun slachtoffer als beloning.

Franse helden

Naast Spaanse en Zuid-Amerikaanse stierenvechters hebben enkele Fransen zich een plaatsje weten te veroveren op de affiches van de Provençaalse feria's. Christian Montcouquiol, bijgenaamd El Nimeño II, was lange tijd de enige die op een internationale carrière kon bogen, maar ook Juan Bautista en Mehdi Savalli uit Arles, en Patricia Pellen en Julie Calvière uit de Camargue zijn ook verdienstelijke toreadors.

Gastronomie

In de Provence is men dol op lekker eten. Brood, wijn en olijven zijn de basisingrediënten van deze rijke regio, naast zongerijpte groenten en fruit, dagverse vis, schaal- en schelpdieren en geurige, versgeplukte kruiden.

STREEKPRODUCTEN

Op de **markten** van de Vaucluse is er nooit een tekort aan groenten en fruit. De dorpspleinen, haventjes of schaduwrijke stadspromenades worden door een complete Provence-in-miniatuur. Producten uit de zee of van het land wedijveren met kunstnijverheid en stoffen, de kraampjes geuren en kleuren om het hardst onder de welluidend zangerige woordenvloed van de verkopers. Stads- en dorpsmensen komen er hun inkopen doen, maar vooral ook een paar aangename uurtjes doorbrengen, met de laatste nieuwtjes, een sappige roddel. ⚜ Legendarische markten zijn te vinden in Apt, Carpentras, Coustellet en L'Isle-sur-la-Sorgue.

Verschillende soorten paprika's
Solell Noir / Photononstop

Fruit en groenten

Jaar in jaar uit bieden de markten alle rijkdommen van de aarde. Uien, knoflook en liefdesappels (tomaten) krijgen steeds een ereplaats, maar er zijn ook altijd artisjokken, venkel, paprika's, courgettes, aubergines en asperges te vinden. De truffel komt uit de Vaucluse, de belangrijkste producent van Frankrijk.

In alle hoeken van de Provence puilen de manden uit van aardbeien uit Carpentras, (water-) meloen uit Cavaillon, kersen uit Remoulins, vijgen uit Marseille, perziken, peren en abrikozen uit de Rhônevallei en muskaatdruiven uit de streek rond de Mont Ventoux. Allemaal even sappig en zoet!

Olijven

In de dorpjes langs de olijvenroutes van de Baronnies (omgeving van Nyons en Buis-les-Baronnies), de Alpilles en Baux (twee routes waarlangs heel wat olijfmolens en zeepziederijen staan, *zie blz. 270*) zijn de olijven de onbetwiste heersers van de markten. Groen, bruin, zwart, soms bijna paars of rood:

tot de beste variëteiten behoren de **tanche** (olijf uit Nyons), heerlijk in de pekel; de **aglandau**, geperst om zijn olie; de **grossane**, een gezouten, vlezige zwarte olijf; de **salonenque** (olijf uit Les Baux), een groene variëteit die in geplette vorm wordt bereid, en de **picholine**, een fijne, langwerpige vrucht die in pekel wordt bewaard.

Tip: koop een potje **tapenade**. Deze mengeling van zwarte olijven, ansjovis en kappertjes (*tapèno* in het Provençaals), fijngestampt en overgoten met een scheutje olijfolie, is op een toastje of sneetje brood een overheerlijk aperitiefhapje of voorgerechtje.

Provençaalse kruiden

Geteeld of in het wild geplukt in de *garrigue*, in elke hoedanigheid verspreiden de Provençaalse kruiden hun subtiele geuren. Naast knoflook en olijfolie vormen zij de derde pijler van de Provençaalse keuken. **Bonenkruid** parfumeert bepaalde geiten- en schapenkazen; ratatouilles en grilgerechten kunnen niet zonder een vleugje **wilde tijm** (of *farigoule*) en een **laurierblaadje**;

PASTAGA

Pastis is al sinds de roaring twenties het Provençaalse aperitief bij uitstek. Befaamde huizen als *Ricard*, *Casanis* en *Janot* hebben dit mooi ogende en lekkere vocht tot onbetwiste koningin van de caféterrasjes gekroond. De *pastaga*, in alcohol geweekte groene anijs, steranijs, zoethout enzovoort, kan naar ieders smaak met meer of minder water worden aangelengd. Sommigen drinken hem puur in een klein likeurglaasje, anderen vragen een *mauresque*, een *tomate* of een *perroquet*, waarbij aan de pastis een scheutje amandelmelk, grenadine of munt wordt toegevoegd.

basilicum is niet alleen lekker in een tomatensalade, het kruid wordt ook met knoflook, olijfolie en parmezaan vermengd tot *pistou*; voor de befaamde *aigo boulido* moet **salie** in water gekookt worden waarna olijfolie en brood worden toegevoegd; **rozemarijn** kruidt groentegratins en vis, en bevordert als kruidenthee de spijsvertering; **gewone tijm** geeft een pittig smaakje aan konijn, groentesoep en tomaatgerechten; **jeneverbessen** horen bij paté en wild; ragouts vragen om **marjolein**, witte sausen om **dragon**; een visschotel wordt nog fijner dankzij **venkel**.

Vis en schaaldieren

Bij het ochtendgloren verschijnen op de markt en de visafslag de kisten vol ijs, waarop de geschubde vangst van de nacht ligt te blinken. Slank of met een dik buikje, plat of mollig, ze zullen allemaal hun weg vinden naar een bouillabaisse of *bourride*, of met een creatief kruidenpakje terechtkomen op een barbecue: tandbaars, zeewolf, brasem, harder, wijting, sardine, ansjovis, schelvis, poon, schorpioenvis, zeepaling, tarbot, knorhaan … Hun kleurrijk geschaalde gezelschap bestaat uit inktvis, langoest en zeesprinkhaan, maar ook tapijtschelpen, mosselen en **zee-egels** (vooral langs de Côte Bleue), palourdes, steenmossels en **platschelpen** (uit het zand van de Camargue), heerlijk met een pikante saus. Plus natuurlijk **poutargue**, kuit van harder, een specialiteit uit Martigues, die te- genwoordig vaak wordt ingevoerd uit Mauretanië, Senegal en Brazilië. Omdat de harder steeds zeldzamer wordt, blijft deze 'zeekaviaar' een luxeproduct.

Kazen

De Provençaalse kazen hebben duidelijk karakter. Een paar voorbeelden: de **tomme van schaap** (streek van Arles), of **van geit** (Vaucluse); of de **brousse**, verse geitenkaas met wei (Arles) of volle melk (Le Rove bij Marseille), die 'zout' kan worden gegeten met kruiden en olijfolie, of 'zoet' met vruchten.

ONDER DE PROVENÇAALSE ZON

Bouillabaisse

Twee essentiële sleutels tot succes: de keuze van de vis en de kruiderij. Naast de drie 'musts', schorpioenvis, poon en zeepaling, kunnen er ook zeewolf, tarbot, tong, knorhaan en zeeduivel of schaaldieren in. De **bouillon** wordt gemaakt met uien, tomaten, saffraan, knoflook, tijm, laurier, salie, venkel, sinaasappelschil en eventueel een glaasje witte wijn of cognac. Opdienen met een sneetje geroosterd brood en smullen maar! De kroon op het werk is de **rouille**, een saus op basis van Spaanse pepertjes, die het geheel kleurt en een (zeer) pikant smaakje geeft.

Aïoli

Een mayonaise gemaakt met olijfolie en een forse dosis geperste knoflook begeleidt voorgerechten, groenten en vooral de *bourride*, een vissoep.

Artisjokken à la barigoule

De toevoeging *barigoule* (champignon) verwijst naar de manier waarop de artisjokken worden gesneden voor dit gerecht, dat bereid wordt met witte wijn, knoflook, olijfolie en spekreepjes.

Soupe au pistou

Een zomerse soep met in blokjes gesneden groenten, op smaak gebracht met een saus van basilicum, fijngestampte knoflook en olijfolie.

Andere typische schotels

In de Middellandse Zee wemelt het van smakelijke bewoners, zoals knorhaan en zeewolf (lokale naam voor de zeebaars), die vooral heerlijk zijn wanneer ze met venkel of in wijnranken worden geroosterd. Vermeldenswaard zijn nog de **pieds-paquets à la Marseillaise** (poten en orgaanvlees van schapen, opgevuld en gestoofd), de **boeuf gardian** van de Camargue (in rode wijn met kruiden gestoofd rundvlees) of de **worsten van Arles**. Daarnaast zijn er tal van bereidingen met groenten als hoofdingrediënt: ratatouille, gratins (*tian*) en soepen, beignets en gevulde groenten.

ZOETE HAPJES

In een beschrijving van Provençaalse specialiteiten mogen zoete hapjes natuurlijk niet ontbreken: de gekonfijte meloenen en *papalines* van Avignon, de **calissons** van Aix (kleine amandelgebakjes, geparfumeerd met oranjebloesem en gehuld in glazuur), de **berlingots** ('kussentjes') van Carpentras, de **chichi frégi** uit L'Estaque (een dunne gefrituurde beignet bestrooid met suiker), de **navettes** uit Marseille, de *caladons* (amandelkoekjes), de chocoladebonbons of *tartarinades* van Tarascon, het **gekonfijte fruit** van Apt en de **noga** van Sault en Allauch.

WIJN

Vooral de **rode** soorten zijn verantwoordelijk voor de faam en de diversiteit van de Provençaalse wijnen. Veel of weinig body, strak of vriendelijk naar gelang van de herkomst. Hoe dan ook verbetert de kwaliteit voortdurend, onder meer dankzij een zeer strenge selectie van de wijnstokvariëteiten.

De côtes van het zuiden

Een van de grootste cru's binnen de appellation côtes-du-rhône is de **châteauneuf-du-pape**: donkerrood, met een fruitig, aards en peperig aroma, die beter wordt naarmate hij langer ligt. **Vacqueyras** produceert rode wijnen met veel body en elegante witte wijnen. De producten van de **Séguret**-wijngaard zijn koppig en geparfumeerd, die van **Cairanne** bevat-

---

DE GEWONNEN STRIJD OM DE ONVERSNEDEN WIJN

In 2009 ontbrandde er in Europa een hevige polemiek rond **roséwijn**, het symbool bij uitstek van de Provençaalse levenskunst! De ene partij werd gevormd door de voorstanders van zogenaamd 'versneden' rosé's. Deze methode, die wordt toegepast door nieuwe wijnlanden als Australië en Zuid-Afrika, maar die tot dan toe verboden was in Europa, bestaat erin rode en witte wijnen te mengen. De andere partij verenigde verdedigers van het traditionele fabricageproces, verkregen door korte maceratie van blauwe druiven; overigens een veel duurdere methode die wijdverbreid is in de Provence. Na wekenlang protest, met name van de Provençaalse roséproducenten, heeft de Europese Commissie uiteindelijk besloten af te zien van het toestaan van versneden rosé-wijnen.

ten veel tannine en moeten langer rijpen. De **gigondas**, die gedurende enkele jaren is gegist in eiken vaten, heeft veel weg van de châteauneuf-du-pape.

👣 *Zie de rondrit in de Côtes du Rhône (blz. 343).*

De rode wijnen van de **Côtes-du-Luberon** zijn licht en worden jong gedronken, de witte zijn frisser en fijner. De **Côtes-du-Ventoux** produceren tanninerijke rode wijnen met veel body, als de druiven gerijpt zijn op de meest blootgestelde hellingen. De lichtste wijnen worden als 'primeurs' gedronken.

Herkomstbenamingen

Cassis, gelegen tussen de heuvels van de Basse-Provence, produceert een droge witte wijn met een bijzonder fruitig aroma, en ook een rode variant die meer fluwelig is. Vlak bij Aix-en-Provence ligt de piepkleine wijngaard **Palette** (40 ha) die een zachte, tanninerijke rode wijn produceert, soms ook wel de 'bordeaux van de Provence' genoemd. De hellingen van **Aix-en-Provence** leveren warme, stevige rode wijnen en droge rosés. De producten van **Les Baux-de-Provence** moeten jong gedronken worden, zowel de witte en de rode als de rosé. De herkomstbenaming **côtes-de-provence** dekt een brede waaier van roséwijnen. Onder de talloze *vins de pays* ten slotte zijn die van de **Petite Crau** en van het prinsdom **Orange** van een uitstekende kwaliteit.

Zoete wijnen

Deze wijnen worden gemaakt door tijdens de gisting alcohol bij de most (gistend druivensap) te voegen. De meest smaakvolle zijn die uit **Rasteau**, amberkleurig of rood, en de **muskaatwijn van Beaumes-de-Venise**, met een mooie gouden kleur, rijk bouquet en aroma van bloemen en fruit.

DE TOPCHEFS VAN DE PROVENCE

Gérald Passédat

Gérald Passédat is al de derde generatie van een familie restauranthouders. Opa Germain stichtte het etablissement aan de Corniche in 1917. Kleinzoon en sterrenchef Jean-Paul verwelkomt de gasten, terwijl de zoon al ruim twintig jaar achter het fornuis staat. Gérald, die de stiel leerde bij Troisgros en Guérard, combineert familietraditie met raffinement en originaliteit. Op de kaart staan onder meer traditionele zeewolf 'Lucie Passédat', een hedendaagse versie van bouillabaisse naast dagverse vis. *Le Petit Nice* ligt hoog boven op de rotsen, twee schitterende villa's met uitzicht op zee. Een lunch of diner in dit restaurant is een heerlijke traktatie. Niet alleen voor de Marseillanen, want sinds het restaurant in 2008 een derde ster kreeg is de bijzondere reputatie nog groter geworden.

👣 *Zie 'Adresboekje' in Marseille.*

Christian Étienne

Al in zijn prille jeugd droomde Christian Étienne ervan kok te worden. Samen met zijn oma's en zijn mama bereidde hij heerlijke maaltijden voor het hele gezin. Hij zocht en vond een onderkomen in een historisch pand naast het Palais des Papes in Avignon, de stad waar hij geboren werd. Daar vergast deze meester-kok zijn klanten op heerlijke streekgerechten met de nadruk op Provençaalse groenten. Christian Étienne is een warmbloedige man die met veel verve zijn passie deelt met de rest van de wereld.

👣 *Zie 'Adresboekje' in Avignon.*

Édouard Loubet

Édouard Loubet werd geboren in de Savoye, maar vestigde zich lang geleden in de Provence, meer bepaald in de Luberon. Als jongste

EEN ONTDEKKINGSREIS NAAR TRUFFELLAND

In de **Vaucluse**, de grootste truffelproducent van Frankrijk, worden vooral **zwarte truffels** geoogst. Het seizoen van de goddelijke paddenstoel duurt van half november tot half maart. Een idee voor een uitstap!

Markt van Carpentras – Op vrijdag vanaf 9.00 u. Op deze markt voor beroepsmensen voeren verkopers en handelaars geheime prijsonderhandelingen rond jutezakken. Slenter door de straatjes van het oude Carpentras en kies een restaurantje dat truffel op het menu heeft staan. Zoek 's middags het gezelschap op van een *rabassier* (truffelteler) die alles af weet van de *cavage* (het zoeken van truffels). Logeren kan in een maison d'hôte te midden van de truffelgronden aan de voet van de Mont Ventoux. Meer informatie bij het toeristenbureau.

Zie ook 'De beste adresjes in Carpentras' (blz. 378).

Markt van Richerenches – Op zaterdag vanaf 10.00 u. Rustieker dan die van Carpentras. Eet een lunch met truffels in een van de restaurants van het dorp. Breng daarna een bezoekje aan de oude commanderij van de tempeliers en vertrek vervolgens richting Mont Ventoux, voor een wandeling langs de bewegwijzerde paadjes op de Reus van de Provence. Als er genoeg sneeuw ligt, is er zelfs mogelijkheid om te skiën op de noordhelling.

Zie ook 'De beste adresjes in Valréas' (blz. 352).

Franse sterrenchef stond hij eerst aan het hoofd van de Moulin de Lourmarin. Op dit moment toont hij zijn kunnen in de Bastide de Capelongue, een schitterende *mas* te midden van de *garrigue*. Hij leerde het vak bij Alain Chapel en Marc Veyrat, en past die solide basis toe in creatieve gerechten waarin hij de kleuren en geuren van de Provence combineert. Zijn favoriete hobby's zijn skiën, bergbeklimmen (hij is inderdaad een echte Savoyenaar) en tuinieren. In heel wat gerechten worden dan ook planten verwerkt.

Zie 'Adresboekje' in de Montagne du Luberon.

Reine Sammut

Reine Sammut, een dame uit de Vogezen, is een uitgesproken autodidacte. Aanvankelijk leek ze helemaal niet voorbestemd voor een leven achter het fornuis: ze wilde arts worden. Maar daar staken de liefde en de Provence een stokje voor. Ze stopte met studeren en liet zich door haar schoonmoeder inwijden in de geheimen van de mediterrane keuken. Ze ontdekte een nieuwe passie en, dankzij de onvoorwaardelijke steun van haar echtgenoot, begon ze die passie te delen met de lekkerbekken uit de streek. Een eerste eethuis in Lourmarin werd snel te klein en het gezin verhuisde naar het platteland, tussen lavendelvelden en olijfbomen. Inmiddels hebben haar vrolijke Provençaalse gerechten een stevige reputatie.

Zie 'Adresboekje' in de Luberon.

Geschiedenis

Lang voor onze tijdrekening zette de Provence zijn eerste aarzelende stappen op het pad van de 'Geschiedenis'. Het grondgebied ontstond niet als gevolg van een bestuurlijke indeling, maar uit een gezamenlijke levenskunst, uit samenleven in een regio waar Grieken, Romeinen en de graven van de Provence hun sporen nalieten. Van al die culturen zijn de Provençalen nu de trotse erfgenamen.

De oudheid

Geen enkele andere streek in Frankrijk heeft zo duidelijk de sporen van haar antieke verleden bewaard. De Romeinse invloeden zijn hier dan ook aanzienlijk sterker geweest dan in de rest van Gallië. Bovendien zijn de monumenten uitzonderlijk goed bewaard gebleven. Behalve de Romeinen hadden ook de autochtone Kelto-Liguriërs, de Etrusken en de Grieken een aandeel in de geschiedenis.

HET BEGIN: DE LIGURIËRS

In de bronstijd (1800 tot 800 v.C.) wordt de Provence bewoond door Liguriërs. Met hen vermengen zich de Kelten in de 7de eeuw al, maar vooral in de 5de en 4de eeuw. Zo ontstaan de **Kelto-Liguriërs**, die zich geleidelijk gaan vestigen op de hoogten, waar zij versterkte steden bouwen, de oppida. Zij wonen er in zeer eenvoudige huizen van natuursteen en ruwe baksteen, gebouwd volgens een regelmatig plan binnen een omheining, en houden zich hoofdzakelijk bezig met landbouw, veeteelt en jacht.

Tot de resten van deze beschaving behoren de beeldjes van dode krijgers, beschermhelden van de plaatsen. Een gebruik was ook in de deurlatei de hoofden van overwonnen vijanden te laten inmetselen, of minstens een gebeeldhouwde voorstelling.

Commerciële aanleg

De inwijkelingen uit Rhodos hebben weinig meer nagelaten dan de naam van de rivier (oorspronkelijk Rodhanos), de Etrusken hielden het bij beperkte handelsbetrekkingen. De **Phocaeërs** uit Ionië in Klein-Azië echter stichtten omstreeks 600 v.C. Massalia, nu Marseille. Langzaam maar zeker drong de Helleense beschaving door in het hele gebied, met onder meer als gevolg de ontwikkeling van de economie (invoering van geld) en van de samenleving (bouwtechnieken). In de 2de eeuw v.C. begonnen de verhoudingen tussen de autochtone bevolking en de Phocaeïsche vestiging te verzuren en het **verbond van de Saluvii** kwam in opstand tegen het 'imperialisme' van Massalia.

ROME SNELT TE HULP

In 154 bood Rome de Ionische kolonie zijn bescherming aan tegen het Gallische gevaar, en toen vanaf 125 het rijk der Averni zo machtig begon te worden dat het de

Vaison-la-Romaine : ruïnes van Villasse, het huis met de zilveren buste
C. Boisvieux / Hemis.fr

veiligheid bedreigde van Zuid-Gallië, dat een sleutelpositie innam in de handel tussen Italië en Spanje, aarzelden de Romeinse legioenen niet in te gaan op de hulpvraag van de Massalioten. Zonder veel problemen onderwierpen zij de Vocontii van Vaison en de Salluviërs van Entremont en nadat zij in 122 het kamp Aquae Sextiae (nu Aix) hadden opgezet, brachten zij de Averni en de Allobrogen een verpletterende nederlaag toe. De nieuwe provincie Gallia Transalpina werd in 118 door consul Domitius Ahenobarbus ingericht. Kort nadien werd zij omgedoopt tot **Gallia Narbonensis**, naar de eerste Romeinse kolonie (Narbonne), en kreeg ze het statuut van *Provincia Romana*. Vanwaar de naam Provence. Massalia behield, voorlopig, zijn autonomie en zijn grondgebied.

Alle wegen leiden naar Rome

Zodra ze in de Provence waren gevestigd, begonnen de Romeinen onmiddellijk met de bouw van een wegennet, waarvoor zij het tracé gebruikten van (vee)paden die de

Galliërs al hadden aangelegd. Bij de toegang tot steden kregen die wegen een bestrating, op het platteland werden zij bedekt met een compacte houtbedekking. Op regelmatige afstanden stonden mijlpalen en herbergen.

Drie grote Romeinse wegen liepen aldus door de Provence: de **Aureliaanse weg** (*Via Aurelia*) ging van de Rhône over Antibes, Fréjus, Aix, Salon-de-Provence naar Tarascon, waar hij aansloot bij de **Domitiaanse weg** (*Via Domitia*). Deze verbond Noord-Italië met Spanje via Briançon, Gap, Sisteron, Apt, Cavaillon, Tarascon, Nîmes, Béziers, Narbonne en Perpignan. Tot slot vertrok de **Via Agrippa** vanuit Arles, volgde de linkeroever van de Rhône en leidde via Avignon en Orange naar Lyon.

Marius en Caesar:
de Pax Romana

In 102 v.C. versloeg Marius de Kimbren en de Teutonen bij Aix, een zoete wraak voor de zware nederlaag die de Romeinse legioenen drie jaar eerder in Orange hadden geleden. Vanaf dat moment begon de onomkeerbare romanisering van het hele gebied met alle wantoestanden en plunderingen van dien. Gallia Transalpina vond snel zijn plaats in de Romeinse wereld en koos in de Gallische oorlogen (58 tot 51 v.C.) zonder scrupules de zijde van **Caesar**. In de persoonlijke strijd die de triomferende legeraanvoerder daarna tegenover zijn rivaal Pompejus plaatste, wedde Marseille echter op het verkeerde paard. De stad werd belegerd (49 v.C.) en veroverd, en verloor haar autonomie, net in de periode dat Narbonne, Nîmes, Arles en Fréjus aan hun opgang waren begonnen. De Gallo-Romeinse beschaving beleefde haar hoogtepunt tussen de 1ste en 3de eeuw, onder invloed van keizer **Augustus**, later ook van Antoninus Pius, die in Nîmes geboren werd. Landbouw bleef de hoofdactiviteit in de Provence, maar ook handel verrijkte de steden, vooral Arles, dat wist te profiteren van het verval van Marseille.

ZWANENZANG

Na de onzekerheden van de 3de eeuw brachten de volgende tweehonderd jaar grote godsdienstige en politieke omwentelingen. In de 3de eeuw kreeg de Provence een reeks invallen te verduren van Alamannen en Vandalen, waardoor de welvaart en de orde van de Pax Romana verloren gingen. De steden raakten in verval, het platteland verarmde en de mensen zochten weer de hogergelegen gebieden die ze drie eeuwen eerder verlaten hadden. Overal verrezen verdedigingswallen.

Het christendom (dat pas aan het eind van de 2de eeuw opkwam) triomfeerde over de andere godsdiensten na de bekering van **Constantijn**. Hij koos Arles als zijn lievelingsstad in het Westen en schonk haar onder meer een kei-

zerlijk paleis en thermen. Arelate (dat heel kort Constantina heette naar haar weldoener) werd een belangrijk commercieel centrum, waaronder meer textielnijverheid, goudsmeedkunst bloeien en sarcofagen, wapens en schepen werden geproduceerd. Ook politiek kreeg het een steeds grotere rol toebedeeld (hoofdplaats van de verschillende Gallia's in 395) en er werden niet minder dan 19 concilies gehouden. Deze bloei duurde tot 471, toen de Visigoten de stad veroverden. In diezelfde periode werd Marseille opnieuw een drukke haven, Aix was een groot bestuurscentrum.

Einde van de Gallo-Romeinse beschaving

De verovering van Arles door de Visigoten betekende het einde van de Gallo-Romeinse beschaving, ondanks pogingen tot herstel van de Ostrogoten die de Romeinse instituten tussen 476 en 508 weer in het leven riepen.

Het religieuze leven bloeide: in de steden van de Provence werden talloze concilies gehouden, die onder meer de oprichting van een school in elke parochie oplegden om de kerstening van het platteland te verzekeren. Bisschop **Caesarius** van Arles genoot een ongeëvenaard prestige in Gallië. Vanaf 536 maakte de Provence deel uit van het Frankische rijk en werd het, net als de andere landsdelen, heen en weer geslingerd tussen opvolgers en pretendenten van de Merovingische dynastie. Het verval ging sneller en sneller.

De eerste helft van de 8ste eeuw was een en al chaos en ellende: Arabieren en Franken maakten de regio tot een waar slagveld en tussen 736 en 740 onderwierp de **Karel Martel** de Arabieren op de meest wreedaardige manier.

In 855 kwam een koninkrijk Provence tot stand, waarvan het grondgebied ongeveer overeenkwam met het Rhônedal. Verzwakt door de aanvallen van Saracenen en Noormannen kon het nieuwe koninkrijk echter niet standhouden: het kwam in handen van de koningen van Bourgondië en het grondgebied (van de Jura tot de Middellandse Zee) werd onder de voogdij geplaatst van de Duitse keizers, die het in 1032 erfden. In dit fatale jaar werd de Provence keizerlijk gebied.

Chronologie

De Provence, gelegen op de kruising tussen de Franse en Italiaanse beschaving, heeft oorlogen en annexaties gekend, maar ook intense culturele en commerciële contacten. Grieken en Romeinen hebben duidelijk hun stempel gedrukt op de regio.

PREHISTORIE EN OUDHEID

Voor Christus
- **Omstreeks 6000** – Cardiumcultuur, naar het Latijnse woord voor de mosselschelp waarmee het aardewerk versierd werd; vindplaatsen in Châteauneuf-lès-Martigues en Courthézon.
- **Omstreeks 3500** – Chasséen: veeteelers-landbouwers vestigen zich in dorpen.

- **1800-800** – Bronstijd. De Liguriërs.
- **8ste-4de eeuw** – Geleidelijke vestiging van de Kelten.
- **Omstreeks 600** – Stichting van Massalia (Marseille) door de Phocaeërs.
- **4de eeuw** – Bloeitijd van Massalia; ontdekkingsreizen van Pytheas van Marseille naar Noord-Europa.
- **125-122** – Verovering van Zuid-Gallië door de Romeinen. Verwoesting van Entremont en stichting van Aix.
- **102** – Marius verslaat de Teutonen.
- **58-51** – Verovering van Gallia Comata door Caesar.
- **27** – Augustus organiseert Gallia Narbonensis.

Na Christus
- **284** – Gallia Narbonensis wordt verdeeld in de Narbonensis (rechteroever) en de Viennensis (linkeroever van de Rhone).
- **4de eeuw** – Bloeitijd van Arles. Oprichting van de bisdommen.
- **416** – Johannes Cassianus sticht de abdij St-Victor in Marseille.

GRAAFSCHAP PROVENCE

- **471** – De Visigoten veroveren Arles.
- **536** – De Provence wordt afgestaan aan de Franken.
- **843** – 843 – Verdrag van Verdun:

ELF BELANGRIJKE DATA
- **Omstreeks 600 v.C.** – Stichting van Massalia (Marseille) door de Phocaeërs.
- **58-51 v.C.** – Verovering van Gallia Comata door Caesar.
- **416** – Johannes Cassianus sticht de abdij St-Victor in Marseille.
- **536** – De Provence wordt afgestaan aan de Franken.
- **855** – Stichting van het koninkrijk Provence.
- **1032** – De Provence wordt ingelijfd bij het Heilige Roomse Rijk.
- **1316-1403** – Avignon wint aan belang als stad van de pausen.
- **1434-1480** – Koning René regeert.
- **1486** – De Provence wordt ingelijfd bij Frankrijk.
- **1791** – Avignon en het graafschap Venaissin worden ingelijfd bij Frankrijk.
- **Augustus 1944** – Bevrijding van Marseille door de geallieerden.

Lotharius krijgt de Provence, Bourgondië en Lotharingen.

- **855** – Stichting van het koninkrijk Provence ten gunste van Karel, derde zoon van Lotharius.
- **2de helft 9de-10de eeuw** – Herhaalde invallen van de Saracenen, de Noormannen en de Hongaren.
- **879** – Boso, schoonbroer van Karel de Kale, wordt koning van Bourgondië en de Provence.
- **1032** – De Provence wordt ingelijfd bij het Heilige Roomse Rijk. De graven van de Provence genieten echter een feitelijke autonomie.
- **1125** – De Provence wordt verdeeld onder de graven van Barcelona en Toulouse, en onderhoudt nauwe banden met de Languedoc. Men spreekt dezelfde taal (*langue d'oc*) en kent vergelijkbare zeden en gewoonten.

Na een langdurige strijd keren Catalonië en Toulouse zich tijdens de **kruistocht tegen de katharen** samen tegen de 'invallers' uit het Noorden. Met de nederlaag bij Muret (1213) verdwijnt echter alle hoop op een verenigd Occitanië.

- **Omstreeks 1135** – Vanaf het begin van de 12de eeuw worden de steden de belangrijkste lokale machtsfactoren. Zij kiezen consuls, die steeds meer macht krijgen, ten nadele van de vroegere heren (adel en geestelijkheid). In de loop van de 13de eeuw verkrijgen zij geleidelijk hun onafhankelijkheid.
- **1229** – De expeditie van Lodewijk VIII (beleg van Avignon in 1226) en het **Verdrag van Parijs** (1229) leiden tot de oprichting van het rechtsgebied Beaucaire; de rechteroever van de Rhône wordt koninklijk gebied, terwijl in het oosten de Catalaanse graaf Raimond-Bérenger V zijn gezag weet te handhaven en de Provence bestuurlijk organiseert. Zelf verblijft hij vaak in Aix.
- **1246** – **Karel I van Anjou**, broer van Lodewijk de Heilige, trouwt met Beatrix van Provence, dochter van de graaf van Barcelona, en wordt zelf graaf van de Provence. Hij zorgt voor meer veiligheid en een rechtvaardig bestuur, zodat de welvaart zich herstelt.
- **1248** – **1248** – Lodewijk de Heilige vertrekt uit Aigues-Mortes voor de zevende kruistocht.
- **1274** – Het graafschap wordt door de koning aan de paus afgestaan en krijgt de naam 'Venaissin'. In de eerste helft van de 14de eeuw zetten Karel II en Robert de Wijze van Anjou het beleid van orde en vrede voort.
- **1316-1403** – Avignon wordt de belangrijkste stad, waar bisschop Jacques Duèse, in 1316 als nieuwe paus Johannes XXII gekozen, zich vestigt. Overigens had ook Clemens V reeds in 1309 het graafschap als residentie gekozen, onder de 'bescherming' van de Franse koning. Johannes XXII werd opgevolgd door Benedictus XII, die eveneens in Avignon bleef en er een nieuwe pauselijke residentie liet bouwen. De aanwezigheid van de **pausen in Avignon** zorgde voor een buitengewone uitstraling.
- **1348** – Clemens VI koopt Avignon af van koningin Johanna I van Anjou. Voor de Provence begint nu een moeilijke periode. Hongersnood en pest, de plunderingen door de huurlingen en de politieke instabiliteit door het gebrek aan daadkracht van koningin Johanna (kleindochter van koning Robert, die in 1382 werd vermoord) verzwakten het land aanzienlijk. Na een bloedige opvolgingsstrijd stelde Lodewijk II van Anjou (neef van de Franse koning Karel V) in 1387 opnieuw orde op zaken. Het herstel wordt tijdelijk vertraagd door de intriges van de burggraaf van Turenne, die het gebied tien jaar lang (1389-1399) plundert en gijzelt. Pas in het begin van de 15de eeuw keert de definitieve rust terug.

● **1409** – Stichting van de **universiteit van Aix**, voortaan hoofdstad, met een seneschalk en een rekenhof (ambtenaren belast met het financieel beheer van het graafschap).

● **1434-1480** – Bewind van koning **René I de Goede**, die als jongste zoon van Lodewijk II van Anjou het graafschap erft bij de dood van zijn broer (1434). Zijn regering valt samen met een periode van politiek en economisch herstel dat zich over heel Frankrijk laat voelen. Als verlichte geest en liefhebber van poëzie en kunst haalt hij vele kunstenaars naar Aix, dat de fakkel van Avignon heeft overgenomen.

● **1450** – Jacques Coeur opent handelshuizen in Marseille.

● **1481** – Karel van Maine, neef van René van Anjou, schenkt de Provence bij testament aan Lodewijk XI.

DE STATEN VAN PROVENCE

● **1486** – De **Staten van Provence** ratificeren de aanhechting van de Provence bij Frankrijk.

● **1501** – Installatie van het parlement van Aix, soeverein gerechtshof, dat zich ook politieke privileges toe-eigende.

● **1524-1536** – De keizerlijke troepen van het Heilige Roomse Rijk vallen de Provence binnen.

● **1539** – Edict van Villers-Cotterêts waarmee het Frans als bestuurstaal wordt opgelegd.

● **1545** – **Slachtpartij onder de Waldenzen**, ketters in de Luberon.

● **1555** – **Nostradamus**, geboren in Saint-Rémy, publiceert zijn eerste voorspellingen (*Les Prophéties*).

● **1558** – Adam de Craponne, een ingenieur uit Salon, bouwt het kanaal dat zijn naam draagt.

● **1567** – De **Micheladeopstand** in Nîmes: 200 katholieke priesters en notabelen worden vermoord door hugenoten. Ondanks de slachtpartijen blijft het protestantisme zich verspreiden. De bolwerken bevinden zich vooral ten westen van de Rhône en in het prinsdom Orange. In de Provence schaart een meerderheid zich achter de katholieken, Languedoc-Cévennes schaart zich, aangevoerd door handelaren en textielverwerkers, aan de kant van de protestanten en kiest Nîmes tot hoofdkwartier.

SLACHTPARTIJ ONDER DE WALDENZEN

De waldenzische ketterij heeft haar oorsprong in de 12de eeuw, toen een zekere **Valdo** of **Valdès**, een rijke koopman uit Lyon, in 1170 een sekte oprichtte die armoede en de terugkeer naar het evangelie predikte, terwijl zij de sacramenten en de kerkelijke hiërarchie niet erkende. Sinds hun excommunicatie in 1184 werden de Waldenzen vervolgd als ketters.

De **hervorming** verspreidde zich in Zuid-Frankrijk dankzij bijbelverkopers en handelaars. Het protestantisme werd ondersteund door de populariteit van de waldenzische kerk, die vaste voet had gekregen in de dorpen van de **Luberon**. In 1530 werden zij door de Inquisitie 'ontdekt' en in 1540 sprak het in 1501 opgerichte parlement van Aix het 'arrest van Mérindol' uit tegen negentien ketters. Koning Frans I bepleitte een opschorting, maar toen de ketters in 1544 de **abdij van Sénanque** verwoestten, kreeg parlementsvoorzitter Meynier d'Oppède van de koning toestemming het bewuste arrest toe te passen en een strafexpeditie te organiseren. Van 15 tot 20 april 1545 werd in de dorpen van de Luberon een gruwelijk bloedbad aangericht: 3000 personen werden omgebracht en 600 anderen werden veroordeeld tot dwangarbeid.

- **1622** – Lodewijk XIII bezoekt Arles, Aix en Marseille.
- **1660** – Lodewijk XIV doet zijn plechtige intrede in Marseille.
- **1685** – Herroeping van het Edict van Nantes.
- **1713** – Door het **Verdrag van Utrecht** wordt het prinsdom Orange, sinds 1559 bezit van de familie Nassau, Frans grondgebied.
- **1720** – In Marseille breekt de pest uit, die zich verspreidt over de hele Provence en de bevolking uitdunt.
- **1771** – Het parlement van Aix wordt ontbonden.

VAN DE REVOLUTIE TOT VANDAAG

- **1790** – De Grondwetgevende Vergadering besluit het zuidwesten van Frankrijk in drie departementen op te splitsen: de Basses-Alpes, de Bouches-du-Rhône en de Var (met als respectieve hoofdplaatsen Digne, Aix-en-Provence en Toulon).
- **1791** – Avignon en het Comtat Venaissin bij Frankrijk gevoegd.
- **1792** – Vijfhonderd vrijwilligers uit Marseille marcheren door Parijs onder het zingen van een marslied van het Rijnleger, dat de *Marseillaise* zal worden.
- **1815** – Val van Napoleon. In Avignon wordt maarschalk Brune vermoord door fanatieke royalisten (Witte Terreur).
- **1854** – Oprichting van de Provençaalse literaire beweging Félibrige.
- **1859** – Frédéric Mistral publiceert het gedicht *Mireille* in het Provençaals.

- **1904** – Frédéric Mistral krijgt de Nobelprijs voor Literatuur.
- **1942** – Op 11 november vallen Duitse troepen de Provence binnen.
- **1944** – Op 15 augustus landen de geallieerden op de Zuid-Franse stranden. Tussen 23 en 28 augustus wordt Marseille bevrijd door het leger van **generaal Montsabert**, bijgestaan door het Franse verzet.
- **1965** – Begin van de bouw van het havencomplex van Fos.
- **1970** – De snelwegen A6 en A7 verbinden Marseille met Parijs. Aanleg van het Parc Naturel Régional de Camargue.
- **1977** – De eerste metrolijn in Marseille wordt in gebruik genomen. Aanleg van het Parc Naturel Régional du Luberon.
- **1991** – Ontdekking van de **Cosquergrot** met prehistorische rotsschilderingen in de Calanque de Sormiou (*zie blz.* 130).
- **1993** – **Olympique de Marseille** wint als eerste Franse voetbalclub een Europese beker.
- **1999** – Marseille viert haar 2600ste verjaardag.
- **Juni 2001** – Met de nieuwe TGV-lijn ten zuiden van Valence ligt Parijs op slechts 3 uur van Marseille en 2.40 uur van Avignon.
- **2007** – Aanleg van het Parc naturel régional des Alpilles.
- **2009** – De regio Provence-Alpes-Côte d'Azur, **PACA**, wil van naam veranderen (*zie kader*).
- **2010** – Aanleg van het Parc National des Calanques.

PACA: DE ZOEKTOCHT NAAR ERKENNING

Hoe heten de bewoners van de regio PACA? Pacaïens? Omdat de benamingen Bretons, Auvergnats en Lotharingers veel beter klinken, wil PACA ook een ander acroniem. In 2009 werd gestart met een overlegronde waarbij de bewoners de nodige denkrichtingen moeten aanreiken. De weg wordt lang en moeilijk, want de zes departementen die de regio vormen (Alpes-de-Haute-Provence, Alpes-Maritimes, Bouches-du-Rhône, Hautes-Alpes, Var en Vaucluse) moeten het onderling eens worden!

Marseille-Provence 2013: veelbelovend...

MARSEILLE... EN DE REST VAN DE PROVENCE

Op 16 september 2008 is Marseille geselecteerd als Culturele Hoofdstad van Europa voor 2013. Als dit even succesvol blijkt als in Lille (2004) zou de regionale hoofdstad kunnen uitgroeien tot een uitgelezen bestemming voor toeristen én investeerders. Binnen het projet 'Marseille-Provence 2013' worden de krachten gebundeld van 130 gemeenten met in totaal 2,2 miljoen inwoners in een regio die jaarlijks 10 miljoen toeristen lokt. Deze belofte tot samenwerking in naam van de cultuur vormt een enorme uitdaging voor een gewest dat van oudsher verdeeld is door traditionele wedijver, zelfs binnen hetzelfde politieke kamp. Doel van het project: streven naar evenwicht tussen economische groei en culturele ontwikkeling.

WORK IN PROGRESS

'Met dit project willen we Marseille en de Provence laten uitgroeien tot een uitgelezen plek voor dialoog tussen de Europese culturen en de partners in het Zuiden. Ook na 2013 moet de regio een trefpunt blijven voor kunstenaars, geleerden, leraars en leerlingen, voor kennisoverdracht en het genereren van ideeën.' Tot zover de intentieverklaring van Bernard Latarjet, voormalig directeur van La Villette in Parijs en huidig bestuurder van 'Marseille-Provence 2013'. Ondertussen krijgen de grote lijnen vorm. Zo zijn eminente onderdelen van het project de oprichting van tien euromediterrane instellingen, een totale investering van 570 miljoen euro (MuCEM, Silo en Cité des arts de la rue in Marseille, Grand Saint Jean in Aix-en-Provence, Centre international de la photographie in Arles...); de lancering van grote volksfeesten die ook na 2013 zullen worden gevierd; de organisatie van tentoonstellingen en festivals.

EEN NIEUWE ADEM?

Na jaren van economisch en cultureel verval heeft de regio Marseille sinds het eind van de jaren 1990 het lot in eigen handen genomen. De hoop leeft dat 'Marseille-Provence 2013' een katalysator zal zijn voor echte verandering, want ondanks de vele geografische en demografische troeven mist deze hoofdstad nog altijd een internationale dimensie. De uiteenlopende actoren die meewerken aan de voorbereiding van het feestelijke evenement hebben al enkele zwakke plekken blootgelegd waarvoor dringend een oplossing moet worden gezocht: Marseille heef nog altijd huisvestingsproblemen en een groot gebrek aan werkgelegenheid. Verder blijven de stadsreiniging en het openbaar vervoer heikele aandachtspunten.

TWIJFELS NA HET ENTHOUSIASME?

Er is echter al heel wat ophef ontstaan doordat het vermoeden bestaat dat er heel wat culturele subsidie is doorgesluisd en vooral erkende structuren worden ondersteund. Deze negatieve gevoelens zijn versterkt nadat Toulon in december 2010 was afgehaakt en projectleider Bernard Latarjet eind maart 2011 het veld moest ruimen voor Jean-François Chougnet. De niet-erkende organisatie 'Marseille 2013' is al bezig met een alternatief festival waarbij talloze ontevreden en genegeerde kunstenaars zich bij hebben aangesloten.

Economie

Revolutie in de landbouw, versnelde industrialisering, ontwikkeling van het massatoerisme, onstuitbare verstedelijking: de laatste vijftig jaar onderging de Provençaalse economie ingrijpende veranderingen. De eeuwenoude deskundigheid bleef desondanks onaangetast. In 2013 zal Marseille als Culturele Hoofdstad van Europa in het middelpunt van de belangstelling staan. Wordt het een springplank voor de toekomst?

De 'tuin van Frankrijk'

Het aandeel van de **voedingsmiddelenindustrie** in de Provençaalse economie is groot. In de Bouches-du-Rhône zijn er ruim 250 bedrijven met meer dan 10 werknemers (in een dertigtal firma's werken ruim 100 mensen).

Dankzij het zachte klimaat gedijen **groenten** en **fruit**, met voorop courgettes (meer dan de helft van de nationale productie), slasoorten, meloenen, komkommers, asperges, kersen en aardbeien. Daarnaast geeft de vruchtbare grond van de Provence ook rijke oogsten van **tarwe**, maïs en koolzaad. In de Camargue wordt **rijst** geteeld.

Er worden nog steeds **schapen** gefokt, maar dan omwille van het vlees, dat meer winst oplevert dan wol. De kuddes moeten nu genoegen nemen met de schrale begroeiing van *garrigues* of de omgeving van La Crau en vaak enorme afstanden afleggen. In de zomer vinden zij hun toevlucht in de koelte van Larzac of het gebergte rond Lozer, soms trekken ze zelfs naar de Alpen. Die seizoentrek is tegenwoordig wel gemotoriseerd!

De **visvangst** speelt nog maar een marginale rol in de economie van de streek en heeft zwaar te kampen met de watervervuiling. Enerzijds is er de kustvisserij (90%), anderzijds de zeevisserij (trawlers, lichtbakken en tonijnvisserij). Jaarlijks wordt 4500 ton sardines, ansjovis, makreel en paling naar de Provençaalse havens aangevoerd. Een veertigtal plaatselijke ondernemingen zorgen voor de behandeling, verpakking en verkoop van de vangst.

Ook de **wijnranken** doen het goed in de vlakten, waar heel wat gewone wijnen geproduceerd worden, die de vergelijking met de côteauwijnen niet kunnen doorstaan. Onder de algemene appellation 'côtes-du-rhône' zijn er inderdaad betere soorten.

Aan fijne geuren en aroma's geen gebrek: sommige **Provençaalse kruiden** groeien in het wild (tijm, rozemarijn, bonenkruid), andere worden zorgvuldig geteeld (basilicum, marjolein, dragon). **Lindebomen** leveren de kostbare bloempjes die, gedroogd, een rustgevende kruidenthee (tisane) opleveren, en ten slotte is er de **amandelboom**.

DE GEUR VAN LAVENDEL

Als een paarse mantel groeit **lavendel** op de zonovergoten kalkrijke bodems van het **Plateau de Sault**. Na de bloei worden de bloempjes gedroogd en daarna gedistilleerd om zo het aromatische extract te verkrijgen (slechts 1 liter van 100 kg bloempjes!) dat in parfums wordt verwerkt.

🔊 **Idee voor een geurig weekend** – Onontbeerlijk: een auto. Wie met de trein reist, kan een auto huren in de stations van Avignon of Orange. Neem uw intrek in een maison d'hôte en ga de eerste dag op ontdekking naar **Sault** (*zie onder deze naam*), de bakermat van de industriële distilleerderij. Doe 's ochtends inkopen in het Maison des Producteurs. Lunch met streekgerechten in een restaurant of ferme-auberge. Neem 's middags een kijkje op de tentoonstelling over lavendel in het Centre de découverte de la nature, en in de distilleerderij van Le Vallon en de zeepziederij Brunarome. Volg de 'Chemins de lavande', een 4 km lange wandeling door de lavendelvelden. Ga de volgende dag naar het zuiden. Volg de route van de Gorges de la Nesque en maak een tussenstop bij de bedwelmende lavendelvelden voor de abdij van Sénanque (*zie onder deze naam*). Breng de rest van de middag door in het **Musée de la lavande** van Coustellet (*zie blz. 419*). Hier eindigt een weekend vol heerlijke geuren.

Toekomstperspectieven

De **haven van Marseille** is de grootste haven van Frankrijk en de Middellandse Zee en de op vier na grootste van Europa. De enorme haveninstallaties strekken zich uit over een afstand van 50 km tussen Marseille en Fos-sur-Mer. Aardolieproducten vertegenwoordigt twee derde van het scheepvaartverkeer, terwijl de **petrochemische industrie** bij het Étang de Berre goed is voor bijna 30% van de jaarlijkse Franse productie van ruwe aardolie.

Centra voor onderzoek en ontwikkeling kwamen tot stand in Marseille (Parc scientifique du Luminy, Technopôle in Château-Gombert), Avignon (Agroparc) en Aix (Europôle de l'Arbois). Andere groeikernen zijn Eurocopter in Marignane (de grootste producent van helikopters in de wereld), Comex in Marseille (wereldleider in de onderwaterindustrie) en Gemplus in Gémenos (wereldleider op het gebied van computerchips).

Het researchcentrum van Cadarache, toonaangevend op het gebied van nucleair onderzoek, is de bouwplaats van de experimentele kernfusiereactor ITER, wat door de voorstanders beschouwd wordt als een technologische uitdaging, en door de tegenstanders als een ernstige bedreiging voor het milieu. In ieder geval zal het door de komst van internationale onderzoekers een positieve invloed hebben op de economische groei.

Het in 1995 opgezette Euroméditerranée (*www.euromediterranee. fr*) is een grootschalig stedenbouwkundig project dat tot doel heeft het oude centrum van Marseille en de mediterrane kustlijn nieuw leven in te blazen. Het project omvat de renovatie van wijken, de bouw van nieuwe culturele centra en de inrichting van oude havengebouwen. De voltooiing is voorzien voor 2015.

DE KEERZIJDE VAN DE MEDAILLE

Hier en daar is het landschap ernstig aangetast door de grootscheepse industrialisatie. Zo strekt

HET VISSERSJARGON IN DE CALANQUES

Provençaalse woorden kleuren de taal van de **pescadous** (vissers):
Arapède: puntkokkel, een schaaldier in de vorm van een Chinese hoed die zich aan de rotsen vastklampt.
Esquinade: zeespin
Favouille: kleine krab
Fielas: zeepaling
Galinette: grauwe poon
Pourpre: inktvis
Supion: pijlinktvis
Totène: zeekat
Violet: zakpijp (aardappelvormig schaaldier, heerlijk van smaak)

het industriecomplex van **Fos-sur-Mer** zich steeds verder uit over La Crau, dat sinds het begin van de 20ste eeuw ook al ontsierd wordt door Europa's grootste vuilstortplaats, Entressen. Een Europese verordening beval de sluiting eind 2006, maar toch blijft het storten doorgaan, bij gebrek aan alternatief. Door de massale lozing van zoet water bedreigen de waterkrachtfabrieken dan weer het **Étang de Berre**, waar sinds 1957 vissen verboden is. Ook hier bestaan Europese plannen om het binnenmeer te saneren.

De **Rhône** blijft evenmin gespaard: onderzoek heeft aangetoond dat de rivier vervuild is met pcb's. Al sinds 2007 is het in verschillende departementen (waaronder de Bouches-du-Rhône en de Vaucluse) verboden om vis uit de Rhône en de afwateringskanalen te vangen, te eten en te verkopen. In 2009 werd dat verbod gedeeltelijk opgeheven, al zijn sommige organisaties van mening dat de vervuiling nog altijd niet is verdwenen.

HET PRESTIGE VAN DE PROVENCE

De Provence is een goed verkopend merk, zowel in Frankrijk als daarbuiten. De twee parels van de industrie zijn de bekende 'savon de Marseille' en olijfolie. Zeep uit Marseille vindt wereldwijd een afzetmarkt dankzij enkele vindingrijke merken die het product hebben gemoderniseerd (dat gaat van designverpakking tot agressieve marketingcampagnes die de zogenaamd heilzame werking benadrukken). Provençaalse olijfolie is niet meer weg te denken uit de keukens van topchefs. Zestig procent van de okerproductie is bestemd voor de export.

In Moskou en Londen heerst overigens een nieuwe mode: muren krijgen er een kleurrijke kalklaag, net als een Provençaalse mas. Een trendy restaurant in New York kreeg de naam 'Pastis'. Bepaald succesvol zijn ook de ballen van het petanquespel. Zelfs in het Australische Perth wordt jeu de boules gespeeld. Al blijft het een mysterie hoe de aussies hebben de *cochonnet* noemen (het buutje)!

Natuur en landschappen

Erosie, zeeschommelingen en tektonische krachten hebben de Provence in de loop der eeuwen gevormd tot wat het nu is: een geslaagd huwelijk tussen heuvelland, rotsachtige bergmassieven, de zee en gevarieerde kustgebleden. Over dat alles heeft Moeder Natuur een veelkleurig kleed gespreid. Deze zonnige streek ademt de geuren van tijm en rozemarijn en tooit zich met garrigue, olijven en pijnbomen, waar krekels de hele zomer lang hun lied laten horen.

Gevarieerde landschappen

VRUCHTBARE VLAKTEN...

De alluviale vlakten strekken zich vooral uit aan beide zijden van de **Rhônevallei**, bijvoorbeeld in het **Comtat Venaissin** en in de **Petite Crau**. Het zijn vruchtbare gebieden, waar vooral groenten worden geteeld op de regelmatige velden, door imposante cipreshagen beschermd tegen de mistral.

Op de linkeroever van de Rhône strekt zich de **Grande Crau** uit, een onmetelijke steenwoestijn met hier en daar wat magere plantengroei: de *coussoul*, het enige steppeachtige ecosysteem in Europa *(zie kadertekst)*.

Aan de overzijde van de stroom ligt de **Camargue** in een uitge-

---

S.O.S. COUSSOUL

Vanouds grazen grote kudden schapen in de Crau: vandaag zijn dat nog zo'n 150.000 dieren. Maar sinds de uitbreiding van de industriezone van Fos en de verbetering van de bodem is het landelijke karakter dat de charme van de streek uitmaakte een beetje verloren gegaan. Gelukkig is men zich daar meer en meer van bewust en worden er nu stappen ondernomen om de *coussoul* te redden. In 2010 werd hier de **eerste 'réserve d'actifs naturels' van Frankrijk** gesticht, die tot doel heeft 357 hectare verlaten boomgaarden in hun oorspronkelijke staat terug te brengen. Als tegenprestatie moeten de promotoren voor elke andere vorm van exploitatie voortaan financieel bijdragen aan het herstel van het ecosysteem in de Crau. Op termijn moet dit eerste project elders in Frankrijk navolging krijgen. Ondertussen heeft men de handen vol met de schoonmaak na de ecologische ramp van 7 augustus 2009. Als gevolg van een gebarsten pijpleiding stroomde toen 4000 m³ aardolie weg in de natuur.

strekte delta. Eindeloze, zanderige moerassen (*sansouires*) tussen land en zee, die uitnodigen tot een verkwikkende galop (de toegang tot de delta is meestal gereglementeerd).

... EN RUWE HOOGTEN

Ten oosten van de Rhône domineert het indrukwekkende **massief van de Mont Ventoux** de laagvlakte. Op de uitlopers verheffen zich de fijngetande pieken (*dentelles*) van Montmirail. Nog meer naar het oosten ligt het **Plateau de Vaucluse**, een uitgestrekt karstgebergte, uitgehold door talrijke karstpijpen en grotten, waardoor een netwerk van onderaardse riviertjes stroomt. Tegen de grillige glooiingen van de langgerekte **Luberonketen** hangen charmante dorpjes. Strakker rijst het gebergte van de **Alpilles** op, met zijn schrale, steile hellingen en zijn grillig uitgesneden kam. Als we oostwaarts verder reizen, zien we het silhouet van de **Montagne Ste-Victoire**, eveneens doorkliefd met karstpijpen en grotten, dat over Aix lijkt te waken. De Chaîne de l'Estaque of **Côte Bleue** is naar de kust gericht en vormt een natuurlijke barrière tussen het Étang de Berre en de baai van Marseille. Aan de horizon verrijst het langgerekte rotsachtige massief van **Ste-Baume**.

GRILLIGE WATERLOPEN

In het westen storten de Ardèche en de Gard zich van de Cévennes in de Rhône, in het oosten zijn het de Aigues, de Ouvèze en de Durance die in de Alpen ontspringen. Ze monden alle uit in de **Rhône**. In periodes van droogte zijn het onooglijke beekjes in veel te brede beddingen, maar als het gaat onweren, veranderen zij in indrukwekkende waterlawines. Zo steeg het peil van de Ardèche ooit in één dag met 21 m doordat de watertoevoer steeg van 2,5 m^3 per seconde naar 7500 m^3! De bijrivieren die uit de Alpen komen, zijn bijna droog in herfst en winter, maar zwellen plots sterk wanneer de sneeuw gaat smelten (de rivier Durance in de verhouding 1:180). De laatste vijftien jaar hebben de telkens terugkerende hoge waterstanden de lokale bevolking ertoe aangezet de bestemming van de omliggende velden te herzien.

DIEP INGESNEDEN KUSTEN

Tussen de kust van de Languedoc en de golf van Fos strekt zich het merkwaardige gebied van de Camargue uit. Het slib, gevormd door

---

MISTRAL

Deze beroemde wind (van *mistrau* of 'meester' in het Provençaals) waait uit noordwestelijke richting, met name vanaf de besneeuwde heuvels van het Centraal Massief, en duikt het Rhônedal in. Zijn hevige rukwinden vegen alle wolken van de hemel en reinigen de bodem (boeren noemen de wind *mangio-fango* of 'moddereter'). Als de mistral echt raast, betekent het storm: op de Rhône ontstaan golven, meren worden bedekt met schuimkoppen, deuren en ramen klapperen en verplaatsingen worden bemoeilijkt. De mistral mag dan wel een driftig karakter hebben, hij is zeker niet haatdragend: de wind gaat weer net zo snel liggen als hij is gekomen en met een paar dagen is alles terug bij het oude.

In de Provence waaien nog zo'n dertig andere soorten wind, waarvan de meeste echter voornamelijk plaatselijk. Twee ervan zijn het vermelden waard: de **marin** uit het zuidoosten, die gepaard gaat met regen en mist, en de **labech** uit het zuidwesten, die onweer meevoert.

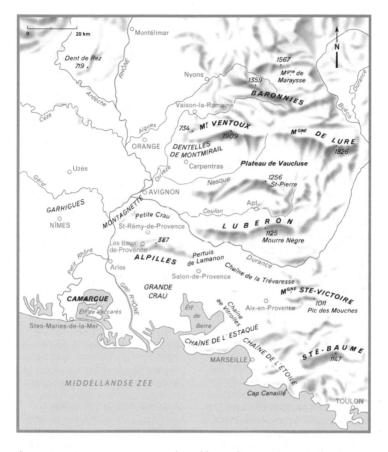

de zeestromingen en meegevoerd door de Rhône, heeft smalle kuststroken doen ontstaan waartussen **lagunes** ingesloten liggen. Zo ontstond een gebied van grote strandmeren met zandbanken.

Scherp contrasterend verschijnen vanaf de Estaque opnieuw kalkreliëfs. Van Marseille tot La Ciotat wordt een grillige kustlijn gevormd door een reeks kleine baaien en **calanques** (kreken), steile klippen die in de loop van de dag alle tinten van bruin tot oranjerood krijgen.

DE MIDDELLANDSE ZEE

Onder de vurige zonnestralen biedt het heldere water van de Middellandse Zee de prachtigste kleurenharmonie, van turkoois en smaragdgroen tot diep hemelsblauw. De oppervlaktetemperaturen van het water zijn ideaal voor zomerse zwempartijen (20-25 °C), maar halen in de winter nog nauwelijks 12-13 °C. Door de snelle verdamping ligt het zoutgehalte zeer hoog, het getijdeverschil is klein. Als de **mistral** opkomt, kan de waterspiegel echter in korte tijd veranderen in een kolkende watermassa.

Flora

ZILVEREN KRUINEN...

De olijfboom (zie blz. 324) werd 2500 jaar geleden door de Grieken ingevoerd en is nu heer en meester op de kalk- en kiezelhoudende bodem van de Provence. Het zachte mediterrane klimaat bevalt haar blijkbaar, want ze heeft zich ontwikkeld in meer dan zestig variëteiten. De brede, zilverkleurige kruinen vormen als het ware een trap van de kust over de vlakten naar de lagere hellingen. Olijfbomen groeien vaak in het gezelschap van **vijgenbomen** en **amandelbomen**, die vanaf de eerste zonnige dagen het hele landschap kleuren met hun rijke bloesempracht. Ook van de **eik** komen in dit gebied vele variëteiten voor, onder meer de donzige eik, die vooral gedijt in diepe dalen en op vochtige hellingen. Esdoorns, lijsterbessen en elzen komen vaak in dezelfde buurt voor. Onder hun gebladerte groeien tal van struiken, heesters en bloemen, onder meer orchideeën.

In de eerste plaats wordt het beeld van de Provence echter beheerst door het silhouet van **dennen**: de zeeden met zijn paarsrode schors en donkergroene naalden; de parasolden waarvan de sprekende vorm overal langs de kust te herkennen is en de aleppoden, lichter groen en minder dicht begroeid. Ook **cipressen** zijn onmiddellijk herkenbaar: donkere zuilen, scherp afgetekend tegen de azuurblauwe lucht, als naalden die de wolken willen prikken, soms dikbuikige piramiden, dan weer wijd vertakt, naargelang de soort. Ten slotte bewijzen ook **platanen** en **lotusbomen** hun nut als welkome schaduwbrengers.

... EN SCHRALE GARRIGUE

Rotsachtig terrein en schraal kreupelbos bedekken hier en daar kleine, zachtglooiende heuvels. Ten noorden van Nîmes is de *garrigue* sterker ontwikkeld, maar niet alle planten kunnen op de kalkrijke heidegrond voldoende voedsel vinden. Steeneiken, cistusroosjes,

minuscule kermeseiken, stekelige distels en brem vormen de plantengemeenschap in dit desolate landschap, terwijl ook lavendel, tijm en rozemarijn er een plaatsje vinden tussen de struiken waar de schaapskuddes hun kostje bij elkaar proberen te grazen.

Fauna

OP DE GROND

Letterlijk overal weerklinkt het snerpende 'lied' van de **krekel**, het Provençaalse insect bij uitstek. Zodra de eerste mooie dagen zon en warmte brengen, begint het mannetje met zijn verleidingspogingen en daar gaat hij de hele zomer mee door. Ook de **hagedis** houdt van warmte. Lekker lui ligt hij in de zon of verschuilt hij zich in rotsspleten. Twee veelvoorkomende soorten zijn de gevlekte hagedis en zijn kleinere neef, de groene hagedis. Allicht ontmoeten zij af en toe een veldslang, een wijngaardslak, een bidsprinkhaan of zelfs een wezel. Op de rotsachtige bodem van La Crau huppelen de **merinosschapen** van Arles, bij de seizoentrek aangevoerd door de *flouca's* (gecastreerde rammen), met hun grappige plukken blauwe en rode wol. Ook de grijze ezel en de **Rovegeit** zijn hier thuis.

In de Camargue leven niet alleen de bekende **zwarte stieren** en **witte paarden**, maar ook wilde zwijnen, moerasbevers, vossen en verschillende soorten kikkers.

DUIZENDEN VOGELS

Verder is de **Camargue** een paradijs voor een onvoorstelbaar rijke vogelpopulatie: gewone en zilverreigers, sternen, gewone meeuwen en zeemeeuwen, bontgekleurde eenden en, op de ereplaats, de flamingo, de elegante steltloper met zijn slanke silhouet. Op de klippen

Camargue-stierenfokkerij bij Le Sambuc
C. Moirenc / Hemis.fr

van de **calanques** vinden talrijke uilen, blauwe merels en gierzwaluwen een veilig toevluchtsoord. Valken en buizerds, maar ook uilen en hoppen geven de voorkeur aan de vlakten van La Crau, terwijl de arend en de grasmus over de garrigue cirkelen.

EEN GIGANTISCH AQUARIUM

De bodem van de Middellandse Zee is op sommige plaatsen ondiep, zanderig of slijkerig, elders rotsachtig en ongelijk, met klippen die loodrecht naar de diepte duiken. De koning van de zee, de **tandbaars** (sinds 1980 een beschermde soort) brengt de eerste vrouwelijke jaren van zijn leven door op de rotsachtige bodem van de kuststrook; later, eenmaal volwassen en man geworden, daalt hij af naar grotten op een veel grotere diepte. Een paar vissoorten van de **rotsachtige zones** zijn schorpioenvis, poon, zeepaling en moeraal, naast inktvissen, zeespinnen, diverse weekdieren en enkele zeldzame langoesten. In de **zanderige zones** leven rog, tong en schar, terwijl scholen sardienen, ansjovis en tonijn voor de kust zwemmen, samen met zeebrasem, zeewolf en harder.

Helaas voor de zwemmers: geregeld overspoelen **kwallen** de stranden en vaak prikken ze.

Zoetwatervis zoals de karper komt veelvuldig voor in de **Rhône** en de **Durance**, de forel zwemt in veel Provençaalse rivieren.

Milieu

VIJAND NUMMER EEN: VUUR

De grote liefde van de toeristen voor de Middellandse Zee en de Provence, maar ook de razendsnelle industriële ontwikkeling en verstedelijking van de regio betekenen een permanent gevaar voor het natuurlijke erfgoed. De grootste bedreiging vormen de **bosbranden**. Ongelooflijk veel hectares gaan elk jaar in rook op (met 25.300 ha was 2003 een van de grootste rampjaren voor de regio), door menselijke achteloosheid, onvoorzichtigheid of boze opzet.

In het droge seizoen zijn kreupelhout en dennennaalden een ideale
voedingsbodem voor het vuur.
Bepaalde planten scheiden zelfs
vluchtige stoffen af die spontaan
kunnen ontbranden. En als de wind
zich ermee gaat bemoeien, is de
ramp niet te overzien.

Ook al worden alle mogelijke middelen ingezet om de brand te
bestrijden, zij volstaan niet. Alleen
preventie (aanleg van brandwe-
gen, permanente waakzaamheid,
opruiming van het onderhout,
verwijderen van struikgewas rond
woningen, sluiting van de bossen of
bergketens in gevaarlijke perioden
enzovoort) en **publieksvoorlich-
ting** (voornamelijk aan toeristen)
kunnen tot echte resultaten leiden.
www.promethee.com is een
databank over bosbranden in het
Middellandse Zeegebied.

ANDERE BEDREIGINGEN

Massale verstedelijking die ten
koste gaat van de natuurlijke omstandigheden, kan tragische gevolgen hebben: zo werden Arles,
Vaison-la-Romaine en andere plekken in de Vaucluse getroffen door
ernstige, soms dodelijke **overstromingen**. Die verwoestende wa-
teroverlast maakt duidelijk dat het
veelbesproken milde klimaat van
deze regio een illusie is. Daarbij stelt

men vast dat de historische centra
van steden minder vaak getroffen
worden dan de nieuwe verstede-
lijkte gebieden.

Verder vereist het hand over hand
toenemende autoverkeer steeds
meer wegen, die door het landschap snijden en onophoudelijk
knagen aan de stukjes wilde natuur
die nog overblijven. Door de combinatie van luchtverontreiniging door
het autoverkeer en hitte behoort de
Provence tot de koplopers van de
Europese regio's die te maken hebben met **ozonvervuiling**.
www.airmaraix.com is de
website van de organisaties die
toezicht houden in de regio van Aix,
Marseille en Avignon.

BESCHERMDE GEBIEDEN

Gelukkig hebben enkele natuurgebieden ondertussen een beschermd status gekregen in het kader van de 'Parcs naturels régionaux
de Camargue, des Alpilles et du
Luberon', de 'Réserve de La Crau',
de 'Parcs régionaux marins de la
Côte Bleue en La Ciotat' en het 'Parc
national des Calanques' (opgericht
in 2011). Andere plekjes natuur-
schoon komen in aanmerking voor
bescherming in de nabije toekomst:
de Mont Ventoux, de Montagne
Sainte-Victoire en het Massif de la
Sainte-Baume.

Kunst en cultuur

Schoonheid is een bron van inspiratie: van de oudheid tot op de dag van vandaag heeft de Provence steeds blijk gegeven van een buitengewone kunstzinnigheid. Gallo-Romeinse monumenten verfraaien de steden. Eenvoudige romaanse kapellen liggen verborgen tussen de heuvels. Beroemde schilders lieten zich inspireren door de landschappen en de zuiverheid van het licht. Er is een rijke literatuur. Hedendaagse artiesten wagen zich aan alle denkbare disciplines. Kom kijken en volg de gids!

Architectuur

Oppida, bastides, antieke en romaanse monumenten: de goed bewaarde architectuur weerspiegelt de Provençaalse geschiedenis. Zowel op het platteland als in de stad is opvallend veel bewaard gebleven.

DE STAD IN DE OUDHEID

De Romeinen bouwden zelden een stad op uit het niets, zij gaven de voorkeur aan plaatsen waar eerder autochtone, min of meer vergriekste nederzettingen hadden gestaan. De stichting van een **Romeinse stad** gebeurde volgens vaste regels: eerst werd bepaald waar het centrum van de nieuwe stad zou komen, vervolgens werden twee hoofdassen getrokken: de *cardo maximus* (van noord naar zuid) en de *decumanus maximus* (van oost naar west). Met deze elkaar snijdende assen als basis werd een regelmatig raster aangelegd, waarvan de mazen theoretisch vierkante blokken vormden van 100 bij 100 m. Op enkele uitzonderingen na (Nîmes, Arles en Orange mochten bijvoorbeeld bij wijze van privilege omwallingen bouwen) bleven

de steden open: versterkingen waren immers overbodig in een gebied waar de **Pax Romana** heerste!

Het forum: hart van de stad

Rond het grote **stadsplein**, omgeven door zuilengangen, stonden de openbare gebouwen: de tempel voor de keizercultus, de basilica (geen tempel maar gerechtshof en commerciële ruimte), de curie waar de magistraten zetelden en, soms, een gevangenis. Kortom, wat vandaag de dag het **bestuurlijke centrum** van een stad zou zijn.

Drie bouwstijlen

De drie Romeinse bouwstijlen zijn afgeleid van de Griekse, maar een paar detailverschillen vallen toch op. De Romeinse **Dorische** stijl (ook wel Toscaanse stijl genoemd) diende als ondersteuning voor monumenten, maar werd omwille van zijn soberheid en massieve volume te streng gevonden. Ook de **Ionische** stijl, hoewel zeer elegant met zijn voluten aan beide kanten van de kapitelen, kon de architecten niet bekoren: niet pompeus genoeg vonden zij. De voorkeur ging dus naar de overvloedig versierde **Korinthische** stijl, te herkennen aan de dubbele rij acanthusbladeren, waartussen de voluten naar de kapitelen klimmen.

Doordachte stratenaanleg

Wandelaars kuieren in de schaduw van de **zuilengangen**, die hen meteen beschermen tegen de regen. De straten zijn voorzien van goten en groot plaveisel, en bovendien van 'stapstenen', die even hoog liggen als de stoepen zodat de voetganger moeiteloos kan oversteken. Dankzij de juiste onderlinge afstand wordt het ook paarden en karrenwielen gemakkelijk gemaakt.

Stadswoningen

Het indrukwekkendste pand was het grote **patriciërshuis**, sober en saai aan de buitenkant (alleen ramen onderbreken de kale muren), maar binnen rijkelijk versierd met mozaïeken, schilderingen, beeldhouwwerken en marmer.

Bogen

Beter dan 'triomfbogen' zouden deze Provençaalse bouwwerken 'stadsbogen' genoemd kunnen worden. Zo zijn ze in Orange, Les Antiques, Carpentras en Cavaillon een herinnering aan de stichting van de stad en aan de heldendaden van de legioenveteranen.
🚶 *Zie Orange, Les Antiques bij Saint-Rémy, Carpentras en Cavaillon.*

Water! Water!

Om het water naar de steden te brengen, bouwden de Romeinen aquaducten, zoals de monumentale Pont du Gard.
Een van de hoofdbedoelingen is waterbevoorrading van de **thermen**, een typisch Romeinse uitdrukking van verfijnde levenskunst. Een Romein gaat naar het badhuis om zich te ontspannen: kletsen met vrienden, wat lichaamsoefeningen, lezen, wandelen, naar een lezing luisteren.
Ondergronds zorgden een stookplaats en een **hypocaustum** voor warm water en een aangename temperatuur in de zalen. De warme lucht van de houtvuren werd via een buizensysteem door de wanden geleid, terwijl andere leidingen het water over de verschillende baden verdeelden.

In het circus en de arena

In het **circus**, een lang rechthoekig terrein met afgeronde korte zijden, werden wedrennen met strijdwagens en paarden gehouden. De bloedige gevechten van gladiatoren en wilde dieren vonden plaats in het **amfitheater**. Aan de buitenkant bestond dat uit twee verdiepingen met arcaden met daarboven nog een extra halve verdieping, de attiek. Hierop werd een enorm zeil (*velum*) bevestigd om de toeschouwers schaduw te geven. Binnen de arena was een muur gebouwd om het publiek op de eerste rijen te beschermen tegen de wilde dieren die in het strijdperk werden losgelaten. Hoger lagen de zitbanken (*cavea*), die toegewezen werden naar sociale klasse.

😊 Amfitheater of arena?

Amfitheater duidt op de volledige structuur, terwijl arena verwijst naar de piste.

Naar het toneel

De zitbanken in een Romeins theater vormden een oplopende halve cirkel rond de **orchestra**, waar de hoogwaardigheidsbekleders plaatsnamen. Achteraan op het hogergelegen **podium** stond een muur met drie deuren, waardoor de acteurs opkwamen. Vaak was deze toneelmuur het mooiste onderdeel van het gebouw: de versiering bestond uit zuilenrijen, nissen met beelden (dat van de keizer in het midden!), marmer en mozaïeken. Daarachter bevonden zich de loges van de acteurs, opslagplaatsen voor de attributen en een tuin waar de toeschouwers tijdens de pauze konden wandelen.
De acteurs konden via luiken verschijnen en verdwijnen, of ten he-

ABC van de architectuur

Klassieke bouwkunst

ORANGE – Romeins theater (begin 1ste eeuw v.C.)

Zijpoorten: ingang van de bijrolspelers

Koninklijke poort: ingang van de hoofdrolspelers

Toneelmuur *(frons scaenae)* waaraan de decors werden bevestigd

Boven elkaar geplaatste zuilenrijen

Foyer: ontvangstzalen voor de toeschouwers

Toneel *(scaena)* met houten vloer

Orchestra: deze was voorzien van verplaatsbare zitjes voor dignitarissen

Oplopende rijen voor de toeschouwers *(cavea)*, verdeeld in groepen *(maeniae)*

R. Corbel / MICHELIN

Het Romeinse huis

Een brede drempel geeft toegang tot de vestibule en de gang die naar het *atrium* **(1)** voert, een grote zaal waarvan het middendeel niet overdekt is *(compluvium)*. Het regenwater dat zo binnenvalt, wordt opgevangen in een uitgegraven bassin *(impluvium)*. Rond het atrium liggen de ontvangstruimte **(2)**, het *lararium* (huisaltaar) en het *tablinum* (kantoor) van het gezinshoofd. Van het atrium leidt een gang naar het *peristilium* **(3)**, een binnenplaats met groene planten, die het hart vormt van het privégedeelte van de woning. Aan dit rustige tuintje liggen de woonvertrekken, het *triclinium* **(4)** (eetkamer) en de grote zitkamer *(oecus)*.

R. Corbel / MICHELIN

Kerkelijke bouwkunst

VAISON-LA-ROMAINE: Plattegrond van de voormalige Cathédrale N.-D.-de-Nazareth (11de eeuw)

Deze kathedraal is een karakteristiek voorbeeld van de Provinçaals-romaanse bouwstijl. Het grondplan is geïnspireerd op de Romeinse basilica's en heeft een schip zonder transept en een halfronde apsis.

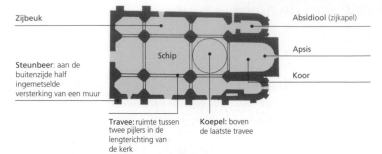

Zijbeuk

Absidiool (zijkapel)

Apsis

Steunbeer: aan de buitenzijde half ingemetselde versterking van een muur

Schip

Koor

Travee: ruimte tussen twee pijlers in de lengterichting van de kerk

Koepel: boven de laatste travee

Doorsnede en opstand van een Provençaals-romaanse kerk

Dit schema toont de twee meest voorkomende Provençaals-romaanse kerktypes.

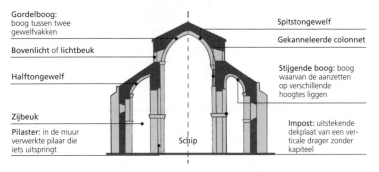

Gordelboog: boog tussen twee gewelfvakken

Spitstongewelf

Gekanneleerde colonnet

Bovenlicht of lichtbeuk

Halftongewelf

Stijgende boog: boog waarvan de aanzetten op verschillende hoogtes liggen

Zijbeuk

Pilaster: in de muur verwerkte pilaar die iets uitspringt

Schip

Impost: uitstekende dekplaat van een verticale drager zonder kapiteel

Abdij van SILVACANE – Gewelven van de kapittelzaal (13de eeuw)

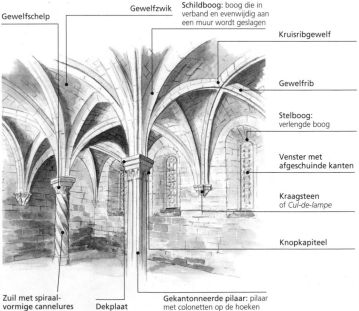

Gewelfschelp

Gewelfzwik

Schildboog: boog die in verband en evenwijdig aan een muur wordt geslagen

Kruisribgewelf

Gewelfrib

Stelboog: verlengde boog

Venster met afgeschuinde kanten

Kraagsteen of Cul-de-lampe

Knopkapiteel

Zuil met spiraalvormige cannelures

Dekplaat

Gekantonneerde pilaar: pilaar met colonetten op de hoeken

R.Corbel / MICHELIN

Abdij van MONTMAJOUR – Chapelle Ste-Croix (12de eeuw)

Het klavervormige grondplan van de Chapelle Ste-Croix is kenmerkend voor verscheidene Provençaalse gebouwen uit de 12de eeuw.

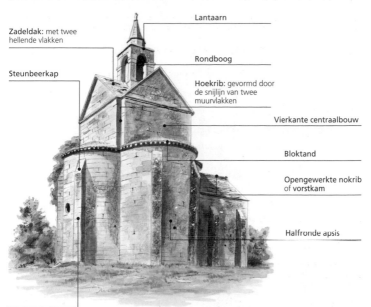

Lantaarn

Zadeldak: met twee hellende vlakken

Rondboog

Steunbeerkap

Hoekrib: gevormd door de snijlijn van twee muurvlakken

Vierkante centraalbouw

Bloktand

Opengewerkte nokrib of vorstkam

Halfronde apsis

Steunbeer

CARPENTRAS – Zuidelijk portaal van de voormalige Cathédrale St-Siffrein (eind 15de eeuw)

Het zuidportaal of joodse poort, is flamboyant-gotisch, de laatste fase van de gotiek. Opvallend zijn de kronkelingen aan de vensters die aan vlammen doen denken.

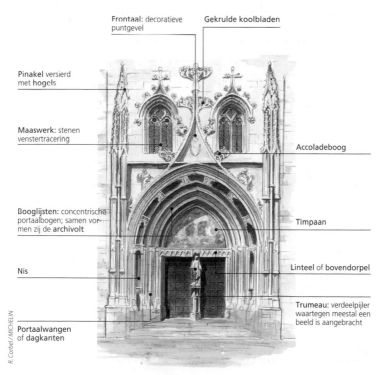

Frontaal: decoratieve puntgevel

Gekrulde koolbladen

Pinakel versierd met **hogels**

Maaswerk: stenen venstertracering

Accoladeboog

Booglijsten: concentrische portaalbogen; samen vormen zij de **archivolt**

Timpaan

Nis

Linteel of **bovendorpel**

Trumeau: verdeelpijler waartegen meestal een beeld is aangebracht

Portaalwangen of **dagkanten**

R. Corbel / MICHELIN

Abdij van ST-MICHEL-DE-FRIGOLET – retabel van de Chapelle N.-D.-du-Bon-Remède (17de eeuw)

De wanden van deze 11de-eeuwse kapel werden in de 17de eeuw voorzien van barok houtsnijwerk. In de apsis staat een monumentaal retabel.

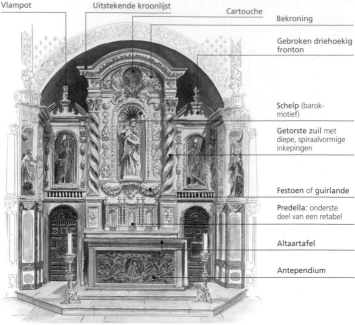

Vlampot

Uitstekende kroonlijst

Cartouche

Bekroning

Gebroken driehoekig fronton

Schelp (barok-motief)

Getorste zuil met diepe, spiraalvormige inkepingen

Festoen of guirlande

Predella: onderste deel van een retabel

Altaartafel

Antependium

Vestingbouw

TARASCON – Burcht (14de-15de eeuw)

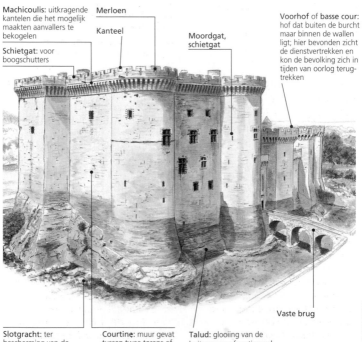

Machicoulis: uitkragende kantelen die het mogelijk maakten aanvallers te bekogelen

Merloen

Kanteel

Moordgat, schietgat

Voorhof of basse cour: hof dat buiten de burcht maar binnen de wallen ligt; hier bevonden zicht de dienstvertrekken en kon de bevolking zich in tijden van oorlog terug-trekken

Schietgat: voor boogschutters

Slotgracht: ter bescherming van de courtines en de torens

Courtine: muur gevat tussen twee torens of bastions

Talud: glooiing van de buitenmuur of vestingwal

Vaste brug

R. Corbel / MICHELIN

Burgerlijke bouwkunst

AIX-EN-PROVENCE – Pavillon Vendôme (17de-18de eeuw)

De gevelopstand van dit landhuis wordt bepaald door de opeenvolging van Dorische, Ionische en Korinthische stijlen, zoals sinds de renaissance doro Palladio voorgeschreven.

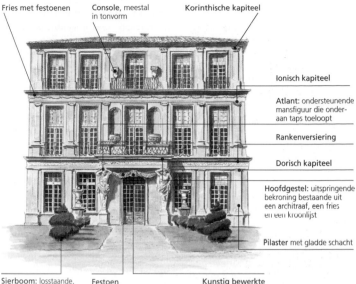

Fries met festoenen

Console, meestal in tonvorm

Korinthische kapiteel

Ionisch kapiteel

Atlant: ondersteunende mansfiguur die onderaan taps toeloopt

Rankenversiering

Dorisch kapiteel

Hoofdgestel: uitspringende bekroning bestaande uit een architraaf, een fries en een kroonlijst

Pilaster met gladde schacht

Sierboom: losstaande, in model gesnoeide heester

Festoen

Kunstig bewerkte sluitsteen

R. Corbel / MICHELIN

mel opstijgen. De machinisten konden ook rook, bliksem en donder produceren.

De opvallend goede akoestiek werd bereikt met verschillende hulpmiddelen. Het masker dat de acteurs droegen, vormde een soort luidspreker, een overhellend dak boven de scène zorgde ervoor dat de klank werd teruggekaatst en zich gelijkmatig verspreidde over het halfrond. De echo werd gebroken door de zuilen en tussen de banken waren resonerende vazen geplaatst die eveneens dienstdeden als luidsprekers. Ten slotte vormden de holle deuren op het podium doeltreffende klankkasten wanneer de acteur ertegenaan ging staan.

DE ROMAANSE PROVENCE

Bij de overgang van de oudheid naar de middeleeuwen, omstreeks de 12de eeuw, getuigt de romaanse architectuur in de Provence van een originele vormvernieuwing. De talrijke Romeinse bouwwerken werden bekeken met een nieuwe blik, die leidde tot een volmaakt huwelijk tussen het antieke genie en het 'moderne' spirituele ideaal.

Landelijke kapellen en heiligdommen

De **romaanse kerken** in het Franse zuiden bleven trouw aan de Romeinse visie op architectuur, gekenmerkt door eenvoudige grondplannen en volumes. Meestal hebben zij geen dwarsbeuk of zijbeuken. Door het unieke schip wordt de aandacht van de bezoeker ongehinderd naar de apsis getrokken, zonder kapellen. De kerk van Notre-Dame-de-Montmajour vormt een uitzondering die verband houdt met een intense verering van relikwieën. De buitengevels laten weinig of niets vermoeden van het interieur. Zo lijkt de kapel van St-Quenin in Vaison op het eerste gezicht niets meer dan een driehoekige massa.

Op de voorgevels is de Romeinse invloed nog duidelijker merkbaar. Voor de St-Gabriel kapel bij Tarascon (*zie blz. 284*) heeft een deel van het amfitheater van Nîmes model gestaan, in Avignon ontleent de Notre-Dame-des-Doms (*zie blz. 299*) de plaatsing van de centrale boog en zelfs de verhoudingen aan de stadsboog van Orange.

Een van hun opmerkelijkste karakteristieken van plattelandskapellen of grootse heiligdommen is de prachtige steenzetting in natuursteen, geïnspireerd op Romeinse technieken. De schoonheid van de onderbouw komt nog beter tot haar recht door de kale muren: een voorbeeld van de pure esthetiek van een architectuur die zuinig is met versieringen. In de **kloostergangen** blijven Korinthisch geïnspireerde kapitelen de boventoon voeren, met de vele figuratieve variaties die zich in de 11de eeuw ontwikkeld hadden: in St-Trophime (*zie blz. 217*) en in St-Paul-de-Mausole (*zie blz. 259*) bewegen zich fabeldieren tussen de acanthusbladeren.

Monniken-bouwmeesters

De mooiste romaanse bouwwerken van Zuid-Frankrijk vonden hun oorsprong bij de kloostergemeenschappen. Met haar eenvoudige volumes, geraffineerde versiering en ongeëvenaarde steenzetting is de **Abbaye de Montmajour** (*zie blz. 223*) het indrukwekkendste voorbeeld van dit type architectuur. In de schitterende kapitelen is dezelfde verbeeldingskracht terug te vinden als in St-Trophime.

Drie cisterciënzer zusters

De cisterciënzer bouwstijl vond in de Provence een herkenbare en vertrouwde omgeving: in hun behoefte om terug te keren naar de essentie van het kloosterleven vonden de witte monniken van de H. Bernardus in de zuiverheid van de zuidelijke kerken als het ware een echo van hun architecturale ideaal. In de abdijen van **Sénanque** (*zie blz. 434*), **Silvacane** (*zie blz. 451*) en **Thoronet** (*zie 'Groene Gids Côte d'Azur'*) zijn soberheid en verhevenheid prachtig verenigd. Het strakke grondplan, de volmaakte vormen en minimalistische versiering zijn de concrete uitdrukking van de cisterciënzer spiritualiteit die zich kenmerkt door een zoektocht naar eenvoud. In deze kerken wordt decoratieve soberheid tot het uiterste doorgedreven. De toch zo eenvoudige kapitelen met rietbladeren in Silvacane zijn zelfs al een inbreuk op de regel, die elke vorm van beeldhouwwerk verbiedt: monsters en demonen mogen de aandacht van de monniken niet van het gebed afleiden.

GOTIEK, BAROK EN CLASSICISME

Sinds de pausen zich in het begin van de 14de eeuw in Avignon hadden gevestigd, verrees in het 'nieuwe Rome' de ene gotische kerk na de andere. Kunstenaars uit alle hoeken van Europa kwamen naar Avignon en maakten de stad tot een onuitputtelijke bron van creativiteit. Onder het bewind van Lodewijk XIV ontwikkelde zich naast de klassieke school een ongelooflijk vitale barokkunst, waarvan tussen Rome en Parijs talloze voorbeelden te zien zijn.

De gotiek van de pausen

In Avignon stelden de pausen zich niet tevreden met de verbouwing van de oude bisschoppelijke zetel tot een weelderig paleis, zij lieten ook andere grootse bouwwerken oprichten, zoals het prachtige **kartuizerklooster in Villeneuve lez Avignon**. Aan het eind van de 14de eeuw werden de grondplannen complexer (een voorbeeld is de celestijnenkerk), licht stroomde het schip en het koor binnen. In St-Martial werden hoge ramen aangebracht tussen de steunberen van de apsis, zodat de versieringen van kantwerk in steen tot in het kleinste detail zichtbaar waren. Eenzelfde zucht naar verfraaiing is ook al te zien in de graftomben van de pausen Johannes XXII in de Notre-Dame-des-Doms en van Innocentius VI in het kartuizerklooster van Villeneuve, twee pareltjes van de **gotische beeldhouwkunst in Avignon**.

In de 14de eeuw werd Avignon het 'Nieuwe Rome'. Talloze Italiaanse kunstenaars gingen in op de uitnodiging van de pausen, onder meer Simone Martini, die het landschap een bovenaardse schoonheid bezorgde. De pracht van de pauselijke hofhouding is ook terug te vinden in de kleurrijke taferelen van **Matteo Giovannetti**. Na het vertrek van de pausen namen de schilders van Aix-en-Provence de fakkel over. Kunstenaars uit het noorden of uit Vlaanderen vonden er de mogelijkheid eenheid te scheppen in monumentale composities als de triptiek van de *Annunciatie* in de H.-Madeleinekerk van Aix. De *Kroning van Maria* die **Enguerrand Quarton** voor het kartuizerklooster schilderde, luidde de heropleving in van de schilderkunst in Avignon, terwijl de kathedraal van Aix het retabel kreeg van **Nicolas Froment** met een voorstelling van Mozes bij het *Brandende braambos*.

Provençaalse barok

De kapellen van allerlei genootschappen zoals de 'Pénitents Noirs' van Avignon (*zie blz. 306*) werden voorzien van beelden en reliëfs. Deze decoratieve uitbundigheid, geïnspireerd door het Rome van Bernini, bereikte een hoogtepunt in de beroemde *Gloire* van **Jacques Bernus**, te bewonderen in het koor van de kathedraal van Carpentras (*zie blz. 371*).

Met hun doorgedreven zin voor een perfect gebruik van de ruimte wisten de architecten verrassende effecten te bereiken. Zo kreeg het stadhuis van Aix, ontworpen door Pierre Pavillon, een van de allereerste monumentale Franse trappen (*zie blz. 189*). Hoogtepunt is de kapel van La Vieille Charité, door **Pierre Puget** aan het einde van de 17de eeuw in Marseille gebouwd (*zie blz. 91*).

Ook stadsgezichten veranderden onder invloed van deze plastische visie op de architectuur. Toen in Aix de Mazarinwijk heraangelegd werd, was het resultaat een promenade van steen, water en olmen. Om het plastische effect te versterken, werden luxeuze herenhuizen gebouwd, met kolossale gevels die versierd werden met portalen en atlanten.

De klassieke verleiding

Vanaf het einde van de 17de eeuw keerden de architecten terug naar een meer klassieke stijl. Zij zochten hun inspiratie in de renaissance, vooral in de religieuze architectuur, waar de Romeinse types van de Contrareformatie overheersten. Zij richtten hun blik ook op de hoofdstad: de invloed van Parijs is duidelijk te merken in de Église Saint-Julien in Arles en in de kartuizerkerk van Marseille. Vanaf 1650 predikte **Pierre Mignard** een Provençaals classicisme, dat tot uiting kwam in zeer Parijs aandoende herenhuizen, een trend die zich doorzette in de 18de eeuw.

TRADITIONELE WOONVORMEN

De **Provençaalse woning** heeft zich aangepast aan het klimaat van de streek. Vandaar de noord-zuidoriëntatie en de lichte helling naar het oosten toe, ter bescherming tegen de mistral. Noordenwinden worden geweerd door rijen cipressen; platanen en lotusbomen zorgen voor schaduw bij de zuidgevel. De dikke muren zijn bekleed met een stevige laag pleister in warme kleuren. Voor de noordzijde wordt gekozen voor blinde muren, in de andere gevels zitten kleine ramen, die wel het licht maar niet de warmte binnenlaten. Op het enigszins hellende dak zijn Romeinse

KLAPPERS OP DE WONINGMARKT

Tegenwoordig zijn *bastides*, *mas*, veehoedershutten en andere traditionele panden geweldig in trek als weekendhuizen. Het negatieve effect daarvan is dat de plaatselijke bewoners nog maar moeilijk een geschikte woning vinden omdat de prijzen de pan uit vliegen. Positief is dan weer dat vaklui met een eeuwenoude vakkennis, zoals steenkappers, *sagneurs* (dakbedekkers) en metselaars, vrij aardig aan de bak komen. Althans, als de nieuwe eigenaar zijn kostbare goed restaureert met authentiek materiaal uit de streek, wat niet altijd het geval is…

pannen gelegd, bekroond met een *génoise* of fries. De vloeren van het interieur zijn betegeld met *tomettes*, zeshoekige terracottategeltjes.

De bastide

De bastide is een gracieus gebouw, opgetrokken in natuursteen en voorzien van mooie gelijkmatige gevels met symmetrische openingen. Typisch zijn de vierkante vorm en het schilddak, maar ook de kunstige versieringen vallen op: smeedijzeren balkons, buitentrap met leuning en bordes.

De mas

Groot, wat gedrongen en ruw met zijn kale breukstenen, keien en natuursteen voor de omlijsting van de openingen. Woongedeelte en bijgebouwen huizen onder één dak. De keuken ligt op hetzelfde niveau als de binnenplaats. Ondanks zijn nogal beperkte afmetingen is dit de voornaamste kamer van het huis, uitgerust met een gootsteen en een kookkachel. Op de begane grond bevinden zich verder een opslagruimte, een schaapskooi en paardenstallen, een broodoven, een regenput en ten slotte een voorraadschuur.
Op de bovenverdieping liggen de kamers en de zolder, die onderverdeeld is in een zijderupskwekerij, een hooizolder en de duiventil. Overigens varieert de hier beschreven opzet met de omvang van de mas, de streek en de landbouwactiviteiten die er worden uitgeoefend.

De **oustau**, dé Provençaalse plattelandswoning, lijkt veel op de mas, maar is kleiner van afmetingen.

Cabane de gardian

Vooral in de Camargue staan hutjes van de *gardians* of veehoeders. Die bestaan uit twee piepkleine ruimten (de eetkamer en het slaapvertrek), van elkaar gescheiden door een rieten scherm. Van hetzelfde moerasriet (*sagno*) wordt ook het dak gemaakt, een vak dat alleen de laatste *sagneurs* van de streek beheersen. Alleen de voorgevel, met de deur, is van hard materiaal. Deze moet de nokbalk dragen, die aan de achterzijde gestut wordt door een tweede, in een hoek van 45° aflopende houten constructie, die in de vorm van een kruis buiten het dak uitsteekt. Typisch is ook de combinatie van de rechthoekige vorm bij de ingang en de ronde bouw achteraan, bedoeld om weerstand te bieden aan de wind.

Schilderkunst

De Provence inspireert zowel haar eigen zonen en dochters als adoptiekinderen tot creativiteit. Onder een niet te evenaren zuiver licht bieden aarde, water en rotsen eindeloze nuances en talloze contrasten: een nimmer opdrogende bron van inspiratie.

OP ZOEK NAAR LICHT

In het spoor van J.-A. Constantin (1756-1844) en F.-M. Granet (1775-

1849), werkten de schilders van de 19de eeuw met het glanzende licht waarin de Provençaalse natuur baadt. Tot de school van **landschapsschilders** rond Émile Loubon (1809-1863), behoorden ook Paul Guigou (1834-1871), die het impressionisme al aankondigde, en Adolphe Monticelli (1824-1886), wiens werk al tamelijk abstract is. Vanaf 1870 komen **naturalisten** op het voorplan: Achille Emperaire (1829-1898) en Joseph Ravaisou (1865-1925) in Aix, Clément Brun (1868-1920) en Paul Saïn (1853-1908) in Avignon. In Marseille stellen de eerste kunstenaars hun schildersezel op de hellingen van de Estaque: Joseph Garibaldi (1863-1941), Alphonse Moutte (1840-1913) met bijzonder realistische vissersscènes en J.-B. Olive (1848-1936), weldra gevolgd door **Félix Ziem** (1821-1911). Deze laatste ging werken met kleur om de kleur, niet enkel meer kleur als lichteffect (*zie Musée Ziem in Martigues*). Zo opende hij een nieuwe weg.

Van Gogh

Ver van zijn Nederlandse geboortegrond vestigt Van Gogh (1853-1890) zich in 1888 in **Arles**, om 'een ander soort licht te zien'. Dat licht probeerde hij koortsachtig, bijna hallucinerend, te vangen zowel in zijn landschappen (*Zicht op Arles met irissen*, *Les Alyscamps*) als in zijn portretten (*De Arlésienne*, *Oude Provençaalse boer*). De felle kleuren en scherpe vormen van deze Provençaalse periode verraden de 'laaiende passies' en innerlijke kwellingen die de kunstenaar in de greep hadden. In het verpleeghuis van **St-Rémy** schilderde hij nog meer gefolterde doeken, waarin de dreiging van de natuur zich uit in eindeloos wervelende, soms kolkende lijnen, bijvoorbeeld in *Korenveld met cipressen*, *Olijfbomen*. Ook uit de reeks zelfportretten van die tijd spreekt verontrustende kwelling. Na twee jaar van koortsachtige activiteit verliet hij de Provence in 1890 en pleegde kort nadien zelfmoord.

Zie ook Saint-Rémy-de-Provence en Arles.

Cézanne

Cézanne (1839-1906), geboren in **Aix-en-Provence**, verkeerde enige jaren onder de Parijse impressionisten voor hij zich in 1870 in de Estaque vestigde. Aanvankelijk probeerde hij de trillingen van het licht te vangen en de subtiele variaties van tinten, weerkaatsingen en nuances weer te geven. In 1879 begon zijn zogeheten 'constructieve periode' en speelde hij meer met volumes. Hij plaatste kleurtoetsen naast elkaar, gebruikt geometrische vormen om, zoals hij het zelf uitdrukte, 'de natuur te behandelen als een samenspel van cirkel, bol, kegel, dat alles in perspectief geplaatst'. In een zoektocht naar perfectie trachtte hij niet minder dan zestig maal dezelfde berg uit te beelden (de Ste-Victoire). Hij zou zijn zoekwerk, waarmee hij het kubisme aankondigt, voortzetten tot aan zijn dood.

Zie ook Aix-en-Provence.

OKER

De oker uit Apt-Roussillon *(zie blz. 426)* en de **Vaucluse** is befaamd tot ver over de Franse grenzen. Behandeling van het ruwe materiaal levert een fijn poeder op, dat bestaat uit leem en ijzeroxide, en dat als basis dient voor verf en muurkalk. Om een donkerder tint of rode, 'gebrande' okers te verkrijgen wordt het poeder nog in een oven verhit.

EEN GASTVRIJ LAND

De hele 20ste eeuw lang bleef de Provence talloze kunstenaars aantrekken. Velen zouden een revolutie teweegbrengen in de schilderkunst. **Signac** (1863-1935) paste zijn pointillistische techniek aan om de zee van zuidelijk licht en de permanente contrasten beter te vertolken. De Estaque, ondertussen een geliefd trefpunt van de avantgarde, inspireerde vanaf 1908 de eerste kubistische composities van **Braque** en **Picasso**. De fauvisten **Matisse**, **Dufy** en **Derain** vonden in de Provence het materiaal om de emotionele kracht van de kleur te verheerlijken, die zij rijkelijk uitsmeren in vlakke tinten. De naoorlogse generatie verkende nieuwe horizonten. **André Masson**, vader van de *dessin automatique*, werkte van 1947 tot 1987 in Aix aan een reeks *Paysages provençaux*. Ook Nicolas de Staël verbleef in de Provence, maar werkte in een heel andere stijl. **Vasarely** vestigde in Aix een stichting waar zijn optische en kinetische experimenten werden voorgesteld (*zie blz. 193*).

Ook vandaag nog zijn de creatieve talenten in overvloed aanwezig. Sommigen hebben een opleiding gevolgd aan het kunstinstituut Luminy in Marseille, en de regio bezit twee musea voor hedendaagse kunst die uitzonderlijk gedurfde keuzes maken: het MAC van **Marseille** (*zie blz. 106*) en de hedendaagse collectie van galerijhouder Yvon Lambert (*zie blz. 308*), die in Avignon zijn intrek nam in een fraai classicistisch gebouw uit de 18de eeuw, het hôtel de Caumont.

Kunstnijverheid

MEUBILAIR

De productie van het Provençaalse kunstmeubel bereikte haar hoog-tepunt in de 18de en vroege 19de eeuw. De **fustiers** (meubelmakers) werkten vooral met notenhout en de versieringen werden overdadig: gekunstelde rondingen, spiraalvormig pootgedeelte, dit alles volop voorzien van lijstwerk waarvoor het plantenrijk model stond. Naast de **radassiés** (grote zitbanken met rieten zitting) en *fauteuils à capucine* stond een overvloed van kleine opbergmeubeltjes: **paniero's** of broodkastjes, **manjadous** of provisiekastjes en **saliero's** of zoutdoosjes.

In deze periode maakte ook het **geschilderde houtwerk** opgang. Sterk beïnvloed door hun Italiaanse collega's aarzelden lokale kunstenaars niet om noten-, beuken-, eiken- of fruitbomenhout te beschilderen in grijsblauw of grijsgroen, stierenbloedrood, wit en saffraangeel.

FAÏENCE

De reputatie van de aardewerkindustrie in deze streek dateert uit de periode van Lodewijk XIV. In St-Jean-du-Désert liet **Joseph Clérissy** zich inspireren door het eerste Chinese porselein dat in Frankrijk werd ingevoerd en versierde hij zijn stukken met motieven en scènes in blauwe camaieu. **Fauchier** introduceerde het gele onderglazuur; **Leroy** omgaf zijn composities met een krans van stervormige bloemen. De **manufactuur van Apt** gebruikte een geel en bruin gemarmerde achtergrond waarop arabesken of plantenmotieven in reliëf werden aangebracht. In de tweede helft van de 18de eeuw kwam de productie in Maresille op. **Veuve Perrin** gebruikte het bestaande gamma van siermotieven en breidde het verder uit met vissen, zeetaferelen en een nog niet eerder geziene watergroene achtergrond. Uit de edelsmeedkunst haalde zij inspiratie om

Typisch Provençaals aardewerk
G. Bouchet / Photononstop

nieuwe vormen te ontwikkelen.
Twee kunstenaars traden in haar
voetsporen en gaven het aardewerk een decoratieve verfijning die
tot dan toe voorbehouden was aan
porselein: **Antoine Bonnefoy** en
Gaspard Robert. Deze laatste geldt
als het laatste hoogtepunt van de
faience-industrie in Marseille. De
concurrentie van het porselein, de
Franse Revolutie en de blokkade
door de Engelse vloot werden haar
fataal.

TEXTIEL

Vanaf het einde van de 18de eeuw
verwierven Avignon, Aix en Marseille faam met hun **zijden stoffen**:
kleurrijke taf, satijn en vlokzijde met
moirépatronen, brokaat en oosterse
zijden stoffen met grote motieven
(*lampas*).
De **indiennes** vormen het hoogtepunt van de productie van
Provençaalse stoffen. Uit India
en uit het Oosten werden, waarschijnlijk al sinds de 16de eeuw,
gekleurde weefsels ingevoerd die
buitengewoon populair werden.

Vooral de ateliers van Marseille
werden meesters in de kunst van de
stofbedrukking en produceren een
rijk gamma van gekleurde indiennes, versierd met telkens terugkerende bloem- en bladmotieven. Zij
wisten zich van een blijvend succes
te verzekeren, onder meer dankzij
het artistieke meesterschap van
huizen als Souleïado in Tarascon.
De stoffen konden geborduurd
worden met **stiktechnieken** (ook
wel *piqué marseillais* genoemd),
waarbij drie lagen stof aan elkaar
werden genaaid, of met priktech-
niek of **boutis**.

Literatuur

Talloze dichters en schrijvers, geboren Provençalen of betoverd door
deze zonnige streek, hebben in de
Provence een onuitputtelijke bron
van inspiratie gevonden. Of ze het
nu hebben over de natuur, de liefde
of het dagelijkse leven, het zangerige Occitaans is voor velen de taal
waarin zij het liefst en het best hun
gevoelens uitdrukken.

DE TROUBADOURSKUNST

De *langue d'oc* is een Romaanse taal die werd gesproken in het zuiden van het huidige Frankrijk. De noordelijke variant is de *langue d'oïl*; de benamingen verwijzen naar de verschillende manieren waarop het woordje *oui* werd uitgesproken. Het Occitaans omvat verschillende regionale talen, onder meer het **Provençaals**.

Bloeitijd van het Occitaans

Het succes van de hoofse literatuur in de 12de eeuw bezorgde het Occitaans de status van zelfstandige taal. Van Bordeaux tot Nice, de taal van de troubadours overheerste heel Occitanië. De reputatie van dichters als de Provençaal Raimbaut d'Orange, de Comtesse de Die, Raimbaut uit Vaqueiras of de Marseillaan Folquet, reikt tot ver buiten de landsgrenzen. In lange minnedichten wordt de geduldige en discrete hoofse liefde bezongen. In de 13de eeuw bloeit een nieuw genre op, soms elegisch, vaak scherp: de satirische **sirventès** in de poëzie, de **vidas** (levens) van de troubadours in het proza.

Op de achtergrond

Ook nadat het **Edict van Villers-Cotterêts** in 1539 het gebruik van het Frans had opgelegd als overheidstaal, bleef de bevolking de Occitaanse talen gebruiken in haar dagelijkse leven. Alleen een elite sprak Frans. Ook in de literatuur hielden sommige schrijvers vast aan hun moedertaal: **Nicolas Saboly** in de 17de, abbé Fabre nog in de 18de eeuw. Als gevolg van de leegloop van het platteland en de ingevoerde schoolplicht verdween het Occitaans echter meer en meer naar de achtergrond.

DE FÉLIBRIGE

In de tweede helft van de 19de eeuw maakte het **Provençaals** een wonderbaarlijke nieuwe bloei door. Zeven jonge dichters (Roumanille, Mistral, Aubanel, Mathieu, Tavan, Giéra en Brunet), allen verliefd op de Provence, richtten in 1854 de groep Félibrige op. Samen probeerden zij hun taal te laten herleven en de spelling ervan vast te leggen. De spilfiguur van de groep was **Frédéric Mistral** (1830-1914). In 1859 publiceerde hij zijn *Mirèio* (Mireille), een episch gedicht dat de gedwarsboomde liefde beschrijft tussen Vincent en de mooie Mireille, dochter van een rijke boer in La Crau. Het werk was een succes en werd bewerkt tot een opera door Gounod. In 1867 wierp Mistral met zijn *Calendau* (Kerstmis) een levendig licht op het verleden van zijn land. De auteur was beroemd en bleef dat tot en met zijn laatste werk, *Les Olivades* (1912), een hymne op het Provençaalse symbool bij uitstek. In 1904 ontving hij de Nobelprijs Literatuur voor zijn hele oeuvre. Daartoe behoort overigens ook de *Trésor du félibrige*, een monumentale poging om de spelling van het Occitaans te codificeren. Zeer verschillende Occitaanse dichters en schrijvers sloten zich aan bij Félibrige: **Alphonse Daudet** (*Les Lettres de mon moulin*; *Tartarin de Tarascon*), Paul Arène, Jean-Henri Fabre, Folco de Baroncelli, Joseph d'Arbaud, Charles Maurras…

VAN PAGNOL TOT DE 'POLAR BOUILLABAISSE'

Bloeiende literatuur

In diezelfde periode vergrootten twee grote 'Provençalen' het aanzien van de Franse literatuur: **Émile Zola**, die in Aix op school had gezeten, wiens *Rougon-Macquart* het levensverhaal vertelt van een Provençaalse familie, en **Edmond Rostand**, geboren in Marseille, die wereldfaam verwierf met het schitterende *Cyrano de Bergerac*. Ook tal van andere Provençaalse auteurs die hun inspiratie groten-deels putten uit hun geboorte-land, veroverden een plaats op het literaire toneel: **Henri Bosco** uit de Luberon *(Le Mas Théotime)*, en **Marcel Pagnol** uit Aubagne *(César, Fanny, Marius)*.

Hoewel ze onderling verschillen, drukken deze kunstenaars op hun manier een van sacraliteit door-drongen visie uit op de natuur en op de liefde. Anderen kiezen een meer universele richting: dichters als **René Char** uit Sorgue en de Marseillaan **Antonin Artaud** bij-voorbeeld, of de pioniers van de *roman noir* van Marseille, **Philippe Carrèse** en **Jean-Claude Izzo**.

Een nieuw elan voor het Provençaals?

Buiten de literaire wereld is het Provençaals enigszins in onbruik geraakt. Aan de tweederangsrol die het lange tijd heeft gespeeld, lijkt echter een einde te komen. De streektalen staan weer op het schoolprogramma en in 2003 er-kende de regionale overheid van Provence-Alpes-Côtes d'Azur het Provençaals (én de eigen taal van Nice) en zou ze zich inzetten voor meer onderwijs in deze taal om de culturele identiteit te versterken.

Podiumkunst

Uitgerekend in de Provence ver-kent de taal de laatste tijd nieuwe wegen. Niet voor niets wordt in **Avignon** het jaarlijkse **theater-festival**, het belangrijkste van Frankrijk, georganiseerd. Zowel grote instellingen (het 'Centre dra-matique national de La Criée' in Marseille, de nationale theaters van Martigues en Cavaillon), evenemen-ten als het **Off-festival** in Avignon, als organisaties zoals **La Friche de la Belle de Mai** in Marseille geven blijk van een bezielde zoektocht naar alternatieve expressievormen. Een multidisciplinaire proeftuin als

'La Friche', waar wordt nagedacht over en geëxperimenteerd met toneel, beeldende kunst en muziek zal in dit verband een fundamen-tele rol spelen bij de organisatie van Marseille Cultuurstad 2013.

Een andere vorm van verbale ex-pressie is sinds het begin van de jaren 1980 onlosmakelijk verbon-den met de havenstad aan de Middellandse Zee. We hebben het hier over de rap, het muzikale ele-ment van de **hiphopcultuur**. Een uitgesproken sociaal engagement inspireert de composities van Fonky Family, Psy4 de la Rime en 3e Œil, die daarmee in de voetsporen tre-den van IAM.

Film

Net als de impressionisten heb-ben de filmmakers er steeds naar gestreefd om de vormen en kleuren van de Provence vast te leggen. In 1895 verlieten de **ge-broeders Lumière** Lyon. Na ze waren ingetrokken bij hun vader in Zuid-Frankrijk, draaiden ze *L'Arrivée d'un train en gare de La Ciotat*, een van de eerste korte films in de geschiedenis. Een jaar later filmden ze diverse scènes in Marseille *(Le Marché au poisson, La Canebière à la sortie de la Bourse…)*, waarmee de havenstad definitief haar intrede maakte op het witte doek. Met de Marseillaanse trilo-gie *Marius (*1931*), Fanny (*1932*)* en *César* (1936) lag **Marcel Pagnol** aan de basis van een apart genre, de Provençaalse film, hierin later gevolgd door Claude Berri (*Jean de Florette, Manon des Sources*, 1985), Yves Robert (*La Gloire de mon père, Le Château de ma mère*, 1990) en **Robert Guédiguian** (*Marius et Jeannette*, 1997; *La Ville est tran-quille*, 2000).

De filmbewerking van de *roman noir Total Kheops* van Jean-Claude Izzo in 2001 vond aansluiting bij de gangsterfilm, een ander geliefkoosd genre in Marseille dat zijn bloeiperiode kende met *Borsalino* (1970) en *The French Connection* (1971).

De laatste jaren worden er veel opgenames gemaakt in de havenstad. Mede door de oprichting van de filmstudio's in 'La Friche de la Belle de Mai' en het succes van de ter plaatse opgenomen reeks *Plus Belle La Vie* is Marseille uitgegroeid tot de tweede belangrijkste filmstad van Frankrijk, na Parijs.

Ook de komst van filmtechnici naar de regio en het energieke beleid van de instellingen droegen daaraan bij. Voortaan moet er rekening worden gehouden met 'Aïollywood'!

Enkele bekende personen

ÉRIC CANTONA

De in Marseille geboren voetballer (1966) is even beroemd om zijn topprestaties op het veld (hij verdedigde onder andere de kleuren van Manchester United en OM), als om zijn cholerische aard. In 1997 trok hij zich terug uit de actieve sport. Sindsdien waagt hij zich onder meer aan beach soccer, schilderkunst én een filmcarrière. Zo was hij te zien in *Le Bonheur est dans le pré* van Étienne Chatilliez en *Looking for Eric* van Ken Loach.

CÉSAR BALDACCINI

De beroemde beeldhouwer César Baldaccini werd in 1921 geboren in Marseille en overleed in 1998 in Parijs. In de Franse hoofdstad worden jaarlijks de Césars, de Franse filmprijzen, uitgereikt. De winnaars ontvangen een verguld beeldje dat ontworpen werd door César. Een van zijn sculpturen, een reusachtige duim, is te vinden in de zuidelijke wijken van Marseille *(zie blz. 106)*.

FERNANDEL

De kleine Fernand Contandin werd in 1903 geboren in Marseille, waar hij opgroeide. Hij kende roem in Parijs en ging na de oorlog in Carry-le-Rouet wonen, aan de Côte Bleue, ten westen van Marseille. Hij maakte films met Marcel Pagnol en vele anderen. Onvergetelijk zijn *Ugolin*, *Ali Baba*, *La Vache et le Prisonnier* en de *Don Camillo*-reeks. Hij overleed in 1971 in Parijs, maar is nog lang niet vergeten.

GROUPE F

Dit gezelschap, gespecialiseerd in monumentale vuurwerkshows, heeft zijn thuisbasis in Mas-Thibert, in de Camargue. De groep kreeg wereldfaam met de Parijse show die vertoond werd ter gelegenheid van de millenniumwisseling. Het lijstje met opmerkelijke voorstellingen is lang: de openingsplechtigheden van de Olympische Spelen in Athene en Turijn, de inhuldiging van de TGV Est, van een theater in Singapore, van de Millennium Bridge in Londen…

JEAN-CLAUDE IZZO

Vijfentwintig jaar na de bloeitijd van de French Connection zette hij de Marseillaanse politieroman opnieuw op de kaart. Izzo, geboren in Marseille (1945), zoon van een Italiaanse vader en een Spaanse moeder, is eerst journalist en begint dan gedichten en romans te schrijven. Hij breekt door in 1995 met *Total Kheops*, een politieverhaal dat zich afspeelt in Marseille en dat samen met *Chourmo (*1996) en *Solea* (1998) een trilogie vormt. Hoofdfiguur is Fabio Montale.

CHRISTIAN LACROIX

De getalenteerde couturier uit Arles (1951) verraste de haute couture toen hij voor zijn eerste Parijse defilé traditionele klederdracht verwerkte in zijn ontwerpen. Voorbeelden van zijn creatief talent zijn te vinden in diverse domeinen, zoals kostuums voor het toneel, de uniformen voor Air France en de inrichting van de TGV.

PETER MAYLE

Een Provençaalse Brit! De in Brighton geboren Peter Mayle (1939) werkte als reclameman en verdeelde zijn tijd tussen Londen en New York. Aan het eind van de jaren zeventig vestigde hij zich definitief in de Luberon. Met een meesterlijke zin voor observatie beschreef hij in een twaalftal romans het dagelijks leven in zijn tweede vaderland. De bestsellers *A Year in Provence* en *A Good Year* werden verfilmd, respectievelijk als televisiereeks en als film, door Ridley Scott (2006).

YVES MONTAND

Ivo Livi werd in 1921 geboren in Italië, maar groeide op in Marseille. Zijn ouders waren overtuigde communisten. Hij veranderde zijn naam in Yves Montand en debuteerde in 1939 als zanger in het Alcazar, een bekende cabaretzaal in Marseille, inmiddels omgevormd tot bibliotheek. Samen met Simone Signoret vormde hij een legendarisch filmkoppel. Drie jaar voor zijn dood in 1991 keerde hij terug naar Provence voor de film *Manon des Sources*, waarin hij een onvergetelijke Papet vertolkt.

HUBERT NYSSEN

In 1978 vestigde deze uitgever zijn bedrijf in een voormalige schaapskooi in de Alpilles. Sindsdien heeft Actes Sud al ruim 8500 titels gepubliceerd. In 2004 werd *Le Soleil des Scorta* van Laurent Gaudé bekroond met de Prix Goncourt.

RUDY RICCIOTTI

Deze van origine Algerijnse architect (1952) heeft zijn thuisbasis in Bandol (Var). Hij staat bekend voor zijn gedurfde ontwerpen, zoals het Pavillon noir in Aix-en-Provence waarvoor hij in 2006 bekroond werd met de Grand Prix national d'architecture. Naast internationale projecten (Mostra van Venetië, Concertzaal in Postdam), is hij belast met de realisatie van het MuCEM in Marseille, dat in 2013 zijn deuren moet openen *(zie blz. 93)*.

PABLO PICASSO

De unieke schilder (1881-1973) werd sterk beïnvloed door de Provence. De stad Arles schonk hij 57 tekeningen, die worden tentoongesteld in het Musée Réattu (*zie onder Arles*). Hij is begraven in het kasteel van Vauvenargues, bij Aix. In 2009 werd het, ter gelegenheid van het jaar van Picasso en Cézanne, bij wijze van uitzondering opengesteld voor het publiek.

ZINEDINE ZIDANE

'Zizou' werd in 1972 geboren in Marseille en groeide ook op in de havenstad. Hij ontwikkelde zich tot een van de beste voetbalspelers in de wereld, maar speelde nooit voor Olympique Marseille. Het was de club van Cannes die hem op zestienjarige leeftijd scoutte! Toch is hij uitgegroeid tot een icoon van Marseille en dan vooral in La Castellane, waar hij woonde als kind.

In de voetsporen van...

Paul Cézanne

In Aix staat het atelier Les Lauves, thans een museum, waar de beroemde schilder in 1839 werd geboren. In de Jas de Bouffan, de bastide van de familie Cézanne, leerde hij schilderen, zelfs op de muren *(rondleiding na reservering bij het toeristenbureau)*. Onderweg, in de steengroeven van Bibémus, schilderde hij stapels rotsblokken – doeken die het fauvisme en het kubisme aankondigen *(rondleiding na reservering bij het toeristenbureau)*. Wandelen kan via de bergpaden van de telkens opnieuw uitgebeelde Montagne Sainte-Victoire. Tot slot voert een bewegwijzerd wandelparcours in het centrum van Aix langs zijn favoriete plekjes, zoals café-restaurant 'Les Deux Garçons', waar hij vaak te vinden was in het gezelschap van Émile Zola.

Alphonse Daudet

In Tarascon staat het Maison de Tartarin; in Saint-Michel-de-Frigolet kan een glaasje 'Élixir du Révérend Père Gaucher' worden gedronken; en in Fontvieille prijkt uiteraard de molen.

Henri Espérandieu

Vooral in Marseille vindt men sporen van het (omstreden) talent van deze 19de-eeuwse architect, die zijn carrière begon in Nîmes, waar hij werd geboren. Voorbeelden in Marseille zijn de Cathédrale de la Major, de basiliek Notre-Dame-de-la-Garde en het Palais Longchamp, naast de minder bekende École des Beaux-Arts en de twee toegangspaviljoenen van het Palais du Pharo.

Les Félibres

In Maillane bevinden zich het huis en het graf van Frédéric Mistral en in Arles het Museon Arlaten, een van Mistrals grote werken. In St-Rémy-de-Provence is een kleine afdeling aan hen gewijd in het gerenoveerde Musée des Alpilles. In Les Saintes- Maries stierf Mirèio aan een zonnesteek en in Cassis en de Gorges de la Nesque beleefde Calendau tal van avonturen.

Mirabeau

In Pertuis werd zijn vader geboren. In het Hôtel de Marignane te Aix herleven zijn escapades en het Palais de Justice weergalmt nog van zijn welbespraaktheid. In het Château d'If was hij een tijdje ongewild in de kost.

Nostradamus

In Saint-Rémy, waar Michel de Nostre-Dame op 14 december 1503 geboren werd. In Avignon, waar hij onder meer studeerde. In Salon, waar hij woonde en waar hij de raadselachtige *Centuries astrologiques* schreef. In het toeristenbureau van Salon is een gratis folder verkrijgbaar: *Sur les traces de Nostradamus*.

Marcel Pagnol

In Aubagne, waar de schrijver en filmmaker geboren werd aan de cours Barthélemy nr. 16. In Marseille, waar de jonge Marcel opgroeide en (veel later) diverse filmscènes draaide, onder meer in de bar van de Marine, in de Vieux Port en op de Canebière. Nog meer sporen zijn te vinden in de heuvels rond Marseille, in La Treille en op de wandelpaden van de Garlaban. Hier bracht het gezin Pagnol de vakantie door in La Bastide-Neuve. In La Treille, waar de schrijver en cineast zijn eeuwige rustplaats kreeg. En tot slot in het Château de la Buzine (*zie blz. 109*), bekend als 'het kasteel van mijn moeder'.

Pierre Puget

In Marseille, in de Quartier du Panier waar de 17de-eeuwse beeldhouwer werd geboren. Het stadhuis heeft twee kapitelen aan hem te danken en hij ontwierp de kapel voor de Vieille Charité. In het Parc Borély prijkt zijn ruiterstandbeeld van Lodewijk XIV. In het Musée des Beaux-Arts worden enkele schilderijen tentoongesteld. In Aix kan men tot slot het Hôtel Boyer d'Éguilles bewonderen.

Sade

De 'goddelijke' markies bracht zijn kinderjaren door in Saumane-de-Vaucluse en beging enkele buitensporigheden in het Château de Mazan bij Carpentras. In Aix-en-Provence werd een ledenpop van hem verbrand en tot zijn arrestatie verstopte hij zich in Lacoste, waar zijn verblijf niet onopgemerkt bleef.

Vincent van Gogh

In Arles: de Fondation Van Gogh, waar hedendaagse kunstenaars een eerbetoon brengen aan de geniale Nederlandse schilder, het café aan de place du Forum, de Espace Van Gogh (het vroegere Hôtel-Dieu dat nu als cultureel centrum fungeert) en ook de Pont de Langlois. In St-Rémy: het vroegere Monastère de St-Paul-de-Mausole, waar de schilder een jaar lang opgenomen is geweest, en in de stad zelf het Centre d'art Présence Van Gogh, gevestigd in het Hôtel Estrine. Tot slot de Fondation Angladon-Dubrujaud in Avignon: het enige museum in de Provence waar een schilderij van de kunstenaar hangt.

De schilders van het licht in de Provence

Deze thematische route verkent de plekken die tussen 1875 en 1920 model stonden voor de zogenaamde 'schilders van het licht'.
♿ Inlichtingen bij het Comité régional du tourisme PACA *(zie blz. 10)*.

Romeinen

De *Via Domitia* of Domitiaanse weg, door de Romeinen aangelegd om Rome te verbinden met Zuid-Spanje, is onverwoestbaar: het tracé is blijven bestaan, ook al is het nu vaak bedekt met asfalt. In de Provence liep deze antieke weg via Apt, Cavaillon, Tarascon en Nîmes. Een niet te missen overblijfsel in de omgeving van Apt is de Pont Julien, in het jaar 3 v.C. gebouwd over de Coulon.

3/ STEDEN EN BEZIENS- WAARDIGHEDEN

Uitzicht op de daken van Roussillon
B. Jaubert / Age fotostock

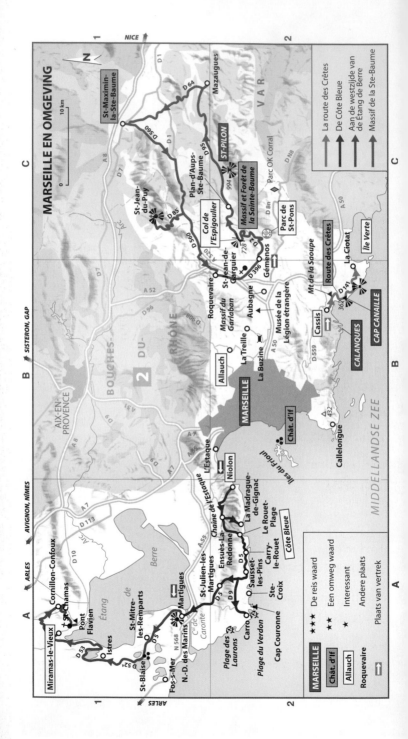

MARSEILLE EN OMGEVING

De reis waard ★★★
Een omweg waard ★★
Interessant ★
Andere plaats •
Plaats van vertrek 🏳️

La route des Crêtes
De Côte Bleue
Aan de westzijde van
de Étang de Berre
Massif de la Ste-Baume

Marseille en omgeving 1

Michelinkaart van de departementen 340 H6 340 – Bouches-du-Rhône (13)

◗ **MARSEILLE**★★★   **82**

Ten oosten van Marseille:
◗ **DE CALANQUES**★★★**: WANDELROUTE**   **125**

25 km ten oosten van Marseille:
◗ **CASSIS**★ **EN RONDRIT**   **134**

10 km ten oosten van Cassis:
◗ **LA CIOTAT**   **141**

Ten westen van Marseille:
◗ **DE CÔTE BLEUE**★**: RONDRIT**   **146**
38 km ten westen van Marseille:
◗ **MARTIGUES EN RONDRIT**   **152**

15 km ten oosten van Marseille:
◗ **AUBAGNE**   **162**

Ten oosten van Aubagne:
◗ **MASSIF DE LA SAINTE-BAUME**★★**: RONDRIT**   **170**

Marseille

★★★

839.043 inwoners – Bouches-du-Rhône (13)

😊 ADRESBOEKJE: BLZ. 110

🛈 INLICHTINGEN

Toeristenbureau van Marseille *–4 la Canebière - 13001 Marseille - ☎ 08 26 50 05 00 - www.marseille-tourisme.com - 9.00-19.00 u, zo en feestd. 10.00-17.00 u - gesl. 1 jan., 25 dec. Reserveringscentrale: www.resamarseille. com.*

Rondleidingen *– Reserveren - inlichtingen bij het toeristenbureau of op www.marseille-tourisme.com - € 7 (tot 5 jaar gratis).* Er worden rondleidingen (2 uur) georganiseerd met gidsen die erkend zijn door het Franse ministerie voor Cultuur en Communicatie.

◯ LIGGING

Regiokaart B2 *(blz. 80)* – *Michelinkaart van de departementen 340 H6.* De bezoeker doet er goed aan eerst de schitterende ligging van de stad in zich op te nemen. Het plein voor de Notre-Dame-de-la-Garde biedt een uniek **panorama★★★**: links de Îles du Frioul en in de verte het Massif de Marseilleveyre, tegenover de kerk de haven met het Fort St-Jean en het Parc du Pharo, en meer naar rechts de stad met op de achtergrond de Chaîne de l'Estaque en in de verte de heuvels van de Côte Bleue.

🅿 PARKEREN

Autorijden en parkeren in het centrum van Marseille is meestal geen pretje. Laat uw auto daarom achter in een ondergrondse parkeergarage. De dichtst bij het centrum gelegen garages zijn Vieux Port-La Criée, Charles-de-Gaulle, Bourse, Préfecture et République; ze worden aangegeven door borden.

🔉 AANRADER

De gezellige terrasjes van de Vieux Port met zijn Ferry-Boat; Le Panier; het Centre de la Vieille Charité; de Canebière; Notre-Dame-de-la-Garde; de Abbaye Saint-Victor; de Corniche; de Vallon des Auffes; de calanques; een boottocht naar het Château d'If en de Îles du Frioul

🕐 PLANNING

Of u kort of lang in Marseille verblijft, alles begint en eindigt in Le Vieux Port. Dit is het zenuwcentrum van het openbaar vervoer in deze uitgestrekte stad: buslijn 83 rijdt over de Corniche naar de stranden van het Prado; buslijn 35 gaat noordwaarts naar L'Estaque en de stranden van Corbières; een toeristentreintje rijdt naar Le Panier of Notre-Dame-de-la-Garde; de metro brengt u naar het treinstation; de tram doorkruist de hele stad; er is altijd wel een taxi te vinden; en tot slot vertrekken hier de veerboten naar de Îles du Frioul en het Château d'If.

De Vieux Port met de Notre-Dame-de-la-Garde
B. Gardel / Hemis.fr

👥 MET KINDEREN

Musée du Santon Marcel-Carbonel; Muséum d'Histoire naturelle en het Musée du Terroir marseillais; stadion en museum-boetiek van Olympique Marseille; Préau des Accoules; de Ferry-Boat; Château d'If; rondrit in de stad met treintje of dubbeldekker *(zie 'Adresboekje')*; en wat de stranden betreft: het meest geschikt zijn Le Prophète, Borély en Pointe-Rouge, die 's zomers worden bewaakt, of de promenade de la Plage.

Marseille zal Frankrijk vertegenwoordigen als Culturele Hoofdstad van 2013. De stad ondergaat daarom een ingrijpende transformatie; hele wijken worden gerenoveerd. Het valt moeilijk te voorspellen of Marseille haar ambities kan verwezenlijken, maar de stad beschikt nu al over meer dan genoeg attracties die een bezoek waard zijn. De stad, verbonden met een haven waar de eerste inwoners aan land kwamen, is trots op haar 2600 jaar geschiedenis. Oost en West, Europa en Afrika komen samen in deze fantastische, mediterrane smeltkroes die een eeuwenlange traditie van integratie heeft hoog te houden. In deze stad van uitersten zijn er gelukkig velen die menen dat cultuur een hefboom kan zijn voor moderniteit, stadsvernieuwing en sociale cohesie. De uitdaging is dan ook groot voor deze stad, die nog steeds, niet altijd onterecht, gebukt gaat onder negatieve clichés. Dit is een uitstekend moment om (opnieuw) kennis te maken met de symbolische Vieux Port, het kloppende hart van de stad. Om de typisch mediterrane wijk Le Panier te verkennen en u te laten verleiden door de markten van Noailles, die sterk doen denken aan de Arabische soeks. Om te wandelen over de lange Canebière en een kijkje te nemen in het winkelgebied. Om een tochtje te maken over de Corniche met zijn chique villa's en uitzicht op zee of een duik te nemen in een van de piepkleine kreekjes die plotseling verschijnen aan het einde van de smalle weggetjes. Marseille bekoort of wekt ergernis, maar laat niemand koud.

OVERNACHTEN

Chambre d'hôte
  Villa Marie-Jeanne...............⑦

Chambre d'hôte
  Villa Monticelli.....................⑩

Hôtel Ibis Euroméditerranée.....⑲

Hôtel Le Corbusier...................㉕

Hôtel Le Richelieu...................㉘

Hôtel Pullman Palm Beach.......㉚

UIT ETEN

Au bord de l'eau......................③

Chez Fonfon............................①

Cyprien...................................⑩

L'Épuisette..............................⑬

L'Hippocampe.........................⑳

Le Petit Nice...........................㊱

Les Akolytes...........................㊳

Les Grandes Tables................㊶

Péron ....㊺

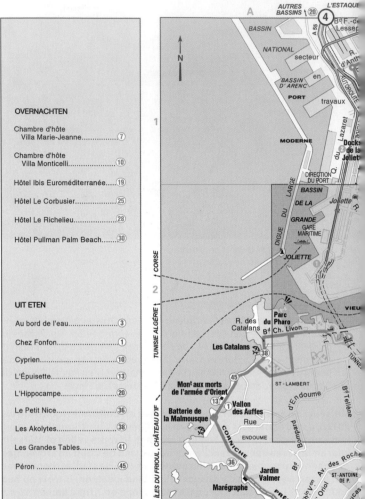

MARSEILLE
plattegrond I

0   500 m

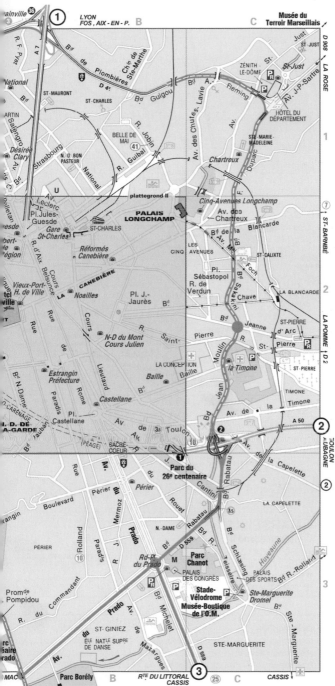

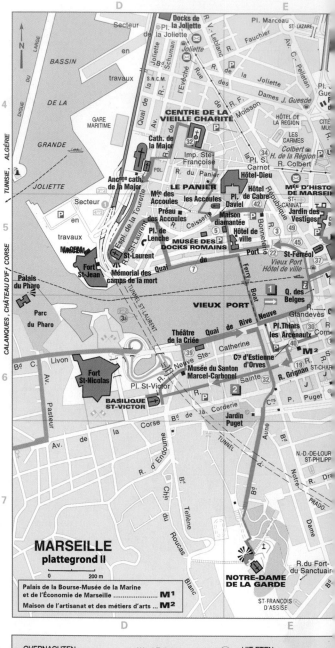

MARSEILLE
plattegrond II

0   200 m

Palais de la Bourse-Musée de la Marine et de l'Économie de Marseille	**M¹**
Maison de l'artisanat et des métiers d'arts ...	**M²**

OVERNACHTEN				UIT ETEN	
Hôtel Azur	⑯	Hôtel Relax	㉚	Axis	①
Hôtel Edmond Rostand	⑲	Hôtel Vertigo	㉛		
Hôtel Hermès	㉒	Hôtel Vertigo Vieux-Port	㉜	Bateau-Restaurant Le Marseillois	③
Hôtel Le Ryad	㉗	New Hôtel Vieux Port	㊲		
		Radisson SAS Hotel	㊴	Café des Épices	⑤

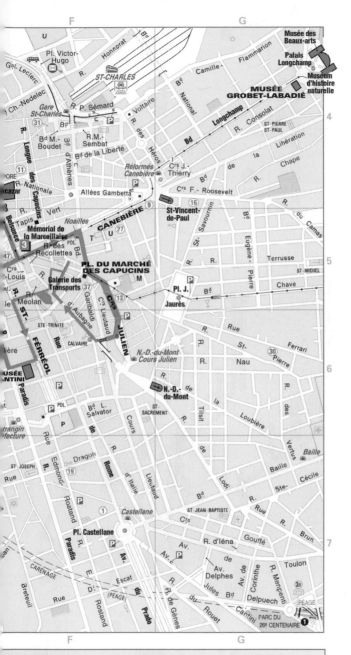

Chez Madie les Galinettes....	⑦	La Part des Anges..........	⑲	Les Arcenaulx................	㊵
Chez Noël....................	⑨	La Tasca...................	㉚	Les Buvards.................	㊷
Grain de sable..............	⑪	Le Charité Café............	㉜	Miramar.....................	㊺
La Cantinetta...............	⑬	Le Moment.................	㉞	Toinou......................	㊼
La Casertane...............	⑮	Le Resto Provençal.........	㊲	Une Table, au Sud..........	㊾

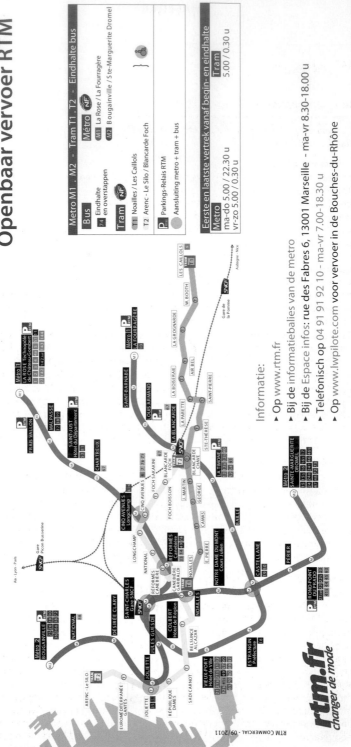

Wandelen

HET OUDE MARSEILLE Plattegrond II

▶ *Wandeling* ① *van Le Vieux Port naar Le Panier, aangegeven op de plattegrond (blz. 86) - ongeveer drie uur.*

★★ **Le Vieux Port** E5-6

In deze baai gingen de Grieken uit Phocaea omstreeks 600 v.C. aan land. Tot de 19de eeuw concentreerde zich hier in de oude haven alle maritieme bedrijvigheid. Maar de haven, die slechts 6 m diep was, bleek te klein voor de nieuwe, grotere schepen. Daarom werden er nieuwe havenbekkens gegraven. Toch is de oude haven nog altijd het hart van Marseille, waar alle straten uitkomen en waar de grote evenementen plaatsvinden. Er zijn talrijke cafés en restaurants die bouillabaisse en andere visspecialiteiten serveren. Aan de **quai des Belges** (E5), bij metrohalte Vieux Port, wordt elke ochtend een kleine **vismarkt** gehouden. De kade is het vertrekpunt voor de boten naar de eilanden. Het water wordt bijna aan het zicht onttrokken door de vele masten. De beroemde, schilderachtige **Ferry-Boat** werd door Marcel Pagnol beschreven in zijn boek *César (zie 'Adresboekje').*

De **Église Saint-Ferréol** (E5), ook wel Église des Augustins genoemd, staat tegenover de oude haven, aan het einde van de rue de la République. De kerk heeft een gevel in renaissancestijl, die in 1804 opnieuw is opgetrokken. Volg tegenover de kerk de **quai du Port** (DE5), die langs het Corps-de-Ville komt. Deze wijk is het hart van het oude Marseille. Hij werd in 1943 opgeblazen door de Duitsers met het argument dat de huizen onbewoonbaar waren. 40.000 bewoners werden eerst geëvacueerd. Slechts enkele bijzondere panden bleven gespaard, waaronder het stadhuis. De daaraan grenzende gebouwen zijn ontworpen door Fernand Pouillon.

Hôtel de ville E5

Interessante gevel in de Provençaalse barokstijl. Het schild met het wapen van de koning boven de ingang is een afgietsel van een werk van Pierre Puget. Achter het stadhuis ligt de weidse **place Bargemon**, dat een schitterend uitzicht biedt over de stad. Boven aan de trap, die een verbinding vormt tussen de oude haven en de wijk Le Panier, verrijst het imposante Hôtel-Dieu *(zie verderop).* In de **Espace Villeneuve-Bargemon** onder aan het plein zijn regelmatig exposities met hedendaagse kunst te zien.

★ **Musée des Docks romains** D5

4 pl. Vivaux - ☎ 04 91 91 24 62 - ♿ - juni-sept.: 11.00-18.00 u; okt.-mei: 10.00-17.00 u - rondleidingen op aanvraag - gesl. ma en feestd. - € 2 (tot 10 jaar gratis).
Bij bouwwerkzaamheden in de oude haven zijn Romeinse opslagplaatsen blootgelegd uit de 1ste tot de 3de eeuw. De collectie van het museum omvat voorwerpen die hier zijn gevonden. Een maquette geeft de bezoeker een indruk van het oorspronkelijke complex en de omgeving in de Romeinse tijd. De opslagplaatsen lagen aan de kade. Ze kwamen op de eerste verdieping waarschijnlijk via een zuilengalerij uit op de hoofdstraat van de stad, de *decumanus*, de huidige rue Caisserie. Op de benedenverdieping stonden *dolia*, grote kruiken voor graan, wijn en olie. Voorwerpen van keramiek en metaal, amfora's afkomstig uit scheepswrakken, munten en meetinstrumenten geven een overzicht van de handelsgeschiedenis van Marseille. Met een model van een pottenbakkersoven wordt getoond hoe amfora's werden gemaakt.

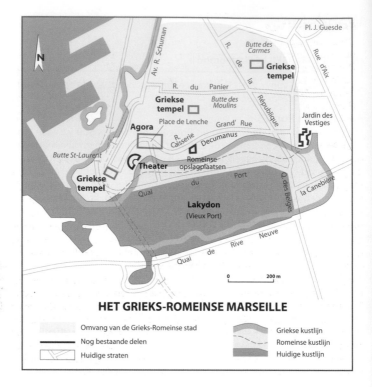

HET GRIEKS-ROMEINSE MARSEILLE

Omvang van de Grieks-Romeinse stad
Nog bestaande delen
Huidige straten

Griekse kustlijn
Romeinse kustlijn
Huidige kustlijn

★ Maison diamantée - Musée du Vieux Marseille E5

Dit museum is tijdelijk gesloten. De verzamelingen zullen worden tentoongesteld in het Musée d'Histoire.

Het museum is gehuisvest in een 16de-eeuws pand met diamantkoppen op de gevel. Binnen is een fraai **trappenhuis★** met cassetteplafond te bewonderen. Op dit moment zetelt hier de vereniging Marseille-Provence 2013.

Ga naar de rue de la Caisserie, sla hier rechtsaf en loop door naar de Grand-Rue; nr. 27 bis is het Hôtel de Cabre.

Hôtel de Cabre E5

De gemengde bouwstijlen van dit herenhuis uit 1535 getuigen van de invloed van de late gotiek op de civiele bouwkunst in Marseille.

Keer terug naar de place Daviel.

Het kolossale **Hôtel-Dieu** (voormalig hospitaal) torent boven de haven uit en valt op door zijn bijzondere ontwerp en de boven elkaar geplaatste bogengalerijen (18de eeuw). Na een verbouwing zal het gebouw begin 2013 een vijfsterrenhotel herbergen.

Onderweg komt u langs het **Pavillon Daviel** uit het midden van de 18de eeuw, dat vroeger dienstdeed als gerechtsgebouw. De gevel met pilasters heeft een mooi smeedijzeren balkon. De versiering met het zogenoemde margrietmotief is typisch voor Marseille.

Keer terug en volg de rue Caisserie naar de Clocher des Accoules, het enige wat rest van een van de oudste kerken van Marseille. Sla meteen rechtsaf en bestijg de Montée des Accoules, een trap die naar de wijk Le Panier voert.

FABIO MONTALE

Op de drempel van hun woning zitten de *cacòus* in blauwe overalls hun krant te lezen, terwijl ze commentaar geven op de resultaten van Olympique Marseille, in hun Marseillaanse dialect. Dit is de wereld van Fabio Montale, een goedmoedige politieman, ontsproten aan de fantasie van **Jean-Claude Izzo** (*Chourmo*, *Total Khéops* en *Solea*, in de reeks 'Série Noire'). Op het witte doek werd de rol vertolkt door Alain Delon.

★ Le Panier DE4-5

De wijk Le Panier is gebouwd op de Butte des Moulins, op de plaats van de Griekse stad Massalia. Het is het enige overblijfsel van het oude Marseille. De plaatselijke bevolking (voornamelijk vissers met een bescheiden inkomen) heeft de schaarse grond zo goed mogelijk benut door de huizen zo hoog mogelijk te bouwen. Met zijn wirwar van straatjes vol drogend wasgoed, zijn trappen en zijn kleurrijke gevels doet deze wijk enigszins denken aan Napels, Catalonië of andere steden aan de Middellandse Zee. Zonder zijn volkse karakter te verliezen, heeft de wijk de laatste jaren ook veel kunstgaleries, café-restaurants en modeboetieks aangetrokkken.

Volg de **Montée des Accoules** (D5), het embleem van deze buurt, en dwaal wat rond: de **rue du Panier** (D4), de rue Fontaine-de-Caylus, de rue Porte-Baussenque, de rue du Petit-Puits, de rue Sainte-Françoise, de rue du Poirier en de rue des Moulins, die op de sierlijke place des Moulins uitkomt, zijn allemaal een wandeling waard. De wijk is een smeltkroes van culturen. Ooit gleed hij langzaam af tot een soort getto, maar na de restauratie van La Vieille Charité *(zie onder)* kreeg ook deze wijk een grote opknapbeurt. Wees niet bang om te verdwalen: volg gewoon de weg naar boven!

Préau des Accoules (D5)

29 montée des Accoules - ℘ *04 91 91 52 06 - www.marseille.fr - half juli-begin sept. dag. beh. zo en ma 13.30-17.30 u; rest van het jaar: wo en za 13.30-17.30 u (tijdens exposities) - rondleiding (1.30 uur) op afspraak (5 d. van tevoren) - gesl. sept.-nov. en feestd. - activiteiten voor kinderen ma-za, op aanvraag - gratis.*

👥 De voormalige neoklassieke zaal van de Academie voor wetenschappen, kunst en letteren (1782-1783), met zijn opvallende, **vlakke gewelf** dat wordt gedragen door een zuilenrij, biedt nu plaats aan collecties voor een jong publiek. Er worden thematische exposities ingericht rondom grote kunstwerken (afkomstig uit de collecties van de musea in Marseille), die kinderen via interactieve spelletjes en onder begeleiding kennis laten maken met kunst *(ook concerten, bijeenkomsten en theatervoorstellingen gelieerd aan de kunstwerken)*.

★★ Centre de la Vieille Charité D4

℘ *04 91 14 58 80 - juni-sept.: 11.00-18.00 u, vr 11.00-22.00 u; rest van het jaar: 10.00-17.00 u - gesl. ma en feestd. - € 2 Musée d'Archéologie méditerranéenne; € 2 Musée des Arts africains, océaniens et amérindiens; € 4 wisselende tentoonstellingen; € 8 grote evenementen. Het Centre de la Vieille Charité biedt ook onderdak aan wisselende tentoonstellingen van het Musée des Beaux-Arts, dat tijdelijk gesloten is.*

Dit voormalige armenhuis, een monumentenpand dat schitterend is gerestaureerd, vormt een mooi architectonisch geheel. Het werd gebouwd tussen 1671 en 1749 naar ontwerp van de gebroeders Puget. De gebouwen van dit 'Escoriaal van de armoede' waren oorspronkelijk bedoeld als onderdak voor de misdeelden van Marseille. Ze bevinden zich rondom de centrale **kapel★**

1

met een ovalen koepel, een fraai barokontwerp van Pierre Puget. De gevels aan de binnenplaats hebben drie boven elkaar geplaatste bogengalerijen, gemaakt van kalksteen afkomstig van de Cap Couronne, dat een mooie roze en gele gloed heeft. Het klassieke fronton, dat dateert van het Second Empire, verbeeldt de Liefdadigheid die de arme kinderen tot zich laat komen, met aan weerszijden twee pelikanen.

Tegenwoordig biedt het centrum onderdak aan het Musée d'Archéologie méditerranéenne, het Musée des Arts africains, océaniens, amérindiens (MAAOA) en wisselende tentoonstellingen. Even pauzeren kan in het aangename café-restaurant onder de booggewelven of in de boekwinkel.

Musée d'Archéologie méditerranéenne★★ – *1ste verdieping, noordvleugel.* De afdeling **Egyptische oudheden** is een van de belangrijkste in Frankrijk, na die van het Louvre. De voorwerpen zijn thematisch gerangschikt in vijf zalen: dagelijks leven, kunst, cultuur, godsdienst en grafrituelen. Te zien zijn onder meer sarcofagen, grafbeeldjes, maskers van bladgoud, dierenmummies en unieke stukken, zoals de vier **grafstèles** met de naam van generaal Kasa (1270 v.C.) en het prachtige **Dodenboek van Nespasefy** (664-525 v.C.), profeet van Montou. Deze verzameling teksten en formules bood de overledene bescherming in het hiernamaals.

De afdeling **klassieke oudheden** presenteert op haar beurt de belangrijkste beschavingen uit de gebieden rondom de Middellandse Zee: Mesopotamië, Cyprus, de Cycladen, Kreta, Groot-Griekenland, Etrurië en Rome.

In de zaal gewijd aan **regionale archeologie** zijn voorwerpen bijeengebracht die zijn gevonden bij opgravingen in de omgeving van Marseille. De vondsten vertellen wat meer over de Kelto-Liguriërs die aan de kust van de Middellandse Zee leefden. De interessantste stukken zijn een prachtige **tweekoppige Hermes**★ en de zuilengalerij 'met de afgehakte hoofden': in de uitsparingen van de zuilen werden schedels geplaatst.

Musée des Arts africains, océaniens, amérindiens (MAAOA)★★ – *Op de tweede verdieping van de noord- en oostvleugel.* Buiten Parijs heeft dit museum de grootste collectie voorwerpen uit Afrika, Oceanië en Amerika. De voorwerpen zijn mooi opgesteld: alle kunstwerken staan aan één kant, tegen een zwarte achtergrond, en worden indirect belicht. Ze zijn afkomstig van belangrijke schenkingen: de donatie van Lónce-Pierre Guerre (maskers en reliekbeeldjes, voornamelijk afkomstig uit West-Afrika), de donatie van Henri Gastaut (bijzondere verzameling menselijke schedels die een indruk geeft van de oude beschavingen van Oceanië en het Amazonegebied) en de collectie van François Reichenbach (Mexicaanse volkskunst).

Loop links om de Vieille Charité heen, sla linksaf, neem dan links de rue de l'Évêché en vervolgens rechts de straat naar de kathedraal.

PUGET UIT MARSEILLE

De jonge beeldhouwer, schilder en architect **Pierre Puget** (1620-1694) trok naar Italië om in de leer te gaan bij Pietro da Cortona. Hij beeldhouwde het portaal voor het stadhuis van Toulon en werkte van 1660 tot 1668 in Genua. Dat waren zijn productiefste jaren. Colbert haalde hem echter terug naar Frankrijk en gaf hem de opdracht de schepen in het arsenaal van Toulon te decoreren. Puget verzorgde beeldhouwwerken in verschillende steden in de Provence, waaronder Aix en Marseille. Hij maakte zijn expressieve baroksculpturen in een periode waarin het classicisme overheerste. Een staaltje van zijn vakmanschap is te zien in het armenhuis **La Vieille Charité**.

Cathédrale de la Major D4

Dag. behalve ma 9.00-12.30 u, 14.00-18.00 u.

Met de bouw van deze reusachtige, pompeuze kathedraal in romaans-Byzantijnse stijl naar een ontwerp van de architect Espérandieu werd in 1852 begonnen. Het was een initiatief van de latere Napoleon III, die hiermee zowel de kerk als de inwoners van Marseille voor zich wilde winnen. Jammer genoeg moest daarvoor een gedeelte van de **Ancienne Major★** worden gesloopt. Deze voormalige kathedraal *(gesloten voor publiek)* is een mooi voorbeeld van romaanse bouwkunst, maar alleen het koor, het transept en een travee van het middenschip met zijbeuken zijn bewaard gebleven. Ter gelegenheid van de muzikale vespers worden soms orgelconcerten gegeven.

Loop langs de Esplanade de la Tourelle naar de kleine **Église Saint-Laurent** (D5), de oude parochiekerk van de schippers uit deze wijk. De belvedère biedt een mooi **uitzicht★** op de oude haven en het begin van de Canebière, de Côte Bleue en de Notre-Dame-de-la-Garde. De twee forten, het Fort Saint-Jean en het **Fort Saint-Nicolas** ertegenover, werden gebouwd op last van Lodewijk XIV om de stad in bedwang te houden.

Fort Saint-Jean- MuCEM D5

Het fort omvat oudere constructies, waaronder de op een minaret lijkende Tour du Roy René. Eind 2007 is een nieuwe houten toren gebouwd, de Tour d'Assaut. Het complex moet uitgroeien tot het nieuwe **MuCEM (Musée des Civilisations de l'Europe et de la Méditerranée),** waarvan in 2013 de opening wordt verwacht. De collecties van het Musée des Arts et Traditions populaires en van de Europese afdeling in het Musée de l'Homme zullen worden samengevoegd in een museum over de Europese culturen en de mediterrane wereld. De architect Rudy Ricciotti (Grand Prix national de l'architecture 2006) is belast met het ontwerp van het complex. Het gebouw, omsloten door een web van vezelbeton, zal een scherm vormen dat het zonlicht filtert en speelt met het begrip 'zien zonder gezien te worden'. Bovendien zal het uiting geven aan de tegenstelling hard-zacht. Volgens de architect zal het MuCEM, met zijn uitzicht op het fort, de zee en de haven, 'een verticale kasba' worden.

Mémorial des Camps de la Mort D5

Esplanade de la Tourette (naast het Fort St-Jean) - ℘ 04 91 90 73 15 - ⅙ - juni-sept.: 11.00-18.00 u; rest van het jaar: 10.00-17.00 u - gesl. ma en feestd. - gratis.

In een oude bunker die tegen het Fort Saint-Jean aan ligt, een overblijfsel van de Duitse bezetting, is een ontroerend herdenkingscentrum ingericht, gewijd aan alle slachtoffers van de naziterreur. Het behandelt de razzia van 22 januari 1943, toen 804 Marseillaanse joden werden gedeporteerd naar het vernietigingskamp Sobibor in Polen, waarvandaan niemand terugkeerde. Karl Oberg, hoofd van de Gestapo in Frankrijk, kondigde enkele dagen later aan dat de oude wijk zou worden 'platgebrand en opgeblazen'. 25.000 inwoners van de oude haven werden halsoverkop geëvacueerd door de Franse politie en naar een interneringskamp in Fréjus gebracht. Van hun oude buurt bleef niets over: 1494 panden op 14 ha werden opgeblazen door de bezetter. Die gebeurtenis wordt in beeld gebracht door middel van een videofilm op de benedenverdieping en een tentoonstelling van archieffoto's (eerste verdieping), gemaakt door de nazi's in de Vieux Port. Op de tweede verdieping staan urnen met stof en as, afkomstig van achttien concentratie- en vernietigingskampen. *Keer terug naar de parvis Saint-Laurent en ga de rue Saint-Laurent in.*

Place de Lenche D5

Hier bevond zich vroeger mogelijk de agora, het marktplein van het Griekse Massilia. Nu is het een gezellig plein met bars en restaurants, en huizen met smeedijzeren balkons. Er is een mooi uitzicht op de oude haven, de Notre-Dame-de-la-Garde en het Théâtre de la Criée.

Loop naar de aanlegsteiger van de legendarische Ferry-Boat aan de quai du Port en maak de overtocht naar de quai de Rive-Neuve.

RIVE NEUVE Plattegrond II

▶ *Wandeling* 2 *aangegeven op de plattegrond (blz. 86).*

De steiger van de Ferry-Boat ligt dicht bij het borstbeeld van operettezanger **Vincent Scotto**, tegenover de place aux Huiles. Aan de kade staan mooie neo-classicistische gebouwen. Niet zo lang geleden zijn de zandbanken in dit deel van de haven verwijderd en is de oever geschikt gemaakt voor bewoning.

Via de place aux Huiles komt u terecht in het **Quartier des Arcenaulx**. De ruime **cours Honoré d'Estienne-d'Orves** is als plein in Italiaanse stijl inge-richt. De gevel van het herenhuis op nr. 23 en de Librairie-galerie des Arcenaulx op nr. 25 zijn de laatste zichtbare resten van de gebouwen van het arsenaal. Nr. 21 is het **Maison de l'artisanat et des métiers d'art** (E6 M²), eveneens een historisch gebouw dat ooit onderdeel was van het arsenaal. In wisselende exposities worden hier kunstnijverheidsvoorwerpen getoond, vooral afkom-stig uit het Middellandse Zeebekken.

21 cours d'Estienne-d'Orves - ☏ 04 91 54 80 54 - www.maisondelartisanat.org - di-vr 10.00-12.00 u, 13.00-18.00 u, za 13.00-18.00 u - rondleiding di 15.30 u - gesl. feestd. en aug. - gratis.

De **carré Thiars** rondom het gelijknamige plein is aan het einde van de 18de eeuw aangelegd op de voormalige scheepswerf van het arsenaal. In de aangrenzende straten, met name op het kruispunt van de rue St-Saëns en de rue Fortia, zijn allerlei restaurants te vinden waar een gastronomische wereldreis kan worden gemaakt. De nachtclubs hier zijn geopend tot in de vroege uurtjes, wanneer de *gabians* (zeemeeuwen) om hun kostje komen bedelen bij de personeelsingang van de keukens.

Loop via de rue Marcel-Paul (trap) en de rue Sainte rechts naar de basiliek.

★ Basilique Saint-Victor D6

☏ 04 96 11 22 60 - 9.00-19.00 u - gratis. Op 2 feb. wordt hier het feest van Maria-Lichtmis gevierd (zie 'Adresboekje').

Deze basiliek is het laatste overblijfsel van de abdij die de bijnaam 'sleutel tot de haven van Marseille' droeg. De abdij werd begin 5de eeuw gesticht door de H. Cassianus ter ere van de H. Victor, schutspatroon van de molenaars, die de marteldood vond tussen twee molenstenen (3de eeuw). Nadat de kerk door de Saracenen was verwoest, werd ze in 1040 weer opgebouwd en van versterkingen voorzien. Vanbuiten is de kerk net een burcht. Het portaal van de Tour d'Isarn heeft een kruisribgewelf uit 1140, een van de oudste in Zuid-Frankrijk. Het interessantst is de **crypte★★**. Naast de benedenkerk bevinden zich de grot van de H. Victor en de toegang tot de catacomben. Hier worden sinds de middeleeuwen de H. Lazarus en de H. Maria Magdalena vereerd. In de crypten ernaast is een reeks antieke (heidense en christelijke) sarcofagen te bewonderen. In de middelste kapel, vlak bij de vermeende sarcofaag van de H. Cassianus, is in 1965 een 3de-eeuwse crypte ontdekt met de stoffelijke resten van twee martelaren. Op hun graf werd de abdij gebouwd.

Loop de rue Neuve-Ste-Catherine af.

Musée du Santon Marcel-Carbonel D6

47-49 r. Neuve-Ste-Catherine - ☎ 04 91 13 61 36 of 04 91 54 26 58 - www.santons marcelcarbonel.com - dag. behalve zo en ma 10.00-12.30 u, 14.00-18.30 u - rondleiding (45 min.) op aanvraag (2 wkn. van tevoren) - gesl. op feestd. - € 2.

👥 Dit kleine particuliere museum werd ingericht achter de winkel van een van de belangrijkste santonmakers van Marseille, **Marcel Carbonel**. De topstukken van de collectie zijn de modellen van bekende santonmakers (Lagnel, Neveu, Devouassoux, Paul Fouque en Puccinelli) en de aangeklede santons van abt Sumien (1912). Op de bel-etage staan exotischere modellen (kerststallen uit Japan, Alaska en Mexico). Ook het atelier (nr. 47) is te bezichtigen.
Neem meteen links de voetgangersbrug en loop dan de trappen af naar de quai de Rive-Neuve.

Hier bevindt zich het **Théâtre de la Criée** (D6). Deze schouwburg, die bekendheid heeft gekregen door de toneelgroep van Marcel Maréchal (1981-1994), bevindt zich in de voormalige visafslag *(criée)*, die in 1975 naar de Estaque is verhuisd.
Ga met de auto, of beter nog bus 60 vanaf de cours Jean-Ballard, naar de Notre-Dame-de-la-Garde. Doorgewinterde wandelaars kunnen het voetpad nemen dat begint op de rue du Bois-Sacré, bij de jeu-de-boulesbaan aan de voet van de heuvel. De klim (98 treden) gaat door mooi aangelegde plantsoenen.

★★ Basilique Notre-Dame-de-la-Garde E7

Fort du Sanctuaire - ☎ 04 91 13 40 80 - www.notredamedelagarde.com – april-sept. 7.00-19.15 u; okt.-maart 7.00-18.15 u. Laat de auto achter op het plateau de la Croix (gratis parkeerterrein).

De pas gerestaureerde Notre-Dame-de-la-Garde werd halverwege de 19de eeuw in de toen populaire romaans-Byzantijnse stijl gebouwd door Espérandieu op een 154 m hoge kalkrots. Op de klokkentoren (60 m) staat een reusachtig, verguld Mariabeeld, in de volksmond aangeduid als **'Bonne Mère'** (Goede Moeder). Het interieur van de kerk is uitgevoerd in verschillende kleuren marmer en versierd met mozaïeken en muurschilderingen van de school van Düsseldorf. Aan de muren hangen talrijke **ex voto's** die verwijzen naar matrozen, ziekten, oorlogen en Olympique Marseille. In de **crypte** (benedenkerk) bevindt zich een mooie, marmeren *Mater dolorosa* van Carpeaux. Dankzij nieuwe verlichting en een glazen wand is het minder donker in de crypte. Op Maria-Hemelvaart wordt hier een bedevaart gehouden. Een bezoek aan Notre-Dame-de-la-Garde is ook de moeite waard vanwege het **panorama★★★** dat zich ontvouwt vanaf het voorplein.

RONDOM DE CANEBIÈRE Plattegrond II

▶ *Wandeling ③ van de Vieux Port naar Le Panier, aangegeven op de plattegrond (blz. 87) - ongeveer 2 uur.*
Deze straat uit de 17de eeuw ontleent zijn naam aan een touwslagerij die hier vroeger gevestigd was (het Provençaalse woord *canèbe* betekent 'hennep'). Dankzij zeelieden die de faam van de grote haven aan de Middellandse Zee over de hele wereld hebben verspreid, is de Canebière de beroemdste straat en het symbool van de stad geworden. Ook de operettes van Vincent Scotto (*Un de la Canebière* uit 1938) en de volkszangers uit het interbellum vestigden de naam van deze boulevard. Tot de Duitse bezetting bevonden zich hier trendy cafés, chique boetieks, grote hotels, bioscopen en theaters. Maar de luister van weleer is teloorgegaan en ondanks een renovatieplan, dat tot doel heeft de straat in ere te herstellen door er overheidsgebouwen te vestigen,

De stroom van de tijd

COMMERCIEEL TALENT

Omstreeks 600 v.C. liepen enkele schepen uit de Griekse stad Phocaea (in Klein-Azië) de baai van **Lacydon** binnen, waar nu de oude haven ligt. Dankzij de handelsgeest van de Grieken maakte de stad een snelle bloei door. De inwoners van **Massalia** stichtten handelsposten op verschillende plaatsen langs de kust (Agde, Arles, Le Brusc, Hyères-Olbia, Antibes, Nice) en in het achterland (Glanum, Cavaillon, Avignon en mogelijk ook St-Blaise). Met de Kelto-Liguriërs werd handel gedreven in wapens, bronzen voorwerpen, olie, wijn, zout, slaven en keramiek. Nadat de kooplieden van Massalia hun Etruskische en Punische concurrenten hadden verdrongen, heersten zij over de zeeën tussen de Straat van Messina en de Iberische kusten en over de Rhônevallei. Zij beheersten de internationale handel in amber en vooral in ruwe metalen: zilver en tin uit Spanje of Bretagne, koper uit Etrurië. Na een periode van verval kreeg de stad in de 4de eeuw de vorm van een republiek en leefde ze opnieuw op. Het kustgebied werd ontgonnen en er werden fruit- en olijfbomen en wijngaarden aangelegd. Bij opgravingen op de **place des Pistoles** (1995) werden sporen van bewoning gevonden uit de 4de eeuw v.C. De inrichting van de huizen, het keramiek en het stratennet getuigen van intensieve bedrijvigheid.

CAESAR

De **Romeinen** vielen in 125 v.C. de Provence binnen, bevrijdden Massalia van de Keltiberische Saluvii en begonnen de streek te veroveren. Als bondgenoot van Rome behield Massalia zelfbestuur en kreeg het een strook kustgebied toebedeeld. Toen de rivaliteit tussen Caesar en Pompeius haar hoogtepunt had bereikt, schaarde de stad zich achter de laatste, wat een verkeerde keuze bleek te zijn. Na een beleg van zes maanden werd de stad in 49 v.C. door Caesar ingenomen. Massalia raakte haar vloot, rijkdommen en handelsposten kwijt, maar bleef wel een vrije stad. Haar universiteit was de laatste schuilplaats van de Griekse beschaving in het Westen.

Na de invasies bleef Marseille een bedrijvige haven die de handel met het Oosten voortzette. In 543 kwam de pest voor de eerste maal naar Gallië. Het definitieve verval van Marseille begon in de 7de eeuw. Geplunderd door de Saracenen, de Grieken en Karel Martel kromp de stad tot het gebied binnen de bisschoppelijke ommuring op de Butte St-Laurent. Marseille werd vrij vroeg **gekerstend**. Omstreeks 290 stierf de H. Victor er de marteldood. In de 5de eeuw stichtte de Armeense monnik Cassianus in de christelijke wijk twee kloosters, de eerste van het Westen.

EEN NIEUWE BLOEITIJD

In de 11de eeuw herrees Marseille. Op de scheepswerven heerste een koortsachtige bedrijvigheid. In 1214 werd de stad opnieuw een onafhankelijke republiek, zij het voor korte tijd, want in 1252 moest ze zich onderwerpen aan **Karel van Anjou**. Met de kruistochten begon een periode van welvaart (12de-14de eeuw). Marseille werd een concurrent van Genua als haven en materiaalleverancier voor de kruisvaarders. Deze logistieke functie leverde niet alleen rijkdom op, maar leidde er ook toe dat Marseille in Jeruzalem een wijk met een eigen kerk kreeg toebedeeld. De zeelieden van Marseille bevoeren de kust van Catalonië, beconcurreerden zelfs de schippers van Pisa en Genua in hun eigen wateren en voeren op de Levant, Egypte en Noord-Afrika. Toen de stad in 1423 door de vloot van Aragón werd geplunderd, heerste er een korte crisis. De gewiekste broers Forbin gaven de handel van Marseille echter een nieuwe impuls en koopman Jacques Coeur vestigde er zijn belangrijkste post.

DE PESTEPIDEMIE VAN 1720

Begin 18de eeuw telde Marseille ongeveer 90.000 inwoners. Het was een belangrijke haven en sinds 1669 een vrijhandelsgebied met een monopolie op de handel met het Oosten. Daardoor was de stad een enorme opslagplaats geworden van importproducten. Juist toen Marseille zich opmaakte voor de verovering van de Antillen en de Nieuwe Wereld brak er in 1720 een pestepidemie uit. Op een schip uit Syrië, de *Grand St-Antoine*, hadden zich onderweg een paar gevallen van pest voorgedaan. Bij aankomst werd het schip in quarantaine gehouden bij het Île de Jarre, maar ondanks alle voorzorgsmaatregelen drong de pest door tot de stad. En hoewel ieder contact tussen Marseille en de rest van de Provence ten strengste verboden was, verspreidde de epidemie zich over de regio. Tussen 1720 en 1722 bezweken er in de Provence ongeveer 100.000 mensen aan de pest, waarvan 50.000 in Marseille.

COMMERCIËLE EUFORIE

Marseille kwam de klap heel snel te boven. Er werden nieuwe afzetgebieden gevonden in Latijns-Amerika en vooral op de Antillen. Marseille voerde suiker, koffie en cacao in. De industrialisatie begon. Er kwamen zeepziederijen, glasblazerijen, suikerraffinaderijen, faience-, textiel- en tabaksfabrieken. Reders en kooplieden maakten er fortuin, terwijl de bedrijvigheid in de haven werk verschafte aan ambachtslieden en loonarbeiders. De Franse Revolutie werd met enthousiasme door Marseille omarmd. In 1792 gaven Marseillaanse vrijwilligers het *Chant de guerre de l'Armée du Rhin* bekendheid. Het krijgslied werd door **Rouget de Lisle** gecomponeerd en werd later onder de naam *Marseillaise* het Franse volkslied. Marseille was ook de eerste stad die pleitte voor de afschaffing van de monarchie. De federalistisch ingestelde stad kwam echter ook snel in opstand tegen het ijzeren regime van de nieuwe machthebbers, de Nationale Conventie. Ze werd gestraft met de titel 'Stad zonder Naam'. Toen de zeehandel onder Napoleon ernstig leed onder het continentaal stelsel werd de stad hevig koningsgezind. Onder het Second Empire vonden grote stadsvernieuwingsprojecten plaats. De verovering van Algerije gaf de handel een nieuwe impuls. Met de opening van het Suezkanaal in 1869 brak een nieuwe periode van voorspoed aan.

HEDEN EN TOEKOMST

In de Tweede Wereldoorlog raakte de stad zwaar beschadigd door bombardementen. Bovendien werd in 1943 de oude wijk tussen de rue Caisserie en de Vieux Port gesloopt. Meteen na de bevrijding werd begonnen aan de wederopbouw. **Fernand Pouillon** herbouwde de Vieux Port. Het opvallendste project was de Cité radieuse of 'Maison du Fada', de eerste *unité d'habitation* (wooneenheid) van **Le Corbusier**. Marseille werd zwaar getroffen door de gevolgen van de dekolonisatie en de economische recessie. Pas begin 21ste eeuw kreeg de stad een nieuwe rol. Dankzij de TGV die in drie uur van Le Vieux Port naar Parijs rijdt, zijn de banden met de hoofdstad aangehaald. Andere symbolen van het nieuwe elan zijn het ontwikkelingsproject 'Euroméditerranée' en 'Marseille-Provence 2013' *(zie blz. 49)*.

waaronder een politiebureau in een oud luxehotel *(op de hoek van de boulevard Garibaldi)*, zal het nog wel even duren voordat de Canebière weer net zo bruist als in het verleden; vooral 's avonds is hier weinig leven. Een stap in de goede richting is de verbreding van de trottoirs en de versmalling van de rijbaan (twee stroken in plaats van vier), waardoor ruimte ontstaat voor een nieuwe tramlijn.

Loop vanaf de Vieux Port verder over het linkertrottoir.

De opmerkzame wandelaar zal misschien verrast worden door het ongewone gebouw van de **Opéra** (E6), in de rue Beauvau. Na een brand die alles verwoestte behalve de zuilen van het voorportaal en de steunmuren van het oude Grand Théâtre (1787), werd de Opéra volledig herbouwd. Neoklassieke elementen zijn hier gecombineerd met art déco.

De wijk die het gebouw omringt werd lange tijd beschouwd als de rosse buurt van de stad, maar maakt een gestage ontwikkeling door. Naast de bars met geblindeerde ramen en weinig aan de verbeelding overlatende uithangborden, verschijnen modeboetieks, designwinkels en hippe restaurants.

Keer terug naar de Canebière en loop verder over het linkertrottoir.

Palais de la Bourse-Musée de la Marine et de l'Économie de Marseille E5 M[1]

9 la Canebière ✆ 04 91 39 33 21 - http://patrimoine.ccimp.com - 10.00-18.00 u - € 2 (tot 12 jaar gratis).

Laat u niet intimideren door de standbeelden van Pythéas en Euthymènes, zeevaarders uit Massalia, die de gevel van dit gebouw sieren, en treed binnen in de **grand hall**★, waar ooit de kreten van de vele kooplui en hun klanten weergalmden. Het Palais de la Bourse, gebouwd in 1854, biedt nog steeds onderdak aan de Kamer van Koophandel van Marseille-Provence, de oudste ter wereld (1599).

Ook is hier het **Musée de la Marine et de l'Économie** gehuisvest. Dit museum toont diverse modellen van zeil- en stoomschepen, schilderijen, gravures, foto's, affiches en plattegronden, die een indruk geven van de geschiedenis van de zeevaart en de haven van Marseille.

Loop door over de Canebière, ga linksaf de passage ('rue Saint-Ferréol prolongée') in en neem de roltrap naar het Centre Bourse, een groot winkelcentrum waaronder het Musée d'Histoire de Marseille is aangelegd. Het museum biedt toegang tot de Jardin des Vestiges, die in 1967 werd ontdekt bij werkzaamheden in de wijk.

★ Musée d'Histoire de Marseille E5

Gesloten tot 2013 wegens verbouwing. Winkelcentrum Centre Bourse - ✆ 04 91 90 42 22.

Dit museum belicht de geschiedenis van Marseille van de prehistorie tot de middeleeuwen. Een maquette van Marseille in de 3de en 2de eeuw v.C. toen het een Griekse stad was, geeft een goed beeld van de antieke haven met zijn scheepshellingen.

Een reconstructie van de porticus van de tempel van Roquepertuse brengt de Kelto-Ligurische gewoonte om afgehouwen hoofden van vijanden op te hangen in beeld. De Griekse stad, de begrafenisgebruiken en de metaalnijverheid worden helder en duidelijk behandeld. De doorsnee van een grote kruik of *dolium* en verschillende soorten amfora's waarin wijn, olie of allerhande visgerechten werden bewaard, laten zien hoe etenswaren werden vervoerd en opgeslagen. Bewonder vooral het wrak van een Romeins koopvaardijschip uit de 3de eeuw, dat door vriesdrogen is geconserveerd. Het geeft een beeld van de vele verschillende houtsoorten die in die tijd in de scheepsbouw werden gebruikt. De tentoonstellingsruimte 'Le temps des découvertes de Protis à la reine Jeanne' bevat spectaculaire vondsten die zijn gedaan bij de laatste opgravingen in de haven, onder meer een Grieks wrak uit de 6de eeuw v.C.

Jardin des Vestiges E5

Tot 2013 gesloten wegens verbouwing.

De verdedigingswerken van de Griekse stad, het hoornvormige uitsteeksel van de antieke haven met de kaden uit de 1ste eeuw en een toegangsweg tot de stad uit de 4de eeuw vormen samen een soort archeologische tuin, de Jardin des Vestiges. Ten tijde van de Grieken lag dit terrein aan de rand van een stuk moerasland dat in de 3de en 2de eeuw v.C. is drooggelegd. In de tweede helft van de 2de eeuw v.C. werd er een nieuwe muur gebouwd waarvan nog interessante delen te zien zijn: vierkante torens, bolwerken en verbindingswallen. Bijzonder is de bouwtechniek met grote blokken van roze kalksteen afkomstig van de Cap Couronne. Door een poort uit de 2de eeuw v.C. liep een Romeinse toegangsweg de stad in.

Verlaat het Centre Bourse via een uitgang die uitkomt op de cours Belsunce.

De **cours Belsunce** vormt het middelpunt van Marseille, waarvandaan de afstanden naar de andere steden worden berekend. De weg biedt een van de langste zichtlijnen van Europa, die reikt van de **arc de triomphe** op de place d'Aix (ook wel 'Porte d'Aix' genoemd) tot aan de fontein op de place Castellane *(zie blz. 102)*.

Dat de stadsvernieuwing een groot stempel drukt op het centrum, is goed te zien aan de cours Belzunce, die een aangename wandelweg is geworden, ook al wordt de westzijde nog steeds ontsierd door hoge gebouwen. Het voormalige **Alcazar** (F4), de mythische schouwburg waarvan alleen de oude luifel nog bestaat, leidt een nieuw leven als huisvesting van de **Bibliothèque municipale à vocation régionale** (BMVR), de plaatselijke bibliotheek.

Mémorial de la Marseillaise F5

23-25 r. Thubaneau - ℘ 04 91 91 91 97 - www.memorial-marseillaise.com - & - feb.-maart en nov.-dec.: di-zo 14.00-18.00 u; april-mei en half sept. tot eind okt.: di-zo 10.00-12.00 u, 14.00-18.00 u; begin juni tot half sept.: 10.00-19.00 u - € 7 (6-12 jaar € 5, tot 6 jaar gratis).

Ook al is *La Marseillaise* in Straatsburg geschreven, in 1792, door Rouget de Lisle voor het revolutionaire leger van de Rijn, de stad waarvan het lied de naam draagt, moest er wel een monument voor oprichten. Dat is gebeurd

---

ZO VEEL HERINNERINGEN

Het **Alcazar** opende in 1857 zijn deuren en was ruim honderd jaar lang de tempel van het variété in Marseille. Er werden pantomimevoorstellingen, herdersspelen en Marseillaanse revues opgevoerd. Voordrachtskunstenaars, cabaretartiesten, plaatselijke komieken en later ook bekende rock- en popzangers traden hier op. De operettes van **Vincent Scotto** en Sarvil ontwikkelden zich in het Alcazar tot een geheel eigen genre. Ook Marcel Pagnol liet zich inspireren door de sfeer van het Alcazar. Het theater beleefde zijn glorietijd tussen 1920 en 1950, met artiesten als Mayol, Mistinguett, Rina Ketty en Maurice Chevalier. Filmacteurs als Raimu, Fernandel, Tino Rossi en **Yves Montand** maakten er hun debuut, de laatste met een repertoire in westernstijl, waarmee hij in één klap beroemd werd. Het Alcazar ging dicht in 1964, nadat rocker **Johnny Halliday** er als een van de laatsten triomfen beleefde.

in de vorm van dit herdenkingscentrum. Hier kan de bezoeker verschillende versies van het Franse volkslied beluisteren (de ene geslaagder dan de andere) en vervolgens videobeelden bekijken die een beeld schetsen van de Franse Revolutie, de context waarin het lied is geschreven, en laten zien hoe het lied bekendheid verwierf tot in Parijs, dankzij de troepen uit Marseille die het tot hun strijdlied hadden gemaakt…!

Als u weer op de **Canebière** staat, werp dan een blik op de gebouwen met hun opvallende architectuur, die herinneren aan de vergane glorie van deze hoofdweg. Tussen de rue Saint-Ferréol en de cours Saint-Louis verrijzen gevels in de rocaillestijl van halverwege de 18de eeuw; op de hoek van de cours Saint-Louis (nrs. 1-3) staat een gebouw in barokstijl uit 1671-1672, dat een van de hoeken moest vormen van de place Royale, ooit ontworpen door Pierre Puget maar nooit gerealiseerd; nr. 53 en 62 (Hôtel de Noailles) zijn typische voorbeelden van de Second Empire-stijl.

Ga rechtsaf de boulevard Garibaldi in en vervolgens links richting de cours Julien.

Cours Julien F5-6

Hier werd tot in 1972 de groenteveiling van Marseille gehouden. Daarna werd het veranderd in een ruim wandelplein dat uitnodigt tot slenteren, met zijn vele restaurantjes, antiekwinkels, kledingzaken (Madame Zaza of Marseille, Casablanca enz.), boekhandels, kunstgaleries en kleine theaters (Espace Julien, La Baleine qui Dit Vagues, Chocolat Théâtre), of een pauze op een van de caféterrassen. De straten ten oosten van de cours Julien, zoals de rue Bussy-l'Indien, de rue Pastoret, de rue Crudère en de rue Vian, hebben een 'alternatieve' uitstraling, door de artistieke graffiti op de huizen *(zie de voorgevel van het Maison hantée, het spookhuis in de rue Vian)*, de kleine creatieve bedrijfjes, en de cafés die 's avonds volstromen.

Loop naar de trap aan de zuidzijde van de promenade.

Daal de trappen af (mooi uitzicht op het stadscentrum) en neem de voetgangersbrug die over de cours Lieutaud naar de rue d'Aubagne leidt, waar allerlei specerijenwinkeltjes, oosterse bazaars, kunstgaleries en exotische restaurants te vinden zijn, en verder naar de 'buik van Marseille'. Deze buurt legt economisch gezien niet veel gewicht meer in de schaal, maar heeft zijn schilderachtige karakter behouden. Loop langs de kraampjes met groenten en fruit op de **place du Marché-des-Capucins** tegenover het metro- en tramstation Noailles, waar een klein transportmuseum is ingericht. In de smalle **rue Longue-des-Capucins** (F4-5), met een sfeer die het midden houdt tussen soek en vlooienmarkt, vermengen de geuren van specerijen zich met die van koffie, olijven, verse munt en gedroogde vruchten. De rue des Halles-Charles-Delacroix, de oude vismarkt waar nu talrijke exotische winkeltjes te vinden zijn, komt uit bij de kleine rue Vacon, waar zich veel stoffenwinkels hebben gevestigd, en leidt vervolgens naar de 'Saint-Fé' zoals de **rue St-Ferréol** (F5-6) in de volksmond wordt genoemd. Dit is de grootste voetgangersstraat van de stad, met allerlei kledingzaken, schoenen- en lederwinkels, maar ook grote warenhuizen, zoals Galeries Lafayette, H&M en Virgin Megastore, ijssalons en fastfoodzaken.

★ Musée Cantini F6

19 r. Grignan - ℘ 04 91 54 77 75 - juni-sept.: 11.00-18.00 u; okt.-mei: 10.00-17.00 u - gesl. ma, 8 mei, 14 juli en 25 dec. - € 3 (tot 18 gratis).

In dit 17de-eeuwse herenhuis is een museum gevestigd dat zich toelegt op 20ste-eeuwse kunst tot 1960, met name op het fauvisme, het vroege kubisme, het expressionisme en de abstracte kunst. Zo bezit het museum werken van Matisse, Derain *(Pijnboombos, Cassis)*, Dufy *(Fabriek in L'Estaque),*

Alberto Magnelli (*Stenen nr. 2*, 1932), Dubuffet (*Venus van het trottoir*, 1946), Kandinsky, Chagall, Jean Hélion en verschillende Picasso's. Tijdens de Tweede Wereldoorlog kwamen veel surrealistische schilders naar Marseille, waar zij bij André Breton in de villa Air-Bel verbleven. Het is dan ook logisch dat het museum voor deze kunststroming een plaats heeft ingeruimd. Er zijn schilderijen van André Masson (*Antillen*, 1943), Max Ernst (*Monument voor de vogels*, 1927), Wilfredo Lam, Victor Brauner, Jacques Hérold, Joan Mir, en zeven zeldzame tekeningen van de uit Marseille afkomstige Antonin Artaud.

De haven van Marseille, net als L'Estaque een grote inspiratiebron, is afgebeeld op schilderijen van Marquet, waaronder *De Vieux Port* met het stille water dat één wordt met de lucht en het ranke silhouet van de inmiddels verdwenen overlaadbrug, van Signac en van de Marseillaanse schilder Louis-Mathieu Verdilhan (1875-1928), specialist op dit gebied.

Het museum bezit ook nog enkele werken van kunstenaars die niet tot een bepaalde stroming behoren, waaronder Balthus *(De Bader)*, Giacometti *(Portret van Diego)* en een zelfportret van Francis Bacon.

Loop terug naar de Canebière en sla rechts de rue Paradis (een drukke winkelstraat) in naar Le Vieux Port.

QUARTIER LONGCHAMP Plattegrond II G4

◯ *Zie de plattegrond (blz. 87).*

Quartier Longchamp beleeft een nieuwe jeugd sinds de tram over de lange, met platanen omzoomde boulevard rijdt. Wandelaars krijgen ruim baan op de boulevard, die het Quartier des Réformés, boven de Canebière, met het Palais Longchamp verbindt. Het paleis staat aan het einde van deze stijlvolle promenade, aan een groot bassin met watervallen.

★ Musée Grobet-Labadié

140 bd Longchamp - Metro Longchamp-Cinq-Avenues - Bus 81 - ☏ 04 91 62 21 82 - juni-sept.: 11.00-18.00 u; okt.-mei: 10.00-17.00 u - rondleidingen (1.30 uur) op aanvraag - gesl. ma en feestd.

Dit statige, 19de-eeuwse herenhuis is ingericht met voorwerpen die ooit toebehoorden aan de rijke Marseillaanse koopmansfamilie Labadié. De collectie omvat onder meer fraaie Vlaamse en Franse wandtapijten (16de-18de eeuw), meubelen, faience uit Marseille en Moustiers (18de eeuw), kerkzilver, smeedwerk en oude muziekinstrumenten. Ook hangen er mooie schilderijen, zoals Vlaamse, Duitse en Italiaanse primitieven en werken van de Franse school uit de 17de, 18de en 19de eeuw. Het museum bezit bovendien een verzameling tekeningen van verschillende Europese scholen (15de-19de eeuw).

Palais Longchamp

Metro Longchamp-Cinq-Avenues. Bus 81.

Dit meesterwerk van architect **Henri Espérandieu**, dat een ode brengt aan het water, de kunsten en de wetenschap, werd gebouwd tijdens het Second Empire, tussen 1839 en 1869, om de komst te vieren van het water van de rivier de Durance. Het ruim 80 km lange **canal de Marseille**, aangelegd door ingenieur Frantz Mayor de Montricher om het watertekort in de stad op te lossen, komt hier uit. Nog steeds is het kanaal een van de belangrijkste drinkwaterbronnen van Marseille. De vleugels van het monumentale gebouw strekken zich uit aan weerszijden van een zuilengalerij met een fontein, symbool van de overvloed en de vruchtbaarheid die het water brengt. Het paleis biedt onderdak aan het Musée des Beaux-Arts en het Muséum d'histoire naturelle.

Achter het paleis ligt een mooi **park**, de longen van het centrum van de stad, dat werd uitgebreid na de sluiting van de dierentuin in 1987 *(speeltuin, manege, café)*.

Musée des Beaux-Arts

Linkervleugel van het Palais Longchamp. Gesloten wegens verbouwing, heropening gepland in 2013. De wisselende tentoonstellingen zijn tijdelijk te zien in het Centre de la Vieille Charité. Inlichtingen: 𝄇 04 91 14 58 80 of 04 91 14 59 30.

Het Musée des Beaux-Arts, geopend in 1802, kort na de Revolutie, is het oudste museum in Marseille en een van de eerste in Frankrijk. De collectie **Franse schilderkunst** omvat werken van de belangrijkste schilders uit de 17de eeuw (Lesueur, Vouet, Champaigne, Mignard), de 18de eeuw (David, Topino-Lebrun, Duparc) en de 19de eeuw (Courbet, Corot, Millet, Puvis de Chavannes). De 17de-eeuwse, Provençaalse schilders (onder meer Pierre Puget, Jean Daret, Louis Pinson en Michel Serre) en de vertegenwoordigers van de **Provençaalse school van de landschapsschilders** (Paul Guigou, Émile Loubon, Adolphe-Joseph Monticelli, Félix Ziem) hebben uiteraard een mooi plaatsje gekregen. De **Italiaanse schilderkunst** uit de 16de en 17de eeuw is goed vertegenwoordigd met doeken van Perugino, Bassetti en Assereto, en met grote namen uit de barok, zoals Carracci, Guercino, Lanfranco en Maratta.

Op de afdeling **schilderkunst van de Noordelijke scholen** vinden we doeken van Rubens, Jordaens en Snyders.

Meesterwerken van Pierre Puget, Auguste Rodin en Honoré Daumier geven een indruk van de **beeldhouwkunst** in de 17de en de 19de eeuw.

De bijzondere tentoonstelling wordt gecompleteerd door een verzameling **tekeningen** uit de 16de tot en met de 19de eeuw.

★ Muséum d'histoire naturelle

Rechtervleugel van het Palais Longchamp - 𝄇 04 91 14 59 50 - 10.00-17.00 u. Gesloten wegens verbouwing tot 2013.

👤👤 Dit museum bezit prachtige zoölogische, geologisch en prehistorische collecties. De 400 miljoen jaar oude geschiedenis van de regio Provence-Côte d'Azur wordt hier in kaart gebracht. Er is een safarimuseum ingericht dat een overzicht biedt van de diersoorten die op aarde hebben geleefd en er worden ook **opgezette dieren** tentoongesteld, zoals de brughagedis. Een aparte zaal is gewijd aan de Provençaalse flora en fauna. In de **aquaria** is de permanente expositie 'Eaux vives, du Verdon aux Calanques' te zien. Het museum heeft wisselende exposities gelieerd aan actuele thema's, zoals duurzame ontwikkeling, ecologie en biodiversiteit.

CASTELLANE EN LE PRADO Plattegrond I

◐ *Zie de plattegrond (blz. 85).*

Place Castellane A2

Het plein, waarvandaan de blik reikt tot aan de Porte d'Aix, vormt het beginpunt van een as die nog verder doorloopt, naar de obelisk op de rotonde van Mazargue, bij de zuidelijke toegangsweg van de stad. Het is aangelegd in de 18de eeuw en kreeg in 1911 een fontein van Carraramarmer, een werk van de beeldhouwer André Allar, aan de stad aangeboden door de marmerhandelaar Jules Cantini.

Als u de bijna oneindige **avenue du Prado** volgt, die een loodrechte hoek maakt (het eerste deel verbindt de place Castellane met de rond-point du Prado (rotonde), het tweede loopt naar het strand) komt u door de chique woonwijken van Marseille, met statige gebouwen en herenhuizen, banken en grote kantoren. Op de brede trottoirs, in de schaduw van lindebomen en lotusbomen, wordt iedere ochtend de grootste markt van Marseille gehouden *(oneven zijde van de avenue, eerste deel)*.

Bij de rond-point du Prado bevindt zich de ingang van **Parc Chanot** (C3), een voormalig exercitieterrein waar begin 20ste eeuw een evenementenhal werd gebouwd. Hier worden de grote beurzen van Marseille gehouden.

Parc du 26e Centenaire BC3

Av. Jules-Cantini - Metro Périer - gratis toegang.

Hoewel de beplanting van dit park nog jong is, het werd in 2001 ingewijd om het 2600-jarig bestaan van de stad te vieren, is dit een uitstekende plaats om verkoeling te zoeken. De vegetatie op het 600 m lange en 160 m brede terrein (waar ooit een treinstation stond) is ingedeeld naar thema (Provençaals, Aziatisch, Afrikaans…). Het park beschikt over speeltuinen voor de kinderen, een meertje en een waterval, die gretig wordt gebruikt in de zomer.

Musée-boutique de l'OM en het Stadion Vélodrome C3

3 bd Michelet - Metro Rd-Pt du Prado - ☎ 04 91 23 32 51 - www.om.net - rondleiding door het stadion (1 uur) op aanvraag - inlichtingen en reserveringen bij het Toeristenbureau.

👤👤 Het op-een-na-grootste stadion van Frankrijk (60.000 plaatsen), na het Stade de France bij Parijs, is de 'tempel' van voetbalclub Olympique Marseille en trekt ieder jaar bijna net zo veel pelgrims als de Notre-Dame-de-la-Garde. Sinds de officiële opening in 1937, met de wedstrijd OM-Torino, is het mythische stadion verschillende malen verbouwd, en in juni 2011 onderging het opnieuw een renovatie vanwege het EK van 2016 (de hele tribune werd overdekt en de capaciteit werd uitgebreid naar 67.000 plaatsen. Oorspronkelijk diende het voor andere sportevenementen, de naam Vélodrome is afkomstig van de wielerbaan rondom het grasveld, maar tegenwoordig vinden hier voornamelijk voetbalwedstrijden plaats. Onder het stadion bevindt zich een **museum-boetiek** gewijd aan OM waar de vele fans van deze club, die in 2010 110 jaar bestond, op af komen.

Cité radieuse C3, buiten de plattegrond

280 bd Michelet - Metro Rd-Pt-du-Prado La Cité herbergt een hotel en een caférestaurant waar ook niet-hotelgasten welkom zijn (zie 'Adresboekje').

Prachtig of spuuglelijk, iedereen heeft een uitgesproken mening over de Cité radieuse, die tussen 1947 en 1951 werd gebouwd door de architect Le Corbusier. De critici noemen het 'het huis van de malloot', de bewoners, onder wie zich veel architecten, kunstenaars en onderwijzers bevinden, zijn er weg van. De imposante kolos (137 m lang, 24 m breed en 56 m hoog) moest een laboratorium worden voor een nieuw 'systeem van gemeenschappelijk wonen'. Het wooncomplex bestaat uit 337 appartementen van 23 verschillende typen en beschikt over een binnenstraat met een hotel, een restaurant, winkels, een school en een fitnesscentrum.

'RECHT OP HET DOEL AF'

Olympique Marseille is niet zomaar een voetbalclub, het is de ziel van de stad. Van triomfen naar nederlagen naar schandalen, alles is hier extreem: het enorme Stade Vélodrome met zijn geestdriftige, maar strenge publiek, de pers die de gemoedstoestand van de spelers ontleedt, de transfers van de sterren. De honderd jaar oude club verenigt alle Marseillanen rondom haar kleuren wit-blauw en haar motto 'Recht op het doel af'.

◐ *Zie de plattegrond (blz. 84).*
Deze lange promenade is ook voor auto's toegankelijk, maar het is vrijwel onmogelijk om er een parkeerplaats te vinden (vooral in het weekend). Bus 83 rijdt vanaf de oude haven over de Corniche naar het Parc balnéaire du Prado. Van daaruit gaat bus 19 naar La Pointe-Rouge.

Le Pharo A2

Dit park ligt op een uitstekende rots en boven de Vieux Port. Het terras van het Palais du Pharo is een mooi **uitkijkpunt**. Het paleis werd gebouwd voor Napoleon III. In het park is een ondergronds auditorium aangelegd. Liefhebbers van scheepvaart kunnen onderweg een blik werpen op de **Chantier naval Borg**, de laatste scheepswerf waar de typische Marseillaanse vissersboten worden gebouwd *(25 anse Pharo - www.chantiernavalborg.com).*

De boulevard Charles-Livon leidt naar het zandstrandje **Les Catalans**. Daar begint de **Corniche du Prés.-J.-F.-Kennedy★★** (A2-3), een meer dan 5 km lange weg die vrijwel constant langs zee loopt, tot aan het Parc balnéaire du Prado. De promenade, die is aangelegd tussen 1848 en 1863 en wordt omzoomd door fraaie villa's, biedt schitterend uitzicht op de baai van Marseille en de eilandjes.

Voorbij de volkswijken Endoume en Les Catalans verrijst het **Monument aux Morts de l'Armée d'Orient** (A2). Daar begint een viaduct dat over de pittoreske Vallon des Auffes loopt.

★ Vallon des Auffes A2

Neem de trap bij de brugpijler, meteen links voorbij het viaduct. Met de auto te bereiken via de boulevard des Dardanelles vlak voor het viaduct. Maar opgelet: parkeren is moeilijk!

In dit piepkleine haventje met zijn *barquettes* (traditionele vissersboten) en vele *cabanons* lijkt de drukke, rumoerige stad ver weg. Alleen het verkeer over het viaduct herinnert eraan. Wie 's avonds gaat eten op een terrasje aan de waterkant van dit operettedecor, dat als inspiratiebron diende voor Vincent Scotto, geniet van het beste wat Marseille te bieden heeft. Bij zonsondergang is het hier prachtig vanwege de steeds veranderende lichtval. Op de kades zijn diverse restaurants te vinden, waarvan sommige befaamd zijn om hun visspecialiteiten en hun bouillabaisse *(zie 'Adresboekje').*

Keer terug naar de Corniche.

De smalle straatjes van de wijk **Malmousque** (A2) kronkelen zich naar de zee of

Marseille, het Fort Saint-Jean
M. Renaudeau / Age fotostock

stijgen op naar de woonwijken Endoume en Bompard, met schitterende villa's die door weelderige tuinen aan nieuwsgierige blikken worden onttrokken.

Als u terugkeert naar de Corniche en de route naar de Jardin Valmer volgt, komt u, voordat de Corniche weer naar de zee terugkeert, bij een tweede viaduct, dat naar de **Anse de Malmousque** (A2) leidt. Onderweg is een zelf-registrerende **getijmeter** te zien, waarmee het peil van het zeewater werd gemeten en de nulhoogte werd vastgesteld *(gesl. voor publiek, maar twee keer per jaar organiseert het toeristenbureau een rondleiding)*.

Jardin Valmer A3

Al lijkt de Jardin Valmer vanbuiten op een privéterrein, het is wel degelijk een openbaar park, misschien zelfs het mooiste van de stad. Het is aangelegd rond de **Villa Valmer**, een weelderige villa in neorenaissancestijl die in 1865 werd gebouwd door een industrieel *(het toeristenbureau organiseert rondlei-dingen)*. Het park zelf biedt schitterende vergezichten over de Middellandse Zee, die reiken van de heuvels van Marseilleveyre in het zuiden tot de Pointe de Carry in het noorden. In de zomer lokt de dichte, schaduwrijke begroeiing veel bezoekers. Zoals in de meeste parken aan de Azuren Kust is ook hier een grote verscheidenheid aan planten te vinden: aardbeibomen, olijfbomen en steeneiken, naast exotische soorten (palm- en pistachebomen) die door de eerste eigenaar werden meegebracht uit het Oosten.

Parallel aan de Corniche ligt een boulevard die zeer geliefd is bij hardlopers en vissers. Aan deze boulevard staat de langste bank ter wereld: een uitgelezen plek om te genieten van het schouwspel op de rede! De weg loopt bovenlangs de kleine **Plage du Prophète** (A3) en komt uit bij de jachthaven Roucas-Blanc.

Promenade de la Plage AB3

Deze promenade ligt in het verlengde van de Corniche, in het zuiden, en loopt langs het **Parc balnéaire du Prado**, een recreatiegebied met jacht-havens en kunstmatig aangelegde stranden, begrensd door tuinen. Aan de overkant van de weg bevinden zich diverse restaurants. Op de rotonde ver-rijst een replica van de *David* van Michelangelo.

Ter hoogte van het strand Vieille-Chapelle ligt de **Bowl de Marseille**, een skatepiste van internationale faam. Iedere zomer wordt er op de stranden een stadion ingericht waar internationale sportwedstrijden en andere sport-activiteiten plaatsvinden.

Château en Parc Borély B3

Ingangen van het park op av. Pierre-Mendès-France, av. du Parc Borély en av. de

Bonneveine - 6.00-21.00 u - gratis toegang. Botanische tuin: ☏ 04 91 55 24 96 - ♿ maart-okt.: 10.00-12.00 u, 13.00-18.00 u; nov.-feb.: 10.00-12.00 u, 13.30-16.30 u - rondleiding (1 uur) op aanvraag - € 3 (3-18 jaar € 1).

Dit grote park, eigendom van de rijke koopmansfamilie Borély, is een van de groene longen van de stad. De grote, beschaduwde gazons, de Franse tuin, de mooie **botanische tuin** en de **rozentuin** zijn erg in trek bij gezinnen. Sportievelingen komen hardlopen, fietsen of skaten op het fietspad dat om de manege heen loopt. Het **Château Borély** aan de zuidzijde is kortgeleden gerestaureerd. Vanaf 2013 zal dit 18de-eeuwse landhuis onderdak bieden aan het **Musée des Arts décoratifs de la Ville de Marseille**.

Sla op de promenade de la Plage ter hoogte van de Escale Borély de av. de Bonneveine in en neem vervolgens de av. de Hambourg. Onderweg komt u een grote duim tegen… Dit kunstwerk van César duidt erop dat u bijna bij het Musée d'Art contemporain bent.

★ Musée d'Art contemporain (MAC) B3, buiten de plattegrond

69 av. d'Haïfa - Sla vanaf de promenade de la Plage ter hoogte van de Escale Borély de av. d'Haïfa in, waar u een grote metalen duim ziet staan, een beeldhouwwerk van César - Metro Rond-Point-du-Prado, vervolgens bus 23 of 45, halte Haïfa-Marie-Louise - ☏ 04 91 25 01 07 - ♿ - juni-sept.: 11.00-18.00 u; okt.-mei: 10.00-17.00 u - gesl. ma en feestd. - € 3 (kinderen € 1,50), € 3,50 extra voor rondleiding.

Het museum is gevestigd in een gebouw dat bestaat uit tegen elkaar aan geplaatste identieke modules. De permanente tentoonstelling, gewijd aan Franse kunstenaars met een centrale plaats voor Marseillanen, brengt verschillende richtingen in de hedendaagse kunst van de jaren zestig tot nu bijeen: nouveau réalisme, supports/surfaces en arte povera, maar ook het eclecticisme van de jaren tachtig en werken van vrijbuiters die niet in een categorie zijn in te delen. Het museum legt zich erop toe de collectie uit te breiden. Recente aankopen zijn onder meer *Compressions* en *Expansions* van **César**, werken van Richard Baquié (*Amore Mio*, 1985), Jean-Luc Parant (*Machines à voir*, 1993), **Daniel Buren** (*Cabane éclatée no. 2*), de complexe assemblages van Martial Raysse (*Bird of Paradise*, 1960), Arman, Jean-Pierre Raynaud, de installatie *Rotozaza* van **Tinguely**, een 'antropometrie' van Yves Klein en werken van **Robert Combas** en Jean-Michel Basquiat, die soms ondergewaardeerde aspecten van onze cultuur belichten, zoals strips en graffiti.

Keer terug naar de promenade de la Plage, loop verder over av. Pierre-Mendès-France en de av. de la Pointe-Rouge.

Pointe-Rouge B3, buiten de plattegrond

Bus 19. Pointe-Rouge, met zijn kleine jachthaven en grote zeilschool, is zeer populair bij gezinnen vanwege de baai met zandstrand, het ondiepe water en de strandtenten, waar men kan eten met de voeten in het zand… In de periodes van de mistral zoeken wind- en kitesurfers het water op.

Vervolg uw weg over de av. de Montredon.

Iets verderop, tussen de zee en de heuvels ligt de **Campagne Pastré** (buiten de plattegrond), het grootste park in Marseille (110 ha). De gazons en lommerrijke promenades worden doorkruist door wandelpaden die leiden naar het Massif de Marseilleveyre en de calanques.

In het park ligt het **Château Pastré**, een mooie gerestaureerd buitenhuis uit de 19de eeuw, dat Marseillaans baksteen combineert met witte stenen uit Arles. Hier was tot voor kort het Musée de la Faïence gevestigd *(de collectie zal te zien zijn in het toekomstige Musée des Arts décoratifs dat hier in 2012 zijn intrek zal nemen).*

LE PORT Plattegrond I A1-2

◯ *Zie de plattegrond (blz. 84) - ongeveer 1 uur.*

Via de **rue de la République**, een lange verkeersader omzoomd door gebouwen uit de tijd van Napoléon III, bereikt u deze wijk die volop in ontwikkeling is. De straat moet het centrum uitbreiden tot aan de place de la Joliette en maakt deel uit van de route van de nieuwe tramlijn. De verbrede trottoirs met bomen bieden alle ruimte om op uw gemak de winkeletalages te bekijken.

Toen in 1844 de Vieux Port te klein was geworden, werd een nieuw havenbassin aangelegd bij La Joliette. Daarna volgden het Bassin du Lazeret en het Bassin d'Arenc en verdere uitbreidingen in noordelijke richting. Hier en daar zijn nog getuigen te vinden van de traditionele economische bedrijvigheid van Marseille: olieslagerijen, zeepziederijen, meel-, griesmeel- en metaalfabrieken. De twee wereldoorlogen, de minder belangrijke rol van het Suezkanaal en het zelfstandig worden van de koloniën hebben de handel van Marseille een zware slag toegebracht. Na een fase van omschakeling, hoofdzakelijk gericht op olie en chemie, zijn de belangrijkste industriële activiteiten verplaatst naar het gebied rond de Étang de Berre en de Golfe de Fos.

Docks de la Joliette

Bereikbaar met de metro of de tram, halte Joliette. Toegang via het Hôtel de l'Administration, place de la Joliette. Deze rij pakhuizen van bijna 400 m lang werd tussen 1858 en 1863 gebouwd naar het model van de Engelse entrepots. De gebouwen staan symbool voor de economische bloei van Marseille. De stad had haar welvaart vooral te danken aan de koloniën, waar grondstoffen werden verwerkt en dan hoofdzakelijk uitgevoerd. Voor de bouw van de pakhuizen werd uitsluitend natuursteen, baksteen en gietijzer gebruikt, om het brandgevaar te beperken. Sinds de renovatie door Éric Castaldi zijn in de gebouwen niet alleen havenbedrijven ondergebracht, maar worden er ook evenementen en exposities georganiseerd die de bezoekers de gelegenheid bieden om de indrukwekkende overwelfde kelders te bewonderen.

Dankzij de bouw van een tunnel werd La Major ontlast van het autoverkeer en kon een promenade worden aangelegd. Tussen het Bassin d'Arenc, het nieuwe havenstation en het Fort St-Jean (waar het Musée des Civilisations de l'Europe et de la Méditerranée onderdak krijgt) is de **Cité de la Méditerranée** gepland. De gedaanteverandering die deze wijk ondergaat is indrukwekkend. Er zijn moderne panden verrezen die onderdak bieden aan allerlei dienstverlende bedrijven. Het opvallendste voorbeeld is de 29 verdiepingen tellende, glazen **Tour CMA-CGM**, een ontwerp van de architecte Zaha Hadid. Het is het hoofdkantoor van een reder van wereldformaat.

L'ESTAQUE Regiokaart B2, blz. 80

◯ *Zie de regiokaart. Wie deze buitenwijk van Marseille wil bezichtigen (10 km ten noorden van de Vieux Port), neemt de auto of bus 35 vanaf de Vieux Port.*

☺ **Goed om te weten** – Langs de **Chemin des peintres**, die begint bij de havendam, staan acht panelen die vertellen over de geschiedenis van deze volkswijk en over de kunstwerken die hier zijn ontstaan.

'Het is net een speelkaart. Rode daken op de blauwe zee,' zei **Paul Cézanne** in juli 1876 tegen Camille Pissarro. Het sfeervolle vissersdorp met hier en daar een fabriek lokte vele avantgardistische schilders (Braque, Dufy, Derain, Marquet…) tussen 1870 en de Eerste Wereldoorlog. Korter geleden herleefde de belangstelling voor de wijk door de film *Marius et Jeannette* van Robert Guédiguian. Toch kan l'Estaque de bezoeker teleurstellen… In het weekend zoeken veel

Marseillanen hier hun vertier, maar door de week is er weinig te beleven. Sommige stedelingen komen op de viswinkels en restaurants af en op de kraampjes met de lokale specialiteiten: 'panisses' (gefrituurde schijven van kikkererwtenmeel) en 'chichi frégi' (zoete beignets) – een beetje zwaar op de maag maar verrukkelijk. Loop in ieder geval even naar het kerkplein voor het **uitzicht** op de rede van Marseille met zijn eilanden en in de diepte de daken van de oude stad.

Musée Monticelli

Fortin de Corbières - pointe de Corbières (N 568) - L'Estaque - ☎ 04 91 03 49 46 - www.associationmonticelli.com - dag. behalve ma en di 10.00-17.00 u - gesl. feestd. - € 4,50.

Het museum in dit kleine fort van Corbières (19de eeuw), dat prachtig is gerestaureerd, is gewijd aan de Marseillaanse schilder **Adolphe Monticelli** (1824-1886) van wie hier een dertigtal schilderijen te bewonderen is (portretten, stillevens, landschappen enz.). Hij wordt beschouwd als voorloper van het impressionisme en inspireerde vooral Van Gogh. Geniet van het adembenemende uitzicht vanuit de hoogte op L'Estaque en de rede van Marseille.

Wat is er nog meer te zien? Plattegrond I

Musée du Terroir marseillais C1, buiten de plattegrond

5 pl. des Héros - Metro La Rose, vervolgens de bus naar Château-Gombert - ☎ 04 91 68 14 38 - www.musee-provencal.fr - ♿ - 10.00-13.00 u, 14.00-17.00 u, za en zo 14.00-17.00 u - feestd. gesl. - € 4 (7-12 jaar € 2).

👥 Op een groot wandelplein bij **Château-Gombert** (in het 13de arrondissement) vindt u dit museum dat een beeld geeft van het leven op het platteland in de 18de en 19de eeuw. In de keuken met zijn grote haard en zijn *pile* (natuurstenen gootsteen) zijn faience-tegels uit Marseille, tinnen en aardewerken voorwerpen, en aïoli-vijzels te zien. In de woonkamer en de slaapkamer staan meubels die typisch zijn voor deze streek, zoals de *radassier*, een lange canapé. Let op de verzameling kerststallen en santons (figuurtjes voor in de kerststal).

U kunt genieten van Provençaalse gerechten bij La Table Marseillaise *(imp. Ramelle - ☎ 04 91 05 30 95)*, een restaurant dat in een vleugel van het museum is gevestigd.

In de omgeving Regiokaart, blz. 80

Op een paar honderd meter van de Vieux Port ligt een groepje stenige eilandjes, die een uitstekende bestemming vormen voor een boottochtje.

Archipel du Frioul B2

Met de boot: vertrek vanuit de Vieux Port, 1 quai de la Fraternité (quai des Belges) - informeer bij Navettes du Frioul naar de dienstregeling - ☎ 04 91 46 54 65 - www.frioul-if-express.com - alle boten meren aan bij het Château d'If en op het île du Frioul - boottocht en bezoek aan het kasteel inbegrepen bij de City Pass (informeer bij het toeristenbureau).

Îles du Frioul – De eilanden zijn bewoond (op dit moment ongeveer honderd personen) en de haven van Frioul beschikt over enkele restaurants en winkels. *Controleer wanneer de laatste boot terugvaart naar Marseille.* De Archipel du Frioul bestaat uit drie eilanden: **If**, **Ratonneau** en **Pomègues**. De laatste twee zijn aan elkaar verbonden door de haven van Frioul. Het zijn populaire wandelgebieden geworden voor de Marseillanen. Talloze paden doorsnijden het hele eiland en voeren de wandelaar naar mooie calanques, waaronder de **Calanque Sainte-Estève** met zijn mooie zand- en kiezelstrand *(pas op, geen schaduwplekje te vinden!)*. Het pad dat om de calanque heen loopt, leidt naar het **Hôpital Caroline** (19de eeuw), waar vroeger zeevaarders met een besmettelijke ziekte in quarantaine werden gehouden.

Château d'If★★ – *℘ 04 91 59 02 30 - www.monuments-nationaux.fr - half mei- half sept.: 9.30-18.15 u; rest van het jaar: dag. behalve ma 9.30-17.30 u- gesl. 1 jan en 25 dec. - € 5 (18-25 jaar € 3,50). Moeilijk toegankelijk voor beperkt mobiele personen.* ♣♣ Ere wie ere toekomt, de eerste aanlegplaats is het beroemde eiland van het Château d'If, onsterfelijk gemaakt door Alexandre Dumas. Hier liet hij drie van zijn helden wegkwijnen: de Man met het ijzeren masker, de graaf van Monte-Cristo en abt Faria; vooral hugenoten en later personen die zich hadden verzet tegen de staatsgreep in 1851 belandden hier. Het kasteel werd in zeer korte tijd gebouwd, tussen 1524 en 1528, en diende als voorpost die de rede van Marseille moest bewaken. Eind 16de eeuw werd om het kasteel een versterkte muur gebouwd, op de rotsen aan de zeezijde. Toen de citadel overbodig werd, veranderde het kasteel in een staatsgevangenis. De route door het museum, opgeluisterd met beelden uit verschillende speelfilms over de graaf van Monte-Cristo, leidt langs de vele cellen. Vanaf een plateau boven op de kapel (niet meer in gebruik) hebt u prachtig **uitzicht★★★** over de rede, de stad, de Îles Ratonneau en het Île Pomègues.

Château de la Buzine - Maison des cinématographies de la Méditerranée B2

▶ *Ten westen van Marseille, bereikbaar via de A 50 (afrit La Valentine). Bus 50 vanaf Castellane naar het winkelcentrum La Valentine, vervolgens bus 51 (halte La Buzine).*

56 traverse de la Buzine - La Valentine - 13011 Marseille - ℘ 04 91 45 27 60 - www. chateaudelabuzine.com

Dit mooie buitenhuis uit de Second Empire werd door Marcel Pagnol, auteur-cineast uit Aubagne, herkend als het 'kasteel van mijn moeder' uit zijn jeugd. Hij kocht het in 1941 en wilde er een 'Cité du cinéma' van maken. Maar het project werd uiteindelijk voltooid door de stad Marseille, die nu de eigenaar is. Dit nieuwe culturele centrum opende zijn deuren in juni 2011 en is gewijd aan de cinema van het Middellandse-Zeegebied en aan het werk van Marcel Pagnol. In het gebouw, dat werd gerenoveerd door de Marseillaanse architect André Stern, vindt u een afdeling met fragmenten uit films over het Middellandse-Zeegebied, een cinematheek, een bibliotheek, een filmzaal en natuurlijk een aparte ruimte met werk van Pagnol.

MARSEILLE: ADRESBOEKJE

VERVOER

Trein
Het verbouwde **Gare Saint-Charles** is een knooppunt van hogesnelheidstreinen, regionale treinen en pendelbussen naar de luchthaven.

Met de auto
Wie met de auto de stad ingaat heeft een flinke dosis geduld, relativeringsvermogen en moed nodig: eindeloze files, opvliegende chauffeurs en een schrijnend tekort aan parkeergelegenheid buiten de ondergrondse parkeergarages. Ga liever te voet of neem het openbaar vervoer.

Er zijn 17 **parkeergarages**, waaronder: Vieux Port - La Criée (ma-za 6.00-1.00 u, zo 8.00-23.00 u), Bourse (24 u/d), Pl. du Général-de-Gaulle (24 u/d), Pl. Jean-Jaurès (zo-wo 6.00-20.30 u, do-za 6.00-1.00 u), Préfecture (24 u/d), Castellane (ma-za 7.00-1.00 u)… De tarieven variëren per locatie, ga uit van € 2,20/u. Voor verdere informatie: www.vincipark.com.

Openbaar vervoer
Vervoersbedrijf RTM – *8 r. des Fabres (tegenover Centre Bourse) - ☎ 04 91 91 92 10 - www.rtm.fr - ma-vr 7.00-18.00 u, za 9.00-12.30 u, 14.00-17.30 u.* De stad beschikt over drie soorten openbaar vervoer: de bus, de metro en de tram.

Tarieven – U kunt een kaartje kopen waarmee u 1 uur kunt reizen over het hele RTM-net (bus, metro, tram).

Ticket Solo (€ 1,50) is geschikt als u af en toe met het openbaar vervoer reist, maar bij frequenter gebruik kunt u beter kiezen voor de **Carte Libertés** € 6,30 en € 12,60, waarmee u voor het normale tarief kunt reizen (€ 1,26). De **Pass Journée** (€ 5) is geldig vanaf het eerste gebruik tot middernacht voor een onbeperkt aantal reizen. Met de **Pass 3 Jours** (€ 10,50) kunt u drie opeenvolgende dagen reizen volgens hetzelfde principe.

Bus – 86 buslijnen verzorgen de verbinding tussen het centrum en de buitenwijken. De bussen rijden dag. tussen 5.30 u en 0.00-0.45 u.

Metro – Dit is het gemakkelijkste vervoermiddel. Het centrum van Marseille wordt bediend door twee lijnen: La Rose/La Fourragère (M1) en Bougainville/Ste-Marguerite-Dromel (M2). De metro's rijden door de week tussen 5.00 en 23.00 u. (de laatste vertrekt om 22.30 u bij het beginstation) en in het weekend tot 1.00 u. (laatste metro 0.30 u.).

Tram – Marseille heeft twee tramlijnen: de T1 verbindt Les Caillols met Eugène-Pierre en de T2 vertrekt bij treinstation Blancarde naar La Joliette (Euro-méditerranée-Arenc). Dag. tussen 5.00 en 0.35 u (laatste tram).

Met de fiets
Le vélo – *130 stallingen - fietsen af te halen tussen 6.00 u en middernacht; terugbrengen: 24 u/d - plattegrond op www.levelo-mpm.fr - kortlopend abonnement € 1 (7 d.) + € 1/u (eerste halfuur gratis).* Stallingen met automaat door de hele stad. Ook al is Marseille heuvelachtig en zijn soms alle fietsen op, de tweewieler is zeer geliefd sinds de lancering in 2007. Ludiek, praktisch en goedkoop: een uitstekende manier om de stad te verkennen. Eén minpunt: er zijn weinig fietspaden. Pas dus op!

Assos VéloUtile heeft op zijn website (www.veloutile.fr) een interactieve plattegrond van

Marseille gezet met daarop alle stallingen met gratis fietsen, fietspaden en toeristische routes. Het **Collectif Vélos en Ville** (www.velo-marseille.com) wil het fietsen in Marseille stimuleren en heeft een handig gidsje uitgegeven: *Tranquille, guide du vélo à Marseille* (feb. 2008), verkrijgbaar in de boekhandel.

Met de boot

Ferry-Boat – *Overtocht van de quai du Port in de Vieux Port naar de kade van Rive-Neuve - gratis.* De kleintjes vinden het fantastisch (volwassenen trouwens ook). Met de veerboot kan een 800 m lange wandeling worden vermeden, prettig als het snikheet is.

Frioul-If Express – *1 quai des Belges - metro Vieux-Port -* ☎ 04 91 46 54 65 - www.frioul-if-express. com. Dagelijks 5-7 boten (behalve. ma buiten het seizoen) naar Château d'If, dag. 8-9 boten (11 in het weekend) naar het Île du Frioul. In het seizoen meer dan 20 boten per dag. De eerste boot uit Marseille vertrekt om 6.45 u, de laatste vanaf Île du Frioul om 20.05 u (middernacht in juli-aug.). Enkeltje € 5, retour € 10, retour voor beide eilanden € 15. Gratis voor kinderen onder de 4 jaar.

Met de taxi

Taxi Radio Marseille – ☎ 04 91 02 20 20.

Taxi Radio Tupp – ☎ 04 91 05 80 80 - www.taxis-tupp.com.

BEZICHTIGEN

City Pass Marseille – *Te koop bij het toeristenbureau en het Office des Congrès - € 22 voor 1 dag of € 29 voor 2 dagen.* Deze toeristen- en cultuurpas biedt een all-in-formule. Inbegrepen zijn: toegang tot musea, rondleidingen georganiseerd door het toeristenbureau, gebruik van bus, metro, tram en van het toeristentreintje naar Notre-Dame-de-la-Garde en het Musée de la Faïence, overtocht naar het Château d'If inclusief een bezoek aan het kasteel. Sommige winkels bieden korting op vertoon van de pas.

Le Grand Tour – ☎ 04 91 91 05 82 - www.marseillelegrandtour. com - ♿ - *vertrekt vanaf de quai du Port - april-okt.: dag. ieder uur tussen 10.00 u en 13.00 u, en tussen 14.30 u en 17.30 u; nov.-maart: vertrek om 10.00 u, 12.00 u, 14.30 u en 16.30 u, za en zo ieder uur tussen 10.00 u en 13.00 u, en 14.30 u en 17.30 u - gesl. 3 wkn. in jan. - Pas voor 1 dag (€ 18, kinderen € 9) of 2 aansluitende dagen (€ 20, € 9).* Rondrit (1.15 uur) met commentaar door Marseille aan boord van een dubbeldekker. U kunt in- en uitstappen bij elk van de 13 haltes. Kaartverkoop in de bus, de hotels en bij het toeristenbureau.

Toeristentreintje – *vertrek bij de quai du Port (tegenover brasserie La Samaritaine) -* ☎ 04 91 25 24 69 - www.petit-train-marseille. com. Twee routes om uit te kiezen: **circuit Le vieux Marseille** (1.05 uur) *april-half nov.: 10.00-12.30 u, 14.00-18.00 u (vertrek iedere 30 min) - € 6 (kinderen € 3);* **circuit Notre-Dame de la Garde** (1.15 uur) *april-nov.: 10.00-12.20 u, 13.40-18.20 u (vertrek iedere 20 min); dec.-maart: 10.00-12.00 u, 14.00-16.00 u (vertrek iedere 40 min) - € 7 (kinderen € 4).*

Taxis Tourisme – *Reserveringen en informatie bij het toeristenbureau of op www.marseille-tourisme. com - € 90 (max. 4 pers.).* Audiotour (2 uur).

Bleu Evasion – ☎ 06 34 13 74 22 - www.bleuevasion.fr - *vertrek Vieux Port of Pointe-Rouge - max. 11 passagiers.* Ecologisch! Sinds voorjaar 2008 heeft Marseille haar

1

eerste boot op zonne-energie. Stil en schoon vaart hij door de calanques, naar de Archipel du Frioul, de Côte Bleue en door 'Marseille by night' – vier tochten om uit te kiezen dus. **Marseille insolite** – ☎ *06 79 97 73 39 - www.provence-insolite.org - € 9 (tot 12 jaar gratis) - reserveren bij het toeristenbureau verplicht.* Jean-Pierre Cassely, auteur van *Provence insolite et secrète*, biedt vier stadswandelingen aan (2 uur), gelardeerd met historische en komische anekdotes.

OVERNACHTEN

GOEDKOOP

☺ **Goed om te weten** – in de buurt van de Vieux Port zijn twee hotelketens te vinden met betaalbare prijzen en eenvoudige maar goed verzorgde kamers: **Etap Hotel** *(46 r. Sainte - ☎ 08 92 68 05 82 - www.etaphotel. com - 147 kamers)* en **Kyriad** *(6 r Beauvau - ☎ 04 91 33 02 33 - www.hvpm.fr - 49 kamers).*

Hôtel Vertigo – Plattegrond II - *42 r. des Petites-Maries - metro Gare-St-Charles - ☎ 04 91 91 07 11 - www.hotelvertigo.fr - 18 kamers - vanaf € 23,90 per pers. in een kamer voor 4/6 pers., tweepersoonskamer vanaf € 55 - ☕.* Dit sympathieke adres dicht bij het station houdt het midden tussen een hotel en een jeugdherberg. Goede prijs-kwaliteitverhouding. Patio met schaduw, lounge, bar, gemeenschappelijke keuken, bagagedepot en wifi.

Vanwege het succes heeft Vertigo tegenwoordig een 'klein' broertje: **Hôtel Vertigo Vieux-Port** – Plattegrond II - *38 r. Fort-N.-D. - metro Vieux-Port - ☎ 04 91 54 42 95.*

Hôtel Relax – Plattegrond II - *4 r. Corneille - metro Vieux-Port - ☎ 04 91 33 15 87 - www. hotelrelax.fr - 21 kamers € 60/65 -* ☕ *€ 7.* Ontspan, dit is Relax, een volledig vernieuwd familiehotel. De gasten worden verwend in kleine, geluiddichte en goed onderhouden kamers met airco.

Hôtel Le Richelieu – Plattegrond I - *52 corniche Kennedy - bus 83, 54 - ☎ 04 91 31 01 92 - www.lerichelieu-marseille. com -* 🅿 *- 15 kamers en 2 suites € 58/127 -* ☕ *€ 9.* Stijlvol hotel aan de Corniche, bij het strand Les Catalans. Er zijn zeven kamertypes (en zeven prijsklassen), met of zonder uitzicht op zee. Dubbele beglazing aan de straatzijde. De goedkoopste kamers hebben een eigen badkamer maar wc's op de gang. Boek bij voorkeur suite nr. 5 met uitzicht op de rede.

Hôtel Azur – Plattegrond II - *24 cours Franklin-Roosevelt - metro Réformés - ☎ 04 91 42 74 38 - www. azur-hotel.fr - 18 kamers € 64/110 -* ☕ *€ 9.* Tweesterrenhotel vlak bij de Canebière, in een typisch Marseilaans pand (drie ramen op een rij). De kamers met airco liggen op vier verdiepingen, rondom een centrale trap die baadt in het licht. Sommige kamers hebben uitzicht op de tuin waar bij mooi weer onbeten wordt. Hoffelijke ontvangst.

DOORSNEEPRIJZEN

Hôtel Hermès – Plattegrond II - *2 r. Bonneterie - metro Vieux-Port - ☎ 04 96 11 63 63 - www. hotelmarseille.com - 29 kamers € 72/102 -* ☕ *€ 8,50.* Eenvoudig maar comfortabel hotel met een goede prijs-kwaliteitverhouding, zeker gezien de ligging aan de quai du Port. Er is niet alleen een prachtig dakterras, maar ook een uitzonderlijke 'bruidssuite' met grote ramen en schitterend uitzicht op de Vieux Port en Notre-Dame-de-la-Garde.

Hôtel Edmond Rostand – Plattegrond II - *31 r. du*

Dragon - 📞 04 91 37 74 95 - 15 kamers € 65/99 - ☕ € 8,50. Functioneel, goed onderhouden tweesterrenhotel in een rustige wijk op steenworp afstand van de Préfecture en de winkelstraten.

Hôtel Ibis Euroméditerranée – *Plattegrond I - 25 bd de Dunkerque - 📞 04 91 99 25 20 - 192 kamers € 69/92 - ☕ € 8.* Gezellige kamers, zonder verrassingen, maar met airco. Gelegen in een wijk waar van alles gebeurt, tussen La Joliette en de rue de la République. Bar (24 u/d) en restaurant.

Chambre d'hôte Villa Marie-Jeanne – *Plattegrond I - 4 r. Chicot - 📞 04 91 85 51 31 - cdemontmirail@gmail.com - 🅿️ 🚭 - 3 kamers vanaf € 70 - ☕.* Bijzonder adresje: een 19de-eeuws buitenhuis dat inmiddels is ingelijfd door een woonwijk. Smaakvol ingericht met traditioneel Provençaalse elementen, antieke meubels en hedendaagse kunstwerken. Lommerrijke tuin met eeuwenoude platanen en een lotusbomen.

WAT MEER LUXE

Hôtel Le Ryad – *Plattegrond II - 16 r. Sénac-de-Meilhan - metro Réformés, Noailles - 📞 04 91 47 74 54 - www.leryad.fr - 9 kamers € 95/140 - ☕ € 2.* 'Marseille, toegangspoort tot het Zuiden'. Die uitspraak van Albert Londres wordt goed verbeeld door deze gezellige, stijlvolle *riad* met Hausmann-achtige gevel aan de Canebière. Marokkaanse theesalon *(14.00-18.00 u)* en table d'hôte *(reserv.)*.

Chambre d'hôte Villa Monticelli – *Plattegrond I - 96 r. du Cdt-Rolland - metro Rd-Pt-du-Prado - 📞 04 91 22 15 20 - www.villamonticelli.com - 🅿️ - 5 kamers € 10/120 - ☕.* Art-decowoning in het hart van de wijk Prado met een ongebruikelijke maar smaakvolle inrichting. De kamers zijn vrij klein, maar wel knus. Het strand is vlakbij.

Hôtel Le Corbusier – *Plattegrond I - 280 bd Michelet - bus 21, 22 - 📞 04 91 16 78 00 - www.hotelcorbusier.com - www.leventre delarchitecte.com - 21 kamers € 69/135 - ☕ € 9 - rest. € 30/65.* Vijftig jaar geleden bouwde Le Corbusier dit betonnen bouwwerk aan de boulevard Michelet in de Cité Radieuse, een buiten het centrum gelegen chique wijk. Het terras op het dak biedt een weids uitzicht over de rede van Marseille. Er kan gegeten worden in 'Le Ventre de l'Architecte' (De Buik van de Architect).

PURE VERWENNERIJ

Radisson SAS Hôtel – *Plattegrond II - 38 quai de Rive-Neuve - metro Vieux-Port - 📞 04 88 92 19 50 - www.radisson.com - ♿ 189 kamers € 175/495 - ☕ € 25 - rest. € 32/78.* Het imposante Radisson is een modern designhotel in de Vieux Port. De kamers zijn ingericht in Provençaalse of Afrikaanse stijl en voorzien van de nieuwste snufjes. Sommige hebben schitterend uitzicht. Gedempt licht in de trendy eetzaal waar gerechten met mediterrane accenten worden geserveerd.

New Hôtel Vieux Port – *Plattegrond II - 3 bis r. de la Reine-Élisabeth - metro Vieux-Port - 📞 04 91 99 23 23 - www.new-hotel.com - 42 kamers € 160/240 (check de speciale aanbiedingen op internet) - ☕ € 11.* Het pand zelf is oud, maar werd onlangs gerenoveerd. Vooral de ligging aan de Vieux Port is ideaal. Alle kamers hebben een exotisch thema: Duizend-en-een-nacht, Vera Cruz, Rijzende Zon, Zwart Afrika...

1

Pullman Palm Beach – Plattegrond I - *200 corniche J.-F.-Kennedy - bus 83 - ℘ 04 91 16 19 00 - ⅏ - 160 kamers € 200/255 - ⌑ € 22 - rest. € 42/100.* Deze kolos tegenover het Château d'If heeft een moderne uitstraling. De kamers zijn van alle gemakken voorzien en bieden schitterend uitzicht op de zee. Het restaurant heeft een strakke inrichting en serveert zonnige, traditionele gerechten met nieuwe accenten.

UIT ETEN

GOEDKOOP

Le Charité Café – Plattegrond II - *2 r. de la Charité (in de Vieille Charité) - metro Vieux-Port - ℘ 04 91 91 08 41 - 9.00-18.00 u - lunch € 8,90.* Stijlvol restaurant met theesalon in het schitterende decor van een oud armenhuis. Zeer geschikt om een terrasje te pikken na de bezichtiging van de musea. Lekkere dagschotels.

Les Grandes Tables – Plattegrond I - *41 r. Jobin (Friche de la Belle de Mai) - bus 49 - ℘ 04 95 04 95 85 - ma-vr middag, do-za avond, zo gesl. - drankjes: vr en za vanaf 17.00 u.* Dit enigszins buiten het centrum gelegen trendy restaurant kreeg onderdak in een voormalige industrieloods, ingericht met ruw beton en aluminium. Een trefpunt voor hippe vogels; vlakbij bevindt zich de Friche de la Belle de Mai, een tabaksfabriek die werd omgebouwd tot kunstenaarswijk.

Grain de sable – Plattegrond II - *34 r. du Baignoir - metro Noailles - ℘ 04 91 90 39 51 - 's avonds en in het weekend gesl. - lunch € 11,60/14,60.* Een mooi initiatief van Pierrick en Nicolas, die alleen fairtrade- en regionale, biologische producten gebruiken. De keuken is vegetarisch, heerlijk en evenwichtig, en de ontvangst is zeer hartelijk. Tearoom, boetiek en thema-avonden.

Le Resto Provençal – Plattegrond II - *64 cours Julien - metro Cours-Julien - ℘ 04 91 48 85 12 - gesl. zo, ma en do avond - € 13/24.* Een knus restaurant dat met Provençaalse specialiteiten de zon op het bord tovert: bouillabaisse van zeebrasem, inktvis met basilicum, vijgentaart. Op elke tafel ligt een kaartje met uitleg over Provençaalse aperitieven. Een idee om op te toosten!

Les Buvards – Plattegrond II - *34 Grand- Rue - metro Vieux-Port - ℘ 04 91 90 69 98 - gesl. zo middag - dagschotel € 12/14.* Een nieuw sympathiek restaurant met wijnbar, prima gelegen tussen Le Panier en de rue de la République. Lekkere snacks en uitsluitend natuurlijke wijnen.

La Part des Anges – Plattegrond II - *33 r. Sainte - metro Vieux-Port - ℘ 04 91 33 55 70 - www.lapartdesanges.com - gesl. 1 jan. en 25 dec. - € 15/30.* In deze wijnbar is het 's avonds bijzonder druk. Op de kaart staan ruim 850 wijnen die ter plaatse kunnen worden geproefd (per glas of per fles) of meegenomen. De hongerigen hebben de keuze uit fijne vleeswaren, kaas en lichte maaltijden met dagverse producten. Rustieke en moderne elementen in het interieur, met een lange tapkast van zink. Overdekt terras.

DOORSNEEPRIJZEN

La Casertane – Plattegrond II - *71 r. Francis-Davso - metro Vieux-Port - ℘ 04 91 54 98 51 - traiteur: ma-za 9.00-19.30 u; restaurant: 12.00-14.30 u- gesl. zo - € 15/20.* Italië op een paar meter van de Vieux Port. Dit heerlijke restaurant, eveneens traiteur, trakteert zijn gasten op antipasti en stevige pastagerechten voor een redelijke prijs. Laat ruimte over voor de hemelse tiramisu. Als u verzadigd bent, hoeft u voor vertrek alleen nog maar hier uw boodschappen te doen.

Chez Noël – Plattegrond II - *174 la Canebière - Metro Réformés-Canebière* - 🕿 04 91 42 17 22 - *gesl. ma en aug.* - € 15/25. Er wordt beweerd dat je bij Noël de beste pizza's van Marseille kunt vinden. De inrichting is wat oubollig, maar de sfeer is heel gezellig. Een klein familiebedrijfje dat geen enkele hinder ondervindt van de crisis.

Axis – Plattegrond II - *8 r. Sainte-Victoire - Metro Castellane* - 🕿 04 91 57 14 70 - *www. restaurant-axis.com* - *gesl. za middag, ma avond en zo* - *lunch € 15 - € 28/35*. Dit establissement serveert seizoensgebonden gerechten met een eigentijdse toets. Hedendaagse inrichting en vriendelijke ontvangst.

Café des Épices – Plattegrond II - *4 r. Lacydon - Metro Vieux-Port* - 🕿 04 91 91 22 69 - *gesl. za avond, zo en ma* - *lunch. € 21/25 - € 40*. Aantrekkelijke bistro met een eigentijdse inrichting en een vindingrijke, creatieve keuken waarin streekgerechten de pikante toer opgaan. Aangename ontvangst. Mooi terras met olijfboompjes in enorme potten.

Cyprien – Plattegrond I - *56 av. de Toulon - metro Castellane* - 🕿 04 91 25 50 00 - *gesl. 23 juli-4 sept., 24 dec.-5 jan., ma behalve 's avonds buiten de schoolvak., za, zo en feestd.* - € 22,50/53. Niet ver van de place Castellane. Alles is hier klassiek, zowel de inrichting als de heerlijke gerechten. Bloemen en schilderijen fleuren het geheel op.

Chez Madie les Galinettes – Plattegrond II - *138 quai du Port - Metro Vieux-Port* - 🕿 04 91 90 40 87 - *gesl. zo* - *lunch € 17 - € 25/30*. Dit Provençaalse restaurant bij de musea van Le Vieux Marseille heeft een terras met uitzicht op de Vieux Port en La Bonne Mère. Artisjokken *à la barigoule* of *anchoiade* met paprika's. Madie legt graag de kaart uit. Slechts twee minpuntjes: de prijzen zijn wat aan de hoge kant en er rijden hier veel auto's.

Les Akolytes – Plattegrond I - *41 r. Papety - bus 83, 54* - 🕿 04 91 59 17 10 - *gesl. za middag en zo* - € 12/30. Drie jonge kornuiten (*acolytes*) openden dit verrassende restaurant met 'gastronomische tapas'. Het prachtige uitzicht op zee krijgt u er gratis bij. De hedendaagse inrichting lokt vooral 's avonds een trendy clientèle. Wij vielen als een blok voor de chocoladetoffee… en voor een heerlijke wandeling langs de tegenoverliggende strand Les Catalans.

L'Hippocampe – Plattegrond I (buiten de plattegrond) - *151 plage de l'Estaque (L'Estaque)- bus 35* - 🕿 04 91 03 83 78 - *gesl. zo avond. en ma* - *lunch € 13 - € 9/30*. Aan de buitenkant ziet dit restaurant er onopvallend uit, maar de eetzaal met uitzicht op de Vieux Port en het terras aan het water zijn beslist een bezoek waard. Op de kaart staan salades, visgerechten en Provençaalse specialiteiten. Op vrijdag- en zaterdagavond en zondagmiddag treedt hier een zanger op.

Toinou – Plattegrond II - *3 cours St-Louis - metro Noailles* - 🕿 0 811 45 45 45 - *www.toinou.com* - *gesl. zo middag*. Al bijna vijftig jaar zit de beroemde schelpdierenspecialist op deze plek. In dit restaurant tegenover de kiosk van de cours St-Louis kunt u genieten van schelpdieren en zeevruchten, begeleid door een glaasje koele, witte wijn. Thuisbezorging.

La Cantinetta – Plattegrond II - *24 cours Julien - metro Notre-Dame-du-Mont* - 🕿 04 91 48

1

10 48 - gesl. zo en ma - € 15/30.
Een tien met een griffel voor
dit Italiaanse restaurant dat
een goede reputatie geniet
vanwege de volmaakte gerechten,
bereid met verse producten,
het birstro-achtige decor en de
paradijselijke tuin. Uitstekende
prijs-kwaliteitverhouding. Vergeet
niet te reserveren!

La Tasca – Plattegrond II -
*102 r. Ferrari - metro Notre-Dame-
du-Mont -* ✆ *04 91 42 26 02 -
www.latasca.fr - gesl. zo en ma -
€ 15/30.* Recht tegenover de
concertzaal Poste à Galène vindt
u het perfecte adres voor een
tapasavondje op z'n Marseillaans.
Vanaf de straat zou u niet
zeggen dat hier een grote tuin
verscholen ligt die zowel 's zomers
als 's winters open is. Goede,
traditionele Spaanse tapas: *jamon
serrano y manchego, tortillas y
patatas bravas* en meer dan 65
andere heerlijke gerechtjes.
Gastvrije ontvangst en efficiënte
bediening.

Au Bord de l'eau – Plattegrond I -
15 r. des Arapèdes - bus 19 - ✆ *04 91
72 68 04 - www.auborddeleau.eu -
gesl. di avond en wo buiten het
seizoen, ma, di en wo middag van
half-juni tot eind aug. - € 15/35.* Bij
dit restaurant boven het kleine
haventje van Madrague kunt u,
als het weer het toelaat, eten op
de veranda of het terras. Vis à
la plancha en pizza. Reserveren
noodzakelijk.

WAT MEER LUXE

Chez Fonfon – Plattegrond I -
*140 r. du Vallon-des-Auffes - bus
83 -* ✆ *04 91 52 14 38 - www.
chez-fonfon.com - gesl. 2-23 jan.,
ma middag en zo - € 43/55.* De
eetzaal van dit restaurant ligt
aan het haventje van de Vallon
des Auffes waar ieder ochtend
de *pointus*, spitse vissersbootjes,
vertrekken om allerlei heerlijks
uit zee te halen. Van mei tot

september organiseert dit
restaurant iedere donderdag een
boottocht (45 min) gevolgd door
een aperitief op de kade en een
bouillabaisse in het restaurant
(€ 85/pers.).

Le Moment – Plattegrond II - *5 pl.
Sadi-Carnot - metro Vieux-Port -*
✆ *04 91 52 47 49 - www.lemoment-
marseille.com - gesl. zo en ma
- € 17/70.* Een *concept store* voor
fijnproevers. Dit hippe adresje
is een restaurant, een traiteur
en een atelier in één. Wie haast
heeft, kan de hamburger met foie
gras of het broodje met stoofpot
meenemen. De anderen proeven
in alle rust van de vernieuwende,
gastronomische gerechten.

**Bateau-restaurant Le
Marseillois** – Plattegrond II - *Quai
du Port-Marine (voor het stadhuis) -
metro Vieux-Port -* ✆ *04 91
90 72 52 - www.lemarseillois.
com - gesl. in feb. - € 26/50.* Deze
19de-eeuwse tweemaster
in de Vieux Port staat garant
voor een ongewone belevenis.
's Zomers wordt gegeten op
de brug, 's winters in het ruim.
Provençaalse gerechten met
producten van de zee.

Les Arcenaulx – Plattegrond II -
*25 cours d'Estienne-d'Orves -
metro Vieux-Port -* ✆ *04 91 59
80 30 -www.les-arcenaulx.com -
gesl. zo en 11-17 aug. - € 18/57.*
Dit restaurant hoort bij een
boekhandel-uitgeverij (Jeanne
Laffitte), wat goed te zien is aan
het interieur: de gasten dineren
tussen de boeken in een oud
galeiendepot (17de eeuw). Groot
terras aan de cours d'Estienne-
d'Orves. Zomerse gerechten.

PURE VERWENNERIJ

Une Table, au Sud – Plattegrond II - *2 quai du Port (eerste
verdieping) - metro Vieux-
Port -* ✆ *04 91 90 63 53 - www.
unetableausud.com - gesl. zo en
ma, aug, 24-25 dec. - € 36/125.*

Een restaurant met uitzicht die zijn Michelinster ruimschoots verdient. Op het menu staan onder meer *nage de langoustine* (bouillon van zeekreeft) met citroenkruid en Oost-Indische kers, ragout van inktvis met sesamzaad, *crème brûlée* met artisjok. De chef-kok Lionel Lévy tovert met mediterrane smaken. Voor een tafel met uitzicht op de Vieux Port is reserveren aanbevolen.

Miramar – Plattegrond II - *12 quai du Port - metro Vieux-Port* - ℘ *04 91 91 10 40 - www. bouillabaisse.com - gesl. zo en ma - € 70/90*. Befaamd vanwege de bouillabaisse, de sixties-inrichting (gelakt hout en rode stoelen) het mooie terras met uitzicht op de Vieux Port. Behalve bouillabaisse staan ook schelp- en schaaldieren en vis op de kaart. Overdekt, verwarmd terras.

L'Épuisette – Plattegrond I - *156 r. du Vallon-des-Auffes - bus 83 - ℘ 04 91 52 17 82 - www.l-epuisette. com - gesl. zo en ma, 5 aug.-5 sept. - € 60/140*. Dit restaurant lijkt net een schip met de steven gewend naar de Îles du Frioul en de wind in de zeilen die aan het plafond van de eetzaal zijn gespannen. Regionale gerechten met moderne accenten waar producten van de zee de hoofdrol spelen. Kreeg een Michelinster in 2011.

Péron – Plattegrond I - *56 corniche J.-F.-Kennedy - bus 83 - ℘ 04 91 52 15 22 - www.restaurant-peron.com - € 64/78*. Ingericht als een trans-Atlantische pakketboot, uitzicht op de Îles du Frioul. De ligging op de Corniche is fantastisch. Moderne gerechten met een zuidelijke toets.

Le Petit Nice – Plattegrond I – *16/17 r. des Braves - anse de Maldormé (ter hoogte van 160 corniche J.-F.-Kennedy) - bus 83 - ℘ 04 91 59 25 92 -*

www.passedat.fr - ♿ 🅿 - gesl. 1ste helft van jan. en 1ste helft van nov. - lunch € 85 (door de week) - € 145/270. Voor vindingrijke en verfijnde gerechten met vis en zeevruchten is er dit heerlijke adresje dat garant staat voor een gezellige sfeer en magisch uitzicht over de zee. Met zijn drie Michelinsterren een absolute aanrader

EEN HAPJE TUSSENDOOR

Café Debout – *46 r. Davso - metro Vieux-Port - ℘ 04 91 33 00 12 - www.cafedebout.com - ma-za 8.30-19.30 u*. Een ouderwetse koffiebranderij (sinds 1932) waar het heerlijk naar koffie en authenticiteit geurt. Koffiesoorten van over de hele wereld, maar ook thee, honing, chocola, jam en zoetigheden. Een paar tafeltjes op het terras.

Couleurs des thés – *24 r. Paradis (op de 1ste verdieping) - metro Vieux-Port - ℘ 04 91 55 65 57 - di-za 12.00-18.30 u*. Een gezellig adres in de besloten intimiteit van een Marseillaans appartement. Uitgebreide selectie theesoorten en warme en koude dranken, en huisgemaakte lekkernijen voor erbij. Lunchbuffet van 12.00 tot 14.30 u (€ 11).

Cup of Tea – *1 r. de la Caisserie - metro Vieux-Port - ℘ 04 91 90 84 02 - ma-vr 8.30-19.00 u, za 9.30-19.00 u*. Bibliotheek en theesalon tegelijk. Dit literaire café draagt zijn eigen opvatting van la dolce vita met verve uit. Groot terras bij mooi weer. Sympathiek personeel.

Torréfaction Noailles – *56 la Canebière - metro Vieux-Port - ℘ 04 91 55 60 66 - www.noailles. com - ma-za 7.30-19.30 u*. Deze beroemde koffiebrander heeft ook elders in Marseille vestigingen geopend. Vooral deze is in trek vanwege de gezellige drukte,

1

het aanbod van versgemalen koffiesoorten en de ligging op de Canebière.

Dites Moi Tout – *33 bd Phillipon - metro Cinq-Avenues-Longchamp - ☏ 04 91 62 01 73 - http:// ditesmoitout.wordpress.com - di-za 10.00-19.30 u, zo 9.30-13.30 u.* Deze patisserie heeft van de *macaron* haar specialiteit gemaakt, met 23 verfijnde en originele smaken (chocola-Ricard, chocola-basilicum, vier kruiden). Maar er zijn nog veel meer verleidelijke zoetigheden! Om mee te nemen of ter plaatse van te genieten.

IETS DRINKEN

Café de la Banque – *24 bd Paul-Peytral - metro Estrangin-Préfecture - ☏ 04 91 33 35 07 - ma-za 7.00-22.00 u - gesl. feestd.* Ideaal voor een afspraakje op het terras. Het café heeft de sfeer van een brasserie, met fraai uitgedoste obers en de intellectuele elite als clientèle. Een terras met verwarming in de winter en koelte in de zomer. Zes nationale en regionale dagbladen, een unicum in Marseille.

Bar de la Marine – *15 quai de Rive-Neuve - metro Vieux-Port - ☏ 04 91 54 95 42 - 12.00-0.00 u (za en zo 2.00 u).* Vrij uitzicht op de veerboot, de zeilboten en Le Panier. Volgens de overlevering zou Pagnol hier hebben gefilmd. In werkelijkheid heeft de regisseur zich alleen maar door het decor laten inspireren, maar het blijft een instituut met een mooie jaren-dertig-inrichting.

La Caravelle – *34 quai du Port - metro Vieux-Port - ☏ 04 91 90 36 64 - www.lacaravelle-marseille.fr - 7.00-2.00 u.* Bar op de eerste verdieping van een oud pand met schitterend uitzicht vanaf het piepkleine balkon. Geslaagde inrichting in jaren-

dertigstijl. 's Middags worden snacks geserveerd, vanaf 18.00 u kan men hier terecht voor een aperitief met tapas. Jazzconcerten en kunsttentoonstellingen.

L'Escale Marine – *22 quai du Port - metro Vieux-Port - ☏ 04 91 91 67 42 - 10.00-20.00 u.* Eigenzinnig café met winkel waar lokale delicatessen, zoals terrines en tapenades verkocht worden. Om mee te nemen of van te genieten op het kleine terrasje.

Le Petit Nice – *28 pl. Jean-Jaurès - metro Notre-Dame-du-Mont - ma-za 6.30-2.00 u.* Een instituut in de wijk La Plaine, met een groot terras dat zowel in de winter als in de zomer drukbezocht wordt. Gemoedelijke sfeer en redelijke prijzen.

Les Danaïdes – *6 square Stalingrad - metro Réformés-Canebière - ☏ 04 91 62 28 51 - ma-za 7.00-22.00 u.* De troef van deze grote, eigentijds ingerichte brasserie is het ruime terras in de schaduw boven de Canebière.

WINKELEN

Aperitieven

La Maison du Pastis – *108 quai du Port - metro Vieux-Port - ☏ 04 91 90 86 77 ou 04 91 52 76 33 - www.lamaisondupastis.com - 's zomers: 10.00-19.00 u; buiten het hoogseizoen: dag. behalve ma 11.00-18.30 u.* Piepkleine winkel in de Vieux Port waar de wanorde maar schijn is. Op blankhouten rekken staan de al dan niet bekende anijsdranken, ambachtelijke pastis en absint broederlijk naast elkaar.

Galeries

Alle kunstdisciplines krijgen een plaatsje in de oude pakhuizen van de **Friche de la Belle de Mai**, rue Jobin, 3de arrondissement. Talloze galeries in de rue Sainte, de rue Neuve-Ste-Catherine, de wijk les Arcenaulx, de cours Julien, de rue E.-Rostand. Deze laatste heeft zijn naam gevestigd als de 'wijk van de antiquairs'.

Delicatessen

Four des Navettes – *136 r. Sainte - metro Vieux-Port -* 📞 *04 91 33 32 12 - www.fourdesnavettes.com - 7.00-20.00 u - gesl. 1 jan. en 1 mei.* Niemand viert Maria-Lichtmis zonder *navettes*, want die beschermen het gezin tegen ziekte en rampen! Deze oudste bakkerij van Marseille is dé specialist in deze gebakjes met oranjebloesemwater, waarvan het recept angstvallig geheim wordt gehouden. Verder: *canistrelli* (anijskoekjes), amandelkoekjes, olijfolie, *gibassiers* (Provençaalse zoete broodjes) en allerlei soorten brood.

Les Navettes des Accoules – *68 rue de la Caisserie - Le Panier - metro Vieux-Port -* 📞 *04 91 90 99 42 - 9.30-19.00 u - zo gesl.* Niet het oudste, maar wel het beste adres in de stad voor verse koekjes. Bovendien is het personeel bijzonder sympathiek!

La Chocolatière du Panier – *49 r. du Petit-Puit - metro Vieux-Port -* 📞 *04 91 91 79 70 - di-za 10.00-13.00 u, 14.30-18.30 u.* Dit piepkleine winkeltje is een begrip geworden. Duizelingwekkend aanbod van 140 soorten chocolaatjes! Er is ook een filiaal op 35 r. Vacon.

Kruidenwinkel

Au Père Blaize – *4-6 r. Méolan - metro Noailles -* 📞 *04 91 54 04 01 - www.pereblaize.fr - 9.30-12.30 u, 14.30-18.30 u - gesl. zo, ma en feestd., aug.* Een overvloed aan welriekende en geneeskrachtige planten is te vinden in deze apotheek met kruidenwinkel uit 1815. Steranijs, marjolein, tijm, basilicum, rozemarijn, *boldo*, notenboom, glaskruid, hondsgras, es, heemplanten, Provençaals suikerriet: het is een geparfumeerde lijst. Let op de mooie inrichting met veel hout.

Boeken

Librairie Maritime Outremer – *26 quai de Rive-Neuve - metro Vieux-Port -* 📞 *04 91 54 79 26 - www.librairie-maritime.com - 9.00-12.30 u, 14.00-18.30 u, za 10.00-12.30 u, 14.30-18.00 u - gesl. zo, ma en feestd.* Zeevaarders en liefhebbers van het zilte nat kunnen hun honger naar verre einders stillen in deze boekhandel. Er is namelijk een keur aan boeken, zeekaarten, maquettes, lithografieën en allerlei voorwerpen die te maken hebben met de oceaan. De nieuwe mezzanine is gewijd aan de mediterrane wereld.

Librairie-galerie-restaurant des Arcenaulx – *25 cours d'Estienne-d'Orves - metro Vieux-Port -* 📞 *04 91 59 80 30 - www.les-arcenaulx.com - boekhandel: 10.00-19.00 u; winkel: 10.00-23.00 u - gesl. 1-18 aug. en feestd.* Deze boekhandel is de hoofdvestiging van Jeanne Laffitte, een uitgever met Marseille, de Provence en gastronomie als specialisatie. De verzamelaars kunnen er terecht voor oude en zeldzame boeken, en heruitgaven van andere oude boeken. De winkel is gewijd aan typisch Marseillaanse voorwerpen. Ook een tearoom en een restaurant (*zie 'Uit eten'*).

Markten

Marseille telt dagelijks een flink aantal markten. Hier een kleine selectie:

Vismarkt – Dag. 8.00-13.00 u op de quai des Belges (metro Vieux-Port). De beroemde vismarkt van Marseille, met vissers die net zijn teruggekeerd in de haven.

Marché des Capucins – Dag. 8.00-19.00 u, pl. des Capucins

1

(metro Noailles). Groenten en fruit voor scherpe prijzen.

Algemene markt – ma, wo en vr (8.00-14.00 u) op de la pl. de la Joliette; di, do en za (8.00-13.30 u) op de pl. Jean-Jaurès; ma tot za (7.30-13.30 u) op de av. du Prado I; wo (8.00-13.00 u) op de cours Pierre-Puget.

Bloemenmarkt – di en za (8.00-13.00 u) op de quai du Port en de allées Meilhan, boven de Canebière; ma op de pl. de la Joliette en de pl. Estrangin; wo op de pl. Jean-Jaurès; vr op de av. du Prado I.

Biologische markt – wo 8.00-13.00 u op de cours Julien (metro Notre-Dame-du-Mont).

Postzegelmarkt – zo 8.00-13.00 u op de cours Julien (metro Notre-Dame-du-Mont).

Oude-boekenmarkt – dag. pl. Carli, voor het Conservatoire; 2de za van de maand op de cours Julien.

Vlooienmarkt – *chemin de la Madrague Ville - bus 70 - di-zo van zonsopgang tot 19.00 u.* In de grote markthal en eromheen is dagelijks een grote markt met levensmiddelen. Van wo tot zo staan hier ook kraampjes met snuisterijen, van vr tot zo vindt u hier antiquairs en op zo is er een echte rommelmarkt. Zeer de moeite waard, vooral zo ochtend, als het hier een ware smeltkroes is.

Mode

Madame Zaza of Marseille – *104 corniche Kennedy - ☎ 06 18 69 61 28 - www.zazaofmarseille. com.* Deze vermaarde boetiek werd geopend in 1980. Inmiddels staat het merk beroemd om zijn kleurrijke, gewaagde modellen. Afspraak niet nodig, maar informeer naar de openingstijden.

Sessún – *6 r. Sainte - metro Estrangin-Préfecture - ☎ 04 91 52 33 61 - www.sessun.com - dag. beh. zo 10.00-19.00 u, ma 13.00-19.00 u.* Een op-en-top vrouwelijk, trendy en *urban* merk. Het succesverhaal van de styliste Emma François, die in enkele jaren tijd doorbrak.

Le Marseillais – *12 r. Glandeves - metro Vieux-Port - ☎ 04 91 33 20 45 - www.lemarseillais.com - ma-za 10.00-19.00 u.* Hét Marseillaanse merk bij uitstek. De modellen worden ontworpen en geproduceerd in de stad zelf. Kleding met een nonchalante 'nautische' uitstraling.

Marseille en vacances – *7 r. Bailli-de-Suffren - metro Vieux-Port - ☎ 04 91 54 73 17 - www.marseilleenvacances. com - di-za 10.00-19.00 u.* T-shirts met grappige opschriften in Marseillaans dialect en typisch Marseillaanse accessoires.

Oogie! – *55 cours Julien - metro Notre-Dame-du-Mont - ☎ 04 91 53 10 70 - www.oogie.eu - ma-za 8.30-19.00 u (do 21.00 u).* Een hip adres, boetiek met draagbare mode van jonge ontwerpers, boekhandel-cd-winkel, kunstgalerie, bar-restaurant en… kapper, waar u wordt geknipt door de flamboyante Joce. Om u van top tot teen een nieuwe stijl aan te meten!

Pétanque

La Boule Bleue – *ZI de la Valentine - montée St-Menet - ☎ 04 91 43 27 20 - www.laboule bleue.fr - 9.00-12.00 u, 14.00-18.00 u (17.00 u do en vr van okt. tot maart) - gesl. za, zo en feestd., 3 weken in aug, 2 weken rond Kerstmis.* Jeu-de-boulesspelers weten de weg te vinden naar deze familiezaak, die sinds 1904 de bekende ballen uit Marseille fabriceert. Laat ze hier op maat maken. Er zijn ook allerlei accessoires te verkrijgen, zoals tassen, meetlinten enzovoort.

Santons

Le Cabanon des Accoules –
*1 r. des Moulins - le Panier -
metro Vieux-Port - ☎ 04 91 90
49 66 - 9.00-13.00 u, 14.30-18.30 u -
gesl. ma.* Een atelier in het pittoreske Quartier du Panier waar
kunstzinnige santons worden
gemaakt.

♿ **Santons Marcel-Carbonel** –
Zie blz. 95.

Arterra – *15 r. du Petit-Puis -
le Panier - metro Vieux-Port -
☎ 04 91 91 03 31 - www.arterra.
fr - 9.00-13.00 u, 14.00-18.00 u -
gesl. zo.* Traditionele santons
met een hedendaags ontwerp.
Het populairste model is de
Arlésienne.

Zeep uit Marseille

Savonnerie de la Licorne –
*34 cours Julien - metro Cours-
Julien - ☎ 04 96 12 00 91 - www.
soap-marseille.com - 9.00-
19.00 u, za 10.00-19.00 u - gesl.
zo - gratis bezichtiging van de
zeepziederij om 11.00 , 15.00 u,
16.00 u.* Achter de onopvallende
gevel van dit huis schuilt het
enige ambachtelijke atelier
van het stadscentrum, met een
uitgebreid aanbod zeep. Er kan
worden gekozen uit een dozijn
geuren. Er is een tweede filiaal op
24 quai de Rive-Neuve.

La Compagnie de Provence –
*1 r. de la Caisserie - metro Vieux-
Port - ☎ 04 91 56 20 94 - www.
compagniedeprovence.com -
10.00-19.00 u, zo 10.00-18.00 u.*
Zeep uit Marseille is hier in
allerlei vormen te krijgen:
vloeibare zeep, douchegel,
zeep verpakt in henneptouw,
badolie, handdoeken met
oranjebloesemgeur enzovoort.
Alles ligt uitgestald in een spik-
splinternieuwe, geurige winkel. Er
is nog een vestiging: 18 rue Davso
(*☎ 04 91 33 04 17, 10.00-19.00 u,
gesl. zo*).

UITGAAN

Culturele evenementen komen
aan bod in de lokale kranten
en in het weekblad *Marseille,
L'Hebdo*, dat op woensdag te koop
is. Eveneens interessant is het
boekje *In Situ*, een maandblad,
dat verkrijgbaar is bij het toeristenbureau en de Espace Culture.
Raadpleeg ook de gratis bladen
Ventilo (wekelijks), *Sortir Marseille
Provence* (twee keer per maand),
À nous Marseille-Aix (twee keer per
maand), *César* (maandelijks) en
Zibeline (maandelijks).

Theater

Opéra de Marseille –
*2 r. Molière - metro Vieux-Port -
☎ 04 91 55 11 10 (reserv.) - www.
opera.marseille.fr - kaartverkoop:
di-za 10.00-17.30 u.* Als de opera
die u wilt zien uitverkocht is, is
het goed om te weten dat er
altijd honderd kaarten worden
vastgehouden voor verkoop
aan het loket in de rue Molière
vanaf 1 uur voor aanvang van de
voorstelling (30 min voor aanvang
worden kortingen geboden op
niet-verkochte kaarten).

La Criée – *30 quai de Rive-Neuve -
metro Vieux-Port - ☎ 04 91 54
70 54 - www.theatre-lacriee.com -
kassa: di-za 12.00-18.00 u.*

Théâtre du Gymnase –
*4 r. du Théâtre Français -
metro Noailles - ☎ 0 800 000 422 -
www.lestheatres.net - kassa:
di-za 12.00-18.00 u.* Klassieke en
hedendaagse toneelstukken.

Ballet national de Marseille –
*20 bd de Gabès - metro Rd-Pt-du-
Prado - ☎ 04 91 32 72 72 of 04 91
327 327 (reserv.) - www.ballet-de-
marseille.com.* De balletgroep
onder leiding van Frédéric
Flamand brengt hedendaagse
en neoklassieke choreografieën.
Een keer per maand openbare
repetitie (gratis).

1

Concerten

Le Cabaret Aléatoire – *Friche de la Belle de Mai - 41 r. Jobin - bus 49 - ☎ 04 95 04 95 09 - www. cabaret-aleatoire.com.* Concerten, voorstellingen, dance… De hipste uitgaansgelegenheid van Marseille, gevestigd in de Friche de la Belle de Mai. Vooral elektronische muziek, rock en funk.

Cité de la musique – *4 r. Bernard-du-Bois - metro Colbert - ☎ 04 91 39 28 28 - www.citemusique-marseille. com - kaartverkoop: ma-vr 8.30-19.00 u.* Klassieke en hedendaagse muziek, jazz, wereldmuziek.

Espace Julien – *39 cours Julien - metro Notre-Dame-du-Mont - ☎ 04 91 24 34 10 - www.espace-julien.com.*

Le Poste à Galène – *103 r. Ferrari - metro Notre-Dame-du-Mont - ☎ 04 91 47 57 99 - www. leposteagalene.com.* Een van de bekendste concertzalen in de stad in de Quartier de la Plaine. De zangeres Anaïs debuteerde hier. Rock-'n-roll en trashy sfeertje in dit hoofdkwartier van de nachtvlinders van Marseille.

Le Son des Guitares – *18 r. Corneille - metro Vieux Port - ☎ 04 91 23 31 14.* Piepklein café waar bands optreden en de Corsicaanse gemeenschap nostalgische momenten beleeft op de klanken van de gitaristen van het 'Eiland van de schoonheid'. Ook dansavonden.

Voetbal

Geef u over aan de cultus van Olympique Marseille tijdens een wedstrijd in het Vélodrome *(zie blz. 103)*, of in het **Café OM** op de quai des Belges, waar de wedstrijden live worden uitgezonden. Er zijn ook andere supporterscafés met een uitgelaten sfeer. Als er niet gespeeld wordt, kunt u een kijkje nemen in een van de winkels van OM *(boulevard Michelet, tegenover het stadion, of op de Canebière)* voor de aanschaf van vlaggetjes, sjaals, shirts, spandoeken of andere prullaria in de clubkleuren.

SPORT EN ONTSPANNING

Zwemmen

Marseille telt 21 stranden en er is voor elk wat wils. De stranden het dichtst bij de Vieux Port zijn het kleine zandstrand **Les Catalans** en, op de Corniche, de **Plage du Prophète** *(bus 83, 's zomers strandwachten, EHBO-post, sanitair, beach-volleybalveld).* Het **Parc balnéaire du Prado** beschikt over 2 km aan zand- en kiezelstranden omzoomd door grasvelden *(bus 19 en 83, 's zomers strandwachten, EHBO-post, sanitair, kluisjes, speeltuin, bar, toegankelijk voor personen met beperkte mobiliteit).* Meer naar het zuiden ligt de Plage de la **Pointe-Rouge**, de grootste strook zand van Marseille, zeer geschikt voor kinderen *(bus 19, 's zomers strandwachten, EHBO-post, sanitair, kluisjes, speeltuinen, restaurants).* Als u nog verder naar het zuiden gaat, in de richting van de calanques, komt u bij de kleine baaien: **Anse du Bain des Dames**, **Anse des Phocéens** (Plage de l'Abricotier), **Anse des Sablettes** en **Anse de la Bonne Brise** (Plage de la Verrerie). Hier geen strandwachten of voorzieningen *(bus 19).* Tot slot liggen ten noorden van Marseille, voorbij L'Estaque, de zand- en keienstranden van **Corbières**, die gedeeltelijk in de schaduw liggen *(bus 35, sanitair, kluisjes, nautisch centrum, speeltuinen).* In de zomer worden de zones die gereserveerd zijn voor zwemmers van 10.00 tot 19.30 u bewaakt (Frioul tot 19 u). Voor informatie over de kwaliteit van het water: www.marseille.fr.

Watersport

Wind- en kitesurfers zijn dol op de stranden La Pointe en Le Prado, terwijl planksurfers elkaar naar het strandje L'Huveaune trekken, ten zuiden van Le Prado

Centre nautique du Lacydon – *44 quai Marcel-Pagnol - metro Vieux-Port - ☎ 04 91 59 82 00 - www.cntl-marseille.com.*

Yacht club de la Pointe-Rouge – *port de la Pointe-Rouge - bus 19 - ☎ 04 91 73 06 75 - www.ycpr.net.*

Manu-Ura 13 – *nautisch centrum van La Pointe Rouge - ☎ 06 17 87 01 77 - www.manu-ura13.com.* Polynesische kanovereniging die cursussen aanbiedt op zo ochtend *(deelname € 5).*

Duiken

De rede van Marseille, de eilandjes (Îles du Frioul, Île Maïre, archipel de Riou, Île des Moyades, Île de Plane, Île de Jarre), maar vooral de calanques in de buurt staan bekend om de schoonheid van de zeebodem, de vele wrakken en kleurrijke troggen waar zich allerlei vissen verschuilen. Marseille heeft een lange duiktraditie en er zijn veel centra die beginners- en vervolgcursussen en duikexcursies (overdag of 's nachts) aanbieden.

Archipel Plongée – *42 r. du Mont-Rose - bus 19 - ☎ 04 91 25 23 64 - www.plongee-marseille. com.* Een serieuze, gezellige club aan de haven van La Madrague de Montredon. Twee excursies per dag, om 9.00 u en 14.00 u. Beginnerslessen, ontdekkingstochten, opleidingen.

Centre de loisirs des Goudes – *2 bd Alexandre-Delabre - bus 19 - ☎ 04 91 25 13 16 - www. goudes-plongee.com.* Een centrum dat zich specialiseert in cursussen en opleidingen, maar ook als beginner kunt u hier terecht. Verhuur van materiaal.

👥 Boottochten naar de Calanques – *Zie blz. 131.*

Kindervoorstellingen

Badaboum Théâtre – *16 quai de Rive-Neuve - metro Vieux-Port - ☎ 04 91 54 40 71 - www. badaboum-theatre.com - wo of za van 14.15 tot 17.00 u. - € 8 per kind.* Voorstellingen voor kinderen en workshops theater, tekenen, grime en kostuumontwerp.

La Baleine qui dit 'Vagues' – *59 cours Julien - metro Notre-Dame-du-Mont - ☎ 04 91 48 95 60 - www. labaleinequiditvagues.org.* Dit verteltheater programmeert allerlei activiteiten voor de kleintjes én voor volwassenen.

Théâtre Massalia – *Friche de la Belle de Mai - 41 r. Jobin - bus 49 - ☎ 04 95 04 95 70 - www. theatremassalia.com - € 7.* Toneel voor jeugdig publiek, van peuters tot pubers.

EVENEMENTEN

Octave de la Chandeleur – 2 februari, abdij St-Victor. Pelgrimstocht naar de abdij St-Victor, waar een Zwarte Maagd wordt vereerd. Haar beeld wordt in een processie naar de zee gedragen. De aartsbisschop zegent de stad en de zee, waarna de gelovigen terugkeren naar de abdij, met een tussenstop bij de Four des Navettes, waar de *navettes*, koekjes in de vorm van een bootje, worden gezegend.

Babel Med Music – 3 dagen in maart, Docks des Suds. Wereldmuziekfestival met een dertigtal concerten. Informatie: www.dock-des-suds.org.

Semaine nautique inter-nationale de Méditerranée – eind maart. Sinds 1965 nemen 200 zeilboten mee aan deze voorjaarsregatta's op de rede van Marseille. Informatie: www.lanautique.com.

1

Avec le Temps… – maart, verschillende locaties in Marseille. Festival van het Franse chanson, vooral gericht op hedendaagse varianten. Informatie: www.festival-avecletemps.com

Festival de musique sacrée – mei-juni. Religieuze muziek in de Église St-Michel.

Fête du Soleil – 3 dagen in juni, in Noailles. Als deze volkswijk feestviert, weergalmen de zomerse klanken door de straten. Gratis straatoptredens. Zie: www.lemillepattes.net.

Les Belsunciades – half juni, in de wijk Belsunce. Dit kleurrijke wijkfeest verzamelt gedurende drie dagen bewoners, winkeliers, scholieren en artiesten rondom artistieke creaties. Informatie: www.theatrelepiednu.com

Festival de Marseille – in juli, diverse locaties in Marseille. Groot cultuurfestival met hedendaagse voorstellingen: dans, toneel, muziek en film. Informatie: www.festivaldemarseille.com.

Festival international du documentaire – begin juli, Théâtre national de la Criée. Informatie: www.fidmarseille.org.

Festival international de folklore – begin juli, Château-Gombert. Voorstellingen met traditionele dans en muziek uit de hele wereld. Informatie: www.roudelet-felibren.com.

Festival de jazz des Cinq Continents – eind juli, Parc du Palais Longchamp. Openlucht-festival met vijf avonden achter elkaar optredens van jazzgrootheden. Informatie: www.festival-jazz-5-continents.com.

Mondial à pétanque La Marseillaise – 1ste helft van juli. Grootste pétanque-toernooi ter wereld! Na de afvalrondes in Parc Borély en Parc Chanot strijdt de top van de pétanquewereld om een plaats in 'le carré d'honneur' waar de finale wordt gespeeld. Informatie: www.lamarseillaise.fr.

Festival Marsatac – eind sept., diverse locaties. Dit festival voor elektronische muziek is een van de hoogtepunten op de muzikale kalender van Marseille, met regionale en internationale artiesten en dj's. Informatie: www.marsatac.com.

Fiesta des Suds – 2de helft van okt., Docks des Suds. Een geslaagde multiculturele ontmoeting met concerten en een bruisende sfeer. Informatie: www.dock-des-suds.org.

Foire aux santons – dec., op de Canebière. Kort voor kerst verkopen de santonniers uit de regio hier hun beeldjes van klei, die een plaatsje zullen krijgen in de kerststallen in de omgeving.

Sirènes et midi net – 1ste wo van iedere maand om 12.00 u, plein voor de Opéra. Op het signaal van de sirenes begint er op het plein een steeds wisselende voorstelling van 12 min.

Septembre en mer – sept., diverse locaties in Marseille. Allerlei activiteiten rondom de zee. Informatie: www.officedelamer.com.

Semi-marathon international Marseille-Cassis – okt. Deze halve marathon trekt bijna 12.000 hardlopers. Informatie: www.marseille-cassis.com.

De calanques

★★★

Bouches-du-Rhône (13)

😊 ADRESBOEKJE: BLZ. 131

🅸 INLICHTINGEN
Toeristenbureau van Cassis of van Marseille – *Zie onder deze namen.*

▶ LIGGING
Regiokaart B2 (blz. 80) – *Michelinkaart van de departementen 340 H-I 6.*
Het Massif des Calanques, met de **Mont Puget** (565 m) als hoogste punt,
strekt zich uit tussen Marseille en Cassis over een gebied van ongeveer
20 km. Sommige calanques zijn makkelijk bereikbaar, andere zijn enkel via
steile, zelfs gevaarlijke paden toegankelijk. Dit ongerept natuurgebied is
niet zonder risico's (brand, afbrokkelende stenen, omvallende bomen…).
Het is dus zaak om zich van tevoren goed te informeren. Hieronder volgen beschrijvingen van enkele tochten voor beginnende en geoefende
wandelaars. Neem wel altijd de veiligheidsvoorschriften in acht! *(zie het
symbool 🔺 bij de beschrijving van de calanques).*

😊 AANRADER
Een lunch in een van de uitspanningen van het vissersdorpje Goudes;
de strandhuisjes in de haventjes van Sormiou en Morgiou; de Calanque
de Sugiton meteen piepklein kreekje, die in het weekend volstroomt
met bewoners uit Marseille; de indrukwekkende Calanque d'En-Vau *(zie
onder Cassis).*

🕐 PLANNING
De **lente** is wellicht het beste seizoen voor een trip naar de calanques. Van
1 juni tot en met 30 september is de toegang tot het Massif des Calanques,
zowel te voet als met de auto, strikt gereglementeerd *(inlichtingen bij de
toeristenbureaus of op het antwoordapparaat 📞 0811 20 13 13).* De rest
van het jaar zijn de calanques afgesloten bij hevige mistral. Kamperen en
bivakkeren zijn er streng verboden. Voor de restaurants van Morgiou en
Sormiou ontvangen de automobilisten pasjes die worden gecontroleerd
bij de toegangswegen tot het massief.

👪 MET KINDEREN
Opgelet! De steile wandelpaden naar de calanques zijn bepaald niet
ongevaarlijk voor de allerkleinsten. Kies liever voor de Calanque des
Goudes *(het hele jaar door bereikbaar met de auto)* en de Calanque du
Sormiou *(toegankelijk met de auto, behalve 's zomers en bij hevige mistral.*
De jongste reizigers zullen ook in hun nopjes zijn met een boottocht
langs de calanques; er zijn afvaarten in Marseille, Cassis en La Ciotat.

😊 GOED OM TE WETEN
Op de zuidelijke helling van het massief kan het in de winter soms bijna
tien graden warmer zijn dan aan de noordzijde. Het zachte klimaat maakt
het mogelijk pootje te baden en te genieten van de zon, terwijl Marseille,
op een steenworp afstand van de Calanques, bibbert onder de geselende
rukwinden van de mistral.

1

Wie had gedacht dat er zo dicht bij een stedelijk gebied met meer dan een miljoen inwoners een ongerept natuurgebied zou bestaan waar u zich aan het einde van de wereld waant? En wat een ruimte! Een kalkstenen massief van meer dan 5000 ha dat zich uitstrekt over meer dan 20 km tussen Marseille en Cassis. De parelwitte rotsen, hier en daar begroeid met geurig struikgewas (*garrigue*), storten zich loodrecht omlaag het turkooizen water van de Middellandse Zee in. Kapen en diepe baaien, nauwe kreekjes, langs bergkammen, langs het water: de calanques onthullen een stenen universum met een ruige schoonheid van een onvermoede rijkdom. De krachtige en tegelijk kwetsbare natuur ontroert en u zou willen dat de tijd, net als de zeemeeuw die wordt gedragen door de wind, even zijn vlucht onderbreekt…

Van Marseille naar Cassis Kaart van de calanques rechts

▷ *Verlaat Marseille via de promenade de la Plage.*

★ Les Goudes

👥 Dit voormalige vissersdorp ligt in een schitterende omgeving. Er is een piepklein strand (ideaal voor gezinnen, maar in de zomer overvol), naast allerlei kleine eetgelegenheden, waar de plaatselijke bevolking graag vertoeft. Fabio Montale, de ontgoochelde politieman uit de romans van Jean-Claude Izzo, kwam hier graag vertoeven. Wellicht is dat een goede referentie …
Verder rijden tot Callelongue, waar de asfaltweg ophoudt.

Callelongue en Marseilleveyre

Met de auto: rijd van Marseille oostwaarts langs de kust, via de Plage de la Pointe Rouge, naar Callelongue, de eerste calanque (parkeer langs de weg). Met de bus: lijn 19 en 20.
Deze piepkleine, prachtig gelegen calanque heeft een paar vakantiehuisjes, een restaurant en wat vissersbootjes. Er is geen strand.
🥾 *45 min over het douanepad (zwarte paaltjes).* Voor een duik in de zee kunt u te voet over de GR 98-51 verdergaan naar de **calanque de Marseilleveyre**. Deze ruime, mooie calanque, onderaan het gelijknamige massief (432 m), beschikt over een kiezelstrand waar enkele vissersbootjes liggen. Goed bereikbaar vanaf Marseille en daardoor een goede keuze voor wie wil zwemmen *(pas op, er is geen schaduw!)*.

EEN VAKANTIEHUISJE AAN DE CALANQUES

Een dagje in een *cabanon* (een strandhuisje aan de kust) is een ware levenskunst! Zo'n dag verloopt volgens een bepaald stramien. De ochtend wordt besteed aan vissen of een bezoek aan de markt. Vroeg in de middag verzamelt de familie zich op het terras om in de schaduw eerst een glaasje ijskoude pastis te nuttigen, het ideale moment voor grappen en grote verhalen. Vervolgens komt een stevige lunch met aioli op tafel. Tijdens de siësta zorgen de krekels voor passende achtergrondmuziek. Aan het eind van de middag wordt er een spelletje jeu de boules gespeeld, wat gepaard gaat met de nodige verwensingen. Na het diner met een heerlijke *pistou* wordt er in huiselijke kring, en in de openlucht, nog een potje gekaart *(belote)*, de ultieme kans om de twistgesprekken van die dag te beslechten alvorens het bed op te zoeken.

★ Sormiou

Met de auto: neem vanuit Marseille de bd Michelet naar l'Obélisque, en volg de borden naar Sormiou; verplicht parkeren buiten het gehucht (€ 3). Van half juni tot half september en in het voorjaar tijdens het weekend is de asfaltweg verboden voor motorvoertuigen wegens het gevaar voor bosbranden. Alleen de bewoners van de calanque en de gasten die hebben gereserveerd voor de restaurants wor-

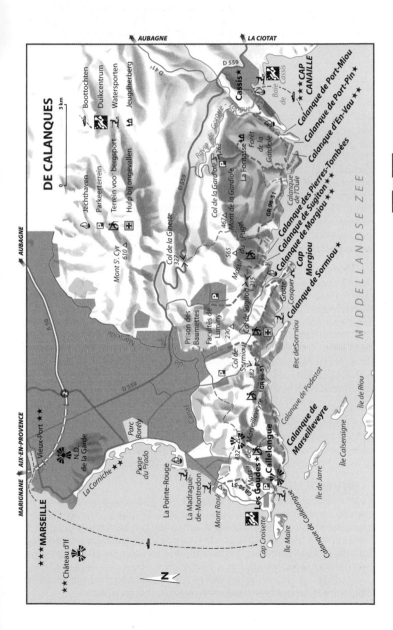

den toegelaten. In die periode kunt u parkeren bij het begin van de geasfalteerde weg: *45 min lopen naar de calanque. Ook bereikbaar vanaf les Baumettes. Met de bus: lijn 23 (halte 'La Cayolle').

Een adembenemende weg vol bochten leidt naar een haventje met diverse strandhuisjes, een strand en een paar visrestaurants die zeer in trek zijn bij de inwoners van Marseille, bij wie deze calanque favoriet is. Tussen Sormiou en Morgiou ligt de **Cap Morgiou**, een belvédère die een prachtig uitzicht biedt op de twee calanques en op de oostkant van het massief. Hier ligt op een diepte van 37 m onder de zeespiegel de opening van de Grotte Cosquer *(om veiligheidsredenen dichtgemetseld; niet te bezichtigen)*. Deze onderzeese grot werd in 1991 in één klap beroemd toen de duiker Henri Cosquer er tientallen muurschilderingen uit het paleolithicum ontdekte.

★★ Morgiou

Deze calanque is ook toegankelijk met de auto. Neem in Marseille de bd Michelet naar de Obélisque, vervolgens av. de Mazargues en de binnenweg naar Morgiou. Parkeerterrein bij het begin van de asfaltweg; van half juni tot half september en in het voorjaar in het weekend verboden voor voertuigen (behalve bewoners): 50 min naar de calanque. Ook bereikbaar via Luminy. Met de bus: lijn 22 (eindhalte).

Dit is een ruige en desolate omgeving met piepkleine kreekjes waarin kan worden gezwommen. Strandhuisjes achter in de baai, een restaurant, een haventje, kortom een absolute aanrader!

★★ Sugiton

Met de auto: rijd over de bd Michelet naar Luminy. Groot gratis parkeerterrein voor het gebouw van de architectenopleiding, Loop daarvandaan over een breed pad (gele paaltjes) naar Sugiton en Morgiou (45 min). Met de bus: lijn 21 (eindhalte).

EEN BEROEMDE DUIKER

Vanaf 1985 onderzocht **Henri Cosquer** een onderzeese grot, vlak bij de landtong van Cap Morgiou. Op 3 september 1991 bescheen zijn zaklantaarn een rotswand met de zwarte afdrukken van handen, vermoedelijk daterend uit omstreeks 27.000 v.C. Uiteindelijk bleken deze grotschilderingen een van de belangrijkste ontdekkingen ooit. De tekeningen van dieren zijn niet alleen een tot twee millennia ouder dan de grotschilderingen van Lascaux, maar bovendien worden zeldzame zeedieren, zoals zeehonden, pinguïns en vissen afgebeeld *(niet te bezichtigen)*.

Calanque d'En-Vau
C. Moirenc / Hemis.fr

🐾 **Goed om te weten** – *Na een aantal ongelukken is de toegang tot calanque des Pierres-Tombées ('van de gevallen stenen', een toepasselijke naam), naast Sugiton, afgesloten voor publiek.*

Deze mooie calanque is te voet goed bereikbaar en stroomt bij mooi weer vol met Marseillanen die hier komen zwemmen. Vanaf de **Col de Sugiton** kunt u het kleine 'le Torpilleur' in zee zien liggen. Een lang, betonnen pad daalt scherp af naar de baai, waar een klein keienstrandje verscholen ligt. Tussen de rotsen van de calanque zijn schaduwhoekjes te vinden, waar het dringen is als de zon zijn felle licht laat schijnen…

★★ En-Vau

Met de auto: neem de D 559 tussen Marseille en Cassis en vervolgens de weg Gaston-Rebuffat die begint tegenover de militaire basis Carpiagne en zet de auto neer op het parkeerterrein van La Gardiole ('s zomers verboden). Met de bus: lijn Car Treize no. 8 (halte 'Carpiagne'). 🐾 *1.15 uur vanaf het parkeerterrein van La Gardiole. Ook bereikbaar via de calanques Port-Miou en Port-Pin, maar pas op, de rotswand is zeer steil en hoog, en de afdaling kan gevaarlijk zijn.*

Dit is de meest schilderachtige en bekendste calanque met loodrechte wanden en smaragdgroen water, omsloten door een dennenbos. Het kleine zand- en kiezelstrand is altijd snel gevuld met zwemmers, wandelaars en klimmers mengen.

★ Port-Pin

Met de auto: rijd vanaf het centrum van Cassis, naar het schiereiland, waar het pad naar de calanques begint (rode en witte paaltjes); betaald parkeren in de zomer (€ 5). Met de bus: iedere 15 min. vertrekt een pendelbus (€ 0,50 retour) vanaf het parkeerterrein van Gorguettes, aan de rand van de stad (april-aug.: za en zo 11.00-19.00 u). 🐾 *45 min vanaf het parkeerterrein op het schiereiland. Ook bereikbaar via de Col de la Gardiole (zie boven).*

Een tamelijk uitgestrekte calanque met minder steile hellingen dan de Calanque d'En-Vau; zand- en kiezelstrand met pijnbomen. Ideaal om te zwemmen met het gezin.

Port-Miou

🐾 *15min vanaf het parkeerterrein op het schiereiland (zie boven).*

Enigszins aangetast door een oude steengroeve – lange tijd werd hier een harde, witte steensoort gewonnen (*pierre de Cassis*). Dit is de langste en een van de best bereikbare calanques van de Provence. Er liggen hier veel plezierbootjes waardoor het een minder geschikte plaats is om te zwemmen.

De calanques, een kwetsbare natuurschat

GEOLOGISCHE FORMATIE

Een **calanque** is een smalle baai met steile hellingen, die in de harde rots door een rivier is uitgesleten. In de periode dat de zee zich terugtrok, stroomde de rivier veelal door een scheur in het gesteente. Steeg de zeespiegel weer, dan liep de baai opnieuw onder, door het opkomende tij. Ongeveer 10.000 jaar geleden deed zich de laatste stijging van de zeespiegel voor met een gemiddelde stijging van 100 m. Toen liepen de grotten, die in de prehistorie door de mens werden bewoond, onder water, onder andere ook de beroemde **Grotte Cosquer**. De afgelopen twee miljoen jaar wisselden dergelijke schommelingen elkaar af, al naargelang er een ijstijd aanbrak of de aarde weer ontdooide. De calanques, die hooguit 1,5 km lang zijn, verbreden zich verder naar de kust tot grote dalen onder het wateroppervlak. Ze vertonen enige verwantschap met de Bretonse *abers*, maar mogen niet verward worden met fjorden, die door gletsjers zijn ontstaan.

FLORA EN FAUNA

In deze tamelijk dorre omgeving overheerst meestal de garrigue met een rotsige ondergrond waarop kermeseiken, rozemarijn- en heidestruiken groeien. Het **bos** bestaat uit steeneiken, *Viburnum tinus*, wilde olijfbomen, mirte en mastiekbomen, met hier en daar aleppodennen. Langs de kust is steenbreek en lamsoor te vinden. In de wat hoger gelegen stukken groeit een soort kussenachtige vegetatie waartoe ook de zeldzame *astragale de Marseille* (hokjespeul) behoort, ook wel 'schoonmoederskussentje' genoemd vanwege de geduchte stekels.

De grootste hagedis en de langste slang van Europa voelen zich in de calanques helemaal thuis. De parelhagedis kan hier 60 cm lang worden en de hagedisslang wel 2 m. Vooral op de rotsen langs de kust en op de eilanden broeden veel vogels. De meest voorkomende en steeds talrijker wordende vogelsoort is de geelpootmeeuw of gabian, die zich te goed doet aan het afval dat wordt weggegooid. De zeldzaamste vogel (vijftiental koppels) is de **haviksarend**, een mooie roofvogel.

GEVAAR VOOR DE CALANQUES

Omdat het kalkgesteente poreus is en vol scheuren zit, en er bovendien weinig neerslag valt, stromen hier geen beekjes en is het er tamelijk dor. Door de invloed van de zee op de temperatuur, de weerkaatsing van de zon op de hoge kale wanden en de tegen de mistral beschutte ligging, ontstond er op de zuidelijke helling van het massief een uitzonderlijk warm **microklimaat**. Zeer zeldzame, typisch tropische plantensoorten hebben zich hier tijdens de ijstijden van het quartair kunnen handhaven, waardoor er nu **bloemen en planten** groeien die wetenschappelijk van groot belang zijn. Maar de toestand van de vegetatie is erg achteruit gegaan. De verantwoordelijken? De droogte, de houtkap voor de kalkovens, grazende kudden en steeds oplaaiende bosbranden.

De oprichting van het **Parc national des Calanques** werd op gejuich onthaald, want het is een goede kans op redding voor de delen die bewaard zijn.

😊 DE CALANQUES: ADRESBOEKJE

GEBRUIKSAANWIJZING

Regels – Het is uiteraard verboden om planten of bloemen te plukken, van wegen of paden af te gaan, te roken of een vuur te stoken.

VERVOER

🚭 **Goed om te weten** – Het hele jaar door gelden beperkingen voor het verkeer in het massief, zowel voor wandelaars als autorijders *(zie blz. 125)*.

Met de auto
Het Massif des Calanques strekt zich uit over een gebied van ongeveer 20 km tussen Marseille en Cassis en is vanaf verschillende punten toegankelijk *(zie de geadviseerde routes bij de beschrijving van de calanques)*. Alleen Callelongue, Sormiou en Morgiou zijn bereikbaar per auto (buiten de zomer en de weekenden in het voorjaar).

Met de bus
Vanuit Marseille gaat een aantal **bussen van de RTM** *(zie blz. 110)* naar de calanques. Vanaf metrostation Castellane rijdt **lijn 19** naar Madrague-Montredon, waarvandaan **minibus 20** u naar Callelongue brengt (let op, bus 20 rijdt niet vaak, houd de vertrektijden in de gaten!); **lijn 21** vanaf Centre Bourse (Canebière) brengt u naar de universiteit van Luminy, waar het pad naar Sugiton en Morgiou begint; **lijn 22** (metro Rd-Point du Prado-Les Beaumettes) zet u af op de weg naar de Morgiou en **lijn 23** (metro Rd-Point du Prado-Beauvallon) stopt bij de weg naar Sormiou. Informatie: 📞 04 91 91 92 10, www.rtm.fr.
De **bussen van Car Treize** die via La Gineste heen en weer rijden tussen Marseille-Castellane en Cassis (lijn M8, ma-za 6 per dag, zo 4) brengen u naar de halte Carpiagne (tegenover de militaire basis), het beginpunt van een aantal wandelpaden naar En-Vau, Port-Pin en Port-Miou. Informatie: www.lepilote.com.

Met de boot
👥 In de zomer is een boottocht de ideale manier om de calanques te bezichtigen. Bovendien kunt u zo genieten van een prachtige tocht langs de **archipel van Riou**: het Île Maire; het Île de Jarre en het Île de Jarron, waarnaar de met pest besmette boten In 1720 werden verbannen; en het steile Île de Riou, waar belangrijke vogelkolonies leven.

Croisières Marseille-Calanques – *Quai de la Fraternité - 13001 Marseille -* 📞 *04 91 58 50 58 - www.croisieres-marseille-calanques.com - april-nov.* Drie tochten met grote motorboten: de baai van Marseille met zijn eilanden (1 uur, € 10), de belangrijkste calanques (6 calanques, 2 uur, € 21) en alle calanques (12 calanques, 3 uur, € 27).

Les Bateliers de Cassis – *13260 Cassis -* 📞 *04 42 01 90 83 - www.calanques-cassis.com -* Excursies naar 3 calanques (Cassis-En-Vau, 45 min, € 14, kinderen € 7), 5 calanques (Cassis-Devenson, 1.05 uur, € 18, kinderen € 11) of 8 calanques (Cassis-Morgiou, 1.30 uur, € 21, kinderen € 14). Het hele jaar door. Kaartjes zijn te koop in de haven (gele kiosk) en buiten het seizoen bij de kapiteins.

Les Amis des Calanques – *13600 La Ciotat -* 📞 *06 09 35 25 68 of 06 09 3 54 98 - www.visite-calanques.fr - vertrek vanuit de Vieux Port - maart-nov. - € 20/26 afhankelijk van de route - 's zomers is re-*

1

serveren aanbevolen. Drie tochten (variërend van 1.30 tot 2.30 uur) langs de calanques van La Ciotat, Cassis en Marseille met een glasbodemcatamaran.

OVERNACHTEN

Kamperen is strikt verboden in de calanques. Zie ook de adressen in Marseille *(blz. 112)* en Cassis *(blz. 138).*

GOEDKOOP

AJ La Fontasse – *Buurtschap La Fontasse (12 km van Cassis in het Massif des Calanques) - volg vanuit Cassis de D 559 richting Marseille en neem 6 km verder, tegenover de militaire basis Carpiagne, links de weg Gaston-Rebuffat; zet de auto neer op het parkeerterrein van La Gardiole (verboden in de zomer)- ℘ 04 42 01 02 72 - www.fuaj.org - geopend van half maart tot eind dec. - aanmelden: dag. 8.00-10.30 u, 17.00-21.00 u - 60 bedden € 12 p. pers.* Gemeenschappelijke keuken. Geen douche. Deze ecologische jeugdherberg (zonnepanelen, windmolens, regenwaterbekken) is ideaal gelegen op een schitterende locatie midden in het Massif des Calanques, bij het vertrekpunt van de voettochten. Slaapzalen met 6 tot 10 bedden. Lidmaatschapskaart verplicht.

UIT ETEN

De enige plaatsen in de calanques waar u wat kunt eten zijn: **Chez le Belge**, een eettentje op het strand van Marseilleveyre (warme en koude dranken, broodjes, salades en dagschotels), een restaurant in de Calanque de Sormiou, **Le Château de Sormiou** (*℘ 04 91 25 08 69 - april-eind sept. - € 40/60*), dat een goede prijs-kwaliteitverhouding biedt, en de **Nautic Bar**, in de Calanque de Morgiou

(*℘ 04 91 40 06 37 - het hele jaar geopend behalve jan.*). Bij de laatste twee kunt u al pootjebadend genieten van vis en zeevruchten. Let op, in de zomer is deze calanque beperkt toegankelijk: alleen degenen die hebben gereserveerd mogen er met de auto in. Creditcards worden niet geaccepteerd.

SPORT EN ONTSPANNING

Zwemmen

Over het algemeen zijn de calanques niet goed toegankelijk met kinderen, en de stranden zijn onbewaakt en hebben geen voorzieningen. Als u kinderen meeneemt, kies dan voor de stranden die met de auto bereikbaar zijn. Neem waterschoenen mee zodat u uw voeten niet openhaalt aan de rotsen.

Diepzeeduiken

30 jaar geleden was de zeebodem van de calanques een van de mooiste in het westen van de Middellandse Zee. Ondanks de toenemende vervuiling, de jacht onder water die vooral de tandbaars bedreigt en de roof van archeologisch interessante wrakstukken, blijven de calanques ontegenzeggelijk een paradijs voor duikers. Liefhebbers kunnen hier op zoek gaan naar veelkleurige vissen, hoornkoralen, sponsdieren, zee-egels, zeekreeften, kamdoubletten, ponen …
Duikclubs – Het toeristenbureau van Marseille geeft een brochure uit waarin de adressen van alle clubs staan.

Trektochten

De meeste calanques zijn alleen bereikbaar via voetpaden en ook door het massief lopen talloze wandelroutes. De **GR 98-51** (rode en witte paaltjes) is een pad van 28 km dat het over het massief loopt, van Marseille naar Cassis. Het ene moment volgt het de kustlijn, het volgende klimt het omhoog naar de bergkammen (ongeveer 11 uur lopen). Een gedetailleerde wandelkaart is 'Les Calanques de Marseille à Cassis' (1/15.000) uitgegeven door IGN. Welke wandeling u ook gaat maken, zorg in ieder geval voor stevige schoenen, water (in het hele gebied is geen drinkwater te vinden) en bescherming tegen de zon. Wijk niet af van de **aangegeven paden**. Sommige zijn zeer steil en zelfs gevaarlijk, en wandelen in zo'n ruig gebied brengt altijd risico's met zich mee (brandgevaar, vallende stenen). Vanzelfsprekend is het verboden om te roken, vuur te maken of een gasstel te gebruiken. Let op, er zijn trajecten die niet geschikt zijn voor personen met hoogtevrees. Voor degenen die niet alleen willen wandelen worden er groepswandelingen georganiseerd:

Naturoscope – ✆ 04 91 40 20 11 - *www.naturoscope.fr* - € 7,50/10. Studie- en informatiecentrum over de omgeving, dat excursies organiseert waarin aandacht wordt besteed aan de geologie en de flora en fauna van de calanques.

Les Excursionnistes marseillais – *16 r. Rotonde - 13001 Marseille* - ✆ *04 91 84 75 52 - www.excurs.com*. Deze beroemde wandelorganisatie biedt wandelingen aan, vooral in de calanques maar ook elders. Een groepje vrijwilligers onderhoudt de wandelpaden.

Klimmen

Rotsklimmers vinden in de calanques een ruim aanbod aan geschikte rotswanden (niveau 3 tot 8) om te bestijgen of af te dalen, met als bonus een schitterende, maritieme omgeving: Les Goudes, Marseilleveyre, Sormiou, Morgiou, Luminy, het Massif de la Gardiole (de calanques Devenson, L'Eissadon en L'Oule, bereikbaar vanaf het parkeerterrein van La Gardiole, en de calanques En-Vau en Castelvieil, bereikbaar vanaf de jeugdherberg in Port-Miou).

Papick Bracco – ✆ *04 91 62 65 95 ou 06 60 74 93 57 - www.bonnegrimpe.com*. Van okt. tot juni organiseert deze gediplomeerde instructeur cursussen voor beginners, routes met verschillende touwlengtes en klimtochten door de calanques. Zijn website geeft een goed beeld van wat de Provence op het gebied van klimmen te bieden.

Club alpin français Marseille-Provence – *12 r. Fort-Notre-Dame - 13007 Marseille* - ✆ *04 91 54 36 94*. Deze club organiseert ook excursies in de calanques.

Cassis

★

7788 inwoners – Bouches-du-Rhône (13)

😊 ADRESBOEKJE: BLZ. 138

ℹ INLICHTINGEN

Toeristenbureau van Cassis – *Quai des Moulins - 13260 Cassis - 📞 0 892 259 892 - www.ot-cassis.com - juli-aug.: 9.00-19.00 u, za, zo en feestd. 9.30-12.30 u, 15.00-18.00 u; maart-juni en sept.-okt.: 9.00-12.30 u, 14.00-18.00 u, za 9.30-12.30 u, 14.00-17.30 u, zo en feestd. 10.00-12.30 u; rest van het jaar: 9.30-12.30 u, 14.00-17.30 u, za 10.00-12.30 u, 14.00-17.00 u, zo en feestd. 10.00-12.30 u - gesl. 1 jan., 25 dec.*

▷ LIGGING

Regiokaart B2 (blz. 80) – *kaart blz. 127* – Michelinkaart van de departementen *340 I6*. Cassis is schitterend gelegen in een glooiend gebied dat afdaalt naar een baai. In het westen liggen de kale heuvels van het Massif du Puget en in het oosten de beboste kliffen van Cap Canaille. De stad is bereikbaar vanuit Marseille via de A 50 *(25 km, afrit 6)* en daarna de D 41^E. Volg vanuit Toulon de richting Cassis *(afrit 7)* en neem dan de D 559.

🅿 PARKEREN

In het zomerseizoen is het raadzaam gebruik te maken van het gratis parkeerterrein buiten de stad *(Les Gorguettes, 2 km ten noorden)*. Daarvandaan vertrekt ongeveer eens in het halfuur (juli-aug. iedere 10 min) een pendelbus *(€ 1)* naar het centrum (april-juni en sept.-nov.: za, zo en feestd. 9.00-19 u; juli-aug.: dag. 9.00-1.00 u) of naar het strand Le Bestouan (april-half sept.: za, zo en feestd. 11.00-20.00 u). Alle andere parkeerterreinen hebben parkeermeters, waar u regelmatig geld in moet stoppen, met uitzondering van parkeergarage La Viguerie, waar u betaalt bij vertrek.

😊 AANRADER

Een verkenning van de calanques te voet of met de boot, zeer spectaculair is de Calanque d'En-Vau; een autorit via de Route des Crêtes biedt schitterende uitzichten, vooral vanaf de Cap Canaille.

🕐 PLANNING

Cassis is een ideaal vakantieoord voor badgasten, maar ook als u hier niet overnacht, is de omgeving een bezoekje waard. Trek minstens een halve dag uit voor het Massif des Calanques (te voet of met de boot). Bezoek ook de wijndomeinen waar A.O.C. Cassis verbouwd wordt (deze witte wijn heeft een uitstekende reputatie). De restaurants in de haven zijn de uitgelezen plek om gegrilde vis of schaal- en schelpdieren te proeven (opgelet voor toeristenvallen!).

👪 MET KINDEREN

Scheepsmaatjes in de dop zullen veel plezier beleven aan een boottocht langs de calanques; een rondrit in Cassis met een toeristentreintje; het Sentier de découverte du Petit Prince.

Cassis, de haven
C. Moirenc / Hemis.fr

'Qui a vist Paris, se noun a vist Cassis a ren vist!' Deze uitspraak van Calendal, de held uit een gedicht van Frédéric Mistral, betekent zoveel als 'Wie Parijs heeft gezien maar Cassis niet, heeft niets gezien!' Misschien is die bewering wat chauvinistisch, maar wie zou niet zijn enthousiasme delen over de schitterende ligging tussen de roodgekleurde rotsen van de Cap Canaille en de hagelwitte calanques, en over het licht dat kunstenaars als Derain, Vlaminck, Matisse en Dufy inspireerde? Bovendien is hier een van de oudste wijngaarden van Frankrijk te vinden. Dit alles verklaart waarom de voormalige vissershaven is uitgegroeid tot een badplaats die erg in trek is bij zwemmers, duikers en watersporters.

Wandelen

HET DORP

Een bezoek aan Cassis is een samenballing van momenten van klein geluk: flaneren over de kades van de **jachthaven** met zijn gekleurde boten, een glaasje drinken op een caféterras en ondertussen het ballet van de wandelaars gadeslaan of een ijsje kopen om op het strand op te eten, met alleen maar de zee voor u… Neem vooral ook de tijd om door de smalle straatjes achter de haven en rondom de mooie **Église St-Michel** (1875) te wandelen: daar ontdekt u een andere, meer authentieke kant van dit oude vissersdorpje dat tegenwoordig geheel in het teken staan van het toerisme.

Op de quai Barthélemy staat de **Tribunal de pêche** (rechtbank van de visserij) uit 1791, een getuige uit de tijd dat de visserij de hoofdactiviteit van deze gemeenschap was. In een nis staat het houten **beeld** van Sint-Pieter, beschermheilige van het vissersgilde, die op zijn feestdag in processie wordt gedragen. Tegenwoordig zijn er in Cassis nog maar een paar ambachtelijke vissers te vinden, die aan het einde van de ochtend hun vangst op de kades verkopen. Met 12 wijndomeinen en een befaamde A.O.C. is de wijnbouw, naast het toerisme, de tweede economische hoofdactiviteit van Cassis.

Het **kasteel** boven Cassis is een middeleeuwse vesting die in de 16de eeuw, toen aan de rand van het water het dorp ontstond, werd verbouwd tot militair fort. In 1881 verkocht de staat het voor een schappelijke prijs aan een sigarenhandelaar. Het veranderde nog diverse keren van eigenaar en werd kortgeleden verbouwd tot een luxueus gastenverblijf *(niet te bezichtigen)*.

Musée municipal méditerranéen d'Arts et Traditions populaires

Rue Xavier d'Authier - ☏ 04 42 01 88 66 - juni-sept.: 10.00-12.30 u, 14.00-18.00 u; rest van het jaar: 10.00-12.30 u, 14.30-17.30 u - rondleiding op aanvraag - gesl. ma, zo en feestd. - € 3.

Dit kleine heemkundige museum is ondergebracht in een voormalige pastorie uit het begin van de 18de eeuw. Het heeft een archeologische verzameling met voorwerpen die in de streek zijn gevonden, zoals een grafzuil uit de 1ste eeuw, Romeinse en Griekse munten, aardewerk, amfora's. Ook zijn er geschriften over de stad, schilderijen en beelden van kunstenaars uit de streek.

DE STRANDEN

Vanaf mei in het weekend bewaakt, juni-half sept. dagelijks.

Cassis beschikt over twee goed bereikbare stranden: de **Plage de la Grande Mer**, een zand- en kiezelstrand ten oosten van de haven *(sanitair, verhuur van waterfietsen, surfplanken en luchtbedden)*, en de **Plage du Bestouan**, een kleine baai met kiezelstrand ten westen van de haven, in de richting van het schiereiland *(sanitair)*. Meer rust vindt u op het 'strand' dat **Roches plates** wordt genoemd, een terrein met grote, platte rotsen tussen Bestouan en de punt van het schiereiland. Maar het water is moeilijk te bereiken en wordt heel snel diep, waardoor het geen geschikte locatie is voor kinderen *(er zijn een paar naaktzones)*.

Rondrit Regiokaart, blz. 80

★★ ROUTE DES CRÊTES B2

▶ *De 19 km lange rondrit van Cassis naar La Ciotat staat aangegeven op de regiokaart - ongeveer 30 min. zonder de tussenstops. Verlaat Cassis aan de oostzijde via de weg naar Toulon (D 559) en ga vervolgens rechts de D 141 op, aangegeven met het bordje 'Route des Crêtes'. Let op! Bij hevige mistral wordt de weg met een slagboom afgesloten. Langs de weg lopen paden voor wandelaars en mountainbikers.*

Deze prachtige toeristische route die Cassis met La Ciotat verbindt, kronkelt zich langs de bergkam van het massief van de **Cap Canaille**, waarvan de rotswanden loodrecht de Middellandse Zee in verdwijnen. Maak gerust een tussenstop bij de uitkijkpunten die langs de weg zijn aangelegd om het adembenemende panorama vanaf de hoogste rotsen van Frankrijk te bewonderen: de 363 m hoge Cap Canaille en de 394 m hoge Grande Tête.

Sla op de Pas de la Colle linksaf en volg de D 141ᴬ naar het parkeerterrein op de top, bij de televisiemast.

Mont de la Saoupe

Vanaf een top met een televisiemast ontvouwt zich een mooi **panorama★★**: Cassis, het Île de Riou, het Massif de Marseilleveyre, de Chaîne de St-Cyr in het westen; de Chaîne de l'Étoile, de Garlaban en het Massif de la Ste-Baume in het noorden; La Ciotat, de Cap de l'Aigle en de Cap Sicié in het zuidoosten.

Ga terug naar de Pas de la Colle en neem de weg die omhoog loopt.

Bochten en uitkijkpunten bieden mooie doorkijkjes op Cassis en La Ciotat.

★★★ Cap Canaille

De naam van deze bergketen is afgeleid van het Latijnse 'Canalis mons', 'berg van het water'. De Romeinen bouwden hier namelijk aquaducten om zoet water te geleiden. Vanaf de reling hebt u prachtig **uitzicht★★★** op de indrukwekkende, steile helling van het klif, het Massif de Puget en de calanques, het Massif de la Marseilleveyre en de eilanden.

Sla na de Grande Tête, waar de weg omheen loopt, rechts de D 141^B in naar de seintoren van de Franse marine. Laat de auto staan op het parkeerterrein.

Sémaphore du Bec-de-l'Aigle

Het **uitzicht★★★** vanaf de seinpaal bestrijkt La Ciotat en de scheepswerven, *(waar u te voet heen kunt)* de Rocher de l'Aigle, de Îles des Embiez, de Cap Sicié en de Cap Canaille *(oriëntatietafel)*.

Keer terug naar de Corniche en ga daar rechtsaf richting La Ciotat.

Tijdens de afdaling zijn op de hellingen grote steengroeven en een jonge aanplant van naaldbomen te zien. Ook passeert u een natuurlijke brug, een boog van kalksteen die rust op puddingsteen.

Wandeltochten

⊛ **Goed om te weten** – Het toeristenbureau biedt een gratis stadsplattegrond aan met zes wandelingen door Cassis en de calanques. In de zomer en sommige weekenden in het voorjaar, is de toegang tot het schiereiland beperkt: het schiereiland is dan alleen bereikbaar met een pendelbus vanaf het parkeerterrein Les Gorguettes *(zie onder 'Parkeren', blz. 134)*. Als u naar een hotel of restaurant wilt, moet u reserveren en het kenteken van uw auto vermelden.

Sentier du Petit Prince

Ongeveer 1.30 uur. Laat de auto achter op de Parking de la Presqu'île (€ 4), ten westen van het stadscentrum (aangegeven met borden). Volg het paadje naar rechts, met blauwe paaltjes.

👤👤 Deze fraaie wandelroute op het schiereiland, net voor Port-Miou, werd niet lang geleden voorzien van bewegwijzering en is tamelijk eenvoudig. Er zijn 11 panelen die uitleg geven over de natuur in de calanques (fauna, flora, geografie…). Ook geschikt voor gezinnen met kinderen, al is voorzichtigheid geboden: sommige rotsen zijn glibberig.

😊 CASSIS: ADRESBOEKJE

VERVOER

Treinstation 3,5 km ten noorden van het centrum. De TER rijdt van Marseille naar Cassis (ca. 20 min). Bij het station kunt u de bussen van La Marcouline of de taxi naar de stad nemen.
Busstation bij het politiebureau. Twee lijnen tussen Cassis en Marseille-Castellane, de ene via de snelweg (lijn M6, 40 min), de andere via La Gineste (lijn M8, 45 min).

BEZICHTIGEN

👥 **Toeristentreintje** – *vertrek in de haven (tegenover het toeristenbureau)* - 📞 *06 11 54 27 73 - www.cpts.fr - mei-sept.: dag. om 11.15 u en eens per uur tussen 14.15 u en 18.15 u - april en okt.-half nov.: dag. 11.15 u en eens per uur tussen 14.15 u en 17.15 u; - € 6 (6-12 jaar € 3, tot 6 jaar gratis).* Rondrit met commentaar (40 min) door Cassis en de calanque van Port-Miou.

Cassis insolite – 📞 *06 07 32 10 31 - www.provence-insolite.org - vertrek voor het toeristenbureau - juli-sept: do om 10.00 u - € 8 (tot 12 jaar gratis).* Jean-Pierre Cassely, schrijver van een boek over de Provence, organiseert een wandeling door het dorp (1.45 uur) en vertelt historische en humoristische anekdotes.

👥 **Met de boot naar de calanques** – *Zie blz. 131.*

OVERNACHTEN

DOORSNEEPRIJZEN

Hôtel Laurence – *8 r. de l'Arène - 📞 04 42 01 88 78 - www.cassis-hotel-laurence.com - gesl. nov.-jan. - 🍴 -15 kamers € 52/82 - 🛏 € 8.* Dit sympathieke hotel heeft een ideale ligging: in het centrum van Cassis, vlak bij de haven. De kamers zijn klein maar gezellig en bieden mooi uitzicht op de stad en het kasteel.

Hôtel Cassitel – *Pl. Georges-Clemenceau - 📞 04 42 01 83 44 - www.hotel-cassis.com - 32 kamers € 58/93 - 🛏 € 9.* De comfortabele kamers van dit hotel bij de haven zijn in Provençaalse stijl ingericht. Sommige liggen aan de zeezijde, maar de kamers met uitzicht op het dorp zijn iets rustiger.

Hôtel Clos des Arômes – *10 r. Paul-Mouton - 📞 04 42 01 71 84 - www.le-clos-des-aromes.com - 🅿 - gesl. do middag en wo, 4 jan. tot eind feb. - 14 kamers € 69/89 - 🛏 € 8 - halfpens. € 54 - rest. € 26/38.* Hotel met een Provençaalse sfeer gevestigd in een oud herenhuis midden in het dorp, naast de Église St-Michel. Kleine maar comfortabele kamers. In de zomer ontbijt in de mooie bloementuin, onder de platanen. Goede Mediterrane gerechten.

WAT MEER LUXE

Hôtel Les Jardins de Cassis – *R. Auguste-Favier - 📞 04 42 01 84 85 - www.lesjardinsdecassis. com - gesl. 7 nov.-20 maart - 🅿 - 36 kamers € 71/155 - 🛏 € 14/20.* Dit schitterende Provençaalse landhuis is gebouwd om een patio en een zwembad. In een betoverende, groene omgeving genieten de gasten van comfortabele en knusse kamers.

Chambre d'hôte La Garrigue – *22 imp. des Brayes - 400 m na de Super-U - 📞 04 42 01 17 98 of 06 67 10 88 71 - www.closlagarrigue. com - 🍴 - 5 kamers en 1 studio € 80/140 - 🛏 - 1 gîte € 580/820 per week.* Dit hooggelegen pension op 1 km van de haven beschikt over zeer comfortabele, smaakvol ingerichte kamers. Tegenover de tuin en het zwembad liggen heuvels (geen pottenkijkers). Zeer vriendelijke ontvangst.

Le Jardin d'Émile – *Plage du Bestouan* - ℘ *04 42 01 80 55* - *www.lejardindemile.fr* - 🅿 - *7 kamers. € 84/139* - ☕ *€ 10*. Mooi Provençaals gebouw met een intieme sfeer. De zeven kleurrijke kamers beschikken over een eigen terras (uitzicht op zee of op de tuin). Voor het strand Le Bestouan hoeft u alleen maar de straat over te steken.

UIT ETEN

DOORSNEEPRIJZEN

Le Bonaparte – *14 r. du Gén.-Bonaparte* - ℘ *04 42 01 80 84* - *gesl. zo avond en ma in het laagseizoen* - *lunch € 12* - *€ 16/24* - *reserveren verplicht*. Dit restaurant is vooral vermaard om zijn visgerechten, vooral de bouillabaisse is verrukkelijk (bestel van tevoren). Er komen veel stamgasten uit de buurt.

Le Calendal – *3 r. Brémond* - ℘ *04 42 01 17 70* - *gesl. ma* - *€ 19/25*. Klein restaurantje verscholen in een straatje op een steenworp afstand van de haven. De gasten worden verleid met authentieke Provençaalse gerechten, waarin vis- en zeevruchten de hoofdrol spelen.

Poissonnerie Laurent – *5 quai J.-J.-Barthélemy* - ℘ *04 42 01 71 56* - *mei-okt.: ma gesl.; nov.-april: 's middags en sommige avonden (afhankelijk van het weer) geopend; gesl. jan. en feb.* - 🍴 - *€ 19,90/35*. Dit restaurant, dat hoort bij een viswinkel, beschikt over een prettig terras aan de haven, waar heerlijke, dagverse vis wordt geserveerd.

La Vieille Auberge – *14 quai J.-J.-Barthélemy* - ℘ *04 42 01 73 54* - *gesl. wo en feb.* - *€ 24/32* - *reserv.*

aanbevolen. Gezellige herberg, waar de traditionele, Provençaalse recepten nog altijd van vader op zoon worden doorgegeven. Het interieur heeft een maritiem thema. Veranda met uitzicht op de haven en terras

WAT MEER LUXE

Nino – *1 quai J.-J.-Barthélemy* - ℘ *04 42 01 74 32* - *www.nino-cassis.com* - *gesl. zo avond en ma, (buiten het seizoen), half-dec.- half jan* - *€ 34* - *3 kamers € 100/200* - ☕. Gevestigd in een gebouw dat vermoedelijk uit 1432 dateert. Het restaurant is een begrip in Cassis vanwege de bouillabaisse en visspecialiteiten waarvan men kan genieten in een eetzaal met een maritieme inrichting en uitzicht op de haven.

PURE VERWENNERIJ

La Villa Madie – *av. Revestel - anse de Corton* - ℘ *04 96 18 00 00* - *www.lavillamadie.com* - *gesl. ma en di (sept.-mei), 20 dec.-20 feb.* - *lunch € 97* - *€ 130*. Uitzicht op de zee en de pijnboombossen, strakke design-inrichting, terrassen die aflopen naar zee en… de eigentijdse gerechten van Jean-Marc Banzo, die bijpassende smaakervaringen opwekt. Kreeg een Michelinster in 2011.

IETS DRINKEN

De terrassen van de ijssalons, bars en restaurants in de haven zijn meestal bomvol en blijven in het zomerseizoen tot 's avonds laat open.

Bar de la Marine – *5 quai des Baux* - ℘ *04 42 01 76 09* - *7.00-2.00 u* - *gesl. di (buiten het seizoen), jan.-half feb*. Vanaf het terras kunt u op uw gemak de dans van de aanmerende boten en het drijven van de bevolking en de toeristen op de kades gadeslaan. Eenvoudig en gezellig.

La Villa Madie – *Zie boven.* Als u zich geen gastronomisch diner in dit sterrenrestaurant kunt veroorloven, drink dan een glaasje op het terras van de **Bar Bleu**, recht boven zee. Het uitzicht is het mooist bij zonsondergang, als de Cap Canaille roze kleurt.

WINKELEN

Maison des vins - Maison des coquillages – *Aan de weg naar Marseille (D 559) -* ☎ *04 42 01 15 61 - www.maisondesvinscassis. com -* ♿ 🅿 *- 9.15-12.30 u, 14.30-19.30 u, zo 10.00-12.30 u ('s zomers 15.00-18.00 u) - gesl. feestd. in de winter.* Cassis beschikt over 12 wijndomeinen die gezamenlijk ongeveer 170 ha beslaan. Ze produceren vooral witte wijn (80% van het totaal), die sinds 1936 het A.O.C.-label draagt. Het Maison des Vins verkoopt wijn uit de regio en Franse cru's. Van september tot juni worden hier ook schaal- en schelpdieren verkocht.

SPORT EN ONTSPANNING

Diepzeeduiken
Centre cassidain de plongée - Olivier Guys – *3 r. Michel-Arnaud -* ☎ *04 42 01 89 16 - www. centrecassidaindeplongee.com -* *half maart-half nov.: dag. na afspraak, vertrek om 9.00 u en 15.00 u - avondexcursie: vertrek om 21.00 u.* Allerlei mogelijkheden op het gebied van duiksport.

Kajakken
Originele en milieuvriendelijke manier om over het water langs de calanques te gaan.
Cassis Sport Loisirs Nautique – *Plage de la Grande Mer -* ☎ *04 42 01 80 01 - 9.00-18.00 u.* Verhuur van een- en tweepersoonskajaks *(halve dag € 25/40, hele dag € 40/65).*
Provence Kayak Mer – *Port-Miou -* ☎ *06 12 95 20 12 - www. provencekayakmer.fr.* Tocht door de calanques onder begeleiding *(halve dag € 35, hele dag € 55).*

EVENEMENTEN

Fête de la mer et des pêcheurs – eind juni-begin juli. Feest gewijd aan de zee met een mis in het Provençaals, défilé, zegening van de boten op zee, voorstellingen en volksdansen.
Fête du vin – 1ste zo van sept., officieel begin van de oogsttijd met zegening van de wijnranken, volksdansen en een optocht. De wijnbouwers van Cassis houden een proeverij op de pl. Baragnon.

La Ciotat

32.126 inwoners – Bouches-du-Rhône (13)

😊 ADRESBOEKJE: BLZ. 144

🅸 INLICHTINGEN

Toeristenbureau van La Ciotat – *Bd Anatole-France - 13600 La Ciotat - 📞 04 42 08 61 32 - www.tourisme-laciotat.com - juni-sept.: 9.00-20.00 u, zo en feestd. 10.00-13.00 u; rest van het jaar: dag. behalve zo en feestd. 9.00-12.00 u, 14.00-18.00 u - gesl.1 jan., 1 mei, 1 en 11 nov., 25 dec.* Het toeristenbureau heeft een route uitgezet langs de plaatsen en monumenten die bekend zijn geworden door de gebroeders Lumière.

🔵 LIGGING

Regiokaart BC2 (blz. 80) – *Michelinkaart van de departementen 340 I6.* Volg vanaf de autoweg Marseille-Toulon *(afrit 9)* de D 559 en de avenue Émile-Bodin. Het centrum ligt rondom de Port Vieux en de stranden liggen in het noorden, langs de avenue Franklin-Roosevelt en de boulevard Beaurivage.

🅿 PARKEREN

Parkeerplaatsen (met parkeerautomaten) zijn te vinden aan de boulevards langs de stranden. Het centrum beschikt over diverse parkeergelegenheden: Bérouard, La Tasse, Le Port Vieux en Le Nouveau Port.

🕐 PLANNING

's Zomers is het vaak zeer druk op de stranden en in de haven; betere periodes voor een bezoek aan dit plaatsje zijn voorjaar en najaar.

👥 MET KINDEREN

La Ciotat is een plezierige badplaats, die ideaal is voor gezinnen. Een duikcursus en uiteraard een tocht door de calanques.

Bewegend shot langs de stranden van La Ciotat, inzoomen op de minder bekende calanques, flashback naar het vergeten verleden en de Port Vieux in vogelperspectief… dat is het decor van uw vakantie. La Ciotat is sterk veranderd sinds de scheepswerven zijn verdwenen. De pakketboten zijn vervangen door luxejachten en een vloot vissersboten. Maar 'La Cité' heeft haar toeristische potentieel ontdekt en is vastbesloten zich op te werken tot een van de topbadplaatsen van deze kust. Trots op haar identiteit en een verleden dat wordt gekenmerkt door de geboorte van de film en de pétanque, droomt de stad nu van een toekomst in 'technicolor'.

DE WIEG VAN DE PÉTANQUE

Op een dag in 1907, terwijl de jeu de boulespelers van Ciotat bezig waren met hun partijtjes, waarbij ze zich moesten verplaatsen over een terrein van 15-20 m, trok **Jules Lenoir**, een oud-kampioen die aan reuma leed, een cirkel in de grond waarbinnen hij bleef staan; het buutje lag op maximaal 5-6 m en hij wierp zonder aanloop (met de voeten naast elkaar; *pé* is voet en *tanco* is stutpaal). Pétanque was geboren! In 1910, toen het eerste echte toernooi plaatsvond in La Ciotat, kreeg de term een officiële status.

Wandelen

Op deze plek bevond zich ooit een welvarende **kolonie van Marseille**, Citharista genaamd. De inwoners moesten regelmatig hun toevlucht zoeken in het iets verderop gelegen Ceyreste (dat is blijven bestaan onder die naam), vanwege de Romeinse bezetting en later plunderingen door de barbaren. Aan het einde van de middeleeuwen veranderde de naam van Citharista in Ciutat, wat in het Occitaans 'stad' betekent.

HET OUDE CENTRUM

Het centrum staat vol architectonisch erfgoed, dat u kunt ontdekken tijdens een wandelingetje door de straatjes en over de pleintjes. De weelderig versierde voordeuren getuigen van de rijkdom van de panden die werden gebouwd voor de reders en koopmannen in de 17de en 18de eeuw.

Port Vieux
Na een lange dag aan het strand komt iedereen samen in de Port Vieux. De kades met hun kleurrijke gevels en drukke restaurants ademen de authentieke charme van een Provençaalse vissershaven.

Église Notre-Dame-du-Port
Deze kerk heeft een mooie roze romaanse gevel die doet denken aan de Italiaanse bouwstijlen. Vanaf de trap kijkt u uit over de Port Vieux. Het interieur, waar oud en modern samensmelten, bevat fresco's van hedendaagse schilders die scènes uit de Evangeliën verbeelden. Achter in het schip hangen schilderijen van Tony Roux en er is een mooie Kruisafneming te zien van André Gaudion (1616).

Musée ciotaden
1 quai Ganteaume - ℘ 04 42 71 40 99 - www.museeciotaden.org - op aanvraag (7 d. van tevoren) - juli-aug.: 16.00-19.00 u; rest van het jaar: 15.00-18.00 u - informeer naar openingstijden op feestd. - gesl. di - € 3,20 (tot 12 jaar € 1,60).
Vergis u niet, dit museum, gevestigd in het oude stadhuis, is interessanter dan u misschien zou verwachten. In de 15 zalen zijn meer dan 1.500 voorwerpen bijeengebracht die de plaatselijke geschiedenis in beeld brengen. Belicht worden onder meer de oude scheepswerven en de uitvinding van de cinematografie en van de pétanque.

Éden Théâtre
Av. Georges-Clemenceau - ℘ 04 42 04 72 62 - wegens verbouwing gesl. tot mei 2013.
Nostalgische beelden… In dit kleine theater organiseerden **Auguste** en **Louis Lumière** in de herfst van 1895 de eerste openbare vertoning van de cinematograaf. Op het scherm was de aankomst van een trein in het station van La Ciotat te zien. Vanaf dat moment waren er in het Eden Théâtre regelmatig filmvoorstellingen te zien tegen betaling, waarmee het de eerste bioscoopzaal te wereld werd. De vereniging 'Les Lumières de l'Éden' wil het theater in zijn oude glorie herstellen.

DE STRANDEN

De kustlijn van La Ciotat strekt zich uit over een lengte van 7 km en voorbij de jachthaven ligt bijna 6 km aan zandstranden (Capucins, Cyrnos, Grande Plage, Lumière) en kiezelstranden (St-Jean, Fontsainte, Arène Cros). De eerste stranden, langs de avenue Franklin-Roosevelt en de boulevard Beaurivage, omzoomd door een aangename promenade, zijn goed toegankelijk en zeer geschikt voor gezinnen, terwijl de ruigere calanques en rotsige kreekjes geliefd zijn bij degenen die op zoek zijn naar rust.

Volg de route in de richting van de Lecques: kustwegen langs niet al te steile afgronden brengen u naar de **Plage de Liouquet** (kreekjes met kiezels en rode rotsen omgeven door pijnbomen).

DE CALANQUES

★ Parc en Calanque du Mugel

Verlaat de haven via de quai François-Mitterrand, volg de av. des Calanques en vervolgens de av. du Mugel tot aan het parkeerterrein (betaald van mei tot sept.) ℘ 04 42 08 61 32 - april-sept.: 8.00-20.00 u; rest van het jaar: 9.00-18.00 u - rondleiding op aanvraag ℘ 06 75 56 99 62 - gratis.

☛ *15 min heen en terug.* De onderaan de Cap de l'Aigle gelegen **Calanque du Mugel** biedt een mooi uitzicht op het Île Verte.

In dit park van bijna 12 ha kunnen botanisten hun hart ophalen. Deze schatkamer, gelegen in een beschermd landschap, herbergt een schitterende botanische rijkdom, met onder meer zeldzame tropische planten (koraalbomen, kamferbomen). U vindt hier zelfs een bamboebos, een cactuscollectie, palmen, een tuin met aromatische planten, steeneiken en kastanjes; dat alles 50 m van de zee!

Er loopt een weg naar de top (85 m), waar u kunt genieten van een weergaloos **uitzicht★** op de baai van La Ciotat.

★ Calanque de Figuerolles

Ten oosten van de Calanque du Muguel via de av. de Figuerolles. Neem vanaf het parkeerterrein het pad dat afdaalt door de calanque (5 min lopen).

Onderaan een groene vallei omringd door spectaculaire kliffen van puddingsteen en rotsen met vreemde vormen (zoals de eenzame 'Kapucijner'), ligt deze mooie calanque die uitnodigt tot luieren en zwemmen. Het is hier snel vol, dus u kunt hier het beste terecht buiten het seizoen. Als u alle tijd wilt nemen om te genieten van de omgeving kunt u overnachten of lunchen in het hotel *(zie 'Overnachten' en 'Uit eten').*

In de omgeving Regiokaart, blz. 80

★ Île Verte C2

Tegenover de Bec de l'Aigle - met de boot (vanuit de Port Vieux) - ℘ 06 63 59 16 35 of 04 42 83 11 44 - ♿ - juli-aug.: 9.00-19.00 u (vertrek ieder uur); mei-juni en sept.: 10.00 u, 11.00 u, 12.00 u, 14.00 u, 15.00 u, 16.00 u, 17.00 u (in het weekend ook om 13.00 u en 18.00 u); paasvakantie: 10.00 u, 11.00 u, 12.00 u, 14.00 u, 15.00 u, 16.00 u, 17.00 u; okt.: informeer naar de vertrektijden - gesl. nov.-april - retour € 10 (tot 10 jaar retour € 6).

Dit eiland van 13 ha, het enige voor de kust van de Bouches-du-Rhône waar bomen groeien (vandaar de naam 'Groen Eiland'), heeft een grillige kustlijn met talloze calanques omgeven door steile rotswanden. Ze zijn erg geliefd bij zwemmers. Het oude fort op het eiland is het beste punt om het puntige silhouet van de Cap de l'Aigle, op de oever aan de overkant, te bewonderen. Een wandeling onder de pijnbomen, een duik in zee, een picknick of een maaltijd in het restaurant completeren dit plezierige uitstapje.

Chapelle Notre-Dame-de-la-Garde

Neem de weg richting La Garde, en parkeer in de woonwijk (2,5 km).

🚶 *15 min heen en terug.* Een wandelingetje na het eten? 85 treden leiden naar een platform boven de kapel. Uw beloning: **uitzicht★★** op de baai van La Ciotat en de hoogste klippen van Europa. De kapel bevat ex-voto's voor de Vièrge de La Garde. Zij was lange tijd een baken voor zeelieden in nood.

☺ LA CIOTAT: ADRESBOEKJE

VERVOER

Treinstation op ongeveer 5 km ten noorden van het centrum. Een bus (lijn 40) en taxi's verbinden het station met het centrum. Trein naar Marseille (30 min).
Busstation op de bd Anatole-France (naast het toeristenbureau). Bussen naar Marseille via Aubagne (lijn 69).

BEZICHTIGEN

👥 Boottocht naar de calanques – *Zie blz. 131.*

OVERNACHTEN

GOEDKOOP

Les Lavandes – *38 bd de la République* - ☎ *04 42 08 42 81* - *www.hotel-les-lavandes.com* - *15 kamers* € 50/62 - 🍽 € 6,50. Een klein, fleurig en gezellig hotel. De kamers zijn eenvoudig maar goed onderhouden en het ontbijt wordt geserveerd op een veranda. Gastvrije ontvangst. Het strand ligt op 500 m.

DOORSNEEPRIJZEN

Auberge le Revestel – *Le Liouquet (6 km richting Bandol via de D 559)* - ☎ *04 42 83 11 06* - *www.revestel.com* - 🅿 - *gesl. 16 jan.-9 feb. - 6 kamers.* € 65/68 - 🍽 € 9 - *rest.* € 25-40 *(gesl. zo avond en wo).* Dit kleurrijke etablissement is fraai en rustig gelegen aan de Corniche. Eenvoudige, maar gezellige kamers. Restaurant met weids uitzicht op zee. Moderne streekgerechten.

WAT MEER LUXE

La République indépendante de Figuerolles – *Calanque de Figuerolles* - ☎ *04 42 08 41 71 of 25 94 - www.figuerolles.com - 8 kamers en appartementen.* € 37/150 - 🍽 € 9. In 1956 verklaarde deze republiek zich zelfstandig! Het gezellige hotel in de plooien van een prachtige calanque is een waar paradijs! Kamers en appartementen in verschillende categorieën, onder meer twee sobere kamers voor de kleine beurs (€ 37). Voor liefhebbers van natuur en rust.

UIT ETEN

DOORSNEEPRIJZEN

Kitch&Cook – *4 pl. Esquiros* - ☎ *04 42 03 91 36 - www.kitchandcook.com - gesl. za middag en zo - lunch* € 12,50/16,50 - € 28. Klein restaurant dicht bij de haven met een kleurrijke, modern ingerichte eetzaal. Inventieve gerechten met verrassende smaken. Het menu wisselt dagelijks, afhankelijk van het aanbod op de markt en de bui van de kok. Het is heerlijk lunchen op het terras.

WAT MEER LUXE

Les Gourman'dînent – *18 r. des Combattants* - ☎ *04 42 08 00 60 - buiten het seizoen: gesl. wo, za middag en zo avond* - € 19/60 - *reserveren aanbevolen.* Gastronomisch adres met een groot terras hoog boven de Port Vieux waar u best regelmatig terug wilt keren. Verzorgde gerechten met Provençaalse smaken.

La République indépendante de Figuerolles – *zie boven* - *€ 41*. Magische omgeving en schitterend terras met vijgenboom hoog boven een desolate calanque. Inventieve gerechten met mediterrane accenten.

EEN HAPJE TUSSENDOOR

Des Côtés Cafés – *4 pl. Sadi-Carnot* - *04 42 71 65 71* - *8.30-19.00 u, zo 8.30-12.00 u*. Thee, koffie, maar ook verse vruchtensappen en verleidelijke, huisgemaakte lekkernijen, geserveerd op een mooi plein achter de kerk.

WINKELEN

Markten – **Traditionele markt** di (pl. Évariste-Gras) en zo (Port Vieux) van 8.00 tot 12.00 u. **Kunstnijverheidsmarkt** juli-aug., iedere avond van 20.00 u tot middernacht en in het weekend tot 1.00 u, in de Port Vieux (die dan autovrij is).
Au Poivre d'Âne – *12 r. des Frères-Blanchard* - *04 42 71 96 93 dag. behalve ma 9.30-12.30 u, 14.30-19.30 u, zo 10.00-13.00 u*. Bijzondere boekhandel met een uiteenlopend, interessant aanbod: romans, strips, paperbacks, gidsen en mooie uitgaven.

SPORT EN ONTSPANNING

Centre permanent d'initiatives pour l'environnement Côte provençale – *Parc du Mugel* - *04 42 08 07 67 - www.atelierbleu. fr - dag. behalve za en zo 9.00-17.00 u*. De missie van het CPIE is om de kust in de gaten te houden en te onderzoeken. Hier kunt u de onderwaterwereld ontdekken: lessen diepzeeduiken (beginners en gevorderden, kinderen en volwassenen), natuurexcursies, snorkeltochten en cursussen marinebiologie.
ExpeNATURE *5 r. Compas* - *04 42 83 64 46 - www. expenature.fr* - Avontuurlijke activiteiten die gericht zijn op het leren kennen van de natuur en het kweken van milieubewustzijn: kajakken op zee, rotsklimmen, mountainbiken, wandeltochten, cursus kompaslezen.

EVENEMENTEN

Salon Nautique – begin maart, Bassin des Capucins. Botenshow. Informatie: www. salonnautiquemarseillemetro pole.com.
Festival du Premier film – eind mei, Théâtre du Golfe. Informatie: www.berceau-cinema.com.
Il était une fois 1720 – 3 dagen in okt. Groot feest met meer dan 2000 personen in kostuums uit de tijd dat in La Ciotat de pest heerste.

1

De Côte Bleue

★

Bouches-du-Rhône (13)

😊 ADRESBOEKJE: BLZ. 150

🛈 INLICHTINGEN

Toeristenbureau van Carry-le-Rouet – *Espace Fernandel - av. Aristide-Briand - 13260 Carry-Le-Rouet - ☎ 04 42 13 20 36 - www.otcarrylerouet.fr - juli-aug.: 10.00-12.00 u, 14.00-18.00 u, zo 10.00-12.00 u; sept.-juni: di-za 10.00-12.00 u, 14.00-17.00 u, feestd. 10.00-12 u - gesl. 1 jan. en 25 dec.*

▷ LIGGING

Regiokaart A1-2 (blz. 80) – *Michelinkaart van de departementen 340 F5-G5*. De Côte Bleue, 74 km ten westen van Marseille, maakt deel uit van de **Chaîne de l'Estaque**, gelegen tussen Marseille in het oosten, de Golfe de Fos in het westen en de Étang de Berre in het noorden. Tussen Carry-le-Rouet en Sausset-les-Pins loopt een kustweg, maar de meeste andere haventjes zijn alleen bereikbaar via doodlopende wegen.

😊 AANRADER

Parc marin de la Côte Bleue en de *oursinades* (zee-egelproeverijen) in jan.-feb.

🕐 PLANNING

Het gebied is erg in trek bij de inwoners van Marseille, en dan vooral in het weekend. In de zomer is het er bijzonder druk en sommige calanques zijn dan beperkt toegankelijk. In de winter zijn heel wat restaurants en hotels gesloten, maar u kunt deelnemen aan de *oursinades* in Sausset-les-Pins en Carry-le-Rouet!

👫 MET KINDEREN

Met zijn vele familiehotels, gemeubileerde woningen en campings is de Côte Bleue een geliefde bestemming voor gezinsvakanties. De vier bewaakte stranden van Sausset (let op: er is geen schaduw); de bewaakte zandstranden van de Verdon en Sainte-Croix; het duizelingwekkende traject van de 'Train bleu' tussen Marseille en Port-de-Bouc.

Ten westen van Marseille, ingeklemd tussen de Golfe de Fos aan de westzijde en de Étang de Berre in het noorden, ligt de Côte Bleue met zijn turkooizen en saffierkleurige water, een gebied waar de natuur wonderbaarlijk goed bewaard is gebleven. Tussen L'Estaque en Carro ontvouwt zich een grillige kustlijn waar bergkammen en inhammen met zand- en kiezelstranden elkaar afwisselen. Onderaan de beboste heuvels van het massief van La Nerthe liggen vissersgehuchten, waar de bewoners leven volgens het ritme van de zee en de spelletjes pétanque die de cineast Pagnol zo fascineerden. Met de komst van de spoorlijn in 1915, stroomden ook al snel de Marseillanen toe om hier vakantie te vieren. In de zomer is de rust ver te zoeken, maar nog steeds kunt u op de paden recht boven de zee of in de heuvels met hun aromatische planten 'verdwalen' en de beschaving achter u laten.

Calanque de Niolon
G. Labriet / Photononstop

Rondrit Regiokaart, blz. 80

◗ *De 50 km lange rondrit van Niolon naar Martigues staat aangegeven op de regiokaart - ongeveer 4 u, met tussenstops. Wie onderweg wil luieren op het strand, doet er uiteraard veel langer over.*

★ **Niolon** A2

◗ *32 km ten westen van Marseille via de A 55 (afrit no. 7) of 12 km van L'Estaque via de D 568 (richting Le Rove), de D 5 (richting Ensuès) en de D 48.*

Goed om te weten – Pas op, het is lastig rijden aan de calanque. Waag u niet in de doodlopende steile straatjes, want keren is zeer moeilijk. Overigens is autoverkeer niet toegestaan in de weekends en op feestdagen van 1 mei tot 30 sept. Gratis parkeren op het terrein aan het begin van het dorpje, waarvandaan u te voet verder kunt afdalen (800 m).

Dit dorpje heeft zijn authentieke karakter behouden. Het ligt tegen de rotsachtige hellingen van de Calanque de Niolon, waar de **spoorwegbrug** overheen loopt.

Het dorp staat bekend om zijn **duikfaciliteiten** (de UCPA heeft hier het grootste opleidingscentrum van Frankrijk gevestigd), maar ook badgasten komen hier graag. Bij mooi weer verzamelen ze zich op de rotsen van de haven, waar ze genieten van het mooie uitzicht op de rede van Marseille.

Niolon is het beginpunt van een wandeltocht langs de kust, het **Sentier des douaniers** (GR 51), dat over paadjes en trappen naar de Calanque de Méjean leidt, via de mooie Calanque d'Érevine *(2,1 km)* en mooie uitzichten biedt op de Îles du Frioul en de rede van Marseille *(6 km, heenweg 1.30-2 uur, gemiddeld niveau, eerst de gele paaltjes, vervolgens de rode en de witte, start bij het station van Niolon).*

Keer terug naar de D 5 en ga daar naar links. De weg leidt door een droog gebied naar Ensuès. Sla bij de ingang van het dorp linksaf de D 48ᴰ in.

Ensuès-la-Redonne A2

Het dorpje Ensuès boven op het plateau, beschikt over een paar mooie haventjes diep in de calanques, bereikbaar via een smal, bochtig weggetje dat de heuvel afloopt: **La Madrague-de-Gignac**, **La Redonne** en **Cap Méjean**.

Twee etappes van het **Sentier des douaniers** beginnen op de Cap Méjean. De ene leidt naar Niolon *(zie boven)*, de andere naar de Port de Carry-le-Rouet, via de Port de la Redonne, La Madrague-de-Gignac en de Plage du Rouet *(7 km, heenweg 2 uur, gemiddeld niveau, rode en witte paaltjes, startpunt in de Port de Méjean).*

La Madrague-de-Gignac A2

Laat de auto aan het begin van het dorpje staan en ga te voet verder (ca. 800 m).
Dit plaatsje in de schaduw van de pijnboombossen heeft een mooie ligging diep in een calanque. Fraai uitzicht op de zee en de rede van Marseille.
Rijd terug naar Ensuès en ga dan linksaf de D 5 op, die tussen de pijnbomen en de steeneiken via de Vallon de l'Aigle naar Carry loopt.

Le Rouet-Plage A2

Betaald parkeren op za, zo en feestd. en tijdens schoolvak.
Dit is een mooie kreek met een leuk kiezelstrand en een haventje. Verscholen tussen de pijnbomen staan een paar mooie villa's.
Observatoire du Parc marin – *Plage du Rouet - 31 av. Jean-Bart -* ✆ *04 42 45 45 07 - www.parcmarincotebleue.fr - juli-aug.: bezichtiging van het observatiecentrum op do om 16.00 u en verkenning van de zeebodem op di, do en zo om 9.30 u, 10.30 u en 11.30 u (vanaf 8 jaar) - reserv. verplicht:* ✆ *06 83 09 38 42 (ma en wo 9.00-12.00 u, 14.00-17.00 u) - gratis.* Voor wie kennis wil maken met de rijkdommen van de zeebodem heeft dit observatorium *(zie kader)* een **onderwaterparcours** uitgezet en organiseert het in juli en augustus snorkeltochten in het zeereservaat van Carry-le-Rouet.
Keer terug naar de D 5 en volg de bordjes 'Carry centre'.

Carry-le-Rouet A2

Deze oude vissershaven werd begin 20ste eeuw een geliefde vakantiebestemming voor de Marseillanen, en is tegenwoordig de belangrijkste badplaats van de Côte Bleue, met een jachthaven, omringd door gezellige bars en restaurants, een casino, kreekjes en stranden: Plage de la Tuilière, Plage Fernandel, Calanque du cap Rousset en Plage du Rouet *(zie boven).*
Carry houdt de nagedachtenis aan acteur **Fernandel** *(zie blz. 74)*, kind van deze streek, in ere. Hij verbleef hier graag en liet een villa bouwen boven de haven. Als u in februari in de buurt bent, mis dan niet de **oursinades** die op de drie eerste zondagen van de maand in de haven worden gehouden.
Vervolg uw weg op de D 5.

PARC MARIN DE LA CÔTE BLEUE

Dit natuurpark werd opgericht in 1983 met het doel het natuurlijke maritieme milieus te beschermen en te versterken, bij te dragen tot een beter beheer van het visbestand, en het publiek te informeren en te onderrichten. Het park beheert de beschermde kustgebieden van **Carry-le-Rouet** (85 ha) en **Cap-Couronne** (210 ha), evenals de kunstmatige riffen voor de kust van Niolon, Ensuès-la-Redonne, Carry-le-Rouet, Sausset-les-Pins en La Couronne-Carro.

Sausset-les-Pins A2

🏛 *16 av. du Port - ☎ 04 42 45 60 65 - www.ville-sausset-les-pins.fr - dag. behalve zo 9.00-12.00 u, 14.00-17.00 u, za 9.00-12.00 u.*

Het eerste wat opvalt in Sausset-les-Pins is het **kasteel** van de familie Charles-Roux (1855). De **tonijnvisserij** was tot voor kort de belangrijkste bron van inkomsten van deze gezellige badplaats. De tonijnjacht was een spectaculair, jaarlijks evenement waar alle mannen van het dorp aan deelnamen. Met hun boten dreven ze de tonijn in een rond net. Nogal wat schilders hebben dit schouwspel vereeuwigd in hun werken. Nu staat Sausset bekend vanwege zijn **kreken** en **stranden**, gedeeltelijk gelegen aan de mooie promenade de la Corniche en de avenue Général-Leclerc.

De D 49 voert slingerend landinwaarts het bergmassief in. Via La Couronne leidt de D 49^B naar Carro.

La Couronne A2

👣👣 La Couronne is vooral bekend om de **Plage du Verdon**, dat over alle faciliteiten beschikt, maar in de zomer erg druk is *(groot parkeerterrein met 520 pl., betaald in de zomer, EHBO-post, sanitair, bewaakt bagagedepot).* Dit grootste zandstrand van de Côte Bleue is populair bij gezinnen vanwege het ondiepe water en de speeltuinen, en bij de jeugd vanwege de vele bars, restaurants, ijssalons en beachvolleybalvelden.

Op het puntje van de Cap Couronne staat een **vuurtoren** met prachtig uitzicht over Marseille en de eilanden. Verder naar het oosten liggen de mooie baaien van La Couronne-Vieille, La Baumaderie en **Sainte-Croix**. De laatste beschikt over een klein, romaans kapelletje (17de eeuw) en een prettig strand *(parkeerterrein, betaald in de zomer, EHBO-post, bars en restaurants in de buurt).* *Rijd via de D 49^B naar Carro.*

Carro A2

Dit aardige haventje ligt in de luwte van een rotsachtige baai en is de laatste vissershaven langs de Côte Bleue. Tot op de dag van vandaag wonen nog altijd vijfenveertig gezinnen rondom deze vissersvloot met twintig boten. Het is de tweede haven voor de traditionele tonijnvangst in het westen van de Middellandse Zee. Iedere ochtend is er een **vismarkt** in de haven.

Verlaat Carro via de D 49 en rijd door naar Les Ventrons.

Entre mer et collines – *Cercle St-Pierre-des-Pêcheurs - 15 pl. Joseph-Fasciola - ☎ 06 07 34 76 24 - april-nov.: di en do 16.00-19.00 u, za en zo 10.00-12.00 u, 16.00-19.00 u - gratis.* Dit kleine museum boven de Cercle des pêcheurs vertelt de gezamenlijke geschiedenis van Carro en La Couronne aan de hand van documenten, oude foto's, voorwerpen en gereedschappen.

Aan het einde van de haven ligt een uitgerekt zandstrand omzoomd door rotsblokken, een plek die veel surfers trekt. Vooral interessant tijdens de mistral! *Verlaat Carro via de D 49 en rijd door tot Ventrons.*

Vanaf een 120 m hoge **uitkijktoren** heeft u uitzicht op het industriële havencomplex van Lavéra, Port-de-Bouc en Fos.

Sla in Les Ventrons rechtsaf de D 5 op.

Saint-Julien-les-Martigues A2

Even buiten dit plaatsje loopt links een weg naar een **kapel**. In de noordelijke muur is een mooi Gallo-Romeins bas-reliëf uit de 1ste eeuw gemetseld. Het is een voorstelling van een begrafenis met acht figuren. *Keer terug naar Les Ventrons en neem daar rechts de D 5 richting Martigues.*

Martigues *(zie onder deze naam.)*

😊 DE CÔTE BLEUE: ADRESBOEKJE

VERVOER

Met de auto – Van 1 mei tot 30 sept. is de toegang tot Niolon en La Redonne in het weekend en op feestdagen verboden voor motorvoertuigen vanwege het brandgevaar in dit uiterst kwetsbare ecosysteem.

🚹🚺 Met de trein – Vanuit Marseille rijden treinen ('**Trains bleus**') naar L'Estaque, Niolon, Ensuès-la-Redonne, Carry-le-Rouet, Sausset-les-Pins, La Couronne en Martigues. Het zijn pittoreske tochtjes: tunnels, schitterende doorkijkjes naar de zee en harde fluittonen om de waaghalzen te waarschuwen die ondanks het officiële verbod over de spoorlijn lopen! Informeer naar de vertrektijden *(zie blz. 8)*: in de winter rijdt de 'blauwe trein' veel minder vaak!

OVERNACHTEN

GOEDKOOP

Auberge du Mérou – *Calanque de Niolon - 13740 Le Rove - 5 km buiten het dorp, via de weg naar Niolon - gratis pendelbus tussen het parkeerterrein bij de calanque en het restaurant -* 📞 *04 91 46 98 69 - www.aubergedumerou.fr - gesl. ma avond en zo avond buiten het seizoen - 5 kamers € 44/48 -* 🛏 *€ 6 - rest. € 26,60/35.* Dit hotelletje (ook bekend om zijn visspecialiteiten) telt vijf gezellige, onberispelijke kamers. Ze zijn ingericht als een kajuit (lambrisering, patrijspoort, gelakt hout) en kijken uit op de haven van Niolon.

WAT MEER LUXE

Villa-Arena – *Pl. Camille-Pelletan - 13620 Carry-le-Rouet -* 📞 *04 42 45 00 12 - 19 kamers € 72/85 -* 🛏 *€ 10.* Achter de sierlijke gevel van dit tweesterrenhotel liggen aangename kamers met airco. Een minpunt: ze zijn aan de dure kant, een euvel waaraan veel etablissementen zich de laatste jaren schuldig maken.

PURE VERWENNERIJ

La Palmeraie des Calanques – *8 chemin de Montmillan et d'Aubrez -* 📞 *04 42 06 57 75 of 06 22 78 34 02 -* 🅿 *- 4 kamers en 1 suite € 120/240 -* 🛏. Een chic adres in een mooie mediterrane tuin dicht bij de Port de la Redonne. De ruime, modern ingerichte kamers zijn verdeeld over twee Polynesische strohutten met privéterrassen. Solarium en jacuzzi.

UIT ETEN

DOORSNEEPRIJZEN

La Pergola – *Calanque de Niolon - 13740 Le Rove - 5 km buiten het dorp, via de weg naar Niolon -* 📞 *04 91 46 90 28 - buiten het seizoen: wo gesl., 's avonds geopend behalve vr en za - € 30/35.* Ruim bemeten porties vis voor een redelijke prijs en een schitterend uitzicht op de haven van Niolon en Marseille. Wat wil een mens nog meer!

Le Mange-Tout – *8 chemin Tire-Cul - 13820 Ensuès-la-Redonne -* 📞 *04 42 45 91 68 - gesl. wo, dec.-jan. - hoogseizoen: iedere middag open, 's avonds na afspraak - € 18/32.* Dit charmante strandhuis met blauwe luiken profiteert van een mooie ligging aan de haven van de Calanque de Méjean. De inwoners van Marseille komen hier ieder weekend op het terras smullen van de heerlijke verse vis.

Le Domus – *av. de Carro - 13500 Carro -* 📞 *04 42 42 80 48 - www.restaurantledomus.com - gesl. wo avond, zo avond en ma - € 15/40.*

Dit adres, dat grote bekendheid geniet in de omgeving, serveert goede, mediterrane gerechten en voortreffelijke pizza's.

WAT MEER LUXE

Les Girelles –15 r. Fréderic-Mistral - 13960 Sausset-les-Pins - ℘ 04 42 45 26 16 - www.restaurant-les-girelles. com - juni-aug.: gesl. ma, di middag en wo middag; rest van het jaar: gesl. zo avond en ma; gesl. okt. en half jan.- half feb. - € 28/65. De plaatselijke bevolking komt graag naar het terras van dit restaurant aan het strand. Binnen staat een mooi scheepsmodel en door de glazen wanden kunt u zien wat zich buiten afspeelt.

Le Madrigal – 4 av. Gérard-Montus - 13620 Carry-le-Rouet - ℘ 04 42 44 58 63 - 🅿 - gesl. zo avond en ma (sept.-april) en half nov.-begin. dec. - € 41/70. Dit hooggelegen roze huis met uitzicht op de haven vormt een bekoorlijk plaatje. Gulle traditionele gerechten, vooral vis.

EEN HAPJE TUSSENDOOR

L'Amiral – 15 quai Émile-Vayssière - 13620 Carry-le-Rouet ℘ 04 42 45 13 51 - 8.30-1.00 u - gesl. ma Deze ijssalon-bar-brasserie, onderscheidt zich van de andere etablissementen door zijn mooie inrichting en comfortabele terras. IJsjes, verse sapjes, cocktails en, voor de kleine honger, salades, dagschotel, mosselen.

WINKELEN

Markten

Wekelijkse markten di en vr ochtend in Carry-le-Rouet (pl. Alfred-Martin), wo en za ochtend op de pl. de La Couronne, do en zo ochtend in Sausset-les-Pins (quai du Port). **Vismarkt** iedere ochtend in de Port de Carro, afhankelijk van het weer.

Kaas van de Rove-geit

Gaec Gouiran – 17 r. Adrien-Isnardon - 13740 Le Rove - ℘ 04 91 09 92 33 - feb.-okt.: 8.00-12.00 u, 17.00-19.30 u - 🍴. Voor echt verse geitenkaas moet u bij M. en Mme. Gouiran zijn. Zij houden Rove-geiten en maken verschillende soorten kaas, van extra-vers tot zeer oud, waaronder de verfijnde, geurige 'véritables brousses du Rove pur chèvre' (gedeponeerd merk).

SPORT EN ONTSPANNING

Duiken

Aqua-Évasion – Plage du Rouet - 31 av. Jean-Bart - 13620 Carry-le-Rouet - ℘ 04 42 45 61 89 - www.aqua-evasion.com. Deze duikschool op het strand Le Rouet biedt lessen en cursussen aan voor alle niveaus. Ook accommodatie aanwezig.

Centre de plongée UCPA – 18 chemin de la Batterie - Le Rove - 13740 Niolon - ℘ 04 91 46 90 16 - 🅿 - www.ucpa.com- gesl. half nov.-half. maart. De grootste troef van deze duikschool is de ligging midden in een calanque: u kunt zo het water in. Cursussen op alle niveaus (ook opleiding tot instructeur) en mogelijkheid om ter plaatse te overnachten.

EVENEMENT

Oursinades – Niets is zo leuk als tijdens een prachtig winterweekend mee te doen aan de traditionele oursinade, die plaatsvindt in januari in Sausset en in februari in Carry. Voor de gelegenheid worden in de straten en op de kaden van de haven tafeltjes neergezet waar u kunt proeven van de zee-egels en andere schaal- en schelpdieren. Deze delicatessen smaken het best met een glaasje witte wijn.

Martigues

46.318 inwoners – Bouches-du-Rhône (13)

😊 ADRESBOEKJE: BLZ. 159

🔢 INLICHTINGEN

Toeristenbureau van Martigues – *Rond-point de l'Hôtel-de-Ville - 13500 Martigues -* 📞 *04 42 42 31 10 - www.martigues-tourisme.com - juli-aug.: 9.00-18.00 u (19.00 u in juli, 18.30 u in aug.), za 9.00-12.30 u, 14.30-18.00 u, zo en feestd. 9.30-12.30 u; rest van het jaar: 9.00-12.00 u, 13.45-17.30 u, zo en feestd. 10.00-12.30 u- gesl. 1 jan., 1 mei, 25-26 dec.*

Georganiseerde wandeling – *Aanmelden bij het toeristenbureau: juli-aug.: wo 16.00-18.00 u - € 3 (tot 12 jaar gratis).* Op ontdekkingstocht door het oude Martigues (1.30 uur). Bij het toeristenbureau zijn de beschrijvingen van drie routes beschikbaar: 'Shopping', 'L'homme et la mer' en 'Sur la route des peintres'. Ook thematische excursies.

▶ LIGGING

Regiokaart A1 (blz. 80) – *Michelinkaarten van de departementen 340 F5.* Martigues ligt aan de Étang de Berre en staat via het Canal de Caronte in verbinding met de zee. Het plaatsje heeft zich aanzienlijk uitgebreid door de ontwikkeling van het industriehavencomplex van Lavéra. Steek, komend vanuit Marseille, het viaduct van Caronte over en verlaat dan de snelweg richting 'Martigues-centre'. De stad bestaat uit drie delen die onderling verbonden zijn door bruggen: **Jonquières** (de handelswijk met veel winkels), **l'Île** (de historische wijk met kanalen) en **Ferrières** (het bestuurlijk centrum, met het toeristenbureau en het Musée Ziem).

🅿 PARKEREN

Betaalde en onbetaalde parkeerterreinen langs de Étang de Berre.

😊 AANRADER

Quartier de l'Île; Musée Ziem; Sentier des douaniers.

🕐 PLANNING

U heeft ongeveer twee uur nodig om de hele stad te bezichtigen. Hoewel de stranden op enige afstand van het centrum liggen, is Martigues bovenal een badplaats, waar u uitstekend kunt overnachten.

👥 MET KINDEREN

Grand Parc de Figuerolles; Miniport de l'Olivier *(zie 'Adresboekje').*

'Adieu Venise provençale', zong de cabaretzanger Vincent Scotto Martigues al. Ja, er zit wel wat Zuid-Franse overdrijving in de omschrijving 'Venetië van de Provence'. Maar het is een feit dat dit sfeervolle stadje met zijn vele kanalen en mooie lichtinval zowel schilders als cineasten geïnspireerd heeft. De stad, gelegen tussen de Étang de Berre en de Côte Bleue, cultiveert nog steeds een levensstijl waarin genot voorop staat. Met zijn kleurrijke, schaduwrijke straatjes vormt het een verrassend contrast met de industriegebouwen en fabrieken die aan de horizon verrijzen.

Martigues
F. Guiziou / Hemis.fr

Wandelen

Het verleden van Martigues is af te lezen aan de bijzondere geografie. Hoewel is vastgesteld dat deze plaats al in de 5de eeuw v.C. bewoond werd, kan de 'geboorte' van de stad in de middeleeuwen worden geplaatst. In die periode ontstonden er drie dorpen: **Jonquières** in 950, **l'Île du Pont-St-Geniès** in 1226 en **Ferrières** in 1250. Pas op 21 april 1581 werd in de Église Saint-Louis-d'Anjou de akte getekend waarmee de dorpen zich verenigden. Herinnering aan de onafhankelijkheid: iedere wijk beschikt nog over een eigen klokkentoren.

DE WIJK FERRIÈRES

Langs het canal Baussengue breidt Ferrières, de jongste wijk van de stad, zich uit met hypermoderne gebouwen (het stadhuis, het toeristenbureau, de beurs, het theater) die staan op de locatie van de oude zoutpannen. Toch zijn een paar getuigen uit de 16de en 17de eeuw bewaard gebleven, zoals de sobere **Église Saint-Louis-d'Anjou** *(r. Colonel-Denfert)* waar in 1581 de akte van vereniging werd getekend.

Galerie de l'Histoire de Martigues

Hôtel de Ville - ☎ 04 42 44 31 51 - www.ville-martigues.fr - juli.-sept.: 10.00-12.30 u, 15.00-19.00 u; rest van het jaar: 9.00-12.00 u, 13.30-18.30 u, za en zo 14.30-18.30 u - gesl. ma en di - rondleiding: weekend 15.00 u en 17.00 u - gratis.

Deze tentoonstelling biedt een overzicht van de ingrijpende veranderingen waarmee Martigues in de afgelopen vijftig jaar te maken kreeg. In een moderne museumopstelling met documenten, foto's, maquettes, touchscreens en video's wordt de geschiedenis van de stad en haar bewoners in beeld gebracht.

Musée Ziem

Bd du 14-Juillet - ☎ 04 42 41 39 60 - www.musees-mediterranee.org - juli.-aug.: dag. behalve di 10.00-12.00 u, 14.30-18.30 u; rest van het jaar: dag. behalve ma en di 14.30-18.30 u - rondleiding mogelijk (1 uur) - gesl. 1 jan., 1 mei, 14 juli, 15 aug., 1 nov. en 25 dec. - gratis.

Herinnerde Martigues, het 'Venetië van de Provence', hem aan het echte Venetië, dat voor hem een openbaring en een inspiratiebron was? Werd hij getroffen door het bijzondere licht in het vissershaventje en bij de Étang de Berre? Wat de aanleiding ook was, de schilder **Félix Ziem** (1821-1911), van de School van Barbizon, vestigde zich in 1860 in Martigues en wijdde talloze doeken aan deze stad. De meeste werken zijn te zien in het museum dat zijn naam draagt. Er hangen ook werken van **Provençaalse schilders** (Émile Loubon, Paul Guigou), **Fauvisten** (Raoul Dufy, André Derain, Francis Picabia, Henri Manguin, René Seyssaud), Paul Signac, Auguste Rodin en Camille Claudel, en **hedendaagse werken**. Er zijn ook zalen gewijd aan **plaatselijke archeologie** en **ethnologie**.

Espace cinéma Prosper-Gnidzaz
R. Col.-Denfert - ☎ 04 42 10 91 30 - di, wo, za en zo: 10.00-12.00 u, 14.30-18.30 u - gratis.

De verbazingwekkende collectie van Prosper Gnidzaz, een gepassioneerd-filmliefhebber, is gehuisvest in dit centrum dat geheel is gewijd aan de film. Er zijn ongeveer 900 spoelen (korte en lange films, tekenfilms, documentaires), 1000 Scopitone-filmpjes (voorlopers van onze videoclips) en 65 projectoren uit de eerst helft van de 20ste eeuw. Ook kunt u de stad (her)ontdekken met behulp van fragmenten uit films van beroemde regisseurs die haar als decor gebruikten (Jean Renoir, Gilles Grangier, Robert Guédiguian).

DE WIJK L'ÎLE

Hier vindt u het 'historische hart' van Martigues. De wijk wordt van de rest van de stad gescheiden door het **canal Baussengue** en het **canal Gallifet**. Slenter door de straatjes met hun kleurrijke gevels, blijf even hangen op de **place Comtale** of de **place Mirabeau**, die worden omzoomd door mooie herenhuizen, wandel over de kades en kijk naar de dansende zeilboten, motorbootjes en vissersbootjes! Op de place Maritima staat een **archeologische vitrine** met een interessante reconstructie van een Gallische hut uit de 5de eeuw v.C.

★ Miroir aux oiseaux
De schilders Ziem en Corot waren zeer gecharmeerd van dit kanaal. De pont St-Sébastien en de quai Brescon bieden mooi uitzicht op de vrolijke huisjes en de felgekleurde bootjes in het water.

Église Sainte-Madeleine-de-l'Île
Deze 17de-eeuwse kerk aan het canal St-Sébastien heeft een mooie gevel in Korinthische stijl en een weelderig interieur met een imposante orgelkas, die aangemerkt als monument.

DE WIJK JONQUIÈRES

In de commerciëlere wijk Jonquières vindt u binnenplaatsen en pleinen waar boetieks en caféterrassen elkaar afwisselen.

Chapelle de l'Annonciade des Pénitents blancs
R. du Dr-Sérieux - ☎ 04 42 42 31 10 - rondleiding op aanvraag.

Het interieur van deze oude kapel, aangemerkt als historisch monument, gelegen achter de Église Saint-Geniès, zal het hart van de liefhebbers van

Provençaalse barok sneller doen kloppen: verguld houtwerk, fresco's met voorstellingen uit het leven van de Maagd en een beschilderd plafond vormen een rijk decor dat contrasteert met de soberheid van de buitenkant.

Fort de Bouc

Te bezichtigen na afspraak (via het toeristenbureau) - 𝜚 04 42 42 31 10 - www. martigues-tourisme.com - vertrek vanaf de quai Paul-Doumer - juni-sept.: za om 10 u, wo en zo om 14 u - € 10 (4-11 jaar € 7) - ongeveer 2.30 uur.

Deze toren uit de 12de eeuw, gelegen aan de mond van het Canal de Caronte dat de Étang de Berre met de Middellandse Zee verbindt, diende als baken voor zeelieden en bewaakte de toegang over zee tot Martigues. Het bouwwerk wordt omringd door 17de-eeuwse militaire versterkingen. Na een schitterend uitgevoerde restauratie werd de toren opengesteld voor bezoekers.

DE KUSTLIJN VAN MARTIGUES

De stranden A2

🐾 **Goed om te weten** – Een fietspad verbindt Martigues met het strand van Carro.

Martigues, een badplaats? Jazeker! In de Étang de Berre wordt niet gezwommen, maar in de buurt liggen wel zes stranden. Het bekendst en drukst is het Plage du Verdon *(zie bij De Côte Bleue)*, dat in zonnige weekends soms wel 11.000 bezoekers telt! Veel rustiger is het op de stranden van Carro, Bonnieux *(naturistenstrand)*, Saulce, Laurons en Sainte-Croix *(zie bij De Côte Bleue)*.

Kustpad

Tussen Lavéra en Sausset loopt een **educatief wandelpad** van 15 km langs de kust, dat deels overlapt met de wandelroute GR 51 *(rode en witte paaltjes)*. Langs het pad staan 42 panelen met informatie over de ecologie van de zee en het vasteland, geologie, archeologie, de geschiedenis van de omgeving en menselijke activiteit. Ideaal voor een wandeling met het gezin; ludiek en leerzaam tegelijk… Onderweg kunt u resten bekijken van **steengroeven** uit de oudheid, met hier en daar de sporen van uitgehakte blokken die vanaf de 5de eeuw v.C. over zee naar Marseille werden vervoerd.

In de omgeving Regiokaart, blz. 80

Chapelle Notre-Dame-des-Marins A1

▶ *3,5 km ten noorden van Martigues via de D50ᶜ.*

In de nabije omgeving van deze kapel ontvouwt zich een weids **uitzicht★** op Port-de-Bouc, Fos, Port-St-Louis, de petroleumhaven van Lavéra, het spoorwegviaduct en de brug over het Canal de Caronte, de Chaîne de l'Estaque met Martigues op de voorgrond, de Étang de Berre en de dijk van het kanaal tussen Arles en Fos-sur-Mer, de Chaîne de l'Étoile, de Chaîne de Vitrolles, de Montagne Ste-Victoire (bij helder weer zelfs de Mont Ventoux), het plaatsje Berre en, in een inham tussen twee heuvels, St-Mitre-les-Remparts.

Fos-sur-Mer A1

▶ *11 km in oostelijke richting via de N 568.*

🄸 **Toeristenbureau** – *50 av. Jean-Jaurès - 13270 Fos-sur-Mer - 𝜚 04 42 47 71 96 - www.fos-sur-mer.fr - juli.-aug.: 8.30-12.00 u, 13.30-18.00 u, za 9.00-12.00 u, 14.00-18.00 u; rest van het jaar: 8.30-12.00 u, 13.30-18.00 u, za 9.00-12.00 u - gesl. zo en feestd.*

In het **dorp★**, dat zich lijkt vast te klampen aan een 32 m hoge rots, zijn resten te zien van een 14de-eeuws **kasteel** dat toebehoorde aan de burggraven van Marseille en een **kerk** met romaans schip. Vanuit het park bij de stadsmuren is er een mooi uitzicht van de Golfe de Fos tot de vlakte van La Crau.

De industrialisatie heeft de **zes zandstranden** ten zuiden van dit dorp, in ieder geval op het oog, tamelijk ongemoeid gelaten. De stranden hebben een totale lengte van 6 km. Hoewel ze dicht bij de snelweg liggen (waarvan ze worden gescheiden door het Canal de Caronte), zijn ze zeer populair. In het hoogseizoen zijn de stranden bewaakt, bieden ze allerlei faciliteiten en zijn ze bereikbaar met de auto *(gratis parkeren)*.

Rondrit Regiokaart, blz. 80

AAN DE WESTZIJDE VAN DE ÉTANG DE BERRE A1

▷ *De 69 km lange route vanuit Martigues staat aangegeven op de regiokaart - ongeveer 4 u. Verlaat Martigues in noordelijke richting via de D 5.*

Saint-Mitre-les-Remparts

Dit oude stadje ligt een stukje van de weg af en heeft nog altijd een 15de-eeuwse muur met twee stadspoorten. Even voorbij het gemeentehuis voert de rue Joseph naar het huis van **Louis Brauquier** (1900-1976). De dichter en zeeman bracht hier een deel van zijn jeugd door en keerde er op het einde van zijn leven naar terug. Een doolhof van straatjes komt uit bij de Église Saint-Blaise et Saint-Mitre, een kerk met 17de-eeuwse klokkentoren. Mooi uitzicht op de **Étang du Pourra**, een van de zes overgebleven meren uit de tijd dat de Étang de Berre en de zee nog een geheel vormden. Onder het balkon staat de fontein van Les Trois-Canons, die wordt gevoed door een bron onder de kerk. Ze werd in 1654 gebouwd, toen het dorp zich ontwikkelde. Ernaast bevindt zich een mooie wasplaats. Buiten de stadswallen staat een 18de-eeuwse windmolen *(2 min. te voet via de rue Irénée-Sabatier)*.

Verlaat St-Mitre en neem de D 50 richting Istres. Volg bij de eerste rotonde de richting Saint-Blaise, over de D 51. De weg loopt door akkerland.

Voorbij de **Étang de Citis** ligt een heuvel met een kapelletje, de Chapelle St-Blaise, waarvan de apsis tussen de dennenbomen door te zien is.

Site archéologique de Saint-Blaise

Neem vanaf de parkeerplaats het weggetje dat links omhoog loopt naar de middeleeuwse muur rond het opgravingsterrein. 📞 04 42 30 30 83 - april-okt.: 8.30-12.00 u, 14.00-18.00 u; rest van het jaar: 8.30-12.00 u, 13.30-17.00 u - gesl. ma - gratis.

👁 **Goed om te weten** – *De toegang tot de vindplaats is beperkt van 1 juni tot 30 sept.*

Het oppidum ligt op een uitloper. De natuurlijke versterking in de vorm van hoge rotsen werd aangevuld met wallen op de gemakkelijkst te beklimmen helling aan de kant van het dal van Lavalduc.

Etruskische handelspost – Op dit Kelto-Ligurische oppidum is een inheemse tempel blootgelegd die vergelijkbaar is met die in **Entremont** *(zie onder Aix)* en **Glanum** *(zie onder Saint-Rémy)*, met schedelgalerij en votiefstenen. De Etrusken stichtten in de 7de eeuw v.C. op deze plaats een succesvolle handelspost. Ondanks hevige concurrentie van de Grieken uit Massalia (Marseille) groeide het oppidum uit tot een ommuurde vroegstedelijke nederzetting. Net als in Entremont zijn er een boven- en een benedenstad te onderscheiden. De huizen zijn van steen en hebben een vierkant grondplan. In de benedenstad is een huis blootgelegd met 0,90 m hoge muren. Verder zijn sporen van commerciële en ambachtelijke activiteiten teruggevonden, zoals kelders waarin grote voorraden *dolia* (aarden kruiken) lagen en een smelterij. Na een hevige brand volgde een overgangsperiode (475-200 v.C.) waarna de handelspost door de Etrusken werd verlaten en Marseille de handelsfunctie overnam.

Griekse stadsmuur – Saint-Blaise was afhankelijk van Marseille maar geen kolonie. Langzaam kwam de handel tot ontwikkeling. Vanaf het einde van de 3de eeuw tot halverwege de 1ste eeuw v.C. maakte het oppidum een enorme bloei door. Onder leiding van Griekse bouwmeesters werd tussen 175 en 140 v.C. een stadsmuur gebouwd. Deze muur, compleet met afwateringsgoten, bestond uit een reeks courtines, vestingtorens, drie poternes en een doorgang voor wagens. Hij was nét klaar toen het oppidum een zware aanval moest afslaan. Daarna ging het snel bergafwaarts. Na een korte bezetting halverwege de 1ste eeuw v.C. bleef het oppidum vier eeuwen onbewoond.

Vroegchristelijke en middeleeuwse nederzetting – Toen aan het eind van de Romeinse tijd de onveiligheid toenam, raakte het oude oppidum weer bewoond en de Griekse versterkingen werden hergebruikt. Er werden twee kerken gebouwd: de Église Saint-Vincent en de Saint-Pierre. In het zuiden ligt een necropolis (rotsgraven). Tussen de andere overblijfselen zijn de woningen niet meer traceerbaar. In 874 werd Ugium (de oude naam) door de Saracenen verwoest. In de 11de eeuw werd de Saint-Pierre herbouwd (zie de fundering naast de Chapelle Saint-Blaise). In 1231 kreeg Castelveyre (de nieuwe naam) een nieuwe muur aan de noordkant en verrees de Église Notre-Dame-et-Saint-Blaise. Maar in 1390 plunderden de bendes van Raymond de Turenne het plaatsje. De overlevenden vluchtten naar Saint-Mitre. Vanaf de hoogste top van de **Pointe de l'Éperon** ontvouwt zich een mooi uitzicht over de Étang de Lavalduc en de haven van Fos in de verte.

Sla de D 51 naar links in en neem vervolgens de D 52A richting Istres. Via een opeenvolging van rotondes en winkelcentra bereikt u het oude Istres.

DE GEDAANTEVERANDERING VAN DE ÉTANG DE BERRE

De schitterende waterplas en de nabijgelegen uitgestrekte, kale en verlaten vlakte van La Crau maken het gebied rond het Étang de Berre tot een ideale omgeving voor de luchtvaart, onder meer voor **watervliegtuigen**. De luchthaven Marseille-Provence ligt bij Marignane.

Na de Eerste Wereldoorlog kreeg Frankrijk op grond van het **Verdrag van San Remo** een belangrijk aandeel in de verwerking van ruwe aardolie uit Irak. De Étang de Berre bleek de ideale locatie om **raffinaderijen** te plaatsen. Tussen 1922 en 1965 vestigden zich verscheidene oliemaatschappijen rondom het meer: de Société Française des Pétroles BP in Lavéra, het bedrijf Shell-Berre bij de Pointe de Berre, de Compagnie Française de Raffinage in La Mède en Esso in Fos. Na de Tweede Wereldoorlog werd een begin gemaakt met de aanleg van een **oliehaven in Lavéra**, die de verouderde installaties moest vervangen. Via de Zuid-Europese pijplijn, die in 1962 in Fos in gebruik is genomen, wordt de ruwe aardolie doorgevoerd naar een twaalftal Europese raffinaderijen. Vanwege de oliecrisis in 1973 en het veranderde energieverbruik is de totale capaciteit van de raffinaderijen aanzienlijk teruggebracht, maar de petrochemische industrie heeft zich daarentegen steeds verder ontwikkeld en het landschap in deze streek veranderd.

Istres

🗒 30 allée Jean-Jaurès - 13800 Istres - ☎ 04 42 81 76 00 - www.istres.fr - 9.00-12.00 u, 14.00-18.00 u, zo en feestd. 10.00-13.00 u (juni-aug.) - rondleiding (1.30 uur) op aanvraag - gesl. 1 jan., tweede paasdag en 25 dec. - € 3.
De prijs van de indrukwekkende economische ontwikkeling die Istres door-maakte was een snelle verstedelijking. Toch is de **oude dorpskern** bewaard gebleven. Neem de tijd om op ontdekking te gaan door de doolhof van smalle straatjes rond de Église Notre-Dame-de-Beauvoir *(beginpunt achter het toeristenbureau).*

Musée archéologique intercommunal – *4 pl. José-Coto - ☎ 04 42 11 27 72 - 9.00-12.00 u, 14.00-18.00 u - gesl. zo, 1 jan., 1 mei, 25 dec. - gratis.* In een 18de-eeuws herenhuis presenteert dit museum zijn collecties die afkomstig zijn uit de regio: paleontologie, zoölogie, prehistorie, onderzeese archeologische vondsten (mooie verzameling amfora's). Er is een afdeling gewijd aan de haven van Fos en de industriële activiteit in het gebied rondom de Étang de Berre. Ten noorden van het stadje ligt het **oppidum** Le Castellan, dat over het meer uitkijkt. Er loopt een verharde weg naar de uitstekende rots.
Neem de D 16 langs het Étang de Berre, richting Miramas.
Deze bijzonder fraaie en hooggelegen weg boven de Étang de Berre doet vreemd genoeg aan de Côte d'Azur denken. Wel opletten onderweg: er zijn geen uitkijkpunten om het landschap te bewonderen.
De D 16 brengt u naar de D 10. Sla rechtsaf in de richting van Miramas-le-Vieux. Neem dan de D 10^B die omhoog loopt naar het dorp. Gratis parkeergelegenheid.

★ Miramas-le-Vieux

Dit plaatsje op zijn rotsplateau mag u niet missen! De muur en de ruïne van een 13de-eeuws kasteel zijn bewaard gebleven. Bovendien biedt deze mini-stad, die een mooie architectonische eenheid toont, een prachtig uitzicht over het meest ongerepte deel van het meer. In de zomer wordt het dorp overspoeld door bewoners uit de streek die er een terrasje komen pikken.
Keer terug naar de D 10, neem dan de D 16 en daarna de D 70^D. Sla bij Pont-de-Rhaud rechtsaf D 70^A in. De weg stijgt langs de vallei van de Touloubre.

Cornillon-Confoux

Dit dorpje bezit een romaans kerkje met een klokkengevel en moderne glas-in-loodramen van Frédérique Duran. Het kerkplein is het startpunt van een wandeling om het dorp heen met mooi **uitzicht★** op de Étang de Berre, St-Mitre en St-Chamas, de omgeving van Salon-de-Provence en in de verte de Luberon en de Mont Ventoux.
Rijd via de D 70 en een toeristische route rechtsaf naar St-Chamas.

Saint-Chamas

Terwijl Miramas-le-Vieux en Cornillon-Confoux hogerop liggen, baadt Saint-Chamas met de voeten in het water. De weg naar de haven loopt onder een klein aquaduct en door het dorpje. Met uitzondering van Martigues is Saint-Chamas de laatste vissershaven van de Étang de Berre. Een paar bootjes her-inneren aan de tijd dat de visserij de belangrijkste inkomstenbron van het dorp was; op dit moment zijn er nog slechts twee of drie families die hier op harder en paling vissen voor de verkoop. Hoog in de rotsen zijn enkele bij-zondere holwoningen *(privébezit)* te zien. Aan het einde van het dorp wordt de Touloubre overspannen door de eenbogige **pont Flavien** uit de 1ste eeuw *(er is parkeergelegenheid).*
Rijd via de D 10 langs het meer terug naar Martigues.

😊 MARTIGUES: ADRESBOEKJE

OVERNACHTEN

DOORSNEEPRIJZEN

Hôtel Cinq – 35-37 bd du 14-Juillet - 📞 04 42 80 49 16 - www.lecigalon. fr - ♿ 🅿 - 21 kamers. € 55/75 - 🍽 € 7. De kleurrijke gevel van dit gezellige hotel, dicht bij het centrum van het 'Venetië van de Provence' is een echte blikvanger. De eenvoudige, maar goed onderhouden kamers zijn voorzien van airconditioning.

In de omgeving

Hôtel Le Castellan – 15 bd Léon-Blum - 13800 Istres - 📞 04 42 55 13 09 - www.hotel-lecastellan.com - 🅿 - 17 kamers € 50/62 - 🍽 € 6,80. Modern etablissement vlak bij de Étang de l'Olivier. De anonieme inrichting wordt gecompenseerd door de grote, mooie kamers en de vriendelijke ontvangst.

WAT MEER LUXE

Clair Hôtel – 57 bd Marcel-Cachin - 📞 04 42 13 52 52 -www.clair-hotel. fr - 🅿 -32 kamers € 65/80 - 🍽 € 8. Dit etablissement heeft een verjongingskuur ondergaan! De oude meubels en lederen fauteuils behielden dan wel hun plaats, maar de moderne faciliteiten (airco, internet) nodigen uit tot een langer verblijf.

In de omgeving

Hôtel Ariane – 12 av. de Flore - 13800 Istres - 📞 04 42 11 13 13 - www.arianehotel.com - ♿ 🌊 🅿 - 49 kamers € 79/141 - 🍽 € 10,50. Driesterrenhotel met tuin en moderne, comfortabele kamers.

Chambre d'hôte Embarben – 577 rte de Grans - 13250 Saint-Chamas - 📞 06 84 95 57 16 - www. embarben.fr - 🌊 🅿 - 6 kamers € 80/130 - 🍽. Stemmige kamers

in retrostijl typeren dit herenhuis in een idyllische tuin. Moestuin, boomgaard, schapenweide en zwembad. Als u het van tevoren meldt, kunt u hier dineren.

PURE VERWENNERIJ

Hôtel St-Roch – Av. Georges-Braque - via de A 55 (afrit Martigues-Ferrières) - 📞 04 42 42 36 36 - www. hotelsaintroch.com - 🌊 🅿 - 61 kamers € 116 🍽 - rest. € 21. Hooggelegen, modern gebouw, vlak bij een pijnboombos. De kamers zijn ruim en volledig gerenoveerd.

In de omgeving

Chambre d'hôte La Magnanerie – Imp. de la Glacière - 13450 Grans - 6 km ten noorden van Miramas-le-Vieux - 📞 04 90 55 98 96 - www.lamagnanerie-grans.com - gesl. nov.-maart - 🌊 🏊 - 4 kamers € 100/130 🍽 - table d'hôte € 25/45. Dit is een 18de-eeuws buitenhuis in het centrum van het plaatsje met een ruime salon en drie kamers met een eigen karakter. Gepatineerde lambriseringen, brocante uit alle delen van de wereld en design gaan hier wonderwel samen en creëren een bijzondere sfeer, waarin u zich op uw gemak zult voelen. Het ontbijt wordt geserveerd op het overdekte terras in de tuin.

UIT ETEN

GOEDKOOP
In de omgeving

Pincée de Sel – 29 cours Jean-Jaurès - 13800 Istres - 📞 04 42 55 03 16 - gesl. za middag en zo - lunch € 9,90 - € 20/35. Dit aangename restaurant met designinrichting serveert hedendaagse gerechten tegen redelijke prijzen.

1

DOORSNEEPRIJZEN

Hostellerie Pascal – *3 quai Lucien-Toulmond - ☎ 04 42 42 16 89 - € 20/23*. Dit restaurant stelt zijn stamgasten, die hier komen voor de vis en schaaldieren, nooit teleur. Efficiënte, vriendelijke bediening.

Les Ombrelles – *Plage de Sainte-Croix - La Couronne - ☎ 04 42 80 77 61 - & P - eind maart-half nov. 9.00-22.15 u - € 20/35*. Het terras boven het strand van Ste-Croix biedt uitzicht op de baai van La Beaumaderie, met links de Chapelle de Ste-Croix en rechts de Phare de la Couronne. Eenvoudige gerechten. Overdag komen de badgasten hier vooral voor het ijs.

In de omgeving

La Bergerie – *Le Guéby Sud - aan de weg naar Marseille - 13250 Saint-Chamas - ☎ 04 90 50 82 29 of 06 60 50 82 29 - www.restaurant-la-bergerie.fr - € 16,50/34*. Dit restaurant kreeg onderdak in een prachtig natuurstenen huis. De kok bereidt Provençaalse gerechten. Gezellige, rustieke eetzaal en intiem terras.

Le Planet – *Pl. Jean-Jaurès - 13450 Grans - ☎ 04 90 55 83 66 - gesl. ma avond en zo - lunch € 18 - € 25/40*. Deze oude oliemolen herbergt een eetzaal met gewelfde plafonds en gepleisterde muren, met daarnaast een modernere brasserie. Prettig terras onder de platanen, gastvrije ontvangst en gerechten uit de streek.

WAT MEER LUXE

Le Bouchon à la Mer – *19 quai Lucien-Toulmond - ☎ 04 42 49 41 41 - gesl. zo avond, ma en di middag - € 20/50*. Dit klassieke restaurantje ligt aan de bij schilders zo geliefde 'Miroir aux Oiseaux'. Eetzaal in crème en chocoladebruin. Terras aan het water.

Le Garage – *20 av. Frédéric-Mistral - ☎ 04 42 44 09 51 - www.restaurantmartigues.com - gesl. za middag, zo avond en ma, 1-15 jan., 10-25 aug. - € 28/36*. Deze bistro, bestierd door een jonge, gepassioneerde kok, past goed bij de tijdgeest, zowel wat betreft de inrichting als de menukaart.

In de omgeving

Le Rabelais – *8 r. A.-Fabre - 13250 Saint-Chamas - ☎ 04 90 50 84 40 - www.restaurant-le-rabelais.com - gesl. zo avond, ma en wo avond - € 26/60*. Modern ingericht restaurant in een 17de-eeuwse graanmolen met gewelfd plafond, dicht bij de oude kruitfabriek. Mooi terras, creatieve gerechten.

La Table de Sébastien – *7 av. Hélène-Boucher - 13800 Istres - ☎ 04 42 55 16 01 - www.latabledesebastien.fr - gesl. zo avond, ma en di middag, 1 week in april, 2 weken eind aug-begin sep. - € 28/72*. De verleidelijke, vindingrijke gerechten worden geserveerd in de opgeknapte eetzaal of op het schaduwrijke terras. Goede streekwijnen.

EEN HAPJE TUSSENDOOR

In de omgeving

Le Quillé – *Pl. du Château - 13140 Miramas-le-Vieux - ☎ 04 90 50 18 18 - 15 juni-31 aug.: 14.30-0.00 u - april en sept.: dag. behalve ma - maart en 1 okt.-15 nov.: in het weekend geopend*. Al ruim twintig jaar is deze ijssalon een absolute topper: 80 verschillende ijsgerechten en 53 smaken. Schitterende ligging, tegenover het kasteel.

WINKELEN

Markten – do en zo ochtend markt in de wijken l'Île en Jonquières.
Regionale specialiteiten – Heeft u de specialiteit van Martigues,

poutargue (gezouten en geperste viseitjes) geproefd en wilt u er wat van mee naar huis nemen? Op de markt van L'île is het te koop *(zie boven)*. Of u kunt een bezoek brengen aan de laatste *calen* van Martigues, aan het einde van de chemin de Paradis, onder het viaduct (informeer bij het toeristenbureau). Een rommelig gebouwtje links markeert de werkplaats van de hardervisser.

SPORT EN ONTSPANNING

Watersport
In juli-aug. kunt u met de **carte Privilège**, gratis verkrijgbaar bij het toeristenbureau voor iedereen die in de stad verblijft, korting krijgen op allerlei watersportactiviteiten.

Grand Parc de Figuerolles
👤👤 *Aan de weg naar Istres (D 5) - bij de noordgrens van Martigues - ☎ 04 42 49 11 42 - 6.00-20.00 u (juni-aug. 21.00 u) - gratis.* In dit grote park (130 ha) kunt u wandelen, mountainbiken *(2 routes van 3 km en een kinderparcours)*, op de rug van een pony of aan boord van een toeristentreintje een ritje maken. Er is van alles te doen voor het hele gezin.
Toeristentreintje – *☎ 04 42 49 11 42 - tijden wisselen per seizoen - retourtje € 2 (kinderen € 1).* Van de parkeerplaats bij de baai van Figuerolles naar het Étang de Berre.
Educatieve boerderij – *☎ 04 42 44 12 78 - tijden wisselen per seizoen - gratis.* Bezoek aan een traditionele Provençaalse boerderij met ca. 300 dieren.
Indian Forest – *☎ 06 19 25 78 52 - www.indian-forest-martigues. com - wo, za en zo (dag. tijdens*

schoolvakanties) 10.00-17.00 u of 19.00 u afhankelijk van de periode - € 15 (7-11 jaar € 13, 4-6 jaar € 9). Bos met zes acrobatische parcoursen (vanaf 4 jaar).
Manege – *☎ 06 21 49 04 11 - tijden wisselen per seizoen.* Een ritje in de koets of in het zadel.

In de omgeving
👤👤 **Miniport de l'Olivier** – *Étang de l'Olivier - 13800 Istres - ☎ 04 42 55 50 93 of 04 42 81 76 00 - dag. behalve ma van half juli tot half aug.: 14.00-19.00 u, za en zo 10.00-12.00 u, 14.00-19.00 u (afhankelijk van de weersomstandigheden) - gesl. okt.-mei - € 6-11p/u.* Maak een tochtje met een elektrische boot op dit meer van 200 ha om de vogels en de rietoevers te ontdekken. Verhuur per uur of halfuur.

EVENEMENTEN

Fête de la mer et de la St-Pierre eind juni-begin juli. Groot feest rondom de zee, met een Provenaalse mis en processie, botenparade en de zegening van de zee, watersteekspel, expositie van modelbootjes en schilderijen, markt met aardewerk en kunstnijverheid.
Provençaalse watersteek-spelen – juni-aug, wo en vr van 17.00 u tot 21.00 u. Training van de plaatselijke ploeg op het Canal Galliffet.
Festival van Martigues – Laatste week van juli. Festival met theater, dans, muziek en zang uit vijf continenten dat zich afspeelt op een drijvend podium in het Canal Saint-Sébastien. Straatoptredens en dansfeesten. Informatie: www. festivaldemartigues.com.

1

Aubagne

44.682 inwoners – Bouches-du-Rhône (13)

😊 ADRESBOEKJE: BLZ 166

🛈 INLICHTINGEN

Toeristenbureau van Aubagne en omstreken – *8 cours Barthélemy - 13400 Aubagne - ☎ 04 42 03 49 98 - www.oti-paysdaubagne.com - juli-aug: 9.00-13.00 u, 14.00-19.00 u, zo en feestd.: 10.00-12.30 u; nov.-maart: dag. behalve zo 9.00-12.00 u, 14.00-18.00 u, za 9.00-12.30 u; april-juni en sept.-okt.: dag behalve zo 9.00-12.00 u, 14.00-18.00 u - gesl. feestd.* Het hele jaar worden wandelingen en excursies georganiseerd gewijd aan Pagnol. *(zie 'Adresboekje').*

Rondwandeling – *Reserveren bij het toeristenbureau - 1ste za, van de maand (behalve juli-aug.) 15.00 u - € 3 (tot 6 jaar gratis).* Een informatieve wandeling van 2 uur door het historische centrum.

▶ LIGGING

Regiokaart B2 (blz. 80) – *Michelinkaart van de departementen.* Aubagne is bereikbaar via de autoweg Marseille-Toulon (A 50). Deze drukbezochte voorstad ligt onder aan het Massif du Garlaban.

🅿 PARKEREN

Langs de lommerrijke lanen in het centrum zijn parkeerplaatsen schaars. In het centrum liggen betaalde **parkeerterreinen** (cours Voltaire, pl. de l'Église, pl. Louis-Sicard en pl. L.-Grimaud).

🕓 PLANNING

Trek een halve dag uit om de wereld van Pagnol te ontdekken (een hele dag voor wie ook het Massif du Garlaban wil verkennen); 1 à 2 uur volstaan om inkopen te doen bij de plaatselijke santonmakers en pottenbakkers, die Aubagne roem hebben bezorgd.

👨‍👦 MET KINDEREN

Le Petit Monde de Marcel Pagnol; rondleiding 'Dans les pas de Marcel Pagnol'; gezinsrally 'Tournoi d'Azurine', wandeling door het historisch centrum *(brochure bij het toeristenbureau, € 5)*; Musée d'Art sacré in Allauch.

Cineast Marcel Pagnol zou zijn geboorteplaats nauwelijks herkennen. Aubagne heeft haar charme van weleer verloren en smelt steeds meer samen met de buitenwijken van Marseille. Maar toch heeft de stad het boek van haar Provençaalse verleden niet helemaal gesloten: de pottenbakkerstraditie, die teruggaat tot de Gallo-Romeinse tijd, wordt met trots in ere gehouden. Verscholen in hun werkplaatsen draaien, boetseren en beschilderen de ambachtslieden hun schitterende creaties. Ieder jaar is er van juli tot september een santonmarkt waar hun werk te koop is. De technieken zijn veranderd en het werkterrein is uitgebreid naar alle vormen van decoratief aardewerk. Om de Provence van Pagnol terug te vinden moet u de heuvels van het Massif du Garlaban in gaan en over de paden uit Pagnols jeugd wandelen, die hij als decor gebruikte voor zijn films.

Aubagne, de middeleeuwse stad en het Massif de la Sainte-Baume
N. Thibaut / Photononstop

Wandelen

Misschien bent u niet meteen gecharmeerd van Aubagne, dat in de afgelopen decennia een sterke ontwikkeling heeft doorgemaakt, maar oordeel niet voordat u een wandeling hebt gemaakt door de straatjes van het oude centrum, vroeger een versterkte stad, waar u een kijkje kunt nemen in de werkplaatsen van de santonmakers en pottenbakkers.

HET OUDE CENTRUM

Alles draait hier om klei. In de Gallo-Romeinse tijd werden er amfora's en keramiek vervaardigd, in de middeleeuwen dakpannen. In de 19de eeuw ontstonden er ateliers waar santons voor de kerststallen werden gemaakt.

Voor een kennismaking met de santonkunst moet de bezoeker de historische stadskern opzoeken. Het enige overblijfsel van de oude stadsmuur is de **Porte**

KIND VAN DE STREEK

De bekendste naam is zonder twijfel **Marcel Pagnol** (1895-1974). Zijn geboortehuis bevindt zich op nr. 16, cours Barthélemy. De faam van deze auteur, toneelschrijver en cineast nam nog toe door de verfilming van zijn werk door Claude Berri (*Jean de Florette* en *Manon des Sources*, 1986) en Yves Robert (*La Gloire de mon père*, *Le Château de ma mère*, 1990). Wie kan Yves Montand in de rol van Papet vergeten! Pagnol, die fascinerende personages en memorabele scènes schiep, kon overweg met zeer uiteenlopende registers, van humor tot sociale kritiek *(Topaze)* en diepe emotie *(Merlusse)*. Maar zijn drie autobiografische verhalen (*La Gloire de mon père*, *Le Château de ma mère* en *Le Temps des secrets*) blijven zijn belangrijkste werken. Hij heeft zich nooit kunnen losmaken van de streek waar hij zijn jeugd doorbracht.

> **EEN SUCCESVOLLE KREKEL**
> Heel opvallend zijn de keramische krekels die overal in de stad te zien zijn. Ze sieren de gevels en gangen van de huizen en in de meeste souvenirwinkels zijn kopieën te koop, de ene beter geslaagd dan de andere. Deze vorm van decoratie werd in 1895 ontworpen door **Louis Sicard**, een pottenbakker uit Aubagne *(zie 'Adresboekje')*.

Gachiou (14de eeuw). Al wandelend ontdekt u de eigenaardige, driehoekige klokkentoren van de **Chapelle de l'Observance** (late 17de eeuw), de **Tour de l'Horloge** met zijn smeedijzeren campanile en de fraaie barokgevel van de **Chapelle des Pénitents Noirs** *(chemin de St-Michel)*. Loop omhoog naar de **Église St-Sauveur** (11de eeuw), waarvandaan u mooi uitzicht hebt op de heuvels.

Geboortehuis van Marcel Pagnol
16 cours Barthélemy - ☎ 04 42 03 49 98 (toeristenbureau) - ♿ - april-okt.: 10.00-13.00 u, 14.00-18.00 u; nov.-mrt: dag behalve ma 14.00-17.30 u - gesl. 1 jan., 1 mei en 25 dec. - € 3 (tot 12 jaar € 1,50).
De kleine Marcel woonde hier tot zijn derde. Zijn geboortehuis, een mooi herenhuis met drie smeedijzeren balkons, is een bezoek waard vanwege de foto's, de brieven en de film die hier wordt vertoond (en die het verlangen oproepen om de omliggende heuvels te verkennen). Het interieur zelf is niet bijzonder interessant: het appartement, dat oorspronkelijk op de derde etage lag, is ingericht in de stijl van die tijd, maar het meubilair heeft niet toebehoord aan de familie Pagnol.

Le Petit Monde de Marcel Pagnol
Espl. Charles-de-Gaulle - ☎ 04 42 03 49 98 (toeristenbureau) - juli.-aug: 10.00-13.00 u, 14.00-19.00 u; april-juni: 9.00-12.30 u, 14.30-18.00 u; sept.-okt. en dec.-maart: 10.00-12.30 u, 14.00-17.30 u; gesl. nov., 1 jan., 1 mei - gratis.
👥 De voornaamste helden en locaties uit Pagnols oeuvre zijn hier terug te vinden in de vorm van santons.

Ateliers Thérèse Neveu
4 cours de Clastre (achter de Église St-Sauveur) - ☎ 04 42 03 43 10 - Gesl. tot 2013 wegens restauratiewerkzaamheden.
Deze grote expositieruimte is ingericht in de vroegere ateliers van een beroemde santonmaker uit Aubagne. In 2013 komt hier een museum gewijd aan de santons.

MASSIF DU GARLABAN B1-2

Het uitgestrekte, zonovergoten rotsplateau is een oase voor wandelaars, die zich hier komen opladen, net als Marcel Pagnol. De schrijver-cineast bracht de zomers van zijn jeugd door op het familielandgoed onder de toppen van de Taoumé en de Garlaban, en gebruikte de omgeving later als decor voor zijn vele films en romans, waaronder *Manon des Sources*. In deze streek heeft men het nog altijd over de 'heuvels van Marcel Pagnol'.
Het 8000 ha grote massief ligt 15 km ten oosten van Marseille en is verdeeld over **vier gemeenten**: Allauch, Aubagne, Marseille en Roquevaire. Trek ongeveer drie uur uit om de dorpjes en plaatsjes van het massief te verkennen. Wie de wandeltocht in de voetsporen van Pagnol wil maken, heeft uiteraard meer tijd nodig.

La Font de Mai

◖ *Neem de D 44 richting d'Eoures; parkeerterrein ter hoogte van de kliniek St-Michel. Bus 10 rijdt van ma tot za van het station naar La Treille (halte Font de Mai); zo gratis pendelbus vanaf het toeristenbureau.*

juli.-aug.: dag. 8.30-12.30 u, 14.30-18.30 u; april-juni: wo, za, zo en schoolvakanties: 9.00-12.30 u, 13.30-17.30 u; nov.-maart: wo, za, zo en schoolvakanties: 9.30-12.30 u, 13.30-16.30 u - het hele jaar door workshops en voorstellingen.

Deze oude boerderij aan de voet van het Massif du Garlaban, op enige afstand van de wandelpaden, geeft een indruk van het Provençaalse boerenleven aan het einde van de 19de eeuw. Er is ook een informatiecentrum voor wandelaars. Langs het terrein is een **thematisch wandelpad** aangelegd met uitleg over het landschap, de landbouw in het gebied, regionale flora…

In de voetsporen van Marcel Pagnol

◔ **Goed om te weten** – *Van 1 juni tot 30 sept. is de toegang tot het massief beperkt.*

Diverse paden leiden naar locaties die een rol spelen in de trilogie van Pagnol *(Souvenirs d'enfance)* en in zijn films (de put van Raimu, de herenboerderij van Massacan, de grot van Manon enzovoort).

Op de Col d'Aubignane, met de ruïnes van de boerderij van Angèle *(Angèle, 1934)* en van het huis van Panturle *(Regain, 1937)* kunt u kiezen: verder omhoog naar de top van de **Garlaban** *(4 u heen en terug vanaf de Font de Mai, gemiddeld niveau, gele paaltjes)* of afdalen naar het dorpje La Treille.

La Treille B2

◖ *8 km. Verlaat Aubagne in noordwestelijke richting via de D 4 richting Les Camoins. Rijd door het dorp en sla rechtsaf naar La Treille. Let op: in het weekend is het meestal onmogelijk om hier een parkeerplaats te vinden. Laat de auto staan aan het begin van het dorp en ga te voet verder naar de Chemin des Bellons (bewegwijzerd).*

Het is misschien moeilijk te geloven, maar toch is dit wel degelijk het elfde arrondissement van Marseille. Als kind bracht Marcel Pagnol samen met zijn ouders en zijn broer Paul de zomers door in de Bastide-Neuve; vakanties waar hij intens van genoot en die hij heeft beschreven in zijn boeken. Het huis staat helemaal aan het eind van de chemin des Bellons *(privéwoning, er hangt een gedenkplaat).*

Vervolgens gaat de weg omhoog, de heuvels in, en bewegwijzerde paadjes voeren de trekkers naar de door Pagnol zo gekoesterde Pic du Taoumé, de Grotte du Grosibou en de top van de Garlaban. Eenmaal terug in het dorp zullen de echte fans niet nalaten een bezoekje te brengen aan het graf van Pagnol, op de plaatselijke **begraafplaats**.

Wat is er nog meer te zien? Regiokaart, blz. 80

Musée de la Légion étrangère B2

◖ *Volg de D 2 richting Marseille en neem daarna de D 44^E naar rechts (de weg naar La Thuilière).* ☎ *04 42 18 12 41 - www.legion-etrangere.fr - 10.00-12.00 u, 15.00-18.00 u - gesl. 1 jan. en 25 dec. - gratis.*

Aanrader voor bewonderaars van het vreemdelingenlegioen: herinneringen aan de bevelhebbers die de geschiedenis van dit elitecorps hebben vormgegeven. In de crypte wordt de lijst met de namen van alle gesneuvelde soldaten bewaard. Historische documenten, foto's, wapens en uniformen brengen de gloriemomenten van het regiment in beeld.

Een dependance van het museum bevindt zich in het Domaine du Capitaine Danjou (zie onder La Sainte-Victoire).

Chapelle Saint-Jean-de-Garguier B2

▶ *5,5 km ten noordoosten via de D 2 in de richting van Gémenos, de D 396 links en vervolgens de D 43^D rechts inslaan.*

Deze kapel uit de 17de eeuw is gewijd aan Johannes de Doper. Op 24 juni wordt hier ieder jaar een bedevaart gehouden. In de kapel hangen ongeveer driehonderd ex voto's geschilderd op hout, doek en zink; ontroerende getuigen van volkse devotie. Het merendeel dateert uit de 18de en de 19de eeuw.

In de omgeving Regiokaart, blz. 80

★ Allauch B2

▶ *16 km in noordwestelijke richting. Verlaat Aubagne via de D 2 in de richting van Marseille en sla ter hoogte van La Valentine rechts de D 4^A in*

🛈 **Toeristenbureau** – *Espl. Frédéric-Mistral - 13190 Allauch - 𝒫 04 91 10 49 20 - www.tourisme.allauch.com - juni-sept.: 9.00-12.30 u, 14.00-18.00 u; okt.-mei: 9.00-12.00 u, 13.30-18.00 u - gesl. zo en feestd.*

Allauch (uitgesproken als 'Allau') wordt omringd door het gebergte Chaîne de l'Étoile en het **Massif du Garlaban** *(zie blz. 164)* en is in de loop van de tijd een voorstad van Marseille geworden. Desondanks heeft het dorpje met zijn pastelkleurige huizen en molens nog altijd een authentieke Provençaalse charme. Vanaf de **place des Moulins** (op dit plein staan vijf windmolens) ontvouwt zich een mooi **uitzicht★** op Marseille.

👥 **Musée d'Allauch** – *Pl. du Dr-Chevillon - 𝒫 04 91 10 49 00 - www.musee. allauch.com - 🛆 - dag. behalve ma 9.00-12.00 u, 14.00-18.00 u - rondleiding (1 uur) op aanvraag - gesl. feestd. - € 3 (tot 18 jaar gratis).* In het voormalige gemeentehuis bevindt zich dit museum, dat in het teken staat van de sacrale kunst. Onder leiding van het dynamische team werd een moderne museumopstelling gerealiseerd die is afgestemd op een jong publiek en het bezoek extra interessant maakt. Aan de hand van drie thema's (godsdiensten, heiligdommen en sacramenten) schetst het museum een beeld van de grondslag van de christelijke wereld in het westen. Het topstuk is een romaans houten Mariabeeld uit de 14de eeuw. Een van de zalen is gewijd aan de geschiedenis van Allauch. U zult zich hier niet vervelen.

😊 AUBAGNE: ADRESBOEKJE

VERVOER

Trein- en **busstation** op de square Marcel-Soulat. De verbinding tussen Marseille en Aubagne wordt verzorgd door de **TER** (regionale trein, 15 min) en vijf **buslijnen**. Ook rijden er pendelbussen tussen de twee steden (lijn 100, 15-20 min).

BEZICHTIGEN

👥 **Door de ogen van Pagnol** Het toeristenbureau heeft routes uitgezet door landschappen die Marcel Pagnol inspireerden (reserveren).

Wandelroute 'Jeugdherinneringen' – *Laatste zo van de maand (behalve juli-aug.) - vertrek 9.00 u* bij het geboortehuis van Marcel Pagnol - € 20 (tot 12 jaar € 13). Wandeltocht van 1 dag met gids (9 km). Neem eten en drinken mee. Op de zondag voor of na de sterfdag van Pagnol (18 april) begint er een langere tocht (20 à 30 km), een jaarlijkse traditie voor echte fans van de schrijver.

Voyage avec mon âne – *Het hele jaar door (behalve juli-aug.) - wandeling van 1 of 2 dagen- prijs afhankelijk van aantal pers. (min. 5).* Wandeltocht met gids in de voetsporen van Pagnol. Een ezel draagt de bagage.

Journée Terroir et Patrimoine – *Juli-half sept: wo en za - vertrek 10.00 u bij Le Petit Monde de Marcel Pagnol - € 15 (5-12 jaar € 11).* Bezoek aan Aubagne en rondrit in een bus met airconditioning.

Wandeltocht 'Spécial été' – *juli-half sept.: di en vr - vertrek 8.00 u bij Le Petit Monde de Marcel Pagnol - € 16 (5-12 jaar € 12).* Wandeling van 7 km (4.30 uur) en bezoek aan Le Petit Monde de Pagnol en het geboortehuis in Aubagne.

Trektochten op eigen gelegenheid – De toeristenbureaus van Aubagne en Allauch en het Comité du tourisme des Bouches-du-Rhône geven de folder *Balades et randonnées dans le Garlaban* uit, met kaarten en nauwkeurig beschreven wandelroutes.

L'Âne du Régage – *La Font de Mai - ✆ 06 84 90 66 61 ou 06 50 50 08 51 - halve dag € 30, hele dag € 46 en 2 dagen € 76.* Trektocht met ezel door het Massif du Garlaban, op eigen gelegenheid of met gids.

OVERNACHTEN

DOORSNEEPRIJZEN
In de omgeving
Hôtel L'Eau des Collines – *45 rte de La Treille - Camoins-les-Bains - 13011 Marseille - ✆ 04 91 43*

06 00 - www.hotel-eau-des-collines.fr - 🅿 *- 14 kamers € 55/60 -* 🍽 *€ 8 - rest. € 10/22 - halfpension € 30.* Dit gezellige hotel ligt aan een rustige landweg naar La Treille. De eenvoudige kamers zijn wat ouderwets, maar de receptie is gerenoveerd. Gastvrije ontvangst.

WAT MEER LUXE
Chambre d'hôte Le Mas des Pins – *Chemin des Arnauds - ✆ 04 42 84 94 43 - http://lespins martine.free.fr -* 🛁 🅿 🍽 *- gesl. jan. - 3 kamers en 2 suites € 70* 🍽. Dit typisch Provençaalse huis ligt in de natuur, aan de voet van de Garlaban. Grote tuin.

Château de Favary – *1465 chemin de Lascours - ✆ 04 42 03 91 87 - www.chateau-de-favary.com -* 🛁 🅿 🍽 *- 5 kamers € 84/110 -* 🍽. Buitenhuis aan de voet van de Garlaban met lichte, sobere kamers. Terracotta tegels op de vloer en antiek meubilair. De kamers bieden uitzicht op het landgoed (3,7 ha) en de heuvels. Het ontbijt wordt geserveerd op de grote, gemeenschappelijke tafel of, als het weer het toelaat, op het voorplein van het kasteel. Hartelijke ontvangst.

Hôtel Souléia – *4 cours Voltaire - ✆ 04 42 18 64 40 - www.hotel-souleia.com -* 🅿 *- 72 kamers € 82/107 -* 🍽 *€ 10.* Dit moderne hotel heeft een wat zakelijke uitstraling, maar ligt prachtig: midden in het centrum van Aubagne. De kamers (sommige met terras) zijn ruim en functioneel. Veel faciliteiten

In de omgeving
Hôtel Les Cigales – *Weg naar Enco-de-Botte - 13190 Allauch - ✆ 04 91 68 17 07 - www.hotel-lescigales.fr -* 🛁 🅿 *- 6 kamers en 1 suite € 75/105 -* 🍽 *€ 7 - rest. € 20 - reserveren aanbevolen.* Dit nieuwe huiselijke hotel tussen Marseille

1

en Allauch beschikt over rustige kamers. Tuin met zwembad.

Hostellerie de la Source – *St-Pierre-les-Aubagne - 5 km ten noorden van Aubagne, via de D 96 of de D 43 -* ℘ *04 42 04 09 19 - www.hostelleriedelasource.com -* ♿ ⚓ 🅿 *- 26 kamers € 75/195 -* ☕ *€ 2.* Een 17de-eeuws landgoed met nieuw bijgebouw omgeven door een park met veel bomen. Goed onderhouden kamers met airco en zwembad met glazen dak.

UIT ETEN

DOORSNEEPRIJZEN

Café des Arts – *10 r. du Jeune-Anacharsis -* ℘ *04 42 03 12 36 - 6.00-0.00 u- € 8/23.* Een van de gezelligste café-restaurants aan de cours Mar.-Foch. Erg druk rond het middaguur, met jong publiek. Groot terras op het plein en mooie eetzaal. De dagschotels zijn geliefd bij de plaatselijke bevolking. Zondagmiddag worden hier gerechten van het restaurant L'Art des Pâtes geserveerd, dat deel uitmaakt van hetzelfde 'huis'.

In de omgeving

Le Salon Provençal – *Pl. Benjamin-Chappe - 13190 Allauch -* ℘ *04 91 68 39 92 - 's zomers: 9.00-18.30 u, za en zo 9.00-21.30 u, gesl. ma - rest van het jaar: 9.00-18.30 u, gesl. ma - € 9/15.* Deze gezellige crêperie, die ook dienstdoet als ijs- en theesalon, ligt op een klein pleintje in het oude centrum van Allauch. Menu's tegen redelijke prijzen. Terras en drie rustige, kleine eetzalen.

DOORSNEEPRIJZEN

Les Arômes – *8 r. Moussard -* ℘ *04 42 03 72 93 - gesl. di avond, wo avond, za middag, zo en ma - € 22/29.* De vrouw des huizes heeft veel aandacht besteed aan de inrichting van

dit gezellige restaurant dat zijn gasten ontvangt als vrienden. Traditionele recepten met verrassende accenten. Kleine, seizoensgebonden kaart.

Grains de Siècle – *14 bd Jean-Jaurès -* ℘ *04 42 71 00 31 - gesl. ma en zo.* Terras in de schaduw op een pleintje in het oude deel van Aubagne, een zaal in barokstijl en een tearoom… Drie decors voor een hoogstaande keuken: rijke salades en Provençaals gerechten.

WAT MEER LUXE

La Ferme – *La Font de Mai - chemin Ruissatel - 4 km ten noorden van Aubagne via de D 44 -* ℘ *04 42 03 29 67 - www.aubergelaferme.com - gesl. di-do avond, za middag, zo avond en ma, voorjaarsvakantie (feb.), aug. - € 50.* Dit landhuis ligt tegenover het Mont Garlaban. De ruim bemeten porties worden opgediend in de schaduw van een eik of in de rijkelijk versierde eetzaal. Pagnol kwam hier graag.

In de omgeving

Le Relais de Passe-Temps – *Vallon de Passe-Temps - La Treille - 13190 Allauch - 5 km van Allauch in de heuvels -* ℘ *04 91 43 07 78 - www.lepassetemps.com -* 🅿 *- gesl. zo avond, ma en di - lunch € 26/32 - € 39/55.* Hier gaat het hart sneller van kloppen: een bijzonder adres vlak bij La Treille. Goed verzorgde gerechten en onberispelijke bediening. Het schaduwrijke terras en het zwembad liggen schitterend in een rustige vallei aan de voet van de Garlaban.

WINKELEN

Markt – **Traditionele markt** di, do, za en zo (8.00-12.00 u) op de cours Voltaire. **Rommelmarkt** laatste zo van de maand (8.00-18.00 u). La Tourtelle.

Keramiek

Aubagne en omgeving telt meer

dan 45 ateliers van pottenbakkers, keramisten en santonmakers. Schaf bij het toeristenbureau de gids *Les Chemins de l'argile* met plattegrond aan om de ateliers te vinden.

Atelier d'art Maison Sicard – *2 bd Émile-Combes - ☎ 04 42 01 39 62 - www.maison-sicard.com - ma-vr 9.00-12.00 u, 14.00-18.30 u (za 15.00-18.00 u) - gesl. zo, 1 week in aug, 1 week rond Kerstmis en feestd.* Een van de belangrijkste producenten van santons en aardewerk in Aubagne.

Poterie Ravel *Av. des Goums - ☎ 04 42 82 42 00 - www. poterie-ravel.com - 🅿 - mei-aug.: 10.00-13.00 u, 14.00-19.00 u, gesl. zo (behalve mei); rest van het jaar: 9.00-12.15 u, 14.00-18.00 u, gesl. zo.* Een bekende pottenbakkersfamilie. Sinds 1837. Sierpotten voor de tuin en vaatwerk. Gratis rondleiding in het atelier (40 min) op do om 10.30 u.

Santons de Provence Gilbert Orsini – *Pl. de la Mairie - 13190 Allauch - ☎ 04 91 07 46 11 - www. santonsdeprovence.allauch.com - 9.00-12.00 u, 15.00-19.00 u.* Liefhebbers kunnen in deze winkel alle traditionele santons vinden. De eigenaar maakt ieder jaar een kerststal met 500 santons, die wordt tentoongesteld in de Vieux Bassin.

Delicatessen

Au Moulin Bleu – *7 cours du 11-Novembre - 13190 Allauch - ☎ 04 91 68 19 06 - www.au-moulin-bleu.com - dag. behalve ma ochtend 8.30-12.30 u, 14.30-19.00 u ('s zomers: 15.00-19.30 u).* Dit is het enige en laatste adres, waar de beroemde *suce-miel* (honingreep) worden gemaakt. Zoetekauwen kunnen hun hart ophalen, want ook andere lokale lekkernijen zijn hier verkrijgbaar: noga, *croquants* (harde amandelkoekjes), *casse-dents* (harde koekjes) enzovoort. Achter in de ruime winkel bevindt zich een theesalon. In het weekend is het personeel gehuld in Provençaalse klederdracht.

Likeuren

Distillerie Janot – *304 r. du Dirigeable - Les Paluds - ☎ 04 42 82 29 57 - www.janot-distillerie. com - ♿ 🅿 - 9.00-12.30 u, 14.00-17.30 u - gesl. za, zo en feestd.* Sinds 1928 houdt deze distilleerderij de Provençaalse traditie in ere. Er worden zelfbereide sterke dranken verkocht: de beroemde pastis Janot, de marc van de Garlaban (brandewijn), likeur van La Sainte-Baume … Op afspraak is de distilleerderij te bezichtigen.

SPORT EN ONTSPANNING

👫 Parc OK Corral – *RN 8 - 13780 Cuges-les-Pins - 16 km ten oosten via de D 8^N - ☎ 04 42 73 90 05 - www.okcorral.fr - openingstijden wisselen sterk per seizoen, raadpleeg de website - € 19 (kinderen tot 1,40 m € 17, kinderen tot 1 m gratis).* Dit pretpark met het Wilde Westen als thema ligt op een enorme open vlakte in een dennenbos onder aan de kalksteenrotsen van La Sainte-Baume. Zo'n dertig attracties voor kinderen en voor sensatiezoekers. Snacks, bars en restaurants.

EVENEMENTEN

Santon- en keramiekmarkt – in juli-aug. en dec., op de cours Foch.

Argilla – Pottenbakkersfeest, half aug, oneven jaren. 175 ambachtslieden van verschillende disciplines. Informatie: www.argilla.fr

Biennale de l'art santonnier – In de even jaren komen in het eerste weekend van dec. op de cours du Mar.-Foch een vijftigtal santonmakers uit Zuid-Frankrijk bijeen.

1

Massif de la Sainte-Baume

★★

Bouches-du-Rhône (13) – Var (83)

😊 ADRESBOEKJE: BLZ. 178

ⓘ INLICHTINGEN

Toeristenbureau van Saint-Maximin-la-Sainte-Baume – *pl. Jean-Salusse - 83470 St-Maximin-la-Sainte-Baume - 🖉 04 94 59 84 59 - www.la-provence-verte.net/ot_stmaximin - 9.00-12.30 u, 14.00-18.00 u (14.30-18.30 u in juli-aug.), zo en feestd. 10.00-12.30 u, 14.00-17.30 u.*
Toeristenbureau van Plan-d'Aups-Sainte-Baume – *pl. de la Mairie - 83640 Plan d'Aups - 🖉 04 42 62 57 57 - www.saintebaumetourisme.fr - dagelijks behalve zo en ma 8.30-12,00 u, 13.15-17 u, za 8.30-12.30 u.*

◐ LIGGING

Regiokaart BC1-2 (blz. 80) – *Michelinkaart van de departementen 340 J6.* Het Massif de la Sainte-Baume is de uitgestrektste en hoogste bergketen van de Provence: de Signal des Béguines is met 1148 m het hoogste punt. Vanaf het Bassin de Cuges loopt de droge, kale zuidflank glooiend omhoog naar de 12 km lange bergkam. Vanaf de Saint-Pilon (994 m) ontvouwt zich een schitterend vergezicht. Kenmerkend voor de noordkant met de beroemde grot is de steile, 300 m hoge rotswand. Aan de voet ligt het bos, niet ver van het plateau du Plan-d'Aups, dat doet denken aan de kalkplateaus van het Massif Central.

😊 AANRADER

De klim naar de Col du Saint-Pilon en het adembenemende uitzicht als beloning: de bezichtiging van Saint-Maximin-la-Sainte Baume.

🕐 PLANNING

Trek een halve dag uit voor de rondrit, de klim naar de Saint-Pilon niet inbegrepen. In het voorjaar licht het Parc de Saint-Pons op door de bloesem van de judasbomen.

De beklimming van de Saint-Pilon is een paradijselijke tocht. De adembenemende schoonheid en de uitzonderlijke configuratie van het massief zijn er ongetwijfeld verantwoordelijk voor dat dit sinds de oudheid een heilige plek is. De naam 'Sainte-Baume' betekent 'heilige grot' en is te herleiden tot Maria Magdalena, de berouwvolle zondares. Om het beter te begrijpen kunt u het best de talloze wandelaars en pelgrims volgen op hun klim naar de grot, waar een kapel werd ingericht met talrijke afbeeldingen van de heilige, die zich hier zou hebben teruggetrokken. Op het terras wordt de geringe inspanning beloond met een bijzonder fraai uitzicht, dat de wandelaar verleidt tot langere tochten door dit mythische gebergte. Met zijn steile rotswanden, vele wandelpaden en bijzondere ecosysteem lokt het mythische gebergte veel natuurliefhebbers. Met zijn noordelijke boomsoorten is het bos bovendien uniek in de Provence.

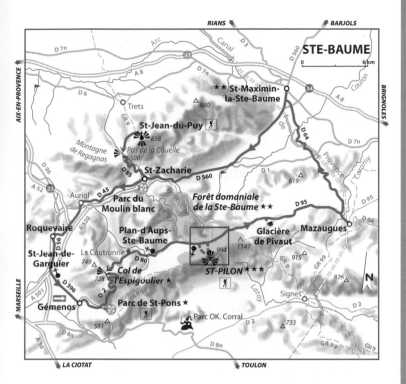

Rondrit Kaart van Ste-Baume hierboven

107 km, vertrek in Gémenos - ongeveer 1.40 u, zonder pauzes. Neem de D 2 in de richting van Plan-d'Aups-Ste-Baume.

Gémenos

Cours Pasteur - 13420 Gémenos - ℘ 04 42 32 18 44 - www.mairie-gemenos. fr/office-de-tourisme-de-gemenos - dag. behalve za en zo 9.00-12.00 u, 13.30-17.30 u.

Gémenos ligt aan de toegangsweg van de groene vallei van Saint-Pons, in het dal van de Huveaune. Neem rustig de tijd om door de steile straatjes van dit mooie dorp te slenteren en het laat-17de-eeuws **kasteel** te bekijken.

★ Parc de Saint-Pons

Ongeveer 2 km van Gémenos, richting het Massif de la Sainte-Baume via de D 2. Laat de auto achter op het parkeerterrein voorbij de brug (€ 2) en neem het pad langs de beek. Honden niet toegestaan.

Als u Gémenos uit bent, loopt u de vallei van Saint-Ponsin in, met zijn vele wandelpaden. Hier en daar zijn picknickplaatsen ingericht.

In deze oase van koelte liggen een oude molen, naast een waterval die wordt gevoed door water uit de karstbron van Saint-Pons, een **cisterciënzer abdij** (1205) waarin tot 1427 de nonnen van de orde van Citeaux leefden *(niet te bezichtigen maar in de zomer zijn er concerten)* en de **romaanse kapel Saint-**

Martin, eerste parochiekerk van het oude Gémenos. De overvloedige vege-tatie in de vallei omvat soorten die zeldzaam zijn in de Provence (beuken, essen, esdoorns). De mooiste tijd om het Parc de Saint-Pons te bezoeken is het voorjaar als de judasbomen in bloei staan.

Vervolg uw weg over de D 2.

De weg klimt omhoog langs de zuidflank van het massief, die in een diep amfi-theater is uitgesleten. De **Col de l'Espigoulier★** (728 m) biedt een prachtig uitzicht op het Massif de la Sainte-Baume, de Plaine d'Aubagne, de Chaîne de Saint-Cyr en Marseille.

De weg daalt af over de noordflank, met uitzicht op de Chaîne de l'Étoile en de Montagne Sainte-Victoire, waartussen het bekken van de Fuveau ligt.

Neem bij La Coutronne de D 80 naar rechts.

Plan-d'Aups-Sainte-Baume

In de 5de eeuw liet de latere **Saint-Cassien**, stichtster van de abdij St-Victor in Marseille, een eerste priorij bouwen aan de voet van de Signal des Béguines. De grot, die al beroemd was, trok een grote stroom pelgrims. Franse konin-gen (onder wie Lodewijk de Heilige), verscheidene pausen, duizenden ede-len en miljoenen gelovigen ondernamen de reis. Een van de eerste keren dat **koning René van Anjou** na zijn kroning in het openbaar verscheen, was toen hij een bedevaart ondernam naar deze grot, samen met zijn neef, de latere Lodewijk XI. Vanaf 1295 viel de grot onder de zorg van de **dominica-nen**. Het gastenverblijf vlak bij de grot brandde tijdens de Franse Revolutie af (zie de sporen op de rotswand). In 1859 vestigden de dominicanen zich hier opnieuw, onder leiding van **pater Lacordaire**, net als in Saint-Maximin. In zijn opdracht is het gastenverblijf lager op het plateau herbouwd.

Als u door het dorp loopt, kunt u de **Espace Trouin-Le Corbusier**, naast de D 80, niet missen. Dit is het oude garage-atelier van Edouard Trouin, gebouwd volgens de plannen van zijn vriend Le Corbusier in 1960. Het gerenoveerde pand huisvest nu een cultureel centrum en een sporthal.

Hôtellerie de la Sainte-Baume – Een gastenverblijf voor pelgrims. In de hal is de toegangspoort tot de grot te zien, die in de 16de eeuw was gemaakt door Jean Guiramand. In 1972 werd een mooie gewelfde zaal ingericht als kapel. Links van het gastenverblijf ligt een sobere begraafplaats waar dominicanen die tijdens hun verblijf waren overleden hun laatste rustplaats kregen *(voor logies in het gastenverblijf: zie 'Adresboekje').*

Grotte Sainte Marie-Madeleine

Ongeveer 3 km ten oosten van het dorp Plan d'Aups-Sainte-Baume. Parkeerterrein bij het gastenverblijf en bij 'Trois-Chênes', het kruispunt van de weg naar Nans-les-Pins (D 80) en de weg naar Mazaugues (D 95). ☏ 04 42 04 50 53 - http:// saintebaume.dominicains.com - 7.30-18.30 u - dienst om 7.30 u (ma 8.15 u), 11.00 u en 18.00 u (zo 16.30 u).

U bereikt de grot via de **'Chemin du Canapé'** (GR 9), vanaf de hôtellerie de la Sainte-Baume, of via de **'Chemin des Roys'**, vanaf het par-keerterrein bij het kruispunt *Trois-Chênes'* (⟳ 2 km, ongeveer 40-45 min, niveauverschil 250 m).

Na een aangename wandeling door het bos van Sainte-Baume komen beide wegen samen

GELOOF

Op deze plaats wer-den vruchtbaarheids-godinnen vereerd en deze traditie bleef ook onder het christen-dom bestaan: elk ver-loofd stel legde op de weg naar de rots een stapeltje stenen aan; het aantal stenen gaf aan hoeveel kinderen ze wilden.

bij de **Carrefour de l'Oratoire**. Vanaf dit kruispunt loopt een breed pad naar een in de rots uitgehakte trap. Halverwege ziet u een deur met een wapenschild met de Franse leliën. Links in een nis onder de rots staat een bronzen kruisbeeld. De trap (150 treden) komt uit op een **terras**. Op de borstwering staat

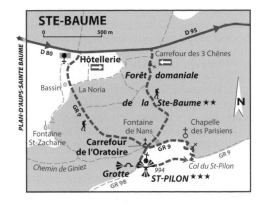

een stenen kruis met daaronder een piëta, de dertiende statie van de kruisweg. Hier ontvouwt zich een prachtig **uitzicht★** op de Montagne Sainte-Victoire met rechts in het verlengde de Mont Aurélien, het lagergelegen Plan-d'Aups, het gastenverblijf en het dichte bos.

De halfronde **grot** ligt aan de noordkant van het terras, op 946 m hoogte. In een reliekhouder rechts van het hoofdaltaar worden de relieken van de H. Maria Magdalena uit St-Maximin bewaard. Achter het hoogaltaar, op 3 m hoogte in de rots, op de enige droge plaats in de grot, staat een langwerpig beeld van Maria Magdalena. Op deze plek zou de heilige boete hebben gedaan.

★★★ Saint-Pilon

2 uur heen en terug. Loop vanaf de Carrefour de l'Oratoire langs het bidkapelletje en sla daarna rechts het pad in (met de rood-witte bewegwijzering van de GR 9). Dit pad voert zigzaggend omhoog langs de verlaten Chapelle des Parisiens en buigt rechts naar de Col du Saint-Pilon, waarvandaan de GR 98 naar een kapelletje leidt.

Op de top stond vroeger een zuil (vandaar de naam Saint-Pilon), die werd vervangen door dit kapelletje. Volgens de legende werd Maria Magdalena zeven keer per dag door engelen naar deze plek gebracht, waar zij in extase

BESCHERMD BOSGEBIED

Het ongeveer 140 ha grote **bos★★** ligt op een hoogte variërend van 680 tot 1000 m. Vanwege het unieke ecosysteem is het als Réserve biologique domaniale (biologisch reservaat) aangemerkt. Reusachtige beuken, linden en esdoorns staan hier door elkaar en vormen met hun dunne loof een hoog gewelf boven de dikke, donkere takken van de taxussen, kardinaalsmutsen, klimop en hulst. Hoe het komt dat midden in de Provence bomen staan die normaal gesproken veel noordelijker groeien? Om de eenvoudige reden dat in de schaduw van de steile rotswand een koud en vochtig, bijna noordelijk, microklimaat is ontstaan, dat de plaatselijke bevolking vooral in de zomer goed weet te waarderen. Zodra deze natuurlijke zonwering verdwijnt, duiken de bekende mediterrane eiken weer op. Sinds mensenheugenis wordt in dit unieke 'oerbos' niet gekapt. Wel wordt erop toegezien dat er regelmatig wordt herbebost en dat zieke bomen die op omvallen staan geen schade berokkenen.

naar engelengezang zou hebben geluisterd. Vanaf de 994 m hoge Saint-Pilon ontvouwt zich een schitterend **panorama**★★★ *(met oriëntatietafel)*: in het noorden op de voorgrond het gastenverblijf en verder de Mont Ventoux, de Luberon, het Montagne de Lure, de Briançonnais, de Mont Olympe en de Mont Aurélien; in het zuidoosten het Massif des Maures; in het zuidwesten de Chaîne de la Sainte-Baume en La Ciotat; in het noordwesten de Alpilles en de Montagne Sainte-Victoire.

Blijf de D 95 volgen in de richting van Mazaugues.

Bij Les Glacières bevindt zich de onlangs gerestaureerde ijskelder **Glacière de Pivaut** *(bereikbaar via een bosweg aan de rechterkant van de D 95 – alleen te bezichtigen tijdens een groepsrondleiding).*

Mazaugues

Dit dorpje in de Var is bekend vanwege zijn **ijskelders** die in de 19de eeuw hun glorietijd beleefden. Vlak voor het begin van de eerste vorstperiode werd het water uit naburige bronnen via afwateringskanaaltjes naar speciale 'ijsbassins' geleid. Na het inzetten van de vorst werd het ijs in kiepwagens geladen en tot de volgende zomer opgeslagen in kelders waarvan de muren met stro waren bekleed. Op warme zomerdagen werd het ijs met beitels uitgehakt en verkocht aan de bevolking, die hierin bederfelijke etenswaar kon goedhouden. Op het grondgebied van de gemeente Mazaugues stonden maar liefst 17 ijskelders, die gedurende de hele 19de eeuw Toulon en later ook Marseille in de zomer van ijs voorzagen.

Musée de la Glace – ✆ 04 94 86 39 24 - www.museeglace.fr.st - ♿ - *juni-sept.: dag. behalve ma 9.00-12.00 u, 14.00-18.00 u; okt.-mei: zo 9.00-12.00 u, 14.00-17.00 u - € 2,50 (tot 6 jaar gratis), € 4 combinatiekaartje met groepsrondleiding naar de Glacière de Pivaut.* In dit museum wordt de ambachtelijke manier waarop het ijs werd gemaakt toegelicht. Naast een model van een ijsmachine en een vriesbak wordt ook gereedschap getoond. Verder wordt inzichtelijk gemaakt hoe het kostbare product met de korte levensduur bij zijn gebruikers terechtkwam.

Neem de D 64 richting Saint-Maximin-la-Sainte-Baume.

★★ Saint-Maximin-la-Sainte-Baume

🏛 **Goed om te weten** – Het toeristenbureau organiseert **rondleidingen** in de basiliek, de kloostergang en de middeleeuwse wijk *(het hele jaar, reserv. bij het toeristenbureau - € 4,60 - gratis in juli-aug.).*

In deze oude, 'nieuwe stad' met een rechthoekig stratenpatroon nodigen de schaduwrijke pleintjes en fonteinen uit tot doelloos ronddwalen. Aan de zuidkant van de kerk leidt een overdekte passage naar de **rue Colbert**. Deze

---

DE LEGENDE VAN MARIA MAGDALENA

Maria Magdalena, de zus van Martha en Lazarus, leidde een losbandig leven tot ze Jezus ontmoette. Als berouwvolle zonderes sloot ze zich bij zijn volgelingen aan. Zij stond bij het kruis op Golgotha en na zijn opstanding zou Christus als eerste aan haar zijn verschenen. Volgens een Provençaalse legende is ze samen met Martha, Lazarus, Maximinus en een aantal andere heiligen tijdens de eerste christenvervolgingen door de joden uit Palestina verjaagd. Zij strandden bij Saintes-Maries-de-la-Mer en Maria Magdalena trok predikend door de Provence. Zo kwam ze in Sainte-Baume terecht, waar ze 33 jaar doorbracht met gebed en meditatie. Toen ze voelde dat ze ging sterven, daalde ze af naar de vlakte, waar de H. Maximinus haar vlak voordat ze ontsliep de laatste communie gaf.

Tarweveld aan de voet van de Sainte-Baume
S. Sarkis / Age fotostock

straat, met aan weerskanten 14de-eeuwse arcaden, maakte vroeger deel uit van het getto; aan de andere kant staan het huis van Lucien Bonaparte en het voormalige armenhuis. Een stukje terug ligt een pleintje met de **Tour de l'Horloge** en de klokkentoren. Rechts (richting rue du Général-de-Gaulle) staat een mooi 16de-eeuws huis, met uitkragend torentje.

Basilique★★ – *pl. de l'Hôtel-de-Ville - www.lesamisdelabasilique.org - 9.00-18.00 u behalve tijdens de diensten - bezichtiging: 45 min. - audiotour (€ 3), te verkrijgen bij het toeristenbureau - van mei tot okt., gratis orgelconcert op de 1ste zo van de maand om 17.00 u.*

Op de plaats van een Merovingische kerk ontdekte men in 1279 de graven van Maria Magdalena en de H. Maximinus, die uit angst voor de vernielzucht van de Saracenen waren verstopt. In 1295 erkende paus Bonifatius VIII de heilige relieken, waarna Karel II van Anjou, koning van Sicilië en graaf van Provence, op die plaats een basiliek en een klooster liet bouwen. Het U-vormige klooster met drie verdiepingen stelde hij ter beschikking van de dominicanen die de taak kregen de bedevaarten in goede banen te leiden.

De buitenkant van het gebouw is het belangrijkste voorbeeld van de **gotische stijl** in de Provence, een combinatie van noordelijke invloeden (vooral de kathedraal van Bourges) en plaatselijke tradities. Doordat de klokkentoren ontbreekt, de gevel onvoltooid is en de hoge, massieve steunberen tegen het schip zijn aangebouwd, wekt het geheel een compacte indruk. Kooromgang en transept ontbreken.

Het **interieur** omvat een middenschip, een koor en twee opvallend hoge zijbeuken. Het 29 m hoge schip bestaat uit twee verdiepingen en een kruisribgewelf met sluitstenen waarop de wapens van de graven van de Provence en de koningen van Frankrijk prijken. Het grote koor wordt afgesloten door een vijfzijdige apsis. Vierhoekige apsiskapellen vormen de afsluiting van de zijbeuken, die 18 m hoog zijn zodat door de hoge vensters daglicht naar binnen kan vallen.

Bezienswaardig zijn het grote orgel met de dubbele orgelkast **(1)**, dat werd

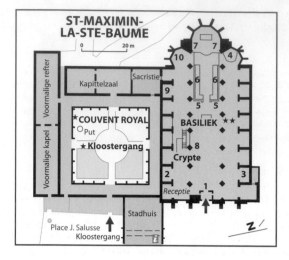

gebouwd door broeder Isnard de Tarascon en dat een van de mooiste 18de-eeuwse orgels in Frankrijk is; een prachtig beeld van verguld hout van Johannes de Doper **(2)**; het 15de-eeuwse retabel van de Vier Evangelisten **(3)**; het rozenkransaltaar **(4)**; het 17de-eeuwse koorhek met fijn smeedwerk en de wapens van Frankrijk **(5)**; de 94 koorbanken uit de 17de eeuw van de dominicanenlekenbroeder Vincent Funel **(6)**; het stucwerk van J. Lombard **(7)**; de gebeeldhouwde preekstoel, een meesterwerk van houtbewerking met scènes uit het leven van Maria Magdalena **(8)**; het onderstel van een 15de-eeuws Provençaals retabel met voorstellingen van de onthoofding van Johannes de Doper, de heilige Martha die op de brug van Tarascon de *Tarasque* (monster) tegenhoudt en de verschijning van Christus aan Maria Magdalena **(9)**. Meesterstuk is een 16de-eeuws **retabel★** van beschilderd hout van Antoine Ronzen, met een centrale voorstelling *(de Kruisiging)* omgeven door 18 medaillons **(10)**.

In de **crypte**, het voormalige vroegchristelijke gebedshuis, staan de 4de-eeuwse sarcofagen van Maria Magdalena, Marcella, Suzanna, Maximinus en Sidonius. Achter in de crypte staat een 19de-eeuwse reliekhouder met een schedel die van Maria Magdalena zou zijn. Op vier marmeren en stenen platen uit ongeveer 500 v.C. zijn de Maagd Maria, Abraham en Daniël gegraveerd.

Couvent royal★ - *Pl. Jean-Salusse* - ☏ *04 94 86 55 66 - www.hotelfp-saintmaximin.com - 9.00-18.00 u - rondleiding (45 min) op aanvraag, via het toeristenbureau - gratis.* De bouw van het klooster begon in de 13de eeuw op hetzelfde moment als die van de basiliek waar het tegenaan is gebouwd. In de 15de eeuw was het klooster klaar. Rond de sierlijke **kloostergang★** met de 32 traveeën bevinden zich een kapel met een mooi laag gewelf en de voormalige refter. De cellen van de kloosterlingen zijn verbouwd tot hotelkamers en de kapittelzaal is nu een restaurant *(zie 'Adresboekje')*.

Rijd over de D 560 door naar het zuiden, richting Saint-Zacharie.

Saint-Zacharie

Dit lieflijke dorpje, ooit beroemd om zijn aardewerk, pronkt nu met zijn talloze fonteinen. Nog steeds zijn hier kunstnijverheidsateliers gevestigd. U moet wel de doorgaande weg verlaten om de charme te ontdekken.

Neem de D 85. Iets voorbij de Pas de la Couelle splitst zich rechts een smal weggetje af dat na een steile helling uitkomt bij een militair radarstation; laat daar de auto achter.

Oratoire de Saint-Jean-du-Puy

15 min heen en terug. Er loopt een bewegwijzerd wandelpad naar het kapelletje. Daar ontvouwt zich een prachtig **uitzicht★** op de Montagne Sainte-Victoire en de Plaine de Saint-Maximin in het noorden, Les Maures en La Sainte-Baume in het zuidoosten, het Montagne de Regagnas, de Chaîne de l'Étoile en het Pays d'Aix in het westen.

Keer terug naar Saint-Zacharie en rijd via de D 45 in de richting van Auriol. Neem vervolgens de D 96 naar Roquevaire.

Roquevaire

De klokkentoren trekt de aandacht, maar het dorpje is vooral bekend om het **orgel** in de Église Saint-Vincent, waar het privéorgel van Pierre Cochereau, voormalig organist van de Notre-Dame in Parijs, is ingebouwd. *Rondleiding: inlichtingen bij de Association des amis du grand orgue de Roquevaire - 6 av. Pierre-Cochereau - 13630 Roquevaire - ℘ 04 42 04 05 33 - http://orgue-roquevaire.fr*

La Maison de celle qui peint★ – *Pont-de-l'Étoile - ℘ 04 42 04 25 32 - bezichtiging op aanvraag.* Uitdraagster, schilderes, pottenbakster en autodidact **Danielle Jacqui** heeft haar eigen huis-atelier gedecoreerd, zowel van binnen als van buiten. De gevel gaat vrijwel volledig schuil onder een uitbundige overvloed van kleurrijk keramiek.

1

😊 MASSIF DE LA SAINTE-BAUME: ADRESBOEKJE

OVERNACHTEN

GOEDKOOP

Hôtellerie de la Sainte-Baume – *83460 Plan-d'Aups - 3 km naar het oosten via de D 80 -* 📞 *04 42 04 54 84 - www. hotellerie-saintebaume.com -* ♿ 🅿 *- 66 kamers € 15/36 p. pers. -* ☕ *€ 5 - lunch € 15 - diner € 12.* Dit eenvoudige hotel, dat wordt beheerd door dominicanen, ontvangt pelgrims, toeristen en wandelaars die rust zoeken. Een-, twee- en driepersoonskamers, sober maar schoon. Maaltijden worden geserveerd om 8.30 u, 12.45 u en 19.15 u (vast menu).

DOORSNEEPRIJZEN

Hôtel Le Parc – *Vallée de St-Pons - 13420 Gémenos - 1 km naar het oosten via de D 2 -* 📞 *04 42 32 20 38 - www.hotel-parc-gemenos. com -* 🅿 *- 13 kamers € 59/92 -* ☕ *€ 8,50 - rest. € 19/42.* Op gepaste afstand van de D 2 ligt dit huis verscholen tussen het groen. Schaduwrijk terras en eetzaal bij de tuin. Gezellige kamertjes met vrolijke kleuren.

WAT MEER LUXE

Maison Rouge – *aan de D 80 - 83640 Plan-d'Aups - 2 km ten oosten van het dorp -* 📞 *06 72 74 70 47 - www.mamaisonrouge.com -* 🅿 *- 5 kamers € 72/108 -* ☕. Dit rode gebouw langs de weg is niet te missen. Binnen is bijna alles van hout, wat een warme sfeer schept. Ruime kamers met uitzicht op de Sainte-Baume.

Hôtel de France – *3-5 av. Albert-Iᵉʳ - 83470 St-Maximin-la-Ste-Baume -* 📞 *04 94 78 00 14 - www. hotel-de-france.fr -* 🅿 *- 23 kamers € 72/140 -* ☕ *€ 10 - rest.: lunch-menu € 19,50/26,50 - € 34/58 - reserv. aanbevolen in het weekend.* Hotel in een oud poststation met kamers van wisselende grootte, maar allemaal in Provençaalse stijl. Op de menukaart van het restaurant, **Côté Jardin**, staan Provençaalse gerechten die worden opgediend in een mooie tuin.

Hôtellerie du Couvent Royal – *Pl. Jean-Salusse - 83470 St-Maximin-la-Ste-Baume -* 📞 *04 94 86 55 66 - www.hotelfp-saintmaximin.com -* ♿ 🅿 *- 67 kamers € 122/159 -* ☕ *€ 13.* Schitterende entourage voor een mooi hotel in een 13de-eeuws dominicaner klooster. Stijlvolle, ruime en goed gerenoveerde kamers met uitzicht op de kloostergang of de tuin.

UIT ETEN

GOEDKOOP

L'Imprévu – *av.Gabriel-Péri - 83470 St-Maximin-la-Ste-Baume -* 📞 *04 94 59 82 36 - € 15/30 - reserv. aanbevolen.* Pizzeria in een gezellige boerenschuur met een groot terras onder de platanen. Marie kookt hier de heerlijkste pastaspecialiteiten. Ze schreef er zelfs een boek over.

DOORSNEEPRIJZEN

La Restanque – *R. de La Treille - 13360 Roquevaire -* 📞 *04 42 04 21 78 - www. restaurant-la-restanque.com - lunchmenu € 14,50 - diner € 29,80.* Mooi terras vlak bij de rivier Huveaune, zonnig in de winter, schaduwrijk in de zomer. Op houtvuur geroosterd vlees, pizza, pasta en mediterrane specialiteiten.

WAT MEER LUXE

Hôtellerie du Couvent Royal – *Zie boven - nov-mrt op zo avond gesl. - lunchmenu € 25- € 39.* Onder de gewelven van de kapittelzaal of de kloostergang serveert dit restaurant Zuid-Franse gerechten die een feest zijn voor het oog én voor de smaakpapillen.

Château de Nans – *Quartier du Logis - 83860 Nans-les-Pins - 3 km via de D 560 - ℘ 04 94 78 92 06 - www.chateau-de-nans. com -* ⌇ 🅿 *- hotel: gesl. okt-maart - rest.: ma gesl., di (behalve juli-aug.), half feb-half mrt, 24 nov.-3 dec. - 5 kamers € 122/183 -* ⌷ *- rest. € 48/59.* Sierlijk 19de-eeuws kasteeltje tegenover het golfterrein van La Sainte-Baume. De dagverse gerechten worden geserveerd in de klassieke eetzaal of op het terras. Mooie kamers met een eigen karakter. Kies indien mogelijk voor een kamer in de toren.

WINKELEN

Marché de St-Maximin-la-Ste-Baume – Grote weekmarkt op de Grand-Place, wo ochtend.

SPORT EN ONTSPANNING

Vélorail de la Sainte-Baume – *Vélorail-station van Pourcieux (straat tegenover de wijncoöperatie) - 83470 Pourcieux (7 km ten westen van Saint-Maximin) ℘ 06 33 81 50 87 - www. velorail83.com - april-okt.: vertrek om 10.00 u, 12.00 u, 14.00 u, 16.00 u; nov.-maart: vertrek om 10.00 u, 12.00 u, 14.00 u- € 25 per vélorail (min. 2 pers., max. 5) - reserv. verplicht.* Een vermakelijk tochtje over een oude spoorlijn met een soort lorrie die door twee fietsen wordt aangedreven (15 km heen, ongeveer 1.30 uur). U passeert mooie viaducten en tunnels.

EVENEMENTEN

Foire à la glace – IJsfeest in Mazaugues op de laatste zo van feb. Exposities, lezingen, activiteiten en proeverijen met ambachtelijk vervaardigd ijs.
Festival international d'orgue – Prestigieus orgelfestival in sept. en okt. met een grote rol voor het beroemde orgel van Roquevaire. Informatie: www.orgue-roquevaire.fr
Pèlerinage de Provence à la Ste-Baume – Eerste en tweede pinksterdag. Op zondag een pelgrimstocht vanaf de basiliek van Saint-Maximin en op maandag processie bij de grot. Informatie: Hôtellerie de la Ste-Baume, ℘ 04 42 04 54 84.
Fête de Sainte-Marie-Madeleine – De zondag na 22 juli in de basiliek van Saint-Maximin-la-Sainte-Baume. Processie en mis ter ere van Maria Magdalena.
Foire aux santons et à l'artisanat d'art – Santon- en nijverheidsmarkt. Half nov., in het Couvent Royal, het stadhuis en op de pl. Jean-Salusse.

1

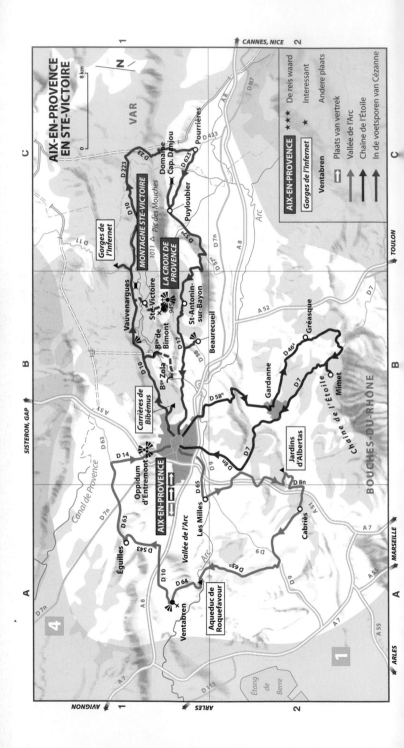

Aix-en-Provence en Sainte-Victoire 2

Michelinkaart van het departement 340 – Bouches-du-Rhône (13)

▷ **AIX-EN-PROVENCE** ★★★ **EN RONDRITTEN:**   **182**

Ten zuidwesten van Aix-en-Provence:
VALLÉE D'ARC

Ten zuidoosten van Aix-en-Provence:
CHAÎNE DE L'ÉTOILE

Vanuit Aix-en-Provence:
▷ **SAINTE-VICTOIRE** ★★★ **: RONDRIT**   **204**

Aix-en-Provence

★★★

142.534 inwoners – Bouches-du-Rhône (13)

😊 ADRESBOEKJE: BLZ. 197

ⓘ INLICHTINGEN

Toeristenbureau van Aix-en-Provence – *2 pl. du Gén.-de-Gaulle - 13100 Aix-en-Provence -* ☎ *04 42 16 11 61 - www.aixenprovencetourism.com - juli-aug.: 8.30-21.00 u, zo en feestd. 10.00-13.00 u, 14.00-20.00 u; juni en sept.: 8.30-20.00 u, zo en feestd. 10.00-13.00 u, 14.00-18.00 u; okt.-mei: 8.30-19.00 u, zo en feestd. 10.00-13.00 u, 14.00-18.00 u - gesl. 1 jan., 1 mei, 25 dec.* Groepswandelingen rond een thema: Cézanne, april-okt.: do 10.00 u - € 8; het oude deel van Aix, wo, do en za 10.00 u - € 8 (kinderen € 4); het andere Aix, april-okt: ma 10.00 u - € 9; bezichtiging van de herenhuizen, april-okt.: wo 10.00 u - € 8; 'Libertijnen en courtisanes', vr: 10.00 u - € 9 - op aanvraag bij het toeristenbureau.

Rondwandelingen – *Informatie bij het toeristenbureau of op www.aixen provencetourism.com -* Stadswandelingen van 2 uur met gids.

Bureau Information Culture (BIC) – *19 r. Gaston-de-Saporta -* ☎ *04 42 91 99 19 - dag. beh. zo en ma 10.00-18.00 u.* Informatie over culturele evenementen.

◖ LIGGING

Regiokaart B1 (blz. 180) – *Michelinkaart van de Departementen 340 H4.* Aix-en-Provence is bereikbaar via twee snelwegen. De A51 verbindt de stad met Marseille in het zuiden en met Avignon, Lyon en Parijs in het noorden; de A8 voegt zich bij de A7 en vormt de verbinding met Nice in het westen en Italië in het oosten. Waar u ook vandaan komt, u wordt altijd langs de boulevard geleid die de oude stad omringt *(eenrichtingsverkeer).*

Ⓟ PARKEREN

Ga niet met de auto de oude stad in, waar het bijzonder lastig rijden en parkeren is. Zoek een plaats op de boulevard du Roi-René, in het zuiden, of op de boulevard Aristide-Briand in het noorden. Er zijn ca. tien **parkeergarages** (24 u/d) vooral rondom de boulevards, onder meer Rotonde, Mignet, Bellegarde, Pasteur *(ongeveer € 1 per 35-50 min en € 15 voor 24 uur).*

😊 **Goed om te weten – Parking Granet**, bij de zuidelijke ingang van de stad (aan de kant van Le Pasino), is gratis. Er zijn drie bewaakte **parkeerterreinen** (dag. 6.30-21.00 u), Hauts-de-Brunet, Krypton en Route des Alpes, die met het centrum zijn verbonden via bus 1 en 9. Het tarief is € 2/d, inclusief busvervoer in de stad.

Let op dat u niet op een plein parkeert waar een markt wordt gehouden, want dan wordt uw auto weggesleept.

😊 AANRADER

De cours Mirabeau en het oude deel van Aix; kathedraal Saint-Sauveur met klooster; het Musée Granet; de aan Cézanne gelieerde locaties; het oppidum van Entremont; het Festival voor lyrische kunst in juli.

Place d'Albertas, Aix-en-Provence
M Pnrpet / MICHELIN

⏱ PLANNING

Trek 1 dag uit voor het oude deel van Aix. Om volop te profiteren van de 'Pass Cézanne' (bezoek met gids aan drie locaties buiten het centrum: atelier van Cézanne, landgoed Jas de Bouffan en steengroeve van Bibémus) heeft u ook een dag nodig. Reserveer van tevoren bij het toeristenbureau. Voor een uitgebreider bezoek (met inbegrip van het oppidum van Entremont of de Fondation Vasarely, die beide ver buiten het centrum liggen) moet u twee dagen uittrekken. De markten van Aix zullen u in vervoering brengen met hun kleuren en geuren: iedere ochtend een traditionele markt op de place Richelme en op di, do en za een bloemenmarkt op de place de l'Hôtel-de-Ville.

👪 MET DE KINDEREN

Het Natuurhistorisch museum, met zijn fossiele dinosauruseieren, afkomstig van de hellingen van de Sainte-Victoire; het Ecologisch museum in Gardanne; het Mijnbouwmuseum in Gréasque; de santonmarkt; een kijkje in een werkplaats waar *calissons* (amandelgebakjes) worden gemaakt.

Stad van water, stad van kunst… Aix-en-Provence drijft al eeuwen op deze dubbele identiteit: murmelende fonteinen die een weldadige koelte afgeven, oude stenen die de glorie van weleer vieren, kleurrijke markten en gezellige caféterrassen. De stad is trots op haar bijzondere erfgoed, maar voegt daar steeds nieuwe sieraden aan toe met de vernieuwingen die horen bij een stad in ontwikkeling. Ze blijft trouw aan haar culturele en universitaire traditie, aan haar gerenommeerde muziekfestival, maar cultiveert alle vormen van kunst en wetenschap. Wat vooral opvalt is dat deze stad haar *art de vivre* (levenskunst) tot in de puntjes heeft weten te ontwikkelen: dat was de reden dat Darius Milhaud, Paul Cézanne, Émile Zola en vele andere kunstenaars zich hier zo thuisvoelden, en dat is ook de reden dat de bezoeker de stad onmiddellijk in zijn hart sluit.

Ontdek de stad van Cézanne

Paul Cézanne werd in 1839 in Aix geboren als zoon van een hoedenmaker. Na zijn studie aan het Collège Bourbon, waar hij vriendschap sloot met Émile Zola, ging hij rechten studeren. In die periode begon hij te schilderen in de landelijke omgeving van het buitenhuis Jas de Bouffan net buiten Aix, dat zijn vader in 1859 had gekocht. Hij ging vaak naar Parijs, waar hij bevriend raakte met de impressionisten, maar zelf geen succes kende. Terug in Aix nam hij, ondanks de vele loftuitingen van kunstenaars als Monet, Manet, Sisley en vooral Pissarro, afstand van de techniek van de impressionisten. Hij legde zich toe op gedurfde kleurencombinaties en vormen. Na een verblijf in **L'Estaque** *(zie Marseille)* brak hij op de Parijse Salon in de herfst van 1904 eindelijk door.

RONDWANDELING PAUL CÉZANNE Plattegrond I (blz. 188)

Het toeristenbureau van Aix organiseert een Cézanne-wandeling *(vraag naar de folder)*. De route is aangeduid met bordjes waarop de letter C staat en leidt onder meer langs zijn **geboortehuis** (28 rue de l'Opéra) en de plaatsen rondom Aix die Cézanne inspireerden, zoals de **Montagne Ste-Victoire** *(zie onder deze naam)*.

🖐 **Goed om te weten** – Het combinatiekaartje 'Pass Cézanne' is één dag geldig voor onderstaande bezienswaardigheden *(€ 13,10 - de steengroeven van Bibémus en Jas de Bouffan alleen te bezichtigen met gids)*.

★ **Atelier Cézanne** B1, buiten de plattegrond
9 av. Paul-Cézanne - 𝄞 04 42 21 06 53 - www.atelier-cezanne.com - juli-aug.: 10.00-18.00 u; april-juni en sept.: 10.00-12.00 u, 14.00-18.00 u; okt.-maart: 10.00-12.00 u, 14.00-17.00 u - gesl. zo (dec.-feb.), 1-3 jan., 1 mei en 25 dec. - € 5,50 (tot 25 jaar € 2).
In 1901 liet Cézanne een atelier bouwen in de traditionele Provençaalse bouwstijl. Eromheen ligt een tuin met struiken in verschillende kleurschakeringen, die tot voorbij de ramen van de eerste verdieping reiken. Het atelier, waar hij zijn *Grandes baigneuses* schilderde, verkeert nog in staat waarin Cézanne het bij zijn dood in 1906 achterliet. Er is een aantal voorwerpen te zien die aan de schilder herinneren. Op basis van Cézannes ideeën over kunst en natuur werd de tuin heraangelegd als een soort eerbetoon aan zijn tuinman Vallier, zijn laatste model. Er worden hier evenementen en tentoonstellingen georganiseerd.

★ **Le Jas de Bouffan** A2, buiten de plattegrond
17 rte de Galice (aan de rand van Aix, richting Lyon, net voor de snelweg) - 𝄞 04 42 161 161 - www.cezanne-en-provence - rondleiding (45 min) april-mei en okt.: di, do en za 10.30 u, 12.00 u, 14.00 u (in het Engels), 15.30 u; juni-sept.: 10.30 u, 12.00 u, 14.00 u (in het Engels), 15.30 u; nov.-maart: wo en za 10.00 u - gesl. 1 jan., 1 mei en 25 dec. - € 5,50 (13-25 jaar € 2, tot 13 jaar gratis) - reserv. aanbevolen.
Het fraaie, 18de-eeuwse buitenhuis vlak bij Aix kwam in bezit van de familie Cézanne toen de schilder twintig was. Hij mocht de salon op de benedenverdieping gebruiken als atelier. Op de muren schilderde hij de 'vier seizoenen'. De pleisterlaag werd later in acht stukken gedeeld en is bewaard gebleven. Na zijn verblijf in Parijs begon Cézanne buiten te schilderen. Twee jaar na de dood van zijn moeder, in 1899, werd de *jas* (schaapskooi) verkocht.
Sinds de grote Cézanne-herdenking ter gelegenheid van zijn 100ste sterfdag in 2006, wordt in de ovale salon een film *(17 min.)* van Gianfranco Iannuzzi en Massimiliano Sicardi vertoond, die op grandioze wijze Cézannes jaren als schilder in de Jas de Bouffan samenvat. Het bezoek eindigt in het park, waar de diverse thema's van de schilderijen te zien zijn.

★ Les carrières de Bibémus C2, buiten de plattegrond

▶ *Neem de D 10 richting Vauvenargues en sla vlak na het viaduct het kleine weggetje rechts in dat naar het 'Plateau de Bibémus' leidt (3 km). Buiten het seizoen kunt u bij de ingang tot de steengroeven parkeren, maar in de zomer is de toegang tot het chemin de Bibémus verboden, en dient u de auto achter te laten op het parkeerterrein Trois-Bons-Dieux, langs de weg naar Vauvenargues (D 10). Daarvandaan rijdt een pendelbus naar de groeven (vertrek steeds 40 min voor aanvang van de rondleiding - € 1 heen en terug). Bus 4 rijdt van het toeristenbureau naar het parkeerterrein Trois-Bons-Dieux.*

3090 chemin de Bibémus - ℘ 04 42 161 161 - www.cezanne-en-provence - rondleiding (1 uur) april-mei en okt.: ma, wo, vr en zo 10.30 u en 15.30 u; juni-sept. dag. 9.45 u; nov.-maart: wo en za 15.00 u - gesl. 1 jan., 1 mei, 25 dec. - € 5,50 (13-25 jaar € 2, tot 13 jaar gratis) - reserv. aanbevolen - moeilijk begaanbaar voor beperkt mobiele personen - denk aan stevige wandelschoenen. De steengroeven worden afgesloten bij brandgevaar.

De steengroeven zijn ter gelegenheid van de Cézanne-herdenking in 2006 verbouwd en opengesteld voor publiek. De gebruikte materialen passen perfect in de omgeving. Het ontwerp is van twee landschapsarchitecten, Philippe Deliau en Hélène Bensoam.

De steengroeven werden al in de oudheid ontgonnen: de sporen van de ossenwagens waarmee de stenen vervoerd werden zijn nog te zien. Vele eeuwen later deed het okerkleurige zandsteen dienst als bouwmateriaal voor de herenhuizen die in de 17de en 18de eeuw in de Quartier Mazarin werden gebouwd.

Toen de steengroeven aan het eind van de 19de eeuw uitgeput raakten, stopte de ontginning. In dezelfde periode begon Cézanne de rotsen te schilderen. Hij maakte hier elf olieverfschilderijen en zestien aquarellen, waarvan de meeste zich nu in de VS bevinden. De locaties die figureren op *'Le rocher rouge' (te zien in de Orangerie in Parijs)*, twee *'Steengroeven in Bibémus'* en *'La montagne Sainte-Victoire vue de Bibémus'* zijn te herkennen.

Vanaf het parkeerterrein van de steengroeven brengt een pad *(gele paaltjes)* u in 15 min naar een uitkijkpunt met zicht op het Lac Zola. U kunt doorlopen naar de **Barrage du Bimont** *(eenvoudig, 4,50 km, 1.30 uur)* of de **Barrage de Zola** *(eenvoudig, 9 km, 3 uur)*.

Café-brasserie Les Deux Garçons

53 cours Mirabeau - ℘ 04 42 26 00 51.
Na een dag aan het Collège Bourbon, het huidige Collège Mignet in de rue Cardinale (nr. 41), bezochten Cézanne en zijn vriend Émile Zola deze beroemde brasserie uit 1792. Werp een blik op het interieur met vergulde versieringen, fries en lambrisering. Ernaast, op nr. 55, is een uithangbord te zien van de hoedenwinkel die de vader van Cézanne in 1825 opende.

★★ Wandelen: het oude Aix Plattegrond II blz. 189

▶ *De route staat aangegeven op de plattegrond op blz. 189 - ongeveer 1 dag.*

Fontaine de la Rotonde D2

Deze 12 m hoge, monumentale fontein werd in 1860 opgericht bij de toegangsweg tot de stad. Het bekken met een diameter van 32 m is versierd met twaalf bronzen leeuwen. Boven op de fontein prijken drie marmeren beelden, voorstellingen van het recht (gericht naar de cours Mirabeau), de landbouw, (gericht naar Marseille) en de kunst (gericht naar Avignon). Dit embleem van de stad prijkt op alle ansichtkaarten en is een populair trefpunt.

Aan de oorsprong van Aix-en-Provence

DE HOOFDSTAD VAN KONING RENÉ

Uiteraard bestond Aix al lang vóór de 'goede koning René'. De stad werd gebouwd op de ruïnes van de burcht van Entremont en kreeg al in 1409 een eigen universiteit, maar de grote bloeiperiode brak pas aan tijdens zijn bewind. Wie was de 'goede koning **René**' (1409-1480) eigenlijk? Voor alles een geletterd man: veeltalig, muziekliefhebber, schilder van miniaturen, amateurdichter, groot liefhebber van wiskunde, theologie en astrologie. Kortom, een van de meest ontwikkelde figuren van zijn tijd. Bovendien werd hij omringd door luxe en organiseerde hij vaak uitbundige feesten. René was **hertog van Anjou**, titulaire koning van Napels en Sicilië, en bovendien **graaf van Provence**. Hij had dan ook een belangrijke politieke rol te vervullen, waarvoor hij niet in de wieg was gelegd. Weliswaar gaf hij de handel en de landbouw nieuwe impulsen en bekommerde hij zich om de gezondheidstoestand van de bevolking, maar dat alles ging gepaard met hoge belastingen en de devaluatie van de munt. Glorie heeft een prijs, evenals het mecenaat: René omringde zich met kunstenaars van naam: Vlamingen als Barthélemy d'Eyck (de maker van de triptiek van de *Annunciatie*), Bourgondiërs en plaatselijke artiesten als Nicolas Froment (aan wie de beroemde triptiek van *Het brandende braambos* te danken is). Na de dood van Isabella trouwde hij op 44-jarige leeftijd met de 21-jarige Johanna van Laval. Koningin Johanna was net zo geliefd in de Provence als haar veel oudere echtgenoot. Nadat René zijn zoon en zijn twee kleinzonen had verloren, moest hij met lede ogen toezien hoe zijn neef **Lodewijk XI** bezit nam van Anjou. René wees Karel van Maine aan als zijn erfgenaam. Na diens dood in 1481, zonder nageslacht, verviel ook de Provence zonder slag of stoot aan de kroon.

HET NIEUWE GEZICHT VAN AIX

Nadat de Provence met Frankrijk werd verenigd, installeerde de koning een gouverneur in Aix en in 1501 werd de stad aangewezen als zetel van het **parlement**. In de 17de eeuw beleefde de stad, dankzij de opmars van de *robins* (welgestelde magistraten en juristen), een tweede bloeiperiode. Het stadsbeeld veranderde: statige herenhuizen schoten als paddenstoelen uit de grond en er kwamen nieuwe wijken (zoals de wijk Mazarin). De oude ringmuren werden afgebroken en vervangen door een brede laan voor koetsen, de latere cours Mirabeau. Ook in de 18de eeuw werden brede lanen, pleinen en fonteinen aangelegd en nieuwe gebouwen opgetrokken.

Na de Franse Revolutie raakte Aix op de achtergrond door de groei van Marseille. Pas vanaf 1970 maakte de stad opnieuw een aanzienlijke ontwikkeling door: ten eerste in economisch opzicht, dankzij de komst van de hightechindustrie (bedrijventerrein Les Milles en wetenschapspark van het plateau d'Arbois), en ten tweede in cultureel opzicht door de groeiende reputatie van de universiteit en het nieuwe muziekfestival.

De economische en demografische bloei gaf aanleiding tot een groot stedenbouwkundig project in het verlengde van de cours Sextius en de cours Mirabeau. Het Aix van de 21ste eeuw is terug te vinden in de Cité du Livre, het Grand Théâtre de Provence, het Pavillon noir en de nieuwe lanen.

★★ Cours Mirabeau DE2

Dit is een van de mooiste lanen van Aix, met zijn prachtige platanen. De brede, groene tunnel wordt opgeluisterd door fonteinen, statige herenhuizen met balkons van de hand van architect-beeldhouwer Pierre Pavillon (17de eeuw), en tal van caféterrassen.

Hôtel d'Isoard de Vauvenargues – *Nr 10*. Het herenhuis is omstreeks 1710 gebouwd. Let op het smeedijzeren balkon en de deurlatei met cannelures. Angélique de Castellane, markiezin van Entrecasteaux, werd hier vermoord door haar man, de voorzitter van het parlement.

Hôtel de Forbin D2– *Nr. 20*. Het pand (1656) heeft een balkon met mooi smeedwerk.

Fontaine des Neuf Canons D2 (D²) – *In het midden van de cours*. De fontein dateert uit 1691. In de 13de eeuw betekende 'canon' buis.

Fontaine Moussue D2 (D) – De met mos bedekte fontein uit 1734 staat ter hoogte van de rue Clemenceau en wordt het hele jaar door bevoorraad met bronwater dat een temperatuur heeft van 18 °C.

Hôtel Maurel de Pontevès D2 – *Nr. 38*. In 1660 logeerde 'La Grande Mademoiselle' Anne-Marie de Montpensier, een nicht van Lodewijk XIV, in dit herenhuis, dat nu een dependance is van de rechtbank.

Fontaine du Roi René E2 (D⁵) – De fontein staat aan het einde van de cours Mirabeau en is het werk van de 19de-eeuwse beeldhouwer David d'Angers. De koning houdt een tros muskaatdruiven in zijn hand; hij was degene die deze soort in de Provence introduceerde.

Hôtel du Poët E2 – De drie verdiepingen hoge gevel van dit huis (1730) aan het einde van de cours Mirabeau is versierd met gebeeldhouwde gezichten. *Loop de straat rechts in.*

2

Rue de l'Opéra E2

Op nr. 18 van deze straat bevindt zich het Hôtel de Lestang-Parade (1650), op nr. 24 het Hôtel de Bonnecorse uit de 18de eeuw en op nr. 26 het Hôtel Grimaldi, naar een ontwerp van Pierre Puget.

Loop terug naar het Théâtre du Jeu de Paume, sla rechtsaf en ga dan links de rue Émeric-David in.

Hôtel de Panisse-Passis E2 (G²)

Op nr. 16. Herenhuis uit 1739 met een prachtig portaal. Een bocht naar rechts leidt naar de imposante voorgevel van de **voormalige jezuïetenkapel** en vervolgens naar de rue Portalis.

Église Sainte-Marie-Madeleine E2

Pl. des Prêcheurs.

Dit is een 17de-eeuwse kerk met interessante kunstwerken, waaronder een prachtig marmeren **Mariabeeld★** van Chastel (18de eeuw) en het middenpaneel van de **triptiek van de Annunciatie★**, dat dateert uit 1445 en is toegeschreven aan Barthélémy d'Eyck (1445).

Fontaine des Prêcheurs E2 (D⁴)

Op het gelijknamige plein (waar De Sade in beeltenis werd terechtgesteld; hij was zelf op de vlucht) staat deze fontein van Chastel.

Let op de atlanten in het portaal van het **Hôtel d'Agut** op nr. 2. In de rue Thiers staat op nr. 2 het 17de-eeuwse **Hôtel de Roquesante** (G⁴), met façade in Lodewijk XIII-stijl en 17de-eeuws barokportaal.

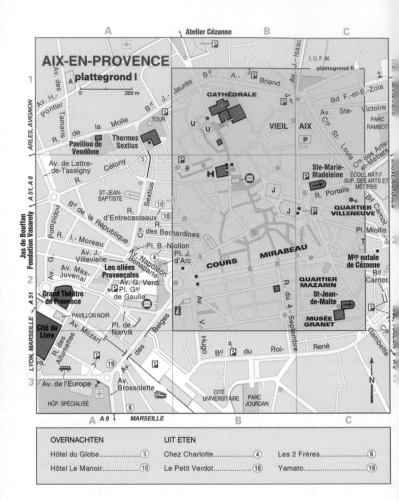

OVERNACHTEN	UIT ETEN	
Hôtel du Globe...................⑤	Chez Charlotte...................④	Les 2 Frères......................⑥
Hôtel Le Manoir................⑩	Le Petit Verdot.................⑩	Yamato.............................⑲

Neem de rue Thiers (richting de cours Mirabeau). Volg het rechtertrottoir en sla rechts de rue Fabrot in.

Hier begint het echte oude Aix. De rue Fabrot is een winkelstraat die alleen voor voetgangers toegankelijk is en naar de place St-Honoré leidt.

Sla de rue Espariat in.

Muséum d'histoire naturelle D2

6 r. Espariat - ☎ 04 42 27 91 27 - www.museum-aix-en-provence.org - 10.00-12.00 u, 13.00-17.00 u - gesl. di, 1 jan., 1 mei, 25 dec. - € 3 (tot 25 jaar gratis), eerste zo van de maand gratis.

Een ruime koetspoort verschaft toegang tot de grote binnenplaats van het **Hôtel Boyer d'Éguilles**, een herenhuis uit 1675 met een fraaie gevel, 17de-eeuwse deuren, schilderijen en beeldhouwwerken. Het gebouw biedt onderdak aan het natuurhistorisch museum, waar een interessante paleontologische collectie te zien is. De **fossiele dinosauruseieren** die zijn gevonden op de hellingen van de Montagne Sainte-Victoire, worden hier tentoongesteld.

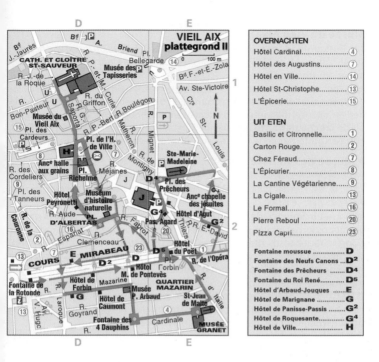

OVERNACHTEN

Hôtel Cardinal.....................④
Hôtel des Augustins.............⑦
Hôtel en Ville.....................⑭
Hôtel St-Christophe............⑬
L'Épicerie..........................⑮

UIT ETEN

Basilic et Citronnelle............①
Carton Rouge......................②
Chez Féraud.......................⑦
L'Épicurier.........................⑧
La Cantine Végétarienne......⑨
La Cigale..........................⑬
Le Formal.........................⑯
Pierre Reboul ....⑳
Pizza Capri........................㉓

Fontaine moussue ....**D**
Fontaine des Neufs Canons ...**D²**
Fontaine des Prêcheurs ....**D⁴**
Fontaine du Roi René ....**D⁵**
Hôtel d'Arbaud-Jouques .....**E**
Hôtel de Marignane ....**G**
Hôtel de Panisse-Passis ....**G²**
Hôtel de Roquesante...........**G⁴**
Hôtel de Ville....................**H**

★ Place d'Albertas D2

Dit sierlijke pleintje uit 1745 heeft de tand des tijds doorstaan. 's Zomers worden hier concerten gegeven. **Hôtel d'Albertas** op nr. 10, gebouwd in 1724, is van ornamenten voorzien door Laurent Vallon.

Sla rechts de rue Aude in. Op nr. 13 staat het **Hôtel Peyronetti**, een herenhuis in Italiaanse renaissancestijl (1620). Volg de rue du Mar.-Foch tot aan de place de l'Hôtel-de-Ville. In het voorbijgaan trekken de fraaie atlanten van het **Hôtel d'Arbaud** (nr. 7) de aandacht. Steek de **place Richelme** over, waar u een pauze kunt nemen op een van de caféterrassen. Op de zuidgevel van de voormalige graanbeurs, nu een postkantoor, is een zonnewijzer te zien. 's Ochtends wordt hier een groente- en fruitmarkt gehouden.

★ Place de l'Hôtel-de-Ville D2

Iedere zaterdagochtend heerst hier een gezellige drukte op de bloemenmarkt. Het **stadhuis (H)** is tussen 1655 en 1670 gebouwd naar een ontwerp van de Parijse architect **Pierre Pavillon**. Het balkon, dat versierd is met edelsmeedwerk, en het schitterende toegangshek springen meteen in het oog. Aan het mooie **binnenplein★** bestraat met keien, staan gebouwen die op de hoeken klassieke pilasters hebben.

Aan de zuidkant van het plein staat de **voormalige graanbeurs**. Op de voorgevel prijkt een gebeeldhouwd fronton van Chastel, dat de Rhône en de Durance voorstelt. Op de noordwesthoek van het plein staat de **Tour de l'Horloge**, de vroegere, 16de-eeuwse klokkentoren van de stad, met een klok in een smeedijzeren kooi. Elk jaargetijde wordt gesymboliseerd door een andere figuur.
Ga de rue Gaston-de-Saporta in.

Musée du Vieil Aix D1

17 r. Gaston-de-Saporta - april-okt.: 10.00-12.00 u, 14.30-18.00 u; rest van het jaar: 10.00-12.00 u, 14.00-17.00 u - gesl. ma en feestd. - € 4 (14 jaar gratis).

In het schitterende herenhuis Estienne-de-Saint-Jean (17de eeuw) heeft dit enigszins ouderwetse museum voorwerpen verzameld die de lokale geschiedenis en tradities illustreren: grafurnen uit de Romeinse tijd, meubilair, schilderijen, faience, maquettes, kostuums, santons, houten marionnettenpoppen uit de **crèche parlante** (sprekende kerststal) en poppen die het Fête-Dieu, ooit een groot religieus volksfeest in Aix, tot leven wekken.

★ Musée des Tapisseries D1

28 pl. des Martyrs-de-la-Résistance - ☎ 04 42 23 09 91 - half april-half okt.: 10.00-18.00 u; rest van het jaar: 13.30-17.00 u - rondleiding (reserveren) - gesl. di, jan., 1 mei, 25 dec. - € 3 (tot 25 jaar gratis).

Dit museum kreeg onderdak in het **voormalig aartsbisschoppelijk paleis**, een gebouw met middeleeuwse gewelven en een voorgevel en monumentale poort in régencestijl (Bernard Toro, 1715). Opvallend is de dubbele wenteltrap, een barok meesterwerk. De verzameling omvat negentien schitterende wandtapijten uit Beauvais (17de en 18de eeuw) en negen beroemde panelen met voorstellingen uit het leven van Don Quijote, naar kartons van Natoire (1735-1745). De overige collectiestukken worden bij toerbeurt tentoongesteld: hedendaagse textielkunst, theaterkostuums, -maquettes en -decors, naast documenten over de geschiedenis van het muziekfestival.

In juli is het aartsbisschoppelijk paleis een van de locaties van het **internationale muziekfestival**.

★ Cathédrale Saint-Sauveur D1

☎ 04 42 27 07 63 - april-okt.: 8.00-12.00 u, 14.00-18.30 u, zo 14.00-18.30 u; nov.-maart: 8.00-12.00 u 14.00-17.30 u, zo 14.00-17.30 u (behalve tijdens de dienst) - rondleiding (15 min) op aanvraag (1 dag van tevoren) - gratis (donatie gewenst).

De kloostergang leidt naar het romaanse schip van de kathedraal, waar verschillende bouwstijlen uit de 5de-17de eeuw naast elkaar zijn te zien.

De Merovingische **doopkapel**★ werd gebouwd op het Romeinse forum.

In de kapel van Saint-Lazare is de schitterende **triptiek van Het Brandende Braambos**★★ te zien. Dit gerestaureerde meesterwerk, dat lange tijd aan René van Anjou werd toegeschreven, is een werk van Nicolas Froment. Koning René en koningin Johanna zijn geknield afgebeeld aan weerszijden van Maria die samen met Jezus troont in een brandende braamstruik, een verwijzing naar het Bijbelverhaal van Mozes. Het werk heeft eindelijk zijn oorspronkelijke plaats teruggekregen, na een restauratie die noodzakelijk was vanwege de vochtigheid van de noordelijke muur.

☻ **Goed om te weten** – Om het erfgoed te beschermen en om aan de liturgische voorschriften te voldoen is de triptiek alleen te zien tussen Pasen en Pinksteren, van 1 juli tot 8 sept., van 1 okt. tot 1 nov. en van 8 dec. tot de Marche des Rois (begin jan.).

De kapel van het Corpus Domini, afgeschermd door een mooi smeedijzeren hek (1739), herbergt een **Laatste Avondmaal** (1668), het belangrijkste werk van de uit Aix afkomstige schilder Jean Daret.

Achter het hoofdaltaar hangt een op hout geschilderd werk, dat zou zijn vervaardigd in het atelier van Nicolas Froment. Het portaal wordt afgesloten door **panelen**★ van notenhout, toegeschreven aan Jean Guiramand. Het stelt de vier profeten van Israël en twaalf sibillen voor. Ze worden afgeschermd door deurtjes en zijn alleen van ma tot za om 11.15 u zichtbaar.

Als u bij het naar buiten gaan een blik werpt op de façade ziet u een klein portaal in Provençaals-romaanse stijl *(rechts)*, weelderige gotische elementen *(midden)* en een gotische klokkentoren *(links)*.

★ Cloître Saint-Sauveur D1

Toegang via de kathedraal - ℘ 04 42 27 07 63 - rondleiding (20 min) op verzoek - april-okt.: 8.00-12.00 u, 14.00-18.30 u; nov.-maart: 8.00-12.00 u, 14.00-17.30 u, zo 14.00-17.30 u - gratis (donatie gewenst).

Deze schitterende romaanse kloostergang werd onlangs gerestaureerd. De dubbele zuiltjes en de kapitelen, versierd met bladmotieven en figuren, vooral uit het Oude Testament en het leven van Christus, dragen bij tot de sierlijkheid van het bouwwerk.

Ga terug naar de place de l'Hôtel-de-Ville. Via de rue Vauvenargues, de rue Méjanes, de rue des Bagniers en de rue Clemenceau loopt u terug naar de cours Mirabeau. Op nr. 19 staat het **Hôtel d'Arbaud-Jouques (E)** met fraai versierde gevel.

Neem de rue Laroque, ga links de rue Mazarine in en loop naar het **quartier Mazarin**, tussen 1646 en 1651 gebouwd door aartsbisschop Michel Mazarin, broer van kardinaal Jules Mazarin.

★ QUARTIER MAZARIN

Ten zuiden van de cours Mirabeau ligt deze vredige wijk, die wordt begrensd door de avenue Victor-Hugo, de rue d'Italie en de boulevard du Roi-René. De wijk werd in de 17de eeuw aangelegd door aartsbisschop Mazarin, broer van de beroemde kardinaal Jules Mazarin, en trok al snel notabelen, parlementsleden en magistraten aan. Zij lieten hier rijke herenhuizen bouwen.

De wijk is aangelegd volgens een schaakbordpatroon rondom twee hoofdwegen, de rue Cardinale en de rue du 4-Septembre. Op het kruispunt van deze wegen staat de fontaine des Quatre-Dauphins, een van de emblemen van de stad.

Hôtel de Marignane D2 (G)

12 r. Mazarine. Eind 17de eeuw. In dit herenhuis speelde zich het schandaal met de losbandige **Mirabeau** af. Deze jongeman, die geen cent bezat, wist een rijke Provençaalse erfgename te verleiden. Een huwelijk was onvermijdelijk, maar de vader van de bruid weigerde het paar van een toelage te voorzien. Mirabeau maakte torenhoge schulden bij de kooplieden van Aix, wat uiteindelijk leidde tot zijn opsluiting in het Château d'If. Na zijn vrijlating ging hij ervandoor met een getrouwde vrouw. In 1783 keerde Mirabeau terug naar Aix om te protesteren tegen de scheiding die zijn vrouw had aangevraagd. Hij voerde zelf zijn verdediging en dankzij zijn buitengewone welbespraaktheid won hij het proces al in eerste aanleg.

Hôtel de Caumont D2

3 r. Josep-Cabassol. Dit herenhuis uit 1720 heeft een fraaie gevel met balkons en frontons. Nu is de muziek- en dansschool van Darius Milhaud er gevestigd.

Musée Paul-Arbaud D2

2A r. du 4-Septembre - ℘ 04 42 38 38 95 - www.academiedaix.org - bibliotheek di en do 14.00-17.00 u - gesl. half tot eind aug. en feestd. - gratis.

Een bescheiden particulier museum, gevestigd in een mooi herenhuis uit het einde van de 18de eeuw. Te zien zijn een interessante collectie regionale faience en een bibliotheek met meer dan 1600 boeken, manuscripten en privéarchieven die gerelateerd zijn aan de Provence.

★ Fontaine des Quatre Dauphins D2

Deze stijlvolle fontein van J.-C. Ribaut uit 1667, een van de mooiste van Aix, staat op een vierkant pleintje. De vier dolfijnen in barokstijl verbeelden de windstreken en op de obelisk prijkt een pijnappel.

Église Saint-Jean-de-Malte E2

℘ 04 42 38 25 70 - www.moinesdiocesains-aix.cef.fr - 10.00-12.00 u, 15.00-18.30 u.
Aan het eind van de rue Cardinale. Deze kerk uit de late 13de eeuw was het eerste gotische gebouw in Aix. De voorgevel is sober en het **schip★** is een voorbeeld van ranke eenvoud en schoonheid.

★★ Musée Granet E2

Pl. St-Jean-de-Malte - ℘ 04 42 52 88 32 - www.museegranet-aixenprovence. fr - ♿ - juni-sept.: 11.00-19.00 u; rest van het jaar: 12.00-18.00 u - rondleiding (1.30 uur) op aanvraag (7 dagen van tevoren) - gesl. ma, 1 jan., 1 mei en 25 dec. - € 4 (tot 18 jaar gratis), 1ste zo van de maand gratis.

Het museum huist in het voormalige paleis van de Maltezer ridders. Het bezoek begint in het **souterrain** waar Franse, Noord-Europese en Italiaanse schilderijen uit de 14 de tot de 18de eeuw worden tentoongesteld. Centraal staan de werken van de primitieven uit de renaissance, zoals *De geboorte van Christus* en *De Annunciatie* van een 14de-eeuwse Italiaanse schilder van de school van Avignon en uit de entourage van **Simone Martini**. Eveneens vertegenwoordigd zijn de Vlaamse schilders uit de 17de en 18de eeuw, zoals **Rubens** *(Het feest van Acheloüs)*, evenals **Rembrandt** *(Zelfportret)*. Stillevens, landschappen en historische taferelen illustreren de **Italiaanse scholen** van Bologna, Venetië en Rome. De Napolitaanse school is aanwezig met *Venus en Adonis* van **Onofrio Palumbo** en *Il Calabrese* van **Mattia Preti**. In de zaal met de **Franse school** (17de-19de eeuw) zijn werken te bewonderen van **Philippe de Champaigne** (een van de oprichters van de Académie royale de peinture et de sculpture) en de **gebroeders Le Nain** *(De kaartspelers)*, naast een prachtige collectie portretten van de familie Gueidan door **Rigaud**. Eveneens vertegenwoordigd zijn **Claude Arnulphy**, uit Aix, en de Provençaalse kunstenaars **Mignard** en **Puget**.

In het souterrain bevindt zich ook een zeldzame **archeologiecollectie** afkomstig uit Entremont *(zie 'Rondritten')*, met onder meer de beroemde Kelto-Ligurische afgehouwen hoofden.

Op de begane grond ligt een schitterende zaal met **beeldhouwwerken** uit de 18de tot de 19de eeuw, waaronder een reeks bustes en standbeelden: **Ramus**, **Ferrat**, **Vauvenargues**, **Mirabeau**, **Cézanne**, **Pontier** *(Borstbeeld van Cézanne)* en **Chastel** *(De Gevilde* en *De Arend)*.

De **Granet-zaal** op de 1ste verdieping is uiteraard gewijd aan François-Marius Granet, met veel Provençaalse landschappen. Het neoclassicisme is aanwezig met *Jupiter en Thetis* van **Ingres** (zijn portret van Granet hangt in voornoemde zaal) en *De droom van Ossian* van **Duqueylard**. Er hangt ook werk van de 19de-eeuwse schilders **Loubon**, **Forbin** en **Révoil**.

Aandacht voor de 21ste eeuw is er in de vorm van een collectie met de titel '**Van Cézanne tot Giacometti**' *(71 werken uit een schenking aan de Franse staat)*. Een van de zalen is gewijd aan **Cézanne** met onder meer *De Baadsters*, een tweede aan schilderijen en beelden van Giacometti. Ook van **Picasso**, **Mondriaan**, **Léger**, **Nicolas de Staël**, **Paul Klee** en **Tal Coat** hangen er doeken. *De rue d'Italie (links) leidt naar de cours Mirabeau.*

Clocher des Augustins, Église du Saint-Esprit, Cathédrale Saint-Sauveur
C. Moirenc / Hemis.fr

Wat is er nog meer te zien? Plattegrond I (blz. 188)

2

Thermes Sextius A1
55 av. des Thermes.

Ook zonder een behandeling in de **Thermes Sextius** *(zie 'Adresboekje')*, loont het de moeite om een blik te werpen in de grote ontvangsthal, met overblijfselen van een badhuis uit de Romeinse periode. Onder een glazen tegel is de warmwaterbron (36 °C) te zien. De oude Romeinse thermen werden in de 19de eeuw gesloopt. Het huidige badhuis omvat een ultramodern zwembad en prachtige ruimtes die werden geïntegreerd in de oude, 18de-eeuwse architectuur.

Pavillon de Vendôme A1
13 r. de la Molle et 32 r. Célony - ℘ 04 42 91 88 75 - half april-half nov.: behalve di 10.00-12.30 u, 13.30-18.00 u; rest van het jaar: 13.30-17.00 u- gesl. jan., 1 mei en 25 dec. - € 3,20 (tot 25 jaar gratis). Park dag. geopend van 9.00 u tot 17.00 u of 20.30 u, afhankelijk van het seizoen.

Dit landhuis werd in opdracht van de hertog van Vendôme in 1665 gebouwd naar een ontwerp van Antoine Matisse en Pierre Pavillon. Het huisvest een collectie schilderijen en Provençaalse meubelen uit de 17de en 18de eeuw, die de rijkdom van die tijd illustreren. Onder meer te zien zijn werken van twee portretschilders uit Aix, Claude Arnulphy (1697-1786) en Jean-Baptiste Van Loo (1684-1745), die een tijd een atelier had in het Pavillon de Vendôme. Op de gevel prijken twee mooie atlanten.

★★ Fondation Vasarely A2, buiten de plattegrond
1 av. Marcel-Pagnol - Jas de Bouffan - ℘ 04 42 20 01 09 - www.fondationvasarely. org - ⚹ - maart-nov.: dag. behalve ma 10.00-13.00 u, 14.00-18.00 u; rest van het jaar: dag. behalve ma 10.00-13.00 u, 14.00-18.00 u - gesl. 1 jan. en 25 dec. - € 9 (tot 5 jaar gratis).

Dit museum ligt 2,5 km ten westen van Aix, op een heuvel van de Jas de Bouffan, waar het buitenhuis van Cézanne stond. Het gebouw bestaat uit zestien zeshoekige ruimtes; de gevels zijn getooid met witte en zwarte cirkels. Het audiocommentaar gaat in op de 42 'intégrations monumentales' van Victor Vasarely (1906-1997), van metaal, emaille, glas en stof, en te zien in zes cellen zonder kunstmatige verlichting. Kunstwerk en muur smelten samen. De composities worden tweedimensionaal; 'Niets is hier stabiel, niets is gefixeerd.' Het museum belicht de zoektocht van Vasrely naar lineaire afwijkingen (vanaf 1930) en zijn experimenten met lichtinval en optisch bedrog (vanaf 1955).

Op de eerste verdieping komt zijn zoon, Jean-Pierre Vasarely, bekender onder de naam Yves Aral (1934-2004) of **Yvaral**, aan bod. Hij ontwierp onder meer het ruitvormige logo voor Renault en werkte met moirépatronen en optische effecten. In 1960 stichtte hij samen met acht andere kunstenaars (onder wie Stein) de GRAV (Groupe de recherche d'art visuel). Hun werken (hologrammen) zijn niet gesigneerd omdat ze worden beschouwd als het resultaat van teamwerk. In de jaren 1980 maakte Yvaral grote digitaal gemanipuleerde portretten, onder meer van Jacques Prévert en Charles de Gaulle. De 'Gioconda' (Mona Lisa) is tentoongesteld in het museum.

Rondritten Regiokaart, blz. 180

VALLÉE DE L'ARC

▶ *De 56 km lange route staat aangegeven op de regiokaart - ongeveer 3 u. Verlaat Aix in het zuiden richting Marseille, en rijd naar Milles.*

Site-mémorial des Milles A1
2 r. Adrien-Durbec - ✆ 04 42 39 17 11 - www.campdesmilles.org.
Dit grote gebouw van rode baksteen was ooit een dakpannenfabriek. Tijdens de Tweede Wereldoorlog was dit het enige Franse kamp dat tegelijk dienstdeed als interneringskamp en als doorgangskamp. De Duitse kunstenaars en intellectuelen die zich in Sanary-sur-Mer verscholen *(zie 'De Groene Gids Côte d'Azur')* en niet konden vluchten, werden hier opgesloten. De muurschilderingen en persoonlijke voorwerpen van de gevangenen doen de geschiedenis voortleven. Er is een kleine gedenkruimte ingericht waar artikelen en foto's zijn verzameld, en waar anonieme muurschilderingen te zien zijn. Het gebouw zelf zal zijn deuren in de loop van 2012 weer openen voor publiek. *Rijd over de D 7 richting Gardanne, en neem vervolgens de D 8ᴺ naar Bouc-Bel-Air.*

★ Jardins d'Albertas B2
✆ 04 42 22 94 71 - www.jardinsalbertas.com - & - juni-aug.: 15.00-19.00 u; mei en sept.-okt.: za, zo en feestd. 14.00-18.00 u - rondleiding (1uur) op afspraak (1 maand van tevoren - gesl. nov.-april - € 4 (tot 18 jaar € 3).
Deze tuin van 8 ha werd in 1751 aangelegd door markies Jean-Baptiste d'Albertas. De tuin, een historisch monument, combineert Italiaanse (terrassen, antieke beelden, een kunstmatig aangelegde grot) en Franse (bloembedden, kanaal, vergezicht) elementen, alles afgestemd op het Provençaalse klimaat. In het grote bassin prijkt een **fontein met zeventien waterstralen**, omringd door tritons die op hun schelphoorn blazen. In het laatste weekend van mei trekken de **Journées des plantes d'Albertas** bezoekers uit heel Frankrijk. *Sla in het gehucht San Baqui rechtsaf de D 60ᴬ in.*

Cabriès A2

Dit is een lieflijk dorp in de heuvels. Via de Porte de l'Horloge en een wirwar van straatjes, ooit omringd door een stadsmuur, komt u bij het kasteel.

Musée Edgar-Mélik – *In het kasteel - 𝒫 04 42 22 42 81 - www.musee-melik.fr - &. - hoogseizoen: dag. behalve di 10.00-12.00 u, 14.00-18.00 u, zo 14.00-18.00 u; laagseizoen: dag. behalve di en zo 10.00-12.00 u, 14.00-17.00 u - rondleiding (1 uur) op aanvraag (15 dagen van tevoren.) - feestd. - € 5 (tot 18 jaar gratis).*

Gewijd aan deze miskende schilder (1904-1976) die verkeerde in de artistieke kringen van het Parijse Montparnasse alvorens zich rond 1940 in Cabriès te vestigen. Zijn schilderijen, die hij soms rechtstreeks op de muur schilderde, kenmerken zich door warme oranje, rode en gele tinten en doen expressionistisch aan. In het souterrain zijn archeologische vondsten te zien.

Rijd via de D 8 en de D 543 naar Calas en neem daar links de D 9^B en dan de D 9.

Het stuwmeer van Réaltor is 58 ha groot en ligt in een groene omgeving. Neem na dit stuwmeer rechts de D 65^D en steek het Canal de Marseille over. *Sla na La Mérindolle linksaf.*

★ Aqueduc de Roquefavour A1

Het Canal de Marseille wordt via dit aquaduct over het dal van de Arc gevoerd. Het werd tussen 1842 en 1847 gebouwd door ingenieur De Montricher, heeft drie niveaus en is 375 m lang en 83 m hoog. Via het bovenste niveau, dat uit 53 kleinere bogen bestaat, wordt het water van de Durance naar Marseille geleid. Als u rechts een onverharde weg neemt *(richting Le Petit Rigouès, 2,1 km)* en vervolgens weer rechts afslaat richting het wachthuisje, komt u bij de bovenkant van het bouwwerk waar u het water ziet stromen.

Keer terug naar de D 64 en sla daar rechtsaf.

Ventabren A1

Boven dit dorpje met zijn schilderachtige straatjes verrijst de ruïne van het kasteel van koningin Johanna. De rue du Cimetière komt uit bij de voet van het kasteel, waar zich een mooi uitzicht opent op de Étang de Berre, Martigues, Caronte en de Chaîne de Vitrolles.

Rijd via de D 64^A naar de D 10, sla rechtsaf en ga vervolgens links de D 543 op.

Éguilles A1

Het dorp Éguilles, met mooi uitzicht op het dal van de Arc, ligt aan de oude Romeinse Via Aurelia, de huidige D 17. Het stadhuis is het voormalige kasteel van de familie Boyer d'Éguilles. Vanaf de esplanade ontvouwt zich een weids uitzicht op de Chaîne de l'Étoile en de spoorweg van de TGV Méditerranée.

DE SALUVIËRS

De Saluviërs, een Kelto-Ligurisch volk, leefden in de 3de eeuw v.C. in het westelijke deel van de Basse-Provence. Het Oppidum d'Entremont was hun hoofdstad. Hoewel uit de opgravingen bleek dat ze een vrij hoog beschavingsniveau hadden, hielden ze er ook nogal primitieve gewoonten op na. Zo schrijft de Griekse geograaf Strabo dat ze hun vijanden het hoofd afsloegen en dit bij wijze van oorlogstrofee aan de hals van hun paard mee naar huis namen. De Marseillanen, die door deze ruwe buren in hun handelsbetrekkingen werden gehinderd, riepen in 124 v.C. de hulp van de Romeinen in. Onder leiding van consul Sextius werden de Saluviërs onderworpen en hun stad verwoest. Bij de warmwaterbronnen ontstond een Romeins kamp, Aquae Sextiae, het latere Aix-en-Provence.

Verlaat Éguilles in noordoostelijke richting via de D 63, sla rechts de D 14 in en neem links de weg naar het Plateau d'Entremont.

Oppidum van Entremont B1

960 av. Fernand-Benoît (CD 14), 3 km ten noorden van Aix, richting Puyricard, bus 21 (halte Entremont) - ℘ 04 42 21 97 33 - april-okt.: 9.00-12.00 u, 14.00-18.00 u; nov.-maart: 9.00-12.00 u, 14.00-17.00 u - gesl. di, 1 jan., 1 mei, 1 en 11 nov. en 25 dec. - gratis.

Deze vestingstad van de Saluviërs, gesticht in 180 v.C. werd beschermd door natuurlijke hellingen en aan de noordkant door een wal met stevige muren en torens. Tussen twee torens van de omwalling bevond zich een zuilengalerij, waar de Saluviërs vermoedelijk de schedels van hun vijanden uitstalden. Binnen deze wal bevond zich de eerste stad, de bovenstad, die op haar beurt omsloten was door vestingwerken. In de benedenstad woonden naar alle waarschijnlijkheid de ambachtslieden: er zijn overblijfselen aangetroffen van ovens en oliepersen. Bij de **opgravingen** is een schat aan voorwerpen gevonden, waaruit blijkt dat de vestingstad een vrij hoog beschavingsniveau had. Ook zijn sporen gevonden van de verwoesting door de Romeinen, waaronder stenen kogels. De beeldhouwwerken van Entremont zijn tentoongesteld in het Musée Granet *(zie onder 'Wandelen').*

CHAÎNE DE L'ÉTOILE B2

◗ De 55 km lange route staat aangegeven op de regiokaart - vertrek vanuit Aix - duur ongeveer 2 uur.

◉ **Goed om te weten** – Als u onderstaande tussenstops aanhoudt, volstaat een halve dag amper om deze streek tussen Marseille en Aix te verkennen.

De inwoners van Marseille noemen deze bergketen 'Chaîne de l'Étoile', omdat de Morgenster aan de spits van de Tête du Grand Puech lijkt te hangen. De echte verklaring schuilt echter in het Provençaalse woord *estèu*, dat simpelweg verwijst naar de rotsige spits. De bergketen maakt deel uit van de 'Petites Alpes de Provence', een naam die in de oren van ervaren bergbeklimmers vermoedelijk nogal verwaand klinkt. De Chaîne de l'Étoile vormt de scheidingslijn tussen het bekken van de Arc in het noorden en dat van de Huveaune in het oosten, en gaat over in de Chaîne de l'Estaque. De vrij lage bergketen biedt adembenemend uitzicht op de vlakte van Marseille.

Verlaat Aix via het zuidoosten (D 58ᴴ) en volg dan de D 58 richting Gardanne.

Gardanne

🏛 31 bd Carnot - 13120 Gardanne - ℘ 04 42 51 02 73 - www.ville-gardanne.fr - ♿ - juli-aug.: 9.30-12.00 u, 14.30-18.30 u; sept.-juni: 9.30-12.00 u, 14.00-18.00 u - dag. behalve zo en feestd., ma.

Dit plaatsje met drie 16de-eeuwse molens is door Cézanne op doek vereeuwigd. Aan het einde van de 19de eeuw ontwikkelde Gardanne zich tot een industriestad (verwerking van bauxiet en kolenwinning). Momenteel maakt de industrie een moeilijke tijd door en verandert er veel in het plaatsje. Op marktdagen (woensdag, vrijdag en zondag), wanneer de marktkooplui de **cours Forbin** en de **cours de la République** in bezit nemen, heerst er nog altijd een gezellige drukte.

Ga vervolgens op verkenningstocht in de wirwar van straatjes van de oude binnenstad van Gardanne, waar het toeristenbureau wandelroute heeft uitgezet, zoals het **parcours Cézanne** *(ongeveer 1.30 uur).*

👥 **Écomusée de la Forêt méditerranéenne** – *2,5 km ten noordwesten van Gardanne, aan de D 7 richting Aix en Valabre - 20 chemin de Roman - ℘ 04 42 65*

42 10 - www.ecomusee-foret.org - juli-aug.: 9.00-13.00 u, 13.30-18.00 u; rest van het jaar: 9.00-12.30 u, 13.00-17.45 u - rondleiding (1 uur) - gesl. za, 2de helft van aug., 1 jan. en 25 dec. - € 5,50 (5-15 jaar € 3,20). Dit natuurmuseum legt uit welke maatregelen worden getroffen om het mediterrane woud te beschermen en te behouden. Interactieve installaties geven de bezoeker inzicht in de flora en fauna van de Provence, maar ook in oude ambachten en houtbewerking. Het museum telt tien thematische zalen en verschillende exposities. In het bos (13 ha) zijn verschillende routes en een botanische wandeling uitgezet.

🔖 **Le sentier du mur de Gueidan** – 3 uur, eenvoudig, gele paaltjes (informatie bij het toeristenbureau), vertrek op het parkeerterrein van het Écomusée de la Forêt (zie boven). Deze korte wandeling is ideaal om de natuur en de aristocratische woningen in de buitenwijken te ontdekken!

Eveneens aan de D 7, niet ver van het streekmuseum, staat het **jachthuis van koning René**, een vierkante vesting met vier ronde torens die in de 16de eeuw is gebouwd, maar waar de vorst zelf nooit is geweest!

Rijd terug naar het centrum van Gardanne en volg de D 46ᴬ, richting Gréasque.

Pôle historique minier de Gréasque

Puits Hély d'Oissel - parkeerterrein bij de ingang - 📞 04 42 69 77 00 - www.pole-minier.com - ♿ - rondleiding (1.15 uur) dag. behalve ma en di 10.00 u, 14.30 u, 16.30 u - gesl. eind dec.-eind jan., 1 mei en 25 dec. - € 5 (tot 12 jaar € 3).

👥 Dit bijzondere museum, gevestigd in een voormalige kolenmijn, vestigt de aandacht op een minder bekend aspect van de Provence: het mijngebied, dat ooit 51 schachten telde. Het geheel is gerestaureerd en wordt bekroond door een indrukwekkende schachttoren. Tussen 1922 en 1960 waren hier ongeveer 300 kompels aan het werk. Het dagelijks leven van de Provençaalse mijnwerker en de ontwikkelingen in de mijnbouw worden in beeld gebracht.

Rijd over de D 46ᴬ door naar het zuiden, sla na 4 km rechtsaf naar La Valentine en de D 8. Ga vervolgens rechtsaf richting Gardanne en 3 km verderop naar links.

Mimet

Mimet is het 'hoogste' dorp van de Bouches-du-Rhône. Het oude gedeelte is een wandeling waard, met zijn aangename straatjes en terras dat een weids **uitzicht★** biedt op het dal van de Luynes, op Gardanne en de hoogovens.

Keer terug naar de D 8 en volg de D 7 (richting Gardanne) en vervolgens de D 8ᴺ terug naar Aix

2

😊 AIX-EN-PROVENCE: ADRESBOEKJE

VERVOER

Met de trein

Aix-en-Provence is bereikbaar met de TGV Méditerranée (3 uur vanuit Parijs). Het TGV-station ligt ver van het stadscentrum (12 km ten zuidwesten), maar er is een pendeldienst (van 5.50 u tot 23.50 u).

Er is een treinverbinding tussen Marseille en Aix-en-Provence (45 min.), maar de bus rijdt vaker:

in de spits iedere 5 min., tijdens daluren iedere 10 min (www.navetteaixmarseille.com).

Openbaar vervoer in Aix

Bus – toeristenbureau - 2 pl. du Général-de-Gaulle - 📞 04 42 26 37 28 - www.aixenbus.fr - ma-za 8.30-19.00 u. 22 lijnen voor het centrum en de buitenwijken. De bussen rijden dagelijks tussen 6.15 u en 20.30 u of 22.30 u. Met een kaartje kunt u 1 uur over het

hele net reizen (geen retourtjes).
Eén rit (€ 1), **10 ritten** (€ 7) en
Kaartje voor 3 dagen (€ 5), geldig
voor een onbeperkt aantal reizen
op drie aansluitende dagen.
La Diabline – *04 42 38 07 36 -
www.la-diabline.fr - ma-za (behalve
feestd.) 8.30-19.30 u - iedere
10 min - € 0,50 per reis.* Als u zich
in de kronkelige straatjes van het
oude Aix begeeft, kunt u het best
kiezen voor dit elektrische busje,
dat drie routes aanbiedt. Vertrek
bij de Rotonde; geen vaste haltes,
de chauffeur stopt op verzoek.

BEZICHTIGEN

Aix City Pass – *€ 15. Geeft toegang
tot aan Cézanne gelieerde locaties
(Atelier Cézanne, Jas de Bouffan),
Musée Granet, rondleiding door de
stad, rondrit met minitram.*
ZeVisit – *www.zevisit.com.*
Laat u uw telefoon u door de stad
leiden! Een route door het oude
Aix met 7 haltes (toelichtingen
van 1-3 min).
Aix insolite – *06 07 32 10 31 -
www.provence-insolite.org - vertrek
bij het toeristenbureau - juli.-sept:
ma 10.00 u - € 9 (tot 12 jaar gratis).*
Jean-Pierre Cassely, auteur van
Aix insolite et secrète, neemt u mee
op een wandeling door de stad
(2 uur) en vertelt interessante
anekdotes.
Toeristentreintje – *vertrek aan
het einde van de cours Mirabeau
(voor ijssalon Le Festival) - www.
cpts.fr.* **Rondrit door het centrum**
*(45 min) - half april-half okt.: dag.
12.15 u, 14.15 u, 15.15 u, 16.15 u,
17.15 u; half maart-half april en
half okt-half nov.: dag. behalve
ma 12.15 u, 14.15 u, 15.15 u - € 6
(6-12 jaar € 3).* **Rondrit door het
centrum + 'Circuit Cézanne'**
*(55 min) - half april-half okt.: 11.00 u
en 18.15 u; half maart-half april en
half okt.-half nov.: dag. behalve ma
11.00 u en 16.15 u - € 7 (6-12 jaar € 3).*

OVERNACHTEN

Reserveringscentrale –
*04 42 16 11 84/85 - www.
aixenprovencetourism.com.* Bij het
toeristenbureau van Aix: voor een
hotelkamer zonder bijkomende
kosten.

DOORSNEEPRIJZEN

Hôtel Cardinal – Plattegrond II -
*24 r. Cardinale - 04 42 38 32 30
- www.hotel-cardinal-aix.com -
29 kamers € 65/75 - € 8.* Dit
18de-eeuwse pand ligt midden
in de wijk Mazarin. Het rustige
hotel combineert op smaakvolle
wijze de elegantie van weleer met
het comfort van vandaag (alle
kamers hebben airconditioning).
Door de ligging is het de ideale
uitvalsbasis om de stad te voet te
verkennen (de auto kunt u kwijt
bij Parking Mignet).
Hôtel du Globe – Plattegrond I -
*74 cours Sextius - 04 42 26 03 58
- www.hoteluglobe.com - gesl.
half dec.-half jan. - 46 kamers
€ 59/103 - € 7,80.* De kamers
in dit gebouw zijn niet luxueus,
maar wel geluiddicht, uitstekend
onderhouden en niet al te duur.
Zonneterras op het dak.
Hôtel Le Manoir – Plattegrond I -
*8 r. d'Entrecasteaux - 04 42 26
27 20 - www.hotelmanoir.com -*
P *- gesl. 8 jan.-1 feb. - 40 kamers
€ 77/92 - € 8.* Dit was eerst een
klooster, toen een hoedenfabriek
en nu een hotel. Eenvoudig maar
goed verzorgd. Een deel van
de kloostergang is ingericht als
zomerterras. Salon in retrostijl.
Hôtel St-Christophe –
Plattegrond II - *2 av. Victor-
Hugo - 04 42 26 01 24 -
www.hotel-saintchristophe.com -*
&. *- 67 kamers € 84/174 - € 12.*
De functionele kamers, sommige
met terras, zijn ingericht in een
Provençaalse jaren-dertigstijl.
De streek- en brasseriegerechten

worden geserveerd in een mooie art-decozaal en bij mooi weer op het terras aan de straat.

WAT MEER LUXE

Hôtel en Ville – Plattegrond II *2 pl. Bellegarde -* ℘ *04 42 63 34 16 - www.hotelenville.fr - 10 kamers € 95/135 -* ☎ *€ 10,90-14,90.* Een juweeltje aan de rand van het oude deel van Aix. Het ligt aan een levendige boulevard, maar de kamers zijn volmaakt geluiddicht. Zo kunt u volop genieten van de rust van dit hotel met zijn zachte kleuren en strakke designinrichting. Sommige kamers beschikken over een terras.

L'Épicerie – Plattegrond II *12 r. du Cancel -* ℘ *06 08 85 38 68 - www. unechambreenville.eu - 5 kamers € 100/130 -* ☎. Verscholen in een straatje in de buurt van de place des Cardeurs ligt dit lieflijke pension dat de sfeer ademt van het platteland van weleer. De eigenaren hebben de inrichting van de voormalige kruidenwinkel intact gelaten en het hotel met plezier ingericht. De kamers en suites hebben een eigen karakter en zijn sober ingericht in een hedendaagse stijl. Achter de 'winkel' ligt een tuin, die uitnodigt tot luieren en genieten.

Hôtel Des Augustins – Plattegrond II - *3 r. de la Masse -* ℘ *04 42 27 28 59 - www. hotel-augustins.com - 9 kamers € 99/250 -* ☎ *€ 10.* Modern comfort voor dit hotel dat is ondergebracht in een 15de-eeuws klooster waar Luther ooit verbleef. Receptie in de 12de-eeuwse kapel.

PURE VERWENNERIJ

Le Mas d'Entremont – *315 RN 7 -* ℘ *04 42 17 42 42 - www.mas dentremont.com -* ⅋ 🅿 *- half maart-1 nov. - 20 kamers € 155/255.*

Mooie, hooggelegen buitenhuis in een park met vijver, fonteinen en antieke zuilen. Ruime, origineel ingerichte kamers.

UIT ETEN

GOEDKOOP

Pizza Capri – Plattegrond II *- 1 r. Fabrot -* ℘ *04 42 38 55 43 - 6.00- 1.30 u (vr-za 3.30 u) - € 2 voor een pizzapunt.* Een dipje na de avondvoorstelling of plotselinge trek 's middags? Dan is dit hét adres. Nachtbrakers en studenten weten dat ze hier moeten zijn voor een verrukkelijke, ovenverse pizza.

Basilic et Citronnelle – Plattegrond II - *3 r. de l'Opéra -* ℘ *04 42 27 58 77 - 12.00-14.00 u, gesl. zo - € 8,90/12.* In de kleine zaal met opbeurende kleuren worden verse, zelfgemaakte producten geserveerd. De kaart verandert dagelijks, de vegetarische schotels en de taarten ook. Ook om mee te nemen. Reserveren aanbevolen.

La Cigale – Plattegrond II - *48 r. Espariat -* ℘ *04 42 26 20 62 - gesl. zo - lunchmenu € 13 -* Naast verse pizza staan in dit restaurant klassieke gerechten met een mediterraan tintje op het menu. Warm decor, dankzij het pigment van de okerkliffen van Roussillon waarmee de muren zijn geverfd. Terras bij mooi weer.

DOORSNEEPRIJZEN

La Cantine Végétarienne – Plattegrond II - *pl. des Tanneurs -* ℘ *06 13 46 02 16 - gesl. zo en ma avond - lunchmenu € 14/16 - € 22.* Wilt u een gezonde maaltijd? Hier vindt u heerlijke, vegetarische gerechten met verse ingrediënten, die voor de lunch in de vorm van een onbeperkt buffet worden gepresenteerd.

Chez Charlotte – Plattegrond I - *32 r. des Bernardines -* ℘ *04 42*

26 77 56 - gesl. aug., zo en
ma - € 15,50/19. In de gezellige
salon creëren oude, verkleurde
familiefoto's een nostalgisch
sfeertje. De grote zaal staat
geheel in het teken van de
filmkunst. 's Zomers is het goed
toeven op de binnenplaats onder
de vijgenboom. De kok bereidt
eenvoudige, seizoensgebonden
streekgerechten.

Les 2 Frères – Plattegrond I -
4 av. de la Reine-Astrid - ☎ *04 42
27 90 32 -* ♿ 🅿 *- € 19/35.* In deze
trendy bistro buiten het centrum
staat de oudste broer in de
keuken, terwijl de jongste broer
de gasten ontvangt. Eigentijdse
gerechten. Mooi terras.

Le Petit Verdot –
Plattegrond I *-7 r. d'Entrecasteaux -*
☎ *04 42 27 30 12 - gesl. ma-vr
middag en zo - € 20/35.* Deze wijnbar, die veel wegheeft van een
restaurant, is een vaste waarde
in de stad. Op de kaart staan
inventieve, rijke Provençaalse
gerechten. De wijn staat centraal:
u kunt kiezen uit maar liefst 70
soorten, per glas of per fles.

Chez Féraud – Plattegrond II *- 8 r.
du Puits-Juif -* ☎ *04 42 63 07 27
- marcferaud@cegetel.net - gesl.
zo, ma en aug. - lunchmenu € 22 -
€ 30.* In een straatje van het oude
Aix ligt dit sympathieke, knusse
restaurantje, met een put uit
de 12de eeuw. Provençaalse
gerechten en geroosterd vlees dat
in de zaal wordt bereid.

Carton Rouge – Plattegrond II *-
7 r. Isolette -* ☎ *04 42 91 41 75 -
www.lecartonrouge.fr - gesl. zo,
ma en sept. - € 25/35.* Deze wijnkelder, met een voorkeur voor
natuurlijke wijnen, beschikt ook
over een 'eetkelder', waar de
gasten hun glas wijn nuttigen
onder het genot van heerlijke
gerechten, bereid met verse
streekproducten. De menukaart
is afhankelijk van het aanbod

op de markt en de ideeën van
de eigenares, een sommelière
die u van uitstekend advies kan
voorzien.

L'Épicurien – Plattegrond II -
13 pl. des Cardeurs - ☎ *06 89 33
49 83 - gesl. wo middag, zo en ma -
lunchmenu € 16/22 - € 29/44.*
Creatieve gerechten, vol van
smaak en bereid met verse,
zelfgekweekte producten.
Gezellige zaal en mooi terras
aan het plein. Goede wijnkaart.

In de omgeving

La Grignote – *22 r. Mignet - 13120
Gardanne -* ☎ *04 42 58 30 25 -
gesl. ma-do avond, za middag
en zo - lunchmenu € 15 - € 20/30.*
Dit restaurant, op steenworp
afstand van de cours Forbin,
serveert traditionele gerechten.
Eetzaal met airconditioning en
schaduwrijk terras in de zomer.

L'Auberge Provençale –
Plattegrond I - *impasse de
Provence - 13590 Meyreuil (in Le
Canet-de-Meyreuil) -* ☎ *04 42 58
68 54 - www.auberge-provencale.
fr - gesl. di en wo (juni-aug.), di
avond en wo (sept.-mei) -* 🅿 *-
€ 25/50.* Dit rustieke restaurant
beschikt over aangename eetzalen, ingericht in mediterrane
stijl. Traditionele, goed verzorgde
gerechten in ruim bemeten
porties. Goede streekwijnen.

La Table de Muriel – *42 r.
Jean-Jaurès - 13120 Gardanne -*
☎ *04 42 58 14 60 - www.
latabledemuriel.fr - gesl. ma-wo
avond, zo en aug. - lunchmenu
€ 14,50 - € 22/27.* Achter een
onopvallende gevel ligt een
restaurant dat eer betuigt aan de
Provence en de Middellandse Zee,
ook in de inrichting: oranje muren
en mozaïektafeltjes. Op het menu
staan plaatselijke specialiteiten
met een verrassende, Armeense
toets, die veel vaste klanten
lokken.

WAT MEER LUXE

Le Formal – Plattegrond II - *32 r. Espariat - ℘ 04 42 27 08 31 - gesl. za middag, zo en ma - lunch € 21/26 - € 37/75.* Dit restaurant met inventieve gerechten is gehuisvest in een 15de-eeuwse kelderruimte met mooie gewelven. Schilders mogen hier hun werk exposeren.

In de omgeving

Le Grand Puech – *8 r. Saint-Sébastien - 13105 Mimet - ℘ 04 42 58 91 06 - gesl. zo avond en ma - lunchmenu € 18 - € 29/45.* Dit restaurant in het centrum van het oude dorpje Mimet serveert Florentijnse specialiteiten, vooral pastagerechten. Een van de eetzalen biedt mooi uitzicht op de Pilon du Roi.

PURE VERWENNERIJ

Yamato – Plattegrond I - *21 av. des Belges - ℘ 04 42 38 00 20 - www. restaurant-yamato.com - ぐ 🅿 - gesl. di middag en ma - lunchmenu € 36 - € 42/98.* Mevrouw Yuriko, de eigenaresse van dit Japanse restaurant, ontvangt de gasten in traditionele kledij. Sfeervolle salon, veranda, terras en tuin. Veel onbekende gerechten om van te proeven

Pierre Reboul – Plattegrond II - *11 Petite-Rue-St-Jean - ℘ 04 42 20 58 26 - www.restaurant-pierre-reboul.com - gesl zo, ma, di middag - € 39/125.* Modern etablissement in de oude stad. Vindingrijke gerechten waarin de producten goed tot hun recht komen. Eén ster in 2011.

EEN HAPJE TUSSENDOOR

L'Instant Thé – *57 r. Espariat - ℘ 04 42 66 32 97 - www.riederer.fr - 8.30-19.30 - gesl. zo en ma* Deze tearoom is een initiatief van een bekende banketbakker in Aix. Voor wie niet zo dol is op zoet, zijn er ook hartige snacks.

EEN GLAASJE DRINKEN

Café des Deux Garçons – *Zie 'Wandelen'.*

La Bastide du Cours – *41-47 cours Mirabeau - ℘ 04 42 26 10 06 - ぐ 🅿 - 7.30-2.00 u.* Het lijkt wel of er nooit een tafel vrij is op het enorme terras. De jongelui van Aix komen hier om te kijken en bekeken te worden.

Château de la Pioline – *260 r. Guillaume-du-Vair - ℘ 04 42 52 27 27 - www.chateaudelapioline. com - 24 u/d.* De bar van dit hotel (gevestigd In een 16de-eeuws kasteel) is versierd in de stijl van de salons uit de tijd van de Medici, ter herinnering aan de illustere Catherina, en van Lodewijk XVI. Geniet van het ruime terras dat uitkijkt over een tuin van 4 ha.

WINKELEN

Markten

Levensmiddelen – iedere ochtend op de pl. Richelme; di, do en za op de pl. des Prêcheurs en de pl. de la Madeleine.

Bloemenmarkt – di, do en za op de pl. de l'Hôtel-de-Ville; overige dagen op de pl. des Prêcheurs.

Rommelmarkt – di, do en za op de pl. de Verdun.

Boekenmarkt – 1ste zo van de maand, pl. de l'Hôtel-de-Ville.

Brocante du cours et Salon des antiquaires – *cours Mirabeau - ℘ 04 42 59 25 56 - www.seagoing. com/antiquaires-aix - 8.00-18.00 u.* Rommelmarkt op de cours Mirabeau en antiekbeurs (kijk voor de data op de website).

Santons

Foire aux santons – *Av. Victor-Hugo - ℘ 04 42 26 33 38 - www. santons-fouque.com - eind nov. tot begin jan.: 9.00-19.00 u.* Deze santonmarkt, in 1934 opgericht door Jean-Baptiste Fouque,

2

brengt de beste santonmakers uit de streek bijeen. Feestelijke opening met een kerkdienst in het Provençaals, een optocht van folkloristische groepen en de inhuldiging van de kerststal met zijn santons in het toeristenbureau.

Santons Fouque – *65 cours Gambetta* - ✆ *04 42 26 33 38 - www.santons-fouque.com -* ♿ 🅿 *- dag. behalve zo 9.00-12.00, 14.00-18.00 u - gesl. feestd.* Al vier generaties lang vervaardigt de familie Fouque santons. Sinds de oprichting hebben hier ongeveer 1800 modellen het levenslicht gezien, waaronder de wereldberoemde *Coup de Mistral*, een figuur die optornt tegen de wind. Gratis bezichtiging van het atelier en de tuin.

Delicatessen

Calissons du Roy René – *13 r. Gaston-de-Saporta* - ✆ *04 42 26 67 86 - www.calisson.com - winkel: 9.30-13.00 u, 14.00-18.30 u, zo 16.00-19.00 u.* Hier kunt u de onvermijdelijke *calissons* en andere Provençaalse zoetigheden inslaan (allerlei soorten noga). Het bedrijfje is al sinds 1920 in handen van dezelfde familie. Op verzoek kunt u de werkplaats bezichtigen.

Maison L. Béchard – *12 cours Mirabeau* - ✆ *04 42 26 06 78 - gesl. ma en zo, 3 weken in feb. en 3 weken in aug.* Een waar instituut! Het huis bestaat al meer dan honderd jaar, maar heeft niets van zijn charme verloren. Er zijn twee specialiteiten: *calissons* en *biscotins* (hazelnoten in een jasje). Ook een traiteurafdeling.

Léonard Parli – *35 av. Victor-Hugo* - ✆ *04 42 26 05 71 - www.leonard-parli.com - 8.00-19.00 u (za 9.00-12.30, 15.00-*

19.00 u) - gesl. zo, 1 en 8 mei. Sinds 1874 beroemd om zijn zoete lekkernijen. Léonard Parli heeft het recept van de *calissons* niet bedacht, maar wel bijgedragen tot een aantal vernieuwingen.

In de omgeving

Liquoristerie de Provence – *36 av. de la Grande-Bégude - 13770 Venelles* - ✆ *04 42 54 94 65 - www.versinthe.net -* 🅿 *- dag. behalve zo 9.30-12.30 u, 14.30-18.30 u - gesl. feestd.* Voor alle Provençaalse aperitieven en likeuren. Na de opening in 1999 verwierf de winkel faam door de herinvoering van absint (onder de naam Versinthe). Bezichtiging en proeverij zijn gratis.

Savonnerie du Pilon du Roy – *62 av. de Nice - 13120 Gardanne* - ✆ *04 42 62 13 38 - www.lasavonneriedupilonduroy.com - 9.00-12.00 u, 14.30-18.30 u - gesl. zo en ma.* Natuurlijke zeep, parfums en etherische oliën.

UITGAAN

⊛ **Goed om te weten** – Informatie over voorstellingen, tentoonstellingen, lezingen en rondleidingen is te vinden in de cultuuragenda, beschikbaar bij het toeristenbureau.

Grand Théâtre de Provence – *380 av. Max-Juvenal* - ✆ *0 820 132 013 - www.legrandtheatre. net -* ♿ *- kaartverkoop: di-za 11.00-18.30 u en 's avonds tot het einde van de voorstelling.* Kwaliteit en een gevarieerd aanbod zijn de sleutelwoorden van dit cultuurcentrum waar opera, recitals, klassieke concerten, jazz, musicals, dans en wereldmuziek op het programma staan.

Le Pavillon Noir – *530 av. Mozart* - ✆ *0 811 020 111 - www.preljocaj.org - kaartverkoop: di-vr 12.00-18.00 u, za 15.00-*

18.00 u. Sinds 2006 is het Preljocaj-ballet gehuisvest in dit gebouw van glas en beton, dat zowel repetitieruimtes als een theaterzaal bevat. Een keer per maand is er een openbare dansrepetitie (gewoonlijk op di of do om 18.00 u).

Théâtre du Jeu de Paume – *17-21 r. de l'Opéra* - ☎ *0 800 000 422 - www.lestheatres.net - kaartverkoop: di-za 12.00-18.00 u - € 8-32.* Dit mooie theater in Italiaanse stijl ging een partnerschap aan met het Théâtre du Gymnase in Marseille en biedt een gevarieerd programma.

Cité du livre – *8-10 r. des Allumettes* - ☎ *04 42 91 98 88 - www.citedulivre-aix.com - 10.00-19.00 u - gesl. zo en ma.* Centrum dat onder meer de prachtige bibliotheek Méjanes omvat, gehuisvest in een laat-19de-eeuwse luciferfabriek, en allerlei culturele evenementen organiseert. Een walhalla voor bibliofielen.

SPORT EN ONTSPANNING

Welzijn

Thermes Sextius – *55 av. des Thermes* - ☎ *04 42 23 81 82 - www.thermes-sextius.com -* 🅿 *- 8.30-19.30 u, za 8.30-18.30 u, feestd. 10.30-16.30 u - gesl. zo, 25 dec.-1 jan.* Dit instituut gebruikt de warmwaterbronnen van Aix (36 °C) voor diverse behandelingen: massage- en modderbaden, massagedouche, schoonheidsbehandelingen enzovoort. Sessies van een uur, een halve of een hele dag.

Wandelroutes

U zult veel wandelaars tegenkomen in de dorpen Mimet, Simiane-Collongue *(7 km naar het westen)* en Cadolive *(5 km naar het oosten)*, de belangrijkste vertrekpunten van wandelroutes door de Chaîne de l'Étoile.

EVENEMENTEN

Festival d'art lyrique et de musique – Dit prestigieuze muziekfestival werd in 1948 opgericht door Gabriel Dussurget. Iedere zomer vinden op de binnenplaats van het aartsbisschoppelijk paleis, in het Théâtre du Jeu de Paume, het Théâtre du Grand St-Jean en het Hôtel Maynier d'Oppède muziekuitvoeringen plaats. Het programma omvat vooral grote lyrische werken (met een belangrijke plaats voor Mozart), maar ook barokopera's en hedendaagse werken. *Informatie en reserveringen: Palais de l'ancien archevêché -* ☎ *0 820 922 923 - www.festival-aix.com.*

Les Rencontres du 9e Art – Stripfestival in maart-april. *Informatie: ww.bd-aix.com*

Journées des plantes rares et méditerranéennes – Laatste weekend van mei, in de tuinen van Albertas in Bouc-Bel-Air.

Festival des vins et coteaux d'Aix – Wijnfeest, laatste zondag van juli, cours Mirabeau.

Festival Tous Courts – Cité du livre, dec. Internationaal festival voor de korte film. *Informatie:* ☎ *04 42 27 08 64 - www.aix-film-festival.com*

2

Sainte-Victoire

★★★

Bouches-du-Rhône (13)

ADRESBOEKJE: BLZ. 207

INLICHTINGEN
Maison du Grand Site Sainte-Victoire – *5 pl. Verdun - 13126 Vauvenargues -* ℘ *04 42 26 67 37 - www.grandsitesaintevictoire.com - za, zo en feestd., dag. tijdens schoolvakanties. 10.00-13.00 u, 14.00-18.00 u.*
Maison Sainte-Victoire – *Zie blz. 206.*

LIGGING
Regiokaart BC1 (blz. 180) – *Michelinkaart van de departementen 340 I4.* Het hoogste punt van het kalksteenmassief is de 1011 m hoge Pic des Mouches. De bergketen loopt van west naar oost, met aan de zuidkant een steile helling boven het bekken van de Arc en in het noorden een reeks kalksteenplateaus die geleidelijk afdalen naar de Plaine de la Durance. De rode klei aan de voet steekt scherp af tegen de witte rotsen op de top, vooral tussen Le Tholonet en Puyloubier. In 2004 kregen 14 gemeenten rondom dit massief gezamenlijk de titel 'Grand Site', vanwege hun inspanningen om het natuurgebied in stand te houden.

AANRADER
De wandeltocht naar La Croix de Provence, waar zich een schitterend uitzicht op de Provençaalse bergen ontvouwt.

PLANNING
Zoals alle natuurgebieden in de Bouches-du-Rhône is het massief van 1 juli tot de 2de zaterdag van september alleen tussen 6.00 u en 11.00 u 's ochtends toegankelijk. Bij verhoogd bosbrandgevaar worden de parken afgesloten. Informeer voor vertrek (℘ *0811 20 13 13*). Denk aan goede wandelschoenen, water, bescherming tegen zon en wind, en blijf op de paden.

MET KINDEREN
Het Maison Sainte-Victoire, om inzicht te krijgen in het gebied.

Ten oosten van Aix-en-Provence ligt de Montagne Sainte-Victoire, met zijn opvallende silhouet, die ook wel liefkozend de 'la Sainte' wordt genoemd en een embleem is van de Provence, de bindende factor. Het gebergte werd vereeuwigd door Paul Cézanne: in een voortdurende, bijna mystieke zoektocht naar de essentie van zijn kunst, wijdde hij er zo'n zestig schilderijen aan.

Rondrit Regiokaart, blz. 180

IN DE VOETSPOREN VAN CÉZANNE

De 74 km lange route vanuit Aix-en-Provence staat aangegeven op de regiokaart - ongeveer een dag (bezoek aan Aix niet inbegrepen). Verlaat Aix-en-Provence oostwaarts via de D 10 en sla rechtsaf naar de Barrage de Bimont.

De Montagne Sainte-Victoire
F. Guiziou / Hemis.fr

Barrage de Bimont B1

De stuwdam is onderdeel van de verlenging van het Canal du Verdon. Hij ligt in de rivier de Infernet, aan de voet van de Sainte-Victoire.
Rijd terug naar de D 10 en sla rechtsaf. Laat de auto achter bij de Ferme des Cabassols, op een klein parkeerterrein rechts van de weg.

Vauvenargues B1

Château de Vauvenargues – ℘ 04 42 38 11 91 - www.chateau-vauvenargues. com - *alleen de expositieruimte is toegankelijk voor publiek, uitsluitend met gids - reserv. verplicht.* Picasso is ooit eigenaar geweest van dit schitterende 17de-eeuwse kasteel dat op een rotsige uitloper ligt. De schilder is op het landgoed begraven. Het kasteel is te bezoeken in het hoogseizoen, als er exposities worden georganiseerd.

Na Vauvenargues loopt de weg door de beboste, diep uitgesneden **Gorges de l'Infernet★**. Links ervan ligt de Citadelle (723 m). Vervolgens loopt de weg over de Col des Portes. Tijdens de afdaling verschijnen de Vooralpen aan de horizon.

Neem in Puits-de-Rians de D 23 naar rechts, die door het Bois de Pourrières oostelijk om de Montagne Sainte Victoire loopt. Links verheft zich de **Pain de Munition** (612 m). Sla in Pourrières, waar de Romeinse veldheer Marius het leger van de Teutonen zou hebben verslagen, rechtsaf richting Puyloubier.

Domaine Capitaine Danjou C1

℘ 04 42 91 45 49 - 10.00-12.00 u, 14.00-17.00 u - gesl. 1 jan. en 25 dec. - gratis.
In het kasteel van dit wijndomein is een instelling voor oorlogsinvaliden van het Vreemdelingenlegioen gehuisvest. De villa is ingericht als **Musée de l'Uniforme** *(zie ook het Musée de la Légion étrangère in Aubagne, blz. 165).*
Rijd terug naar Puyloubier, neem de D 57ᴮ en vervolgens de D 56ᶜ naar rechts.
Deze schilderachtige route biedt een mooi uitzicht op de Montagne Sainte-Victoire, het stroomgebied van de Trets en het Massif de la Sainte-Baume.

Daarna gaat de weg over de Montagne du Cengle naar de D 17, die tussen de Sainte-Victoire en de Montagne du Cengle richting Aix slingert.

Saint-Antonin-sur-Bayon B1

Maison Sainte-Victoire – ✆ 04 42 66 84 40 - &. - *juli-aug.: 10.00-18.30 u, za, zo en feestd. 10.15-19.00 u; april-juni en sept.-okt.: 9.30-18.00 u, za, zo en feestd. 10.15-19.00 u; nov.-maart: 9.30-18.00 u - gratis.* ▲▲ Dit informatiecentrum heeft een educatieve wandeling uitgezet en een expositie ingericht over het gebergte, zijn ecosysteem, zijn geschiedenis (dinosauruseieren) en de herbebossing na de verwoestende brand van 1989. U kunt hier inlichtingen inwinnen voordat u aan een wandeling begint.

Op de weg terug naar Aix ligt **Beaurecueil**, een verplichte tussenstop. Dit dorpje biedt het mooiste uitzicht op de Sainte-Victoire, vooral 'op het uur van Cézanne', als het licht van de ondergaande zon over de berg strijkt.

Rijd via Le Tholonet over de 'Route Paul Cézanne' terug naar Aix.

Wandelingen

Aan de voet van de Ste-Victoire

Het massief telt veel goed begaanbare paden voor een rustige wandeling, vooral rondom het **Lac du Bimont** en het **Lac Zola** (aangelegd door ingenieur François Zola, de vader van de schrijver), twee waterwerken die tot doel hadden de ongeveer zestig gemeenten in de regio van water te voorzien.

Sentier des Barrages – 🥾 *2 uur heen en terug. Vertrek bij de Barrage de Bimont. Volg vanaf het eind van het parkeerterrein het aangegeven pad naar de Barrage Zola.* Het pad daalt over de rechteroever door prachtige kloven met een ruige vegetatie af naar de Barrage Zola. Daarna klimt het pad weer omhoog langs de beboste linkeroever. Over de indrukwekkende Barrage de Bimont, met prachtig uitzicht over het water, loopt u terug naar de auto. U kunt ook beginnen in Le Tholonet: 🥾 *1.30 uur heen, groene en later rode paaltjes, gemakkelijk.*

★★★ Croix de Provence B1

Een kapel, een kloostergebouw en de restanten van een kloostergang vormen de **Prieuré de Notre-Dame-de-Ste-Victoire** (900 m) uit 1656. Het terras biedt **uitzicht** op het stroomgebied van de Arc en de Chaîne de l'Étoile. Een korte klim leidt naar het Croix de Provence (945 m), een 17 m hoog kruis op een 11 m hoge voet. Hier ontvouwt zich een schitterend **panorama★★★**: in het zuiden het Massif de la Sainte-Baume en de Chaîne de l'Étoile, rechts de Chaîne de Vitrolles, de Crau, het dal van de Durance, de Luberon, de Alpes de Provence en in het oosten de Pic des Mouches. Oostwaarts op de bergkam ligt de mysterieuze **Gouffre du Garagaï**, een 150 m diepe put waarover angstaanjagende verhalen de ronde doen…

Verschillende paden leiden naar de priorij:

Sentier Imoucha (noordflank) – 🥾 *2 uur heen, blauwe paaltjes, gemakkelijk. Vertrek op het parkeerterrein bij de Barrage du Bimont (D10), 5 km na de bebouwde kom van Aix.*

Sentier des Venturiers (westflank) – 🥾 *1.30 uur heen, rode en witte paaltjes, gemakkelijk. Vertrek bij Les Cabassols (D10), ca. 2 km voor Vauvenargues.*

Sentier du Refuge Cézanne le Pas du Berger (zuidflank) – 🥾 *2 uur heen, rode en later blauwe paaltjes, gemakkelijk (rode paaltjes) of moeilijk (rode stippellijn). Vertrek bij het Plan d'Enchois (D17).*

Le chemin des Crêtes

🥾 *4 uur, rode en witte paaltjes, vrij gemakkelijk.* Sportievelingen kunnen kiezen voor het langeafstandspad (GR 9) dat de bergkam van de Sainte-Victoire volgt vanaf het Croix de Provence in het dorpje Puyloubier. Het pad loopt over het hoogste punt van het massief, de **Pic des Mouches** (1011 m).

😊 SAINTE-VICTOIRE: ADRESBOEKJE

VERVOER

Met de bus – ☎ 0 805 71 50 50 - www.infotelo.com - kaartje € 1. Vanuit Aix rijden bussen langs beide zijden van het massief. 11-13 bussen per dag naar Vauvenargues en Puyloubier.

OVERNACHTEN

WAT MEER LUXE

Gites Domaine Genty – *Aan de weg naar St-Antonin-sur-Bayon - 13114 Puyloubier* - ☎ 04 42 66 32 44 - *www.domainegenty. com* - 🛶 🅿 🚲 - *4 kamers € 85 en 1 gîte € 690/890 per week.* Mooi buitenhuis op de flank van het gebergte, met schitterend uitzicht. De kamers zijn smaakvol ingericht in Provençaalse stijl. Van okt. tot maart worden ze los van elkaar verhuurd, in de zomer als groepsverblijf voor 8 pers. (€ 1800 p. wk.). Ook een comfortabele gîte voor 4 pers.

UIT ETEN

DOORSNEEPRIJZEN

Hôtel-restaurant Le Relais de Saint-Ser – *D 17 - 13100 Puyloubier* - ☎ 04 42 66 37 26 - *www.relaisdesaintser.com* -*gesl. zo avond en ma* - ♿ 🅿 - *€ 30/35 - 9 kamers € 45 -* 🛏 *€ 6.50.* Een plezierig adresje tussen de wijngaarden aan de voet van de Sainte-Victoire, bij het beginpunt van de klim naar de Ermitage de Saint-Ser. Goede streekgerechten. Ook een paar kamers. De prijzen zijn aan de hoge kant.

Chez Thomé – *La Plantation - 74 av. Louis-Destrem - 13100 Le Tholonet* - ☎ 04 42 66 90 43 - *www.chezthome.fr - gesl. zo avond en ma, jan.* - ♿ 🅿 - *€ 28.* Een van de betere restaurants in de regio van Aix. Op het terras of in de mooie eetzaal kunt u genieten van de traditioneel Provençaalse gerechten. In het weekend is reserveren noodzakelijk.

Les Sarments – *4 r. Qui monte - 13114 Puyloubier* - ☎ 04 42 66 31 58 - *gesl. ma en di (behalve 's avonds van juni tot sept.)* - *€ 33/45.* In een rustig straatje midden in het dorp ligt dit rustieke restaurant dat creatieve gerechten op basis van zomerse ingrediënten serveert.

WINKELEN

Cave des vignerons du mont Sainte-Victoire – *63 av. d'Aix - 13114 Puyloubier* - ☎ 04 42 66 32 21 - *vignerons-msv@wanadoo. fr* - 🅿 - *dag. behalve zo 9.00-12.00 u, 14.00-18.00 u - gesl. feestd.* De wijnboeren van deze coöperatie (140 domeinen), werken volgens officiële milieuregels. Het aanbod bestaat uit zowel rode als witte A.O.C. Côtes-de-Provence en A.O.C. Sainte-Victoire rosés en rode wijnen. Daarnaast wordt een uitgebreid assortiment aan producten verkocht waarin wijn is verwerkt: jam, gelei, terrines, tappenade, bonbons enzovoort.

2

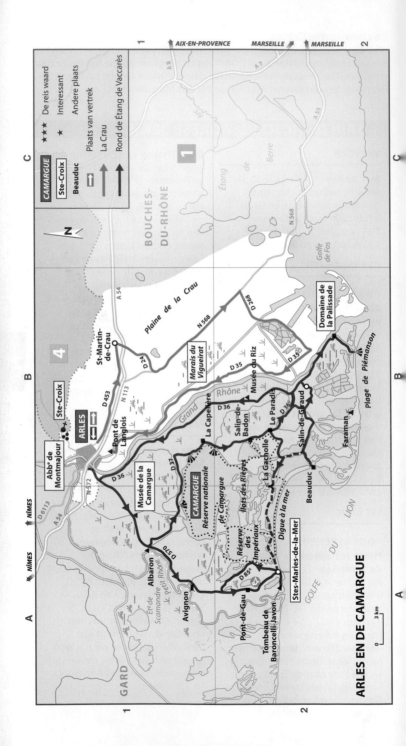

ARLES EN DE CAMARGUE

0   3 km

Legenda:
- ★★★ De reis waard
- ★ Interessant
- Andere plaats
- Plaats van vertrek
- La Crau
- Rond de Étang de Vaccarès

CAMARGUE
Ste-Croix
Beauduc

AIX-EN-PROVENCE · MARSEILLE · MARSEILLE

NÎMES · NÎMES · N

GARD
BOUCHES-DU-RHÔNE
Étang de Berre
Golfe de Fos
GOLFE DU LION

Plaine de la Crau
St-Martin-de-Crau
Ste-Croix
Abb.e de Montmajour
ARLES
Pont de Langlois
Musée de la Camargue
Albaron
Avignon
Pont-de-Gau
Tombeau de Baroncelli-Javon
Stes-Maries-de-la-Mer
Réserve des Impériaux
Îlots des Rièges
La Gacholle
La Capelière
RÉSERVE NATIONALE de Camargue
CAMARGUE Réserve nationale
Marais du Vigueirat
Musée du Riz
La Paradis
Salin-de-Badon
Salin-de-Giraud
Domaine de la Palissade
Faraman
plage de Piémanson
Beauduc
Digue à la mer
Grand Rhône
Petit Rhône
Et.g de Scamandre

A 8 · A 7 · A 55
A 54 · N 568 · D 268 · D 35
D 6113 · D 570 · D 453 · N 113 · D 24 · D 36 · D 37 · D 85 · D 572
N 572

Arles en de Camargue 3

Michelinkaart van de departementen 340 – Bouches-du-Rhône (13)

▷ **ARLES**★★★ **EN RONDRIT**   **210**

Vertrek in Arles:

▷ **DE CAMARGUE**★★★ **EN RONDRIT**   **227**

Arles

★★★

51.970 inwoners – Bouches-du-Rhône (13)

👀 ADRESBOEKJE: BLZ. 223

🛈 INLICHTINGEN

Toeristenbureau van Arles – *Espl. Charles-de-Gaulle - boulevard des Lices - 13200 Arles - 📞 04 90 18 41 20 - www.arlestourisme.com - april-sept.: 9.00-18.45; rest van het jaar: 9.00-16.45 u, zo en feestd. 10.00-13.00 u - gesl. 1 jan. en 25 dec.*

Bezienswaardigheden en musea – Voor wie zich niet blauw wil betalen aan toegangskaartjes, heeft het toeristenbureau mooie aanbiedingen: de **Pass Avantage** *(€ 13,50, 1 jaar geldig)* verleent toegang tot alle monumenten en musea in de stad; de **Pass Liberté** *(€ 9, 1 maand geldig)* geeft recht op vijf bezienswaardigheden naar keuze (een museum en vier monumenten); de **Pass Arelate** *(€ 9, 1 maand geldig)* verleent toegang tot het amfitheater, het Romeinse theater, de thermen van Constantijn, de cryptoporticus en het Musée départemental de l'Arles antique. Er bestaan ook combinatiekaartjes: Arena-Romeins theater *(€ 6)*, cryptoporticus-Alyscamps *(€ 5,50)*.

Rondleidingen – *Inlichtingen bij het toeristenbureau.* Arles draagt het label **Ville d'art et d'histoire** en organiseert rondleidingen (1.30 uur) met gidsen die erkend zijn door het ministerie van Cultuur en Communicatie.

▶ LIGGING

Regiokaart B1 (blz. 208) – *Michelinkaart van de departementen 340 C3.* Van de snelweg komt u bij de boulevard des Lices, de drukste verkeersader van Arles, die langs de oude stadswal loopt.

🅿 PARKEREN

Onder de platanen van de boulevard G.-Clemenceau, bij de afrit van de snelweg, aan de oever van de Rhône. Langs deze boulevard zijn ook enkele parkeerterreinen te vinden. Blijf liever weg uit de wirwar van straatjes in het oude Arles. Er is een treinverbinding tussen Arles en Avignon (20 min) en Marseille (50 min). Het station ligt op 10 minuten lopen van het centrum.

😊 AANRADER

De Romeinse en romaanse monumenten (Unesco-erfgoed); het Musée départemental de l'Arles antique.

🕐 PLANNING

Trek minimaal een dag uit voor de monumenten uit de oudheid. Een dag extra voor de andere musea en bezienswaardigheden. Aanlokkelijk is ook de grote markt op zaterdagochtend, op de boulevard des Lices. Tijdens het seizoen van de stierengevechten kunt u in het amfitheater (arena) een *corrida* of een *course camarguaise* bijwonen. (wo en vr om 17.30 u). Neem een trui mee, de mistral kan hier flink tekeer te gaan.

👫 MET KINDEREN

Vogels kijken in het Marais du Vigueirat.

Arles, het amfitheater
J. A. Moreno / Age fotostock

Waaraan heeft Arles haar magische sfeer te danken? Misschien het speciale licht dat Van Gogh zo fascineerde? Of is het de helderblauwe, bijna doorzichtige hemel? Wellicht het indrukwekkende architecturale erfgoed dat werd nagelaten door de Kelten, de Romeinen en hedendaagse bouwmeesters? Of de smeltkroes van culturen? Stad van de Camargue en de Provence, stad van zigeuners en Parijzenaars, van boeren en intellectuelen: Arles heeft moeiteloos de opeenvolgende immigratiestromen verwerkt en de nieuwe inwoners hebben haar identiteit vormgegeven. Ze leven tegenwoordig allemaal samen op dit 'kruispunt van de zuidelijke streken'. Arles is niet zomaar een stad, het is een gemoedstoestand, die nog het sterkst tot uiting komt tijdens de bruisende *ferias* (volksfeesten). In 2011 vierde de stad dat haar Romeinse en romaanse monumenten 30 jaar geleden door Unesco tot Werelderfgoed werden verklaard.

Wandelen

DE MONUMENTEN IN HET CENTRUM Plattegrond II

◐ *Zie de plattegrond op blz. 213 - ongeveer een dag.*
Wat is het heerlijk om over de **boulevard des Lices** te lopen, met zijn platanen en caféterrasjes; vooral op zaterdagochtend, als er markt is, heerst hier een gezellige bedrijvigheid. De oude binnenstad is bereikbaar via de lieflijke Jardin d'Été en de **rue Porte-de-Laure**, waar het wemelt van de restaurants. Iets verder ligt het amfitheater, terwijl aan de linkerkant, tussen de pijnbomen en de lariksen, de zuilen van het antieke theater opduiken. De rustige wijk tussen de rue Porte-de-Laure en de stadswallen heeft heel wat verrassingen in petto. De gerestaureerde huizen vertonen prachtige, architectonische details: een waterspuwer, een tweelichtvenster, een gevel met een gegroefde zuil…

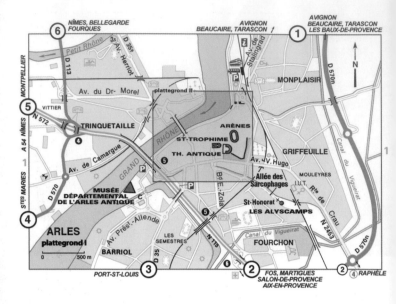

★★ Théâtre antique

☏ 04 90 49 38 20 - mei-sept.: 9.00-19.00 u; maart-april en okt.: 9.00-18.00 u; nov.-feb.: 10.00-12.00 u, 14.00-17.00 u - gesl. 1 jan., 1 mei, 1 nov. en 25 dec. - € 6 (tot 18 jaar gratis), combinatiekaartje met het amfitheater (de arena).

In de middeleeuwen deed het antieke theater dienst als steengroeve en vervolgens werd hier een burcht gebouwd. Daarna verdween het theater geheel onder huizen en tuinen. Vanaf 1827 werd het blootgelegd. Het theater had een diameter van 102 m. Anders dan het theater in Orange, dat tegen een helling was gebouwd, rustte dit exemplaar op een portiek met 27 bogen, waarvan nog maar één travee resteert. Van de toneelmuur zijn twee schitterende zuilen bewaard gebleven. Ze staan te midden van een prachtige groene omgeving en creëren een romantische sfeer. Het toneel, de gleuf voor het gordijn, het orchestra en een gedeelte van de tribune zijn nog te zien. Het theater is in 2010 grondig gerestaureerd en uitgerust met moderne voorzieningen.

Rechts van de arena staat de romaanse kerk **Notre-Dame-de-la-Major**, een belangrijk trefpunt voor de 'Confrérie des Gardians'. Vanaf het terras zijn de daken van Arles, de Abbaye de Montmajour, de Montagnette, de Alpilles en de Cévennes te zien *(oriëntatietafel)*.

★★ Amphithéâtre (arènes)

☏ 04 90 49 38 20 - mei-sept.: 9.00-19.00 u; maart-april en okt.: 9.00-18.00 u; nov.-jan.: 10.00-17.00 u - gesl. feb., 1 jan., 1 mei, 1 nov. en 25 dec. - € 6 (tot 18 jaar gratis) combinatiekaartje met het Théâtre antique.

Dit amfitheater dateert vermoedelijk uit de late 1ste eeuw. Het bouwwerk meet 136 bij 107 m. Onder de houten vloer van de piste zelf (69 m bij 40 m), die door een muur van de zitplaatsen werd gescheiden, bevonden zich de machinerieën, de kooien met de wilde dieren en de decors.

In de middeleeuwen ontwikkelde het amfitheater zich tot een **stad in de stad**. Onder de dichtgemetselde zuilengangen, op de zitplaatsen en in de arena verrezen ruim 200 huizen en twee kapellen. Het benodigde bouwmateriaal

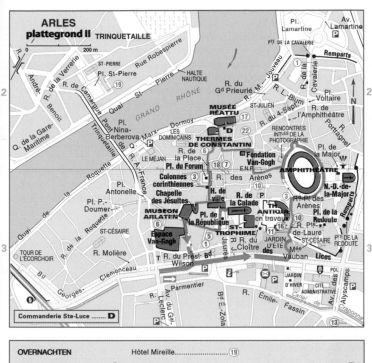

OVERNACHTEN

Hôtel des Acacias	①
Hôtel Calendal	③
Hôtel d'Arlatan	⑥
Hôtel de l'Amphithéâtre	⑩
Hôtel de la Muette	㉒
Hôtel du Musée	⑰

Hôtel Mireille.....................⑲

UIT ETEN

Bistrot A Côté	①
Chez Caro	③
L'Atelier de Jean-Luc Rabanel	⑤
L'Autruche	⑥

La Gueule du Loup	⑱
Le Cilantro	⑪
Le Criquet	⑩
Le Jardin de Manon	⑬
Lou Calèu	⑯
Querida	⑦

werd uit het monument zelf gehaald. Desondanks is het bouwwerk vrij goed bewaard gebleven. In 1825 werd een aanvang gemaakt met de opgravingen en de restauratie. Ook op dit moment is een restauratieproject aan de gang dat nog enige jaren zal duren.

Loop terug langs de arena en neem de rue des Arènes naar rechts.

Nr. 16 is het Hôtel Quinqueran de Beaujeu, een herenhuis in Parijse stijl met ruime binnenplaats en een portaal met fronton. Hier is de **École nationale supérieure de photographie** gevestigd (alleen toegankelijk voor studenten).

Neem rechts de rue Robert-Doisneau en vervolgens de rue des Suisses naar links.

Fondation Vincent-Van-Gogh-Arles

24 bis rd-pt des Arènes - ℘ 04 90 49 94 04 - www.fondationvangogharles-blog. com - dag. behalve zo en ma 10.00-12.30 u, 14.00-17.00 u - gesl. feestd. Let op, de stichting verhuist waarschijnlijk in de herfst van 2012 naar het Hôtel Léautaud de Donines (35 r. du Dr Fanton).

Mooie verzameling kunstwerken die zijn gemaakt als hommage aan Van Gogh: schilderijen (Hockney, Botero, Debré), beeldhouwwerken (Appel, César), foto's (Doisneau, Clergue), literaire (Tournier, Forrester) en muzikale werken

VINCENT IN ARLES

Vincent van Gogh kwam op 21 februari 1888 in Arles aan. Hij was meteen in de ban van het Provençaalse landschap met zijn felle licht. Hij nam afstand van het impressionisme en schilderde zonder ophouden: de natuur, mensen aan het werk op het veld, portretten, Arles en omgeving. In totaal maakte hij hier meer dan 200 schilderijen en 100 tekeningen. *Vincents huis*, *De Alyscamps*, *De Arlésienne*, *De Crau* en *De Brug van Langlois* behoren tot de fascinerendste werken uit die tijd. Hij werd echter steeds vaker gekweld door periodes van waanzin. Na de abrupte breuk met Gauguin (24 december 1888) sneed hij een stuk van zijn linkeroor af. Daarna volgden de tegenslagen elkaar snel op: zijn vriend, de postbode Roulin, werd overgeplaatst naar Marseille en in februari 1889 werd hij op grond van een petitie opgesloten. Hij besloot Arles te verlaten en verzocht om te worden opgenomen in de zenuwinrichting in **St-Paul-de-Mausole** vlak bij St-Rémy *(zie onder deze naam)*, waar hij op 3 mei 1889 aankwam.

(Dutilleux), en modeontwerpen (Lacroix) die zijn afgeleid van het werk van de Nederlandse schilder. De stichting organiseert ook tijdelijke exposities gewijd aan hedendaagse kunst.

Loop verder door de rue des Suisses en neem de rue Dominique Maïsto rechts, die uitkomt bij het Musée Réattu.

★ Musée Réattu

10 r. du Grand-Prieuré - ☎ 04 90 49 38 34 - www.museereattu.arles.fr - juli-sept. dag. behalve ma 10.00-19.00 u; jan.-juni: 10.30-12.30 u, 14.00-18.30 u - gesl. half april-half mei - € 7 (tot 18 jaar gratis), 1ste zo van de maand gratis.

Het museum is gevestigd in de voormalige **priorij van de Maltezer ridders**, een fraai gebouw uit de 15de en 17de eeuw. Het is genoemd naar de schilder **Jacques Réattu** (1760-1833), die hier heeft gewoond en wiens doeken twaalf zalen in beslag nemen. Naast werken uit de 16de tot de 18de eeuw van schilders uit Italië, Frankrijk en Holland en van de Provençaalse School, toont het museum hedendaagse beeldhouwwerken (César, Richier, Bourdelle, Zadkine), schilderijen van Dufy, Vlaminck, Sarthou, Prassinos en Alechinsky, etsen van Jacques Clauzel en de **Picassoschenking★**, 57 tekeningen en een schilderij uit 1971.

Het museum bezit een imposante **fotoverzameling★**. De collectie begon met een schenking van de uit Arles afkomstige fotograaf **Lucien Clergue** en wordt nog steeds uitgebreid met aankopen en schenkingen van kunstfotografen die zijn uitgenodigd voor het jaarlijkse fotografiefestival *(zie blz. 226)*. Aan de overkant bevindt zich de **Commanderie de Sainte-Luce (D)**. Werp, als u het geluk hebt dat het hek openstaat, een blik op de binnnenplaats.

★ Thermes de Constantin

Ingang via de r. du Grand-Prieuré - ☎ 04 90 49 38 20 - mei-sept.: 9.00-12.00 u, 14.00-19.00 u; maart-april en okt.: 9.00-12.00 u, 14.00-18.00 u; nov.-feb.: 9.00-12.00 u, 14.00-17.00 u - gesl. 1 jan., 1 mei, 1 nov. en 25 dec. - € 3 (tot 18 jaar gratis).

De thermen van Arles zijn de grootste van de Provence (98 m bij 45 m) en dateren uit de tijd van Constantijn de Grote (4de eeuw). Een deel van het bouwwerk is blootgelegd. Via het *tepidarium* (lauw bad) komt men in het *caldarium* (warm bad). Het verwarmingssysteem onder de vloer is bewaard gebleven.

🔥 Kleine omweg – Als u om de thermen en de place Constantin heenloopt, komt u langs de Église des Dominicains en de **place Nina-Berberova** (ter

Arles in grote lijnen

ARLES EN MARSEILLE

Op deze plek stichtten de Kelto-Liguriërs een oppidum, Theline, dat rond de 6de eeuw v.C. door de Grieken uit Marseille gekoloniseerd werd. De stad kreeg al spoedig de naam Arelate en begon aan een bloeiperiode toen consul Marius in 104 v.C. een kanaal liet aanleggen tussen de Rhône en de Golfe de Fos. Na de nederlaag van oude rivaal Marseille tegen Caesar in 49 v.C. kon Arles zich ontwikkelen tot een welvarende Romeinse kolonie. De stad lag op het kruispunt van zeven grote handelswegen en was een belangrijke zee- en binnenhaven.

ROMEINSE KOLONIE

Als kolonie van de veteranen van het 6de legioen kreeg Arles toestemming een versterkte ringmuur om de 40 ha van de officiële stad op te trekken. Er werden een forum, een aantal tempels, een basilica, thermen en een theater gebouwd. Via een aquaduct werd zuiver water uit de Alpilles aangevoerd. Aan het einde van de 1ste eeuw n.C. breidde de stad zich uit met een amfitheater, scheepswerven en een woonwijk. Op de rechteroever van de Rhône, in Trinquetaille, leefden zeelieden, binnenschippers en kooplui. Een schipbrug verbond de oevers met elkaar.

EEN GOUDEN EEUW

Arles was een belangrijk nijverheidscentrum: er werden stoffen geweven, er waren edelsmeden, er werden boten, sarcofagen en wapens gemaakt en de keizerlijke munt werd er geslagen. De stad exporteerde graan, vlees, olijfolie en de donkere, zware wijn uit het Rhône-gebied, **vin de poix** genoemd. Keizer **Constantijn** koos domicilie in de welvarende stad en in die periode breidde Arles zich nog verder uit. De keizer liet het noordwestelijke deel herinrichten en een keizerlijk paleis en de thermen bij La Trouille bouwen (nu Thermes de Constantin). In 395 werd in Arles de prefectuur van de Galliërs (Spanje, het eigenlijke Gallië en Bretagne) gevestigd. Arles was ook een belangrijk religieus centrum, dankzij het prestige van haar bisschoppen (onder wie de H. Cesarius).

HET VERVAL

In de 8ste eeuw streden de Franken en de Saracenen om het land. Toen Arles in de 9de eeuw de hoofdplaats werd van het Arelatische rijk was er niets meer over van de vroegere grandeur van de stad. Pas in de 12de eeuw begon een nieuwe opleving: de Duitse keizer **Frederik Barbarossa** liet zich in 1178 tot koning van Arles kronen in de net voltooide romaanse kathedraal St-Trophime. In 1239 onderwierpen de burgers van Arles zich aan het gezag van de graaf van de Provence. Vanaf dat moment was het lot van Arles verbonden aan dat van de provincie. Op politiek gebied moest Arles buigen voor Aix en op economisch vlak voor Marseille. De stad behield een zekere mate van welvaart zolang de Rhône de belangrijkste handelsverbinding was. Maar de genadeslag was de aanleg van de spoorlijn, waarmee de scheepvaart op de achtergrond raakte. Tegenwoordig is Arles niet meer dan een handelsplaats voor landbouwproducten uit de Camargue, de Crau en de Alpilles.

hoogte van de quai Marx-Dormoy) het culturele epicentrum van de stad met een vestiging van uitgeverij Actes Sud.

Keer terug via de rue Maïsto en ga rechts door over het plein en de rue du Sauvage.
Hier staan fraaie oude gebouwen, waaronder het 15de-eeuwse paleis van de graven van Arlatan de Beaumont, dat nu een hotel is (Hôtel Arlatan).
Loop verder naar de place du Forum.

Place du Forum

Op de voormalige 'Place des hommes' verzamelden zich iedere ochtend daglo-ners in de hoop te worden aangeworven door een grondbezitter. Op dit plein vol terrasjes staat het standbeeld van de schrijver Frédéric Mistral. Ondanks de naam ligt de place du Forum niet op de plaats van het Romeinse forum. In de gevel van het Hôtel Nord-Pinus zijn twee Korinthische zuilen verwerkt; overblijfselen van een tempelgevel uit de 2de eeuw. Het straatje links (rue du Palais) komt uit bij de Plan de la Cour, een pleintje met prachtige oude gebou-wen, waaronder het **Palais des Podestats** (12de-15de eeuw) en het stadhuis.

Hôtel de ville

Dit stadhuis is in 1675 naar het ontwerp van Hardouin-Mansart herbouwd door de uit Arles afkomstige architect Peytret. De 16de-eeuwse Tour de l'Horloge, die deel uitmaakte van het vroegere gebouw, is gemodelleerd naar het mau-soleum van Glanum. Het vrijwel platte **gewelf★** van het voorportaal *(overdag open voor het publiek)* geldt als meesterwerk; nog steeds kunnen architecten de constructie van de twee sluitstenen niet doorgronden. De hal geeft toe-gang tot de Cryptoportiques.

★ Cryptoportiques

Mei-sept.: 9.00-12.30 u, 14.00-19.00 u; maart-april en okt.: 9.00-12.00 u, 14.00-17.00 u; nov.-jan.: 10.00-12.00 u, 14.00-17.00 u - gesl. feb., 1 jan., 1 nov. en 25 dec. -€ 3,50 (tot 18 jaar gratis).
Deze dubbele ondergrondse galerij (cryptoporticus) uit het einde van de 1ste eeuw v.C. heeft de vorm van een hoefijzer. De gangen met hun rondboog-gewelven worden van elkaar gescheiden door een rij robuuste, rechthoekige pilaren. Het daglicht komt binnen door openingen in het gewelf. Het is niet bekend of deze constructie onder het antieke forum uitsluitend diende als fundering of nog een andere functie had.

Als u door de hal van het stadhuis loopt, komt u uit op de place de la Républi-que, met een mooie **obelisk** uit het Romeinse circus, de klassieke façade van het stadhuis en het rijkversierde portaal van de Saint-Trophime.

★ Église Saint-Trophime

12 r. du Cloître - juli.-aug.: di-do 16.00-18.30 u, za 10.00-12.00 u.
Deze kerk is gewijd aan de H. Trophimus, die begin 3de eeuw de eerste bis-schop van Arles was. Ze werd gebouwd op de plaats van een voormalig hei-ligdom uit de Karolingische tijd.

Rond 1100 werd met de bouw begonnen en rond 1180 werd de kerk voorzien van een schitterend **bewerkt portaal★★**, een typisch voorbeeld van de laatro-maanse kunst in Zuid-Frankrijk. Het heeft de vorm van een triomfboog; waar-aan de invloed van de klassieke kunst op de romaanse bouwers in de Provence is te herkennen. Een restauratie herstelde het portaal van de St-Trophime, dat is op de Werelderfgoedlijst van Unesco staat, in zijn volle glorie.

Binnen vallen de hoogte van het schip en de geringe breedte van de zijbeuken op. Dit sobere romaanse interieur contrasteert met de gewelfribben en het lijstwerk van het gotische koor. Interessant zijn de sarcofagen uit de 4de eeuw (waaronder een exemplaar met een voorstelling van de doortocht door de Schelfzee, die dienstdoet als altaar in de Chapelle de Grignan) en een prachtige *Annunciatie* van Finsonius in de kapel in de linkerkruisarm.

★★ Cloître Saint-Trophime

ℰ 04 90 49 38 20 - mei-sept.: 9.00-19.00 u; maart-april en okt.: 9.00-18.00 u; nov.- jan.: 10.00-12.00 u, 14.00-17.00 u- gesl. feb., 1 jan., 1 mei, 1 nov. en 25 dec. - € 3,50 (tot 18 jaar gratis), € 5,50, combinatiekaartje met Les Alyscamps.

Dit is de beroemdste kloostergang van de Provence, vanwege de sierlijkheid van het beeldhouwwerk, mogelijk vervaardigd door kunstenaars uit Saint-Gilles. Vooral de kapitelen *(sommige ingepakt, in afwachting van restauratie)* en hoekpilaren van de noordelijke galerij *(bij binnenkomst links)* zijn schitterend. Op de noordoostelijke pilaar is de apostel Paulus afgebeeld in een gewaad met diepe plooien, vooral onder de ellebogen. Het is het werk van een kunstenaar die duidelijk bekend was met het hoofdportaal van de **Église Saint-Gilles** *(zie Groene Gids Languedoc-Roussillon)*. De kapitelen en pilaren van de oostgalerij verbeelden episoden uit het leven van Christus. Het beeldhouwwerk in de zuidgalerij stelt scenes voor uit het leven van de H. Trophimus. In de westgalerij ligt de nadruk op Provençaalse thema's, zoals de H. Martha en de Tarasque (een monster dat in het Rhônedal zou hebben geleefd). Vanuit de zuidgalerij hebt u mooi zicht op de kloostergang, de voormalige kapittelzalen, het schip van de kerk en de robuuste klokkentoren. In de refter en het klooster worden tentoonstellingen gehouden, waaronder **Salon des santonniers** *(zie blz. 226)*.

Neem aan het einde van het plein rechts de rue de la République.

★ Museon Arlaten

29 r. de la République - www.museonarlaten.fr - gesl. wegens verbouwing. In afwachting van de opening van het nieuwe museum in 2013 worden allerlei evenementen (voorstellingen, wisselende tentoonstellingen) georganiseerd. Informatie en programma op de website van het museum.

🚹🚹 Met het bedrag van de Nobelprijs die hem in 1904 werd toegekend, financierde **Frédéric Mistral** de aankoop van het 16de-eeuwse Hôtel de Castellane Laval, dat hij tussen 1906 en 1909 inrichtte als etnografisch museum. Bezorgd over het verdwijnen van de Provençaalse identiteit, verzamelde Mistral traditionele voorwerpen die gerelateerd waren aan het dagelijks leven (klederdracht, meubels, werktuigen), maar ook aan kunst (schilderkunst, beeldhouwkunst, fotografie) en wetenschap. Op de binnenplaats zijn overblijfselen te zien van een forum met een 2de-eeuwse basiliek.

Neem aan het einde van de rue de la République de rue du Prés.-Wilson, die naar het oude Hôtel-Dieu leidt.

Médiathèque d'Arles - Espace Van-Gogh

ℰ 04 90 49 38 05 - www.mediatheque.ville-arles.fr - ♿ - dag. behalve zo en ma 13.00-18.30 u, za 10.00-12.00 u, 13.00-18.00 u - gesl. feestd. - gratis.

In het oude Hôtel-Dieu, het hospitaal waar Van Gogh zich in 1889 liet opnemen, zijn nu boekhandels, een mediatheek, de stadsarchieven en de opleiding voor literair vertalers gevestigd. Mooie binnenplaats met arcade.

★★★ LES ALYSCAMPS Plattegrond I (blz. 212)

◐ Ten zuidoosten van het oude centrum en de boulevard des Lices. Volg de rue Émile-Fassin, achter het toeristenbureau, tot aan de allée des Sarcophages.

ℰ 04 90 49 38 20 - mei-sept.: 9.00-19.00 u; maart-april en okt.: 9.00-12.00 u,

14.00-18 u; nov.-jan.: 10.00-12.00 u, 14.00-17.00 u - gesl. feb., 1 jan., 1 mei, 1 nov. en 25 dec. - € 3,50 (tot 18 jaar gratis), € 5,50, combinatiekaartje met de kloostergang.
De Alyscamps (Elysische velden) golden van de Romeinse oudheid tot de middeleeuwen als een van de beroemdste necropolen van West-Europa. Wanneer een reiziger in de oudheid over de **Via Aurelia** naar Arles ging, bereikte hij de ingang van de stad via een weg omzoomd door graftombes en mausolea. Maar na de invoering van het christendom kregen de Alyscamps pas echt een belangrijke rol, doordat hier de relikwieën lagen van de H. Trophimus en het graf van de heilige Genesius, een Romeinse functionaris die in 250 werd onthoofd, nadat hij had geweigerd opdracht te geven tot christenvervolging. Toen in 1152 de relikwieën van de H. Trophimus naar de kathedraal werden overgebracht, verbleekte de faam van de reusachtige begraafplaats. Stukje bij beetje werd de in onbruik geraakte necropool afgebroken: leden van het stadsbestuur boden hun hooggeplaatste gasten de mooiste sarcofagen aan als geschenk en de monniken die de graven moesten bewaken, gebruikten de stenen als bouwmateriaal voor hun kloosters of als omheining van hun tuinen. Gelukkig kregen enkele mooie exemplaren een plaats in het Musée de l'Arles antique.

Allée des Sarcophages
Vroeger was het gebruikelijk om aan een overledene een graf op de Alyscamps cadeau te doen. Het was voldoende om de doodkist met een penning in de Rhône te laten drijven. De grafdelvers die de kist bij de Pont de Trinquetaille onderschepten, waren verantwoordelijk voor de begrafenis. De toegang is een 12de-eeuws portaal, het enige overblijfsel van de Abbaye St-Césaire. Een groot aantal sarcofagen is gemaakt naar Grieks model, met een zadeldak en vier verhoogde hoeken, de andere hebben een plat deksel naar Romeins voorbeeld. Op sommige sarcofagen zijn drie tekens aangebracht: een schietlood en een waterpas als symbool van de gelijkheid van alle mensen in het aanschijn van de dood, en een strijdbijl om de sarcofaag tegen dieven te beschermen.

Église Saint-Honorat
Deze kerk is in de 12de eeuw herbouwd door de monniken van St-Victor van Marseille, de bewakers van de begraafplaats. Behalve de indrukwekkende klokkentoren zijn alleen het koor, een aantal kapellen en een gebeeldhouwd portaal bewaard gebleven.

Wat is er nog meer te zien? Plattegrond I (blz. 212)

★★ Musée départemental de l'Arles antique
Ingang via de bd Georges-Clemenceau. Volg deze tot aan de Rhône en ga dan links onder het viaduct door - ℘ 04 90 18 88 88 - www.arles-antique.cg13.fr - ♿ - dag. behalve di 10.00-18.00 u - gesl. 1 jan., 1 mei, 1 nov. en 25 dec. - rondleiding mogelijk 1.30 uur - € 6, tijdelijke exposities: € 7,50 (tot 18 jaar gratis), 1ste zo van de maand gratis (permanente tentoonstelling). Ongeveer 1.30 uur.
Dit gedurfde, driehoekige gebouw aan de Rhône werd ontworpen door Henri Ciriani. Het museum bezit belangrijke collecties antieke kunst, die voorheen verspreid waren over verschillende locaties in de stad.
De Lion d'Accoule (1ste eeuw) verwelkomt de bezoeker. In de eerste grote ruimte staan beelden van danseressen, altaren gewijd aan Apollo en een afgietsel van de beroemde **Venus van Arles** (het originele beeld bevindt zich in het Louvre). Het grote **votiefschild van Augustus** (26 v.C.) illustreert de romanisering van Arles.

HET HEDENDAAGSE ARLES
In de 21ste eeuw zorgen het toerisme en de landbouw (fruitteelt en akker-bouw) voor nieuwe welvaart. Bovendien is de Camargue de enige Franse rijstproducent. Ook op cultureel vlak neemt Arles een hoge vlucht, met de komst van uitgeverij Actes Sud, Harmonia Mundi, het 'Centre de conservation du livre' en de Fotoacademie. Daarnaast bestaat er een grootscheeps plan om de voormalige werkplaatsen van de SNCF om te bouwen tot een internationaal centrum voor fotografie en hedendaagse kunst. Het project, dat in 2013 voltooid zou moeten zijn, wordt gefinancierd door kunstmecenas Maja Hoffmann. Voor het ontwerp wordt een beroep gedaan op de architect Frank Gehry, die ook tekende voor het Guggenheimmuseum in Bilbao.

Maquettes geven een beeld van de Romeinse beschaving tijdens het keizerrijk. Er zijn stedenbouwkundige plattegronden te zien met de belangrijkste monumenten uit de tijd van Augustus (forum, theater), Flavius (amfitheater), Antoninus (circus) en Constantijn (thermen). Ook het **dagelijks leven** in Arles (huishoudelijke voorwerpen, sieraden, medische hulpmiddelen) en traditionele beroepen (landbouw, veeteelt, ambachten, industrie) worden op een levendige manier in beeld gebracht. De **economie** van Arles komt aan bod in de vorm van twee thema's: het wegennet (mijlpalen) en de handel over land en zee (amfora's en *dolia*). Een van de zalen is gewijd aan de godsdiensten, met onder meer een kleine bosgod in brons (1ste eeuw v.C.) en een buste van Sarapis (2de eeuw), waaromheen zich een slang kronkelt.

De luister van de keizertijd komt tot uiting in de prachtige **mozaïeken** afkomstig uit de villa's van Trinquetaille. Vanaf de loopbrug kan men de patronen en voorstellingen bewonderen (de Ontvoering van Europa, Orpheus, de vier seizoenen). In het middelste medaillon van het mozaïek van Aiôn is de god van de tijd afgebeeld met de cirkel van de dierenriem in de hand.

Het museum bezit ook een prachtige reeks christelijke en niet-christelijke **sarcofagen**★★. Deze kunstwerken (grotendeels uit de 3de en 4de eeuw) zijn vervaardigd door beeldhouwers uit Arles en een deel ervan is afkomstig uit Les Alyscamps. Vooral de sarcofaag van 'Phaedra en Hippolytus', de sarcofaag van de 'Drie-eenheid' en die van 'de echtelieden' verdienen extra aandacht. De route eindigt met de ivoren gesp van de H. Caesarius uit de 6de eeuw, met een afbeelding van slapende soldaten voor het graf van Christus.

De tijdelijke exposities trekken vaak duizenden bezoekers *(informatie en agenda op de website van het museum)*. In 2013 wordt een nieuwe vleugel geopend, waarin een belangrijke plaats wordt ingeruimd voor een Gallisch-Romeinse wrak (1ste eeuw) dat in 2011 werd geborgen in de Rhône.

Voor het museum ligt de **Hortus**, een aangename tuin, ingericht in Romeinse stijl. *April-sept.: 10.00-19.00 u; okt.-mrt: 10.00-17.30 u - gesl. di - gratis toegang.*

In de omgeving Regiokaart, blz. 208

★ **Abbaye de Montmajour** B1
◐ *2 km ten noorden van Arles, in de richting van Fontvieille (D 17).*
℘ *04 90 54 64 17 - juli-sept.: 10.00-18.30 u (kassa sluit drie kwartier eerder); april-juni: 9.30-18.00 u; okt.-maart: dag. behalve ma 10.00-17.00 u - rondleiding mogelijk (1 uur) - gesl. 1 jan., 1 mei, 1 en 11 nov., 25 dec. - € 7 (tot 26 jaar gratis).*

Als een voorpost van de Alpilles verrijst in de vlakte plotseling de heuvel van Montmajour met zijn dennenbos. Rijd om de heuvel heen en parkeer voor de ingang van de abdij.

Église Notre-Dame★ – Deze kerk, waarvan het hoofdgebouw uit de 12de eeuw dateert, bestaat uit een bovenkerk en een crypte of benedenkerk. De **boven-kerk** is nooit voltooid en bezit slechts een koor, een dwarsschip en een mid-denschip met twee traveeën. Om het probleem van de glooiing van het ter-rein te ondervangen, is de **crypte★** voor een deel in de rots uitgehouwen.

Kloostergang★ – Gebouwd in de 12de eeuw, maar alleen de oostgalerij is intact gebleven. Er zijn prachtig versierde kapitelen te zien met historische taferelen die doen denken aan de St-Trophime in Arles.

Woongedeelte – Van het woongedeelte zijn de mooie kapittelzaal met ton-gewelf en de refter bewaard gebleven *(toegang buitenom)*. Het dormitorium bevond zich boven de refter op de eerste verdieping.

Tour de l'Abbé – Vanaf het bovenste platform van deze mooie donjon *(124 treden)* ontvouwt zich een **vergezicht★** op de Alpilles, La Crau, Arles, de Cevennen, Beaucaire en Tarascon.

Chapelle Saint-Pierre★ – De kapel is half in het gesteente uitgehakt. In het verlengde van de twee beuken bevinden zich natuurlijke grotten die als klui-zenaarshut dienst deden. Dit was de kapel van het **kerkhof** van de abdij.

★ Chapelle Sainte-Croix B1

▶ *200 m van de abdij, rechts richting Fontvieille -* ☎ *04 90 54 64 17 - alleen op afspraak te bezichtigen.*

Dit aardige kapelletje uit de 12de eeuw staat buiten het terrein van de abdij. Het heeft de vorm van een Grieks kruis: een vierkante ruimte met vier absidiolen.

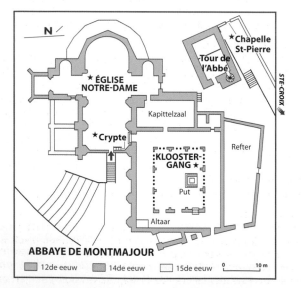

ABBAYE DE MONTMAJOUR

□ 12de eeuw □ 14de eeuw □ 15de eeuw   0   10 m

> **DE LOTGEVALLEN VAN EEN ABDIJ**
> In de vroege middeleeuwen was de huidige vlakte onbewoonbaar moeras-
> land. Kluizenaars die toezicht hielden op een grote begraafplaats, stonden
> aan de oorsprong van de benedictijner abdij die in de 10de eeuw werd
> gesticht op de rotsen van Montmajour.
>
> In de 17de eeuw raakte de abdij in verval. Er woonden nogal wat lekenbroe-
> ders die er door de koning waren geplaatst en een deel van de inkomsten
> kregen toebedeeld. Hun voorliefde voor aardse geneugten leidde ertoe
> dat er nieuwe monniken werden gestuurd met de taak om de discipline
> te herstellen. De oorspronkelijke bewoners werden gewapenderhand
> verdreven, maar plunderden eerst het gebouw. In de 18de eeuw stortte
> een aantal gebouwen in; ze werden vervangen door nieuwe bouwwerken.
>
> In 1791 werd Montmajour door de staat verkocht aan een handelaarster
> in curiosa, die de abdij helemaal leeghaalde: meubelen, houtwerk, lood,
> balken en marmer werden met karrenvrachten tegelijk afgevoerd. Daarna
> werd het gebouw verkocht aan een handelaar in onroerend goed die
> de mooiste steenblokken eruit haalde en verkocht. Bewoners van Arles
> die de oude monumenten in hun oorspronkelijke staat wilden herstel-
> len (zoals de schilder Réattu), ondernamen actie. Later volgde de stad
> zelf hun voorbeeld. In 1872 begon de restauratie van het middeleeuwse
> gedeelte; de 18de-eeuwse gebouwen bleven in hun slechte staat.

Rondrit Regiokaart, blz. 208

LA CRAU B1-2

▶ *De 93 km lange route vanuit Arles staat aangegeven op de regiokaart - onge-*
veer 1.30 u. Verlaat Arles via de D 453.
La Crau strekt zich uit over een oppervlakte van 50.000 ha tussen de Rhône,
de Alpilles, de heuvels van St-Mitre en de zee. De vlakte is bedekt met een
laag kiezelsteen en grind die op sommige plaatsen wel 15 m dik is.

Saint-Martin-de-Crau

🏠 *Av. de la République - ☎ 04 90 47 98 40 - juni en sept.: dag. behalve za en zo*
10.00-12.00 u, 14.30-16.30 u, wo 10.00-12.00 u, vr 9.30-12.00 u, 14.30-16.30 u; juli.-
aug.: dag. behalve zo 9.00-12.00 u, 14.30-17.30 u, za 9.00-12.00 u.
Écomusée de la Crau – *Bd de Provence - ☎ 04 90 47 02 01 - www.ceep.asso.fr -*
dag. behalve zo 9.00-12.00 u, 14.00-18.00 u - gesl. feestd. - gratis. Dit boeiende
ecomuseum, gevestigd in een oude schaapskooi, heeft als missie het natuurlijke en culturele erfgoed van deze bijzondere streek te beschermen en onder
de aandacht te brengen. U kunt hier een pas *(€ 3)* halen die toegang biedt tot
het educatieve pad 4,7 km *(met informatiepanelen)*, dat is aangelegd op het
Domaine de Peau de Meau.
Volg de D 24 naar het zuiden tot aan de N 568. Volg deze richting Martigues.

La Grande Crau

Het groene landschap gaat geleidelijk over in een woestijnachtig gebied. Hier
zijn geen dorpjes, geen landhuizen en geen akkers; alleen een enkele schaapskooi als stille getuige van de bijna verdwenen schapenhouderijen. Door de
groei van het havengebied bij Fos en de uitbreiding van bouwgrond en vlieg-
velden wordt er steeds meer van de 'Provençaalse woestijn' afgeknabbeld.

Ga in La Fossette rechtsaf en volg de D 268 naar Port-St-Louis-du-Rhône; rijd rechtsaf de D 35 op en neem vervolgens de D 24 naar Mas-Thibert.

La Coustière de Crau

Dit is het moerasachtige gedeelte van de vlakte van La Crau. Het ligt in de buurt van de 'Grand Rhône', waar nog een Spaans vechtstierenras wordt gefokt, dat wordt ingezet bij de *novilladas* in deze streek.

★ Marais du Vigueirat

13104 Mas-Thibert - ℰ 04 90 98 70 91 ou 04 90 18 41 20 - www.marais-vigueirat. reserves-naturelles.fr - ♿ - april-sept.: 9.30-17.30 u; feb.-maart en okt.-nov.: 10.00-17.00 u - april-sept. - rondleiding (1 uur); feb.-nov: rondrit met koets en rondwandelingen (2-4 uur) op aanvraag - gesl. dec.-jan. - € 15 (6-17 jaar € 7,50).

👤👤 De Sentiers de l'Étourneau zijn voorzien van spelletjes en interactieve installaties.

Dit stuk grond (eigendom van het Conservatoire du littoral), tussen het Canal van Arles naar Bouc, dat in 1827 werd gegraven, en het Canal du Vigueirat (1642), is drooggelegd door een Nederlandse ingenieur en getuigt van de voortdurende strijd van de mens tegen het water en het zout. Dankzij complexe irrigatie- en afwateringssystemen kunnen het waterpeil en het zoutgehalte hier onder controle worden gehouden, waardoor ook het ecosysteem

KIEZELS ALS BOUWGROND

Dankzij de aanleg van een aantal irrigatiekanalen zijn twee zones in het noorden nu ontgonnen. De ene zone loopt van Arles tot voorbij St-Martin-de-Crau; de andere strekt zich uit ten westen van Salon. Deze twee gebieden grenzen nagenoeg aan elkaar. De streek heeft een agrarische aanblik vanwege het groene landschap met weiden en akkers. Er staan populieren en cipressen omheen. Rijdend over de N 113 van Arles naar Salon, krijgt men een heel vage indruk van wat eens de woestijn van de niet-bevloeide vlakte of Grande Crau was. Jaarlijks wordt ongeveer 100.000 ton van het hoogstaande **foin de Crau** (A.O.C.) geoogst. Het hooi wordt drie keer gemaaid. De vierde snee wordt verkocht aan de plaatselijke fokkers, van wie meer dan 100.000 schapen in de vlakte van La Crau grazen. Het traditionele ras dat hier wordt gefokt, is het **merinoschaap uit Arles**.

Elk voorjaar brengen veehouders hun kudden naar de *coussouls*, waar behalve weiland ook een **jasse** of schaapskooi en een waterput aanwezig zijn. Alle schaapskooien (er zijn er nog zo'n veertig) zijn tussen 1830 en 1880 gebouwd en hebben hetzelfde ontwerp: rechthoekige vorm, 40 m bij 10 m, aan beide uiteinden open en opgetrokken uit steen uit Fontvieille of uit platte keien die werden geplaatst in visgraatmotief.

Begin juni, wanneer het door de zon verdorde gras afsterft en het water schaars wordt, brengen de herders de kudde naar de bergweiden. Vroeger werden de kudden verplaatst naar de Savoie en het gebied rondom Briançon over **drailles** of veepaden. De tocht voerde door talloze dorpen en eindigde na ongeveer twaalf dagen lopen in de Alpen. Wanneer de eerste sneeuw in het hooggebergte viel, ging het weer huiswaarts. Tegenwoordig worden de kudden met veewagens vervoerd. Hoewel de veehouderij een belangrijk onderdeel is van de plaatselijke landbouweconomie, heeft deze tak te kampen met grote problemen: het merinoschaap is niet rendabel genoeg, herders worden zeldzaam en de oppervlakte van de weidegronden wordt steeds kleiner.

van de Camargue in stand kan blijven. De liefhebbers kunnen hier naar hartenlust vogels observeren: purperreigers en blauwe reigers, wilde eenden, kievieten, steltkluten, aasgieren en zwartkoprietzangers.
Keer terug naar via de D 35. Sla een klein weggetje naar rechts in (met wegwijzer).

Pont de Langlois (ook bekend als de 'pont Van Gogh')

De brug die door Van Gogh is afgebeeld, is in 1926 gesloopt. De huidige, identieke ophaalbrug is afkomstig van een ander punt in het kanaal. Hij is gedemonteerd en enkele meters van de plaats van Van Goghs brug herbouwd.

😊 ARLES: ADRESBOEKJE

BEZICHTIGEN

Toeristenpassen – *zie blz. 210.*
ZeVisit – *www.zevisit.com.*
Rondwandeling met 7 haltes; commentaar via uw eigen mobiel.
Toeristentreintje – *☎ 06 15 77 67 47 - april-okt: 10.00-19.00 u - € 7 (tot 9 jaar € 4). Rondrit met commentaar. Vertrek bij het toeristenbureau, op de boulevard des Lices en bij de arena (iedere 35 min).*
Fietsverhuur – *La Maison jaune - onderaan de trap van de arena - ☎ 04 90 93 58 52 - reserv. - halve dag € 8, hele dag € 12.*

OVERNACHTEN

DOORSNEEPRIJZEN

Hôtel de la Muette – *15 r. des Suisses - ☎ 04 90 96 15 39 - www. hotel-muette.com - gesl. feb. - 🅿 - 18 kamers € 48/65 - ☕ € 8.* Mooie 12de-eeuwse gevel aan een pleintje. Bakstenen muren en balken in de slaapkamer, die kortgeleden zijn gerenoveerd en een moderne inrichting hebben gekregen. In de ontbijtzaal foto's van stierengevechten.
Hôtel des Acacias – *2 r. de la Cavalerie - ☎ 04 90 96 37 88 - www.hotel-acacias.com - gesl. 23 okt.-31 maart - 33 kamers € 55/76 - ☕ € 6.* Volledig verbouwd hotel bij de Porte de la Cavalerie. De hal ademt de sfeer van de Camargue en de kleurrijke kamers zijn ingericht in Provençaalse stijl.
Hôtel du Musée – *11 r. du Grand Prieuré - ☎ 04 90 93 88 88 - www. hoteldumusee.com - 🅿 - gesl. half jan.-eind feb. - 28 kamers € 60/80 - ☕ € 8.* Rustig, knus hotel in een herenhuis uit de 16de-17de eeuw. Het gebouw is goed onderhouden en beschikt over twee patio's vol bloemen, waar u kunt ontbijten of verkoeling kunt zoeken op het heetst van de dag.
Hôtel de l'Amphithéâtre – *5- 7 r. Diderot - ☎ 04 90 96 10 30 - www. hotelamphitheatre.fr - 33 kamers € 56/156 - ☕ € 8/10.* Dit mooie 17de-eeuwse gebouw herbergt gerenoveerde, gezellige kamers, maar de kamers in het herenhuis ernaast zijn ruimer en stijlvoller. Mooie ontbijtzaal.

WAT MEER LUXE

Hôtel d'Arlatan – *26 r. du Sauvage - ☎ 04 90 93 56 66 - www.hotel-arlatan.fr - 🅿 - gesl. eind nov.-begin april - 41 kamers € 85/157, 6 suites € 197/247 - ☕ € 9/15.* In dit 15de-eeuwse herenhuis worden de sporen van het roemrijke verleden niet weggestopt. Kamers met een eigen karakter en fraai, oud meubilair. Parkeerterrein (€ 12,50/16).
Hôtel Mireille – *2 pl. St-Pierre - ☎ 04 90 93 70 74 - www.hotel-mireille.com - 🅿 ⌇ - gesl. jan.-feb. - 34 kamers € 89/165 - ☕ € 14 - rest.: lunchmenu*

3

€ 25 - € 34 - halfpens. € 86. Iets buiten het centrum gelegen hotel op de rechteroever van de Rhône met vrolijke kamers. Verzorgde ontvangst, lekker ontbijt en winkel met streekproducten. Aangenaam terras met moerbeibomen en zwembad.

Hôtel Calendal – 5 r. Porte-de-Laure - 𝄞 04 90 96 11 89 - www.lecalendal.com - 38 kamers € 99/159 - ⌷ € 12. De verrukkelijke kamers met zonnige kleuren kijken uit op het Romeins theater, de arena of de mooie tuin. Provençaalse salades voor een zomerse lunch in de tuin. Tearoom en beautycentrum.

UIT ETEN

GOEDKOOP

Querida – 37 r. des Arènes - 𝄞 04 90 98 37 81 - www.querida.fr - 12.00-15.00 u, 19.00-23.00 u - gesl. di en wo - € 5/19. Wijnbar dicht bij de arena in Spaanse stijl: patio, fontein, Spaanse wijnen en tapas.

DOORSNEEPRIJZEN

L'Autruche – 5 r. Dulau - 𝄞 04 90 49 73 63 - gesl. zo en ma - lunchmenu € 17/25. Dit kleine restaurant wordt bestierd door een sympathiek koppel. Sobere inrichting, zuidelijke gerechten en een gemoedelijke sfeer.

Le Criquet – 21 r. Porte-de-Laure - 𝄞 04 90 96 80 51 - gesl. ma, begin jan.-half feb. - lunchmenu € 15 - € 19/26. Het mooie metselwerk en de houten balken maken de eetzaal van dit restaurantje vlak naast de arena sfeervoller dan het terras. In alle rust kunt u hier genieten van de heerlijke vissoep en andere specialiteiten.

Le Jardin de Manon – 14 av. des Alyscamps - 𝄞 04 90 93 38 68 - gesl. 23 okt.-20 nov., 5-22 feb., zo avond van sept. tot half april, di avond en wo - lunch € 19 - € 21,50/31. Menukaart met streekgerechten, afhankelijk van het aanbod op de markt, en modern ingerichte eetruimtes. Rustig, schaduwrijk terras achter het huis.

La Gueule du Loup – 39 r. des Arènes - 𝄞 04 90 96 96 69 - gesl. za en zo van okt. tot maart, zo en ma van april tot sept. - lunchmenu € 12,50/15,50 - € 24/32. Klimplanten sieren de gevel van dit restaurant in het historische centrum. De eetzaal met airco op de eerste verdieping is een verademing op warme dagen. Provençaalse gerechten, vis, stierenvlees en groentetaart. Verzorgde bediening.

Chez Caro – 12 pl. du Forum - 𝄞 04 90 97 94 38 - www.chezcaro.fr - gesl. di en wo - € 25/32. Kleine bistro met een sober decor en creatieve, uitstekend bereide gerechten die mooi worden opgediend. De ingrediënten zijn altijd vers en de kaart wisselt om de dag.

Lou Calèu – 27 r. Porte-de-Laure - 𝄞 04 90 49 71 77 - gesl. 5 jan.-15 feb., zo en ma - € 24/34. Dit restaurant met traditionele gerechten is een uitstekend adres voor fijnproevers. De kaart wisselt per seizoen. Uitstekende wijnkaart.

WAT MEER LUXE

Bistrot à Côté – 21 r. des Carmes - 𝄞 04 90 47 61 13 - www.bistro-acote.com - € 29/37. Dependance van het Atelier de Jean-Luc Rabanel, dat ernaast ligt (zie hierna): ongedwongen sfeer, Spaans decor (hammen, bar) en uitstekende gerechten.

L'Atelier de Jean-Luc Rabanel – 7 r. des Carmes - 𝄞 04 90 91 07 69 - www.rabanel.com - gesl. ma en di - € 55/160. In deze strak ingericht bistro, wisselen de tapasachtige gerechten afhankelijk van het aanbod op de markt en de inspiratie van de biologisch kokende kok. Inventieve gerechten die een kroon verdienen; kreeg dan ook twee Michelinsterren in 2011.

Le Cilantro – *31 r. Porte-de-Laure - ☎ 04 90 18 25 05 - www. restaurantcilantro.com - gesl. ma (behalve 's avonds in juli-aug.), za middag, zo, 1 week begin nov. en 2 weken in feb.-maart - lunchmenu € 30 - € 65/99.* Gelegen achter het antieke theater, dicht bij de arena. Iedere week heeft de kok nieuwe ideeën, geïnspireerd op de smaken van het zuiden. Moderne gerechten opgediend in een stijlvol, eigentijds decor of, met mooi weer, op het terras. Kreeg in 2011 een Michelinster.

In de omgeving
Ferme-auberge de Barbegal – *D 33 - 13280 Raphèle-lès-Arles - ☎ 04 90 54 63 69 - www.barbegal. fr - ⬥ 🅿 ✍ - reserveren, za en zo middag - € 27 - 5 kamers € 66 - ☕ - halfpens. € 106.* De eigenaars hebben deze 300 jaar oude boerderij prachtig gerenoveerd en houden er schapen en pluimvee. Ze hebben ook een groentetuin en olijfboomgaard. Met hun eigen producten bereiden ze heerlijke streekgerechten. Reserveren noodzakelijk.

UITGAAN

Arles is bepaald niet blijven hangen in het verleden: het is een levendige stad, die met haar stierengevechten, het internationale fotografiefestival en een gevarieerd muziekaanbod oud en nieuw goed weet te combineren.

L'Entrevue – *23 quai Marx-Dormoy - ☎ 04 90 93 37 28 - www. lentrevue-restaurant.com - juni-sept.: 8.30-23 u; rest van het jaar: 9.30-22.00 u - gesl. 1 jan., 25 dec., zo avond ('s winters) en zo middag ('s zomers).* Dit café-restaurant in

Marokkaanse stijl maakt deel uit van een centrum dat is opgericht door uitgeverij Actes Sud, en dat ook een boekhandel en een hamam omvat.

Bar de l'hôtel Nord-Pinus – *Pl. du Forum - ☎ 04 90 93 44 44 - www. nord-pinus.com - 10.00-1.00 u.* Dit hotel uit de 17de eeuw heeft een gezellige bar: hanglampen bekroond met scheepsmodellen, leunstoelen, toreadorkostuums en flamencomuziek. Vele beroemdheden vertoefden hier, zoals Picasso, Jean Cocteau, Yves Montand, Nimeno 2, Ruiz Miguel en Jean Giono.

Le Méjan - Association du Méjan – *Pl. Nina-Berberova - ☎ 04 90 49 56 78 - www.lemejan. com - concerten € 7-20, gratis tentoonstellingen.* In 1984 werd deze vereniging door uitgeverij Actes Sud opgericht. Ze organiseert het hele jaar door evenementen in de Chapelle de Saint-Martin-du-Méjan: middag- en avondconcerten, jazzevenementen, lezingen, conferenties en tentoonstellingen.

WINKELEN

Markten – Traditionele markt op wo ochtend op de bd Émile-Combes, za ochtend op de bd des Lices, de bd Émile-Combes en de bd Clemenceau. Rommelmarkt op de 1ste wo van de maand. Kerstmarkt eind nov.

Henri Vezolles Santonnier – *14 rd-pt des Arènes - ☎ 04 90 93 48 80 - 14.30-18.30 u - gesl. zo mei-sept.* Deze ambachtsman maakt met de hand santons van twee tot vier verschillende soorten klei, waarna hij ze versiert met stukjes klei van een andere kleur. Verkoop in het atelier.

Librairie Actes Sud – *Pl. Nina-Berberova - ☎ 04 90 49 56 77 - www.librairieactessud.com - di-za*

3

9.30-19.30 u, ma 14.00-19.30 u -
gesl. zo en feestd. (behalve juli-aug.)
Hier kunt u de nieuwste boeken
van de beroemde uitgeverij uit
Arles vinden.
La Boutique des Passionnés –
14 r. Réattu - ℘ 04 90 96 59 93 -
www.passion-toros.com - ma
14.00-19.00 u, di-za 9.00-19.00 u.
Deze boeken- en platenwinkel
is een ware goudmijn voor de
liefhebbers van stierengevechten
en de muziek van het zuiden.

In de omgeving

Pâtisserie De Moro – 26 av.
de la République - 13310 Saint-
Martin-de-Crau - ℘ 04 90 47 11 02
- 7.30-19.00 u - gesl. ma. Volgens
kenners maakt deze patisserie
de beste croquants (harde
amandelkoekjes) van de regio.
Zoetekauwen zullen watertanden
bij het zien van het marsepein,
de gekonfijte vruchten, de fram-
boisine (frambozendrank)… en
de alexandrin, de chocolade-
specialiteit van het huis.

EVENEMENTEN

Stierengevechten

Naast de reguliere corridas
worden ter gelegenheid van het
paasfeest en het **feest van de
rijstoogst** (2de weekend van
sept.) speciale stierengevechten
georganiseerd, waar de top
van het wereldje samenkomt.
Courses camarguaises (waarbij
de stieren niet worden gedood)
vinden plaats in het begin van
de lente (palmzondag), maar het
belangrijkst zijn de evenementen
tijdens de **Fêtes d'Arles** (1ste
weekend juli) en de finale van de
Trophée des As (oktober), die het
ene jaar plaatsvindt in Arles, het
andere in Nîmes.
Kaartverkoop – Reserv. bij het
Bureau des arènes (rechts van

de hoofdingang) - ℘ 0 891 70
03 70 (€ 0,25/min.) - www.arenes-
arles.com. Tracht een plaats te
reserveren op de tribunes (de
hoofdtribune biedt de beste
plaatsen) of de eerste en tweede
rij. De corrida's beginnen stipt
op tijd; laatkomers moeten in de
gangen wachten tot een pauze.
Fête des gardians – Op 1 mei
dragen de veehoeders en leden
van de Nacioun Gardiano het
beeld van de H. Georges naar
de Église de la Major. Na de
zegening wordt het gewijde
brood overhandigd aan het
stadsbestuur. Hoogtepunten zijn
de mis in het Provençaals en de
paarden- en stierenevenementen
in de arena. Eens in de drie jaar de
koningin van Arles gekozen.

Andere evenementen

**Les Rencontres internationales
de la photographie (RIP)** –
10 rd-pt des Arènes - ℘ 04 90 96
76 06 - www.rencontres-arles.com -
begin juli-half sept. Internationaal
fotofestival met aandacht voor
de nieuwste stromingen in de
fotografie, van fotojournalistiek
tot de kunstfotografie. Maar ook
de geschiedenis komt aan bod.
Er zijn exposities, voorstellingn
in het antieke theater, cursussen
en lezingen door de hele stad.
Dit befaamde festival is een
aanrader voor alle liefhebbers
van fotografie.
Festival Les Suds – ℘ 04 90
96 06 27 - www.suds-arles.com.
Festival voor wereldmuziek,
tweede helft juli.
**Salon international des
santonniers** – ℘ 04 90 96 47 00 -
www.salondessantonniers.com.
Van eind november tot half
januari in het Cloître Saint-
Trophime, de Chapelle Sainte-
Anne en de Église des Trinitaires.

De Camargue

★★★

Bouches-du-Rhône (13)

🐵 ADRESBOEKJE: BLZ. 237

🛈 INLICHTINGEN

Saintes-Maries-de-la-Mer – *5 av. Van-Gogh - 13460 Les-Saintes-Maries-de-la-Mer - ℘ 04 90 97 82 55 - www.saintesmaries.com - rondwandeling (1.30 uur op aanvraag (1 dag van tevoren) - juli-aug.: 9.00-20.00 u; april-juni en sept.-okt.: 9.00-19 u; nov.-maart: 10.00-17.00 u - gesl. 1 jan., 25 dec. - € 7 (tot 18 jaar € 5).*

Arles – *Espl. Charles de Gaulle - bd des Lices - 13200 Arles - ℘ 04 90 18 41 20 - www.arlestourisme.com - april-sept.: 9.00-18.45 u; rest van het jaar: 9.00-16.45 u, zo en feestd. 10.00-13.00 u - gesl. 1 jan. en 25 dec.*

◗ LIGGING

Regiokaart AB1/2 (blz. 208) – *Michelinkaarten van de departementen 340 en 339*. De Camargue is bereikbaar vanuit Arles via de drukke D 570 naar Les Saintes-Maries-de-la-Mer (27 km in zuidelijke richting); en vanuit Port-St-Louis-du-Rhône met de **veerboot** (Bac de Barcarin - *niet gratis*), die de Grand Rhône ter hoogte van Salin-de-Giraud oversteekt. In het hart van de Camargue ligt de uitgestrekte Étang de Vaccarès, die van de Middellandse Zee is afgescheiden door een **zeedijk**. Deze dijk is uitsluitend toegankelijk voor voetgangers en fietsers.

🅿 PARKEREN

In het hoogseizoen is parkeren in Les Saintes-Maries-de-la-Mer een nachtmerrie. Beproef uw geluk bij de stranden, langs de dijken die de stad tegen de aanvallen van de zee beschermen, of in het dorp *(betaald parkeren)*.

🙂 AANRADER

Een wandeling door de straatjes van Les Saintes-Maries en een bezoek aan de kerk met het beeld van de H. Sara, beschermheilige van de zigeuners; het Musée Camarguais vertelt alles over de tradities in deze mooie regio; het Maison du Parc naturel régional en het Parc ornithologique du Pont-de-Gau, om (echte) vogels in hun natuurlijke omgeving te observeren; de enorme stranden van Piémanson en Beauduc, waar zelfs tijdens de zomer altijd wel een rustig plekje te vinden is om te zonnebaden (al moet u er wel een stukje voor lopen).

🕐 PLANNING

Vermijd de zomer, als de Camargue wordt overspoeld door hordes toeristen en veel van zijn charme verliest. De ideale momenten voor een bezoek zijn de lente, de vroege herfst en mooie winterdagen. Er zijn dan veel vogels te zien en de kudden stieren hebben de weiden in de Bas-Languedoc verlaten om te grazen tussen de meren. Neem de tijd om de Camargue te ontdekken, gehaaste reizigers zullen ontgoocheld zijn. Wie slechts één dag heeft, moet zorgvuldig kiezen en zeker een bezoek brengen aan het Maison du parc naturel régional de Camargue, want daar geeft de streek enkele geheimen prijs. In diverse gebieden zijn paden aangelegd waar de bezoeker vogels kan observeren; wie geduld heeft,

3

wordt beloond met de aanblik van een zilverreiger die plots opvliegt uit het rietland. Op 24 mei verzamelen zigeuners uit heel Frankrijk zich rondom de H. Sara in Les Saintes-Maries.

👪 MET KINDEREN

Het Parc ornithologique du Pont-de-Gau; de stranden van Piémanson en Beauduc om ongestoord in het zand te spelen (de buren zitten minstens 100 m verderop!); een tochtje te paard, op de fiets of met de boot.

Weidse vlakten waar lucht en zee elkaar dagelijks de hand reiken, kudden zwarte stieren die fier hun hoorns oprichten, ranke silhouetten van flamingo's die plots opvliegen, galopperende witte paarden, schuimkoppen: de Camargue is uniek, echt een wereld op zich. Het Camargue-kruis is ontworpen op verzoek van Folco de Baroncelli. Het embleem bestaat uit een anker met daarbovenop een kruis, waarvan alle drie de uiteinden een drietand voorstellen. Deze symboliseren de heilige Maria's, de vissers en de *gardians*.

★ Saintes-Maries-de-la-Mer

De legende van de drie heilige vrouwen, de beroemde zigeunerbedevaart, de *gardians* en de stieren, de flamingo's… Deze krachtige beelden vatten Les Saintes-Maries samen. Het stadje in het zonovergoten landschap waar lucht en water samensmelten is een ideale uitvalsbasis voor tochten door de Camargue, te voet, te paard of met de mountainbike. En wie liever niets doet, kan in deze badplaats luieren op het strand of bootjes kijken in de haven.

Een verblijf in Les Saintes-Maries, dat is rondslenteren door straatjes met witgepleisterde huizen die dicht opeengepakt rond de kerk staan, en volop genieten van de charme van dit pittoreske dorp waarop projectontwikkelaars nog geen grip hebben gekregen. Helaas wordt in een aantal straatjes (vooral F.-Mistral en V.-Hugo) de authentieke sfeer verstoord door schreeuwerige winkeltjes. Om de commercie te omzeilen, kunt u het best de vredige straatjes buiten het centrum aan de noord- en westkant van het dorp opzoeken.

★ Église Notre-Dame-de-la-Mer

👪 Dit was een fort om de relieken van de heilige vrouwen en de plaatselijke bevolking zelf te beschermen tegen plunderingen van de Saracenen. De bovenkapel is net een donjon met om de basis een **weergang** en langs de bovenrand kantelen. Een trap met 53 treden leidt naar het **dak** van de kerk. *(10.00-12.00 u, 14.00-17.00 u, zo 14.00-17.00 u - € 2)*. Daar ontvouwt zich een mooi **uitzicht★** over de zee, het dorp en de meren.

Het geheel wordt bekroond door een **klokgevel**. Let op de leeuwen rechts daarvan, die bezig zijn dieren te verslinden en waarschijnlijk ooit dienden ter ondersteuning van een portaal.

Een deurtje aan de kerkplein verschaft toegang tot het **interieur**. Het eenbeukige romaanse schip is erg somber. Het koor dat bij de bouw van de crypte werd verhoogd, heeft blinde bogen die ondersteund worden door acht marmeren zuilen met mooie kapitelen. Een ervan verbeeldt de menswording van Christus, een andere het offer van Abraham. Rechts van het middenpad staat

De oktoberbedevaart in Les Saintes-Maries-de-la-Mer
N. Thibaut / Photononstop

de put die het dorp bij belegeringen van water voorzag. In de derde travee links boven het altaar staat het scheepje van de twee Maria's, dat bij processies naar zee wordt gedragen. Rechts van dat altaar ligt 'het hoofdkussen van de heilige vrouwen', een geslepen steen in een zuil die in 1448 tijdens opgravingen samen met de relieken werd blootgelegd.

Een paar treetjes lager (pas op voor uw hoofd) ligt de **crypte** met een altaar van reststukken van een sarcofaag waarop de reliekschrijn met de vermeende beenderen van Sara staat. Rechts ervan een standbeeld van Sara en ex voto's van zigeuners. In de **bovenkapel** met versieringen in Lodewijk XV-stijl staan de reliekschrijnen van beide Maria's.

Rondrit Regiokaart, blz. 208

ROND DE ÉTANG DU VACCARÈS

▷ *De 160 km lange route vanuit Arles staat aangegeven op de regiokaart. Verlaat Arles in het zuidwesten richting Les Saintes-Maries-de-la-Mer (D 570). Let op deze drukke weg bijzonder goed op: laat u niet afleiden door het landschap.*

VAN KAPEL TOT VESTING

Halverwege de 9de eeuw zou een eerste kerk zijn gebouwd op de plaats van de oude bidkapel (6de eeuw). In de 11de eeuw stichtten de monniken van Montmajour een priorij en in de 12de eeuw herbouwden zij de kerk als onderdeel van de verdedigingswerken. Aan het eind van de 14de eeuw werden er weergangen aangebracht, waardoor het gebouw steeds meer op een burcht ging lijken. Tijdens de invasies van de barbaren werden de stoffelijke overschotten van de beide Maria's in het koor begraven. In 1448 werden hun relieken teruggevonden en de reliekschrijnen geplaatst.

3

EEN LEGENDARISCHE NAAM

Omstreeks 40 n.C. kwamen **Maria Jacoba**, de zus van de Maagd Maria, en **Maria Salomé**, de moeder van de apostelen Jacobus de Meerdere en Johannes, hier per boot aan. Ook de uit de dood herrezen Lazarus en zijn zussen, Martha en Maria Magdalena, Maximinus en Sidonius, de genezen blinde, zaten in het bootje zonder zeil, riemen of proviand. **Sara**, de zwarte bediende van de Maria's, kon zich bij hen voegen doordat Maria Salomé haar mantel in het water gooide om te gebruiken als vlot. Goddelijke bescherming deed de rest… en de Provence kon worden gekerstend. **Martha** versloeg het monster, de Tarasque, en bracht het evangelie naar Tarascon; **Maria Magdalena** vervolgde haar boetedoening in Sainte-Baume; Lazarus richtte zich op Marseille, en Maximinus en Sidonius op Aix. De twee Maria's en Sara bleven in de Camargue en na hun dood plaatsten gelovigen hun relieken in de kapel die kort na hun aankomst was gebouwd.

★ Musée de la Camargue A1

Mas du Pont-de-Rousty - D 570 - ☎ 04 90 97 10 82 - www.parc-camargue.fr - ♿ - april-sept.: 9.00-12.00 u, 13.00-18.00 u; rest van het jaar: 10.00-12.30 u, 13.00-17.00 u - gesl. di, jan., 1 mei en 25 dec. - € 4,50 (tot 18 jaar gratis).

Wie meer wil weten over de Camargue heeft baat bij een bezoek aan dit museum, gevestigd in de oude schaapskooi van de Mas du Pont-de-Rousty (*mas* betekent herenboerderij). Panelen, diorama's en voorwerpen geven een beeld van de geschiedenis van de delta en de menselijke activiteit in dit gebied van de 19de eeuw tot nu. Een collectie van 7000 foto's op glasplaten laat zien hoe dit enorme natuurgebied er begin 20ste eeuw uitzag. Dit is niet de geïdealiseerde Camargue uit de folklore; hier zien we de realiteit van een leven dat niet altijd over rozen liep…

🚶 *3,5 km - 2 u.* Tussen de irrigatiekanalen loopt een wandelpad langs de akkers, weiden en moerassen die deel uitmaken van het grondgebied van deze mas.

Volg opnieuw de D 570 richting Les Saintes-Maries-de-la-Mer.

Albaron A1

Deze oude vesting (waarvan nog een toren overeind staat) is gekrompen tot een gehuchtje rondom een kerk. Er staat een pompinstallatie om het gebied te ontzilten.

Ga verder over de D 570 richting Saintes-Maries-de-la-Mer.

Château d'Avignon A1

D 570 - ☎ 04 90 97 58 60 - april-okt.: dag. behalve di 9.45-18.00 u; rest van het jaar: vr en laatste zo van de maand 9.45-17.00 u - kassa sluit 1 uur eerder - gesl. 1 Jan., 1 mei, 1 en 11 nov., 25 dec. - € 3 (tot 18 jaar gratis) - gratis audiotour - rondleiding (1.30 uur) op aanvraag (1 dag van tevoren)

Dit klassiek aandoende kasteel werd eind 19de eeuw verbouwd door een industrieel uit Marseille. Het beschikt over mooi gelambriseerde, in de stijl van die tijd ingerichte zalen (wandtapijten). Het hele jaar door worden er culturele evenementen georganiseerd.

🚶 Op het terrein is een **botanisch pad** van 500 m aangelegd waar u allerlei plantensoorten kunt bekijken.

Rijd door over de D 570.

Parc ornithologique de Pont-de-Gau A2

D 570 - groot parkeerterrein bij de ingang - ☎ 04 90 97 82 62 - www.parcornitho logique.com - openingstijden wisselen per seizoen - € 7 (4-10 jaar € 4).

🐦 **Goed om te weten** – Zorg voor een goede verrekijker. Vooral in de herfst en de winter zijn er veel vogels te zien.

👥 Een route met informatiepanelen en observatieposten bieden de bezoeker de kans meer dan 200 vogelsoorten te ontdekken die in de Camargue wonen of hier een tussenstop maken tijdens hun trek. Wie wil weten hoe een scholekster of een kluut eruitziet, is hier op de juiste plaats.

Rijd verder over de D 570 richting Les Saintes-Maries-de-la-Mer.

★ Saintes-Maries-de-la-Mer *(zie blz. 228)*
Volg vanaf de arena de D 38. Sla na 1 km links een verharde weg in.

Links ligt het **graf van markies Folco de Baroncelli-Javon**, dat is opgericht op de plaats van zijn in 1944 verwoeste landhuis (Mas de Simbèu).

Rijd terug naar Les Saintes-Maries en neem de D 85ᴬ noordwaarts. Neem bij Pioch-Badet rechts de D 570 richting Arles en ga vlak voor Albaron rechtsaf de D 37 op. U kunt omrijden via Méjanes (zie 'Sport en ontspanning' in 'Adresboekje').

De weg loopt door een weids landschap met hier en daar een paar bomen, wat rietbossen of een alleenstaande boerderij. Rechts is een klein **uitkijkpunt** met uitzicht op de Étang de Vaccarès en de **Îlots de Rièges**.

Sla in Villeneuve rechtsaf richting de Étang de Vaccarès (D 36ᴮ).

Na een bosje loopt de weg langs de Étang de Vaccarès, met mooie **vergezichten★** op het woeste en desolate landschap van de Camargue.

La Capelière B1

C 134 - chemin de Fiélouse - ☎ 04 90 97 00 97 - www.reserve-camargue.org - ♿ - april-sept.: 9.00-13.00 u, 14.00-18.00 u; rest van het jaar: dag. behalve di 9.00-13.00 u, 14.00-17.00 u - gesl. 1 jan. en 25 dec. - € 3 (12-18 jaar € 1,50), gratis tijdens de Journée des zones humides (2 feb.), de Journée de la biodiversité en het Fête de la nature. Combinatiekaartje met Salin-de-Badon € 4,50.

🔭 Dit is het informatiecentrum van de **Réserve nationale de Camargue**. Het reservaat heeft een oppervlakte van ruim 13.000 ha en ligt in het hart van de Rhônedelta rondom de Étang de Vaccarès. De dieren en planten zijn beschermd. Het centrum beschikt over een 'boekwinkel' en een kleine permanente tentoonstelling. Bovendien zijn wandelpaden aangelegd met informatiepanelen *(1,5 km, op drukke dagen af te raden)*, vier observatieposten en twee verhoogde uitkijkpunten om vogels te kijken.

Rijd verder over de D 36ᴮ.

Links van het centrum, in het **moeras van St-Seren**, staat een veehoedershut. De weg loopt verder langs de **Étang du Fournelet**.

Salin-de-Badon B2

☎ 04 90 97 00 97 - van zonsopgang tot zonsondergang - kaartjes bij La Capelière - € 3 (kinderen € 1,50, tot 12 jaar gratis); € 4,50 in combinatie met La Capelière.

🔭 4,5 km aan wandelpaden, voorzien van drie observatieposten. De paden in deze voormalige koninklijke zoutpan zijn aangelegd door de Réserve nationale. Talloze vogels hebben domicilie gekozen in dit ruige natuurgebied.

Volg voorbij Le Paradis de D 36ᶜ. Neem na Bélugue de weg rechts naar Beauduc, die tussen de meertjes over een dijk loopt (min of meer begaanbaar voor auto's).

🚶 **Kleine omweg** – Vanuit het dorpje Le Paradis kunt u ook naar de **Phare de la Gacholle** rijden*(9 km naar het parkeerterrein, dan ongeveer 800 m lopen)*. In deze vuurtoren is een kleine expositie over de kust ingericht *(zie blz. 237)*.

3

Landschap van de Camargue

EEN GEBIED DAT ZICH MOEILIJK LAAT TEMMEN

De Camargue is een immense **alluviale vlakte** die is ontstaan door het krachtenspel tussen de Rhône, de Middellandse Zee en de wind. Toen de zee zich terugtrok aan het einde van het tertiair en het begin van het quartair, stapelden reusachtige hoeveelheden keien, door beken en rivieren meegesleurd, zich tientallen meters hoog op, waarna ze werden bedekt met lagen zeesediment. De zee kwam toen tot aan de noordelijke oever van de Étang de Vaccarès. Maar het landschap veranderde onophoudelijk. De bedding van de Rhône is in de afgelopen eeuwen vele malen verschoven. De rivier voert veel slib mee, waardoor wallen zijn ontstaan die stukken moeras omsluiten. Langs de kust hebben zich onder invloed van stromingen banken gevormd, waardoor strandmeren zijn ontstaan. Jaarlijks komt er via de **Grand Rhône** (9/10 van het totale watervolume) zo'n 20 miljoen m³ kiezelzand en slib in de Middellandse Zee terecht. Dankzij de **zeedijk** en de dijken langs de Rhône werd de aanvoer enigszins binnen de perken gehouden. Op een aantal plaatsen gaat de **aanwas van de kust** echter onverminderd door (10 tot 50 m per jaar). Anderzijds moet Les Saintes-Maries-de-la-Mer *(zie onder deze naam)*, dat eertijds enige kilometers van de kust lag, nu door dijken worden beschermd. Bij hevige stormen zijn de uitlopers van de Vieux Rhône en de Petit Rhône door de zee verzwolgen. De **Phare de Faraman**, een vuurtoren die 700 m landinwaarts werd opgetrokken, is in 1917 volledig verwoest.

DRIE IN ÉÉN

In het noordelijke deel van de delta heeft de Rhône langs haar beide armen natuurlijke ophogingen van fijne, aangeslibde grond gevormd. Daarop ligt zeer vruchtbaar land. In deze **haute Camargue**, waar de grond droog is en geschikt voor bebouwing, heeft de mens de strijd moeten aanbinden tegen water en zout, want door de hevige verdamping in de zomer was de verzilting van de bodem sterk toegenomen. Sinds de Tweede Wereldoorlog zijn er goede resultaten geboekt dankzij omvangrijke drainage- en irrigatiewerken. Inmiddels is de hoeveelheid landbouwgrond aanzienlijk uitgebreid en hebben zich overal grote landbouwbedrijven gevestigd, die afwisselend tarwe, wingerds, fruit en groenten, maïs, koolzaad en veevoedergewassen verbouwen. Maar het bekendste gewas uit dit gebied is **rijst**, hoewel de rijstbouw recentelijk flink is afgenomen. Hier en daar verrijzen bosjes witte eiken, essen, iepen, populieren, robinia's en wilgen.

DE BEVERRAT, VOLKSVIJAND NUMMER ÉÉN

De beverrat is een sierlijk knaagdier dat verwant is aan de bever en bevolkt sinds ongeveer dertig jaar de watergebieden van de Camargue. Het beestje heeft de nare neiging zich snel te vermenigvuldigen (er zouden er nu 100.000 zijn). Bij gebrek aan een vijand behalve de auto heeft de beverrat vrij spel. Dus wordt dit knaagdier, dat erg geliefd is om zijn vlees en zijn vacht, beschuldigd van al het kwaad: zijn holen en gangen verzwakken de dijken en, sterker nog, hij blijkt dol op rijst te zijn. De Franse overheid heeft daarom besloten de noodtoestand uit te roepen en hun aantal te beperken.

De **zoutpannen** bevinden zich vlak bij Salin-de-Giraud (13.000 ha) en Aigues-Mortes (10.000 ha). Ze vormen een ruitpatroon met bekkens, waar de verdamping geschiedt, en zoutpiramiden, de 'camelles'.

Het **ongerepte gebied** bestrijkt het zuidelijke deel van de delta. Het is een onvruchtbare vlakte waar meertjes en lagunen via *graus* (doorgangen) in verbinding staan met de zee. Dit woeste landschap van zand en moerasland wordt aan de kust begrensd door lage duinen en vormt een fascinerend natuurgebied. De Camargue wordt doorsneden door een web van kleine kanaaltjes, *roubines*. Vissers en jagers varen hier met bootjes die ze met een lange stok voortduwen. Er lopen een paar wegen die voor auto's begaanbaar zijn, maar om echt een goede indruk van het landschap te krijgen kunt u beter een van de wandelroutes volgen. Dit uitgestrekte, vlakke gebied, waar de grond door de droogte is gebarsten en wit is uitgeslagen van het zout, heeft een karige vegetatie, **sansouire** genaamd. Er groeien zoutplanten, zoals lamsoor en zeekraal, die in het voorjaar groen, 's zomers grijs en 's winters rood zijn; de wilde stieren voeden zich ermee. Tamarisken zijn de enige struiken die hier voorkomen. Het riet levert de *sagno*, dat gebruikt wordt voor akkeromheiningen en als dakbedekking. De **Îlots des Rièges**, eilandjes ten zuiden van de Étang de Vaccarès, hebben een weelderige begroeiing, met prachtige kleuren in de lente: blauwe distels, tamarisken, margrieten, gele irissen, jeneverbessen, mastiekbomen, affodillen, narcissen enzovoort.

EEN UITZONDERLIJKE FAUNA

Naast de beverratten, otters en gewone bevers zijn de vogels heer en meester over dit moerasland. Er leven ruim 400 soorten waaronder ongeveer 160 soorten trekvogels. In de loop van de seizoenen verandert de populatie door de trekvogels uit Noord-Europa en Siberië die hier overwinteren, zoals de taling. Ook maken sommige vogels hier in de lente of herfst een tussenstop, zoals de purperreiger. De koereiger vliegt met de kudden mee om de insecten op te pikken die op de ruggen van paarden en koeien neerstrijken. De zilverreiger, de blauwe reiger, de duikereend, de steltkluut en de strandplevier worden ook vaak gesignaleerd. Daarnaast zijn er de traditionele kustbewoners, zoals de agressieve kokmeeuw, de zilvermeeuw en de grote aalscholver. Er zijn ook zwermen zangvogels waar te nemen. Een veel voorkomende roofvogelsoort is de bruine kiekendief. Maar de spectaculairste bewoner is de **flamingo** met zijn witroze veren, lange hals en grote, kromme snavel. De Camargue is een visrijk gebied met snoekbaarzen, karpers, brasems en vooral palingen, die in de zoetwatergebieden leven en gevist worden met behulp van lange fuiken, *trabaques*. In dit vochtige gebied komen ook de Europese moerasschildpad en bepaalde veldslangen voor.

EEN NATUURRESERVAAT

In 1927 werd de Camargue een nationaal natuurreservaat en in 1970 is het tot regionaal natuurpark verklaard. De missie is: het ecosysteem beschermen, ervoor zorgen dat de dieren hier kunnen blijven leven en ondertussen de landbouwactiviteiten in het gebied in stand houden. Bovendien wordt de waterhuishouding in evenwicht gehouden en probeert men de stroom toeristen in te dammen. Het natuurpark dat kortgeleden is geopend bij Port-Saint-Louis-du-Rhône (101.000 ha) heeft in 2011 een nieuw handvest opgesteld waarin de doelstellingen voor de komende twaalf jaar zijn vastgelegd.

MANADES

De **stieren uit de Camargue** die worden ingezet bij stierenrennen en -gevechten in de streek behoren tot een in de Camargue gefokt ras. Ze zijn zwart en snel, en hebben liervormige hoorns. Vroeger leefden ze in het wild, nu worden ze in *manades* gehoed. In het voorjaar is het tijd voor de **ferrade**: de eenjarige stieren, *anoubles*, worden gebrandmerkt en hun oren worden ingekeept, een traditie in dit gebied. Dit alles speelt zich af in een feestelijke sfeer. Aan het begin van de zomer trekken de stieren naar de weiden van de Petite Camargue. Deze seizoenstrek van het vee wordt ook wel **transhumance** genoemd. Nadat de dieren in de winter weer in de mas zijn verzameld, is het tijd om er enkele te castreren. Deze stieren worden *bious* genoemd en zijn bestemd voor de rennen.

De **gardian** is de ziel van de manade. Hij verzorgt de zieke dieren. Hij selecteert geschikte exemplaren voor de stierenrennen en hij leidt de *abrivados*, waarbij de stieren door het dorp naar de arena worden gevoerd. De meeste hutjes van de *gardians* worden verbouwd tot vakantiehuisjes en hun kostuums komen alleen nog maar tevoorschijn bij feestelijke gelegenheden, maar het paard is en blijft zijn onafscheidelijke metgezel. De voornaamste attributen van de gardian zijn een drietand *(ferri)* en een lasso *(seden)*. Tegenwoordig worden de manades geleid door slechts één *bayle-gardian*, die wordt bijgestaan door een aantal vrijwilligers. In ruil voor onderdak voor hun paard helpen ze hem met allerlei klusjes op het landgoed. De Confrérie de Saint-Georges, die in 1512 werd opgericht, is het oudste gilde van de *gardians*.

Het **Camarguepaard** wordt sinds 1977 erkend door de staatsstoeterijen. Ze zijn klein en onderscheiden zich van andere paarden door hun stevige bouw, grote uithoudingsvermogen, vaste tred en wendbaarheid. De veulens worden geboren met een donkere vacht die na vier tot vijf jaar wit wordt. Deze paarden zijn zeer geschikt voor lange tochten.

🐎 *Zie ook 'De courses camargaises' (blz. 35).*

Beauduc B2

👫 Een van de bekendste stranden van de Bouches-du-Rhône is niet meer. Althans niet meer in de vorm waarin het tientallen jaren heeft bestaan: een 'dorp' met op elkaar geprop te strandhuisjes. Jarenlang werd dit dorp getolereerd, ook al lag het aan een beschermde kuststrook, maar in 2005 werd vrijwel alles afgebroken. Een paar krakkemikkige bouwsels ontsnapten aan de sloophamer. Sommige bewoners boden verzet en verruilden hun huisjes voor caravans. De operatie gaf aanleiding tot verhitte discussies over het verdwijnen van deze specifieke uiting van de mediterrane cultuur, die misschien niet zeer hoogstaand is, maar wel sympathiek. Het kleine restaurant, waar een schare stamgasten, soms van ver uit de buurt, op afkwam, heeft het trouwens ook moeten ontgelden. Voortaan kan men hier alleen maar picknicken. *Keer terug naar Faraman en rijd daarvandaan verder naar Salin-de-Giraud.*

Salin-de-Giraud B2

🏠 *Bd Pierre-Tournayre - ☎ 04 42 86 89 77 - www.arlestourisme.com - april-sept.: 10.00-13.00 u, 15.00-19.00 u.*

Dit kleine plaatsje bij de zoutpannen op de rechteroever van de Grand Rhône heeft zijn economische ontwikkeling te danken aan twee grote bedrijven die zich hier vestigden om zout te winnen: Péchiney, dat verpakkingen en aluminiumproducten vervaardigde, en chemieconcern Solvay. Met natriumchlo-

Salin de Giraud, de zoutwinplaatsen van het zuiden
C. Moirenc / Hemis.fr+

ride produceerde deze Belgische onderneming het bijtende soda dat werd gebruikt bij de productie van de beroemde Marseillezeep.

Wie Salin met zijn bakstenen huizen en arbeiderstuintjes binnenrijdt, waant zich misschien in eerste instantie in een Vlaams of Hollands dorp. Maar de platanen, trompetbomen en acacia's die voor schaduw zorgen in de haaks op elkaar staande straten, en natuurlijk de arena, zijn typisch Provençaals. Verrassend is de **Grieks-orthodoxe kerk**, opgericht door de talrijke Griekse arbeiders in Salin-de-Giraud.

Volg de weg langs de Grand Rhône richting 'Les Plages d'Arles'.

Uitkijkpunt – Vanaf dit punt, vlak bij een zoutheuvel, ontvouwt zich een mooi uitzicht op de zoutpannen van Giraud. Vooral bij zonsondergang, wanneer het moerasland in het zonlicht paars en roodbruine kleuren vertoont, is het landschap betoverend.

3

DE ZOUTPANNEN

Het water dat tussen maart en september uit zee wordt gehaald, circuleert via een pompsysteem door de 'tafels'. Dit zijn grote, door dijken omsloten wateroppervlakken waar het waterpeil niet hoger komt dan 35 cm. Om te zorgen dat het zeewater genoeg natriumchloride bevat, legt het een afstand van ongeveer 50 km af alvorens naar bekkens te worden geleid om te kristalliseren. De bekkens zijn van elkaar gescheiden door aarden dijken die *cairels* worden genoemd. De **zoutwinning** vindt plaats van eind augustus tot begin oktober. Het zout wordt aan de rand van de bekkens verzameld, gewassen en opgehoopt tot een 21 m hoge piramide. Na nog eens te zijn gewassen en gedroogd, wordt het zout verkocht voor huishoudelijk gebruik, voor veevoer of voor de productie van chemische verbindingen. De Compagnie des Salins du Midi is sinds eind 19de eeuw verantwoordelijk voor de zoutwinning.

DE FLAMINGO

Met zijn bevallige bewegingen, zijn ongewone houdingen en de subtiel in elkaar overlopende kleuren van zijn vederdos weet hij de bezoeker te bekoren. Zijn roze kleur is afkomstig van zijn voedsel, dat rijk is aan caroteen: de *Artemia salina*, een soort kreeftje, en *Dunaliella,* een microalg; beide soorten gedijen uitstekend in deze zoute omgeving. Van april tot augustus kleurt het water in de zoutpannen roze tot rood als gevolg van de overvloedige groei van de *Dunaliella*. Omdat hij een voorkeur heeft voor brak water is de flamingo dol op de Camargue. In de zomer leeft hij hier in kolonies van wel 50.000 vogels, een kwart van de Europese populatie. Het is zelfs de enige regio in Europa waar hij zich regelmatig voortplant. In de Étang du Fangassier is in 1970 een nesteiland aangelegd. Een flamingo is 1,25 tot 1,30 m groot en wordt gemiddeld dertien jaar oud. Jonge vogels hebben heel lichte, grauw-witte veren, maar gaandeweg worden die roze. De kleur is het felst bij een vogel van 6 à 7 jaar oud.

Vanaf het uitkijkpunt vertrekt een **toeristentreintje** dat een rondrit maakt *(1 u)* door het dorpje Salin-de-Giraud en een halte heeft bij het **Écomusée du Sel**. Het museum is uitsluitend via deze route bereikbaar *(☎ 06 70 47 88 12 - april-sept.: vertrek 11.30 u, 14.30 u, 16.00 u, 17.30 u - € 6, kinderen € 5).*

★ Domaine de la Palissade B2

☎ 04 42 86 81 28 - half juni-half sept.: 9.00-18.00 u; rest van het jaar: 9.00-17.00 u (de kassa sluit een halfuur eerder) - gesl. ma en di (half nov.-half feb.), 1 jan., 1 mei, 11 nov. en 25 dec. - € 3 (tot 12 jaar gratis) - rondrit met paard en koets april-okt.: vertrek ieder uur tussen 9.00 en 17.00 u - inlichtingen ☎ 06 87 84 33 72.

Dit 702 ha grote gebied is het enige in de delta dat geen dijk heeft. Daarom vertoont het landschap hier nog de oorspronkelijke kenmerken van de Basse-Camargue: alluviale slibbanken, plantengroei langs de huidige oevers, duinen, schrale vegetatie (sansouires), velden met lamsoor en riet.

🍃 Er zijn drie **wandelroutes** aangelegd: een educatief pad van 1,5 km met informatiepanelen gericht op een breed publiek en twee wandelpaden (3 km en 7,5 km) die minder informatief zijn, maar waarbij de wandelaars echt in de Camargue doordringen en afhankelijk van het seizoen en de omstandigheden de flora, fauna en traditionele bezigheden van de *paluniers,* zoals de mensen die hier leven worden genoemd, kunnen gadeslaan.

Rijd verder over de D 36ᴰ richting Piémanson.

👥 Deze schitterende weg loopt over een dijk tussen de meren. Wie wil, kan bij de uitgestrekte **Plage de Piémanson**, een zandstrand van 25 km, een duik nemen in de Middellandse Zee.

Rijd via Salin-de-Giraud richting Arles.

Musée du Riz B2

Mas du Petit-Manusclat - ☎ 04 90 97 29 44 -10.00-12.00 u, 14.00-17.00 u - www.musseeduriz.fr - rondleiding (1.30 uur) op verzoek - € 5 (tot 12 jaar gratis).

Wie alles wil weten over de rijstbouw in de Camargue mag dit kleine museum, opgericht door de familie Bon (rijsttelers sinds drie generaties), niet missen. Tentoonstelling met schaalmodellen en werktuigen, en een presentatie van rijstsoorten (ronde, witte, ongepelde enz.) en van de lokale flora en fauna. In het aangrenzende winkeltje worden alle bezoekers hartelijk welkom geheten door een enthousiaste rijstteler.

Rijd via de D 36 en vervolgens de D 570 (rechts) terug naar Arles.

Wandeltocht Regiokaart, blz. 208

Digue à la mer AB2

20 km. Volg vanaf de oostelijke uitvalsweg van Les Saintes-Maries-de-la-Mer deze zeedijk naar de vuurtoren. In de **Phare de la Gacholle** zijn een klein informatiecentrum met een observatiepost (verrekijker onontbeerlijk) en een tentoonstelling over de kust te vinden. De dijk is niet toegankelijk voor motorvoertuigen. *Tussen het parkeerterrein van La Comtesse en Les Saintes-Maries-de-la-mer ligt 20 km aan wandel- en fietspaden. Informatiecentrum bij de Phare de la Gacholle, geopend za, zo en tijdens schoolvakanties. Er is ook een picknickplaats.* Onderweg zijn er allerlei vogelsoorten, waaronder flamingo's, en typische Camarguelandschappen te bewonderen, mits het droog weer is … Ga bij Le Pertuis de la Comtesse verder in zuidelijke richting. De dijk loopt hier tussen de **Étang de Galabert** en de **Étang de Fangassier** door. Het Îlot de Galabert is de enige plaats in Frankrijk waar flamingo's broeden. Hier worden jaarlijks ongeveer 8000 flamingokuikens geboren. Ze zijn zwart bij de geboorte en het duurt drie tot vier jaar voordat ze dezelfde mooie roze kleur krijgen als hun ouders.

😊 DE CAMARGUE: ADRESBOEKJE

BEZICHTIGEN

Toeristentreintje – ☎ 06 10 44 60 80 - april-okt.: 10.00 u, 11.00 u, 14.30 u, 15.30 u en 16.30 u - € 6 (tot 10 jaar € 4). Rondrit met commentaar (50 min.) vertrek bij het toeristenbureau.

OVERNACHTEN

GOEDKOOP
In Les Saintes-Maries
Mas de Layalle – *Aan de weg naar Arles -* ☎ 04 90 97 94 81 - www.masdelayalle.camargue.fr - ⓟ - 17 kamers € 41/55 - ☕ € 7. Typische manade op 6 km van het dorp, met aantrekkelijke prijzen en een rustieke sfeer. De eigenaar fokt paarden en biedt ritjes te paard aan, voor een uur of een hele dag.

In de Camargue
Hôtel Le Flamant Rose – *Aan de weg naar St-Gilles - 13123 Albaron -* ☎ 04 90 97 10 18 - www.leflamantrose.camargue.fr - ⓟ - gesl. wo (behalve juli-aug) - 15 kamers € 45/50 - ☕ € 7 - rest. € 20/35. Zeer betaalbaar hotel in het hart van de Camargue. De streekgerechten worden geserveerd in een zaal die in de stijl van de Camargue is ingericht (een tikje te dik aangezet) of in de schaduwrijke tuin. Vriendelijke ontvangst.

DOORSNEEPRIJZEN
In Les Saintes-Maries
Hôtel Méditerranée – *4 av. Frédéric-Mistral -* ☎ 04 90 97 82 09 - www.hotel-mediterrance. camargue.fr - gesl. 15 nov.-26 dec. - 14 kamers € 42/60 - ☕ € 6,50. Dit knusse hotel heeft heel wat troeven: bloemen aan de gevel, terras in de schaduw waar bij warm weer het ontbijt wordt geserveerd, opgeknapte kamers, sommige met airconditioning, redelijke prijzen, en veel restaurants in de buurt.

In de Camargue
Chambre d'hôte Péniche Farniente – *In de plezierhaven - 30127 Bellegarde -* ☎ 04 66 74 55 21 of 06 82 53 27 65 - www.chambresdhotespeniche.com - ♿ ⓟ 🚭 - gesl. half dec.- eind feb. - 3 kamers € 60/70 - ☕.

3

Dit binnenschip uit 1923 is thans een rustig slaapverblijf in de jachthaven van Bellegarde. Het interieur is helemaal van hout en er zijn drie vrij ruime en comfortabele cabines. Het ontbijt wordt geserveerd op de brug die dienstdoet als terras.

WAT MEER LUXE
In Les Saintes-Maries
Chambre d'hôte Mazet du Maréchal-Ferrand – *Aan de weg naar de veerpont - ℘ 04 90 97 84 60 - www.chambrescamargue. com -* P *-* ⌗ *- 3 kamers € 70 -* ⌻. Hier geen poeha: de eigenaren weten u onmiddellijk op uw gemak te stellen. De kamers, allemaal op de begane grond, zijn eenvoudig en kleurrijk. Het ontbijt wordt geserveerd onder de moerbei-plataan of in een klein zaaltje met een Provençaals decor.

Le Galoubet – *Aan de weg naar Cacharel - ℘ 04 90 97 82 17 - www.hotelgaloubet.com -* ⌇ *- 20 kamers € 72/91 -* ⌻. Op de dorpsgrens, aan de kant van het moerasland. Een gezellig en goed onderhouden hotel, met een ruime eetzaal en lichte kamers.

In de Camargue
Chambre d'hôte Au Mas du Ruisseau – *Chemin du Nord - 30127 Bellegarde - ℘ 04 66 01 19 93 - www.mas-du-ruisseau.com -* P ⌗ *- 2 kamers € 75 -* ⌻ *- maaltijd incl. cons. € 22.* Deze oude boerderij is nog altijd actief: er worden kippen gekweekt en van het heerlijke fruit uit de boomgaard wordt jam gemaakt. Al die producten worden uiteraard verwerkt in de maaltijden die hier geserveerd worden. Eenvoudige, onopgesmukte kamers en gîtes, met een eigen terras.

PURE VERWENNERIJ
In Les Saintes-Maries
Hôtel de Cacharel – *Aan de weg naar Cacharel - ℘ 04 90 97 95 44 - www.hotel-cacharel.com -* ⌇ *- 16 kamers € 126 -* ⌻ *€ 11.* Tussen de tamarisken ligt deze grote mas, met hagelwitte muren en veel sfeer. Ruime, lichte kamers.

In de Camargue
Le Mas de Peint – *13200 Le Sambuc - 2,5 km naar het zuiden richting Salin - ℘ 04 90 97 20 62 - www.masdepeint.com -* ⌖ ⌇ P *- gesl. 5 jan.-23 maart, 11 nov.- 21 dec. - 13 kamers € 235/455 -* ⌻ *€ 22 - rest. € 42/62.* De tradities van de Camargue staan centraal in deze 17de-eeuwse mas die midden in een prachtig domein ligt. Behaaglijke kamers, tuin met zwembad, manege, eigen arena. Een 'retrochique' keuken waar de kok onder uw ogen heerlijke kleine streekgerechten maakt.

UIT ETEN

☻ **Goed om te weten** – De *gardiane de taureau* is de specialiteit van de streek: een gerecht met stierenvlees (met A.O.C.-label) gemarineerd in rode wijn, kruiden en specerijen (cayennepeper, tijm, laurier, peterselie, kruidnagel), knoflook en sinaasappelschillen. Er worden witte rijst en een rode streekwijn bij geserveerd.

GOEDKOOP
In Les Saintes-Maries
Le Bodega Kahlua pub restaurant – *8 r. de la République - ℘ 04 90 97 98 41 - gesl. 6 jan.- 28 feb. en half nov. tot het einde van de kerstvakantie -* ⌖ *- lunch € 12 - € 14/20.* Afhankelijk van het tijdstip kunt bij deze typische jaren-dertigvilla terecht voor een cocktail of voor een maaltijd: pizza, op houtvuur geroosterd vlees, tapas of… Antilliaanse specialiteiten.

DOORSNEEPRIJZEN

In Les Saintes-Maries

Brasserie de la Plage (chez Boisset) – *1 r. de la République - 04 90 97 84 77 - gesl. dec. en jan. - € 7/40*. Schelpdieren, schotels met zeevruchten of paella, om op het pleintje van te genieten (onder een rieten dak) of om mee te nemen.

L'Amirauté – *46 av. Théodore-Aubanel - 04 90 43 32 70 - www.restaurant-lamiraute.camargue.fr - lunch € 17,50 - € 25/35*. Dit restaurant tegenover Port Gardian serveert gerechten uit de Provence en de Camargue, vooral vis en schelpdieren.

In de Camargue

Le Mas Saint-Bertrand – *Aan de weg naar Vaccarès (D 36c) - 13129 Salin-de-Giraud - 04 42 48 80 69 - www.mas-saint-bertrand.fr - alleen 's middags geopend - gesl. wo en begin nov-half mrt - P ⤴ - € 10/30 - 4 kamers € 50 - ⌣ € 6*. De familie Giran heeft deze mas midden in het Parc de Camargue tot een magische plek omgetoverd. Tussen de laurierbomen staan oude landbouwmachines die een beetje op fabeldieren lijken. U kunt hier proeven van gerechten uit de Camargue, vleeswaren, platschelpen, tellines, gardiane de taureau en stierenkotelet. Ook verkoop van producten en fietsverhuur (er zijn fietspaden uitgezet in het gebied).

WAT MEER LUXE

In de Camargue

Domaine de la Tour du Cazeau – *13200 Le Sambuc - 04 90 97 21 69 - www.tour-du-cazeau.com - P ⤴ - € 27/48*. Deze 18de-eeuwse boerderij ligt verscholen tussen de rijstvelden… Vanaf de toren hield men vroeger de boten op de Grand Rhône in de gaten. Regionale gerechten, opgediend in de oude stal.

La Chassagnette – *13200 Le Sambuc - 04 90 97 26 96 - www.chassagnette.fr - ♿ P - gesl. di, wo (behalve juli-aug.) en feb.-maart - lunch € 50/62 - € 35/40*. Deze fraai ingerichte mas in de stijl van de Camargue beschikt over een prettig terras. Chef-kok Armand Arnal bereidt Provençaalse gerechten, deels met bioproducten uit de 2 ha grote moestuin. Kreeg een Michelinster in 2011.

WINKELEN

Markten – Traditionele Provençaalse markt op ma en vr, op de place des Gitans in Les Saintes-Maries-de-la-Mer.

Les Bijoux de Sarah – *12 pl. de l'Église - 13460 Saintes-Maries-de-la-Mer - 04 90 97 73 73 - sarahleeloo@aol.com - maart-okt.: 9.30-12.30 u, 14.00-19.30 u; rest van het jaar: 10.00-12.00 u, 14.00-17.00 u*. Handgemaakte sieraden, waaronder de 'zigeunerhanger', die de drager beschermt en geluk brengt. Breed assortiment Provençaalse sieraden.

SPORT EN ONTSPANNING

Zwemmen

De kust van de Camargue beschikt over uitgestrekte zandstranden. In **Les Saintes-Maries** vindt u langs de promenade een reeks kleine, drukbezochte zandstrandjes. Voor meer ruimte en rust moet u een stuk lopen over de **Plage Est**, richting de Phare de la Gacholle. 6 km verderop is er een zone waar naturisme is toegestaan. Ten westen van het dorp ligt een 2 km lang zandstrand. Allerlei watersportfaciliteiten: verhuur van boten, surfplanken, kites, waterfietsen, kajaks, visexcursies op zee (adressenlijst bij het toeristenbureau).

3

Vanuit **Salin-de-Giraud** kunt u over een onverharde weg naar **Beauduc** rijden. De **Plage de Piémanson** is beter bereikbaar, maar erg druk. Dit is een goede optie als u iets zoekt in oostelijke richting, maar zwemmen is hier gevaarlijk.

Ruitertochten
De Camargue is het land van de paarden. Het toeristenbureau van Les Saintes-Maries-de-la-Mer geeft een gratis brochure uit, *Découverte de la Camargue à cheval*. Nuttig voor beginners én gevorderden; alle adressen voor ruitersport staan erin. Ze bieden allemaal ongeveer dezelfde mogelijkheden aan, van tochten van 2 uur tot dagtochten en meerdaagse tochten.

Wandeltochten
De beste manier om de streek te ontdekken, is door een flinke wandeling te maken. Er zijn mooie tochten over de GR 653, de zeedijk en de paden in het Domaine de La Palissade, La Capelière en Salin-de-Badon.

😊 **Goed om te weten** – Het toeristenbureau van Les Saintes-Maries biedt een gratis brochure aan, *Camargue naturellement*, waarin 7 wandelingen en 7 fietstochten door de Camargue worden beschreven.

Fietsen
Keuze uit verschillende routes vanuit Les Saintes-Maries. Het dorp telt twee verhuurbedrijven:
Le Vélo Saintois – *19 r. de la République - 13460 Saintes-Maries-de-la-Mer* - ☎ *04 90 97 74 56 - www.levelosaintois. camargue.fr - halve dag € 10, hele dag € 15.*
Le Vélociste – *pl. Mireille - 13460 Saintes-Maries-de-la-Mer* - ☎ *04 90 97 83 26 - www.levelociste.fr - halve dag € 10, hele dag € 15.*

Mountainbiken
Talloze routes met verschillende niveaus. Inlichtingen bij het toeristenbureau van Arles en van Les Saintes-Maries-de-la-Mer.

Kanoën/kajakken
Kayak vert – *Mas de Sylvéréal - 30600 Sylvéréal - 16 km van Les Saintes-Maries aan de weg naar Aigues-Mortes* - ☎ *04 66 73 57 17 of 06 09 56 06 47 - www.kayakvert-camargue.fr - € 10/20.* Over het water van de Petit Rhône door de Camargue. Er wordt ook een dagtocht aangeboden met kano en mountainbike *(€ 32).*

Rondvaarten
Van half maart tot eind oktober bieden drie organisaties rondvaarten aan op zee en over de Petit Rhône vanaf de Port Gardian, in Les Saintes-Maries-de-la-Mer (1.30 uur):
Les Quatre Maries II – ☎ *04 90 97 70 10 - www.bateaux-4maries. camargue.fr - € 12 (tot 12 jaar € 6) - 3 tot 4 rondvaarten per dag.*
Le Camargue – ☎ *04 90 97 84 72 - www.bateau-camargue.com - € 12 (tot 12 jaar € 6) - 1 à 4 rondvaarten per dag.*
👥 **Tiki III** – *D 38 (naast de camping Le Clos du Rhône) - 1,5 km van Les Saintes-Maries* - ☎ *04 90 97 81 68 - www.tiki3.fr - gesl. 3 nov.-15 maart - € 12 (tot 12 jaar € 6) - 1 tot 5 rondvaarten per dag, afhankelijk van het seizoen.* Ontdek de geheimen van de Camargue aan boord van een ouderwetse raderstoomboot, de *Tiki III*. Tijdens dit tochtje (1.30 uur) kunt u de plaatselijke flora en fauna bewonderen. Halverwege is er een tussenstop in de buurt van de paarden- en stierenkudden.

Journée camarguaise
Een tiental stieren- en paardenfokkerijen organiseert

kennismakingsdagen. U kunt kijken naar het brandmerken en demonstraties door de *gardians*, een ritje maken of eten in de mas. *Inlichtingen bij het toeristenbureau van Les Saintes-Maries.*

Overige activiteiten
👥 Méjanes - Domaine Paul-Ricard – *Mas de Méjanes - 13200 Arles - ☎ 04 90 97 10 10 (verhuur van mountainbikes, treintje) of 04 90 97 10 62 (ruitertochten) - www.mejanes. camargue.fr - 9.00-17.00 u (zomer: 18.00 u) - van half okt. tot Pasen alleen op verzoek.* Wandeltocht *(gratis)*, fietsverhuur (€ 4/u, € 1/d), tocht te paard (€ 15/u) of ponyritje (€ 4/15 min), treinritje van 3,5 km langs het Lac du Vaccarès *(€ 4; kinderen € 3)*, attracties (brandmerken, dressuurdemonstraties, ruiterspelen in de arena op zo en feestd., reserveren).
Thalacap Camargue – *Av. Jacques-Yves-Cousteau - 13460 Saintes-Maries-de-la-Mer - ☎ 0 825 125 145 - www.thalacap. com - 7.00-22.30 u - gesl. 2 weken in dec.* Thalassotherapie.

EVENEMENTEN

Stierengevechten – In Les Saintes-Maries, Arles, Salin-de-Giraud en Méjanes worden vaak stierengevechten georganiseerd: corrida's en *novilladas*, '*corridas de rejon*' (te paard) en Portugese corrida's (waarbij de stier niet wordt gedood en *forcados* de dieren met de hand tot staan brengen) en *courses camarguaises*, waarbij mannen attributen van de hoorns proberen te trekken.
Festival de la Camargue et du delta du Rhône – *Port-Saint-Louis-du-Rhône, Saintes-Maries-de-la-Mer, Arles,* *Saint-Martin-de-Crau. Inlichtingen bij het toeristenbureau - www. festival-camargue-deltadurhone. camargue.fr.* Begin mei, voor vogelliefhebbers: zes dagen achtereen natuurexcursies met gids (zo'n vijftig mogelijkheden om uit te kiezen), exposities over de Camargue, lezingen en films. Ook activiteiten voor kinderen.
Pèlerinage des Gitans – In mei verzamelen zigeuners uit het hele land zich in de crypte van de Église des Saintes-Maries, waar het standbeeld van hun schutspatrones, de H. Sara, staat. Nadat de reliekschrijn vanuit de hoge kapel in het koor is neergelaten, wordt het beeld naar zee gedragen.
Pèlerinage des Saintes – Iedere heilige heeft zijn eigen bedevaart: Marie Jacobé op 25 mei en Marie Salomé de zondag in oktober die het dichtst bij de 22ste ligt. Op de middag van de eerste dag worden de relieken vanuit de hoge kapel neergelaten in het koor van de Église des Saintes-Maries. De volgende dag worden de heiligenbeelden in een processie door de straten naar de zee gedragen, voorafgegaan door een groep vrouwen uit Arles in klederdracht en omringd door *gardians* te paard.
Journée Baroncellienne – Markies de Baroncelli-Javon is weliswaar (nog) niet heiligverklaard, maar ook hij vormt het middelpunt van een levendige cultus. Op 26 mei in de straten van Les Saintes-Maries: vrouwen in klederdracht, farandoles (dans), demonstraties van *gardians*, abrivado's. In de arena vinden stierenrennen plaats. Kortom, alle tradities van de Camargue samengebald.
Feria du cheval – half juli - ruiterspelen in de arena van Les Saintes-Maries en in het dorp.

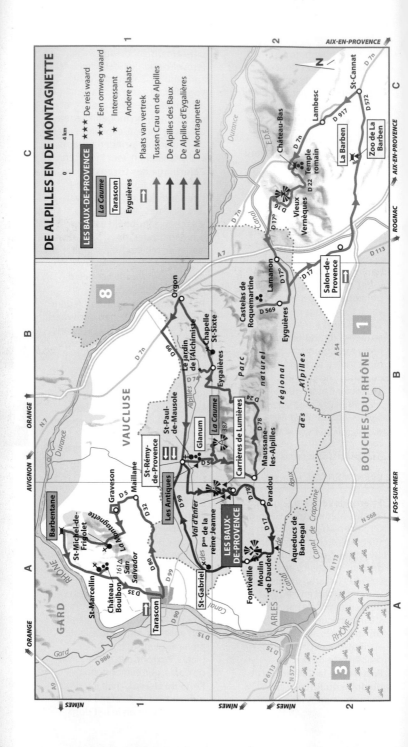

De Alpilles en de Montagnette 4

Michelinkaart van de departementen – Bouches-du-Rhône (13)

▶ **SALON-DE-PROVENCE★ EN RONDRIT**   **244**

35 km ten noordwesten:
▶ **SAINT-RÉMY-DE-PROVENCE★**   **253**

Vanuit Saint-Rémy-de-Provence:
▶ **DE ALPILLES★★ : RONDRIT**   **263**

De parel van de Alpilles:
▶ **LES BAUX-DE-PROVENCE★★★**   **271**

Onderweg naar de Montagnette:
▶ **TARASCON★ EN RONDRIT**   **278**

Salon-de-Provence

★

40.147 inwoners – Bouches-du-Rhône (13)

😊 ADRESBOEKJE: BLZ. 250

🛈 **INLICHTINGEN**

Toeristenbureau van Salon-de-Provence – *56 cours Gimon - 13300 Salon-de-Provence - 📞 04 90 56 27 60 - www.visitsalondeprovence.com - juni-aug.: 9.00-13.00 u, 15.00-19.00 u, zo 10.00-12.30 u, 15.00-17.00 u; nov.-feb.: 9.00-12.30 u, 14.00-18.00 u; rest van het jaar: dag. behalve zo en feestd 9.30-12.30 u, 14.00-18.00 u.*

Rondleidingen 'Les Flâneries' – *Tijden en reserveringen bij het toeristenbureau - 1.30 u - gratis - uitsluitend juni-sept. en paasvakantie.* Naar keuze, kennismaking met de klassiekers (het huis van Nostradamus, Musée de l'Empéri) of minder bekende aspecten van Salon (fokkerij van biostieren, irrigatiekanalen Craponne).

▶ **LIGGING**

Regiokaart C2 (blz. 242) – *Michelinkaart van de departementen 340 F4.* Halverwege Arles en Aix, midden in de olijfgaarden, ligt Salon op een kruispunt van wegen, waardoor het zich kon ontwikkelen. Tussen de moderne wijken en de oude stad ligt een ring van lommerrijke lanen.

🅿 **PARKEREN**

Groot, gratis parkeerterrein op de place Jules-Morgan.

😊 **Goed om te weten** – Let op: vanaf woensdagochtend 5.00 u is parkeren verboden op de lanen die het oude centrum omringen en op de pl. Morgan. Denk daaraan op dinsdagavond!

😊 **AANRADER**

Het Musée de l'Empéri; het huis van Nostradamus; een wandeling door de straatjes van Salon; het Château de La Barben buiten Salon.

🕐 **PLANNING**

Trek een halve dag uit voor de belangrijkste bezienswaardigheden van Salon. De ligging tussen de Alpilles, de Camargue, Luberon en de streek rondom Aix maakt deze stad een geschikte uitvalsbasis; goedkoper en rustiger dan de bekendere steden.

👥 **MET KINDEREN**

Het Musée de l'Empéri; het Musée Grévin de Provence; het huis van Nostradamus; de dierentuin van La Barben.

De stad van Nostradamus staat dan misschien minder hoog aangeschreven dan andere steden in de Alpilles, ze heeft haar charme en authenticiteit behouden, en doet op dat gebied niet onder voor de buren. Wie de tijd neemt om op verkenning te gaan, ontdekt een aangenaam stadscentrum met statige panden die herinneren aan de 15de eeuw, toen de productie van olijfolie Salon welvaart bracht. Tegenwoordig stroomt de stad vol op woensdag, de dag van de markt.

Wandelen Plattegrond

◉ *De route staat aangegeven op de plattegrond hieronder.*

Château de l'Empéri B2

Het imposante kasteel is gebouwd op de Rocher du Puech, en torent uit boven de stad. Empéri verwijst naar het Heilige Roomse Rijk (Empire), waarvan diverse vorsten in dit kasteel verbleven. Deze voormalige residentie van de aartsbisschoppen van Arles werd in de 10de-13de eeuw gebouwd en in de 16de eeuw uitgebreid met een galerij op het voorplein. In de Chapelle Sainte-Catherine (12de eeuw), de ontvangstzaal met de gebeeldhouwde haard (15de eeuw) en een dertigtal andere ruimten zijn nu het Musée de l'Empéri en de werken van de schilder Théodore-Jourdan ondergebracht.

Musée de l'Empéri★★ – *Montée du Puech -* ℘ *04 90 44 72 80 - www.salon-de-provence.org - half april-eind sept.: 9.30-12.00 u, 14.00-18.00 u; rest van het jaar: 13.30-18.00 u - rondleiding (2 uur) - gesl. ma - € 4,60 (tot 8 jaar € 2,30); in combinatie met het Musee Grévin en het Maison Nostradamus € 7,10.* 👪 Een aanrader voor iedereen, jong en oud, die in het leger is geïnteresseerd. Het museum staat geheel in het teken van de geschiedenis van het Franse leger, van de regeerperiode van Lodewijk XIV tot 1918. In de mooie zalen zijn 10.000 voorwerpen te bezichtigen: uniformen, uitrustingen, vlaggen, onderscheidingen, wapens, kanonnen, schilderijen, tekeningen, gravures en soldaten te voet en te paard.

Salle Théodore-Jourdan – *Montée du Puech - noordelijke binnenplaats van het kasteel -* ℘ *04 90 44 72 80 - half april-eind sept. en tijdens schoolvakanties: 9.30-12.00 u, 14.00-18.00 u; rest van het jaar: 13.30-18.00 u - gesl. ma - € 2.* In afwachting van de heropening van het Musée de Salon et de la Crau, zijn in deze zaal ongeveer vijftig schilderijen en tekeningen van Théodore Jourdan (1833-1908), afkomstig uit Salon, ondergebracht. Mooie, realistisch weergegeven Provençaalse taferelen.

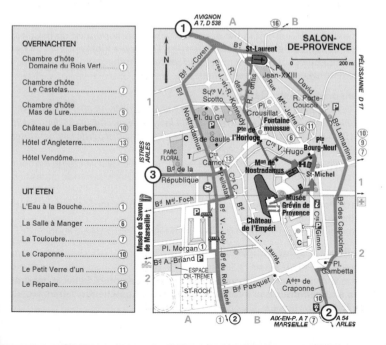

VAN STETHOSCOOP TOT HOROSCOOP

Omdat in de 16de eeuw medicijnen en esoterie geen aparte disciplines waren, verbaasde het niemand dat een in 1503 geboren arts zich overgaf aan astrologische voorspellingen. Twaalf jaar reisde **Nostradamus** door Europa en het Oosten en ontwikkelde hij geneesmiddelen waarvan hij het recept geheimhield. Toen hij met succes de pest in Aix en Lyon bestreed, werden zijn collega's jaloers. Hij trok zich terug in Salon en wijdde zich aan de astrologie. Hij publiceerde zijn nog steeds beroemde *Centuries astrologiques*. Als weerman *avant la lettre* deed hij ook meteorologische voorspellingen in een almanak die gretig aftrek vond.

Musée Grévin de Provence B1

Pl. des Centuries - ☏ 04 90 56 36 30 - ♿ - rondleiding (40 min) 9.00-12.00 u, 14.00-18.00 u, za en zo 14.00-18.00 u - gesl. feestd. - € 4,70 (kinderen € 3); combinatiekaartje met het Musée de l'Empéri en het Maison de Nostradamus € 7,20.

De wassen beelden zijn niet bijzonder interessant, maar de 16 scènes met audiocommentaar schetsen op ludieke wijze een beeld van 2600 jaar Provençaalse geschiedenis en legendes, van de bruiloft van Gyptis en Protis (600 v.C.) tot de 'Provençaalse films' van Marcel Pagnol.

Keer terug naar de cours Gimon via de rue J. Blanchard.

Hôtel de ville B1

Het stadhuis is een stijlvol 17de-eeuws pand met twee hoektorens en een gebeeldhouwd balkon. Op het plein ervoor staat een standbeeld van ingenieur **Adam de Craponne** (1527-1576), die een kanaal aanlegde dat water uit de Durance aanvoerde via de oude loop van de rivier. Tegenover het stadhuis staat de **Porte Bourg-Neuf**, een stuk van de oude stadsmuur.

Volg de rue du Bourg-Neuf naar de place Saint-Michel.

Als u dieper doordringt in het oude deel van Salon, komt u uit op het plein waar de **Église Saint-Michel** (B1) verrijst. De mooie klokkengevel en het gebeeldhouwde timpaan van het portaal zullen liefhebbers van romaanse beeldhouwkunst in vervoering brengen.

Maison de Nostradamus B1

R. Nostradamus - ☏ 04 90 56 27 60 - 9.00-12.00 u, 14.00-18.00 u, zo en feestd. 14.00-18.00 u - rondleiding (40 min) - gesl. 1 jan., 1 en 8 mei, 14 juli, 25 dec. - € 4,70 (tot 25 jaar gratis), audiotour voor senioren € 3; combinatiekaartje met het Musée Grévin en het Musée de l'Empéri € 7,20.

In dit huis bracht Nostradamus de laatste negentien jaar van zijn leven door. Er is een videopresentatie over zijn leven en werk. Ook wisselende exposities.

Loop terug door de rue de l'Horloge.

Via de **Porte de l'Horloge** komt u op de place Crousillat met de sierlijke, 18de-eeuwse **Fontaine moussue**.

Loop verder door de rue des Frères-Kennedy en sla rechtsaf de rue Pontis in.

Collégiale Saint-Laurent B1

Square Jean-XXIII - ma-vr 13.30-17.00 u.

Deze kerk is een mooi voorbeeld van Zuid-Franse gotiek. Behalve het **graf van Nostradamus** is er een polychrome, monolithische Kruisafneming uit de 15de eeuw te zien.

Château de La Barben
M. Gotin / Hemis.fr

Wat is er nog meer te zien? Plattegrond blz. 245

Musée du Savon de Marseille A2, buiten de plattegrond
Savonnerie Marius-Fabre - 148 av. Paul-Bourret - ℘ 04 90 53 82 75 - www.marius-fabre.fr - dag. behalve za en zo: 8.30-12.00 u, 13.30-17.00 u (17.30 u in juli-aug.) - gesl. feestd. en laatste week van dec. - bezichtiging van de zeepziederij ma en do om 10.30 u (behalve de laatste 15 dagen van aug. en rond Kerstmis en Oudjaar) - museum € 2,50 (tot 15 jaar gratis); museum en rondleiding € 3,50.
Deze zeepziederij werd in 1900 opgericht door Marius Fabre en is een van de laatste in Salon die nog in bedrijf zijn. Een klein museum behandelt de traditionele productiewijze van de beroemde Marseillezeep, die door de familie al vier generaties in ere wordt gehouden.

Rondrit Regiokaart, blz. 242

TUSSEN LA CRAU EN DE ALPILLES

▶ *De 68 km lange route vanuit Salon staat aangegeven op de regiokaart - ongeveer een halve dag. Verlaat Salon-de-Provence via de D 572 oostwaarts.*
Na **Pélissanne** voert een klein weggetje linksaf naar La Barben, dat op een steile helling in het dal van de Touloubre ligt.

★ **Château de La Barben** C2

℘ 04 90 55 25 41 - www.chateaudelabarben.fr - rondleiding (1 uur) begin mei-half nov.: 11.00-13.00 u, 14.00-17.00 u; half feb.-begin mei: za en zo 14.00-17.00 u - gesl. 15 nov.-15 feb., 1 jan. en 25 dec. - € 8 (tot 12 jaar € 6), middeleeuws schouwspel in de kelders en spoorzoektocht rond het kasteel.
Het kasteel staat op de plaats van een middeleeuwse burcht van voor het jaar 1000. Het was eigendom van de Abbaye Saint-Victor in Marseille en later van

4

René d'Anjou. Daarna kwam het in bezit van de invloedrijke familie Forbin, die het bijna 500 jaar bewoonde, herhaaldelijk verbouwde en uitbreidde. In de 17de eeuw werd de burcht veranderd in een buitenplaats. De ronde toren, die bij de aardbeving van 1909 instortte, is opnieuw opgebouwd. Vanaf het bordes met dubbele trap (Hendrik IV-stijl) ontvouwt zich een prachtig uitzicht over de tuin van **Le Nôtre** en het Provençaalse land tussen de Chaîne de la Trévaresse en de Alpilles.

Binnen zijn de Franse plafonds, de 16de- en 17de-eeuwse wandtapijten uit Aubusson, Vlaanderen en Brussel en een schilderij van Largillière de moeite waard. Bewonder het **cordobaleer★**, dat gebruikt is voor de decoratie van de grote zaal, de weelderige slaapkamer van Pauline Borghèse en haar boudoir, waarvoor Granet *(De vier seizoenen)* het behang ontwierp. In de grote zaal hangt een wandtapijt uit Aubusson uit het Second Empire.

★ Zoo de La Barben C2

🞋 04 90 55 19 12 - www.zoolabarben.com - ♿ - juli-aug.: 9.30-19.00 u; half nov.- half feb.: 10.00-17.30 u; rest van het jaar: 10.00-18.00 u - € 14,50 (3-13 jaar € 8,50).

👪 U kunt deze 33 ha grote, bosrijke dierentuin te voet of met het treintje verkennen. De neushoorns, roofdieren, giraffen, beren, bizons, kamelen, tapirs, zebra's, wolven, apen en roofvogels leven op grote, omheinde terreinen. In totaal zijn er bijna 600 dieren, die u kunt gadeslaan vanachter glas. Iedere dag behalve vrijdag zijn er demonstraties met roofvogels. Voor de kinderen is er een speeltuin.

Keer terug naar de D 572 en sla daar linksaf.

De weg volgt de groene **vallei van de Touloubre** en biedt na het viaduct over de TGV-spoorlijn een mooi uitzicht over de Chaîne de la Trévaresse.

Saint-Cannat C2

Musée Suffren – *Esp. Suffren - av. Pasteur - 🞋 04 42 57 36 03 - www.saint-cannat.fr - juli-aug.: 15.00-18.00 u; mei-sept.: op aanvraag; rest van het jaar: 1ste zo van de maand 15.00-18.00 u - rondleiding (1.30 uur) op aanvraag (in de winter) - gesl. feestd. - gratis.* In dit museum worden de historische archieven van de gemeente bewaard, in het bijzonder die over baljuw Pierre André de Suffren (1729-1788), de beroemde Franse admiraal die in Saint-Cannat werd geboren. Een deel van het museum is gewijd aan de aardbeving van 1909. Oude ansichtkaarten, krantenknipsels en getuigenissen.

Verlaat Saint-Cannat over de D 7N (richting Avignon) en ga daarna linksaf de D 917 op.

Lambesc C2

Door de herenhuizen en fonteinen uit de 17de en 18de eeuw heerst in dit dorpje een sfeer die aan Aix doet denken. Boven een poort staat een 16de-eeuws **belfort** met een uurwerk met bewegende figuurtjes. De indrukwekkende 18de-eeuwse kerk heeft een prachtige koepel.

Rijd door over de D 7N en neem in Cazan de D 22 links. 1 km verderop is de afslag naar het Château-Bas (parkeerterrein).

Château-Bas C2

🞋 04 90 59 13 16 - www.chateaubas.com - gratis. De **Romeinse tempel** zou uit het eind van de 1ste eeuw dateren, uit dezelfde tijd dus als de triomfboog in St-Rémy-de-Provence en het Maison carrée in Nîmes. Een deel van de fundering en de linkerzijmuur zijn bewaard gebleven. De vierkante pilaster aan het eind van de muur heeft een mooi Korinthisch kapiteel. Ervoor staat een onbeschadigde, 7 m hoge, gecanneleerde zuil. Rond de tempel liggen res-

---

GIERIGAARD UIT LAMANON
Troubadour **Bertrand de Lamanon** was landheer van het gelijknamige dorp en bovendien een gevreesd pamflettist. Met zijn satirische verzen *(sirventés)* bracht hij menig vijand aan het sidderen: de bisschop van Aix, die hij van ernstige zonden betichtte, kon ervan meepraten! Maar de goede Bertrand trok pas echt van leer toen Karel van Anjou in 1260 hem het monopolie op de zoutverkoop ontfutselde: Bertrand placht het zout vijf keer zo duur te verkopen dan hij het had gekocht.

---

tanten van een andere tempel en een halveronde ommuring, waarschijnlijk van een heiligdom.
Rijd verder over de D 22 en neem rechtsaf de D 22^C.

Vieux Vernègues C2
De weg loopt door Vernègues, dat gebouwd werd nadat het oude dorp bij de aardbeving van 1909 was verwoest. De weg loopt om de ruïnes van het oude dorp heen *(niet toegankelijk voor publiek)* naar het uitkijkpunt op de top waar zich een weids **panorama★** ontvouwt.
Met veel haardspeldbochten slingert het weggetje zich naar **Alleins**, waar nog enkele resten van de ommuring bewaard zijn gebleven.
Sla linksaf de D 71^D op en ga onmiddellijk na de brug over het EDF-kanaal weer links richting Lamanon (D 71^D).

Lamanon C2
🛈 *Toeristisch informatiepunt - pl. du Cabaret - 13113 Lamanon - ✆ 04 90 59 54 62 - dag. behalve za en zo: 9.00-12.00 u, 13.00-17.00 u - gesl. wo middag.*
De grootste bezienswaardigheid in Lamanon is een **schitterende plataan**. De plataan is geliefd in de Provence, omdat hij met zijn dichte bladerdak de jeu-de-boulesspelers tegen de zon beschut. Dit exemplaar in Lamanon is met zijn 300 jaar en een omtrek van maar liefst 8 m de trots van de inwoners. Hij staat op een privéterrein tegenover het stadion en is goed te zien vanaf de straat.
Musée de Calès – *pl. du Cabaret (in het toeristenbureau) - ✆ 04 90 59 54 62 of 06 76 51 76 22 - www.cales-lamanon.fr - dag. behalve za 9.00-12.00 u, 14.00-17.00 u, wo 9.00-17.00 u, zo 14.30-17.00 u - gesl. feestd. - rondleiding (20 min) op verzoek gratis.* De **archeologische vindplaats van Calès** (met grotten, resten van een middeleeuws kasteel en kapelletjes), die zich uitstrekt over de heuvels van het dorp is niet meer toegankelijk omdat het terrein te gevaarlijk is, maar u kunt uw nieuwsgierigheid bevredigen in de twee zalen van dit kleine museum.
Vervolg uw weg over de D 17^E.
Volg na het lieflijke dorpje **Eyguières** met zijn vele fonteinen de D 569 in noordelijke richting.

Castelas de Roquemartine B2
De hooggelegen ruïnes uit verschillende periodes bieden een schilderachtige aanblik. Het adelaarsnest was een ideale schuilplaats voor bandieten. Geen wonder dus dat aan het eind van de 14de eeuw de bendes van de beruchte Raymond de Turenne zich hier verschansten.
Keer terug naar Eyguières en neem vervolgens de D 17 terug naar Salon.

4

🐌 SALON-DE-PROVENCE: ADRESBOEKJE

VERVOER

Er is een treinverbinding tussen
Marseille en Salon-de-Provence
(ongeveer 50 min).

BEZICHTIGEN

Pass Avantage Séjour – € 10
(kinderen € 9) - verkrijgbaar bij
het toeristenbureau. Deze pas
is 7 aansluitende dagen geldig
en geeft gratis toegang tot
de 4 musea in de stad en het
zwembad. Bovendien heeft u met
de pas recht op diverse kortingen.

OVERNACHTEN

DOORSNEEPRIJZEN

Hôtel Vendôme – 34 r. du Mar.-
Joffre - 🕿 04 90 56 01 96 - www.
hotelvendome.com - 🅿 -19 kamers
€ 47/57 - ⬜ € 6 - halfpens.
€ 120/129. Op enige afstand van
de ringweg ligt dit rustige hotel,
dat bekend staat om de heerlijke
bedden. Ruime kamers met grote
badkamer; kies er een aan de
patio.

Hôtel d'Angleterre – 98 cours
Carnot - 🕿 04 90 56 01 10 -
www.hotel-dangleterre.biz -
gesl. 20 dec.-6 jan. - 26 kamers
€ 52/64 - ⬜ € 7,50 - halfpens.
€ 125. Hotel met handige ligging,
in de nabijheid van de musea.
De kamers zijn gerenoveerd (22
hebben airco). De ontbijtzaal
heeft een glazen koepel.

In de omgeving

**Chambre d'hôte Domaine
du Bois Vert** – 474 chemin
de la Transhumance - 13450
Grans - 🕿 04 90 55 82 98 - www.
domaineduboisvert.com - gesl.
half nov.-half maart - 🛁 🅿 🚭 -
3 kamers € 72/79 - ⬜. Mas met
een bosrijk stuk grond. De kamers
bieden uitzicht op het gazon.

Knusse kamers met terracotta
tegels, zichtbare balken en antieke
meubels. Bij mooi weer wordt het
ontbijt op het terras geserveerd.
In de bibliotheek staan computers
voor algemeen gebruik.

WAT MEER LUXE

Mas de Lure – Aan de weg naar
de Val-de-Cuech (D 16) - 2,5 km
na de afrit van Salon - 🕿 04 90
56 41 24 - www.masdelure.com -
🛁 - 4 kamers € 100/140 - ⬜. Dit
gebouw, dat verscholen ligt
tussen de beboste heuvels van de
Val de Cuech, herbergt stijlvolle
kamers. Het stevige ontbijt wordt
geserveerd in de eetzaal of bij het
zwembad. Tennisbaan. Hartelijke
ontvangst.

In de omgeving

Chambre d'hôte Le Castelas –
Vallon des Eoures (D 68) - 13121
Aurons - 🕿 04 90 55 60 12 - www.
le-castelas.fr - 🅿 🚭 - 3 kamers
€ 90/110 - ⬜. De drie kamers zijn
ingericht met snuisterijen en
antieke meubels. De salon op de
eerste verdieping staat al even
vol met meubels, maar is er niet
minder comfortabel om. De grote
veranda biedt prachtig uitzicht op
de omgeving.

PURE VERWENNERIJ

In de omgeving

**Chambre d'hôte Le Château
de La Barben** – Aan de weg naar
het kasteel - 13330 La Barben -
🕿 04 90 55 25 41 - 🅿 - 5 kamers
€ 140/250 - ⬜ - table d'hôte € 50.
Naar voorbeeld van de Portugese
pousadas (hotels in historische
gebouwen) kreeg deze nieuwe
chambre d'hôte onderdak in
een kasteel. Sierstucwerk, 18de-
eeuws meubilair en behang met
pastorale taferelen. De maaltijd
wordt geserveerd in de ruime
eetzaal of op het voorplein.

UIT ETEN

GOEDKOOP
In de omgeving
Le Repaire – *In het oude dorp - 13116 Vernègues -* 📞 *04 90 59 31 64 - http://creperie.le.repaire. monsite.orange.fr - gesl. ma-di (okt.-maart), di (april-sept.), jan. -* 🅿 *- € 6,80/20.* Le Repaire ligt bij de ruïnes van het dorp dat in 1909 bij een aardbeving werd verwoest. Zomers terras voor een crêpe, ijsje, salade of omelet. Ruim aanbod van koffie- en theesoorten.

DOORSNEEPRIJZEN
Le Petit Verre d'un – *17 r. de Verdun -* 📞 *04 90 53 83 62 - http:// lepetitverredun.monsite.orange.fr - gesl. wo en zo - lunch € 10,90/12,50 - € 20,90/33.* Opvallend adres dat zich presenteert als Provençaals-Lyonnees restaurant. Alles is vers en vol van smaak. De prijs-kwaliteitverhouding is uitstekend.

La Salle à Manger – *6 r. du Mar.-Joffre -* 📞 *04 90 56 28 01 - gesl. zo en ma - lunch € 15 - € 27 (voorgerecht en hoofdgerecht).* De familie die het restaurant drijft, woont in dit 19de-eeuwse huis en stelt de eetkamer (en het heerlijke terras) open voor gasten. In een verfijnd decor worden gerechten geserveerd waarin Provençaalse elementen samensmelten met exotische smaken. Traditie met een hedendaagse toets voor een betaalbare prijs.

L'Eau à la Bouche – *Pl. Morgan -* 📞 *04 90 56 41 93 ou 64 68 - gesl. zo avond en ma, 23 dec.-1 jan. -* ♿ *- lunch € 14,90 - vanaf € 35.* In de viswinkel bij dit restaurant kunnen de gasten de vis of schaaldieren die ze willen eten aanwijzen: alles is vers en van de beste kwaliteit! De gerechten worden opgediend in een eenvoudig ingerichte eetzaal en 's zomers op de veranda.

Le Craponne – *146 allée de Craponne -* 📞 *04 90 53 23 92 - gesl. wo avond, zo avond en ma, 24 aug.-15 sept., 24 dec.-4 jan. - lunch € 15 - € 24/37.* De naam verwijst naar de ingenieur die een kanaal aanlegde naar La Crau. Donkere lambrisering, citroengele muren en landelijk meubilair kenmerken het interieur. 's Zomers wordt er gegeten op een binnenplaats met bloemen. Gemoedelijke sfeer.

In de omgeving
La Touloubre – *29 chemin Salatier - 13330 La Barben -* 📞 *04 90 55 16 85 - www. latouloubre.com -* 🅿 *- € 18/42 - 12 kamers € 65/85 -* 🍽 *€ 9 - half pens. € 130/150.* Restaurant met zuidelijke sfeer: Provençaalse inrichting, terras onder de platanen en stevige streekgerechten. De kamers zijn gerenoveerd. Een aanrader!

EEN HAPJE TUSSENDOOR

En Aparthé(s) – *13 pl. E.-Pelletan -* 📞 *04 42 86 35 01 - 9.00-18.30 u (ma-di 15.30 u) - gesl. zo - € 2/16.* In deze gezellige tearoom die ook dienstdoet als literair café en kunstgalerie worden 's middags snacks geserveerd (groentetaart, koude schotels).

La Case à Palabres – *44 r. Pontis -* 📞 *04 90 56 43 21 - www.lacaseapalabres.fr - di-wo 11.00-19.00 u, do-vr 11.00-23.00 u, za 15.00-0.00 u.* In dit café waar ook thema-avonden en exposities worden georganiseerd, komt men verhalen uitwisselen, boeken bespreken of een spelletje spelen bij een glas wijn. Fairtradewinkel, concerten, lezingen. Ambachtelijk ijs en zelfgemaakte lekkernijen. Van di tot vr zijn hier lichte lunchgerechten te krijgen.

WINKELEN

Markt – Grote markt op wo ochtend op de pl. Morgan en in de straten van het centrum.

4

Savonnerie Marius Fabre – *148 av. Paul-Bourret - ☎ 04 90 53 24 77 - www.marius-fabre. fr - dag. behalve za en zo: 8.30-12.30 u, 13.30-17.30 u (18.00 u in juli-aug) - gesl. feestd., 25 dec.-1 jan. - rondleiding ma en do 10.30 u (ma-vr om 10.30 u in juli-aug).* Al vier generaties lang houdt de familie in deze zeepfabriek de traditie in ere.

Savonnerie-savonnetterie Rampal-Patou – *71 r. Félix-Pyat - ☎ 04 90 56 07 28 - www. rampal-latour.com - dag. behalve za en zo 8.00-12.00 u, 14.00-18.00 u - gratis rondleiding april-okt. (en schoolvakanties): di en vr 10.30 u - gesl. 25 dec.-1 jan.* Sinds 1828 worden hier volgens oud recept ambachtelijke harde zeep, geparfumeerde zeepjes, groene zeep en shampoos gemaakt. Alles is natuurlijk en zeer betaalbaar.

Domaine du vallon des Glauges – *Voie d'Aureille - 13430 Eyguières - ☎ 04 90 59 81 45 - www.vallondesglauges.com - ♿ P - juni-sept.: 9.30-12.30 u, 14.30-19.00 u; rest van het jaar: dag. behalve zo en feestd. 9.30-12.30 u, 14.30-18.00 u.* Aan de voet van de hoogste piek van de Alpilles (Les Opiès, 493 m) ligt dit prachtige wijndomein. Productie van bekroonde rode, rosé en witte wijnen. A.O.C. Coteaux d'Aix-en-Provence wijnen.

Moulin à huile des Costes – *445 chemin de St-Pierre - 13330 Pélissanne - ☎ 04 90 55 30 00 - www.moulindescostes.com - ♿ P - winkel: dag. behalve zo en ma 9.00-12.00 u, 15.00-19.00 u. -* Pélissanne is een van de Franse dorpen met de meeste olijfgaarden. In de molen van Costes (mooie 18de-eeuwse mas) worden diverse soorten olie gemaakt, sommige A.O.C.

Les Santons de Vernègues – *R. de la Transhumance - 13116 Vernègues - ☎ 04 90 57 38 40 - santons-vernegues@ hotmail.fr - dec.: 9.00-19.00 u; rest van het jaar: dag. behalve ma 9.00-12.00 u, 15.00-19.00 u, zo 15.00-19.00 u - gesl. 1 week begin juli.* Geheel volgens de Provençaalse traditie maakt Hélène Troussier vol overgave haar santons. Verkoop ter plaatse en op bestelling.

SPORT EN ONTSPANNING

Wandeltochten – In het idyllische **Massif de Tallagard** zijn tussen de pijnbomen en olijfgaarden vier tochten uitgezet voor wandelaars en mountainbikers *(lengte: 3,7 km tot 7,3 km, gratis routebeschrijving bij het toeristenbureau).*

Accro Passion – *chemin de la Pinède (achter het ziekenhuis) - ☎ 06 16 75 27 79 - www.accropassion.fr - juli-aug.: 9.30-19.30 u, april-juni en sept.: wo, za, zo en schoolvak. 10.00-19.00 u; feb.-maart en okt.-nov.: wo, za, zo en schoolvak. 10.00-18.00 u; dec.-jan.: wo, za en zo 13.00-17.30 u - € 18 (8-13 jaar € 13,50, 5-7 jaar € 10,50).* Adventurepark voor jong en oud.

Centre de vol à voile de la Crau – *Aérodrome Salon-Eyguières - ☎ 04 90 42 00 91 - www.planeur13. com.* Zweefvliegen onder begeleiding boven de Alpilles.

EVENEMENTEN

Reconstitution historique – eind juni, straattoneel, gekostumeerde optocht, oude ambachten.

Festivals musique à l'Emperi en **Théâtre Côté Cour** – juli, Château de l'Emperi. Muziek en theater Info.: *www.festival-salon.fr.*

Saint-Rémy-de-Provence

★

10.203 inwoners – Bouches-du-Rhône (13)

☺ ADRESBOEKJE: BLZ. 260

🚩 INLICHTINGEN

Toeristenbureau van Saint-Rémy-de-Provence – *Pl. Jean-Jaurès - 13210 St-Rémy-de-Provence* - ✆ *04 90 92 05 22* - *www.saintremy-de-provence.com* - *juli-aug.: 9.00-12.30 u, 14.00-19.00 u, zo en feestd. 10.00-12.30 u, 14.30-17.00 u; april-juni: ma-za 9.00-12.30 u, 14.00-18.30 u, zo en feestd. 10.00-12.30 u; sept.-okt.: 9.00-12.30 u, 14.00-18.30 u, zo en feestd. 10.00-12.00 u; nov.-maart: 9.00-12.30 u, 14.00-17.30 u, zo en feestd. 10.00-12.30 u* - *gesl. 1 jan., 1 en 11 nov. en 25 dec.*

Rondleidingen – *Op aanvraag bij het toeristenbureau - € 8 (tot 12 jaar gratis).* Het toeristenbureau organiseert een rondleiding door de oude stad (vr 14.30 u) en een wandeling langs plaatsen die Van Gogh heeft geschilderd (di, do, vr en za 10.00 u)

Toeristische route – *Folder beschikbaar bij het toeristenbureau.* De Provence in de tijd van Nostradamus, sporen van de renaissance in de Alpilles, van Saint-Rémy tot Salon-de-Provence.

◐ LIGGING

Regiokaart B1 (blz. 242) - *Michelinkaart van de departementen 340 D3.* Verkeerd rijden is onmogelijk: na de buitenwijken komt u uit op lommerrijke boulevards die de oude stad omsluiten. Overal eenrichtingsverkeer!

🅿 PARKEREN

Op de place de la République *(markt op woensdagochtend)*, als het niet te druk is, of op de place J.-Jaurès (richting Plateau des Antiques).

☺ AANRADER

Het Plateau des Antiques; wandelen in de voetsporen van Van Gogh.

🕐 PLANNING

Trek ongeveer 2 uur uit om het Plateau des Antiques te bezichtigen. Maar de gemoedelijke sfeer in Saint-Rémy en de vele winkeltjes, restaurants en hotels nodigen uit tot een langer verblijf. De stad is bovendien een ideale uitvalsbasis voor tochtjes in de omgeving.

👥 MET KINDEREN

Het Musée des Alpilles.

Midden in de Alpilles ademt Saint-Rémy de sfeer van de Provence: boulevards met platanen, zonovergoten caféterrasjes, een wirwar van straatjes die uitkomen op pleinen met fonteinen, de geur van tijm en rozemarijn op de marktdagen, alles spoort de bezoeker ertoe aan om de dagelijkse beslommeringen even opzij te zetten... Iets verderop, aan de voet van de kalksteenrotsen, liggen Romeinse ruïnes die herinneren aan een verleden dat hier en daar nog steeds aanwezig is. Het is niet verrassend dat vele kunstenaars zich in deze omgeving vestigden, naar voorbeeld van Van Gogh, de componist Charles Gounod en de schrijver Joseph Roumanille.

4

★★ Ontdek het Plateau des Antiques

◐ *Verlaat Saint-Rémy in zuidelijke richting via de D 5. Laat de auto achter op het parkeerterrein (in het hoogseizoen betaald, € 2,50) rechts van de weg, voor de stadspoort. Ongeveer 2 uur.*

Aan de voet van de laatste uitlopers van de Alpilles, 1 km ten zuiden van Saint-Rémy, tussen pijnbomen en olijfgaarden, lag ooit de rijke stad Glanum. Na de verwoesting door de barbaren aan het eind van de 3de eeuw werd de stad verlaten. Wat rest zijn twee imposante monumenten (het mausoleum en de triomfboog) die als wachters over de oude ruïnes waken.

★★ Mausoleum

Dit 18 m hoge mausoleum, een van de mooiste uit de Romeinse tijd, is bijna volledig intact; alleen de dennenappel die de koepel sierde, ontbreekt.

De vier zijden van de sokkel zijn versierd met bas-reliëfs met jachttaferelen en veldslagen. Op de 1ste verdieping van het mausoleum staat onder de fries met zeetaferelen: 'Sextius, Lucius, Marcus, zonen van Gaius, uit de familie van de Julii, aan hun ouders', een eerbewijs van drie broers aan hun vader en grootvader, die vereeuwigd werden in de vorm van twee standbeelden in een Korinthische zuilenboog.

★ Triomfboog

Deze poort, waarschijnlijk uit dezelfde periode als het mausoleum, is de oudste Romeinse poort in de Narbonensis. Hij markeerde de toegang tot Glanum op de doorgangsweg naar de Alpen. De harmonieuze verhoudingen (12,5 m lang, 5,5 m breed, 8,6 m hoog) en het schitterende beeldhouwwerk – een met guirlande van vruchten en bladmotieven versierde arcade en een gewelf met zeshoekige cassettes – verraden Griekse invloeden. Op de zijkanten zijn behalve oorlogsbuit ook gevangenen te zien, zowel mannen als vrouwen.

★ Glanum

Aan de weg naar Les Baux-de-Provence - ℘ 04 90 92 23 79 - ⌖ - april-aug.: 9.30-18.30 u; sept.: dag. behalve ma 9.30-18.30 u; okt.-maart: dag. behalve ma 10.00-17.00 u - rondleiding (1.30 uur) - gesl. 1 jan., 1 mei, 1 en 11 nov., 25 dec. - € 7 (tot 18 jaar gratis).

Vanaf de **uitkijkpunten** *(aan de toegangsweg naar het heiligdom)* kunt u het geheel goed overzien. De vindplaats heeft een complexe structuur als gevolg van de drie perioden waarin de nederzetting bewoond was. In het bezoekerscentrum geven maquettes, gerestaureerde fresco's, fragmenten van gebouwen en huishoudelijke voorwerpen uitleg over de geschiedenis van Glanum.

Gallisch heiligdom – Dit terrasgewijs aangelegde heiligdom dateert uit de 6de eeuw v.C. In dit deel van het opgravingsterrein zijn beelden gevonden van gehurkte krijgers en met schedels getooide stèles zoals die ook zijn blootgelegd in de grote nederzettingen van de Salluviërs.

Monument voor Valetudo – Op de plaats van deze tempel bevond zich de bron waaraan Glanum wellicht zijn ontstaan dankt. Een trap leidt naar de bodem, waar nog steeds water staat. Agrippa liet de tempel in 20 v.C. bouwen voor Valetudo, de godin van de gezondheid.

Vestingmuur – Deze Griekse muur is gebouwd volgens de Marseillaanse techniek, met grote, gevoegde rechthoekige steenblokken, merloenen en waterspuwers *(zie blz. 156)*. De muur, die is voorzien van een zigzaggende poterne (doorgang) en een poort voor karren, diende ter bescherming van het heiligdom.

Tempels – Aan de zuidwestkant van het forum (links naar beneden) stonden twee identieke tempels met een *peribolos* en aan de zuidkant een vergaderruimte (het *bouleuterion*) met tribune. De Romeinse monumenten, de oudste in Gallië, dateren vermoedelijk uit 30 v.C. Van deze gebouwen zijn mooie ornamenten teruggevonden. Ertegenover, voor het forum, lag de trapeziumvormige binnenplaats van een hellenistisch gebouw, omringd door een zuilengarelij. In het midden stond een fontein (**1**).

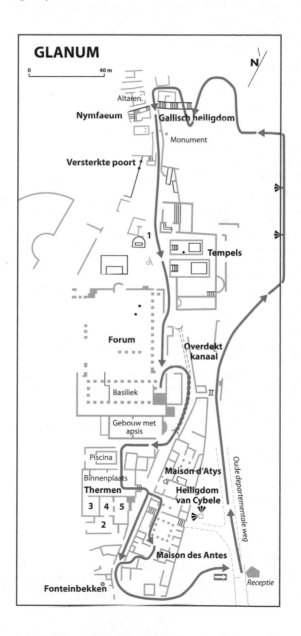

GLANUM

0   40 m

N

Altaren

Nymfaeum   Gallisch heiligdom

Monument

Versterkte poort

1

Tempels

Forum   Overdekt kanaal

Basiliek

Gebouw met apsis

Piscina   Maison d'Atys

Binnenplaats   Heiligdom van Cybele

Thermen

3   4   5

2   Oude departementale weg

Maison des Antes

Fonteinbekken   Receptie

GLANUM IN DRIE BEDRIJVEN

Oorspronkelijk was Glanum (of Glanum I) een nederzetting van een Kelto-Ligurische stam, die vanwege de nabijheid van twee belangrijke wegen al snel in contact kwam met handelaren uit Massalia (Marseille). In de hellenistische nederzetting stonden openbare gebouwen (tempel, agora, vergaderzaal, vestingmuur) en huizen met zuilengang.

Glanum II begon met de Romeinse overwinning aan het eind van de 2de eeuw v.C. De regio werd bezet door de legers van Marius, nadat die de Kimbren en de Teutonen hadden verslagen. De openbare gebouwen verdwenen grotendeels.

Glanum III ontstond na de verovering van Marseille in 49 v.C. De Romeinse invloed nam toe en onder heerschappij van Augustus werd de oude stad gesloopt. In het midden werd een immens plein aangelegd met grote openbare gebouwen waaronder een forum, een basiliek, tempels en thermen.

Nadat het oude Glanum was verlaten, ontwikkelde de nieuw stade zich onder bescherming van de Abbaye Saint-Rémi in Reims.

Forum – Het forum is gebouwd op de resten van pre-Romeinse gebouwen. Het werd aan de noordkant begrensd door de basiliek (een gebouw voor commerciële en vooral bestuurlijke doeleinden), waarvan 24 funderingspalen bewaard zijn gebleven. Onder het forum lagen een tempel en het huis van Sulla, waar mozaïeken zijn gevonden die wellicht tot de oudste van Gallië behoren. Ze worden gerestaureerd en zijn niet meer ter plekke te bezichtigen. Aan de zuidkant van de basiliek lag het grote plein van het forum, waaronder in 2008 een deel van het centrum uit de hellenistische periode is blootgelegd (1ste eeuw v.C.): put met *dromos* (gang) en het *prytaneum* (raadhuis).

Overdekt kanaal – Dit is waarschijnlijk het oudste riool dat het water uit het dal en de stad afvoerde. Het liep onder de hoofdstraat van Glanum door.

Thermen – Uit de tijd van Caesar. Te herkennen zijn het koude zwembad, mogelijk met stromend water, een stookruimte (**2**), een *frigidarium* (**3**), een *tepidarium* (**4**), een *caldarium* (**5**) en een *palaestra* of sportruimte.

Huis van Atys – Dit huis bestond oorspronkelijk uit twee delen (een binnenplaats met zuilengang aan de noordkant en een waterbekken aan de zuidkant) die via een grote deur met elkaar in verbinding stonden. Later werd bij de zuilengang een heiligdom voor Cybele gebouwd.

Huis van de Anten – Dit mooie, Griekse huis is aangelegd rondom een binnenplaats met zuilengang en cisterne. Van een van de deuropeningen zijn de twee geribde pilasters *(anten)* bewaard gebleven. Bijzonder is het votiefaltaar gewijd aan de (luisterende) oren van de godin.

Het archeologisch museum van het Hôtel de Sade *(1 r. du Parage)* is voor onbepaalde tijd gesloten.

Wandelen Plattegrond blz. 258

STADSCENTRUM

▶ *De route staat aangegeven op de plattegrond.*
De **place de la République** ligt aan de rondweg. Met de vele caféterrassen heerst er op dit plein een gezellige drukte, vooral als er markt is.

Collégiale Saint-Martin

Van de oorspronkelijke kerk met de indrukwekkende gevel rest alleen de 14de-eeuwse klokkentoren. Binnen staat een prachtige, veelkleurige **orgelkast**, die in 1982 is gerestaureerd en waarop de grootste organisten komen spelen tijdens het festival Organa *(april-sept. - ℘ 06 26 53 70 17 - http://organa2000. free.fr)*. Het orgel werd gebouwd door **Pascal Quoirin**, uit Carpentras, en telt 62 registers (ongeveer 500 pijpen) verdeeld over 3 klavieren en een pedaal met 32 toetsen.

Neem de rue Hoche, rechts van de kerk.

In deze straat, die langs de resten van de 14de-eeuwse stadswal loopt, staan het **geboortehuis van Nostradamus** en het voormalige **Hôpital Saint-Jacques**. *Sla linksaf naar de place Jules-Pélissier waar in een voormalig klooster het gemeentehuis is gevestigd. Loop verder door de rue La Fayette (rechts) en sla links de rue Estrine in.*

Musée Estrine *(zie blz. 258)*

Loop als u het museum uitkomt verder door de rue Estrine.

Op de hoek van de rue Carnot en de rue Nostradamus staat de 19de-eeuwse **Fontaine Nostradamus** of *Font vèlo*, met een beeltenis van de astroloog.

Volg de rue Carnot, en vervolgens rechts de rue du Parage.

Iets verder ligt de place Favier (Le Planet, voorheen place aux Herbes) met prachtige herenhuizen: het **Hôtel de Sade** (15de-16de eeuw) en het 16de-eeuwse **Hôtel Mistral de Mondragon** met een mooie binnenplaats, een ronde torentrap en loggia's, waarin nu het Musée des Alpilles is ondergebracht.

Musée des Alpilles

1 pl. Favier - ℘ 04 90 92 68 24 - www.ateliermuseal.net - ♿ - juli-aug.: 10.00-12.30 u, 14.00-19.00 u; maart-juni en sept.-okt.: 10.00-12.00 u, 14.00-18.00 u - gesl. zo, ma, 1 jan., 1 mei en 25 dec. - € 3 (tot 18 jaar gratis), 1ste zo van de maand gratis.

👫 Dit kleine maar interessante museum over lokale tradities en volkskunst is gevestigd in een mooi renaissancehuis, het Hôtel Mistral de Mondragon. In de sobere, zeer modern ingerichte zalen gaat alle aandacht uit naar het historische en etnografische erfgoed van Saint-Rémy en in het bijzonder dat van de Alpilles. Aanbevolen zijn de zaal met traditionele klederdracht uit de regio Arles (die tot het begin van de 20ste eeuw in Arles werd gedragen), de kleine afdeling gewijd aan de **Félibrige** *(zie blz. 72)* en de zaal over landbouw in het verleden (vooral het gedeelte over de teelt van de kaardedistel, die door wevers werd gebruikt om de stof te ruwen). Verder is er een **kabinet voor grafische kunst** met werk van Ossip Zadkine en Albert Gleizes *(zie voor ander werk van deze schilder het Musée Estrine)*. Een reconstructie van een 20ste-eeuws **typografisch atelier** maakt de rondgang compleet. Op de binnenplaats staat een buste van Vincent van Gogh door Ossip Zadkine.

Als u uw weg vervolgt door de rue Carnot loopt u langs het **Hôtel d'Almeran-Maillane** (R), waar Gounod de première bracht van zijn opera *Mireille*. U komt uit op de boulevard Marceau.

Maison de l'Amandier

Hôtel de Lubières - 11 bd Marceau - ℘ 04 90 92 02 28 - www.lamaisondelaman dier.com - ♿ - rondleiding (1 uur) op aanvraag - gratis.

In dit verrassende, kleine museum is de **collectie 'sylvistructures'** van Pierre Leron-Lesur ondergebracht, een gepassioneerd kunstenaar, die wonderbaarlijke sculpturen maakt van stukken boomstam, waarbij hij de natuurlijke vorm van de boom volgt.

4

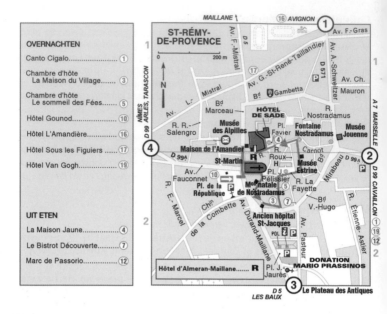

IN DE VOETSPOREN VAN VAN GOGH

Saint-Rémy-de Provence is nauw verbonden met Vincent van Gogh, die een jaar in Saint-Paul-de-Mausole verbleef (1889-1890) en daar meer dan 150 doeken produceerde (onder meer *De sterrennacht, De slaapkamer, Siësta, De irissen*). *1,5 km - ongeveer 1 uur*. Een **Van Gogh-route** met 21 panelen waarop reproducties staan van werken die in Saint-Rémy zijn gemaakt, laat de wandelaar door de ogen van de kunstenaar naar de omgeving kijken. De rondwandeling begint bij de ingang van de vindplaat van Glanum en eindigt bij het Centre d'interprétation Présence Van Gogh *(routekaart verkrijgbaar bij het toeristenbureau)*.

Musée Estrine
Hôtel Estrine - 8 r. Lucien-Estrine - ℘ 04 90 92 34 72 - www.musees-mediterranee. com. Wegens verbouwing gesloten, heropening naar verwachting begin 2013.
Het museum is gevestigd in een schitterend, 18de-eeuws herenhuis, dat zijn huidige naam dankt aan de meestertouwslager Louis Estrine uit Marseille. De voorgevel heeft een concaaf middendeel met een portaal en een sierlijk smeedijzeren balkon. Binnen leidt een monumentale stenen trap naar de bovenverdieping met terracottategels en sierstucwerk.
In de loop van de jaren heeft dit museum, dat beschikt over ongeveer twintig werken van de in Saint-Rémy overleden, kubistische schilder **Albert Gleizes** (1881-1953), een belangrijke moderne en hedendaagse kunstcollectie aangelegd (André Marchand, Édouard Pignon, Bernard Buffet, Paul Rebeyrollé, Vincent Bioulès…). De werken worden bij toerbeurt tentoongesteld, naast andere tijdelijke exposities.
Ook het **Centre d'interprétation Présence Van Gogh** is hier gevestigd. Dit centrum betuigt eer aan de schilder door ieder jaar een thema uit zijn werk te belichten.

Monastère Saint-Paul-de-Mausole B1

Chemin de Saint-Paul, 1 km ten zuiden van het centrum, aan de D 5 richting het Plateau des Antiques - ℘ 04 90 92 77 00 - april-sept.: 9.30-18.45 u; rest van het jaar: 10.15-17.00 u - rondleiding (45 min.) - gesl. jan.-maart, 1 nov. - € 4 (tot 12 jaar € 3).

Dit klooster, dat niet ver van Les Antiques ligt (vandaar de naam 'Mausole', oftewel 'mausoleum'), werd halverwege de 18de eeuw een kliniek voor geesteszieken. De kerk uit de late 12de eeuw heeft een vierkante, met lisenen versierde klokkentoren. De romaanse **kloostergang★** heeft kapitelen met verschillende motieven (bladeren, dieren, maskers enz.).

Het klooster houdt de gedachtenis aan Van Gogh in ere. De schilder liet zich vrijwillig opnemen en verbleef hier van 3 mei 1889 tot 16 mei 1890. Dat verblijf bleek zeer vruchtbaar, want Van Gogh, die gefascineerd raakte door het licht en de schoonheid van het landschap rondom Saint-Rémy, produceerde dat jaar meer dan 50 schilderijen en tekeningen. Als onderwerp nam hij zijn leefomgeving, de natuur *(Landschap met cipressen, Korenveld met maaier)* en zichzelf. Een klein museum is gewijd aan deze periode in het leven van de schilder en de geschiedenis van het instituut. Te zien is onder meer een reconstructie van zijn kamer. Door het raam kan de bezoeker uitkijken over het tarweveld dat hij verschillende keren schilderde. In de oude kapittelzalen hangen werken uit therapeutische kunstateliers die te koop zijn.

Wat is er nog meer te zien? Plattegrond blz. 258

Musée Jouenne

20 bd Mirabeau - ℘ 04 32 60 00 51 - www.musee-jouenne.com - dag. behalve zo ochtend en ma 10.00-12.30 u, 15.00-19.30 u - gesl. feb. - € 4.

Het oude klooster herbergt nu ongeveer honderd werken van de hedendaagse kunstenaar Michel Jouenne (enorme schilderijen, sculpturen).

★ Donation Mario Prassinos

Av. Durand-Maillane - ℘ 04 90 92 35 13 - juli-aug.: 11.00-13.00 u, 15.00-19.00 u; sept.-juni: 14.00-18.00 u - rondleiding (45 min) op aanvraag - gesl. ma, di en feestd. - gratis.

Mario Prassinos (1916-1985), een van oorsprong Griekse kunstenaar uit Eygalières *(zie onder De Alpilles)*, maakte deze serie muurschilderingen rond het thema 'kwelling' speciaal voor de kleine Chapelle Notre-Dame-de-Pitié, waar in tijden van grote rampspoed, pest of hongersnood pelgrims hun toevlucht zochten. Weinigen zullen onberoerd blijven bij het zien van de boomstammen en verwrongen takken in stemmig zwart-wit. Enkele dagen na de voltooiing van dit werk overleed de kunstenaar aan kanker. Wisselende exposities met kopergravures, litho's en Chinese pentekeningen.

Mas de la Pyramide

Ingang 200 m van het Monastère Saint-Paul-de-Mausole - ℘ 04 90 92 00 81 - 8.00-12.00 u, 14.00-18.00 u- rondleiding (30-60 min) - € 3 (kinderen gratis).

Deze mas, een soort grotwoning met een bizar interieur, werd grotendeels uitgehouwen in de oude Romeinse steengroeven die het materiaal voor de bouw van Glanum leverden. In de grot is een streekmuseum ondergebracht met gereedschap en oude landbouwwerktuigen. Midden op het terrein staat de 'piramide', een 23 m hoog stuk rots die aangeeft hoe hoog het terrein was voordat het gesteente werd afgevoerd. De mas wordt beheerd door een bekende plaatselijke figuur, 'Lolo' Mauron.

4

SAINT-RÉMY-DE-PROVENCE: ADRESBOEKJE

BEZICHTIGEN

Saint-Rémy Pass – Deze pas krijgt u de eerste keer dat u ergens een toegangskaart koopt (voor het volle tarief) en geeft gedurende 15 dagen recht op korting bij de overige musea in de stad.

OVERNACHTEN

DOORSNEEPRIJZEN

Le Sommeil des Fées – *4 r. du 8-Mai-1945 -* 𝒫 *04 90 92 17 66 of 06 98 01 98 98 - www.angesetfees-stremy.com - 5 kamers € 59/94 -* ⌂. Een onopvallende chambre d'hôte in een straatje van het oude centrum. De comfortabele kamers liggen boven een mooie patio waar de tafeltjes van het restaurant staan.

WAT MEER LUXE

Hôtel Canto Cigalo – *Chemin Canto Cigalo -* 𝒫 *04 90 92 14 28 - www.cantocigalo.com -* ⌇ P *- 20 kamers € 61/88 -* ⌂ *€ 8.* Groot gebouw, 700 m van het centrum, met mooie, ruime en luxueuze kamers, die stijlvol zijn ingericht. Mooie landschapstuin en terras met uitzicht op de Alpilles.

Hôtel L'Amandière – *Av. Théodore-Aubanel - de weg naar Noves -* 𝒫 *04 90 92 41 00 - www. hotel-amandiere.com -* ⌇ P *- 25 kamers € 65/85 -* ⌂ *€ 8.* Deze Provençaalse villa beschikt over een aangename bloementuin en rustige, functioneel ingerichte kamers met balkon of terras. Het ontbijt wordt geserveerd in de wintertuin.

Hôtel Van Gogh – *1 av. Jean-Moulin -* 𝒫 *04 90 92 14 02 - www.hotel-vangogh.com -* ⌇ P *- geopend 15 maart-20 okt. - 21 kamers € 70/95 -* ⌂ *€ 8.* De kamers van dit kleine, eenvoudige hotel bij het centrum zijn ingericht in Provençaalse stijl. Er zijn ook dakkamers. Fraai terras en zwembad.

PURE VERWENNERIJ

Hôtel Sous les Figuiers – *3 av. Taillandier -* 𝒫 *04 32 60 15 40 - www.hotel-charme-provence. com -* ⌇ P *- 14 kamers € 77/168 -* ⌂ *€ 12.* Artistiek ingericht hotel dicht bij het centrum, met mooie kamers (de meeste met terras). Sfeervol en rustig.

Hôtel Gounod – *18 pl. de la République -* 𝒫 *04 90 92 06 14 - www.hotel-gounod.com -* ⌇ P *- 29 kamers € 99/230 -* ⌂. Dit oude poststation waar Charles Gounod zijn opera *Mireille* (1863) componeerde, is een bijzondere plek met een knusse uitstraling. De kamers met hun uitbundige, barokke inrichting zouden zo uit een theaterdecor kunnen komen, als een verwijzing naar het werk van de meester.

La Maison du Village – *10 r. du 8-Mai-1945 -* 𝒫 *04 32 60 68 20 - www.lamaisonduvillage.com - 5 kamers € 170/210 -* ⌂ *€ 12.* Mooi 18de-eeuws pand in het historisch centrum. Gezellige, verfijnd ingerichte kamers en een heerlijk terras op de binnenplaats table d'hôte op verzoek.

UIT ETEN

DOORSNEEPRIJZEN

Le Bistrot Découverte – *19 bd V.-Hugo -* 𝒫 *04 90 92 34 49 - www. bistrotdecouverte.com -* ♿ *- gesl. zo avond en ma (behalve juli-aug.) en half feb.-half maart - lunchmenu € 20 - € 20/32.* Deze stemmige bistro met veranda-terras serveert traditionele Provençaalse gerechten. Fraaie overwelfde kelder. Ook verkoop van wijn.

WAT MEER LUXE

Bistrot et restaurant Marc de Passorio – *Hôtel Le Vallon de Valrugues - chemin Canto Cigalo -* ℘ *04 90 92 04 40 - www.restaurant-marcdepassorio.com - gesl. zo avond, di middag en ma buiten het seizoen, jan. - bistro: lunch € 27/33 - rest.: € 58/98.* Naast zijn restaurant, dat in 2011 werd bekroond met een Michelinster, heeft dit jonge talent een goedkopere bistro geopend waar men kan kennismaken met zijn stijl, waarin klassieke en moderne elementen samenkomen. Wat let u om 's avonds terug te keren voor een gastronomisch maal?

La Maison Jaune – *15 r. Carnot -* ℘ *04 90 92 56 14 - www. lamaisonjaune.info - gesl. zo avond en ma ('s winters), di middag en ma ('s zomers), half nov-half jan. - € 38/68.* Fraai pand hartje centrum met een schaduwrijk terras op de eerste verdieping. Hedendaagse gerechten met een Provençaalse toets (1 ster in 2011).

EEN HAPJE TUSSENDOOR

Boulangerie Fortier – *23 r. Carnot -* ℘ *04 90 92 12 44 - 6.00-13 u, 15.00-19.00 u - 6.00-13.00 u, 15.00-19.00 u, gesl. ma . Navettes,* koekjes, cakes en bijzondere broodsoorten, kortom alles voor een picknick!

En attendant Gounod – *18 pl. de la République -* ℘ *04 90 92 06 14 - 7.00-19.00 u.* Barokke tearoom in Hôtel Gounod. Thee, patisserie en ambachtelijk vervaardigd ijs.

Mon père était pâtissier – *6 bd Gambetta -* ℘ *04 90 92 17 55 - 9.30-13.30 u, 15.30-19.30 u - gesl. ma.* Uitstekende patisserie die inventieve creaties bereidt met seizoensproducten… Lichte gerechten rond lunchtijd: ook de hartige taarten zijn niet te versmaden!

WINKELEN

Markt – Wo ochtend, pl. de la République. Op za ochtend is hier een kleine levensmiddelenmarkt.

Delicatessen

Le Petit Duc – *7 bd V.-Hugo -* ℘ *04 90 92 08 31 - www.petit-duc.com - dag. behalve ma 10.00-13.00 u, 15.00-19.00 u, zo 16.00-18.00 u -* 'Maantjes', 'cœurs du petit Albert', 'folies de Paulette'… Romantische namen voor deze heerlijk zoete en hartige lekkernijen. Alles ambachtelijk bereid volgens oud recept.

Confiseur Lilamand – *5 r. Albert-Schweitzer -* ℘ *04 90 92 12 77 - www.lilamand.com - dag. behalve zo en ma 10.00-12.30 u, 14.30-19.00 u (feb. 18.00 u) - gesl. feestd. (behalve dec.).* Dit familiebedrijf uit 1886 werkt nog altijd volgens de ambachtelijke methode. Het fruit wordt met de hand geschild, bereid in grote koperen potten en dan geglazuurd.

Joël Durand Chocolatier – *3 bd V.-Hugo -* ℘ *04 90 92 38 25 - www.chocolat-durand.com - 9.30-12.30 u, 14.30-19.30 u (ma 19.00 u), zo 10.00-13.00 u, 14.30-19.00 u.* Een van de beste chocolatiers in de regio, bekend om zijn chocoladealfabet.

Andere souvenirs

Santonnier Laurent-Bourges – *Aan de weg naar Maillane -* ℘ *04 90 92 20 45 - 9.00-19.00 u- gesl. 25 dec.* Sinds 1955 wijdt Laurent Bourges zich met veel passie aan zijn Provençaalse santons. Bij de bezichtiging krijgen de bezoekers het atelier te zien en vernemen ze misschien ook enkele beroepsgeheimen.

Moulin à huile du Calanquet – *Vieux Chemin d'Arles (4,5 km van de pl. de la République) -* ℘ *04 32 60*

4

09 50 - *www.moulinducalanquet. fr* - ♿ 🅿 - *9.00-12.00 u, 14.00-18.30 u. 9.00-12.00 u, 14.00-18.30 u.* Dit familiedomein dat in handen is van nog jonge exploitanten (broer en zus) produceert onder meer olijfolie, tapenade en jam. U kunt de oliesoorten proeven.

Olive-Les Huiles du Monde – *16 bd V.-Hugo* - 📞 *04 90 15 02 33 - oliveleshuilesdumonde@mageos. com - 10.00-13.00 u, 14.30-19.30 u - gesl. nov.-feb.* Mooi herenhuis waar allerlei soorten olijfolie met A.O.C. uit Les Baux, Aix, Nyons of Nice kunnen worden geproefd en gekocht. Breng ook een bezoek aan Le Monde de la Truffe op hetzelfde adres (truffels).

Florame - musée des Arômes – *34 bd Mirabeau* - 📞 *04 32 60 05 18 - www.florame.com - 10.00-12.30 u, 14.30-19.00 u - gesl. zo (half sept.-Pasen) - gratis.* Deze parfumerie doet aan als een museum. U komt meteen binnen in de oude werkplaats, met zijn distilleerkolven en zijn verzameling parfumflacons. Tijdens de gratis rondleiding wordt uitleg gegeven over de productieprocessen. Uitgebreid assortiment etherische oliën, zeep en biologische cosmetica.

SPORT EN ONTSPANNING

Wandeltochten

Bij boekhandels en kiosken zijn beschrijvingen van wandelingen in de Alpilles te koop. Het toeristenbureau verstrekt gratis routekaarten van **zes wandeltochten** met al startpunt Saint-Rémy (1.30 tot 6 uur).

Sentier viticole – *Domaine des Terres Blanches - aan de weg naar Cavaillon (D 99), ongeveer 5 km van het centrum* - 📞 *04 90 95 91 66 - www.terresblanches. com - 8.00-20.00 u - gratis.* Op dit domein met biologische wijngaard zijn twee gemakkelijke **wandeltochten** (30 min en 1.30 uur) uitgezet. De gratis gids is verkrijgbaar in de winkel. Bezichtiging van de wijnkelder, verkoop en proeverij.

EVENEMENT

Feria provençale – 14-16 aug. Stierengevechten, abrivado's, *encierros* (de stieren worden in een omheinde ruimte in het dorp gedreven).
15 aug.: *carreto ramado* (praalwagen met 50 paarden).

De Alpilles

★★

Bouches-du-Rhône (13)

😊 ADRESBOEKJE: BLZ. 268

🛈 INLICHTINGEN

Toeristenbureau Fontvieille – *Av. des Moulins - 13990 Fontvieille - ☎ 04 90 54 67 49 - www.fontvieille-provence.com -* ♿ *- juli-aug.: 9.30-12.30 u, 14.00-18.30 u, zo en feestd. 9.30-12.30 u; april-juni: dag. behalve zo 9.30-12.30 u, 14.00-18.00 u; sept.-maart: 9.30-12.30 u, 14.00-17.30 u - gesl. 1 jan. en 25 dec.*

Toeristenbureau Maussane-les-Alpilles – *Camping Les Romarins - av. des Alpilles - 13520 Maussane-les-Alpilles - ☎ 04 90 54 33 60 - www.maussane.com - half maart-half okt.: 9.15-20.00 u.*

Toeristenbureau Mouriès – *2 r. du Temple - 13890 Mouriès - ☎ 04 90 47 56 58 - www.mouries.com - juni-aug.: ma-vr 9.30-12.30 u, 15.00-18.00 u, wo en za 9.30-12.30 u - gesl. zo*

Parc naturel régional des Alpilles – *10-12 av. N.-D. du Château - 13103 St-Étienne-du-Grès - ☎ 04 90 54 24 10 - www.parc-alpilles.fr.* Het natuurpark organiseert educatieve activiteiten rond vijf thema's: fauna, flora, landbouw, erfgoed, mens en milieu. Vertelwandelingen, workshops, lezingen en wandeltochten. Het **programma** is te vinden op de website, de toeristenbureaus en de raadhuizen van de gemeentes die deel uitmaken van het natuurpark.

◐ LIGGING

Regiokaart (blz. 242) – *Michelinkaart van de departementen 340 D3-E3.* Deze keten van kalksteenheuvels is geologisch gezien een verlengstuk van het Luberongebergte. In het westen liggen de Alpilles des Baux, in het oosten de Alpilles d'Eygalières en het middendeel ligt boven St-Rémy-de-Provence.

☺ AANRADER

De molen van Fontvieille, die zijn roem te danken heeft aan Alphonse Daudet; een rit langs de oliemolens, waar de vermaarde A.O.C. 'Vallée des Baux' geproduceerd wordt; de kerstmarkten van Mouriès, Maussane en Eyguières.

🕑 PLANNING

U kunt best twee à drie dagen doorbrengen in deze omgeving, vooral met kerst. Heeft u maar één dag, dan volstaat een kennismaking met twee of drie dorpjes. Genieten van de sfeer is hier belangrijker dan alles zien.

👫 MET KINDEREN

De molen van Daudet; La Petite Provence du Paradou; Le Train des Alpilles *(zie 'Adresboekje').*

Tussen Arles en Avignon tekenen kale, witte toppen zich af tegen de blauwe hemel. Hier en daar trekken dennen en cipressen donkergroene lijnen in de door de zon geblakerde garrigue die de keten bedekt. Overal groeien zilverkleurige olijfbomen. De dorpen geuren naar tijm, rozemarijn en lavendel, de markten zijn een explosie van Provençaalse kleuren en parfums. Deze streek, die de art de vivre hoog in het vaandel heeft staan, is doordrenkt van geschiedenis. Frédéric Mistral zag hier een 'panorama van glorie en legendes'. Het natuurerfgoed wordt beschermd door het 'Parc naturel régional des Alpilles', het nieuwste natuurpark van de Provence.

Rondritten Regiokaart, blz. 242

🐝 **Goed om te weten** – Van 1 juni tot 30 september is het berggebied van de Alpilles beperkt toegankelijk wegens brandgevaar.

★★ DE ALPILLES DES BAUX

◗ *De 40 km lange route vanuit Saint-Rémy-de-Provence staat aangegeven op de regiokaart - ongeveer 4 u.*

★ Saint-Rémy-de-Provence *(zie blz. 253)*
Verlaat St-Rémy-de-Provence via de place de la République over de chemin de la Combette en neem na een bocht naar rechts de Vieux Chemin d'Arles. Sla na 2,7 km (bij een stopteken) linksaf naar de D 27 (aangegeven met het bord 'Les Baux').

Val d'Enfer A1
De D 27 doorkruist deze eigenaardige, grillige kloof met grotten waarin mensen hebben gewoond. Over de omgeving doen talrijke legenden de ronde waarin heksen, feeën, plaaggeesten en andere sprookjesfiguren een rol spelen. *Na ongeveer 5 km bereikt u de top van de Val d'Enfer. Volg hier de weg links omhoog (aangegeven met het bord 'alt. 110 m'). Rijd door tot het parkeerterrein en ga te voet verder naar de oriëntatietafel (500 m).*

★★★ Panorama A1-2
Vanaf deze uitstekende rots met oriëntatietafel is het grillige landschap te zien dat de omgeving van Les Baux kenmerkt. Het panorama strekt zich uit tot Arles, het Rhônedal, de omgeving van Aix, de Luberon en de Mont Ventoux. *Keer terug naar de D 27 en volg deze naar Les Baux-de-Provence. U bent verplicht uw auto achter te laten op het parkeerterrein (vast tarief: € 4).*

Olijfbomen aan de voet van de Alpilles
F. Guiziou / Hemis.fr

★★★ Les Baux-de-Provence *(zie blz. 271)*
Volg de D 78ᶠ, en neem vervolgens links de D 78ᴰ naar Paradou.

Paradou A2
Dit is het geboortedorp van de dichter **Charloun Rieu** (1846-1924), die de *Odyssee* in het Provençaals heeft vertaald. Hij kreeg een eigenaardig graf-monument op de begraafplaats.

👥 **La Petite Provence du Paradou** – *75 av. de la Vallée-des-Baux (aan de rech-terkant van de D 17 richting Fontvieille, vlak voor het einde van het dorp) - 𝄞 04 90 54 35 75 - www.lapetiteprovenceduparadou.com - ♿ - 10.00-18.30 u (19.00 u juli-aug.); jan.-feb.: 10.00-12.00 u, 14.00-18.00 u - € 6 (6-11 jaar € 4).* In een landelijk decor (*mas, bories*, haven, molen van Daudet) staan ruim **vierhonderd san-tons** (ook marionetten), uitgedost in traditionele klederdracht. De taferelen die ze uitbeelden herinneren aan de Provence van weleer: oude ambachten (vissers, een molenaar, een herder), volksdansen *(farandole)* en het dagelijkse leven (markt, wasplaatsen, kaartspelers in een café).

Keer terug naar het dorp en neem de D 78ᴱ die tussen de olijfgaarden door loopt.

Romeinse aquaducten en maalderij van Barbegal A2
🚶 *15 min over een pad dat is aangeduid met het bord 'aqueduc romain'.* Hier vindt u ruïnes van twee met elkaar verbonden Gallo-Romeinse aquaducten. Het ene voorzag Arles van water. Het andere zette een reusachtige hydrauli-sche maalderij op de zuidelijke helling in werking *(schaalmodel in het Musée départemental d'Arles antique, zie onder Arles).* Deze maalderij is een van de weinige bewaard gebleven voorbeelden van Romeinse machinerieën.

Sla rechtsaf naar de D 33.

Fontvieille A2
In de omgeving van dit typisch Provençaalse dorpje wordt al jarenlang een bepaalde soort kalksteen *(pierre d'Arles)* gewonnen. Maar het stadje is vooral bekend vanwege de molen van Daudet.

🔎 **Goed om te weten** – Het toeristenbureau van Fontvieille heeft een wan-delroute uitgezet langs locaties die verbonden zijn met de schrijver Alphonse Daudet: via zijn molen en kasteel leidt de route naar het mooie centrum met zijn architectonische erfgoed (gratis routekaart bij het toeristenbureau). Ook excursies met gids *(2 u - € 5, reserveren).*

👥 **Moulin de Daudet** – *Allée des Pins (D 33) - 𝄞 04 90 54 60 78 - www.avignon-et-provence.com/tourisme/moulin-daudet/ - juli-sept.: 9.00-19.00 u; april-juni: 9.00-18.00 u; okt.- maart: 10.00-12.00 u, 14.00-17.00 u - gesl. jan. en feestd. - € 3,50*

4

(*6-12 jaar € 2,50*). Anders dan wel wordt gedacht, verbleef de schrijver niet in deze molen, die in bedrijf was tot 1914. Hij verkoos het comfort van het Château de Montauban, onder aan de heuvel. En zijn *Lettres de mon moulin* (Brieven uit mijn molen) zijn geschreven in Parijs. Maar hij wandelde graag over de heuvel waar de molen stond, en gebruikte de omgeving als decor voor zijn Provençaalse werk. In 1935 besloot de vereniging Les Amis de Daudet een van de vier molens van Fontvieille te restaureren en er een klein museum in te richten, gewijd aan de schrijver. In het souterrain zijn herinneringen aan de schrijver te zien, zoals manuscripten, portretten, foto's en zeldzame uitgaven. Op de bovenverdieping wordt getoond hoe graan werd gemalen. Ter hoogte van het dak staan de namen van de plaatselijke winden vermeld met de windrichting. Vanaf de molen ontvouwt zich een prachtig **uitzicht★** op de Alpilles, de kastelen van Beaucaire en Tarascon, het Rhônedal en de abdij van Montmajour.

Vanaf de heuvel loopt het pad dat Daudet graag bewandelde via twee andere molens, Ramet en Tissot (of Avon), naar het Château de Montauban.

Château de Montauban – *Chemin de Montauban* - ☎ 04 90 54 60 78 - *openingstijden afhankelijk van het seizoen, informeer bij het toeristenbureau - combinatiekaartje met de molen en het museum € 3,50 (6-12 jaar € 2,50, tot 6 jaar gratis).* Het kasteel van de familie d'Ambroy, waar Daudet verbleef, huisvest nu een museum over de tradities van Fontvieille. **Léo Lelée** (1872-1947), die vooral vrouwen uit Arles in klederdracht schilderde, kreeg een eigen zaal. De andere drie zalen zijn gewijd aan **Alphonse Daudet**, Manolo Falomir, een *razeteur* uit Fontvieille (een *razeteur* is een jongeman die in de arena probeert attributen van de hoorn van een stier te trekken), en de santontraditie.

Tussen olijfgaarden, dennenbossen en akkers door loopt de D 33 noordwaarts.

★ **Chapelle Saint-Gabriel** A1 *(zie blz. 284)*
Neem de D 32 naar Saint-Rémy.

★★ **DE ALPILLES D'EYGALIÈRES**

▷ *De 42 km lange route vanuit Saint-Rémy-de-Provence staat aangegeven op de regiokaart - ongeveer 3 u. Verlaat Saint-Rémy via de D 5 in de richting van Maussane.*

Goed om te weten – Het toeristenbureau verstrekt gratis routebeschrijvingen van wandelingen in de omgeving.

De weg loopt langs het voormalige klooster van St-Paul-de-Mausole en Les Antiques *(zie onder St-Rémy-de-Provence)* en gaat dan via de Alpilles door een landschap van overwegend dennenbomen verder.

Laat na 4 km, boven aan de heuvel, de auto aan de kant van de weg staan en ga te voet een weg in die steil omhoogloopt.

PARC RÉGIONAL DES ALPILLES

In januari 2007 stichtten 16 gemeentes in de Alpilles gezamenlijk een natuurpark. Ze stelden zich daarbij ten doel om de flora en fauna te beschermen, de traditionele landbouw te behouden, de economische groei te bevorderen en de eigen identiteit in stand te houden. Met een oppervlakte van 50.000 ha tussen de Durance en de Rhône is dit het op een na grootste natuurreservaat van de Bouches-du-Rhône en het Pays d'Arles. Het strekt zich uit tussen twee andere beschermde gebieden: de Luberon en de Camargue.

★★ Panorama de la Caume B2

Beperkt toegang van 1 juni tot 30 sept.

Rondwandeling door La Caume – *Op aanvraag bij het toeristenbureau van St-Rémy-de-Provence - ℘ 04 90 92 05 22.*

Hoogte: 387 m. Panorama vanaf de zuidzijde van het plateau. In het zuiden liggen de Alpilles, de vlakte van La Crau en de Camargue, in het noorden het Rhônedal, de Guidon du Bouquet, de Mont Ventoux en het dal van de Durance. *Keer terug naar de D 5.*

De weg voert door smalle kloven. Aan de linkerkant liggen de **Rochers d'Entreconque**. Dit zijn de oude steengroeven waar het rode bauxiet werd gewonnen. Het landschap wordt gekenmerkt door uitgestrekte boomgaarden met olijf-, abrikozen-, amandel- en kersenbomen.

Maussane-les-Alpilles B2

Het openbare leven in dit authentieke, rustige dorpje in de Vallée des Baux concentreert zich onder de platanen van het ruime plein.

Neem de D 17 naar links en ga onmiddellijk weer links de D 78 op.

De weg loopt door de olijfgaarden onder aan de Alpilles en klimt langzaam naar een kleine col. Daarvandaan heeft u mooi uitzicht op de bergketen Les Opiès, met een toren op het hoogste punt.

Neem in het dorpje Destet de D 24 links (omhoog), die door een mooi pijnboombos loopt. Neem 7,5 km verderop de D 24^B naar rechts.

Eygalières B1-2

De straatjes van het oude Aquileria, waar de Romeinen water vandaan haalden om Arles te bevoorraden, kronkelen zich om een toren, een overblijfsel van de oude burcht. De top van de heuvel biedt mooi uitzicht op de berg La Caume en op het dal van de Durance. Op de heuvel liggen ook de **Église Saint-Laurent** (1150), tot 1912 de parochiekerk, en de **Chapelle des Pénitents** (1581), waarin nu het interessante **Musée local Maurice-Pezet** is gevestigd *(juli-sept.: 15.00-19.30 u; april-juni: 14.30-18.30 u; maart en okt.-nov.: 14.00-18.00 u; gesl. zo en feestd. - gratis).* Het museum behandelt de geschiedenis van het dorp. *Neem in het dorp het weggetje naar links dat is aangeduid met 'Mas de la Brune'.*

★ Le jardin de l'Alchimiste B1

Mas de la Brune - D 99 - ℘ 04 90 90 67 67 - www.jardin-alchimiste.com - ⅙ - half juni-eind sept.: za, zo en feestd. 10.00-18.00 u; begin mei-half juni: 10.00-18.00 u; door de week alleen op verzoek, rondleiding mogelijk (1.30 uur) - toegang op eigen gelegenheid € 7 (6-12 jaar € 2), rondleiding € 10.

Rondom de **Mas de la Brune**, een mooi landhuis uit 1572 dat tegenwoordig een hotel huisvest, is een bijzondere tuin aangelegd die is geïnspireerd op de zoektocht van de alchemisten naar de steen der wijzen. De drie belangrijkste etappes zijn hier verbeeld: de zwarte fase, de witte fase en de rode fase. U begint in het plantaardige doolhof, vervolgens komt u in de **tuin met de magische planten**, die bekend staan om hun aromatische of heilzame eigenschappen, en tot slot volgt de **tuin van de alchemist**. Het voorjaar is het beste seizoen om deze dromerige, wat eigenaardige plek te bezoeken. *Keer terug naar Eygalières en volg de D 24^B richting Orgon.*

Chapelle Saint-Sixte B1-2

Deze kapel staat op een rotsachtige heuvel, waar ooit een heidense tempel stond die gewijd was aan het water. De apsis wordt van het schip gescheiden door een boog die rust op consoles versierd met koppen van wilde zwijnen.

4

BENAUWD KWARTIERTJE

Op 25 april 1814 beleefde **Napoleon Bonaparte** een paar angstige uren in Orgon. Toen hij in 1814 uit Avignon vluchtte, kwam hij op weg naar zijn ballingsoord op Elba in de plaatselijke **herberg** terecht. Binnen de kortste keren verzamelde zich een vijandige menigte. Enkele heethoofden wilden de keizer zelfs lynchen, maar dankzij het dappere optreden van de burgemeester van Orgon en een Russische commissaris slaagde Napoleon er uiteindelijk in weg te komen. Om zijn reis veilig te kunnen vervolgen vermomde hij zich en trok de kleren van zijn bode aan. Zo bereikte hij de herberg La Calade (aan de N 7) in de buurt van Aix.

Orgon B1

Orgon ligt in de vlakte van de Durance, op de grens tussen de Alpilles en de Luberon *(zie onder deze naam)*. Er worden stappen genomen om het dorp zijn schoonheid van weleer terug te geven. Wie door de steegjes van het oude centrum dwaalt, ontdekt mooie, versterkte poorten, overblijfselen van een stadsmuur, gevels uit de renaissance en een interessante **kerk** uit de 14de eeuw (mooi, beschilderde panelen links in het schip).

Loop langs de rechterzijde van de kerk naar de chemin des Oratoires die omhoog klimt naar de **Chapelle Notre-Dame-de-Beauregard** *(ongeveer 10 min - met de auto bereikbaar via de route des Cimetières)*. Deze in de 19de eeuw gebouwde kerk, staat in een Kelto-Ligurisch oppidum boven het dorp en biedt mooi uitzicht op het dal van de Durance en de Luberon. De bevindingen van recent onderzoek doen vermoeden dat de kruisweg het werk is van de beeldhouwer **Louis-Félix-Chabaud**, die de ornamenten van de Opéra in Parijs verzorgd heeft. De kapel is gerestaureerd op intitiatief van de vereniging Les Amis de Beauregard, die hier ook evenementen organiseert (exposities, lezingen, concerten, keramiekmarkten enz.). De vereniging is ook verantwoordelijk voor het kleine **Musée villageois**, dat in het klooster is gevestigd. In het museum worden voorwerpen uit het dagelijks leven in de 19de eeuw tentoongesteld. *📞 06 22 62 33 54 - www.nd-beauregard.com - mei-sept.: 15.00-18.00 u - € 2.*

Vertrek niet voordat u een blik heeft geworpen in het atelier van keramiekkunstenares Isabel de Géa.

Verlaat Orgon in noordelijke richting via de D7^N en neem de D 99 terug naar Saint-Rémy-de-Provence.

😊 DE ALPILLES: ADRESBOEKJE

VERVOER

👥 Train des Alpilles – *📞 04 90 18 81 31 - www. letraindesalpilles.fr - begin juni-half sept.: wo-za - vertrek in Arles (17 bis av. de Hongrie, achter het 'echte' station; volg de weg naar Montmajour over de* spoorbrug en sla dan meteen linksaf) *10.15 u en 14.30 u - vertrek in Fontvieille 11.20 en 16.20 u (geen terugreis) - € 9,50 (7-14 jaar € 6, - 7 jaar gratis). Dit treintje brengt u van Arles naar Fontvieille (7 km - 40 min) via een mooie route die door de Plaine de Montmajour slingert.*

OVERNACHTEN

WAT MEER LUXE

Hostellerie de la Tour – *aan de weg naar Arles - 13990 Fontvieille - 9 km ten westen van Les Baux via de D 78ᶠ en vervolgens de D 17 - ☏ 04 90 54 72 21 - www.hotel-delatour.com - gesl. nov. -half maart -* 🅿 *- 10 kamers € 70/73 -* 🍴 *€ 10 - rest. € 28 ('s avonds).* Deze stijlvolle herberg trekt vele stamgasten met zijn aangename kamers, de mooie tuin met zwembad en de uitstekende service. De eigenares bereidt zelf huiselijke gerechten.

Chambre d'hôte Domaine de Saint-Véran – *aan de weg naar Cavaillon - 13660 Orgon - 1,5 km noordwaarts over de D 26 - ☏ 04 90 73 32 86 - gesl. Jan.-feb. -* 🛋 🅿 🚭 *- 5 kamers € 80/100* 🍴*.* Fraai huis in een park met pijnbomen en cipressen. Nette kamers en gezellige salon

PURE VERWENNERIJ

Chambre d'hôte Mas de la Rose – *aan de weg naar Eygalières - 13660 Orgon - 4 km naar het zuidwesten via de D 24ᴮ - ☏ 04 90 73 08 91 - www.mas-rose.com - gesl. jan.-feb. -* 🛋 🅿 *- 8 kamers € 190/350 -* 🍴 *€ 23 - table d'hôte € 52 (mei-sept., op aanvraag).* Idyllische gastenkamers in verbouwde, 17de-eeuwse stallen. Landschapstuin met zwembad.

UIT ETEN

DOORSNEEPRIJZEN

L'Ami Provençal – *35 pl. de l'Église - 13990 Fontvieille - ☏ 04 90 54 68 32 - gesl. feb., wo buiten het seizoen en 's avonds van 15 sept. tot eind maart - lunch € 15 - € 16/20.* Deze saladebar ligt nabij de kerk en het huis waar schilder Léo Lelée heeft gewoond. Traditionele gerechten met verse producten.

WAT MEER LUXE

La Table du Meunier – *42 cours H.-Bellon - 13990 Fontvieille - ☏ 04 90 54 61 05 - gesl. di (behalve juli-aug) en wo, half jan-begin maart, herfstvakantie, 22-27 dec. - reserveren aanbevolen - € 26/34.* Mevrouw bereidt lekkere streekgerechten, mijnheer verwent zijn gasten in de rustieke zaal en op het terras met een kippenhok uit 1765.

La Place – *65 av. de la Vallée-des-Baux - 13520 Maussane - ☏ 04 90 54 23 31 - gesl. di en wo okt.-april - reserveren aanbevolen - € 22/33.* Trendy restaurant met intieme sfeer. De gerechten hebben een zuidelijk accent en worden geserveerd in de gezellige zaal of op het terras in de schaduw.

Sous les Micocouliers – *Traverse Montfort - 13810 Eygalières - ☏ 04 90 95 94 53 - www.souslesmicocouliers.com - gesl. ma middag en wo mei-sept., di en wo okt.-april - lunch € 15/22 - € 29/60.* Achter het fornuis staat een jong talent dat in de kringen van de grote topkoks verkeert. Zijn gerechten zijn inventief en geven blijk van verre invloeden zonder de Provençaalse klassieken te loochenen. De mooie binnenplaats met lotusbomen vormt een frisse oase waar het heerlijk eten is, net als in de stijlvolle eetzaal.

La Regalido – *R. F.-Mistral - 13990 Fontvieille - ☏ 04 90 54 60 22 - www.laregalido.com -* ♿ 🅿 *- gesl. 3 jan.-13 feb. - 15 kamers € 159/320 -* 🍴 *€ 20 - rest. € 29/55 (gesl. ma).* Dit fraaie hotel-restaurant biedt een lunchmenu aan voor € 29… Een mooie kans om te genieten van een heel bijzonder decor: een oude molen verscholen in een weelderige tuin. Wie veel te besteden heeft, kan hier dineren en of de nacht doorbrengen in een van de mooie kamers.

4

PURE VERWENNERIJ

Bistrot d'Eygalières 'Chez Bru' – *aan de weg naar Orgon - 13810 Eygalières - 12 km ten zuidoosten van St-Rémy via de D 99 en de D 24*[B] *- ☏ 04 90 90 60 34 - www.chezbru.com - ♿* 🅿 *- reserveren verplicht - € 95/115 - 9 kamers € 300/380 - ☕ € 20.* Provençaalse charme kenmerkt deze chique bistro die onderdak kreeg in twee dorpshuizen, ingericht met roomwit en chocoladebruin als hoofdtinten, Dagelijks wisselende kaart en sublieme streekwijnen. De kamers zijn mooi ingericht.

EEN HAPJE TUSSENDOOR

Boulangerie Henri Joye – *74 cours H.-Bello - 13990 Fontvieille - ☏ 04 90 54 72 52.* Men komt van ver voor de *navettes*, de vele broodsoorten en de *fougasses* die de eigenaar zelf maakt.

La Maison Sucrée – *R. de la République - 13810 Eygalières - ☏ 04 90 95 94 15 - juli-aug: 11.00-23.00 u; buiten het seizoen: 11.00-14.00 u, 19.00-21.30 u; - gesl. zo avond en ma.* IJssalon (verrukkelijke lavendel- en passievruchtensorbet!), crêperie en tearoom

WINKELEN

Coopérative oléicole de la vallée des Baux – *R. Charloun-Rieu - 13520 Maussane-les-Alpilles - ☏ 04 90 54 32 37 - www.moulin-cornille.com - 's zomers: 9.30-18.30 u; 's winters: dag. behalve zo 9.30-18.00 u.* Deze coöperatie, ondergebracht in een 17de-eeuwse molen, werkt nog steeds met molenstenen en persmanden. De vijf olijfsoorten uit de Vallée des Baux worden op ambachtelijke wijze verwerkt tot olie. Verkoop en proeverij.

Moulin du mas des Barres – *Aan het weggetje naar Mouriès - quartier de Gréoux - 13520 Maussane-les-Alpilles - ☏ 04 90 54 44 32 - 9.00-12.00 u, 14.00-18.00 u.* Mooie mas tussen de olijfgaarden aan de voet van de Alpilles. Ieder jaar verwerkt deze molen de oogst van vijfhonderd plaatselijke olijventelers. Op basis van vijf soorten wordt een olie met A.O.C.-label geproduceerd met bijzondere aroma's (hazelnoot, artisjok, appel, vers gras). Winkel met streekproducten: tapenade, pistou, olijvenmoes en natuurlijk de beroemde olijfolie. Ook cosmetica op basis van olijfolie.

Moulin Saint-Michel – *Cours Paul-Révoil - 13890 Mouriès - ☏ 04 90 47 50 40 - www.moulinsaintmichel.com - ♿ 🅿 - dag. behalve zo 9.00-12.00 u, 14.00-18.00 u - gesl. feestd. en 3de week van aug.* Deze schitterend gerestaureerde molen is al sinds 1744 in bedrijf en maalt de belangrijkste olijfsoorten uit de Vallée des Baux-de-Provence met als resultaat een olijfolie voorzien van een A.O.C.-label. Boeiende rondleiding en winkel.

SPORT EN ONTSPANNING

Wandeltochten – De toeristenbureaus van Mouriès, Maussane en Fontvieille bieden gratis gidsjes aan met wandelingen in de Alpilles.

Les Baux-de-Provence

★★★

381 inwoners – Bouches-du-Rhône (13)

🙂 ADRESBOEKJE: BLZ. 277

🛈 INLICHTINGEN

Toeristenbureau van Les Baux – *Maison du Roy - 13520 Les Baux-de-Provence - ☎ 04 90 54 34 39 - www.lesbauxdeprovence.com - mei-okt.: 9.00-18.00 u (half juli-half aug.: vr 22.00 u), za, zo en feestd. 10.00-17.30 u; rest van het jaar: 9.30-17.00 u, za, zo en feestd. 10.00-17.30 u - gesl. 1 jan. en 25 dec.*

▶ LIGGING

Regiokaart A2 (blz. 242) – *Michelinkaart van de departementen 340 D3*. Les Baux is vanuit Fontvieille via de D 78ᶠ bereikbaar. Na een scherpe bocht verschijnen plots de eerste huizen van het oude dorpscentrum.

🅿 PARKEREN

Laat de auto achter op een van de parkeerterreinen dicht bij het centrum *(onbeperkt parkeren voor € 4)* ofwel iets lager *(met automaat)*. 's Zomers zijn die parkeerterreinen vaak vol. Zet dan de auto langs de kant van de weg en loop naar het dorp.

🙂 AANRADER

Een wandeling door het oude dorpscentrum; het kasteel; de steengroeves van Lumières; en om te ontsnappen aan de massa, een wandeling om de rots van Beaux.

🕐 PLANNING

Ongeveer een halve dag om het oude dorp te verkennen en het kasteel te bezichtigen. Zorg voor stevig schoeisel! Volgens fotografen is het licht op zijn mooist in mei en november. Overigens zijn veel hotels en restaurants gesloten van november tot maart. Informeer van tevoren.

👥 MET KINDEREN

Een bezoek aan het kasteel en demonstratie met de reuzenkatapulten *(april-sept.)*; het Musée des Santons.

Met zijn hoge ligging en zijn stadsmuren ziet het dorpje eruit als een niet in te nemen vesting... maar dan heeft de beschouwer buiten de toeristen gerekend die Les Baux-de-Provence in het hoogseizoen met hordes tegelijk bestormen en bezit nemen van de nauwe straatjes en de ruïne van het kasteel. Het voorjaar en het najaar zijn de beste periodes om te genieten van de magie van dit kleine stukje paradijs aan de poort van de Val d'Enfer (Dal van de Hel). Dan daalt de stilte weer neer over de oude ruïnes, zodat ze in alle rust het verhaal kunnen vertellen van hun glorieuze verleden.

4

De lotgevallen van Les Baux

EEN RAS VAN ARENDSJONGEN

De heren van Les Baux kwamen uit een trots geslacht dat zou afstammen van Balthasar, een van de Drie Wijzen uit het Oosten. 'Ras van arendsjongen, nimmer vazallen' schreef Mistral. Vanaf de 11de eeuw behoorden ze tot de machtigste leenheren van Zuid-Frankrijk. Tussen 1145 en 1162 voerden ze oorlog tegen de graven van Barcelona met als inzet de macht over de Provence. Hoewel ze korte tijd op de steun van de Duitse keizer mochten rekenen, moesten ze zich na een belegering van Les Baux uiteindelijk overgeven. Later voerden ze verschillende titels, sommigen werden prins van Orange, anderen burggraaf van Marseille en weer anderen brachten het tot graaf van Avellino en hertog van Andria. Een van hen trouwde met Maria van Anjou, zuster van **Johanna I**, koningin van Sicilië en gravin van de Provence. Zij was beeldschoon en zeer geliefd bij de bevolking van de Provence, maar had een tragisch leven: na tot driemaal toe weduwe te zijn geworden, werd zij in 1382 door een eerzuchtige neef gewurgd.

LEKKERE JONGEN!

Burggraaf **Raymond de Turenne** kreeg in 1372 de voogdij over zijn nichtje, Alix des Baux. Door zijn ambities ontketende hij een verschrikkelijke burgeroorlog. Zijn schurkenstreken en wreedheid bezorgden hem de bijnaam 'de gesel van de Provence'. Zijn favoriete tijdverdrijf was gevangenen te dwingen vanaf de citadel van Les Baux naar beneden te springen, alleen maar omdat hij zo genoot van hun aarzeling en hun angstkreten. De paus en de soeverein van de Provence namen huurlingen in dienst om zich van deze hinderlijke buurman te ontdoen. Maar de soldaten trokken plunderend door het land zonder onderscheid te maken tussen vijandelijk of bevriend grondgebied. Het dienstverband werd verbroken en met een premie op zak ruimden de soldaten het veld. Het duurde niet lang voor de strijd weer oplaaide. De koning van Frankrijk sloot zich aan bij de tegenstanders van de burggraaf, die in 1399 in zijn rovershol in Les Baux werd omsingeld. Hij wist echter te ontsnappen en vluchtte naar Frankrijk.

EEN ONRUSTIGE STREEK

Alix was de laatste prinses van Les Baux. Toen zij in 1426 stierf, was de voormalige heerlijkheid, die inmiddels bij de Provence was ingelijfd, niet meer dan een kleine baronie. René van Anjou schonk het gebied aan zijn vrouw, **Johanna van Laval**. De baronie, die samen met de Provence bij het Franse koninkrijk werd ingelijfd, kwam in 1483 in opstand tegen Lodewijk XI, die de vesting daarop liet ontmantelen. De connétable **Anne van Montmorency**, die Les Baux vervolgens in bezit kreeg, liet er vanaf 1528 omvangrijke restauratiewerken uitvoeren, waarna de stad opnieuw een bloeiperiode doormaakte. Onder de Manvilles, die de baronie voor de Franse koning beheerden, ontwikkelde Les Baux zich tot een protestants bolwerk. Maar **Richelieu**, die genoeg had van dit roerige en rebelse domein, liet de burcht en de vestingmuren in 1632 afbreken. De bewoners zagen niet alleen hun domein vernietigd worden, ze moesten bovendien een boete van 100.000 pond betalen, evenals de sloopkosten! Dit betekende het einde voor Les Baux.

Wandelen Plattegrond blz. 274

Een wandeling door de straten van Les Baux is een betoverende ervaring, als het niet al te druk is met toeristen en souvenirstalletjes.

Ga door de Porte Mage het dorp in en neem de straat rechts naar de place Louis-Jou.
Het voormalige **stadhuis** was oorspronkelijk een in onbruik geraakte kapel. Drie zalen met kruisribgewelven zijn bewaard gebleven. Daarin is nu een santonmuseum in ondergebracht.

Musée des Santons

9.30-17.30 u (de openingstijden variëren, informeer bij het toeristenbureau) - gratis toegang.

Bij een renovatie in 2008 kreeg dit kleine museum een moderne inrichting. De vitrines zijn uitgerust met spiegels om de details te kunnen zien van de santons (heiligenbeeldjes voor in een kerststal), die in de 13de eeuw hun intrede deden in de kerken van Rome. De collectie bestaat uit Napolitaanse (17de eeuw) en Provençaalse (19de en 20ste eeuw) exemplaren en een kerststal.
Een straatje naar rechts komt uit bij de Porte Eyguières, ooit de enige stadspoort.
Loop terug en ga aan het einde van de rue de la Calade rechtsaf de rue de l'Église in.
Op een hoek van de place François-de-Hérain, staat het **Hôtel de Porcelet**, waarin nu het Musée Yves-Brayer is gevestigd.

★ Musée Yves-Brayer M

Pl. François-de-Hérain - ℘ 04 90 54 36 99 - www.yvesbrayer.com - april-sept.: 10.00-12.30 u, 14.00-18.30 u; rest van het jaar: 10.00-12.30 u, 14.00-17.30 u - gesl. begin jan.-half feb. - € 5 (tot 18 jaar gratis).
De schilder **Yves Brayer** (1907-1990), die verknocht was aan Les Baux, kreeg zijn laatste rustplaats in dit stadje. In het museum hangen doeken gewijd aan Spanje, Italië en Marokko, geschilderd in zwart, rood en okergeel. Hij verbeeldde stierengevechten en taferelen die hij op zijn reizen zag. Zijn mooiste doeken zijn echter geïnspireerd op het licht van de Provence, zoals *Les Baux* of *Le champ d'amandiers*, waarvoor hij helderdere tinten gebruikte. In 1974 beschilderde Brayer de muren van de **Chapelle des Pénitents blancs** (17de eeuw) met pastorale taferelen (de Alpilles en de Val d'Enfer) en ontwierp hij een glas-in-loodraam.
Loop naar de place St-Vincent.
De **place Saint-Vincent★** biedt uitzicht op de Vallon de la Fontaine en de Val d'Enfer *(zie bij De Alpilles)*. De **Église Saint-Vincent★ (E)**, die deels in de rots is uitgehakt en wordt geflankeerd door een sierlijke toren (de *Lanterne des Morts*), ontroert met haar lichte soberheid (kerkramen van Max Ingrand).
Loop terug door de rue de l'Église, neem de rue des Fours en vervolgens links de rue du Château. Hier staat de ruïne van de **voormalige protestantse kerk (D)** uit 1571. Op de latei van een van de mooie ramen is het calvinistische devies te lezen: *'Post tenebras lux'* (na de duisternis komt het licht).
Daartegenover staat het 16de-eeuwse **Hôtel de Manville (H)** met een mooie gevel met kruisvensters. Tegenwoordig is het gemeentehuis er gevestigd.
Loop de Grande Rue uit in tegengestelde richting. Let op het **renaissance-huis** Jean de Brion. Het was het huis van Louis Jou (1881-1968), een graveur, uitgever en drukker die zijn leven aan de boekdrukkunst wijdde.

Fondation Louis-Jou F

℘ 04 90 54 34 17 - informeer naar de openingstijden. Rondleiding (20 min) op aanvraag (4 dagen van tevoren) - gesl. in jan. - € 3 (kinderen € 1).

4

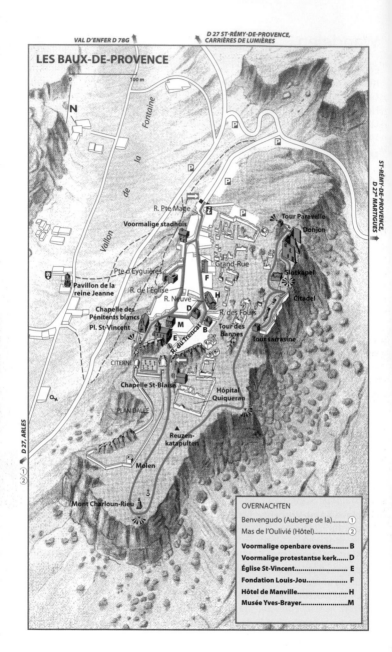

LES BAUX-DE-PROVENCE

VAL D'ENFER D 78G

D 27 ST-RÉMY-DE-PROVENCE,
CARRIÈRES DE LUMIÈRES

ST-RÉMY-DE-PROVENCE,
D 27 MARTIGUES

N

Vallon de la Fontaine

P
P
P
P

R. Pte Mage
Voormalige stadhuis

Tour Paravelle
Donjon

Grand-Rue

Pte d'Eyguières

F

Slotkapel

Pavillon de la
reine Jeanne

R. de l'Église

R. Neuve

H

Citadel

Chapelle des
Pénitents blancs
Pl. St-Vincent

D
M
B

R. des Fours

E

Tour des
Bannes
Tour sarrasine

CITERNE

R. du Trencat

Chapelle St-Blaise

Hôpital
Quiqueran

PLAN DALLE

Reuzen-
katapulten

Molen

Mont Charloun-Rieu

D 27, ARLES
① ②

OVERNACHTEN

Benvengudo (Auberge de la)	①
Mas de l'Oulivié (Hôtel)	②
Voormalige openbare ovens	**B**
Voormalige protestantse kerk	**D**
Église St-Vincent	**E**
Fondation Louis-Jou	**F**
Hôtel de Manville	**H**
Musée Yves-Brayer	**M**

De meubels en de mooiste boeken van Louis Jou worden hier tentoongesteld, evenals zijn waardevolle bibliotheek en een deel van zijn collectie: wiegendrukken, oude banden, gravures van Dürer en Goya, schilderijen, kunstvoorwerpen. Tegenover het museum ligt zijn drukkerij, waar de handpersen die hij zelf gebruikte nog te zien zijn.

LES BAUX-DE-PROVENCE

Als u terugloopt door de **Grand-Rue**, komt u langs de openbare ovens (**B**) waar de inwoners hun brood bakten. Neem de rue du Trencat, die is uitgehakt in het gesteente en naar het kasteel leidt.

★ Château des Baux-de-Provence

Aan het einde van de rue du Trencat - ℰ 04 90 54 55 56 - www.chateau-baux-provence.com - half juni-half sept.: 9.00-20.30 u; half maart-half juni: 9.00-18.30 u; rest van het jaar op aanvraag - € 7,50 (tot 18 jaar € 5,50) met audiotour; combinatiekaartje met met het Romeinse theater van Orange en de arena van Nîmes - diverse voorstellingen en activiteiten van mei tot sept.

👥 Bij de ingang wordt een gratis boekje verstrekt met spelletjes waarmee kinderen tussen 7 en 12 jaar het kasteel kunnen verkennen.

😊 **Goed om te weten** – *Twee keer per jaar, in juni en in september, organiseert het kasteel een middeleeuws feest met riddertoernooi, valkenjacht, belegering, spelen.* Neem de tijd om de maquettes van het kasteel in de 13de en de 16de eeuw bij de ingang te bekijken. Daar ziet u welke veranderingen het kasteel heeft ondergaan. Op het terrein zelf staan panelen met afbeeldingen van de gebouwen zoals ze er in de 15de eeuw uitzagen. Voor wie meer wil weten is er de audiotour.

In de **Chapelle Saint-Blaise**, in de 12de eeuw zetel van het gilde van wolkaarders en wevers, wordt een film vertoond met beelden van de Provence vanuit de lucht.

Op de verhoging staan reconstructies van **middeleeuwse belegerings-werktuigen** *(zie blz. 276)*. Er worden demonstraties gegeven tot grote vreugde van klein en groot *(april-sept.: 11.00 u, 13.30 u, 15.30 u en 17.30 u)*.

Aan de rand van een betegeld terrein waar regenwater werd opgevangen, staat een molen die bestemd was voor gemeenschappelijk gebruik (de heer van Les Baux ontving belasting voor iedere keer dat hij gebruikt werd). Vanaf de rand van het plateau heeft u een weids **uitzicht★** op de abdij van Montmajour, Arles, de Crau, de Camargue (bij helder weer kunt u ook Les Saintes-Maries-de-la-Mer en Aigues-Mortes onderscheiden) en de vlakte tot aan de Étang de Berre.

Het **monument** aan de rand van het plateau is opgericht ter nagedachtenis van de Provençaalse dichter Charloun Rieu *(zie onder De Alpilles)*. De ruïnes van de **citadel** bevinden zich aan de oostkant van de rots. Aan de zuidkant staan de **Tour Sarrasine** en de **Tour des Bannes** die uitsteken boven een groepje huizen uit de 16de eeuw. De **slotkapel** (12de-16de eeuw) heeft zijn mooie travee met spitsbogen behouden. De donjon is toegankelijk via een moeilijke trap *(niet aan te raden voor personen met hoogtevrees)*. Vanaf de rots waarop de donjon staat, ontvouwt zich een schitterend **panorama★★**. Tegen de noordelijke ringmuur van de citadel staat de Tour Paravelle, die **uitzicht★** biedt op Les Baux en de Val d'Enfer. Aan de voet van die toren bevindt zich de enige overdekte zaal van de citadel, met een gerestaureerd rotsgewelf. *Keer terug naar de Porte Mage.*

Wat is er nog meer te zien?

★ Carrières de Lumières A2

ℰ 04 90 54 55 56 - www.culturespaces.com/fr/carrieres - De expositie over Gauguin en Van Gogh loopt tot januari 2013.

👥 Na de sluiting van de 'Cathédrale d'images', zal het immense decor van de steengroeven van Bringasses en Grands-Fonds in 2012 opnieuw worden

MIDDELEEUWSE BELEGERINGSTUIG

De *trebuchet* (12de-16de eeuw) – Met deze zware slingerarm konden stenen van 140 kg over een afstand van ruim 200 m geworpen worden. Deze zogenaamde 'oorlogswolf' kon bressen in muren slaan en was het meest geduchte belegeringswerktuig!

De *couillard* (14de-16de eeuw) – Deze slingerarm met tegengewicht had een reikwijdte van meer dan 100 m en kon per uur tot 12 kogels afschieten.

De *bricole* (12de eeuw) – Een slingerarm met leren riemen, die lichter was dan andere wapens en bediend kon worden door vrouwen. Zij stelden zich op boven op de vestingmuren om de vijand te bestoken.

De stormram – Dit wapen had een overkapping om te voorkomen dat de belegeraars geraakt zouden worden door projectielen van boven.

De ballista – Een soort grote kruisboog waarmee stenen werden afgeschoten. Was net als de stormram al in gebruik bij de Romeinen.

geopend onder de naam 'Carrières de Lumières'. In het schemerduister dienen de witte kalkstenen wanden en de pilaren als driedimensionaal scherm voor een gigantische audiovisuele projectie, waarbij de toeschouwer zich een dwerg waant. Het schouwspel heeft ieder jaar een ander thema, dat wel altijd gelieerd is aan een grote figuur uit de kunstgeschiedenis. Het is in ieder seizoen fris in de oude steengroeven (16 °C), dus neem een trui mee!

Wandeling om de Rocher des Baux

45 min. Gratis folder bij het toeristenbureau, vertrek op het parkeerterrein van de chemin des Trémaïë. Neem 's zomers water en een hoed mee.

Deze mooie wandellus loopt onder het kasteel langs om de rots van Les Baux heen. Onderweg zijn overblijfselen van Gallo-Romeinse monumenten te zien (waaronder een bas-reliëf in een rotsblok), evenals oude steengroeves in de openlucht en overdekt met een stenen bouwsel *(borie)*. Fraai uitzicht op het laagland beneden. Het pad eindigt bij de Porte d'Eyguières, waarvandaan een trap naar de rue de la Calade voert.

Vignoble des Baux

Rondleiding over het domein mogelijk, informeer ter plaatse.

In de omgeving van het dorp werden al in de oudheid druiven verbouwd; het microklimaat en de samenstelling van de grond waren daarvoor bijzonder geschikt. Onder de benaming 'Les Baux de Provence' produceert het wijngebied karaktervolle wijnen (voornamelijk rode en rosé, maar ook witte) van uitstekende kwaliteit.

In de omgeving Regiokaart blz. 242

Pavillon de la reine Jeanne A2

Aan de D 78ᴳ. Bereikbaar vanuit het dorp via een pad dat bij de porte Eyguières begint.

Dit paviljoentje in renaissancestijl bevindt zich aan het begin van een klein dal, de **Vallon de la Fontaine**. Het werd in 1581 gebouwd in opdracht van Johanna van Les Baux. **Mistral** heeft er een kopie van laten maken voor zijn graf in Maillane. Vanaf de donjon hebt u **uitzicht** op de streek rond Aix, de Montagne Sainte-Victoire, de Luberon, de Mont Ventoux, de Cévennes, de Val d'Enfer in het noorden en de Vallon de la Fontaine in het westen.

LES BAUX-DE-PROVENCE: ADRESBOEKJE

OVERNACHTEN

DOORSNEEPRIJZEN
Mas Derrière Château – *quartier du Frechier - aan de weg naar St-Rémy-de-Provence (D 5)* - ☎ 04 90 54 50 62 of 06 82 17 84 43 - www.masderrierechateau. com - geopend van maart tot nov. - 3 kamers € 55/65 - ☕. Deze mas uit de 18de eeuw aan de rand van het dorp herbergt drie ruime kamers. Gemeenschappelijke eetkamer en keuken. Heel geschikt voor wie op onafhankelijkheid gesteld is.

PURE VERWENNERIJ
Hôtel Mas de l'Oulivié – *Les Arcoules (D 78ᶠ) - 2 km ten zuidwesten van Les Baux* - ☎ 04 90 54 35 78 - www. masdeloulivie.com - gesl. half nov.- half maart - ⚹ ☐ ☐ - 25 kamers € 130/305 - 2 suites € 490 - ☕ € 16. Wie houdt van genieten en luieren zal zeker bezwijken voor deze mas midden in een olijfgaard. Hartelijke ontvangst, Provençaalse inrichting en schitterende tuin.

Auberge de la Benvengudo – *Les Arcoules (D 78ᶠ) - 2 km ten zuidwesten van Les Baux* - ☎ 04 90 54 32 54 - www.benvengudo.com - gesl. dec.-maart - ☐ ☐ - 25 kamers € 105/205 en 2 appart. € 210/370 - ☕ € 16 (kinderen € 8) - rest. € 24/45. Dit met wingerd begroeide, charmante buitenhuis staat aan de voet van de citadel. De kamers zijn gerenoveerd en liggen aan een tuin vol bloemen. Terrras naast het zwembad. Op de kaart staat één menu met dagverse producten van de markt.

UIT ETEN

☺ **Goed om te weten** – Let op, het merendeel van de restaurants in het dorp is 's avonds gesloten.

Le Café des Baux – *r. du Trincat (50 m van de ingang van het kasteel)* - ☎ 04 90 54 52 69 - www.chateau-baux-provence.com - open van april-okt. 12.00-15.00 u, 's avonds in juli-aug. - lunchmenu € 17,50 - € 28,50/34,50. Een patio in de schaduw van het kasteel, een zaal die deels in de rots is uitgehakt en gerechten met rijke smaken, dat zijn de troeven van dit adres. De salades verdienen een speciale vermelding. Laat wat ruimte over voor de zoetigheden – daarin is de kok, Pierre Walter, gespecialiseerd. Ook geschikt voor een eetpauze gedurende de dag (crèpes, ijsjes).

WINKELEN

Maison d'artistes - *r. Frédéric-Mistral*, ☎ 04 90 91 71 90 - www.lesbauxmaisonartistes.com - maart-dec.: dag. 10.00-19.00 u. Vier kunstenaars Aléos, Jean-François Brahin, Roger Freneix en Beggit (drie schilders en een beeldhouwer) hebben een prachtig gebouw gevonden om hun werk te exposeren en te verkopen.

Castelas – *Mas de l'Olivier - quartier Frechier - aan de D 27* - ☎ 04 90 54 50 86 - www.castelas.com - 8.30-18.30 u - gesl. feestd. buiten het seizoen. Deze molen produceert elk jaar 20.000 tot 30.000 liter olijfolie A.O.C. de la Vallée des Baux. De olijfolie van de familie Hugues is al meerdere malen bekroond met een gouden medaille. In de winkel worden ook tapenades, olijvenpasta en onverpakte olijven verkocht.

Mas de la Dame – *aan de D 5* - ☎ 04 90 54 32 24 - www. masdeladame.com - ☐ - 8.30-19.00 u - gesl. 1 jan. en 25 dec. Dit 16de-eeuwse huis werd in 1889

4

door Van Gogh vereeuwigd. Het is een van de weinige bedrijven waar zowel wijn (rode wijn en rosé) als olijfolie wordt verkocht.

EVENEMENT

Kerstfeest in Les Baux – De nachtmis in de Église Saint-Vincent met levende kerststal mag u niet missen: herders gekleed in stevige mantels, en voorafgegaan door tamboerijn- en fluitspelers, brengen offerandes aan een pasgeboren lam in een versierd wagentje dat wordt getrokken door een ram. Dit is de 'Ceremonie du pastrage'.

Tarascon

★

13.376 inwoners – Bouches-du-Rhône (13)

😊 ADRESBOEKJE: BLZ. 288

ℹ️ INLICHTINGEN
Toeristenbureau van Tarascon – *Le Panoramique - pl. du Château - ☎ 04 90 91 03 52 - www.tarascon.fr - juni en sept.: dag. behalve zo en feestd. 9.00-12.30 u, 14.00-18.00 u (juli-aug.: zo en feestd. 9.30-12.30 u); rest van het jaar: 9.00-12.30 u, 14.00-17.30 u.*

▶ LIGGING
Regiokaart A1 (blz. 242) – *Michelinkaart van de departementen 340 C3*. Het mooiste uitzicht op het kasteel van Tarascon biedt de weg vanuit Beaucaire via de brug over de Rhône. Maar of u nu aankomt vanuit Beaucaire of Arles (17 km), u belandt al snel op de ringweg met zijn platanen.

🅿️ PARKEREN
Parkeerplaatsen op de boulevard en parkeerterrein *(gratis, zoals overal in de stad)* bij het kasteel.

👍 AANRADER
Het kasteel van koning René; het musée Charles-Demery (Souleïado); de pittoreske straatjes (deels wandelgebied) met hun warme kleuren en statige woningen; de Montagnette met zijn kalksteenheuvels die geuren naar tijm en mirte; de boerenmarkt van Graveson, iedere vrijdag van mei tot oktober (16.00-20.00 u).

🕐 PLANNING
Trek ongeveer een uur uit voor het kasteel en nog een paar uur om door de straatjes te slenteren. Buiten het seizoen is Tarascon in het weekend nogal slaperig, dus kies in die periode voor een doordeweekse dag als u van gezellige bedrijvigheid houdt.

© **Goed om te weten** – Wegens brandgevaar zijn de wandelpaden in de Montagnette beperkt toegankelijk van 1 juni tot 30 september.

👥 **MET KINDEREN**

L'Espace Tartarin; ruitertocht door de Montagnette *(zie 'Adresboekje')*.

Tarascon dankt haar bekendheid vooral aan de Tarasque, het legenda-rische monster, en aan de romanfiguur Tartarin, voor wie Daudet zich liet inspireren door een echte inwoner van Tarascon genaamd Barbarin. Maar deze mooie, dynamische, authentiek Provençaalse stad kan daar-naast bogen op een rijke geschiedenis, waarvan het imposante kasteel hoog boven het water van de Rhône een symbool is. Het sfeervolle oude centrum met mooie straatjes omzoomd door arcades en huizen van witte steen is bewaard gebleven. In de oude legerkazerne is een hip-pisch centrum gevestigd.

★★ Ontdek het kasteel van koning René

Bd du Roi René - 𝄞 04 90 91 01 93 - www.tarascon.org - juni-sept.: 9.30-18.30 u (toegang tot 45 min. voor sluitingstijd); rest van het jaar: 9.30-17.30 u - bezichti-ging ongeveer 1 uur - activiteiten voor kinderen in de zomer - gesl. 1 jan., 1 mei, 1 en 11 nov., 25 dec. - € 7 (12-17 jaar € 3, 17-25 jaar € 5).

Het robuuste kasteel aan de Rhône met het onverwacht sierlijke interieur dat nog in goede staat verkeert, is een van de mooiste middeleeuwse kastelen van Frankrijk. Waar nu het kasteel staat, lag oorspronkelijk een Romeins leger-kamp dat de westgrens van de Provence moest beschermen. Later werd op die plaats een burcht gebouwd. Nadat de bendes van Raymond de Turenne de burcht in 1399 hadden geplunderd, besloot de **familie Anjou** in 1400 het volledig te herbouwen. Vanaf dat moment heeft het naast een militaire ook een woonfunctie. Tussen 1447 en 1449 liet **koning René**, die het kasteel tot zijn favoriete verblijfplaats had verklaard, het interieur stijlvol decoreren.

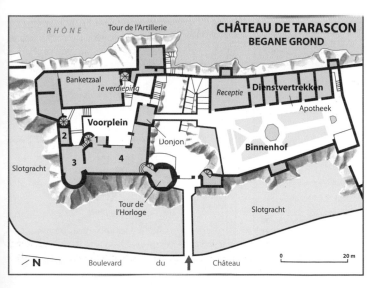

In 1486 werd het kasteel koninklijk bezit waarna het werd omgebouwd tot **gevangenis**, een functie die het ook na de Franse Revolutie zou vervullen tot aan de sluiting in 1926. De staat kocht het kasteel in 1932 en heeft grote restauratieprojecten opgezet om het zijn middeleeuwse uiterlijk terug te geven. Sinds 2008 is het eigendom van de gemeente Tarascon.

Het kasteel bestaat uit twee delen. Het woongedeelte aan de zuidzijde wordt geflankeerd door ronde torens aan de stadskant en vierkante torens aan de kant van de rivier en tot 48 m hoge muren. De lagergelegen binnenhof aan de noordzijde wordt door minder hoge rechthoekige torens beschermd.

Binnenhof en tuin

Een brede slotgracht met een brug (vroeger een ophaalbrug) scheidt het kasteel van de stad. In de binnenhof, waar de oude dienstvertrekken lagen, is de oude **apotheek van het Hôpital Saint-Nicolas** te bezichtigen (collectie potten van faience in een mooie houten kast uit de 18de eeuw). Daarnaast worden er tijdelijke exposities georganiseerd.

Voor de binnenhof ligt de mooie **Jardin d'amour** met een klein kanaaltje.

Voorplein

Het voorplein is toegankelijk via de poort in de donjon. Op het plein rijgen de fijn gebeeldhouwde façaden met kruisvensters zich aaneen. In een veelhoekig torentje (**1**) loopt een trap naar de bovenverdiepingen; in een nis ernaast staan borstbeelden van koning René en koningin Johanna. Bijzonder zijn ook het laatgotische hekwerk van de Chapelle des Chantres (**2**) en de Chapelle basse (**3**), die onder de Chapelle haute ligt.

De woonvertrekken in het hoofdgebouw aan de kant van de stad liggen twee aan twee boven een galerij (**4**) met een verlaagd gewelf en staan in verbinding met de Tour de l'Horloge.

Het woonverblijf van de kasteelheer

De woonvertrekken van koning René bevonden zich in de westvleugel boven de rivier. Hier lagen de staatsiezalen waar de koning zijn feesten hield: de banketzaal met de twee haarden op de begane grond en de feestzaal met

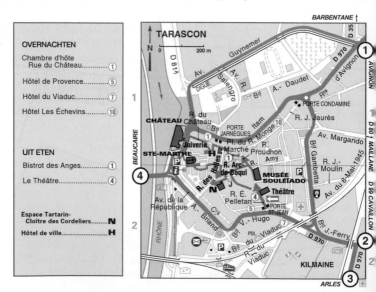

de beschilderde houten plafonds op de eerste verdieping. De koning had de naam wel van een feestje te houden en dit is het bewijs dat die reputatie terecht was. Recentelijk zijn er meer zalen opengesteld voor het publiek, bovendien is de route door het kasteel zo veranderd dat deze bijzondere ruimte het hoogtepunt van de bezichtiging vormt. De bezoeker krijgt een goed beeld van de geschiedenis van het kasteel, van de middeleeuwen tot de latere periodes waarin het een gevangenis was. Er worden ook tijdelijke exposities georganiseerd.

Terras

Toegang via de Tour de l'Artillerie. Boven op de toren ontvouwt zich een weids **panorama**★★ over Tarascon, Beaucaire, de Mont Ventoux en de Barrage de Vallabrègues met de Rhône, de Montagnette en de Alpilles, Fontvieille, Montmajour, Arles en de Plaine de Saint-Gilles.

Op de benedenverdieping van de Tour de l'Horloge bevindt zich de Salle des Galères of Galeizaal, zo genoemd naar de tekeningen en opschriften op de muren die herinneren aan de gevangenen uit vroeger tijden.

Wandelen Plattegrond blz. 280

▶ *De route staat aangegeven op de plattegrond.*

Goed om te weten – *Het toeristenbureau biedt drie wandelroutes door de stad aan rond verschillende thema's: de Tarasque, de monumenten van de stad, de herenhuizen. Gratis gidsjes verkrijgbaar bij het toeristenbureau.*

Door de faam van het kasteel krijgt de stad Tarascon zelf niet altijd de aandacht die ze verdient met haar mooi gekleurde gebouwen, versierd met kroonlijsten, portalen of friezen, prachtig uitgelicht door de zon, en met haar smalle straatjes omzoomd door de mooi gerestaureerde gevels met statige herenhuizen. *Loop de stad in door de Porte Saint-Jean en neem de rue Eugène-Pelletan.*

Werp een blik op de barokke façade van het **theater** met zijn engeltjes (rechts). *Loop verder door de rue Charles-Demery.*

Nummer 39 is een fraai herenhuis waar het bedrijfje **Souleiado** is gevestigd *(zie hieronder).*

★ Souleiado

39 r. Charles-Deméry - ℘ 04 90 91 40 62 - www.souleiado.com - ᴋ - april-okt.: 10.00-12.30 u, 14.30-19.00 u; rest van het jaar: dag. behalve zo en feestd. 10.00-13.00 u, 14.30-18.30 u - gesl. 1 jan., 8 mei en 25 dec. - € 7 (tot 12 jaar gratis).

In 1806 nam voor het eerst een textieldrukker zijn intrek in dit herenhuis. In 1939 vestigde **Charles Deméry**, die het bedrijf nieuw leven inblies, het merk Souleiado, en vanaf 1947 begon hij ook te ontwerpen. Tot zijn dood in 1986 was het bedrijf zeer succesvol. In 2009 werd het huis Souleiado overgenomen door Daniel en Stéphane Richard, die het Provençaalse merk nieuwe bekendheid willen geven.

Het museum – De collectie staat geheel in het teken van de kleurrijke katoenen stoffen of **indiennes** *(zie blz. 71)* en het museum bezit bijna **40.000 patroonplaten**, waarvan de oudste uit de 18de eeuw dateren. De platen van hout en messing werden met de hand ingekleurd en dan met een houten hamer bewerkt door arbeiders die dagelijks tot 30 m katoen bedrukten. Ook te zien zijn **zeldzame bedrukte stoffen**, 18de- en 19de-eeuwse Provençaalse kostuums en een grote collectie aardewerk, faience en schilderijen, en een aantal oude werkplaatsen, waaronder het **kleurenatelier**, waar de verfstoffen werden gemengd, en dat nog in precies dezelfde staat verkeert als op

4

DE HEILIGE EN HET BEEST

Eén blik op de beeltenis van de **Tarasque** volstaat: het was echt een afgrijselijk beest! Het amfibische monster dook onverwacht op uit de Rhône om kinderen, vee en argeloze wandelaars te verslinden. Gelukkig was de heilige Martha uit Palestina door de Camargue gekomen, waar men wel wist hoe u wilde dieren te lijf moest gaan. Zij trad het monster tegemoet, maakte een kruisteken en het beest gaf zich gewonnen. Martha droeg het getemde dier over aan het volk, dat het geestdriftig begon af te tuigen. Om het wonder te vieren organiseerde koning René d'Anjou in 1474 grote feesten. De legende leeft nog altijd voort in de jaarlijkse processie *(zie blz. 289)*. Toch is Tarascon niet naar de Tarasque genoemd. De naam Tarascon is gebaseerd op het Ligurische woord *asc* dat 'waterloop' betekent. Het voorvoegsel *tar* betekent 'rots'. Anders gezegd, Tarascon zou dus 'de rots aan de rivier' zijn, wat ongetwijfeld verwijst naar de rots met het kasteel aan de oever van de Rhône.

de laatste werkdag. Het museum moet nodig eens 'afgestoft' worden en zal binnenkort een grote transformatie ondergaan.

Kaarsenmakerij van de abdij van de norbertijnen – Ook de norbertijnen van de abdij Saint-Michel-de-Frigolet beheersen reeds lang een ambacht: kaarsen maken. De waskaarsen worden vervaardigd volgens twee methoden die stammen uit de 15de eeuw: dompelen of bestrijken. U kunt een demonstratie van de procedés bijwonen.

Loop verder door de rue Charles-Demery die overgaat in de rue Proudhon.
Links, vlak na de Chapelle de la Persévérance (17de eeuw), begint de deels overdekte rue **Arc-de-Boqui**.
Ga aan het eind van het straatje naar rechts, richting de place du Marché.

Hôtel de ville H

Het 17de-eeuwse stadhuis heeft een sierlijke gevel en een trap naar de Salle des Consuls, met mooi houtsnijwerk en schilderijen *(geopend voor publiek, behalve tijdens trouwerijen en vergaderingen)*.
Neem de rue de la Mairie naar links, die overgaat in de rue du Château.
Hier begint de **Juiverie**, het oude joodse getto van Tarascon. Neem links de rue des Juifs naar de kleine place Renan in de schaduw van een grote eucalyptus. Loop door het tweede deel van de rue des Juifs (boog) terug naar de rue du Château, waar het kasteel en de collegiale kerk Sainte-Marthe in zicht komen.

★ Collégiale royale Sainte-Marthe

1 pl. de la Concorde - 8.00-18.00 u.
Deze 12de-eeuwse kerk werd in de 14de eeuw grotendeels herbouwd. Na zware verwoestingen in 1944 werd ze gerestaureerd. Het zuidportaal is een mooi voorbeeld van de romaanse bouwstijl, ook al is het beeldhouwwerk grotendeels verdwenen. Binnen hangen schilderijen van Nicolas Mignard en Pierre Parrocel. In de **crypte** staat de met beelden versierde sarcofaag van de H. Martha (3de-4de eeuw). In de trap bevindt zich het graf van de Provençaalse hofmaarschalk Jean de Cossa, een monument in renaissancestijl.
Steek de place Fraga achter de kerk over en neem de rue Clerc-de-Molières.
Neem rechtsaf de **rue des Halles**, de hoofdstraat van het oude Tarascon, met een zonnewijzer waarop staat: 'Alle kwetsen, het laatste doodt,' waarmee wordt verwezen naar uren. Deze vroegere marktstraat met 15de-eeuwse

bogen en arcaden leidt naar een pleintje rechts van de rue Frédéric-Mistral en de galerijen van het **Cloître des Cordeliers (N)** waar regelmatig mooie exposities te zien zijn. Hier is ook de Espace Tartarin gevestigd.

Espace Tartarin - Cloître des Cordeliers

Pl. Frédéric-Mistral - ℰ 04 90 91 38 71 - dag. behalve zo 10.00-12.30 u, 14.00-18.00 u, za 13.30 -18.00 u - gesl. feestd. - gratis.

👥 Het centrum, dat is gevestigd in het klooster van de Cordeliers, brengt de dolkomische figuur Tartarin uit de beroemde roman van Daudet tot leven. Er worden scenes uit het boek uitgebeeld.

Loop via de rue F.-Mistral en de Traverse du Palais naar de rue Blanqui die naar de Porte Saint-Jean leidt.

Wat is er nog meer te zien? Regiokaart, blz. 242

Quartier Kilmaine

Ingang aan de bd Victor-Hugo (rechts na de spoorbrug) - gratis toegang.

De oude legerkazerne, die een terrein van 6 ha beslaat ten zuiden van het centrum, wordt op dit moment verbouwd en krijgt een nieuwe bestemming. Een **hippisch centrum**, een gerechtsgebouw en een verenigingsgebouw hebben zich al hier gevestigd en in de toekomst moet dit gebied een groot cultureel trefpunt worden (multimediale ruimte, archieven, muziekschool, kunstenaarsateliers, architectuurhuis, erfgoedcentrum enz.).

Abbaye Saint-Michel-de-Frigolet A1

▶ *11 km ten noordoosten van Tarascon via de D 570^n en vervolgens links de D 81. ℰ 04 90 95 70 07 - www.frigolet.com - de abdij en de bijbehorende kerk zijn gratis toegankelijk - de kloostergang en de kapittelzaal zijn alleen te bezichtigen met gids (1 uur) zo 16.00 u - € 3,50 (kinderen gratis).*

Een kruisweg voert naar de abdij, die een Walt Disneyachtige ommuring heeft met torens, courtines, kantelen en weergangen.

De abdij werd in 1121 gesticht door de monniken van Montmajour en ten tijde van de Revolutie ontmanteld. In het gebouw kwam een internaat, waar onder meer Frédéric Mistral onderwijs volgde. Sinds 1858 is hier een norber- tijnse gemeenschap gevestigd.

4

VAN MEDICIJN TOT ELIXER

De abdij werd gesticht door de ontginningsmonniken van Montmajour *(zie 'In de omgeving' onder Arles)* die door hun werk in het moeras rond hun abdij regelmatig getroffen werden door malaria en dan kwamen ze hier om te herstellen; vandaar de naam van de kapel, Notre-Dame-du-Bon-Remède. In de loop van de tijd werd de abdij door verschillende orden bewoond, waarna het gebouw tijdens de Franse Revolutie als staatseigendom werd verkocht. Er werd een kostschool in gevestigd (ook Frédéric Mistral ging hier naar school) waarna het in 1856 opnieuw een klooster werd, dit keer van de norbertijnen. Zij overleefden een roerige periode aan het begin van de Derde Republiek en wonen er nog altijd. De bekendste bewoner uit de geschiedenis is een personage uit een roman van Alphonse Daudet: pater Gaucher, die de prior het geheim van het elixer van tante Bégon opbiechtte.

♿ Tip: de distilleerderij die dit elixer, de Liqueur Frigolet, bereidt, is geves- tigd in **Châteaurenard** *(zie blz. 315).*

EEN GEDREVEN DICHTER

Mistral werd in 1830 in een welgestelde boerenfamilie geboren. Hij groeide op in de Mas du Juge aan de weg naar Saint-Rémy. Hij ging naar de middelbare school in Saint-Michel-de-Frigolet en in Avignon, waar hij Roumanille leerde kennen. Hij studeerde rechten in Aix en woonde weer even in zijn ouderlijk huis, totdat hij het Maison du Lézard, het Huis van de Hagedis *(tegenover het Museon)* betrok waar hij in 1859 zijn gedicht *Mirèio* voltooide, vijf jaar nadat hij de **Félibrige**-groep had opgericht. Mistral werd beroemd en won in 1904, als sleutelfiguur in de heropleving van het Provençaals, de Nobelprijs voor Literatuur. In oktober 1913 nodigde de toenmalige Franse president Raymond Poincaré hem uit voor een lunch in diens presidentiële treinwagon in het station van Graveson.

De neogotische abdijkerk is gebouwd rond de **Chapelle de Notre-Dame-du-Bon-Remède**, waarvan de romaanse structuur schuilgaat achter het vergulde **houtwerk★** dat Anna van Oostenrijk de kerk schonk. De schilderijen worden toegeschreven aan de school van Nicolas Mignard. In de noordelijke galerij van de **kloostergang** (begin 12de eeuw, gerestaureerd in de 17de eeuw) zijn Romeinse restanten te zien, zoals friezen, kapitelen en maskers, maar ook prachtige, moderne santons van eeuwenoud olijvenhout van Charles Toni uit Noves. In de 17de-eeuwse **kapittelzaal** hangen schilderijen van Jean Guitton. In de hal prijkt een opmerkelijk schilderij van Wenzel, *Het beleg van Frigolet* (1880).

De 12de-eeuwse **Église Saint-Michel** ontroert met haar soberheid. Het stenen dak heeft een opengewerkte dakkam.

Rondwandeling van 14 km - ongeveer 4 uur - gemiddeld niveau - beperkt toegang tot het massief van 1 juni tot 30 sept. Vanuit Saint-Michel-de-Frigolet loopt een pad *(gele paaltjes)* door de Montagnette via Boulbon en de 161 m hoge **San Salvador**.

Rijd verder over de D 80 en vervolgens de D 35^E.

★ Chapelle Saint-Gabriel A1

❯ *5 km ten zuidoosten van Tarascon via de D 970.*

Parkeer de auto op het plein - inlichtingen bij het toeristenbureau van Tarascon - ℘ 04 90 91 03 52 - u kunt om de sleutel vragen - rondleiding op aanvraag (7 dagen van tevoren) - gratis.

De aanwezigheid van een drukke weg doet niets af aan de delicate charme van dit kleine 12de-eeuwse kapelletje met een bijzondere, gebeeldhouwde gevel. Het interieur is een mooi, sober voorbeeld van de romaanse bouwstijl. De kapel wordt binnenkort gerestaureerd.

Het kasteel van Barbentane
A. Bednorz / Bildarchiv Monheim/Age fotostock

Rondrit Regiokaart, blz. 242

DE MONTAGNETTE A1

▶ *De 45 km lange route vanuit Tarascon staat aangegeven op de regiokaart - ongeveer 4 u. Verlaat Tarascon in het oosten via de D 80 (richting Maillane), rijd na de D 570n verder over de D 80A en neem vervolgens links de D 32.*

Dit is geen gebergte maar een heuvelgebied: het hoogste punt is de Mont de la Mère van 165 m. Het is de Provence in het klein, tussen Tarascon en Avignon, met zijn steile rotswanden, de kleine valleien met olijfbomen en de naar tijm en lavendel geurende wandelpaden. De Montagnette wordt omringd door dorpjes die hun Provençaalse identiteit duidelijk uitdragen.

4

Maillane

🗎 *1 av. Lamartine - 13910 Maillane -* ☎ *04 32 61 93 86 - www.maillane.fr - dag. behalve za en zo 8.00-12.00 u, 14.00-18.00 u - gesl. ma ochtend.*

Maillane ligt in de vruchtbare vlakte van La Crau de Saint-Rémy en werd vooral bekend door **Frédéric Mistral**. Op de begraafplaats staat links van het hoofdpad zijn mausoleum, een kopie van het paviljoen van koningin Johanna vlak bij Les Baux, dat Mistral tijdens zijn leven liet nabouwen.

Musée Frédéric-Mistral – *11 av. Lamartine -* ☎ *04 90 95 84 19 - www.maillane. fr - bezoek met gids (45 min) april-sept.: 9.30-11.30 u, 14.30-18.30 u; rest van het jaar: 10.00-11.30 u, 14.00-16.30 u - gesl. ma en feestd. - € 4 (tot 12 jaar gratis), gratis toegang tot de tuin en de tijdelijke exposities.* Het Mistral-museum is gevestigd in het huis waar de dichter vanaf zijn huwelijk in 1876 tot zijn dood in 1914 woonde. Alles in dit bedevaartsoord voor liefhebbers van het Provençaals en de Félibrige *(zie blz. 72)* verwijst naar de dichter. Er zijn ontroerende voorwerpen, schilderijen en boeken te zien.

Rijd over de D 5 naar Graveson en ga daar linksaf de D 28 op.

Graveson

Cours national - 13690 Graveson - ℰ 04 90 95 88 44 - www.graveson.com - juni-sept.: 10.00-12.00 u, 13.30-18.30 u; rest van het jaar: 13.30-18.30 u.

Dit voormalige vestingstadje heeft een zekere charme behouden, met zijn rustige promenade langs een kleine *roubine* (een enige tientallen meters lang kanaal). De dorpskerk heeft een romaanse apsis en een met beeldhouwwerk versierde klokkentoren waaraan het gebouw de bijnaam 'houten navels' dankt.

Musée Auguste-Chabaud★ – *ℰ 04 90 90 53 02 - www.museechabaud.com - juni-sept.: 10.00-12.00 u, 13.30-18.30 u; rest van het jaar: 13.30-18.30 u - rondleiding (1.30 uur) op aanvraag (15 dagen van tevoren) - gesl. 1 jan. en 25 dec. - € 4 (12-18 jaar € 2).* Dit museum is gewijd aan de uit Nîmes afkomstige schilder Auguste Chabaud (1882-1955). Hij woonde in de Mas de Martin aan de voet van de Montagnette, zijn belangrijkste inspiratiebron. De kluizenaar van Graveson begon als postimpressionnist (*Maison au bord du canal*, 1902) en ontwikkelde zich richting het fauvisme. Zijn krachtige werk met levendige kleuren omringd door zwart kan worden ingedeeld in een stroming die verwant is aan het expressionisme.

In Graveson is ter ere van de kunstenaar een **Chabaud-route** uitgezet. Op de plaatsen die hij schilderde, staan panelen met reproducties van zijn werken *(gidsje verkrijgbaar bij het museum).*

Jardin des Quatre Saisons – *Av. de Verdun - ℰ 04 90 95 88 44 - www.graveson. com - ♿ - april-sept.: 8.00-20.00 u; rest van het jaar: 8.00-18.00 u - gratis, plattegrond verkrijgbaar bij het toeristenbureau.* De vier delen van dit park aan de rand van het dorp zijn elk aan een seizoen gewijd. De heuvel in het midden biedt uitzicht op de Montagnette.

Jardin aquatique 'Aux fleurs de l'eau' – *579, rte de Saint-Rémy - ℰ 04 90 95 85 02 - http://auxfleursdeleau.fr - ♿ - begin mei-half sept.: 10.00-12.00 u, 14.30-19.00 u (begin mei-half juni: alleen za en zo)- € 5 (tot 8 jaar gratis).* Een tuin met zo'n twaalf vijvers, drie watervallen, 1 km wandelpaden, 2000 plantensoorten uit vijf continenten waaronder natuurlijk veel waterplanten: een paradijs voor wandelaars en natuurliefhebbers op zoek naar koelte. Kinderen kunnen in deze overzichtelijke, waterrijke jungle genieten van kikkers, libellen en Japanse karpers.

Musée des Arômes et du Parfum – *La Chevêche - Petite Route du Grès (richting het zuiden via de D 80) - ℰ 04 90 95 81 72 - www.museedesaromes.com en www.aromacocoon.net - juli-aug.: 10.00-19.00 u; rest van het jaar: 10.00-12.00 u, 14.00-18.00 u - demonstratie aromatische planten distilleren op de laatste 3 zondagen voor Kerstmis, ma, wo en vr in jul.-aug. - € 5,50 (tot 12 jaar gratis).* In een voormalige wijnkelder van de Abbaye de Saint-Michel-de-Frigolet staan distilleerkolven, flessen en andere voorwerpen opgesteld. Vervolgens is in de proeftuin te zien hoe de aromatische planten op biologische wijze worden geteeld. De oogst wordt gedistilleerd in de Haute-Provence en daarna bewerkt in het laboratorium naast het museum. Liefhebbers van aromatherapie kunnen in de winkel hun hart ophalen. En voor een ontspannende massage (verschillende stijlen) kunt u terecht bij aromaCocoon (*ℰ 04 90 95 81 72 - www. aromacocoon.net - 10.00-18.00 u).*

Rijd door tot de D 570^N, sla rechtsaf naar Graveson en vervolgens linksaf richting Tarascon. Ga direct weer naar links de D 81 op.

Na het viaduct over de D 970 begint de weg te klimmen over een zeer bochtig parcours door een landschap van pijnbomen, olijfbomen en cipressen dat zich uitstekend leent voor een wandeling of picknick.

Abbaye Saint-Michel-de-Frigolet *(zie blz. 283)*
Rijd door over de D 80 en vervolgens de D 35^E.

Barbentane

🔲 *4 cours Jean-Baptiste-Rey - 13570 Barbentane -* 📞 *04 90 90 85 86 - www.bar
bentane.fr - half juni-half sept.: 9.30-12.30 u, 14.00-18.00 u (juli: za 14.00-17.00 u);
rest van het jaar: 9.30-12.15 u, 14.00-17.00 u, ma 14.00-17.00 u, za 9.30-12.15 u -
gesl. feestd.*

🐾 **Goed om te weten** – Er lopen verschillende wandelroutes met informatieborden door het dorp *(gidsje verkrijgbaar bij het toeristenbureau)*. Het toeristenbureau organiseert bovendien een rondwandeling langs de belangrijkste
monumenten, opgeluisterd door verhalen van dorpsbewoners *(reserveren
noodzakelijk)*.

Barbentane ligt op de noordhelling van de Montagnette en boven de vlakte
bij de samenloop van de Rhône en de Durance. Het dorpje aan de voet van
de Tour Anglica bezit nog enkele overblijfselen uit de middeleeuwen. Te midden van de welriekende tijm en rozemarijn verschijnt plotseling een paleis-
achtig kasteel.

Kasteel★★ – 📞 *04 90 95 51 07 - rondleiding (45 min) juli-sept.: 10.00-12.00 u,
14.00-18.00 u; rest van het jaar: dag. behalve di 10.00-12.00 u, 14.00-18.00 u -
gesl. nov.-mrt - € 8 (tot 14 jaar € 6).* In de 18de eeuw voorzag **Joseph-Pierre
Balthazar de Puget**, ambassadeur in Florence en voorouder van de huidige
markies, het kasteel van zijn Italiaanse stijlkenmerken.

De classicistische, 17de-eeuwse gevel en het terras met stenen balustrades,
versierd met leeuwen of bloemenmanden liggen aan een Italiaanse tuin.
Het interieur van het kasteel, dat door **Louis-François de Valfenière** werd
gebouwd, heeft een rijke 18de-eeuwse decoratie in Italiaanse stijl. De plafonds met platte gewelven zijn volgens een zeer bijzondere techniek uitgehouwen. Samen met het pleisterwerk, de geschilderde medaillons, de verschillende kleuren marmer, de meubels in Lodewijk XV- en Lodewijk XVI-stijl,
het Chinese porselein en de faience uit Moustiers dragen ze bij tot de grote
charme van het interieur.

Het oude dorp – Van de vroegere vestingmuur zijn alleen de Porte Calendale
en de Porte Séquier bewaard gebleven. Het 12de-eeuwse **Maison des
Chevaliers** heeft een mooie renaissancegevel met een torentje en twee grote
korfbogen boven een zuilengalerij. De 12de-eeuwse kerk aan de overkant is
diverse malen herbouwd. De **Tour Anglica**, die hoog boven het dorp uitsteekt,
was de donjon van het feodale kasteel dat hier vroeger heeft gestaan. Een
korte wandeling in het pijnboombos voert naar de **Moulin de Bretoule**, een
molen uit de 18de eeuw die goed bewaard is gebleven en uitzicht biedt op
de Rhônevlakte *(let op: in de zomer is de toegang beperkt)*.
Verlaat Barbentane in zuidelijke richting via de D 35.

Boulbon

Dit dorpje tegen de flanken van de Montagnette wordt gedomineerd door de
ruïne van een imposante **vesting** *(gesloten voor publiek)*. Als de laatste zonnestralen de warme tinten van de muren laten oplichten, biedt het geheel
een spectaculaire aanblik.

Op de begraafplaats staat de **Chapelle Saint-Marcellin** (11de-12de eeuw)
met prachtig beeldhouwwerk (grafbeeld en klaagzangers uit de 14de eeuw).
📞 *04 90 43 95 47 - voor een rondleiding kunt u een afspraak maken bij het gemeentehuis.*
Rijd via de D 35 terug naar Tarascon.

4

😊 TARASCON: ADRESBOEKJE

OVERNACHTEN

GOEDKOOP

Hôtel du Viaduc – *9 r. du Viaduc -* 📞 *04 90 91 16 67 - www. hotelduviaduc.com -* 🅿 *- 16 kamers € 40/85 -* 🍽 *€ 5 - halfpens. € 28.* Een hotel in een karakteristieke streekwoning op een steenworp van het station van Tarascon. Nette, eenvoudige, fraai ingerichte kamers. Bij mooi weer wordt het ontbijt op het schaduwrijke terras geserveerd.

DOORSNEEPRIJZEN

Hôtel de Provence – *7 bd Victor-Hugo -* 📞 *04 90 91 06 43 - www. hotel-provence-tarascon.com - 11 kamers € 65/85 -* 🍽 *€ 8.* Een herenhuis uit de 18de eeuw met de charme van een chambre d'hôte. Stijlvolle kamers, waarvan sommige gelegen zijn aan een groot terras met bomen aan de straatkant. Stevig ontbijt. uitstekend adres.

Les Échevins – *26 bd Itam -* 📞 *04 90 91 01 70 - www.hotel-echevins.com - geopend van Pasen tot Allerheiligen -* ♿ *- 40 kamers € 66/76 -* 🍽 *€ 10.* Dit is een 17de-eeuws pand met een gezellige sfeer. Mooie trap met smeedijzeren leuning. Eenvoudige, maar nette kamers. De veranda is verbouwd tot een mooie, kleurrijke eetzaal. Traditionele, Provençaalse gerechten.

In de Montagnette

Hôtel Le Mas des Amandiers – *Aan de weg naar Avignon - 13690 Graveson - 1,5 km buiten het dorp -* 📞 *04 90 91 81 76 - www.hotel-des-amandiers.com -* ♿ 🅿 *- gesl. half okt-half maart - 28 kamers € 65/71 -* 🍽 *€ 9 - halfpens. € 124 - lunch € 14 - € 20/45.* De opgeknapte, sobere kamers in deze mas

liggen rond het zwembad. Botanische wandeling, fiets- en scooterverhuur. Kaart met klassiekers en streekgerechten.

WAT MEER LUXE

Chambre d'hôte Rue du Château – *24 r. du Château -* 📞 *04 90 91 09 99 - www. chambres-hotes.com - gesl. nov.-maart -* 🍽 *- 5 kamers € 85/95 -* 🍽. Stijlvol 18de-eeuws Provençaals huis in een stil straatje dat naar het koninklijk kasteel leidt. Een mooie natuurstenen trap voert naar de kamers in pasteltinten. Bij mooi weer wordt het ontbijt op de fleurige patio geserveerd. Heerlijk adresje!

In de Montagnette

Hôtel Cadran Solaire – *5 r. du Cabaret-Neuf - 13690 Graveson -* 📞 *04 90 95 71 79 - www.hotel-en-provence.com - gesl. nov-maart (behalve na reservering) -* 🅿 *- 12 kamers € 68/110 -* 🍽 *€ 9.* Op de mooie gevel van dit voormalige, 16de-eeuwse poststation prijkt een zonnewijzer. Schitterende kamers om te cocoonen (zonder tv) en heerlijk terras. Fraaie tuin.

Chambre d'hôte La Chardonneraie – *60 r. Notre-Dame - 13910 Maillane -* 📞 *04 13 39 93 32 - www.lachardonneraie.com -* 🏊 🅿 🚭 *- 4 kamers € 80/99 -* 🍽. De kamers in deze mas uit de 18de eeuw zijn allemaal verschillend ingericht in Provençaalse stijl. Aangename tuin. Met mooi weer wordt het ontbijt in een prieel geserveerd.

UIT ETEN

GOEDKOOP

Bistrot des Anges – *Pl. du Marché -* 📞 *04 90 91 05 11 - gesl. 's avonds en zo -* ♿ *- lunch € 14.* Sympathiek adres vanwege de wonderlijke inrichting en het terras op het plein van het gemeentehuis (in de zomer). Hapjes, hartige taarten, salades en dagschotels.

DOORSNEEPRIJZEN
Le Théâtre – *4 r. E.-Pelletan - ℘ 04 90 91 41 44 - www. restaurantdutheatre.com - gesl. di middag en ma, half nov.- half dec. - lunch € 12 - € 16/20.* Kleine eetzaal tegenover het theater waar huiselijke gerechten met Provençaalse accenten worden geserveerd. Alles wordt bereid met dagverse seizoensproducten en de prijzen zijn zeer acceptabel.

WINKELEN

Markt in Tarascon – op di ochtend in het centrum.
Pâtisserie La Tarasque – *56 r. des Halles - ℘ 04 90 91 01 17 - 7.00-13.00 u, 15.00-19.00 u, zo 7.00-13.00 u - gesl. ma, 15-30 aug.* Tarasque, Couronne du Roi René, Délice de Tartarin… de verrukkelijke zoete lekkernijen die Régis Morin bereidt, dragen namen die verwijzen naar de geschiedenis van de omgeving.
Souleiado – *39 r. Charles-Demery - ℘ 04 90 91 76 05 - www.souleiado. com - april-sept.: 10.00-12.30 u, 14.30-19.00 u; okt.-maart: 10.00-13.00 u, 14.30-18.30 u - gesl. zo en feestd.* Stoffenhuis Souleiado nodigt de bezoeker uit om de hoofdvestiging en het beroemde textiel waar de Provence zo trots op is te bezichtigen. De winkel biedt artikelen aan tegen 30-50% korting.

In de Montagnette
Boerenmarkt – *Pl. du Marché - 13690 Graveson - www. lemarchepaysan.com - mei-okt: vr 16.00-20.00 u.* Twintig boeren uit de regio bieden hier hun producten aan, die gretig aftrek vinden bij toeristen en de plaatselijke bevolking. Het aanbod is aantrekkelijk en gevarieerd: wijn, olijfolie, honing, jam, geitenkaas, biologische rijst, gevogelte, versgeplukte groenten en fruit. Ook stalletjes met bloemen, potplanten en kruiden.

SPORT EN ONTSPANNING

Vissen
Gelegenheid tot vissen in de **Étang de Rambaille**, 5 km ten zuidoosten Tarascon, op het kruispunt van de D 970, de D 570 en de D 32.

Rotsklimmen
Er zijn twee officiële locaties in de omgeving: de Vallon de la Lègue (145 routes) en Tarlivay-Vulpiane (20 routes voor beginners en een avontuurlijk parcours voor kinderen).

Paardrijtochten
Les Écuries de la Montagnette – *Quartier Pendieu - chemin Carrière - 13570 Barbentane - ℘ 06 30 30 26 86 - http://ecuriesmontagnette. free.fr - 9.00-12.00 u, 14.00-19.00 u.* Tocht door de Montagnette, op een paard of een pony.

EVENEMENTEN

Fêtes de la Tarasque – Het eeuwenoude feest van de tarasque begint de laatste donderdag van juni en duurt vier dagen. Tijdens een grote optocht verschijnt het monster, voortgetrokken door ridders *(tarascaïres)* en begeleid door Tartarin. Daarop volgen muzikale, en traditionele evenementen. Het feest wordt afgesloten met een groots vuurwerkspektakel boven de Rhône.
Les Médiévales – 3de weekend van aug. Middeleeuws festival.

4

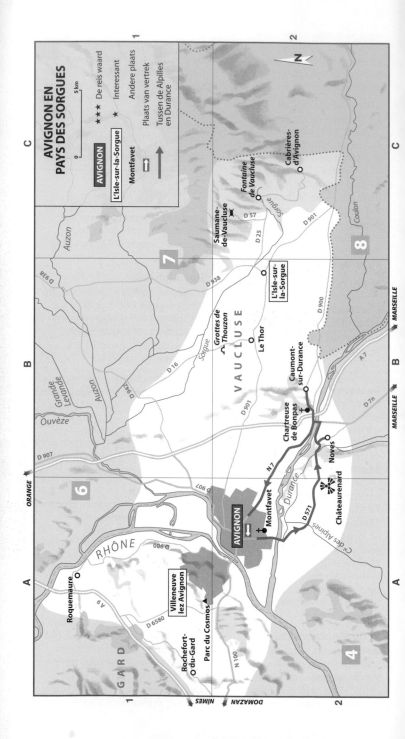

AVIGNON EN PAYS DES SORGUES

★★★ De reis waard
★ Interessant
   Andere plaats

   Plaats van vertrek
   Tussen de Alpilles
   en Durance

AVIGNON
L'Isle-sur-la-Sorgue
Montfavet

Avignon en Pays des Sorgues 5

Michelinkaart van de departementen 332 – Vaucluse (84) en Gard (30)

▶ **AVIGNON★★★ EN RONDRIT** 292

2 km ten westen van Avignon:
▶ **VILLENEUVE-LEZ-AVIGNON★** 316

23 km ten oosten van Avignon:
▶ **L'ISLE-SUR-LA-SORGUE★** 326

7 km ten oosten van L'Isle-sur-la-Sorgue:
▶ **FONTAINE-DE-VAUCLUSE** 329

5

Avignon

★★★

92.454 inwoners – Vaucluse (84)

😊 ADRESBOEKJE: BLZ. 311

ℹ INLICHTINGEN

Toeristenbureau van Avignon – *41 cours Jean-Jaurès - 84000 Avignon - 📞 04 32 74 32 74 - www.avignon-tourisme.com - 9.00-18.00 u (april-okt.: zo 9.45-17.00 u; rest van het jaar: za 9.00-17.00 u, zo en feestd. 10.00-12.00 u) - gesl. 1 jan. en 25 dec.*

Rondleidingen – *10.00 u (nov.-maart: alleen za) - informatie bij het toeristenbureau en op www.avignon-tourisme.com.*

Avignon draagt het label 'Ville d'art et d'histoire' en de stad biedt rondleidingen (2 uur) aan met gidsen die door het ministerie van Cultuur en Communicatie zijn erkend.

◐ LIGGING

Regiokaart A2 (blz. 290) – *Michelinkaart van de departementen 332 B-C10*. U kunt het best 's avonds aankomen vanuit Villeneuve-lez-Avignon, dan kunt u de stad in al haar glorie bewonderen. Ga na de brug en de stadswal meteen de ondergrondse parkeergarage *(betaald)* van het Palais des Papes in.

🅿 PARKEREN

Blijf met de auto uit de oude stad; buiten de stadsmuur zijn voldoende (betaalde en onbetaalde) parkeerterreinen. In de drukke periodes is het raadzaam op het Île Piot te parkeren *(gratis, aan de andere kant van de Rhône)*, en gebruik te maken van de gratis pendelbusjes die iedere 10-20 min. naar het centrum rijden.

😊 AANRADER

Het Palais des Papes; de Pont St-Bénezet; de Italiaanse schilderijen in het Petit Palais; de Collection Lambert, voor liefhebbers van hedendaagse kunst.

De Pont Bénezet en de Chapelle Saint-Nicolas
S. Sauvignier / MICHELIN

🕐 PLANNING

U kunt hier twee of drie dagen doorbrengen zonder dat u zich zult vervelen; als u zich wilt beperken tot de hoogtepunten, trek dan 1 tot 2 uur uit voor het Palais des Papes en een halve dag voor de oude stad. Na het Theaterfestival in juli rust Avignon even uit: twee op de drie winkels zijn gesloten. U kunt de stad dus het best vóór juli en na augustus bezoeken.

👥 MET KINDEREN

Een boottocht op de Rhône; het Musée de l'Œuvre in het Palais des Papes, over de complexe geschiedenis van het gebouw; de Pont Saint-Bénezet, bekend van het kinderliedje; een rondrit door de stad met het toeristentreintje of met een 2CV *(zie 'Adresboekje')*.

Avignon, de stad van de pausen en het theaterfestival, spreidt een uitzonderlijke rijkdom tentoon. In 1995 werden het majestueuze Palais des Papes en de Pont Saint-Bénézet op de Werelderfgoedlijst van Unesco geplaatst. De stad is prachtig gelegen aan de oevers van de Rhône, die de indrukwekkende stadsmuren, de vele klokkentorens en lichtroze daken waardig weerspiegelt. Maar Avignon is ook het cultuurmekka van Zuid-Frankrijk. Wie nooit het festival heeft meegemaakt, kan zich moeilijk een idee vormen van de enorme menigten die de straten, restaurants en cafés overspoelen. Hotels, pensions en kampeerterreinen in de hele omtrek zijn volgeboekt; vandaar dat men vroeg in de ochtend verfomfaaide figuren tevoorschijn ziet komen uit slaapzakken op het gras van de plantsoenen. De pausenstad is in deze periode één groot theater waar iedereen zijn eigen ritme volgt: de een geniet rustig van een maal in afwachting van de 'jingle' die hun voorstelling aankondigt, de ander laat zich leiden door de stemming van het moment en gaat op verkenningstocht langs achterafzaaltjes, garages en loodsen.

5

★★★ Het Palais des Papes

Plattegrond E1 blz. 300-301

📞 04 90 27 50 50 - www.palais-des-papes.com - juli: 9.00-20.00 u; aug.: 9.00-21.00 u; half maart-eind juni en half sept.-eind okt.: 9.00-19.00 u; 1ste helft maart: 9.00-18.30 u; nov.-feb.: 9.30-17.45 u - rondleiding (1.15 uur) - € 10,50 (8-17 jaar € 8,50) hoogseizoen, € 8,50 (8-17 jaar € 7) laagseizoen; combinatiekaartje met de Pont St Bénezet 13 (8-17 jaar € 6,50) hoogseizoen, € 11 (8-17 jaar € 5,50) laagseizoen.

Dit gebouw, met een oppervlakte van 15.000 m², bestaat uit twee aangesloten delen: het Palais Vieux (Oude Paleis) en het Palais Neuf (Nieuwe Paleis). De bouw nam ongeveer dertig jaar in beslag. Benedictus XII liet het oude bisschoppelijk paleis afbreken. In 1334 vertrouwde hij zijn landgenoot Pierre Poisson de bouw van het **Palais Vieux** toe: een strenge burcht rond een kloostergang, met torens op de hoeken. De grootste aan de noordkant, de Tour de Trouillas, diende als donjon en gevangenis.

Clemens VI, groot kerkvorst en kunstenaar, gaf Jean de Louvres, een architect afkomstig uit Île-de-France, in 1342 opdracht om een nieuw paleis te bouwen, het **Palais Neuf**. Bij die uitbreiding werd het plein (de Grande Cour) voor het paleis van Benedictus XII afgesloten door de Tour de la Garde-Robe en twee nieuwe hoofdgebouwen. Aan de buitenkant veranderde er niets, maar het interieur werd weelderig gedecoreerd door een groep kunstenaars onder leiding van Simone Martini en later van Matteo Giovanetti. De werkzaamheden werden voortgezet tot in 1363.

In 1398 en 1410-1411 liep het paleis ten gevolge van twee belegeringen schade op. Nadat het paleis aan de legaten was toegewezen, werd het in 1516 weliswaar gerestaureerd, maar desondanks raakte het steeds verder in verval. Tijdens de Franse Revolutie verkeerde het in erbarmelijke staat en werd het geplunderd; het meubilair belandde in verschillende handen, de beelden werden vernield. Na de bloedige gebeurtenissen in 1791 werd het paleis tot gevangenis en kazerne verbouwd. Enkele muurschilderingen zijn bewaard gebleven onder de witte kalklaag waarmee de muren toen werden bedekt, op vele andere plaatsen kwam die bescherming jammer genoeg te laat: soldaten hadden de fresco's al weggehakt en in stukken verkocht.

BENEDENVERDIEPING

Loop door de Porte des Champeaux naar de Salle des Gardes (**1**), met 17de-eeuwse schilderijen aan de muren *(balie en kaartverkoop)*. Voorbij de **Petite Audience** (**2**), waarvan de gewelven in grisaille zijn beschilderd met voorstellingen van trofeeën, gaat u opnieuw onder de Porte des Champeaux door.

Cour d'honneur

Aan de noordkant ligt de Aile du Conclave, het huidige congrescentrum. De gotische zuidvleugel heeft onregelmatige openingen en boven is het Fenêtre de l'Indulgence (**15**) te zien, vanwaaruit de paus zijn drievoudige zegen gaf. Het voorplein is het decor van de voorstellingen van het festival.

👥 Het **Musée de l'Œuvre** beslaat zeven zalen van het paleis. De expositie behandelt de problemen waar de bouwers voor gesteld werden en de latere restauratie. De complexe geschiedenis van het gebouw wordt uit de doeken gedaan met informatiezuilen, interactieve panelen en maquettes.

Trésor Bas en Grande Trésorerie

De **Trésor Bas**, een fraai overwelfd vertrek dat onder de Tour des Anges is uitgegraven, fungeerde als een soort schatkamer. Onder de tegelvloer waren geheime bergplaatsen aangelegd. In kasten, die in de muur waren verankerd, lagen stapels boekhoudschriften en archieven. De **Grande Trésorerie** is een aangrenzende ruimte met een imposante haard. Er gaat een trap naar de Salle de Jésus, een soort antichambre van de privévertrekken.

Chambre du Camérier

Het vertrek van de pauselijke kamerheer (**3**) lag recht onder de slaapkamer van de paus, op de derde verdieping van de Tour des Anges. Het plafond heeft

14de-eeuwse beschilderde balken. In de tegelvloer zitten geheime bergplaatsen voor documenten en het goud en zilver van de pausen, die aanzienlijke rijkdom genoten. De kamerheer was de hoogste functionaris aan het hof en had als enige, naast de thesaurier en de paus zelf, toegang tot de Trésor Bas. De **Revestiaire pontifical** (**4**), een klein vertrek op de tweede verdieping van de Tour de l'Étude, deed dienst als pauselijke kleedkamer. In de 17de eeuw werd het door de vicelegaten omgebouwd tot kapel. De muren gaan schuil achter 18de-eeuwse lambriseringen.

Consistoire
In de consistoriezaal kwamen de paus en de kardinalen bijeen om belangrijke vraagstukken van het christendom te bespreken. Hier maakte de paus de namen van de nieuwe kardinalen bekend en ontving hij in vol ornaat de vorsten en hun ambassadeurs. Tevens vonden hier de processen over heiligverklaringen plaats. In deze ruimte bevinden zich de prachtige **fresco's van Simone Martini**, afkomstig uit het portaal van de Notre-Dame-des-Doms.

Chapelle Saint-Jean (of Chapelle du Consistoire)
Deze kapel is versierd met mooie fresco's die tussen 1346 en 1348 zijn geschilderd door **Matteo Giovanetti**, de officiële schilder van Clemens VI.

De benedengalerij van de kloostergang van Benedictus XII en de trap leiden naar de Grand Tinel. Mooi uitzicht op de Tour de la Campane, de Chapelle de Benoît XII en de **Aile des Familiers** (**B**), waar degenen die verantwoordelijk waren voor de kerkdiensten en de belangrijkste bedienden waren gehuisvest.

EERSTE VERDIEPING Plattegrond blz. 298

In deze doolhof van lege vertrekken is het lastig een beeld te vormen van het vroegere Palais des Papes. Sluit even de ogen en stel u een weelderig decor voor. Wees getuige van de geruisloze aanwezigheid van prelaten en dienaren,

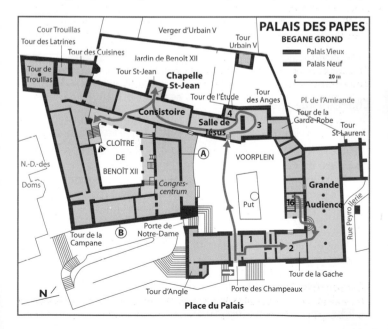

de parade van de wacht in ceremonieel tenue, het onophoudelijke komen en gaan van de kardinalen, prinsen en ambassadeurs, de intriges en het gekonkel, het gedrang van pleiters en advocaten rond de pauselijke rechtbank, de aanwezigheid van een menigte pelgrims op de binnenplaats die de zegen van de paus willen ontvangen en hem toejuichen als hij hoog gezeten op zijn witte muildier naar buiten komt…

Tour des Latrines

In 1791, tijdens de Franse Revolutie, was deze toren (in de 17de eeuw 'Tour de la Glacière' genoemd) het toneel van een bloedige gebeurtenis. Er werden 60 contrarevolutionairen gedood en naar beneden gegooid.

Grand Tinel (of Salle des Festins)

In deze feestzaal, een van de grootste van het paleis (48 m lang bij 10,25 m breed) hangen drie mooie, 18de-eeuwse gobelins. Het reusachtige houten gewelf heeft de vorm van een scheepsromp.

De route leidt vervolgens naar de **cuisine haute** (**5**) op de bovenste verdieping van de Tour des Cuisines, met een reusachtige schouw in de vorm van een achthoekige piramide. De toren diende ook als voorraadkamer.

Chapelle du Tinel (of Saint-Martial)

Gesloten wegens restauratie. Dit bidvertrek bevindt zich boven de Chapelle St-Jean en heeft zijn naam te danken aan de fresco's die Matteo Giovanetti er in 1344-1345 schilderde. Ze geven het leven van de heilige Martialis (een zendeling uit de Limousin, de geboortestreek van Clemens VI) weer in harmonieuze, blauwe, grijze en bruine tinten. Het fantastische stadsaanzicht en de grote mensenmassa zijn bijzonder zeer natuurgetrouw en minutieus verbeeld.

Chambre de Parement

Deze antichambre grensde aan de pauselijke slaapkamer. Hier wachtten de mensen die op audiëntie kwamen bij de Heilige Vader. Er werden ook geheime consistories gehouden. Aan de muren drie 18de-eeuwse wandtapijten. Naast dit vertrek, in de Tour de l'Étude, bevindt zich het **Studium**, de studeerkamer van Benedictus XII (**6**), waar de prachtige oorspronkelijke tegelvloer is blootgelegd. Grenzend aan de westmuur van de antichambre bevond zich de privé-eetkamer van de paus (**7**) of Petit Tinel, en weer daarnaast de geheime keuken (**8**). Dit deel van de privévertrekken is in 1810 geheel verwoest.

Chambre du Pape (9)

De muren van dit pauselijke slaapvertrek zijn versierd met weelderige schilderingen op een blauwe ondergrond: een wirwar wijnranken en eikentakken met vogels en eekhoorntjes. De vensternissen zijn beschilderd met vogelkooien.

Chambre du Cerf (10)

Dit was de werkkamer van Clemens VI. De muren zijn beschilderd met fraaie **fresco's**, vermoedelijk van Italiaanse kunstenaars. Tegen een groene achtergrond beelden ze profane onderwerpen uit, zoals jachttaferelen (waaronder die met het hert waaraan het vertrek zijn naam ontleent) en voorstellingen met vissers, fruitplukkers en badende figuren. Het plafond van larikshout heeft ook een bijzondere versiering. Dit intieme en vrolijke vertrek heeft twee vensters. Het ene biedt mooi uitzicht op Avignon, het andere op de tuinen.

In de **Sacristie du Nord** (**11**) staan afgietsels van personen die een belangrijke rol hebben gespeeld in de pauselijke geschiedenis van Avignon. In de oostelijke travee kwam de door Innocentius VI gebouwde brug uit, die de Petit Tinel met de Grande Chapelle verbond.

Grande Chapelle (of Chapelle Clémentine)

Rechts van het altaar geeft een brede opening toegang tot de **Revestiaire des Cardinaux** (**12**) in de Tour St-Laurent, waar de paus tijdens de plechtigheden van gewaad kon wisselen. Hier bevinden zich ook afgietsels van de graftombes van de pausen Clemens V, Clemens VI, Innocentius VI en Urbanus V. In deze kapel woonden de kardinalen de mis bij. Via een smalle doorgang, de **Galerie du Conclave** (**13**), gingen ze terug naar de Aile du Conclave (**A**). De **Chambre neuve du Camérier** (**14**) bevindt zich aan het zuidelijke einde van de Aile des Grands Dignitaires (**C**), waar ook de **Chambre des Notaires** en het vertrek van de thesaurier lagen.

Terrasse des Grands Dignitaires

Op de tweede verdieping van de Aile des Grands Dignitaires. Dit terras biedt een weids **uitzicht**★★ op de hogergelegen delen van het pauselijk paleis, de Tour de l'Horloge, de koepel van de Notre-Dame-des-Doms, het Petit Palais en in de verte de Pont St-Bénézet en de monumenten van Villeneuve-lez-Avignon. Terugblikkend is het venster van de loggia tegenover het portaal van de Grande Chapelle te zien. Daar gaf de paus zijn zegen aan de gelovigen die zich op de binnenplaats verdrongen – dat verklaart de naam: 'Fenêtre de l'Indulgence' of 'Venster van de Vergiffenis' (**15**).

Palais Neuf (benedenverdieping)

Daal af via de **Grand Escalier** (**16**): de constructie van deze trap, twee trapdelen in een rechte lijn, was in die tijd vernieuwend. U komt uit bij de Grande Audience.

Grande Audience

Deze schitterende audiëntiezaal wordt in twee beuken verdeeld door een rij zuilen. De zaal wordt ook wel *Palais des Grandes Causes* genoemd. Hier zetelden namelijk de dertien kerkelijke rechters die samen de H. Rota vormden. De naam Rota is afgeleid van de ronde bank (*rota* = wiel) waarop zij zaten en die in de laatste oostelijke travee van de zaal staat. Daaromheen zaten de juristen en functionarissen van het pauselijke hof. De rest van de zaal was bestemd voor het publiek. Bijzonder is het in 1352 door Matteo Giovanetti op het gewelf geschilderde **fresco met de profeten** tegen een nachtblauwe, met sterren bezaaide achtergrond.

Verlaat het paleis via de Salle de la Petite Audience (**2**) en de Salle des Gardes.

Wandelen Plattegrond blz. 300-301

5

PLACE DU PALAIS EN QUARTIER DE LA BALANCE E1

◐ *Wandeling* ①︎ *om de place du Palais heen staat aangegeven op de plattegrond - ongeveer een halve dag.*

◉ **Goed om te weten** – Deze vier wandelroutes, voorzien van informatiepanelen, geven een overzicht van het historische erfgoed van Avignon *(kaart en gids verkrijgbaar bij het toeristenbureau).*

'Promenade des papes'

Deze wandeling geeft een goede indruk van de indrukwekkende afmetingen van het pauselijk paleis.

Neem op het plein tegenover het paleis rechts de smalle rue Peyrollerie, die vanaf de zuidwesthoek langs de muren van het paleis loopt, onder een enorme steunbeer van de Chapelle Clémentine doorgaat en uitkomt bij de place de la Mirande, waar een fraai 17de-eeuws herenhuis staat.

Loop via de rue du Vice-Légat links naar de boomgaard van Urbanus V en via een overwelfde doorgang naar de **Manutention** (Cour Trouillas), een moderne, culturele wijk waar zich het beroemde filmhuis *Utopia* bevindt. De Escaliers Ste-Anne komen uit bij de Rocher des Doms, met mooi uitzicht op het paleis.

★★ Rocher des Doms

Op de Rocher des Doms is een mooie tuin aangelegd met verschillende boomsoorten. De terrassen bieden een schitterend **uitzicht★★** op de Rhône en de Pont St-Bénézet, Villeneuve-lez-Avignon met de Tour Philippe-le-Bel en het Fort St-André, de heuvelrug van de Dentelles de Montmirail, de Mont Ventoux, het plateau de Vaucluse, de Luberon en de Alpilles *(oriëntatietafel)*.
Verlaat de tuin en wandel naar het Petit Palais.

★★ Petit Palais

Pl. du Palais-des-Papes - 🖉 *04 90 85 44 58 - www.petit-palais.org - bezichtiging na afspraak (7 dagen van tevoren) 10.00-13.00 u, 14.00-18.00 u - gesl. di, 1 jan., 1 mei en 25 dec. - € 6 (tot 18 jaar gratis), gratis tijdens de 'Printemps des musées'.*

In 1335 kocht de paus deze 'livrei' van kardinaal Arnaud de Via om er de zetel van het bisdom te vestigen. Bij opeenvolgende belegeringen van het pauselijk paleis raakte het gebouw beschadigd. Aan het einde van de 15de eeuw liet kardinaal de La Rovere, de latere paus Julius II, het restaureren en verbouwen. Cesare Borgia, Frans I en Anna van Oostenrijk en de hertog van Orléans verbleven ooit in het Petit Palais. Nu biedt het onderdak aan de omvangrijke schilderijenverzameling van het **Musée du Petit Palais**.

De zogeheten **Campanacollectie** is een schitterend verzameling Italiaanse schilderijen uit de 13de-16de eeuw. Dankzij de presentatie per school en per periode krijgt de bezoeker een overzicht van de ontwikkeling van de verschillende stijlen in Italië. Bijzonder zijn de 13de-eeuwse doeken, die geïnspireerd zijn op de Byzantijnse kunst, de Siënese school met Simone Martini en Taddeo di Bartolo, de internationale gotische stijl met Lorenzo

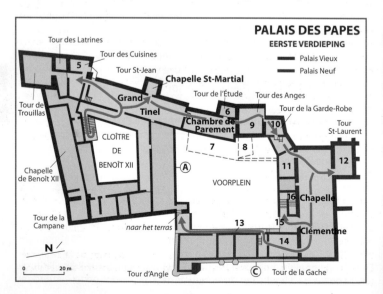

PALAIS DES PAPES
EERSTE VERDIEPING

— Palais Vieux
— Palais Neuf

Tour des Latrines
Tour des Cuisines
Tour St-Jean
Chapelle St-Martial
Tour de l'Étude
Tour des Anges
Tour de la Garde-Robe
Tour de Trouillas
Grand Tinel
Chambre de Parement
Tour St-Laurent
CLOÎTRE DE BENOÎT XII
Chapelle de Benoît XII
VOORPLEIN
Tour de la Campane
naar het terras
Chapelle Clémentine
Tour d'Angle
Tour de la Gache

N

0   20 m

Monaco en Gherardo Starnina, de Florentijnse school met als belangrijkste vertegenwoordigers Bartolomeo della Gatta *(Annunciatie)*, en de herontdekking van de klassieke oudheid rond 1500. Werp een blik op het schilderij *Maagd met Kind*, een meesterwerk van de Florentijnse kunstenaar Botticelli.

Op de afdeling **romaanse en gotische beeldhouwkunst** is een fragment te zien van de graftombe van kardinaal de Lagrange (uit het einde van de 14de eeuw), met een realistisch weergegeven, half verteerd lichaam. Dit soort figuren was een voorbode van de macabere voorstellingen uit de 15de en 16de eeuw.

Vergeet de **schilder- en beeldhouwkunst van de school van Avignon** niet, waarvan de stijl een soort synthese is van het Vlaamse realisme en de Italiaanse stilering. Het *Retable requin* (1450-1455) van **Enguerrand Quarton** is een van de topstukken. De beelden van Jean de la Huerta en van Antoine le Moiturier *(Engelen)* flankeren een prachtige *Piëta* uit 1457

> **OPGESLOTEN**
>
> Het **conclaaf** (van *con clave*, 'met de sleutel') kwam tien dagen na het overlijden van de paus bijeen om een opvolger te kiezen. De kerkvorsten vergaderden op de eerste verdieping van het Palais Vieux. Ze werden volledig van de buitenwereld afgezonderd tot ze het eens waren geworden over hun keuze.

Cathédrale Notre-Dame-des-Doms

Pl. du Palais - ☎ 04 90 86 81 01 - www.cathedrale-avignon.fr - Pasen-begin dec.: 7.00-19.00 u; rest van het jaar: 9.00-17.30 u.

Deze kathedraal uit het midden van de 12de eeuw raakte verschillende keren beschadigd en onderging enkele ingrijpende verbouwingen. In de 15de eeuw werd de grote klokkentoren vanaf de eerste verdieping weer opgebouwd en sinds 1859 staat er een indrukwekkend Mariabeeld bovenop. De travee voor het koor wordt bekroond door een kleine lantaarn. Het portaal (eind 12de eeuw) heeft twee timpanen (de ene is halfrond, de andere driehoekig), die destijds schitterend versierd waren met fresco's van Simone Martini, nu te zien in het pauselijk paleis.

Aan het romaanse karakter van de kerk wordt enigszins afbreuk gedaan door de later aangebouwde zijkapellen uit de 14de-17de eeuw, de herbouwde apsis en de barokke galerijen uit de 17de eeuw. Opmerkelijk is de romaanse **koepel★** boven de viering. In de kapel naast de sacristie staat de laatgotische graftombe van paus Johannes XXII. Het liggende grafbeeld is tijdens de Franse Revolutie verloren gegaan en vervangen door het grafbeeld van een bisschop. Aan de ingang van het koor bevindt zich links een mooie 12de-eeuwse bisschopszetel van wit marmer, aan de zijkanten versierd met de symbolen van de H. Marcus (de leeuw) en de H. Lucas (de stier).

5

Hôtel des Monnaies

De **gevel★** van dit 17de-eeuwse herenhuis tegenover het paleis is uitbundig versierd met draken en adelaars, de attributen van het geslacht Borghese, engeltjes en guirlandes. Het biedt nu onderdak aan het conservatorium.

Loop via de straat rechts van het Hôtel des Monnaies naar de Quartier de la Balance.

In de 19de eeuw woonden er vooral zigeuners in de **Quartier de la Balance**. De wijk is in de jaren 1970 gerenoveerd en strekt zich uit tot aan de stadsmuren en de brug uit het liedje 'Sur le Pont d'Avignon'.

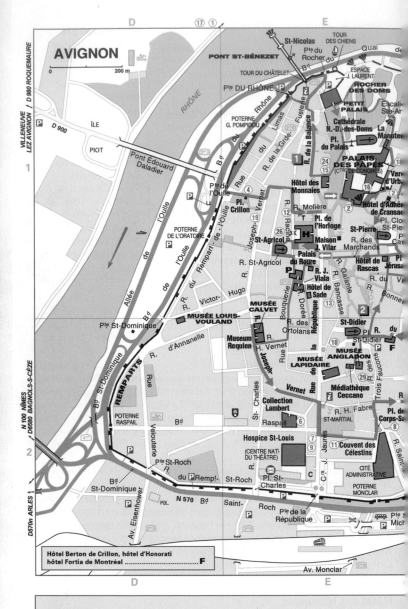

AVIGNON

OVERNACHTEN

Camping-auberge de jeunesse Bagatelle............①   Hôtel Colbert...............................⑪
Chambre d'hôte La Banasterie..........................②   Hôtel de Blauvac..........................⑬
Chambre d'hôte Lumani...................................③   Hôtel du Palais des Papes.............⑮
Hôtel Boquier...⑥   Hôtel La Ferme...........................⑰
Hôtel Bristol..⑦   Hôtel Mignon.............................⑲
Hôtel Cloître St-Louis.....................................⑨

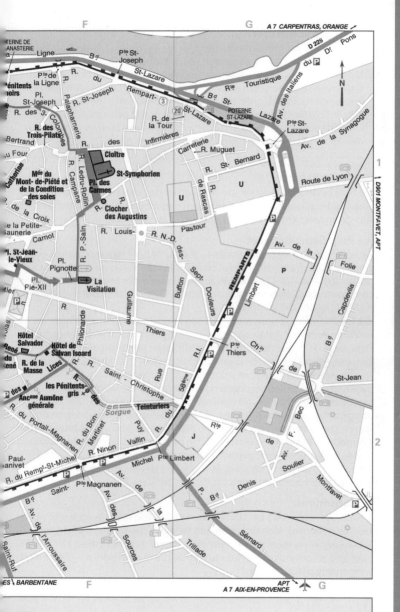

UIT ETEN

Christian Étienne..②
Ginette et Marcel..⑧
L'Ami voyage... en compagnie............................⑩
L'Isle Sonnante..⑫
La Mirande...⑯
Le Grand Café..⑱

La Vieille Fontaine..④
Le Jardin de la Tour..⑳
Le Moutardier du Pape......................................㉔
L'Essentiel..㉖
Piedoie...㉙

LICHT EN SCHADUW

Slechts een paar ruïnes herinneren aan de welvarende Gallo-Romeinse nederzetting **Avenio**. Na de invasies van de barbaren maakte Avignon in de 11de en 12de eeuw gebruik van de feodale rivaliteit tussen de graven van Toulouse en Barcelona om een stadstaat te stichten. Door de **Albigenzen** te steunen haalde Avignon zich echter de woede van Lodewijk VIII op de hals: in 1226 liet hij de versterkingen met de grond gelijk maken. Avignon kwam deze klap echter snel te boven en kende een nieuwe periode van welvaart onder de heerschappij van het huis van Anjou.

Rue de la Balance

Dit is de belangrijkste straat van de Quartier de la Balance. Aan de ene kant staan oude, gerestaureerde herenhuizen met mooie gevels en kruisvensters. Aan de andere kant moderne gebouwen in mediterrane stijl.

★★ Pont Saint-Bénezet

6 r. de la Pente-Rapide Charles-Ansidei - ☏ 04 32 74 32 74 - www.palais-des-papes. com - ♿ - dezelfde openingstijden als het Palais des Papes (kassa sluit een half- uur eerder) - € 4,50 (8-17 jaar € 3,50) zomerseizoen, € 4 (8-17 jaar € 3) laagseizoen; combinatiekaartje met het Palais des Papes € 13 (8-17 jaar € 6,50) zomerseizoen, € 11 (8-17 jaar € 5,50) laagseizoen.

De 900 m lange brug met 22 bogen leidde naar de Tour Philippe-le-Bel in **Villeneuve-lez-Avignon**. Volgens de legende hoorde de jonge herder Bénézet in 1177 stemmen die hem opdroegen een brug over de Rhône te bouwen. Een engel wees de plaats aan. Het stadsbestuur verklaarde hem voor gek, maar Bénézet kreeg het volk op zijn hand toen bleek dat hij met gemak zware rotsblokken kon verplaatsen. Met een groep vrijwilligers wist hij in acht jaar de brug te voltooien. Na opnieuw te zijn opgebouwd in 1237 en later te zijn gerestaureerd, brak hij halverwege de 17de eeuw doormidden als gevolg van de steeds hogere waterstand. Op een van de pijlers van de brug staat de **Chapelle St-Nicolas**, die uit twee delen bestaat: het bovenste deel is gewijd aan de H. Nicolaas, schutspatroon van de schippers, het onderste *(via een trap toegankelijk)* aan de H. Bénézet. Er is ook een kleine tentoonstelling over de geschiedenis en afbeeldingen van deze bijzondere brug.

★ Stadsmuren

De huidige muur is 4,3 km lang en werd in de 14de eeuw in opdracht van de pausen gebouwd. Militair gezien had de muur nauwelijks waarde: de pausen wilden niets meer dan een eerste obstakel voor het paleis. Het interessantste deel bevindt zich echter tussen de rue du Rempart-du-Rhône en de aangename **place Crillon**.

Loop naar de place de l'Horloge via de rue Folco-de-Baroncelli, neem de rue St-Étienne links met zijn herenhuizen, de rue Racine rechts en de rue Molière links.

HET OUDE AVIGNON

▶ *Wandeling* ② *vanaf de place de l'Horloge staat aangegeven op de plattegrond - ongeveer een halve dag.*

Deze wandeling voert langs kerken, musea en herenhuizen in het deel van het oude Avignon dat zich ten zuiden en oosten van het pauselijk paleis uitstrekt. De bezoeker krijgt hier een contrastrijke, jeugdige én eerbiedwaardige stad te zien.

Place de l'Horloge E1

Dit grote plein met platanen en terrassen is het kloppende hart van Avignon. In de kleine straatjes eromheen herinneren de ramen die zijn beschilderd met portretten van beroemde acteurs eraan dat de stad ieder jaar een maand-lang de wereldhoofdstad van het theater is. Het **Maison Jean-Vilar**, geves-tigd in het Hôtel de Crochans, 8 rue de Mons, organiseert bijeenkomsten, workshops en andere activiteiten rond de toneelkunst. Ook is hier een per-manente tentoonstelling ingericht over de oprichter van het festival van Avignon. ℘ 04 90 86 59 64 - www.maisonjeanvilar.org - dag. behalve zo en ma 10.30-18.30 u; sept.-juni: 9.00-12.00 u, 13.30-17.00 u, za 10.00-17.00 u - gesl. feestd., aug. en rond Kerstmis en Oudjaar.

Het 19de-eeuwse **stadhuis** (H) is gebouwd rondom de **Tour de l'Horloge** die uit de 14de-15de eeuw dateert. Dit oude belfort heeft een klok met jaque-marts (poppen die de uren slaan).

Sla links van het stadhuis de rue Félicien-David in en loop om de koorsluiting van de Église St-Agricol. Hier zijn resten van een Gallo-Romeinse muur te zien.

Église Saint-Agricol E1

Dag. behalve di en zo 16.00-19.30 u.

Een brede trap voert naar de kerk met de mooi gebeeldhouwde gevel uit de 15de eeuw. Binnen zijn talloze kunstvoorwerpen te vinden, zoals een witmar-meren wijwatervat, schilderijen van Nicolas Mignard en Pierre Parrocel, en in de rechterzijbeuk, vlak bij de deur van de sacristie, het stenen Doni-retabel van Boachon uit 1525, dat de Annunciatie voorstelt.

Sla links de rue Agricol in en neem vervolgens rechts de rue Bouquerie.

In de **rue Jean-Viala** *(links)* staan tegenover elkaar twee 18de-eeuwse patri-ciërshuizen waarin de prefectuur en de Conseil Général (raad van het depar-tement) zijn gehuisvest: aan de noordzijde het **Hôtel de Forbin de Ste-Croix** (het voormalige Collège du Roure) en aan de zuidzijde het **Hôtel Desmarez de Montdevergues**.

Links van de prefectuur, in de rue du Collège-du-Roure staat het **Palais du Roure** (nr. 3), ooit eigendom van de familie Baroncelli-Javon en hoofdkwartier van de Félibrige *(zie blz. 72)*. Tegenwoordig biedt het pand onderdak aan een studiecentrum gewijd aan de Provence, dat ook een klein museum beheert, het **Musée d'Arts et de traditions populaires** (meubilair, beschilderde stoffen, santons, kostuums). ℘ 04 90 80 80 88 - dag. behalve zo 9.00-12.00 u, 14.00-17.30 u tijdens exposities (rondleiding op zo om 15.00 u of op verzoek) - gesl. aug. - € 4,60.

Keer terug via de rue Viala en loop naar de rue Dorée. Op nr. 5 staat het **Hôtel de Sade**. Dit herenhuis heeft sierlijke kruisvensters en op de binnenplaats een mooi, vijfhoekig traptorentje.

Neem links de rue Bouquerie en vervolgens rechts de rue Horace-Vernet die uit-komt bij de rue Joseph-Vernet.

5

★ Musée Calvet E2

65 r. Joseph-Vernet - ℘ 04 90 86 33 84 - www.musee-calvet-avignon.com - dag. behalve di 10.00-13.00 u, 14.00-18.00 u - gesl. 1 jan. en 25 dec. - € 6 (tot 18 jaar gra-tis), gratis 1ste zo van de maand; combinatiekaartje met het Musée lapidaire € 7.

Dit museum dankt zijn naam aan de medicus **Esprit Calvet**, die een stichting in het leven riep. Tot de vele kunstwerken behoren prachtige beeldhouw-werken, een mooie verzameling edelsmeedkunst en faience (afkomstig uit de Donation Puech), en Franse, Vlaamse en Italiaanse schilderijen uit de 16de-19de eeuw. Ontroerend zijn de *Dood van Joseph Bara* van David, *Ochtend aan* *zee* en *Avond aan zee* van Joseph Vernet, een meester in zeegezichten. Een stille zee, diffuus licht en grote zeilschepen typeerden zijn werk. Bijzonder zijn ook *De vier jaargetijden* van **Nicolas Mignard**, werk van Élisabeth Vigée-Lebrun, Victor Leydet en Corot en de grote zeegezichten van de uit Avignon afkomstige schilder Joseph Vernet (1714-1780).

In 2010 werd de zaal Victor-Martin geopend, die is gewijd aan hedendaagse kunst, met onder meer werken van **Soutine**, Manet, Sisley, Vlaminck, Bonnard, Vuillard, Chabaud en Camille Claudel. Het jaar daarop werd het museum uitgebreid met een Egyptische collectie: sarcofagen, mummies, grafbeeldjes, papyrus. Deze voorwerpen zijn opgesteld in de schitterende, 18de-eeuwse **Salon de musique** en **Salon de compagnie**, beide aangemerkt als monument en volledig gerestaureerd in rocaillestijl.

Muséum Requien E2

67 r. Joseph-Requien - ☎ 04 90 82 43 51 - www.museum-requien.org - dag. behalve zo en ma 10.00-13.00 u, 14.00-18.00 u - gesl. 1 jan., 1 mei en 25 dec. - gratis.

Dit museum heeft een zeer belangrijke natuurwetenschappelijke bibliotheek en een herbarium met meer dan 200.000 plantensoorten. Een echte aanrader voor plantkundigen in de dop!

Volg links de rue Joseph-Vernet.

Rue de la République E1-2

Deze drukke winkelstraat, met in het verlengde de cours Jean-Jaurès, loopt van de place de l'Horloge naar de vestingmuren (tegenover het station) en is de hoofdas van het centrum. Loop rechts de cours Jean-Jaurès op, waar in een plantsoen bogen te zien zijn, de enige overblijfselen van de abdij St-Martial. De rue Agricol-Perdiguier links, komt uit bij het **Couvent des Célestins**, gebouwd in noordelijke gotische stijl. De kerk met de mooie koorsluiting en de kloostergang zijn gerestaureerd.

AVIGNON OP DE PLANKEN

Naar verluidt zou de festivaltraditie in Avignon teruggaan tot het mysteriespel ter gelegenheid van Pinksteren in 1400. Gedurende drie dagen beeldden een groot aantal acteurs toen taferelen uit. De optochten stonden in het teken van het lijdensverhaal van Christus en trokken meer dan 12.000 toeschouwers.

Jean Villar (1912-1971), die tot 1963 directeur van het TNP (Nationaal Volkstheater) was, organiseerde in 1947 voor de eerste maal het Festival d'Avignon. Het duurde een kleine week en telde zeven voorstellingen. De sleutel tot het succes? De schitterende locatie, het voorplein van het Palais des Papes, de bijzondere ensceneringen (Gérard Philipe in de rol van Rodrigue maakte diepe indruk) en de gerenommeerde genodigden. Het festival wil Franse en buitenlandse initiatieven op het gebied van dans en theater stimuleren. De voorstellingen vinden plaats op een twintigtal ongewone plekken in Avignon, zoals kloostergangen, kerken en het prestigieuze Palais de Papes, maar ook in buitenwijken als Villeneuve-lez-Avignon en Châteaublanc.

In 1968 voegde toneelschrijver-acteur **André Benedetto** aan de grote, officiële producties een 'Off'-programma toe, met kleinschalige, experimentele voorstellingen, die soms op straat plaatsvonden. Sindsdien is de hele stad één groot podium. Met zijn 'In'- en 'Off'-programma's is het festival van Avignon inmiddels het grootste theaterevenement in Europa.

Het Palais des Papes
R. Cintract / Hemis.fr

Loop terug in noordelijke richting, naar de rue des Lices (tweede rechts).
Deze straat volgt het tracé van de 13de-eeuwse stadsmuur. Links staan de 18de-eeuwse gebouwen van de voormalige Aumônerie Générale (aalmoezenierswoning). Hier is nu de Academie voor Schone Kunsten gevestigd.
Sla aan het einde van de rue des Lices rechts de **rue des Teinturiers** in. In deze schilderachtige straat aan de Sorgue zijn nog een paar waterraderen te zien waarmee tot aan het einde van de 19de eeuw de stoffenfabrieken werden aangedreven.
Rechts van de straat staat de Clocher des Cordeliers. Dit is het enige wat resteert van een klooster, waar de door Petrarca bezongen Laura zou zijn begraven. Via een bruggetje komt men bij de **Chapelle des Pénitents Gris** (nr. 8). Er hangen schilderijen van Nicolas Mignard en Pierre Parrocel. Boven het altaar hangt een mooie vergulde stralenkrans van Jean Péru (17de eeuw).
Loop door tot de **waterraderen**.
Keer terug en sla bij de rue de la Masse linksaf.
Op nr. 36 staat het 17de-eeuwse **Hôtel de Salvan Isoard** met ramen gevat in lijstwerk; op nr. 19 het **Hôtel de Salvador**, een groot, 18de-eeuws herenhuis met twee vleugels om een binnenplaats.

5

Rue du Roi-René EF2
Op de hoek van de Rue Grivolas staat nog altijd het **huis van René van Anjou**, waar de vorst verbleef als hij in Avignon was. Verderop vormen vier **herenhuizen★** (F) uit de 17de en 18de eeuw een bijzonder geheel. Het Hôtel d'Honorati en het Hôtel des Jonquerettes (nrs. 10 en 12) hebben een eenvoudige gevel verfraaid met driehoekige frontons of een korfboog. Het Hôtel Berton de Crillon (nr. 7) heeft een indrukwekkende gevel met medaillonportretten, maskers, bloemslingers en een sierlijk smeedijzeren balkon. De binnenplaats beschikt over een schitterende trap met stenen spijlen. Ertegenover staat het Hôtel de Fortia de Montréal (nr. 8) met een wat soberder gevel met frontons, die rusten op hoofden met grijnzende gezichten.

Église Saint-Didier E2

Deze kerk, een zuiver voorbeeld van Provençaalse bouwstijl, herbergt een aangrijpend **retabel★** van de Kruisdraging (15de eeuw) door Francesco Laurana. Het werk wordt ook wel Notre-Dame-du-Spasme genoemd, omdat het lijden van de personages zeer realistisch is verbeeld. De doopkapel is opgeluisterd met fresco's, toegeschreven aan schilders van de Siënese school.

Livrée Ceccano E2

Ten zuiden van de kerk verrijst de toren van de residentie (of livrei) van de kardinaal van Ceccano. De toren werd opgeslokt door het jezuïetencollege, dat tegenwoordig onderdak biedt aan de mediatheek van Avignon *(ingang aan de rue des Laboureurs)*.

Neem op de place St-Didier links de rue des Fourbisseurs naar de place Carnot.

Op de hoek van de rue des Marchands en de rue des Fourbisseurs staat het **Hôtel de Rascas**, een 15de-eeuws herenhuis met overstek.

Sla op de place Carnot rechtsaf naar de place Jérusalem. Hier staat een synagoge, het middelpunt van de joodse wijk, ook wel 'La Carrière' genoemd. Op de hoek van de **place St-Jean-le-Vieux** staat een hoge vierkante toren, het enige wat over is van de Commanderie de St-Jean de Jérusalem.

Loop verder tot de place Pignotte.

De fraai versierde gevel van de **Église de la Visitation** is een blik waard. Volg links de rue P.-Saïn naar de rue Carreterie, die uitkomt bij de place des Carmes.

Place des Carmes F1

Aan de zuidzijde van het plein staat de **Clocher des Augustins**, die sinds de 16de-eeuw bekroond is met een smeedijzeren klokkentoren van een klooster uit 1261. De **Église St-Symphorien** (of Église des Carmes) bezit drie mooie, 16de-eeuwse beelden van beschilderd hout (eerste kapel links). In de volgende kapellen hangen schilderijen van Pierre Parrocel, **Nicolas Mignard** en Guillaume Grève. Een smeedijzeren hek links van de kerk geeft toegang tot de 14de-eeuwse **kloostergang**.

Ga aan de noordkant van het plein links de rue des Infirmières in en neem dan de rue des Trois-Colombes (tweede rechts).

Chapelle des Pénitents noirs F1

57 r. de la Banasterie - ℘ 04 90 86 30 62 - april-sept.: vr-za 14.00-17.00 u; okt.-maart: za 14.00-17.00 u.

Deze uitbundige gevel wordt gesierd door het hoofd van Johannes de Doper, het embleem van de orde van de zwarte penitenten. Het barokke interieur toont een mooi ensemble van houtwerk en marmer. Te zien zijn ook schilderijen van Levieux, Nicolas Mignard et Pierre Parrocel.

Rue de la Banasterie E-F1

De naam van de straat is afkomstig van het gilde van mandenmakers (*banastiers* in het Provençaals). Nr. 13 is het **Hôtel de Madon de Châteaublanc** (17de-eeuw) waarvan de gevel versierd is met vruchtenslingers, adelaars en maskers.

Sla bij de place Manguin rechts de smalle rue de Taulignan in.

LIVRÉES

Oorspronkelijk refereerde het woord aan de kleding (livrei) van de hovelingen van de kardinalen. Bij uitbreiding verwees het naar de hovelingen zelf, en later naar de luxueuze residenties die de kerkvorsten in Avignon en aan de overkant van de Rhône, in Villeneuve, lieten bouwen.

Hôtel d'Adhémar de Cransac E1

11 rue de Taulignan - ☎ 04 90 86 13 28 of 06 07 66 66 09 - rondleiding (1 uur) op aanvraag - gesl. 1 jan. en 25 dec. - € 6 (tot 12 jaar gratis).

Dit kleine, 17de-eeuwse herenhuis (privébezit) werd in de 18de eeuw opnieuw ingericht: kamers werden bekleed met zijden behang en kregen beschilderde schouwen; slechts twee vertrekken hebben hun oorspronkelijke 'Franse' plafond behouden. Het huis hoort bij de voormalige Livrée de St-Martial. Hier woonde Amélie Palun, de echtgenote van graaf René d'Adhémar de Cransac (1873-1955), die samen met bevriende dichters en stierenvechters de Provençaalse folklore een nieuwe impuls heeft gegeven. In het huis zijn onder meer voorwerpen en documenten over Frédéric Mistral, Joseph Roumanille en de Marquis de Baroncelli-Javon te zien.

Loop door naar de place St-Pierre.

Église Saint-Pierre E1

De façade van deze kerk heeft rijkversierde **deuren★** uit de renaissance. De taferelen zijn in reliëf uitgevoerd door Antoine Valard in 1551; rechts de Aankondiging aan Maria en links de aartsengel Michaël en de H. Hiëronymus. In het koor sierlijk houtsnijwerk uit de 17de eeuw en mooie preekstoel uit de late 15de eeuw.

Ga op de place Carnot links de rue des Marchands in en loop terug naar de place de l'Horloge.

Wat is er nog meer te zien? Plattegrond blz. 300-301

★ Musée Louis-Vouland D1-2

17 r. Victor-Hugo - ☎ 04 90 86 03 79 - www.vouland.com - dag. behalve ma 14.00-18.00 u - rondleiding mogelijk (45 min.) - gesl. feb., 1 jan., 1 mei en 25 dec. - € 6 (12-18 jaar € 4).

Dit museum staat in het teken van de decoratieve kunst. Het bevat een interessante verzameling 18de-eeuws **meubilair**, met een ladekast van Migeon, het bureau van een geldwisselaar; verder een grappig reisservies met de wapens van gravin Du Barry. Ook te zien is een mooie collectie van het beroemde porselein en **aardewerk** uit Moustiers en Marseille. Aan de muren hangen **wandtapijten** *(Diana keert terug van de jacht)*. Ook het Verre Oosten is vertegenwoordigd met een verzameling Chinese vazen en borden en beeldjes van polychroom ivoor. Er zijn twee zalen gewijd aan de Provençaalse schilderkunst. Vergeet niet te genieten, of eigenlijk te watertanden, van het schilderijtje uit de school van Joos van Cleve, *Enfant mangeant des cerises* (Kersenetend kind).

★ Musée Angladon E2

5 r. du Laboureur - ☎ 04 90 82 29 03 - www.angladon.com - ♿ - maart-okt.: dag. behalve ma 13.00-18.00 u, feestd. 14.00-1800 u; rest van het jaar: ma en di na afspraak, wo-zo 13.00-18.00 u, feestd. 14.00-18.00 u - rondleiding mogelijk (1.15 uur) op verzoek - gesl. 1 jan. en 25 dec. - € 6 (7-15 jaar € 1,50).

Dit 18de-eeuwse herenhuis werd in 1977 gekocht door een schildersechtpaar uit Avignon, **Jean Angladon-Dubrujaud** (1906-1979) en **Paulette Martin** (1905-1988), om er hun collectie te exposeren. De **verzameling moderne kunst**, geërfd van de Parijse modeontwerper Jacques Doucet en te zien op de benedenverdieping, die is ingericht in de stijl van diens kubistische atelier in Neuilly, omvat bijzonder werk van Cézanne *(Stilleven met zandstenen kan)* en doeken van Sisley, Manet, Degas, Derain, Picasso, Modigliani en Foujita.

5

DE BOETELINGEN VAN AVIGNON

De broederschappen van boetelingen ontstonden in de 13de eeuw en beleefden hun hoogtij in de 16de en 17de eeuw. De leden van deze gemeenschappen waren verplicht elkaar hulp te bieden en goede werken te verrichten. Tijdens processies hadden de boetelingen een kap over hun hoofd en droegen ze relieken en attributen. Aan de kleur van hun habijt van grof linnen kon men zien tot welke broederschap ze behoorden. Avignon telde verschillende broederschappen: er waren grijze, witte, blauwe, zwarte, paarse en rode penitenten. Elke broederschap had eigen bezittingen en een kapel. De Franse Revolutie bracht deze broederschappen een zware klap toe, maar verschillende bleven bestaan.

Het schilderij *Treinwagons* van Van Gogh is het enige doek van deze schilder dat nog in de Provence te vinden is.

Op de eerste etage geeft de collectie die is bijeengebracht door de heer des huizes een overzicht van de **kunst van de middeleeuwen tot de moderne tijd**: eetkamer in renaissancestijl, 18de-eeuwse bibliotheek met een doek van Joseph Vernet, Chinese zitkamer met prachtig porselein uit de K'angsiperiode (eind 17de eeuw) en een atelier waar werk van het schildersechtpaar zelf hangt. De eigenaars waren landschapsschilders met zeer verschillende stijlen: Paulette Martin legde zich toe op het expressionisme, terwijl Jean Angladon een voorkeur had voor het surrealisme.

★ Collection Lambert E2

Hôtel de Caumont - 5 r. Violette - ℘ 04 90 16 56 20 - www.collectionlambert.com - ♿ - juli-aug.: 11.00-19.00 u; rest van het jaar: dag. behalve ma 11.00-18.00 u - rondleiding mogelijk (1 uur) - gesl. 1 jan., 1 mei en 25 dec. - € 7 (6-12 jaar € 2).

Dit mooie, 18de-eeuwse gebouw waar ooit een school was gevestigd, is gerenoveerd en biedt nu onderdak aan de verzameling **hedendaagse kunst** van Yvon Lambert. De meeste stromingen van de avant-gardistische kunst, waar deze verzamelaar zich voor inzette (conceptual art, land art, minimal art, neofiguratie), zijn vertegenwoordigd; sommige werken zijn speciaal voor dit museum gemaakt. Kunstenaars als Cy Twombly, Christian Boltanski, Nan Goldin, Sol LeWitt, Anselm Kiefer, Daniel Buren, Robert Combas en Bertrand Lavier worden bij toerbeurt geëxposeerd *(2 tot 3 exposities per jaar)*.

★ Musée lapidaire E2

27 r. de la République - ℘ 04 90 86 33 84 - www.musee-lapidaire.org - ♿ - dag. behalve ma 10.00-13.00 u, 14.00-18.00 u - gesl. 1 jan. en 25 dec. - € 2 (tot 18 jaar gratis); combinatiekaartje met het Musée Calvet € 7.

Deze glyptotheek is gevestigd in de voormalige kapel van het jezuïetencollege. Het prachtige gebouw heeft een mooie barokgevel. Talrijke resten van de verschillende beschavingen die achtereenvolgens de streek bevolkten, worden er tentoongesteld: een Keltisch bestiarium, met onder meer de Tarasque (een mensenetend monster) uit Noves; verder talrijke Griekse en Grieks-Romeinse beelden (prachtige kopie van de *Apollo 'Sauroctonos'* van Praxiteles) en beelden uit de streek (Gallische krijgers uit Vachères en Mondragon). Bijzonder zijn ook de portretten van keizers (Tiberius, Marcus Aurelius) en van onbekende figuren, bas-reliëfs (let vooral op het exemplaar een uit Cabrières-d'Aigues met trekschuit), sarcofagen en een verzameling maskers uit Vaison-la-Romaine.

Musée du Mont-de-piété et de la Condition des soies F1

6 r. Saluces - ℘ 04 90 86 53 12 - www.mairie-avignon.fr - ma 10.00-12.00 u, 13.30-17.00 u, di-vr 8.30-12.00 u, 13.30-17.00 u - gesl. za, zo en feestdagen - 's zomers: dag. behalve ma 12.00-18.00 u - gesl. in feb. - gratis.

Dit museum, gevestigd in de oude Chapelle Notre-Dame-de-Lorette, vertelt de geschiedenis van twee instellingen die hier ooit gehuisvest waren: de oudste leenbank van Frankrijk (1610) en de Condition des soies (1801). De laatste had tot taak het vochtgehalte van zijden stoffen voor de handel te controleren.

In de omgeving Regiokaart, blz. 290

Montfavet A2

▶ *6 km oostwaarts via de N 100 (weg naar Morières), vervolgens de N 107 (rechts).*
Het plaatsje heeft een interessante **kerk**, overgebleven van een 14de-eeuws klooster dat door kardinaal Bertrand de Montfavet werd gebouwd. Mooie beelden sieren de latei van het portaal. Sober schip met gotische gewelven.
♣ **Epicurium** – *Cité de l'alimentation - r. Pierre Bayle - ℘ 04 90 31 58 91 - www. epicurium.fr - 10.00-12.30 u, 14.00-18.30 u, za, zo en feestd. 14.00-18.30 u - € 7 (tot 6 jaar gratis).* Een interactief en ludiek museum over groenten en fruit. Met een op de zintuigen gerichte expositie, 8000 m^2 aan tuinen en kook- en tuinierlessen.

Rondrit Regiokaart, blz. 290

TUSSEN DE ALPILLES EN DURANCE

▶ *De 32 km lange route vanuit Avignon staat aangegeven op de regiokaart - ongeveer 3 u. Verlaat Avignon via de D 571.*

Châteaurenard A2

🛈 *11 cours Carnot - 13160 Chateaurenard - ℘ 04 90 24 25 50 - www.chateau renard.com - 9.00-12.00 u, 14.00-17.45 u, zo 10.00-12.00 u (uitsluitend in juli-aug. en tijdens de Journées du patrimoine).*

😊 **Goed om te weten** – In het oude centrum is een wandelroute uitgezet. Een gratis folder is beschikbaar bij het toeristenbureau, waar de wandeling begint.
Dit stadje van 13.500 inwoners aan de voet van het kasteel op de Colline du Griffon heeft een stevige landbouwtraditie opgebouwd en is de standplaats van een groentemarkt van internationaal belang: kom dus op zondagochtend, marktdag. Dwaal door het oude centrum waar zich het kleine **Musée des Outils agraires** bevindt. ℘ *04 90 90 11 59 - mei-sept.: dag. behalve zo en ma 10.00-12.00 u, 14.30-18.30 u; rest van het jaar: op verzoek - rondleiding mogelijk (30 min) - gesl. okt.-dec. - € 2 (tot 12 jaar gratis). Combinatiekaartje met het kasteel € 5.*
Loop door de Jardin des Tours *(trap rechts van de kerk)* omhoog naar het **feodale kasteel** van de graven van de Provence. Van het kasteel, ooit eigendom van landheer Reynard (13de-15de eeuw), resteren slechts vier torens, waarvan er maar één intact is. Vijf zalen zijn opengesteld voor publiek, waarvan er een is gewijd aan paus **Benedictus XIII**. ℘ *04 90 24 25 50 - www.chateaurenard-de-provence.alpilles.fr - rondleiding (45 min.) - mei-sept.: dag. behalve ma 10.00-12.00 u, 14.30-18.30 u, zo en feestd. 14.30-18.30 u; rest van het jaar: dag. behalve vr 15.00-17.00 u - gesl. 1 en 8 mei, 15 aug, 25 dec. - € 4 (tot 12 jaar gratis); combinatiekaartje met het Musée des Outils agraires € 5.*
Rijd door in oostelijke richting via de D 28.

5

KLEURRIJKE OPTOCHTEN

Drie keer per jaar maken praalwagens, versierd met bloemen en plattelandsproducten, een optocht door de straten van Châteaurenard. Ze worden begeleid door trekpaarden. Op de dag van de H. Eligius (begin juli) worden ze versierd met tarwe; op de dag van de H. Magdalena (begin augustus) zijn ze getooid met gladiolen, groenten en fruit; en op de dag van de H. Omaar (half september) zijn ze voorzien van palmhout, riet, bloemen en een aambeeld.

Noves B2

Noves heeft twee poorten van zijn **middeleeuwse omwalling** bewaard. Op de overblijfselen van een religieus gebouw uit de 10de eeuw, dat de bisschoppen van Avignon onwaardig achtten, werd in de 12de eeuw een **kerk** gebouwd. Door de vele verbouwingen combineert ze verschillende stijlelementen.

Verlaat Noves via de D 7^N richting Avignon. Sla na het passeren van de snelweg rechtsaf naar Cavaillon. Het kartuizerklooster van Bonpas doemt weldra op aan de linkerkant van de weg.

Caumont-sur-Durance B2

De lieflijke straatjes van dit dorp kronkelen zich naar de **romaanse kapel** Saint-Symphorien op de top, die afsteekt tegen de kalksteenheuvels op de achtergrond (*oriëntatietafel*).

Chartreuse de Bonpas – ℘ 04 90 23 67 98 - www.louis-bernard.com - 10.00-12.30 u, 14.00-18.30 u, zo en feestd. 10.00-18.30 u (nov.-april: gesl. ma en di) - *rondleiding mogelijk (1 uur) - gesl. 1 jan. en 25 dec. - € 7 (tot 12 jaar gratis) met proeverij*. In de 13de eeuw stichtten ziekenbroeders een kerk en een klooster, dat Bonpas werd genoemd. Na een tijd van wisselend succes maakte het kartuizerklooster in de 17de eeuw een bloeiperiode door. Uit die tijd dateert de kapittelzaal. In de fraai gerestaureerde gebouwen is nu een landbouwbedrijf gevestigd (uitstekende côtes-du-rhône). Maak een wandeling door de mooi onderhouden tuinen in Franse stijl, waar het vrije uitzicht aanzet om te filosoferen over de invloed van de mens op de natuur.

Jardin romain – *Le Clos de Serre - 6 imp. de la chapelle Saint-Symphorien -* ℘ 04 90 22 00 22 - www.jardin-romain.fr - juni-sept.: 10.00-12.30 u, 15.00-19.00 u; april-mei en okt.: dag. behalve di 14.00-18.00 u; feb.-maart en nov.: dag. behalve di 14.00-17.00 u - gesl. dec.-jan. - € 3,10 (tot 7 jaar gratis). Bij archeologische opgravingen werden de resten van een Romeinse tuin met 65 m lange siervijver blootgelegd – alleen het waterbekken van de Villa Papyri in Pompeji is groter. In de zuidwesthoek leiden vijf treden naar de bodem van de vijver, die belegd is met ruim 50.000 kleitegels in verschillende okertinten. Het bassin in Italiaanse stijl lag haaks op de voorgevel van een weelderige Romeinse villa uit de 1ste eeuw n.C. In een kleine expositieruimte worden enkele vondsten tentoongesteld, zoals amfora's, Romeinse munten en een fresco. In een poging om de sfeer uit het tijdperk van Augustus te reconstrueren, werden acht tuinen, met Grieks-Latijnse godheden als thema, en een groentetuin aangelegd. De beste periode voor een bezoek is de lente, als alles in bloei staat.

Via de N 7 terugrijden naar Avignon.

☺ AVIGNON: ADRESBOEKJE

VERVOER

Trein – Dankzij de **TGV** ligt Avignon 2.40 uur van Parijs. Het station is niet centraal gelegen, maar een pendeldienst verzekert de verbinding met het stadscentrum *(alle 10-15 min.)*. De TER rijdt van Avignon naar Arles in 20 min en naar Marseille in 30 min.

Vélo – **Velopop** (www.velopop. fr) beheert 17 stallingen in de hele stad met automaat waar u 24 uur per dag een fiets kunt huren, voor 1 dag (€ 1) of 7 dagen (€ 3).

La Baladine – *ma-zu 10.00-13.00 u, 14.00-18.00 u - € 0,50.* Elektrisch wagentje dat door het centrum rijdt en op verzoek stopt.

BEZICHTIGEN

Carte Pass – *Inlichtingen bij het toeristenbureau van Avignon van Villeneuve-lez-Avignon.* Deze kaart geeft 2 weken lang recht op kortingen in Avignon en Villeneuve-lez-Avignon (musea en monumenten, rondleidingen, boottochten, busexcursies).

ZeVisit *www.zevisit.com - Inlichtingen bij het toeristenbureau.* Rondwandeling in de stad met 7 haltes en commentaar via de mobiele telefoon

Toeristentreintje – *☎ 04 90 86 36 75 - www.cars-lieutaud.fr - juli-aug.: 10.00-20.00 u - 15 maart-30 juni en 1 sept.-einde herfstvakantie: 10.00-19.00 u; € 7 (tot 9 jaar € 4).* Rondrit (40 min) vanaf het plein van het Palais des Papes (iedere. 20 min).

Avignon met de boot – *Allée de l'Oulle - ☎ 04 90 85 62 25 - www. mireio.net - april-sept. € 8 (tot 8 jaar gratis)* - Bezichtiging (45 min.) van de Pont Saint-Bénezet met audiotour en boottocht over de Rhône.

Les Grands Bateaux de Provence – *Allée de l'Oulle - ☎ 04 90 85 62 25 - www.mireio. net - middag/avondcruise - vanaf € 52/€ 46 (kinderen € 26/20).* Minicruise over de Rhône, met of zonder haltes, inclusief lunch of diner (voorstelling optioneel).

Avignon en 2CV – *Autocars Lieutaud - 36 bd St-Roch - ☎ 04 90 86 36 75 - www.cars-lieutaud.fr - € 45 per auto voor een rondrit van 1 uur door Avignon (max.3 pers.).* Wie heeft zin in een ritje met de oude vertrouwde deuxchevaux? Het eendje brengt u naar mooie locaties in Avignon. Ook mogelijk: rit van 3 uur naar de Montagnette en Les Alpilles (€ 145, max. 3 pers.) of een rit van 6 uur naar de Pont du Gard en Gordes (€ 320, max. 3 pers.).

Avi'way – *☎ 06 08 76 07 06 - www. aviway.fr - € 45 (1 uur), € 60 (2 uur).* Ritje door de stad op een Segway (gyroscopische tweewieler).

OVERNACHTEN

GOEDKOOP

Camping-jeugdherberg Bagatelle – *25 allées Antoine-Pinay - île de la Barthelasse - ☎ 04 90 86 30 39 - www.camping bagatelle.com - ♿ - 150 bedden € 16,95/18,35 - 230 plaatsen € 15,80/24 auto+tent+2 pers - ☕.* Schaduwrijke camping op het eiland tegenover de stad. Populair bij festivalgangers.

DOORSNEEPRIJZEN

Hôtel Mignon – *12 r. Joseph-Vernet - ☎ 04 90 82 17 30 - www.hotel-mignon.com - 16 kamers € 49/80 - ☕ € 6.* Vrolijk ingerichte kamertjes. Sommige badkamers zijn piepklein, maar het is een van de goedkoopste adressen van de stad en heeft een goede ligging.

5

Hôtel Boquier – *6 r. du Portail-Boquier -* 𝄐 *04 90 82 34 43 - www.hotel-boquier.com - 12 kamers € 50/70 -* 🍴 *€ 8.* Dit rustige hotel met knusse, smaakvol ingerichte kamers is in handen van een sympathiek, jong koppel. U kunt hier een parkeerplaats reserveren.

Hôtel Colbert – *7 r. Agricol-Perdiguier -* 𝄐 *04 90 86 20 20 - www.avignon-hotel-colbert.com - geopend 2 maart-31 okt. - 14 kamers € 65/126 -* 🍴 *€ 10.* Eenvoud kenmerkt dit hotel. De kamers zijn huiselijk ingericht: muren met warme tinten en grof stucwerk, curiosa en posters. De troef van dit adres is de heerlijke patio met palmboom.

Hôtel du Palais des Papes – *3 pl. du Palais et 1 r. Gérard-Philippe -* 𝄐 *04 90 86 04 13 - www.hotel-avignon.com - 27 kamers € 68/133 -* 🍴 *€ 8 - halfpens. € 148.* Dit prachtig gerenoveerde, stijlvolle hotel in de buurt van de place de l'Horloge, het theater en het Palais des Papes beschikt over kleine, maar smaakvol ingerichte, onberispelijke kamers.

Hôtel de Blauvac – *11 r. de la Bancasse -* 𝄐 *04 90 86 34 11 - www.hotel-blauvac.com - 16 kamers € 72/92 -* 🍴 *€ 8.* De voormalige residentie van de markies de Blauvac (17de eeuw) is mooi gerestaureerd, maar er zijn sporen uit het verleden bewaard gebleven: op veel plekken zijn de originele bouwstenen van de muren te zien. Rustiek Provençaalse inrichting.

La Ferme – *110 chemin des Bois - Île de la Barthelasse (5 km ten noorden via de D 228 en de binnenwegen) -* 𝄐 *04 90 82 57 53 - www.hotel-laferme-avignon.com -* 🅿 🍴 *- geopend 15 maart-18 nov. - 20 kamers € 68/97 -* 🍴 *€ 10 - rest. (alleen diner) € 25/42 - halfpens. € 140/162.* Een uitstekend adresje voor wie behoefte heeft aan rust maar wel in de buurt van Avignon wil blijven. Grote, eenvoudige kamers, met in Provençaalse stijl beschilderd meubilair. Landelijke eetzaal met balken, haard en oude stenen. Lommerrijk terras.

Hôtel Bristol – *44 cours Jean-Jaurès -* 𝄐 *04 90 16 48 48 - www.bristol-avignon.com - 67 kamers € 79/116 -* 🍴 *€ 12.* Ideale ligging, tussen het station en de uitgaanswijken. Al in de jaren twintig van de vorige eeuw was hier een hotel gevestigd. Functionele kamers, waarvan de meeste vrij ruim zijn.

In de omgeving

Chambre d'hôte La Petite Provence – *Montée Cazalèdes - 30126 Lirac - 18 km ten noorden van Avignon -* 𝄐 *04 66 33 11 04 - www.lapetiteprovence.net -* 🅿 *- 4 kamers € 70 -* 🍴 *- table d'hôte € 30 ('s avonds, reserveren).* Deze 17de-eeuwse mas temidden van de wijngaarden is een oase van rust, en toch is het drukke Avignon niet ver weg. Ideaal om te luieren op het terras of de koelte van de gewelfde kelders op te zoeken. De eigenaar is een professionele kok die zijn gasten trakteert op heerlijke gerechten, bereid met streekproducten.

Chambre d'hôte La Prévoté – *354 chemin d'Exploitation - 84210 Althen-des-Paluds -* 𝄐 *04 90 62 17 06 - www.la-prevote.com - geopend 2 maart-31 okt. -* 🅿 🍴 *- 5 kamers € 85/95 -* 🍴*. Na een goede nachtrust in een van de ruime, vrolijke kamers van deze oude Provençaalse mas, kunt u genieten van een ontbijt buiten, onder de wijnranken of een kastanjeboom. Na het eten is het tijd om te rusten in de tuin met appelbomen of een duik te nemen in het zwembad.

WAT MEER LUXE

Chambre d'hôte Lumani – *37 rempart Saint-Lazare - 🕿 04 90 82 94 11 - www.avignon-lumani. com - 🅿 - gesl. 7 jan.-7 maart en 4 nov.-25 dec. - 5 kamers 90/170 - 🖵 - rest. € 30/50.* Bij de eigenaars van dit 19de-eeuwse huis met ommuurde tuin worden gasten en kunstenaars als vrienden behandeld. De inrichting is een mix van antiek, modern en natuurlijke materialen. Kunstworkshops. Omheinde tuin

Chambre d'hôte La Banasterie – *11 r. de la Banasterie - 🕿 04 32 76 30 78 - www.labanasterie. com - 5 kamers € 100/170 - 🖵.* Een Mariabeeld siert de gevel (monument) van dit 16de-eeuwse pand. Knus, romantisch interieur. De namen van de kamers verwijzen naar chocolade, de grote passie van de eigenaars.

In de omgeving

Chambre d'hôte Le Posterlon – *3 r. du Posterlon - 84510 Caumont-sur-Durance - 🕿 04 90 22 21 20 - www.posterlon-provence.com - 🅿 🏊 - 5 kamers € 100/160 - 🖵 - maaltijd € 20.* Boven in het dorp staat deze Provençaalse familiewoning, een smaakvol gerenoveerde oude pastorie. De tuin en het zwembad dragen bij tot de idyllische charme.

PURE VERWENNERIJ

Cloître St-Louis – *20 r. Portail-Boquier - 🕿 04 90 27 55 55 - www. cloitre-saint-louis.com - 🅿 🏊 - 80 kamers € 210/320 - 🖵 € 16 - rest. € 32.* Het hotel kreeg onderdak in een 16de-eeuwse kloostergang en een bijgebouw van glas en staal. In de kamers gaat moderne soberheid perfect samen met de charme van oude bouwstenen. Zwembad en terras op het dak. Restaurant in de galerijen rond de rustige binnenplaats met eeuwenoude platanen.

UIT ETEN

GOEDKOOP

Ginette et Marcel – *27 pl. des Corps-Saints - 🕿 04 90 85 58 70 - € 3,90/6,30.* Dit gezellige adresje is even kleurrijk en innemend als een kruidenierszaak uit de jaren vijftig. Stevige broodjes of kleine salades tegen zachte prijsjes. Eten kan in de aangename zaal of op het terras onder de platanen.

L'Ami voyage... en compagnie – *5 r. Prévôt - 🕿 04 90 87 41 51 - ✉ - gesl. 3de week van juni en van aug. - lunchmenu € 11,60 - € 13,60/22,60.* Een boekhandel die tegelijk een tearoom, een wijnbar en een bistro is: de aangewezen plek om de smaakpapillen te verwennen en ondertussen uw leeshonger te stillen. Gerechten voor minder dan € 10, desserts voor minder dan € 5 en een glas wijn vanaf € 3. Kunstig gepatineerde muren, aangenaam terras en rustige, intellectuele sfeer.

DOORSNEEPRIJZEN

L'Essentiel – *2 r. Petite-Fusterie - 🕿 04 90 85 87 12 - www.restau rantlessentiel.com - gesl. wo en zo - lunchmenu € 17 - € 28/39.* Liefhebbers van overvloedige porties uit de Frans-Italiaanse keuken zitten goed in dit restaurant zonder poeha en met een strakke, moderne inrichting.

Le Grand Café – *4 r. des Escaliers-Sainte-Anne - 🕿 04 90 86 86 77 - gesl. zo en ma (behalve juli), jan. - lunchmenu € 18 - € 28/40.* Deze voormalige kazerne tegen de steunberen van het Palais des Papes is een bekend adres in het lokale uitgaansleven. Zowel inwoners van Avignon als toeristen komen hier graag genieten van de creatieve gerechten met Provençaalse accenten. Terras in de zomer.

5

L'Isle Sonnante – *7 r. Racine -*
𝄐 04 90 82 56 01 - gesl 22 feb.-
1 maart, 25 okt.-5 nov., zo en
ma - lunchmenu € 14,50 - € 25/40.
Klein eethuisje met een houten
voorpui achter de opera. Gezellig
interieur met een mix van rustieke
elementen en warme tinten.
Gerechten met zuidelijke toets.
Piedoie – *26 r. des Trois-Faucons -*
𝄐 04 90 86 51 53 - t.piedoie@
gmail.com - gesl. di en wo,
voorjaarsvakantie, aug., 21-
30 nov. - € 18/29 incl. cons. Sobere,
aangename eetzaal met balken,
parket en witte muren waaraan
hedendaagse schilderijen
hangen. De kok bereidt originele
gerechten met dagverse
producten.

WAT MEER LUXE

Le Jardin de la Tour – *9 r. de la*
Tour - 𝄐 *04 90 85 66 50 - www.*
jardindelatour.fr - gesl. zo en ma -
♿ *- lunchmenu € 19/26 - € 39/75.*
Dit gezellige establissement vlak
bij de stadswal is ondergebracht
in een oude ijzerwerkfabriek. De
tuin, priëlen en de bijzondere
architectuur geven het restaurant
veel cachet. De chef-kok
combineert zeer verschillende
smaken met elkaar en herstelt
vergeten Provençaalse producten
in ere (meivis, blinde vinken, *bœuf*
des mariniers…).
Le Moutardier du Pape – *15 pl.*
Palais-des-Papes - 𝄐 *04 90 85*
34 76 - www.restaurant-moutardier.
fr - lunchmenu € 23 - € 32/48. De
muurschilderingen in de eetzaal
vertellen het verhaal van de
'mosterdmaker van de paus'
en het terras biedt uitzicht op
het paleis. De wijnen passen
uitstekend bij de gerechten.

PURE VERWENNERIJ

La Mirande – *4 pl. Amirande -*
𝄐 *04 90 85 93 93 - www.la-*
mirande.fr - 🅿 ♿ *- gesl. di en wo,*
5 jan.-3 feb. - lunchmenu € 31 -
€ 35/105. Mirande is ronduit een
prachtige plek: een inrichting in
18de-eeuwse Provençaalse stijl,
antiek, kunst, subtiele details.
Mooi terras en tuin. De creatieve
gerechten werden bekroond met
een Michelinster.
La Vieille Fontaine – *Hôtel*
d'Europe - 12 pl. Crillon - 𝄐 *04 90*
14 76 76 - www.heurope.com - 🅿
♿ *- gesl. zo en ma - lunchmenu*
€ 35 - € 39/120. Klassiek ingerichte
eetzalen, met een eigentijds
tintje en prachtig terras met
murmelende fontein. Het
restaurant, gevestigd in een
16de-eeuws herenhuis dat is
omgebouwd tot een stijlvol hotel,
kreeg een Michelinster in 2011.
Christian Étienne – *10 r. de*
Mons - 𝄐 *04 90 86 16 50 - www.*
christian-etienne.fr - gesl. zo en
ma (behalve juli) - lunchmenu
door de week € 31 - € 65/125.
Schitterend, historisch geladen
decor: een bouwwerk uit de
13de-14de eeuw vlak naast het
Palais des Papes. Het restaurant
heeft een mooi terras en biedt
uitzicht op het plein in de diepte.
Streekgerechten en een selectie
uitstekende côtes-du-rhône.
Dit establissement werd in 2011
bekroond met één Michelinster

IETS DRINKEN

Bar de l'Utopia – *Cour Maria-*
Casarès - La Manutention. Met
zijn rode fauteuils en donkere
lambrisering heeft deze bar de
allure van een theatercafé. Zeer
geschikt voor een goed gesprek.

WINKELEN

Markten

Les Halles – *Pl. Pie - di-zo 7.00-*
13.00 u. Overdekte markt. Op
zaterdag (11.00 u) is er een kook-
demonstratie door chef-koks met
proeverij (niet in aug.).

Boerenmarkt – *Île de la Barthelasse - za middag (mei-okt.).*
Vlooienmarkt – *pl. des Carmes - zo ochtend.*
Professionele rommelmarkt – *Pl. Pie-XII - di en do ochtend.*

Regionale specialiteiten
Les Délices du Luberon – *20 pl. du Change - ℘ 04 90 84 03 58 - 9.30-13.30 u, 14.30-19.00 u, za 9.30-19.00 u.* Provençaalse delicatessenwinkel die tapenades, pistous en andere lokale lekkernijen verkoopt, onder meer afkomstig uit L'Isle-sur-la-Sorgue.
Les Olivades – *56 r. Joseph-Vernet - ℘ 04 90 86 13 42 - 10.30-13.00 u, 14.00-18.30 u - gesl. ma ochtend en zo.* Deze befaamde textielontwerper verwerkt Provençaalse elementen in stoffen van hoge kwaliteit.
Terre è Provence – *26 r. de la République - ℘ 04 90 85 56 45 - terre-provence@wanadoo.fr - 10.00-13.00 u, 14.00-19.00 u; juni-aug.: 10.00-19.00 u - gesl. zo en ma ochtend.* Sfeervolle winkel die al generaties in handen van dezelfde familie is. Provençaalse artikelen, zoals tafelgerei, tafelkleden met zuidelijke motieven, bedrukte katoenen stoffen en aardewerk.
La Bouteillerie du palais des Papes – *gratis toegang via de hoofdingang van het paleis - ℘ 04 90 27 50 85 - www.avignon-bouteillerie.com - 10.00-19.00 u (17.30 u van nov. tot maart).* Côtes-du-rhône op het terrein van het Palais des Papes. Verkoop, proeverij en diverse activiteiten.

In de omgeving
Distillerie de la liqueur Frigolet – *26 r. Voltaire - 13160 Châteaurenard - ℘ 04 90 94 11 08 - www.frigoletliqueur.com - ℗ ♿ - dag. behalve za en zo 9.00-12.00 u, 14.00-18.00 u -* Deze distilleerderij bezit het recept van de Liqueur Frigolet, het elixer dat in de roman van Daudet werd uitgevonden door père Gaucher, een monnik uit de abdij van Saint Michel de Frigolet. Verder: Poire Williams (brandewijn van peren), Marc de Provence en suikerwaren op basis van de beroemde likeur. Tijdens een rondleiding wordt het 'geheime' procédé van het elixer (dat is samengesteld uit 30 planten) onthuld.
Miellerie des Butineuses – *189 r. de la Source - 84450 Saint-Saturnin-lès-Avignon - ℘ 04 90 22 47 52 - www.miellerie.fr - ℗ ♿ - dag. behalve zo 10.00-12.00 u, 14.00-18.00 u - gesl. feestd.* Wie meer wil weten over het houden van bijen moet zeker naar deze imkerij gaan. Informatieve tentoonstelling. In de winkel zijn allerlei producten met honing te koop: koninginnenbrood, stuifmeel, honingwater, suikerwaren, kruidenkoek. U mag gratis proeven. Ook cosmetica.

EVENEMENTEN

Les Hivernales d'Avignon – *℘ 04 90 82 33 12 - www.hivernales-avignon.com.* Festival voor hedendaagse dans, in feb.
Festival d'Avignon In – *Bureau du Festival d'Avignon - Cloître Saint-Louis - 20 r. Portail-Boquier - ℘ 04 90 14 14 60 (info. en reserv.) - www.festival-avignon.com.*
Festival Off – *64 r. Thiers - Bât. A - ℘ 04 90 85 13 08 - www.avignonleoff.com.*
♟♟ **Festival Théâtr'Enfants** – *www.festivaltheatrenfants.com.*
Alterarosa – Hemelvaart. Feest van de roos: exposities (met verkoop), workshops bloemkunst, presentatie van nieuwe variëteiten in het Palais des Papes.
Cheval Passion – Eind jan. Hippisch evenement: beurs, concours en voorstellingen.

5

Villeneuve-lez-Avignon

★

12.471 inwoners – Gard (30)

😊 ADRESBOEKJE: BLZ. 323

🛈 **INLICHTINGEN**
Toeristenbureau van Villeneuve-lez-Avignon – *1 pl. Charles-David -
30400 Villeneuve-lez-Avignon - ℘ 04 90 25 61 33 - www.tourisme-villeneuve
lezavignon.fr - april-okt.: 9.00-12.30 u, 14.00-18.00 u (behalve juli: dag. behalve
zo 9.00-12.30 u, 14.00-18.00 u); rest van het jaar: dag. behalve zo 9.00-12.30 u,
14.00-17.00 u - gesl. 1 jan., 1 mei, 1 en 11 nov., 25 dec.*

Rondwandelingen – Op aanvraag bij het toeristenbureau rondleidingen
door officieel erkende gidsen: juli-aug.: di 10.00 u (de middeleeuwse stad
en het kartuizerklooster), do 16.00 u (het fort en de tuinen van de abdij
Saint-André). Beide routes eindigen met een bezoek inclusief proeverij
aan de oliemolen van het klooster. Avondwandelingen in juli-aug. Het
hele jaar door themarondleidingen.

▶ **INLICHTINGEN**
Regiokaart A1 (blz. 290) – *Michelinkaart van de departementen 339 N5.*
Vanuit Avignon is Villeneuve bereikbaar via de Pont Édouard-Daladier
(D 900) over de Rhône. Neem na de brug de D 980 naar rechts en rijd
langs de Tour Philippe-le-Bel. Met de bus: lijn 11 (vertrek tegenover het
station van Avignon).

🅿 **PARKEREN**
Aan de voet van het fort, aan de avenue Charles-de-Gaulle.

😊 **AANRADER**
Het prachtige uitzicht op Avignon en Villeneuve vanaf de Tour Philippe-
le-Bel; het Musée municipal Pierre-de-Luxembourg; de Chartreuse du
Val-de-Bénédiction; het Fort Saint-André.

🕐 **PLANNING**
Trek een halve dag uit om de 'kardinalenstad' te verkennen. De stad is
overigens een uitstekende uitwijkmogelijkheid als de hotels en chambres
d'hôtes in de 'pausenstad' vol zijn.

👥 **MET KINDEREN**
Parc du Cosmos, in Les Angles; het Musée du Vélo et de la Moto in het
Château de Bosc; pretpark Amazonia *(zie 'Adresboekje').*

**Villeneuve-lez-Avignon ligt in de Gard, maar is van oudsher georiënteerd
op Avignon, waarvan het nu een forensengemeente is. De stad heeft haar
welvaart te danken aan de kardinalen, die hier kwamen wonen omdat
Avignon ze te benauwd werd. Begrijpelijk: Villeneuve biedt een andere
blik op Avignon, alsof u vanuit de coulissen naar het toneel kijkt. Het
uitzicht vanuit de 'kardinalenstad' op de 'pausenstad' is dan ook een van
de mooiste vergezichten in het Rhônedal. Vooral aan het eind van de
middag als Avignon in het licht van de ondergaande zon al haar glorie
tentoonspreidt. De twee steden kunnen niet zonder elkaar.**

Het Fort Saint-André gezien vanaf de Collégiale Notre-Dame
J.-C. & D. Pratt / Photononstop

Wandelen Plattegrond blz. 319

◗ *Startpunt bij het toeristenbureau. Volg de rue Fabrigoule, neem de rue de la Foire naar links en daal af naar de toren.*

Tour Philippe-le-Bel
℘ 04 32 70 08 57 - mei-sept.: 10.30-12.30 u, 14.30-18.30 u; rest van het jaar: 14.00-17.00 u - rondleiding mogelijk (45 min.) - gesl. ma, nov.-jan., 1 mei - € 2 (tot 18 jaar gratis).
Deze toren op een rots niet ver van de Rhône was het hoofdgebouw van een fort dat de toegang tot de Pont Saint-Bénezet bewaakte. Op het bovenste platform *(176 treden)* ontvouwt zich een schitterend **uitzicht**★★ op Villeneuve en het Fort Saint-André, de Rhône en de statige Pont Saint-Bénezet, Avignon en het Palais des Papes, de Montagnette en de Alpilles en op de achtergrond de statige Mont Ventoux.
Loop terug naar de place de l'Oratoire en neem de rue de l'Hôpital.

Église Notre-Dame
Mei-sept.: 14.30-18.30 u; maart-april en okt.-dec.: 14.00-17.00 u - gesl. jan.-feb., 1 mei, 1 en 11 nov., 25 en 26 dec.
Deze kerk werd in 1333 gesticht door kardinaal **Arnaud de Via**, een neef van Johannes XXII. De toren was oorspronkelijk een belfort waarvan de grote bogengang op de benedenverdieping als openbare doorgang dienstdeed. De poort werd afgesloten en verbouwd tot het koor van de kerk. Een extra travee verbond het koor met het schip. In de kerk worden kunstschatten bewaard, waaronder de graftombe van kardinaal Arnaud de Via. Verder een voorstelling van de *Heilige Bruno* van **Nicolas Mignard**, een calvariebeeld van Reynaud Levieux en een kopie van de beroemde *Pietà (in de derde kapel rechts)*. Deze 13de-eeuwse piëta is het absolute hoogtepunt van de school van Avignon en werd gemaakt voor het kartuizerklooster van Villeneuve. Het beeld werd

5

HET ONTSTAAN VAN EEN STAD

Na de kruistocht tegen de Albigenzen viel het graafschap Toulouse in 1271 toe aan de Franse koning **Filips III de Stoute**. Vanaf dat moment reikte zijn gebied tot aan de Rhône. Aan de overkant van de rivier lag de Provence, dat tot het Heilige Roomse Rijk behoorde. De Rhône hoorde nog bij het koninkrijk, maar de linkeroever niet. Bij hoogwater was het echter onmogelijk om te bepalen waar de oever precies begon. 'Daar waar het water ophoudt', bepaalde de koning, waarna hij een belasting oplegde aan de bewoners van de wijken van Avignon die onder water kwamen te staan. Eind 13de eeuw stichtte **Filips de Schone** in de Rhônevlakte een *ville neuve* (nieuwe stad) en vanwege het militaire belang van deze locatie, bouwde hij een vesting bij de Pont Saint-Bénezet. De komst van de **pausen** naar Avignon was een buitenkans voor de nieuwe stad: kardinalen die in Avignon geen herenhuis konden vinden, staken de brug over en lieten hier schitterende residenties, livreien, bouwen. Ze overlaadden de stad en de kerkelijke instellingen met gunsten en gaven. De koningen Jan de Goede en Karel V lieten het Fort Saint-André bouwen om het pausdom in de gaten te kunnen houden. Na het vertrek van de pausen hield de welvaart stand: in de 17de en de 18de eeuw verschenen rijke herenhuizen aan de Grande-Rue en de kloosters waren zeer actief. Uiteindelijk maakte de Franse Revolutie een einde aan de aristocratische en kerkelijke rijkdom.

in 1904 in bruikleen gegeven voor een tentoonstelling in Parijs, en staat nog altijd in het Louvre, tot ongenoegen van de bevolking van Villeneuve.

Aan de **rue de la République** iets verderop staan schitterende 'livreien' (op nummer 3, 4 en 53) die daar zijn gebouwd door de kardinalen. In het pand van kardinaal Pierre de Luxembourg (die bij zijn dood op 19-jarige leeftijd al kardinaal was) huist nu het Musée municipal. De poort op nr. 60 geeft toegang tot de Chartreuse du Val-de-Bénédiction.

★ Musée municipal Pierre-de-Luxembourg

☏ 04 90 27 49 66 - mei-sept.: 10.30-12.30 u, 14.30-18.30 u; rest van het jaar: 14.00-17.00 u - rondleiding mogelijk - gesl. ma, jan., 1 mei, 1 en 11 nov., 25 dec. - € 3,20 (kinderen € 2,20); combinatiekaartje met de ander monumenten in de stad € 11.

In dit museum in het Hôtel Pierre-de-Luxembourg zijn bijzondere kunstwerken te bewonderen, waaronder een 14de-eeuws **Mariabeeld★★** van veelkleurig ivoor. Het uit een slagtand van een olifant uitgesneden beeld is een van de mooiste in zijn soort. Bijzonder zijn ook de marmeren Madonna met de twee gezichten van de school van Neurenberg (14de eeuw), het dodenmasker dat Laurana van Jeanne de Laval maakte, de 18de-eeuwse kazuifel die van Innocentius VI zou zijn geweest en het 17de-eeuwse met parels afgezette sacramentsdoek. Verder interessante doeken van **Nicolas Mignard** (*Jezus in de Tempel*, 1649), Philippe de Champaigne (*De Visitatie*, omstreeks 1644), Reynaud Levieux (*De Kruisiging*), Simon de Châlons en Parrocel (*Sint-Antonius en het Kind Jezus*), naast *De Kroning van Maria* (1454) van Enguerrand Quarton.

★ Fort Saint-André

Dit fort omvatte een abdij, de romaanse kapel **Notre-Dame-de-Belvézet** en een dorpje waarvan alleen nog wat muurdelen overeind staan. Het werd in de 14de eeuw door Jan de Goede en Karel V opgericht op de Mont Andaon, een eiland dat eind 13de eeuw door de droogvallen van een arm van de Rhône aan het land werd verbonden.

Tours jumelles★ – ℘ 04 90 25 45 35 - www.fort-saint-andre.monuments-natio-naux.fr - 10.00-13.00 u, 14.00-17.00 u (april-mei en sept.: 17.30 u, juni-aug.: 18.00 u) - gesl. 1 jan., 1 mei, 1 en 11 nov., 25 dec. - € 5 (tot 25 jaar gratis); combinatiekaartje met de Chartreuse de Villeneuve € 8,50. Deze schitterende toegangspoort is een van de mooiste voorbeelden van middeleeuwse vestingbouw. In de westtoren bevinden zich de valhekken en de bakkerij (18de-eeuwse broodoven). Boven op de toren (85 traptreden) ontvouwt zich een weids **uitzicht★★** op de Mont Ventoux, de Rhône, Avignon en het Palais des Papes, de vlakte van het Comtat Venaissin, de Luberon, de Alpilles en de Tour Philippe-le-Bel.

Abbaye Saint-André – ℘ 04 90 25 55 95 of 06 71 42 16 90 - www.abbaye-saint-andre.com - openstelling tuinen april-sept.: 10.00-12.30 u, 14.00-18.00 u; okt.-maart: 10.00-12.00 u, 14.00-17.00 u - gesl. ma (behalve feestd.) - € 5 (tot 13 jaar gratis). De abdij werd in de 10de eeuw door benedictijnen gebouwd en tijdens de Franse Revolutie deels verwoest. Het toegangsportaal, de linkervleugel en het door een massief gewelf ondersteunde terras zijn bewaard gebleven. Hoogtepunt van het bezoek is een wandeling door de Italiaanse **tuinen★** met

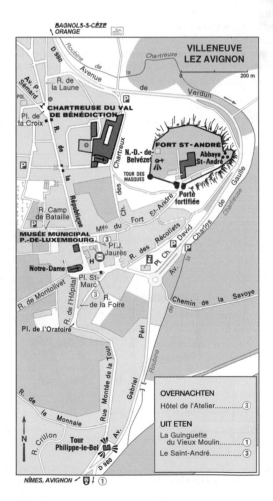

een prachtig **vergezicht**★ op Avignon. Zo beschikten de Franse koningen over een observatiepost om hun pauselijke buren in de gaten te houden…

★ Chartreuse du Val-de-Bénédiction

☎ 04 90 15 24 24 - www.chartreuse.org – juli-sept.: 9.00-18.30 u; april-juni: 9.30-18.30 u; okt.-maart: 9.30-17.00 u, za en zo 10.00-17.00 u - gesl. 1 jan., 1 mei, 1 en 11 nov., 25 dec. - € 7,50 (tot 18 jaar gratis).

In 1352 koos het conclaaf de generaal-overste van de kartuizerorde tot paus. Deze weigerde uit nederigheid. Om dit devote gebaar te gedenken, stichtte Innocentius VI, die in zijn plaats tot paus was aangewezen, op de plaats van zijn livrei een kartuizerklooster, dat het belangrijkste van Frankrijk zou worden.

Het klooster is een 'stad in een stad' en een verplicht onderdeel van het bezoek aan Villeneuve. Het is in oppervlakte twee keer zo groot als het pauselijk paleis in Avignon en alleen al de architectuur is prachtig.

Als u door de **kloosterpoort** bent gelopen die de allée des Mûriers met de place des Chartreux verbindt, draai u zich dan even om voordat u naar de receptie aan het einde van de allée des Mûriers gaat en bewonder de constructie en de ornamenten.

De **kerk** is toegankelijk via het middenschip waarvan de open apsis een prachtig **uitzicht**★ biedt op het Fort Saint-André. Rechts, in de apsis van het andere schip en een travee, staat de graftombe van Innocentius VI (**1**) met een witmarmeren, liggend grafbeeld op een sokkel van steen uit Pernes.

Aan de oostelijke galerij van de **kleine kloostergang** liggen de **kapittelzaal** (**2**) en de **binnenplaats der Sacristeinen** (**3**), met een put en een schilderachtige trap. Het kleine, ronde gebouwtje met de mooie koepel uit de 18de eeuw, is de **wasplaats** (**8**).

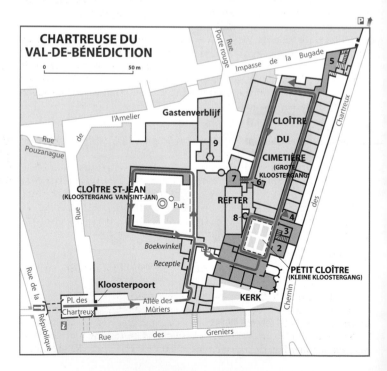

Aan de 20 m brede en 80 m lange **Grand cloître du Cimetière** (kloostergang) liggen de cellen van de monniken. De eerste cel (**4**), met kruidentuin, is te bezichtigen. De andere cellen zijn gerestaureerd en worden gebruikt door schrijvers die hier tijdelijk verblijven. In de noordoosthoek van de omgang leidt een gang naar de *bugade* of wasserij (**5**). Hier zijn de put en de haard van de droogruimte bewaard gebleven. De westkant van de omgang ter hoogte van een kleine dodenkapel (**6**) voert naar de kapel (**7**) die deel uitmaakte van de livrei van Innocentius VI. De prachtige **fresco's★** worden toegeschreven aan Matteo Giovanetti, een van de schilders die hier in het Palais des Papes hebben gewerkt. Van zijn hand zijn de scènes uit het leven van Johannes de Doper en Christus. De **refter**, de oude Tinel of 18de-eeuwse feestzaal, is nu als theaterzaal in gebruik.

De galerijen van het **Cloître Saint-Jean** zijn verloren gegaan, maar de cellen van de kartuizermonniken zijn er nog. Midden in de kloosterhof staat de monumentale, 18de-eeuwse Fontaine Saint-Jean, met een put en een fraai bassin. Bijzonder zijn verder de bakkerij (**9**) met de zeshoekige toren en het in de 18de eeuw gerestaureerde **gastenverblijf** met zijn prachtige gevel.

In de omgeving Reglokaart, blz. 290

Parc du Cosmos A1

◖ *In Les Angles, 2 km van het centrum van Villeneuve. Verlaat Villeneuve via het westen in de richting van Nimes.*

Av. Charles-de-Gaulle - 30133 Les Angles - ℘ 04 90 25 66 82 - www.parcducosmos. fr - mei-sept.: 14.30-18.00 u, 15.00 u (rondleiding), 16.45 u (bezoek aan het planetarium); rest van het jaar: 14.00-18.00 u, 14.30 u (rondleiding), 16.15 u (bezoek aan het planetarium) - gesl. ma, 1 jan. en 25 dec. - € 6,50 (6-15 jaar € 5); combinatiekaartje met het planetarium € 11,50.

▲▲ In dit sterrenkundig park tussen dennen en steeneiken maakt de bezoeker een denkbeeldige reis door de ruimte en de tijd. De architectuur van de gebouwen doet denken aan de ziggoerats uit het oude Mesopotamië die symbool stonden voor de verbinding tussen hemel en aarde. De reis voert door een labyrint van planeten, sterren en asteroïden, en illustreert heel speels het ontstaan van de zonnestelsels.

Rochefort-du-Gard A1

◖ *8 km naar het westen via de D 900 (richting Les Angles), vervolgens een klein stukje over de N 100 (richting Remoulins) en dan de D 111.*

Dwaal rond door dit oude dorpje met steile straatjes en beschaduwde pleintjes, waarvan het gemeentehuis is gevestigd in een oude kapel. Een beetje afgelegen, aan de oostkant lag de *castellas*, de vesting die aan de oorsprong van het dorp stond. Alleen de witte romaanse kapel is overgebleven. Vanaf het voorplein van de kapel heeft u mooi **uitzicht★** op de Notre-Dame-de-Grâce, het drooggelegde meer van Pujaut en de bergen in de verte.

Domazan A2, buiten de kaart

◖ *14 km ten westen van Villeneuve via de D 900, vervolgens de N 100. Na 9 km, omkeren en over de N 100 terug rijden.*

Musée du Vélo et de la Moto★ – *In het Château de Bosc - ℘ 04 66 57 65 11 - juli-half-sept.: 10.00-19.00 u; half sept.-eind nov.: za, zo en feestd., wo en schoolvakanties 14.00-17.00 u - gesl. dec.-jan. - € 6,50 (tot 13 jaar € 5).* ▲▲ Dit museum is ondergebracht in een 19de-eeuws kasteel met een Franse tuin tussen de wijn- en olijfgaarden. Het museum beschikt over een opmerkelijke verza-

5

HET LAND DER GELIEFDEN

In het weekend voor of na 14 februari wordt in **Roquemaure** het feest van de H. Valentijn gevierd. Met een optocht wordt de aankomst van de relieken van de heilige in het dorp in 1868 herdacht. Die relieken werden door een wijnbouwer in Rome gekocht en aan de parochie geschonken om de wijngaarden tegen druifluis te beschermen. De vreselijke plaag was vijf jaar eerder in Europa opgedoken, en wel in Roquemaure.

meling fietsen en motorfietsen uit de periode 1900-1960. Er zijn loopfietsen, gemotoriseerde driewielers en moderne racefietsen. De bijzonderste of eigenaardigste stukken zijn: een geciseleerd *vélocipède* (1869) die ooit eigendom was van Yves Montand, een fiets met een scharnierend stuur, de voorloper van de scooter, een Auto-fauteuil, een motorfiets speciaal voor geestelijken(!), een ligfiets met helikopterschroef en een driewieler uit 1980 die op zonne-energie rijdt, althans in theorie! En niet te vergeten de loopfiets: het is een kopie, want het origineel heeft alleen bestaan in de rijke verbeelding van een journalist. Maar als kopie van een voorwerp dat nooit heeft bestaan, is dit museumstuk al met al dus toch een origineel!

Musée des Enfants★ – *Château de Bosc - praktische informatie: zie bij het Musée du Vélo et de la Moto - www.museedesenfants.com - € 6,50 (kinderen € 5), combinatiekaartje met het Musée du Vélo et de la Moto € 9 (kinderen € 8).* Op de bovenste verdieping van het kasteel is een interactief museum ingericht dat kinderen op ludieke wijze kennis laat maken met de fabels van Jean de La Fontaine.

In het **kasteelpark** *(gratis toegang)* worden hedendaagse beeldhouwwerken tentoongesteld van ongeveer dertig internationale kunstenaars. Daarnaast worden er tijdelijke exposities georganiseerd *(Informatie: http://artbosc. blogspot.com).*

Roquemaure A1

◗ *16 km in noordelijke richting via de D 980.*

In dit grote wijndorp, waar een Académie du Vin et du Goût is gevestigd, staan nog een paar mooie oude herenhuizen, waaronder dat van kardinaal Bertrand. De kerk dateert uit de 13de eeuw en heeft een prachtig 17de-eeuws orgel. De toren van de prinsen van Soubise is het best bewaard gebleven. Het bouwwerk is een restant van het kasteel waar op 20 april 1314 Clemens V, de eerste paus van Avignon, overleed. Op de andere oever van de Rhône lijkt de ruïne van het Château de l'Hers over de kostbare wijndomeinen te waken.

😊 VILLENEUVE-LEZ-AVIGNON: ADRESBOEKJE

BEZICHTIGEN

Visite-chocolat à la chartreuse du Val-de-Bénédiction – *Rondleiding zo om 15.00 u, reserv. verplicht op ℘ 04 90 15 24 24 - € 12 (tot 18 jaar gratis).* In het kartuizerklooster worden rondleidingen georganiseerd. De bezichtiging wordt afgesloten met een kop warme chocolade in de voormalige woonvertrekken van de paus. 's Winters bij de haard, 's zomers in de tuin.

OVERNACHTEN

DOORSNEEPRIJZEN
Hôtel de l'Atelier – *5 r. de la Foire - ℘ 04 90 25 01 84 - www.hoteldelatelier.com - 🅿 - gesl. in jan. - 22 kamers € 69/139 - ☕ € 9,50.* Sfeervol, 16de-eeuws huis: mooie trap, gerenoveerde kamers, met een eigentijdse Provençaalse inrichting, plafondbalken en kunstvoorwerpen en een patio waar bij mooi weer wordt ontbeten.

UIT ETEN

DOORSNEEPRIJZEN
Le Saint-André – *4 bis montée du Fort - ℘04 90 25 63 23 - http://lesaintandre.com - gesl. middag (ma-do in juli-aug.), di en wo (rest van het jaar) - ♿ - lunchmenu € 9 - € 15/22,50.* Fris restaurant in Provençaalse stijl op een steenworp afstand van de collegiale kerk en het klooster: om tussen de wijngaarden van de côtes-du-rhône even op krachten te komen. Klein terras in de zomer.
La Guinguette du Vieux Moulin – *5 r. du Vieux-Moulin - ℘ 04 90 94 50 72 - www. guin guettevieuxmoulin.com- gesl. ma*

(okt.-mei), nov. - € 11/30. Dit is een 19de-eeuws etablissement aan de Rhône waar muziekvoorstellingen worden gegeven (draaiorgel, chansonniers). Kleine kaart met vooral Provençaalse gerechten. Elke zondagmiddag verzamelen stamgasten en toeristen zich hier voor de *Sardinade*, oftewel, sardines zoveel u kunt eten.

SPORT EN ONTSPANNING

Wandeltochten – Volg de routes 'La plaine de l'abbaye' (8, 12 en 23 km) langs de Rhône of, de route 'La montagne des chèvres' landinwaarts (7 km). Folder *Nature et randonnées* verkrijgbaar bij het toeristenbureau'.
👪 Parc de loisirs Amazonia – *Aan de weg naar Orange - 30150 Roquemaure - ℘ 04 66 82 53 92 - www. parcamazonia.fr - geopend za, zo en feestd. (dag. tijdens schoolvakanties) - april-mei en sept.: 11.00-18.00; juni-aug: 10.30-18.00 u - € 14 (kinderen € 13).* Een attractiepark voor het hele gezin rond Maya's en Azteken in het Forêt de Roquemaure met een waterglijbaan (Machu-Pichu), een parcours voor terreinwagens (Amazonia Trophy), een tocht over de rivier (Montée des Andes), een treintje (Cuzco express), een rondvaart (Rivière aux crocodiles) en een rotsklimwand... Restaurants en picknickplaatsen.

EVENEMENTEN

Villeneuve en Scène – Theaterfestival, in juli.
Rencontres de la chartreuse – *Villeneuve-lez-Avignon - ℘ 04 90 15 24 24 - www.chartreuse.org.* In juli en aug. is het klooster een ontmoetingsplaats voor toneelschrijvers die hun werk aan het publiek presenteren.

5

Over olijfolie

WAT ACHTERGRONDINFORMATIE

Een betere kennismaking

De olijfboom wordt vermoedelijk al in het Middellandse-Zeegebied geteeld sinds 6000 v.C. Inmiddels heeft de teelt zich verspreid over alle continenten, maar de mediterrane landen blijven de grootste producenten, met Spanje, Italië en Griekenland aan kop.

En Frankrijk? Ondanks de lange geschiedenis op het gebied van de olijventeelt, is Frankrijk een kleine producent: slechts 0,2% van de wereldproductie komt hiervandaan, alleen Zuid-Frankrijk heeft een geschikt klimaat.

Wederopleving in de Provence

In de 19de eeuw bracht de Marseillezeep op basis van olijfolie de regio welvaart, maar door de komst van nieuwe, goedkopere zonnebloem- en arachideolie kelderde de vraag naar olijfolie. Olijfgaarden werden vervangen door wijngaarden en fruitbomen. Pas begin jaren tachtig kwam olijfolie opnieuw in de belangstelling, nadat onderzoek de heilzame werking ervan had aangetoond.

Een moeizame doorstart – Het kost vijf tot tien jaar werk om verwaarloosde olijfgaarden weer productief te maken. Daarom richt de sector zich ook op het toerisme, met demonstraties, proeverijen, gastenverblijven en wandelroutes.

Online: een schat aan informatie is te vinden op de website van de 'Association française interprofessionnelle de l'olive': **www.afidol.org**

Hoe het werkt

De olijf heeft zijn eigen seizoenen: de bomen worden verzorgd in het najaar en het voorjaar; in de winter, de beste periode voor een bezoek, vindt de oogst plaats (de *olivade*) en worden de vruchten geperst.

Het productieproces is sinds de oudheid nauwelijks veranderd: de **olijven** worden geplukt en gewassen, en vervolgens geperst. Olijven die bestemd zijn voor de inmaak, worden geplukt als ze nog groen zijn, de andere moeten rijp zijn en een paarsbruine kleur hebben om tot olie verwerkt te worden. Ze worden met pit en al geplet tot een brij, die gelijkmatig verdeeld wordt over schijven of matten. Die stapelt men op elkaar onder een hydraulische pers. Het verkregen mengsel van olie en doorsijpelend water wordt naar een centrifugeermachine gepompt om deze twee bestanddelen van elkaar te scheiden. Het resultaat is een fijne olijfolie, verkregen door de eerste, koude persing. Tegenwoordig centrifugeert 60 % van de molens de olie zonder dat de olijven eerst geperst worden, dat gaat sneller.

Een kwestie van smaak – Net als bij wijn wordt de smaak van de olie bepaald door de bodem waarop de boom groeit, de soort, de rijpheid van de vrucht en de deskundigheid van de perser.

TER PLAATSE

Olijfroutes

De ideale periode voor een bezoek aan de olijfgaarden is oktober-februari, als de molens volop draaien (*folder verkrijgbaar bij de toeristenbureaus in de Alpilles*). De routes omvatten een bezoek aan molens, ecomusea en zeepziederijen.

DE NIEUWE GENERATIE

Dit is het verhaal van Gilles en Anne Brun, broer en zus, beiden dertigers, die het familiebedrijf in Saint-Rémy-de-Provence wilden redden. Daarvoor moesten ze zich bekommeren om maar liefst 6000 verwaarloosde olijfbomen. Zonder zich iets aan te trekken van het meewarig commentaar van de sceptici, gingen ze aan de slag. En ze trokken aan het langste eind, want inmiddels oogsten hun producten bewondering, in het bijzonder de zeer aromatische oliën van één enkele variëteit *(salonenque, verdale, picholine)*. Bovendien lieten zij een nieuwe wind waaien in de verstarde wereld van de olijventeelt, want zij bedachten chips van tapenade en vruchtensap met olijfolie. Samen met een bekende chefkok vervaardigen ze jam (die met citroen, olijven en gember is heerlijk!). Niet lang geleden begonnen ze zelfs een onlineshop. Een fraaie oogst!

Moulin du Calanquet – *04 32 60 09 50 - www.moulin-du-calanquet.fr*

Te voet of met de fiets – In de Vaucluse bieden de molens van Luberon en de Mont Ventoux 11 thematochten aan van één dag *(te downloaden op www.provenceguide.com)*.

Een ommetje langs de molen

Waarom zou u olijfolie kopen in de supermarkt als er bij de lokale producenten veel betere kwaliteit verkrijgbaar is? Kiest u voor geperst of gecentrifugeerd? Om erachter te komen welke soort uw voorkeur geniet, zit er maar één ding op: proeven. En houd daarbij vast aan de gouden regel: de beste olijfolie is de olie die u het lekkerst vindt smaken!

Een geslaagde proeverij – Ga als volgt te werk om optimaal te genieten van de aroma's. Doop het puntje van uw tong in de olie, wacht een paar tellen, neem een slokje en laat de olie in uw mond rollen. Probeer het maar!

Misleiding komt niet vaak voor, maar controleer toch goed het etiket. Soms bevat olijfolie met het label 'Provençaals' toch ingevoerde producten.

A.O.C. (Appellation d'Origine Contrôlée) – Zeven herkomstbenamingen garanderen de authenticiteit van de olie: Nyons, Vallée des Baux-de-Provence, Aix-en-Provence, Haute-Provence, Corsica, Nîmes en Nice.

L'Isle-sur-la-Sorgue

★

18.015 inwoners – Vaucluse (84)

😊 ADRESBOEKJE: BLZ. 328

🔢 **INLICHTINGEN**
Toeristenbureau van l'Isle-sur-la-Sorgue – *Pl. de l'Église - 84800 L'Isle-sur-la-Sorgue - ☏ 04 90 38 04 78 - www.oti-delasorgue.fr - 9.00-12.30 u, 14.30-18.00 u, zo 9.00-12.30 u - gesl. feestd.*
Rondleidingen – *zomer: dag. behalve za en zo; rest van het jaar: op aanvraag. Thematische rondleidingen (2 uur).*

○ **LIGGING**
Regiokaart B2 (blz. 290) – *Michelinkaart van de departementen 332 D10.* Onder aan het Plateau de Vaucluse, 23 km oostelijk van Avignon via de D 901.

🅿 **PARKEREN**
Buiten het centrum. Betaald parkeren langs de rivier.

🕐 **PLANNING**
Liefhebbers van brocante komen hier in het weekend en op feestdagen ruimschoots aan hun trekken: het stadje wordt dan volledig in beslag genomen door antiquairs. Buiten het zomerseizoen is het minder druk.

👥 **MET KINDEREN**
De grotten van Thouzon.

L'Isle is eerder een dorp om rond te dolen dan om bezienswaardigheden te bezoeken. Een korte wandeling volstaat om te begrijpen waarom dit dorp 'Isle' (eiland) wordt genoemd: het is omgeven door water. *Sorga* is Occitaans voor 'stroom met groot debiet'. Deze naam is beslist van toepassing op deze rivier die wordt gevoed door de Fontaine-de-Vaucluse. De armen van de Sorgue, de brede lanen met platanen en de waterraderen geven dit plaatsje een lieflijke, frisse aanblik. Vooral in het weekend is het druk, als het plaatsje wordt overspoeld door antiquairs.

Wandelen

★ Hôtel Campredon - Centre d'art
20 r. du Dr-Tallet - ☏ 04 90 38 17 41 - www.maison-renechar.fr - juli-okt.: 10.00-13.00 u, 15.00-19.00 u; rest van het jaar: 10.00-12.30 u, 14.00-17.30 u - gesl. ma, 1 jan., 1 mei en 25 dec. - € 6,20 (tot 14 jaar gratis).
Dit 18de-eeuwse herenhuis, een voorbeeld van het Franse classicisme, organiseert vier exposities per jaar met moderne en hedendaagse kunst.

Collégiale Notre-Dame-des-Anges
Vrij toegang - rondleiding dag. beh. za en zo 10.00-12.00 u, 15.00-18.00 u - gratis.
De uitbundige **versiering★** (17de eeuw) van deze kerk doet denken aan Italiaanse kerken. Vanbinnen is de gevel van het eenbeukige schip getooid met een stralenkrans van verguld hout die, net als de 'Deugden' onder de

> **HERKENNINGSPUNTEN**
> Van de tientallen **waterraderen** die vroeger het tempo in het stadje bepaalden, zijn er nog 14 over: op de place Émile-Char; op de hoek van de Jardin de la Caisse; aan de cours Victor-Hugo; aan de rue Jean-Théophile en aan de quai des Lices. Ze waren onmisbaar in de tijd dat de stad nog weverijen, ververijen, leerlooierijen en papiermolens telde.

balustrades, aan Jean Péru zijn toegeschreven. De zijkapellen zijn verfraaid met houtsnijwerk en schilderijen van Mignard, Sauvan, Simon Vouet en Parrocel. In het koor bevindt zich een retabel met een Maria-Hemelvaart van Reynaud Levieu. Het orgel stamt uit de 17de eeuw.

In de omgeving Regiokaart, blz. 290

Le Thor B2

◐ *5 km naar het westen over de N 100, richting Avignon.*
🛈 *Toeristenbureau - pl. du 11-Novembre - ℘ 04 90 33 92 31 - 9.30-12.15 u, 14.00-18.00 u - gesl. zo, ma ochtend en za middag van sept. tot juni.*
Le Thor was vroeger de stad van de tafeldruivensoort *chasselas*, maar heeft in de loop der jaren ook andere activiteiten ontwikkeld (tuinbouw en fruitteelt). Schilderachtig uitzicht op de brug over de Sorgue, de omgeving en de kerk. Uit de middeleeuwen dateren nog resten van de ringmuur en een belfort.
Église Notre-Dame-du-Lac★ – *10.00-12.00 u - rondleiding mogelijk op aanvraag bij het toeristenbureau.* De bouwstijl van deze kerk (begin 13de eeuw) is hoofdzakelijk romaans, maar het schip heeft een gotisch gewelf; een van de oudste in de Provence. Vanbuiten ziet de kerk er indrukwekkend uit met het hoge, door massieve steunberen geschraagde schip, de met lisenen versierde apsis en de compacte, onvoltooide klokkentoren in het midden. De portalen zijn geïnspireerd op de klassieke oudheid.
Musée Pierre-Salinger – *La Bastide Rose - 99 chemin des Croupières - ℘ 04 90 02 14 33 of 06 78 43 57 33 - www.pierresalinger.org - 14.30-18.30 u (sluitingstijd kassa) - gesl. di - € 5 (tot 10 jaar gratis).* Het museum vertelt het verhaal van Pierre Salinger, journalist, politiek communicatieadviseur en perssecretaris en woordvoerder van president John F. Kennedy, die hier de laatste vier jaar van zijn leven woonde. De Fondation Poppy et Pierre Salinger organiseert ieder jaar een expositie met **monumentale sculpturen** in de tuinen van de Bastide Rose (Niki de St-Phalle in 2005, Keith Haring in 2006, Calder in 2009, Bernar Venet in 2011).

Grottes de Thouzon B2

◐ *3 km ten noorden van Le Thor via de D 16, weggetje naar links. ℘ 04 90 33 93 65 - www.grottes-thouzon.com - rondleiding (45 min.) juli-aug.: 10.00-18.30 u; april-juni en sept.-okt.: 10.00-12.00 u, 14.00-18.00 u - maart: zo 14.00-18.00 u (start rondleiding 14.15 u, 15.20 u, 16.20 u en 17.30 u) - toegang tot 30 min voor sluitingstijd - gesl. nov.-feb. - € 8,30 (5-12 jaar € 5,70) - neem een trui mee, parkeren gratis.*
👥 De grotten bevinden zich aan de voet van de heuvel die wordt bekroond door de ruïne van het kasteel van Thouzon en een klooster. Ze werden in 1902 bij toeval ontdekt na een ontploffing in een oude groeve. Er loopt een pad langs de 230 m lange bedding van een oude rivier die de gangen heeft gevormd. Aan het gewelf (op sommige plaatsen 22 m hoog) hangen **ragfijne stalactieten**. Er zijn talrijke grillige afzettingen in fraaie kleuren te zien.

5

😊 L'ISLE-SUR-LA-SORGUE: ADRESBOEKJE

OVERNACHTEN

DOORSNEEPRIJZEN

Hôtel Les Névons – *Chemin des Névons - ℘ 04 90 20 72 00 - www. hotel-les-nevons.com - ♿ 🅿 ☲ - gesl. half dec.-half jan. - 44 kamers € 56/90 - ☲ € 9.* Hotel dicht bij het centrum met functionele kamers, soms met balkon; de exemplaren in de nieuwe vleugel zijn ruimer en moderner. Zonneterras met zwembad op het dak.

PURE VERWENNERIJ

La Prévôté – *4 bis r. Jean-Jacques-Rousseau (achter de kerk) - ℘ 04 90 38 57 29 - www.la-prevote.fr - 5 kamers € 120/200 - ☲.* Dit voormalige 17de-eeuwse klooster aan een arm van de Sorgue is omgebouwd tot een romantisch hotel. De vijf kamers en suites zijn stijlvol ingericht met oude materialen en gepatineerd meubilair. Er is ook een befaamd, gastronomisch restaurant, dat zijn tafeltjes in de zomer op de fleurige binnenplaats zet *(lunchmenu € 26 - € 39/70).*

UIT ETEN

GOEDKOOP

Bistrot de l'Industrie – *2 quai de la Charité - ℘ 04 90 38 00 40 - gesl. ma avond en di avond - ♿ - lunchmenu € 12,90 - € 10/25.* Klein restaurant met aangenaam gerenoveerd interieur in ouderwetse stijl en een terras aan de Sorgue. Geen echt menu, maar copieuze salades, pizza's, hartige pannenkoeken, dagschotel en zelfgemaakte frietjes

PURE VERWENNERIJ

Café Fleurs – *9 r. T.-Aubanel (derrière la Caisse d'épargne)- ℘ 04 90 20 66 94 - www.cafe fleurs.com - gesl. di en wo, jan. - lunchmenu € 18,50/23 - € 39/56.*

Twee lichte, met zorg ingerichte eetzalen, heerlijk, schaduwrijk terras aan het water: een mooi decor voor de eigentijdse mediterrane gerechten die hier worden geserveerd.

L'Oustau de l'Isle – *147 chemin du Bosquet - 1 km via rte d'Apt - ℘ 04 90 20 81 36 - www.restau rant-oustau.com - gesl. di en wo, 2 weken in jan., half nov-begin dec. - 🅿 - lunchmenu € 15,80/18 - € 28/49.* Deze mas is omgeven door een weelderige tuin en heeft een aangenaam, schaduwrijk terras. Twee verfijnd ingerichte eetzalen. Streekgerechten.

EEN HAPJE TUSSENDOOR

Café de France – *14 pl. de la Liberté - ℘ 04 90 38 01 45 - 6.30-21.00 u - gesl. 1 jan. en 25 dec.* Geniet van het heerlijke terras tegenover de mooie gevel van de Collégiale Notre-Dame-des-Anges. Het café is lid van de 'Association des Cafés Historiques et Patrimoniaux d'Europe'. Er worden salades, broodjes en snacks geserveerd.

Couleurs Café – *33-35 r. de la République - ℘ 04 90 21 41 61 - www.lescouleurscafe.fr - 9.00-19.00 u, zo 9.00-18.00 u - gesl. ma.* Een grote bar met vele soorten koffie en thee, een uitnodigende eetzaal en gunstige prijzen. Soepen, salades, hartige taarten, dagschotels.

WINKELEN

Brocante

Le Village des antiquaires – *2 bis av. de l'Égalité - ℘ 04 90 38 04 57 - ma, za, zo en feestd. 10.00-19.00 u.* Dit is het belangrijkste antiquairsdorp in de omgeving: de oude stoffenfabriek biedt onderdak aan 100 antiquairs.

Overige

Markten – Donderdag en zondagochtend in het centrum en op de kades aan de Sorgue.

Les Délices du Luberon – *1 av. du Partage-des-Eaux - ℘ 04 90 20 77 37 - www.delices-du-luberon.fr - juli-aug.: 9.00-20.00 u, zo 8.30-19.00 u; rest van het jaar: 9.30-13.00 u, 14.30-19.00 u, zo 9.00-18.30 u - gesl. 1 jan. en 25 dec.* Dit familiebedrijf is gespecialiseerd in ambachtelijk bereide tapenades en kaviaar van aubergines, gedroogde tomaten, *anchoiade* (ansjovispasta), *olivade* (olijvenpasta), rode paprika's enzovoort. Ook olijfolie, *croquette Aujoras*, honing en jam.

EVENEMENTEN

Antiekmarkt – iedere zondag van 8.00 u tot 18.00 u op de avenue des Quatre-Otages.

Foire à la brocante – De grootste brocantebeurs van de Provence wordt gehouden in L'Isle-sur-la-Sorgue tijdens de weekends van Pasen en 15 aug. Ruim 1500 exposanten stellen er dan hun schatten tentoon, onder meer *boutis* (traditioneel Provençaals borduurwerk), meubelen, faience, en schilderijen.

Fontaine-de-Vaucluse

671 inwoners – Vaucluse (84)

⊚ ADRESBOEKJE: BLZ. 333

🛈 INLICHTINGEN

Toeristenbureau van Fontaine-de-Vaucluse – *Chemin de la Fontaine - 84800 Fontaine-de-Vaucluse - ℘ 04 90 20 32 22 - april-sept.: 10.00-13.00 u, 14.00-18.00 u; rest van het jaar: 9.30-12.30 u, 13.30-17.30 u - gesl 1 jan., 1 mei., 25 dec.* - Rondleidingen van juni tot sept. op vrijdag, 10.00-12.00 u (€ 3). Gratis routebeschrijvingen van wandeltochten in de omgeving.

◯ LIGGING

Regiokaart C2 (blz. 290) – *Michelinkaart van de departementen 332 D10.* De D 25 vanuit l'Isle-sur-la-Sorgue (7 km ten westen) voert langs de rivier naar Fontaine. De naam Vallis Clausa (de gesloten vallei), werd in het Provençaals *'Vaù clusa'* en in het Frans Vaucluse, dat later de naam van het hele departement werd.

5

℗ PARKEREN

Er zijn veel betaalde parkeerterreinen. Gezien de drukte, vooral in de weekends, is het raadzaam te parkeren op de eerste de beste vrije plaats.

🕐 PLANNING

Trek ongeveer een halfuur uit om naar de plek te lopen waar de Sorgue weer aan de oppervlakte komt (hopelijk staat het water op zijn hoogste peil). Literatuurliefhebbers kunnen een uurtje doorbrengen in het Petrarcamuseum met biblotheek. Ze kunnen ook hulde brengen aan markies de Sade in Saumane-de-Vaucluse, waar zich zijn geboortekasteel bevindt *(niet te bezichtigen).*

Als het water hoog staat en reikt tot aan de vijgenboom op de rotswand
bij de bron, en als de woest kolkende, smaragdgroene Sorgue over het
talud stroomt (helaas zelden), biedt Fontaine-de-Vaucluse een spectaculaire aanblik. Op andere momenten kunt u hier op zoek gaan naar de
sporen van Petrarca of een kijkje nemen bij de traditionele papierprodu-
centen… net als een miljoen andere bezoekers! De woeste eenzaamheid
die lange tijd deze vallei kenmerkte, heeft plaatsgemaakt voor toeristische commercie. Om de drukte te vermijden, moet u vroeg op te staan.

Wandelen

*Neem op de place de la Colonne de Pétrarque de chemin de la Fontaine die over
een afstand van 600 m langs de oever van de Sorgue geleidelijk omhoogloopt
naar de bron. Zorg voor goede wandelschoenen.*

Le Monde souterrain

*Chemin de la Fontaine - ☎ 04 90 20 34 13 - ♿ - rondleiding (45 min.) juni-aug.:
9.30-12.30 u, 14.00-19.30 u; sept.: 9.30-12.30 u, 14.00-19.00 u; april-mei en okt.: 9.30-
12.30 u, 14.00-18.30 u; feb.-maart en kerstvakantie: 9.30-12.30 u, 14.00-18.00 u -
gesl. nov.- jan. -(kassa sluit 1 uur eerder) - € 6 (7-12 jaar € 4,50).*

Het museum geeft uitleg over de Sorgue, die eerst ondergronds stroomt en
op deze plek aan de oppervlakte komt. Ook is hier de **collection Norbert
Casteret★** te zien: schitterende kalkformaties (calciet, pleistersteen, aragoniet)
die Casteret in zijn vijftig jaar als speleoloog verzamelde. Er zijn reconstructies
gemaakt van natuurmonumenten: grotten met stalactieten en stalagmieten,
een karstpijp en een puinwal, rivieren, watervallen en natuurlijke dammen.

Vallis Clausa – papiermolen

*Chemin de la Fontaine - ☎ 04 90 20 34 14 - www.vallis-clausa.com - juli-aug. -
9.00-19.25 u; sept.-okt.: 9.00-12.25 u, 14.00-18.55 u; maart-juni: 9.00-12.25 u, 14.00-
18.25 u; feb. en nov.: 9.00-12.25 u, 14.00-17.55 u; dec.-jan.: 9.30-12.25 u, 14.00-
17.25 u - gesl. 1 jan. en 25 dec. - gratis.*

In de 18de eeuw telde Fontaine-de-Vaucluse vier papiermolens. Nu is alleen
nog dit exemplaar uit 1862 over. Hij wordt rechtstreeks aangedreven door
het water van de Sorgue. Vanaf een loopbrug is te zien hoe papier met de
hand wordt vervaardigd volgens eeuwenoude werkwijzes.

De **winkel** verkoopt prachtig handgeschept papier voor visitekaartjes en
brieven. Ook mooie vellen met gedichten (Petrarca) en beroemde teksten
(Verklaring van de Rechten van de Mens), en materiaal voor kalligrafen.

★ Fontaine de Vaucluse

De grot waaruit de rivier Sorgue plots tevoorschijn komt, bevindt zich op het
laagste punt van een steil, rotsachtig keteldal met indrukwekkende wanden.
Voor de grot ligt een talud van stenen en rotsen, waar het water doorgaans tussendoor stroomt. Er bestaan veel verhalen en legenden over het rustige, hel-
dergroene water van de bron waarover een waas van mysterie hangt. Hoewel
er meerdere malen onderzoek is gedaan naar de oorsprong van de rivier, is
het raadsel niet opgelost. Onderzoekers blijven gissen naar de diepte van de
bron. De diepste meting is gedaan op 2 augustus 1985, toen een draadloos
bestuurd duikbootje met videoapparatuur afdaalde tot 308 m diepte afdaalde.
De Fontaine de Vaucluse is de **resurgentie** van een grote ondergrondse rivier
die gevoed wordt door het regenwater van het Plateau de Vaucluse. Er zijn tal
van karstpijpen *(aven)* in dit plateau, waarin speleologen tevergeefs hebben
gezocht naar de onderaardse stroom van de Sorgue. Het enige dat we zeker

weten is dat het een oude offerplaats is, zoals blijkt uit de antieke en middel-eeuwse munten die geregeld worden gevonden door duikers van de Société spéléologique de Fontaine-de-Vaucluse. De meest waardevolle exemplaren zijn te bewonderen in het Musée Pétrarque *(zie verderop)*.

Wat is er nog meer te zien?

★ Église Saint-Véran
Place de l'église.
Dit kleine romaanse bouwwerk heeft een eenbeukig schip met een rondboog-gewelf en een apsis met halfkoepel. In de crypte bevindt zich de sarcofaag van de heilige Véran, die de streek verloste van een monster, de Couloubre. Werp buiten een blik op de gebeeldhouwde steunen onder de kroonlijst.

Musée d'histoire Jean-Garcin: 1939-1945, l'Appel de la Liberté
℘ 04 90 20 24 00 - &. - juni-sept.: dag. behalve di 10.00-18.00 u; april-mei: 10.00-12.00 u, 14.00-18.00 u; maart, herfstvakantie en za en zo in nov.-dec.: 10.00-12.00 u, 14.00-17.00 u - gesl. 1 jan., 1 mei, 25 dec. - € 3,50 (12-18 jaar € 1,50).
In een sober, functioneel gebouw *(waar zich ook het toeristenbureau bevindt)* wordt een beeld geschetst van leven, literatuur en kunst in de periode 1939-1945. De tentoonstelling bestaat uit drie delen en begint bij het dagelijks leven in Frankrijk tijdens de bezetting. Vervolgens wordt aandacht besteed aan het verzet in het departement van de Vaucluse. Met behulp van audio-visuele middelen wordt de plaatselijke geschiedenis binnen de nationale context geplaatst. De ruimte 'La Liberté de l'Esprit', die gewijd is aan werken van geëngageerde schrijvers zoals René Char of van kunstenaars als Matisse, nodigt uit tot bespiegelingen over de idealen van het verzet

Musée-bibliothèque Pétrarque
Linkeroever van de Sorgue - ℘ 04 90 20 37 20 - juni-sept: 10.00-12.30 u, 13.00-18.00 u; half maart-eind mei en begin okt.-half okt.: 10.00-12.00 u, 14.00-18.00 u; van half okt. tot de herfstvakantie: 10.00-12.00 u, 14.00-17.00 u - rondleiding moge-lijk (30 min.) op aanvraag (7 dagen van tevoren) gesl. di, nov. half maart - € 3,50 (tot 12 jaar gratis).
Dit huis is, naar men zegt, gebouwd op de plaats waar Petrarca heeft gewoond. Er zijn oude prenten te zien met Petrarca en Laura als thema. Ook zijn er oude

---

5

SLACHTOFFERS VAN DE DEUGD
Francesco **Petrarca**, de grote Italiaanse dichter en humanist, werd in 1304 in Arezzo geboren. Als habitué aan het pauselijke hof kwam hij vaak in Avignon. Daar zag hij in april 1327 voor het eerst de mooie **Laura de Noves** en vatte een vurige liefde voor haar op. Zijn liefde bleef echter onbeantwoord. Laura was getrouwd en een zeer deugdzame vrouw. Die geïdealiseerde liefde diende als inspiratiebron voor zijn mooiste gedich-ten, waaronder de 'Canzoniere', die hij schreef in de Vaucluse. Daar had hij zich teruggetrokken om zielenrust te vinden, 'luisterend naar het water van zijn geliefde bron'. In zijn brieven beschrijft hij het leven en de natuur in de Provence, hij heeft het over herders, de vissers van de Sorgue en zijn eigen beklimming van de Mont Ventoux. Tot overmaat van ramp stierf Laura in 1348 in Avignon aan de pest. De dichter zou haar ruim twintig jaar overleven. Hij overleed in 1374 in Arquà Petrarca, vlak bij Padua.

edities van geschriften van de dichter en diens aanhangers te bewonderen. Op de benedenverdieping bevinden zich interessante litho's van Miró en Braque, naast potloodtekeningen van Giacometti. Ze werden gebruikt als illustraties bij de geschriften van René Char die ijverde voor de oprichting van dit museum. Op de tweede verdieping is een dertigtal oude muntstukken uit de 1ste tot de 3de eeuw tentoongesteld. Archeologen vonden ze op de plaats waar de ondergrondse rivier aan de oppervlakte kwam. Buiten ligt een mooie **tuin** aan de Sorgue.

In de omgeving Regiokaart, blz. 290

Saumane-de-Vaucluse C2

▶ *4 km noordwaarts. Verlaat Fontaine via de D 25, daarna de D 57 naar rechts.* De weg, die in de hellingen van de kalkrijke bergen van de Vaucluse is uitgehouwen, komt uit bij dit schilderachtige plaatsje, hoog in het dal van de Sorgue. Het vroegere kasteel van de **markiezen de Sade** (15de eeuw) is bewaard gebleven. Hier bracht Donatien Alphonse François, de latere markies de Sade, zijn jeugd door. De **Église St-Trophime** (12de-eeuws maar herhaalde malen herbouwd) heeft een klokkentoren met arcaden. Vanaf het plein ontvouwt zich een fraai uitzicht op het dal van de Sorgue, de Luberon en de Alpilles.

Cabrières-d'Avignon C2

▶ *5 km zuidwaarts via de D 100ᴬ. Laat de auto achter op het parkeerterrein bij het gemeentehuis, aan de cours Giono.*
Het kasteel van de familie Adhémar dateert uit de 11de eeuw en is in de 17de eeuw deels herbouwd in een wat vriendelijkere renaissancestijl *(niet te bezichtigen)*. Op 20 en 21 april 1545 was het kasteel het toneel van tragische gebeurtenissen, waarbij de Vaudois, die zich hier onder leiding van de uit Cabrières afkomstige **Eustache Marron** hadden verschanst, door het leger van Meynier d'Oppède werden afgeslacht. Wie om het kasteel heen loopt *(via de rue du Vieux-Four en dan de chemin Eustache-Marron naar links, die langs het akkerland loopt)* krijgt een indruk van de muren die de vijf torens, overblijfselen van de oorspronkelijke burcht, destijds met elkaar verbonden.

🐾 **Mur de la peste** – *1 uur heen en terug. Bereikbaar via de chemin des Muscadelles links van het kasteel, en dan een rotsachtig pad dat de heuvel opgaat.* Vanaf de top (klein gedenkteken) rechtuit afdalen (grenspaal) en dan rechts aanhouden. De gerestaureerde muur van losse, gestapelde stenen, gebouwd om het Comtat Venaissin te beschermen tegen de pest die in 1720 in Marseille was uitgebroken, volgt de glooiing van het terrein tussen de wilde olijfbomen, pijnbomen en ondoordringbare jeneverbesstruiken door.

U kunt terugkeren naar het dorp, maar u kunt ook doorlopen langs de gerestaureerde delen van de muur via een rotsachtig pad (de GR 6), met uitzicht op Gordes, en vervolgens via de chemin de Vaucluse terugkeren naar Cabrières.

STOP DE BESMETTING!

Tussen maart en juli 1721 werd met grote spoed een muur van ongeveer 1,90 m opgericht, die over een lengte van 25 km van Cabrières naar Monnieux liep. Duizend wachters bewaakten de muur dag en nacht vanuit wachthuizen en bastions. Iedereen die probeerde de overheen te klimmen, werd doodgeschoten. Ondanks deze harde maatregel viel het **Comtat Venaissin** een maand na de voltooiing van de muur ten prooi aan de pest.

FONTAINE-DE-VAUCLUSE: ADRESBOEKJE

OVERNACHTEN

WAT MEER LUXE

L'Hôtel du Poète – *In het dorp* - ☎ *04 90 20 34 05* - *www. hoteldupoete.com* - ♿ 🏊 🅿 - *gesl. dec.-feb.* - *24 kamers € 75-310*. In een weelderige tuin aan de rivier staat deze mooi gerestaureerde, sfeervolle molen. Rustige omgeving en ruime kamers in verschillende prijsklassen. Zwembad en jacuzzi.

In de omgeving

Chambre d'hôtes La Pastorale – *Aan de weg naar Fontaine-de-Vaucluse (D 24) - 84800 Lagnes* - ☎ *04 90 20 25 18* - *www.la-pastorale.net* - 🏊 🅿 - *5 kamers, 4 appartementen. Informeer naar de tarieven*. In deze streek speelt het leven zich buiten af, maar de binnenruimten van deze voormalige, zorgvuldig ingerichte boerderij kunnen ook bekoren. Eenvoudige kamers waar de rust alleen wordt verstoord door krekels.

UIT ETEN

DOORSNEEPRIJZEN

Philip – *Chemin de la Fontaine* - ☎ *04 90 20 31 81* - *geopend.* *april-sept., gesl. 's avonds behalve juli-aug.* - *€ 26/37*. Familiezaak (sinds 1926) vlak bij de bron, die zijn gezellig ouderwetse sfeer heeft behouden. Terras aan het water en traditionele streekgerechten.

WINKELEN

Centre artisanal Vallis Clausa – *Chemin de la Fontaine* - ☎ *04 90 20 34 14* - *www.vallis-clausa.com*. Na een bezoek aan de papiermolen, waar met de hand papier wordt vervaardigd volgens een 16de-eeuwse werkwijze, kunt u in dit centrum de producten kopen.

SPORT EN ONTSPANNING

Kayak Vert – *Quartier de la Baume* - ☎ *04 90 20 35 44* - *www.canoefrance.com* - ♿ 🅿 - *9.00-19.00 u - informeer naar de vertrektijden - gesl. eind okt.-3de weekend april*. Kano- en kajaktochten over de Sorgue, van Fontaine-de-Vaucluse naar L'Isle-sur-la-Sorgue (8 km). Beginners en ervaren kajakkers, gezinnen en groepen, iedereen kan hier terecht: individuele tocht (€ 17 per persoon; 8-12 jaar € 8) of in een groep onder begeleiding van gediplomeerde gidsen.

5

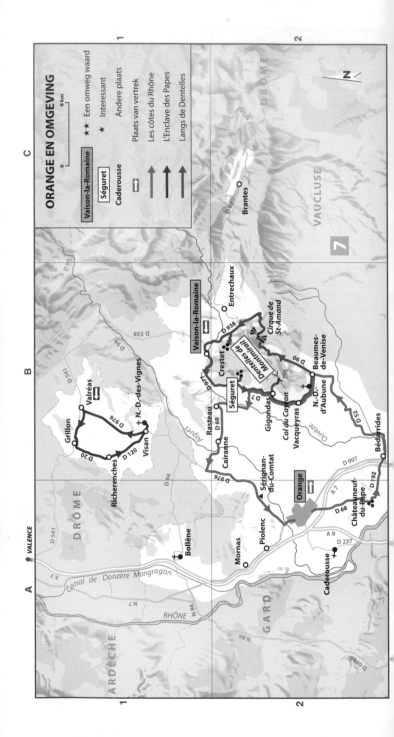

ORANGE EN OMGEVING

Vaison-la-Romaine

Séguret

Caderousse

★★ Een omweg waard
★ Interessant
○ Andere plaats

⇧ Plaats van vertrek
→ Les côtes du Rhône
→ L'Enclave des Papes
→ Langs de Dentelles

0   8 km

C

N

VALENCE

ARDÈCHE

DRÔME

VAUCLUSE

GARD

RHÔNE

Canal de Donzère Mongragon

N 86
N 7
A 7

D 541
D 94
D 94

Richerenches
Grillon
Valréas
Visan
N.-D.-des-Vignes
D 976
D 20
D 120

Bollène
Mornas
Piolenc
Sérignan-du-Comtat
Caderousse
Orange
Châteauneuf-du-Pape
Bédarrides

D 976
D 237
A 9
D 68
D 192
D 907

Cairanne
Rasteau
Séguret
Gigondas
Vacqueyras
Col du Cayron
Séguret
Crestet
Vaison-la-Romaine
Entrechaux
Beaumes-de-Venise
N.-D.-d'Aubune
Dentelles de Montmirail
Cirque de St-Amand
Brantes

D 69
D 977
D 7
D 938
D 90
D 52
D 538
D 541
Ouvèze
Aigues

396

7

Orange en omgeving 6

Michelinkaart van de departementen 332 – Vaucluse (84)

▶ **ORANGE**★★ **EN RONDRIT** 336

35 km ten noorden van Orange
▶ **VALRÉAS EN RONDRIT** 348

28 km ten noordoosten van Orange
▶ **VAISON-LA-ROMAINE**★★ 353

Vanuit Vaison-la-Romaine
▶ **DENTELLES DE MONTMIRAIL**★ **: RONDRIT** 362

Orange

★★

29.859 inwoners – Vaucluse (84)

🙂 ADRESBOEKJE: BLZ. 345

🅘 INLICHTINGEN

Toeristenbureau van Orange – *5 cours Aristide-Briand - 84100 Orange - ☏ 04 90 34 70 88 - www.otorange.fr - april-sept.: 9.00-18.30 u (juli-aug. 19.30 u), zo en feestd. 10.00-13.00, 14.00-18.30 u (juli-aug. 19.00 u); rest van het jaar: dag. beh. zo en feestd. 10.00-13.00 u, 14.00-17.00 u - gesl. 1 jan., 25 dec.*

◐ LIGGING

Regiokaart A2 (blz. 334) - *Michelinkaart van de departementen 332 B9*. Orange, een belangrijk centrum van de handel en de voedingsmiddelen-industrie, ligt te midden van uitgestrekt landbouwgebied. Winkelcentra en bedrijventerrein omgeven het historische centrum, dat bereikbaar is via de N 7 (vanuit Avignon in het zuiden) of de A 7, afrit 'Orange centre'.

🅟 PARKEREN

Het heeft weinig zin om een parkeerplaats in het stadscentrum te zoeken, dat is nauwelijks te doen. Gratis parkeerterreinen zijn te vinden aan de noordkant van Orange, aan de avenue de l'Arc-de-Triomphe (voor wie uit de richting van Lyon, Montélimar en Valence komt) en aan de zuidkant (Charlemagne en A.-Daudet, er staan borden). Van daaruit is het vijf mi-nuten lopen naar het oude Orange.

🐾 AANRADER

Beleef het Romeinse Orange en bezoek in elk geval de triomfboog en het antieke theater.

🕐 PLANNING

Reken ongeveer twee uur voor een bezoek aan het Romeinse Orange, waarvan ruim een uur voor het bezichtigen van het antieke theater. Reserveer daarnaast nog wat tijd voor een wandeling door de steegjes van de oude stad.

👥 MET KINDEREN

Breng de geschiedenis tot leven en bezoek 'Fantômes du Théâtre' in het antieke theater of bezoek het fort van Mornas in klederdracht; het cultu-reel centrum voor natuurwetenschappen 'Naturoptère' in Sérignan-du-Comtat of het befaamde circus Parc Alexis Grüss in Piolenc.

Orange is de toegangspoort tot de Midi en een belangrijke markt voor groente- en fruitprimeurs. De stad dankt haar wereldfaam vooral aan twee prestigieuze Romeinse monumenten die door de Unesco tot Wereld-erfgoed zijn verklaard: de triomfboog en het antieke theater, waar al ruim anderhalve eeuw de Chorégies, openluchtvoorstellingen, worden gegeven.

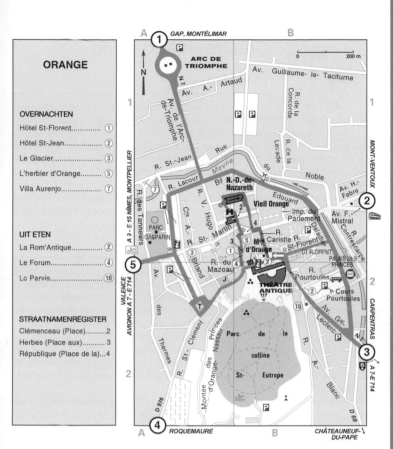

ORANGE

OVERNACHTEN

Hôtel St-Florent.............. ①
Hôtel St-Jean................. ②
Le Glacier.................... ③
L'herbier d'Orange.......... ⑤
Villa Aurenjo................. ⑦

UIT ETEN

La Rom'Antique.............. ②
Le Forum..................... ④
Le Parvis.................... ⑩

STRAATNAMENREGISTER

Clémenceau (Place)..........2
Herbes (Place aux)........... 3
République (Place de la)...4

Wandelen Plattegrond

HET ROMEINSE ORANGE

★★ Arc de triomphe A1

Aan de N 7, aan de rand van de stad. Gratis parkeren bij het kruispunt.

Als een echte toegangspoort staat de triomfboog aan de noordkant van Orange, aan de via Agrippa die Lyon met Arles verbond. Naast indrukwekkend groot (met een hoogte van 19,21 m, een breedte van 19,57 m en een diepte van 8,40 m is de boog de op twee na grootste van alle nog bestaande Romeinse bogen), is hij vooral een van de best bewaard gebleven exemplaren. Vooral aan de noordkant is een groot deel van de oorspronkelijke decoratie behouden en is de invloed van het Romeinse classicisme en de hellenistische kunst goed te zien. Naast oorlogstaferelen als de pacificatie van Gallië lijken de zeescènes te refereren aan de slag bij Actium waar Augustus de vloot van Antonius en Cleopatra versloeg.

De boog werd omstreeks 20 v.C. gebouwd en later aan Tiberius gewijd. Hij bezingt de heldendaden van de veteranen van het tweede legioen. Er zijn drie doorgangen met aan weerszijden zuilen. Oorspronkelijk stond op de boog een door trofeeën geflankeerd bronzen vierspan. Specifiek voor deze

6

Orange en Nederland

EEN ROMEINSE STAD

Met de komst van de veteranen van het tweede legioen werd Orange in 35 v. C. een Romeinse kolonie. De 70 ha grote stad werd gebouwd volgens een regelmatig stratenplan, met mooie monumenten en een stadsmuur. Vanuit Orange werd een groot gebied bestuurd dat Romeinse landmeters nauwkeurig in kaart brachten. De grootste kavels werden aan de veteranen toegewezen, de minder grote werden verhuurd en andere bleven gemeenschappelijk bezit. Zo bevorderde het Romeinse bestuur de kolonisatie en de exploitatie van de grond ten koste van de inheemse bevolking. Tot 412, het jaar waarin Orange door de Visigoten werd verwoest, kende de stad een periode van welvaart en werd het een bisschopsstad.

EEN STUKJE NEDERLAND IN DE PROVENCE

In de tweede helft van de 12de eeuw werd Orange de zetel van een klein prinsdom, rondom ingesloten door het Comtat Venaissin. De prins was **Raimbaut d'Orange**, een bekende troubadour die zijn liefde voor de Comtesse de Die bezong. Door echtverbintenissen en erfenissen verviel Orange bij toeval aan een tak van het huis Les Baux, dat ook erfgenaam was van het Duitse graafschap Nassau. In de 16de eeuw stichtte Willem 'de Zwijger' van Nassau de Republiek der Verenigde Nederlanden, waarvan hij zelf stadhouder werd. De stad sloot zich aan bij de Reformatie en werd zwaar getroffen door de verschrikkingen van de godsdienstoorlogen, maar slaagde erin onafhankelijk te blijven.

Het huis van Oranje-Nassau dat heerste over de Nederlanden en gedurende korte tijd ook over Engeland, vergat het prinsdom in Frankrijk niet. Nog altijd heten de Nederlandse vorsten prins of prinses van Oranje-Nassau en is oranje de nationale kleur. Daarnaast weerklinkt de naam Oranje in een staat, steden en rivieren die door de Nederlanders in Zuid-Afrika en in Amerika werden ontdekt of gesticht.

In 1622 liet **Maurits van Nassau** een stadsmuur en een kasteel bouwen. Helaas gebruikte hij daarvoor delen van de Romeinse monumenten die nog niet door de barbaren waren verwoest. Deze keer ging alles verloren, behalve het theater dat deels in de stadsmuur werd opgenomen en de triomfboog, die tot vesting werd verbouwd.

DE INLIJVING BIJ FRANKRIJK

Toen Lodewijk XIV in oorlog was met de Republiek der Verenigde Nederlanden, eigende hij zich het prinsdom Orange toe. **Graaf van Grignan**, luitenant-generaal van de Franse koning in de Provence en schoonzoon van Madame de Sévigné, nam de stad in. De stadsmuren en het kasteel werden neergehaald. In 1713 werd Orange bij de **Vrede van Utrecht** tot Frans grondgebied verklaard.

boog zijn het driehoekige fronton boven de middelste doorgang en de dubbele attieken.

★★★ Théâtre antique B2

📞 04 90 51 17 60 - www.theatre-antique.com - juni-aug.: 9.00-19.00 u; april-mei 9.00-18.00 u; rest van het jaar: op aanvraag, vooraf reserveren - € 8 (tot 18 jaar € 6) - toegang tot een kwartier voor sluitingstijd; er is ook een combinatiekaartje met de arena in Nîmes, de Tour Magne en het Maison carrée € 15.

Het theater van Orange werd onder **Augustus** (toen nog Octavianus) gebouwd en is met recht de trots van Orange. Er is geen ander Romeins theater waarvan de **toneelmuur** bijna volledig bewaard is gebleven. De 103 m lange en 36 m hoge muur die Lodewijk XIV 'de mooiste muur van het koninkrijk' noemde, is het visitekaartje van het theater. Langs de bovenkant prijkt een dubbele rij kraagstenen, met gaten voor de stangen van het doek dat de toeschouwers tegen de zon beschermde *(velum)*. De 19 bogen eronder leiden naar de coulissen en de loges. Het podium is onlangs overdekt met een **glazen dak** van 61 m lang en een gewicht van meer dan 200 ton!

Op de halfronde tribune *(cavea)* was plaats voor ongeveer 7000 toeschouwers, die naar sociale status werden verdeeld over drie vakken met 34 rijen die door muren werden gescheiden. Langs het *orchestra* helemaal beneden stonden losse stoelen voor belangrijke gasten. Aan weerszijden van het podium bevonden zich op twee verdiepingen ruimten die dienstdeden als foyer en opslagruimte voor de coulissen. Nu zijn deze zalen toegankelijk via de benedenzaal aan de westkant. Het podium had een houten vloer waaronder de toneel…machines stonden. De toneelvloer was 61 m lang en 9 m diep, steunde op een lage muur of *pulpitum*, en vormde het ongeveer 1,10 m hoge plafond van de orchestra. Vlak voor de achterwand was in de toneelvloer een gleuf uitgespaard voor het gordijn, dat tijdens voorstellingen werd neergelaten.

Rijst de vraag hoe de acteurs zich verstaanbaar maakten. Hun maskers fungeerden als versterkers, net als het plafond, de holle deuren en de galmende kruiken. Maar die zijn er niet meer en toch is de akoestiek nog altijd verbazingwekkend goed, zelfs op de hoogste rijen (behalve als de mistral waait).

De toneelmuur reikte tot de bovenste rij van de *cavea* en was uitbundig versierd met marmeren oplegwerk, stucwerk, mozaïeken, zuilen, zuilenrijen en nissen met beelden, waaronder een 3,55 m hoog beeld van Augustus, dat in 1950 op zijn oorspronkelijke plaats is teruggezet. In de muur bevinden zich drie poorten: de koninklijke poort waardoor de hoofdrolspelers binnenkwamen, geflankeerd door twee zijpoorten voor de acteurs met de kleinere rollen.

👥 Achter de rijen banken wordt een nieuwe multimediale projectie opgevoerd, 'Les Fantômes du Théâtre'. Vier vertoningen en fotomontages laten 2000 jaar voorstellingen in het antiek theater herleven (van de oudheid tot de Chorégies, via de belle époque en de jaren zeventig).

Musée municipal B1-2

📞 04 90 51 17 60 - www.theatre-antique.com - juni-aug.: 9.00-19.00 u; april-mei 9.00-18.00 u; rest van het jaar: op aanvraag, vooraf reserveren - € 4,60 (tot 18 jaar € 3,60) - toegang tot een kwartier voor sluitingstijd; ook combinatiekaartje met het Théâtre antique € 8.

Het gemeentelijk museum van Orange huist in een deftig 17de-eeuws herenhuis dat in opdracht van een Hollandse edelman werd gebouwd. Naast stenen die tijdens opgravingen zijn gevonden, bestaat de collectie uit het Romeinse **kadaster** van Orange, een in Frankrijk uniek museumstuk. Op marmeren panelen is de stad ingedeeld in centuriën, vierkante percelen met

6

zijden van 709 m aan weerszijden van een noord-zuid- en een oost-westas. Ook de juridische status van de kavels wordt vermeld. Speciale aandacht verdienen de schilderijen over de **familie Wetter**, van oorsprong Zwitserse katoendrukkers die exporteerden in heel Europa en in 1764 530 arbeiders uit Nîmes in dienst hadden.

HET OUDE ORANGE Plattegrond blz. 337

Vanuit het theater de rue Caristie nemen tot aan de rue de la République, de hoofdstraat van Orange. Links afslaan en langs het standbeeld van prins-troubadour Raimbout d'Orange naar de place de la République gaan. Rechtsaf de rue Fusterie en na de place du Cloître links de rue de Renoyer inlopen naar de **voormalige kathedraal Notre-Dame-de-Nazareth**. De van oorsprong romaanse kerk werd zwaar beschadigd en is na de godsdienstoorlogen deels herbouwd. Teruglopen naar de place Georges-Clemenceau en het **stadhuis** met zijn 18de-eeuwse belfort, en de place de la République waar het wemelt van de cafés en brasserieën met aangename terrassen. Via de rue Stassart naar de **place aux Herbes** lopen, een schaduwrijk pleintje met platanen. Oversteken en door de rue du Mazeau teruglopen naar het amfitheater.

La colline Saint-Eutrope AB2
Via de rue Pourtoules naar de oostelijke trap lopen.
De brede laan leidt over de gracht van het voormalige kasteel van de prinsen van Oranje, waarvan grote delen zijn blootgelegd. Aan de noordkant van het park staat naast het Mariabeeld een oriëntatietafel. De Colline Saint-Eutrope biedt een schitterend **uitzicht★** over het antieke theater, de stad met de pannendaken, de Rhônevlakte en de bergen op de achtergrond.

In de omgeving Regiokaart, blz. 334

Caderousse A2
◗ *8 km ten zuidwesten van Orange via de D17.*
Dit plaatsje is volledig omsloten door een muur met maar twee toegangspoorten. Caderousse ligt aan de Rhône en voert, getuige de gedenkplaten op de gevel van het stadhuis, een constante strijd tegen het water. De **Église Saint-Michel** is een schoolvoorbeeld van romaanse architectuur in de Provence. De Chapelle Saint-Claude met het prachtige laatgotische gewelf werd in de 16de eeuw aan de kerk toegevoegd.

Piolenc A2
◗ *7 km ten noordwesten van Orange via de N7.*
Dit vredige dorpje aan de rand van de N7 heeft zich gespecialiseerd in de knoflookteelt. Elk jaar wordt dit tijdens het laatste weekend van augustus gevierd met diverse marktkramen en een reusachtige aioli. Sinds enkele jaren is het dorp ook een pleisterplek voor circusliefhebbers.
👪 **Parc Alexis-Grüss** – *N7 - ☏ 04 90 29 49 49 - www.alexis-gruss.com - mei-sept.: dagelijks beh. ma en di 10.00-17.00 u - € 19 (kinderen € 17) weekdagen, € 27 (kinderen € 22) in het weekend.* Elk jaar komt circus Alexis Grüss, opgericht in 1854, in de zomermaanden van Parijs naar het grote bomenrijke park van het kasteel van Piolenc. Dan zijn de poorten geopend voor het publiek zodat het kan kennismaken met de **circuskunsten**, met de artiesten en de magie van het circus. Bezoek de repetities van de paardenshows, kijk mee tijdens de lessen jongleren, trapeze, arcrobatiek, trampoline… Kinderen genieten van

Het Théâtre antique van Orange
J. A. Moreno / Pixtal/Age fotostock

een douche van de olifant, een bezoek aan de stallen, of een ontmoeting met de artiesten. In het weekend wordt de dag afgesloten met een grote voorstelling om 17.00 u.

Sérignan-du-Comtat A2

8 km ten noordoosten van Orange via de N7 (richting Bollène) en de D976, richting Sérignan.

Harmas Jean-Henri Fabre – *Op weg naar Orange (de Harmas ligt verscholen achter een stenen portaal, 200 m na binnenkomst in het dorp) - ℘ 04 90 30 57 62 - www.mnhn.fr - juli-aug.: 10.00-12.30 u, 15.30-19.00 u; april-juni en sept.-okt.: 10.00-12.30 u, 14.30-18.00 u - gesloten: nov.-maart, wo, za ochtend, zo ochtend, 1 mei - € 5 (7-18 Jaar, studenten € 3). Combinatiekaartje met het Naturoptère € 8 (7-18 jaar, studenten € 5).*

Bij binnenkomst in Sérignan staat rechts van de weg het huis (*harmas*, Provençaals voor 'braakliggend terrein') waar insectoloog **J.-H. Fabre** (1823-1915) de laatste 36 jaar van zijn leven doorbracht. Te bezichtingen zijn de prachtige botanische tuin en het huis uit 1849. De eetkamer is in oorspronkelijke staat hersteld en ook de werkkamer vol vitrines met indrukwekkende verzamelingen insecten, schelpen, fossielen en mineralen (in totaal 1300 verschillende soorten) is meer dan het bekijken waard, net als het vertrek met Fabres aquarellen van lokale paddenstoelen. De 20.000 prenten van het herbarium zijn nog in restauratie, maar 12.000 ervan zijn al te zien op de website van het Museum national d'histoire naturelle waaronder de Harmas ressorteert

Naturoptère – *Op weg naar Orange (tegenover Harmas J.-H. Fabre) - ℘ 04 90 30 33 20 - www.naturoptere.fr - ma-di en do-vr 9.00-12.30 u, 13.30-17.00 u, wo, za en zo 13.30-18.00 u - € 5 (7-18 jaar, studenten € 3). Combinatiekaartje met de Harmas € 8 (7-18 jaar, studenten € 5).*

Deze nieuwe centrum wijdt zich aan het observeren van en kennis vergaren over insecten en de natuur; een ideale aanvulling op een bezoek aan de Harmas. Naast drie thematische, interactieve en ludieke exposities zijn er drie pedagogische ruimtes waar aandacht wordt besteeds aan respectievelijk de

6

DE HOMERUS VAN DE INSECTEN

Dit was de bijnaam die Victor Hugo gaf aan **Jean-Henri Fabre**, een romaneske figuur die zijn hele leven aan insecten wijdde en er een 2360 bladzijden tellende serie boeken over schreef met de titel *Souvenirs entomologistes* (Herinneringen van een insectoloog). De man was autodidact en verkocht citroenen om zijn studie te kunnen financieren. Eenmaal leraar werd hij ontslagen nadat hij in het bijzijn van meisjes een les had besteed aan het geslacht van planten. Ondanks zijn uitgesproken voorkeur voor levende insecten (met uitzondering van sprinkhanen die volgens hem te veel lawaai produceren), serveerde hij tot grote afschuw van zijn gasten de beestjes tijdens dinertjes thuis als een overheerlijke delicatesse.

schild-, schub- en rechtvleugelige insecten. Er zijn activiteiten en workshops en u kunt rondwandelen in de tuinen en kijken naar de planten en de manier waarop ze zich hebben aangepast aan hun omgeving.

Mornas A2

◗ *11 km ten noordwesten van Orange via de N7.*

Het oude dorp ligt aan de voet van een steile, 137 m hoge rotswand. Boven op de rots staan nog de resten van een indrukwekkende burcht. Door de versterkte poorten en de oude huizen doet het dorp middeleeuws aan. Toegang via een steil straatje *(parkeren)* dat overgaat in een pad.

👤👤 **Burcht** – ℘ *04 90 37 01 26 - www.forteresse-de-mornas.com - rondleidingen van een uur half maart-half okt.: 11.00-12.00 u, 14.00-17.00 u - € 8 (5-11 jaar € 6).* De **burcht** heeft een 2 km lange ommuring met halfronde en vierkante torens. Op het hoogste punt bevinden zich de ruïnes van de donjon en van een kapel. De burcht is vooral beroemd vanwege een gruwelijke gebeurtenis tijdens de godsdienstoorlogen. Een zekere baron Des Adrets gaf toen het bevel om alle bewoners van de vesting naar beneden te gooien. Toneelspelers in 12de-eeuwse klederdracht verzorgen een **speciale rondleiding**.

Bollène A1

◗ *23 km ten noordwesten van Orange via de A7.*

🚩 *Pl. Henry-Reynaud-de-la-Gardette - 84500 Bollène - ℘ 04 90 40 51 45 - www. bollenetourisme.com - juni-sept.: 9.00-12.30, 14.30-18.00 u; rest van het jaar: 8.30-12.00,14.00-17.30 u, za 8.30-12.00 u - gesl. zo en feestd.*

👁 **Goed om te weten** – Het grote parkeerterrein langs de Lez, in het noordoosten van de stad, maakt het mogelijk om Bollène via de boulevard Victor-Hugo binnen te rijden.

Bollène, gelegen ten noorden van Orange, was ooit een van de rijkste bezittingen van de pausen van Avignon. Het is nog steeds een typisch Provençaals stadje met smalle straten, grote platanen langs de boulevards en belangrijke markten voor primeurgroenten. Dit authentieke plaatsje is een echte verademing tussen alle drukbezochte bezienswaardigheden van Zuid-Frankrijk.

Loop vanaf het toeristenbureau rechtdoor en sla rechts de rue de la Paix in. Daarna linksaf de rue du Puy nemen en nog eens links afslaan naar de collegiale kerk.

De voormalige **Collégiale St-Martin** wordt tegenwoordig voor exposities gebruikt. Een mooi portaal in renaissancestijl geeft toegang tot deze collegiale kerk, die een indrukwekkend eenbeukig schip met zadeldak heeft. *Juli-sept., toegang gratis.*

De aangrenzende tuin biedt een uitzicht over de daken van Bollène.

Loop naar de cours J.-Jaurès, sla rechts af, en steek de straat enkele meters verder over.

De **Belvédère Pasteur**, een klein park dat rond de voormalige romaanse Chapelle des Trois-Croix is aangelegd, biedt een weids uitzicht op de waterkrachtcentrale van Bollène, de grote kerncentrale van Le Tricastin en in de verte op het berglandschap van de Ardèche en de Bas-Vivarais. *De cours opnieuw oversteken en via de rue du Puy naar het centrum lopen.*

Rondrit Regiokaart, blz. 334

LES CÔTES DU RHÔNE

▶ *De 85 km lange route vanuit Orange staat aangegeven op de regiokaart - ongeveer een halve dag. Orange verlaten in zuidelijke richting, via de D68.*

Châteauneuf-du-Pape A2

🄸 **Toeristenbureau** – Pl. du Portail - 84230 Châteauneuf-du-Pape - ☎ 04 90 83 71 08 -www.pays-provence.fr - juli-aug.: 9.30-18.30, za 10.00-13.00, 14.30-18.00 (feestd. 18.30 u); rest van het jaar: dagelijks behalve zo en feestd. en wo 9.30-12.30, 14.00-18.00 u.

De pausen van Avignon stimuleerden de ontwikkeling van de wijnstreek rond Châteauneuf die halverwege de 18de eeuw een uitstekende reputatie had. In 1866 werden de wijngaarden door een druifluisplaag verwoest en opnieuw aangeplant. In 1923 stelde de vereniging van wijnbouwers maxima aan het te beplanten gebied, de kwaliteit van de druiven, de keus van de (dertien) druivensoorten en de vinificatie. Op dit moment exploiteren 320 wijnbouwers de 3200 ha beroemde wijngaarden rond Châteuneuf-du-Pape, die het label 'Site remarquable du Goût' kregen.

Een hoogtepunt in deze streek is het **Fête de la Véraison** tijdens het eerste weekend van augustus. De burcht in Châteauneuf biedt een weids **uitzicht★★** over het Rhônedal, Roquemaure, het Château de l'Hers, Avignon en de Rocher des Doms en het Palais des Papes met op de achtergrond de Alpilles. Bij helder weer zijn ook de Luberon, het Plateau de Vaucluse, de Mont Ventoux, de Dentelles de Montmirail, de Baronnies en de Montagne de la Lance te zien.

Musée du Vin – In de wijnkelder van L.-C. Brotte-Père Anselme. ☎ 04 90 83 59 44 - www.brotte.com -half-april tot half-okt.: 9.00-13.00, 14.00-19.00 u; rest van het jaar: 9.00-12.00, 14.00-18.00 u - rondleiding van 1 uur mogelijk - gesl. 1 jan. en 25 dec. - gratis.

Museum over de geschiedenis van de wijnproductie en het werk van de wijnbouwer, met aandacht voor de herkomst van de druivensoorten. Veel voorwerpen en gereedschap. Wijnproeverij na de bezichtiging.
Verlaat Châteauneuf-du-Pape via de D 192.

Bédarrides B2

6

Dit ingedommelde plaatsje aan de Ouvèze vormt een welkome tussenstop te midden van de wijngaarden van Châteauneuf-du-Pape, die vijf gemeenten beslaan. Picknickplaatsen aan de rivier. In juli-aug. verkopen de lokale producenten hun oogst op de plaatselijke markt (vr 17.00-19.00 u).

De weg naar Sarrians (D52) nemen. Dwars daarvoor de 'Romeinse' brug over de Ouvèze (17de eeuw), zo genoemd naar het oorspronkelijke bouwwerk. In Sarrians doorrijden richting Beaumes-de-Venise.

> ## BIJZONDERE CÔTES-DU-RHÔNEWIJNEN
> De wijnbouwers van **Séguret** (koppige, geparfumeerde wijnen), **Vacquey-ras** (stevige rode wijnen en smaakvolle witte wijnen), **Gigondas** (stevige concurrenten voor de Châteauneuf-du-Pape) en **Beaumes-de-Venise** (gespecialiseerd in muskaatwijnen) dragen in ruime mate bij tot de bekendheid van deze streek en zijn zeker een bezoekje waard.

Beaumes-de-Venise *(zie blz. 364)*
De D81 volgen richting Vacqueyras (5 km in noordwestelijke richting).

Vacqueyras B2
In dit typisch Provençaalse dorp rond de heuvel wordt ook al een grand cru van de côtes-du-rhône geproduceerd, eveneens 'Vacqueyras' genoemd. Opvallende elementen zijn de vreemde kerktoren, een oude wachttoren uit de 12de eeuw en de overblijfselen van de ringmuren.
Doorrijden via de D7.

Gigondas *(zie blz. 363)*
De D7 blijven volgen in de richting van Sablet via een bochtige weg te midden van de wijngaarden die fraaie vergezichten biedt op de Dentelles de Montmirail (zie onder deze naam). Links afslaan en de D977 volgen. 3 km verder rechts de D69 nemen, richting Rasteau.

Rasteau B2
Typisch wijndorpje van dit deel van de Vaucluse, met veel sporen van het middeleeuwse verleden, zoals geplaveide straatjes, overblijfselen van een kasteel en een romaanse kerk. Het uitzicht boven op de heuvel omvat de wijngaarden, de Mont Ventoux en de Dentelles de Montmirail.
Musée du Vigneron – *Rte de Roaix -* ℘ *04 90 46 11 75 of 04 90 83 71 79 - www.beaurenard.fr -* ♿ *- juli-aug.: 10.00-18.00 u; april-juni en sept.: 14.00-18.00 u - bezichtiging met audiogids (30 min.) - gesl. okt.-mei, zo en di - € 2 (rondleiding € 5).* Liefhebbers kunnen hun hart ophalen met de indrukwekkende collectie wijnbouwwerktuigen en de wijnkelder met ongeveer 2000 flesssen, die soms meer dan honderdjaar oud zijn.
Doorrijden via de D69.

Cairanne B2
🄸 *Rte de Sainte-Cécile - 84290 Cairanne -* ℘ *04 90 30 76 53 - www.cairanne.net.* Het uitgestrektste domein van de appellation Côtes-du-Rhône Villages heeft de grootste degustatiekelder van de Côtes-du-Rhône (sinds 1959). Het oude dorp op de heuvel bezit fraaie overblijfselen van het middeleeuwse verleden.
Parcours sensoriel des vins – *In de wijnkelder van Cairanne, route de Bollène -* ℘ *04 90 30 82 05 - www.cave-cairanne.fr - 9.00-19.00 u - gesl. 25 dec. en 1 jan. - gratis.* Interactieve tentoonstelling in het souterrain van de wijnkelder van Cairanne over wijn in het algemeen en Côtes-du-Rhône en Cairanne in het bijzonder. Jammer genoeg worden er geen individuele rondleidingen meer georganiseerd. Proeverij na afloop.
Via de D8 en vervolgens de D976 terugkeren naar Orange.

😊 ORANGE: ADRESBOEKJE

VERVOER

Orange ligt 28,5 km ten noorden van Avignon, de treinreis tussen beide steden duurt een halfuur.

OVERNACHTEN

♿ Zie ook de adressen in de Dentelles de Montmirail *(blz. 365)*.

GOEDKOOP

Hôtel Saint-Florent – *4 r. du Mazeau - ℰ 04 90 34 18 53 - www. hotel-orange-saintflorent.com gesl. dec.-feb. -* **P** *- 16 kamers € 40/75 - ☕ € 7 - halfpens. € 120* Klein hotel niet ver van het theater. Alle schilderijen zijn van de hand van de eigenaar. Kamers met eigen karakter. Een daarvan is geheel gewijd aan het theater en de Chorégies.

Hôtel L'Herbier d'Orange – *8 pl. aux Herbes - ℰ 04 90 34 09 23 - www.lherbierdorange.com - 20 kamers € 50/60 - ☕ € 8.* Mooi gerenoveerd hotel aan het charmante place aux Herbes, beschikt over confortabele, lichte en frisse kamers. Zeer vriendelijke ontvangst. Goede prijs-kwaliteitverhouding.

DOORSNEEPRIJZEN

Hôtel Saint-Jean – *1 cours Pourtoules - ℰ 04 90 51 15 16 - www.hotelsaint-jean.com -* **P** *- kamers € 70/85 - ☕ € 7/8.* Oud poststation uit de 17de eeuw. Het binnenplein geeft uitzicht op de voet van de helling van Saint-Eutrope. Sfeervol ingericht, in de zomer leuk terras en hartelijke ontvangst. Adres om te onthouden. Let op: de tarieven zijn hoger tijdens de Chorégies.

Hôtel Le Glacier – *46 cours A.-Briand - ℰ 04 90 34 02 01 - www.le-glacier.com - 28 kamers € 50/130 - ☕ € 8.* Familiehotel, met smaak ingericht en prima onderhouden. Het kan rumoerig zijn op

straat, maar de meeste kamers bevinden zich aan de achterzijde.

In de Chateauneuf-du-Pape

Chambre d'hôte The Wine B&B – *20 av. du G.-de-Gaulle - 84230 Châteauneuf-du-Pape - ℰ 04 90 83 79 38 - www.chateauneuf-wine-bb. com -* **P** *- 3 kamers € 85/100 ☕.* Danièle Raulet-Reynaud, een plaatselijke vrouwelijk sommelier, heeft haar eigen maison d'hôte geopend. Ze geeft er keninismakingslessen wijnproeverij, levenskunst (tafels dekken en etiquette) en wijn-kaas-proeverijen.

WAT MEER LUXE

Villa Aurenjo – *121 r. F. Chambovet - ℰ 04 90 11 10 00 - www.villa-aurenjo.com -* 🏊 **P** *- 5 kamers € 100/260 ☕.* Mooi Provençaals gebouw in de schaduw van platanen, olijfbomen en magnolia's. Frisse, kleurrijke en smaakvol ingerichte kamers. Met mooi weer aangename terrassen en een zwembad. Tennis. Sauna. Aantrekkelijke tarieven buiten het seizoen.

UIT ETEN

♿ Zie ook de adressen in de Dentelles de Montmirail *(blz. 366)*.

GOEDKOOP
In de omgeving

Le Pistou – *15 r. Joseph-Ducos - 84230 Châteauneuf-du-Pape - ℰ 04 90 83 71 75 - gesl. zo av. en ma - € 13/28.* Gezellige bistro met pretentieloze kaart waarop vooral Provençaalse gerechten staan. Dagelijks interessant suggestiemenu.

DOORSNEEPRIJZEN

La Rom'Antique – *5 pl. Silvain - ℰ 04 90 51 67 06 - www.la-romantique.com - gesl. 3 weken in jan., 2 weken in okt., za middag, ma en zo avond (buiten het*

6

zomerseizoen) - &- lunch € 12,50 -
€ 20/38 id. Hier gaat het niet
om de aankleding, ook al is die
verzorgd, maar om de gerechten: de uitstekende kwaliteit
van onder meer de parelhoen
met linzen doen alles vergeten.
Ook de desserts zijn juweeltjes.
Onvergetelijk!

Le Parvis – *55 cours Pourtoules -
☎ 04 90 34 82 00 - le-parvis2@
wanadoo.fr - gesl. 8 nov.-1 dec.,
10 jan.-1 feb., zo en ma - lunch
€ 12/18 - € 18/47.* Met zijn zuidelijke kleuren, opvallende balken
en hedendaagse schilderijen
is dit een smaakvol restaurant.
Verfijnde Provençaalse streekgerechten met plaatselijke groenten
en kruiden.

Le Forum – *3 r. de Mazeau -
☎ 04 90 34 01 09 - www.restau
rant-orange-leforum.com - gesl.
20 aug.-3 sept., 23 feb.-5 jan., ma en
di - € 19/38.* Dit aardige eethuisje
ligt verborgen in een smal straatje
vlak bij het Romeins theater.
Traditionele streekgerechten.

In de omgeving

Auberge Le Tourne au Verre – *Rte de Ste-Cécile - 84290 Cairanne -
☎ 04 90 30 72 18 - www.letourne
auverre.com - gesl. wo en zo -
€ 15,50/25.* Traditioneel pand, de
streekgerechten op het menu-
bord worden geserveerd op het
schaduwrijke terras of in de zaal
met eigentijdse inrichting (grote
beglaasde wijnkelder).

La Garbure – *3 r. Joseph-
Ducos - 84230 Châteauneuf-du-
Pape - ☎ 04 90 83 75 08 - www.
la-garbure.com - gesl. za middag,
zo middag, ma middag (in het zomerseizoen), zo en ma (buiten het
zomerseizoen), jan., 15-30 nov. -
🅿 - lunch € 16 - € 25/58 - 8 kamers
€ 69/85 - ☕ € 12.* Dit met zorg en
vrolijke kleuren ingerichte restaurantje nodigt uit tot lekker eten:
de door de *patron* samengestelde

menu's bieden voor elk wat wils.
Voor wie langer wil blijven, zijn er
een paar Provençaalse kamers.

WINKELEN

Markten

Maandagochtend in Bédarrides,
donderdagochtend in Cairanne en
vrijdagochtend in Châteauneuf-
du-Pape.

Wijn kopen

🛈 **Goed om te weten** – In heel
wat wijnkelders worden rondleidingen en proeverijen georganiseerd. Inlichtingen bij de toeristenbureaus van de dorpen uit het
wijngebied Côte-du-Rhône.

**'Vinadéa' - Maison des
vins** – *8 r. du Mar.-Foch - 84230
Châteauneuf-du-Pape - ☎ 04 90
83 70 69 - www.vinadea.com - juli-
aug.: 10.00-19.00 u; rest van het jaar:
10.00-12.30, 14.00-18.30 u.* Deze
vereniging telt zo'n 90 wijngaarden met de A.O.C.-vermelding
Châteauneuf-du-Pape. In het assortiment witte en rode wijnen
die lekker wegdrinken tot zware
wijnen met jaartal. Ook een kleine
boekwinkel annex cadeaushop.

**École de dégustation
Mouriesse** – *2 r. des Papes - 84230
Châteauneuf-du-Pape - ☎ 04 90
83 56 15 - www.oenologie-mou
riesse.com - € 40/60/pers. (les van
2 u), reserveren.* Deze wijnbouwer
heeft een school in zijn wijnkelder
geopend. Proeverij-cursussen op
alle niveaus.

Vin Chocolat et Compagnie – *Rte
de Sorgues - 84230 Châteauneuf-
du-Pape - ☎ 04 90 83 54 71 - www.
vin-chocolat-castelain.com -
9.00-12.00, 14.00-19.00 -9.00-12.00,
14.00-19.00 u, gesl. zo behalve
juli-aug.* Ambachtelijke chocolaterie met klein museum en winkel, geeft een workshop over de
productie van chocolade met een
proeverij (€ 4), en een workshop
over de combinatie wijn-cholo-

lade *(5 soorten chocolade en 3 soorten wijn voor € 10)*.

Vignerons de Caractère – *Rte de Vaison-la-Romaine - 84190 Vacqueyras -* 𝒫 *04 90 65 84 54 - www.vigneronsdecaractere. com - april-sept.: 10.00-19.00 u; okt.-maart: 10.00-12.30, 14.00-18.00 u.* Wijnkelder-lounge met mooi ingerichte degustatiebar en een voor de Vaucluse unieke bezienswaardigheid: een automaat voor wijn in bulkverpakking! Wijnen uit Vacqueyras, Gigondas, Beaumes-de-Venise…

Caveau Gigondas – *Pl. du Portail - 84190 Gigondas -* 𝒫 *04 90 65 82 29 - maart-okt.: 10.00-12.00 u, 14.00-18.30 u; rest van het jaar: 10.00-12.00 u, 14.00-18.00 u - gesl. 2 weken in jan., 1 jan., 25 dec.* De corporatie van wijnbouwers beheert deze winkel die het hele jaar geopend is en waar de bezoekers wijnen kunnen proeven zonder aankoopverplichting. Elke fles is gevuld met de productie van één wijnbouwer, er zijn geen mengsels. Het personeel geeft interessante tips.

Cave de Rasteau – *Rte des Princes-d'Orange - 84110 Rasteau -* 𝒫 *04 90 10 90 10/14 - www.cave derasteau.com - april-juni en okt.: 9.00-12.30, 14.00-19.00 u; juli.-sept.: 9.00-19.00 u; rest van het jaar: 9.00-12.30, 14.00-18.00 u - gesl. 1 jan. en 25 dec.* Deze wijnkelder uit 1925 verkoopt karaktervolle wijnen die door de uitstekende wijngronden rond Rasteau worden voortgebracht.

Distillerie A. Blachère – *Rte de Sorgues - 84230 Châteauneuf-du-Pape -* 𝒫 *04 90 83 53 81 - www. paccitron.com - gesl. zo.* De oudste distilleerderij van de Provence (1835) is befaamd om zijn siropen, met name de Pac Citron, en om zijn in eiken vaten gerijpte, uit wijndraf gedistilleerde 'marcs', en Provençaalse likeuren. De distilleerderij heeft een wijnkelder voor proeverijen.

SPORT EN ONTSPANNING

Ontdekking van een wijngaard

Te voet – Een 16 km lang verkenningspad door de wijngaarden van Châteauneuf-du-Pape (gratis folder verkrijgbaar bij het toeristenbureau).

Ook het toeristenbureau van Cairanne *(zie blz. 344)* heeft wandelroutes uitgestippeld door de wijngaarden (gratis folders).

Met de fiets – Het toeristenbureau van Châteauneuf-du-Pape *(zie blz. 343)* organiseert vier makkelijk fietstochten door de wijngaarden (12 tot 28,5 km). Gratis folder te verkrijgen bij het toeristenbureau of te downloaden via internet.

Andere activiteiten

⚎ Centre équestre la Simioune –*Quartier Guffiage -* 𝒫 *04 90 30 44 62 - www.la-simioune.fr - 9.30-12.00 u, 14.00-17.00 u - gesl. 25 dec.-1 jan.* Ruitercentrum te midden van een pijnboombos met een ruim aanbod aan tochten te paard (shetlandpony's voor jonge ruiters). Zomerstages en bivakmogelijkheden.

EVENEMENT

Chorégies – *Bespreekbureau: pl. Silvain (naast het Romeinse theater) -* 𝒫 *04 90 34 24 24 - www.choregies. asso.fr.* Van begin juli tot begin aug. vindt in het Romeinse theater een festival plaats gewijd aan opera, symfonische muziek en zang. Een ideale gelegenheid om een bijzondere voorstelling bij te wonen, maar ook om van de sfeer in het theater te genieten.

6

Valréas

9425 inwoners – Vaucluse (84)

😊 ADRESBOEKJE: BLZ. 351

🅘 INLICHTINGEN

Toeristenbureau van Valréas en de Enclave des papes – *Av. du Mar.-Leclerc - 84600 Valréas -* 📞 *04 90 35 04 71 - www.ot-valreas.fr - juli-aug.: 9.00-12.30, 14.30-18.30 u, zo en feestd. 9.00-12.30 rest van het jaar: dagelijks behalve feestd. 9.15-12.15, 14.00-17.00 u.*

Rondleiding door de stad – *Inlichtingen bij het toeristenbureau.* Een wandeling met commentaar (*2 u, niet gratis*) door het oude centrum. Het toeristenbureau publiceert tevens een gratis brochure met een wandeling (*ca. 2 u*) via een parcours met vijftien informatieborden.

▶ LIGGING

Regiokaart B1 (blz. 334) – *Michelinkaart van de departementen 332 C7.* Hoewel Valréas (10 km ten oosten van Grignan via de D941) ligt ingesloten in de Drôme, hoort het bij het departement Vaucluse. Datzelfde geldt voor Grillon, Richerenches en Visan.

🕓 PLANNING

Ongeveer twee uur voor de bezichtiging van Valréas en een halve dag voor de rondrit in de Enclave des Papes. Tijdens de winter staat de truffel centraal, en dan vooral in Richerenches, waar de belangrijkste truffelmarkt van Frankrijk wordt gehouden.

Even afgezien van de uitzonderlijke geografische ligging van Valréas (een deel van de Vaucluse dat door de Drôme wordt ingesloten!) is het charmante oude stadje een paradijs voor wandelaars. Verder staat in Valréas een voor Frankrijk uniek museum, het Kartonmuseum, dat herinnert aan de nijverheid die in de 19de eeuw welvaart bracht. Inmiddels hebben de wingerd en de truffel het karton verdrongen.

Wandelen Plattegrond hiernaast

😊 **Goed om te weten** – Het toeristenbureau verhuurt audiogidsen (*€ 3*) waarmee u onafhankelijk de stad kunt verkennen.

De **Tour de Tivoli** is het enige restant van de oude stadswal. Waar vroeger die muur stond, ligt nu de ringweg om Valréas in de schaduw van de platanen. In de straatjes van het historische centrum staan oude herenhuizen als het **Hôtel d'Aultane** (*36 Grande-Rue*) met wapenschilden boven de deur en het **Hôtel d'Inguimbert** (*op de hoek met de rue de l'Échelle*) met kruisvensters.

Église Notre-Dame-de-Nazareth

Pl. Pie - gehele dag geopend.

Deze kerk uit de 11de eeuw (gewijzigd in de 12de, 14de en 16de eeuw) midden het oude stadscentrum, valt op door zijn mooie harmonie. De zuidportaal is een voorbeeld bij uitstek van Provençaals-romaanse architectuur.

EEN PAUSELIJKE ENCLAVE

De **pausen van Avignon** hadden de wijk genomen naar het Comtat Venaissin en om hun domein te vergroten, kochten ze in 1317 Valréas, Richerenches, Grillon en Visan. De pauselijke staat lag in het koninkrijk en was gescheiden van het graafschap door een smalle strook land. Na de Franse Revolutie werd de enclave ingelijfd bij Frankrijk. Voortaan vielen de vier gemeenten onder de Vaucluse, terwijl ze geografisch deel uitmaken van de Drôme, en dat is een unieke bestuurlijke eigenaardigheid!

Chapelle des Pénitents Blancs

Bezichtiging na afspraak via het toeristenbureau.

Op de place Pie staat achter een mooi smeedijzeren hek de 17de-eeuwse Kapel van de Witte Boetelingen. Bijzonder in het koor zijn de koorbanken met houtsnijwerk en het mooie cassetteplafond. De toren van het Château Ripert of **Tour de l'Horloge** kijkt uit over de tuin. Het terras biedt een mooi uitzicht over de Montagne de la Lance en de Vooralpen.

Château de Simiane (hôtel de ville)

Pl. Aristide-Briand - ℘ 04 90 35 04 71 - van half-juli tot half-aug.: dagelijks behalve di 10.00-12.00, 15.00-18.00 u; rest van het jaar: mogelijkheid voor rondleiding met gids tijdens het Salon de l'Enclave (op afspraak) - gesl. feestd. - gratis.

Dit herenhuis van de markies van Simiane, echtgenoot van Pauline de Grignan, kleindochter van Madame de Sévigné, heeft een renaissancegevel. Op de eerste verdieping in de met lambriseringen versierde bibliotheek (17de eeuw) worden pauselijke bullen, perkamenten en wiegendrukken tentoongesteld. De zaal op de tweede verdieping heeft een bijzondere kap.

Musée du Cartonnage et de l'Imprimerie

3 av. du Maréchal-Foch - ℘ 04 90 35 58 75 - april-okt.: 10.00-12.00, 15.00-18.00 u, zo 15.00-18.00 u; nov.-maart: 10.00-12.00, 14.00-17.00 u, zo 14.00-17.00 u - gesl. di en feestd. - € 1,50 (tot 12 jaar gratis).

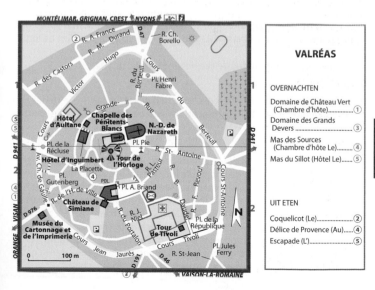

VALRÉAS

OVERNACHTEN

Domaine de Château Vert
(Chambre d'hôte) .... ①
Domaine des Grands
Devers .... ③
Mas des Sources
(Chambre d'hôte Le) .... ④
Mas du Sillot (Hôtel Le) .... ⑤

6

UIT ETEN

Coquelicot (Le) .... ②
Délice de Provence (Au) ...... ④
Escapade (L') .... ⑤

DE KLEINE SINT-JAN

Al vijf eeuwen lang is het traditie om in de nacht van 23 juni een jongetje tussen drie en vijf jaar oud tot 'Petit Saint-Jean' te kronen. Deze Kleine Sint-Jan staat symbool voor Saint-Martin des Ormeaux, de beschermheilige van het stadje. Hij wordt in een draagstoel door de met fakkels verlichte straten van Valréas gedragen, terwijl hij de massa zegent. Hij wordt gevolgd door een kleurige, enthousiaste stoet van 400 mensen in klederdracht. Een jaar lang staat Valréas onder bescherming van deze Kleine Jan.

Karton kennen we allemaal. Maar wist u dat er zonder Valréas misschien nooit karton was geweest? Het museum geeft een instructief inkijkje in deze tak van de papierindustrie, die Valréas vanaf de 19de eeuw welvaart bracht.

Rondrit Regiokaart, blz. 334

L'ENCLAVE DES PAPES B1

▷ *De 22 km lange route staat aangegeven op de regiokaart - ongeveer 2 u. Vertrek vanuit Valréas via de D941 in westelijke richting naar Grillon (5 km).*

Grillon

Dit rustige dorpje te midden van wijngaarden bestaat uit twee delen. Beneden ligt de place de la Bourgade, met neogotische kerktoren, platanen en café. Boven bevindt zich de middeleeuwse kern (de 'Vialle'); het belfort heeft een smeedijzeren campanile en gerestaureerde muren waarin oude stenen en moderne materialen gecombineerd zijn.
Verlaat Grillon in zuidelijke richting en volg gedurende 4 km de D20.

Richerenches

Deze **commanderij van de tempeliers** werd in de 12de eeuw gebouwd volgens een rechthoekig grondplan. De ommuring met vier ronde hoektorens is bewaard gebleven. De ingang is in het belfort, een vierkante toren met weergang en een met spijkers beslagen deur. Links van de kerk ligt de imposante ruïne van de tempel.
Verlaat Richerenches in zuidoostelijke richting en volg de D120.

Visan

In dit grote dorp hebben de herenhuizen zich geschaard rond de ruïnes van het middeleeuwse kasteel (de 'Marot') boven op de heuvel. In de grotten

TRUFFELJAGERS

In de winter gaan truffeljagers (*caveurs* of *rabassiers*), gewapend met een schoffel en vergezeld van een hond die nu meestal het varken van vroeger vervangt, op zoek naar de beroemde paddenstoel. Ze zoeken onder eikenbomen naar de 'mélano' of *Tuber melanosporum*, de alombekende 'zwarte truffel'. Met hun oogst gaan de truffeljagers naar een van de vele truffelmarkten in de Vaucluse waar volgens een speciaal, ogenschijnlijk geheimzinnig ritueel op fluistertoon, met een Romeinse balans en contant geld de verkoop wordt geregeld. Voor buitenstaanders heeft een gezelschap van truffelhandelaren veel weg van een geheim genootschap.

worden jaarlijks tienduizend magnumflessen rode wijn uit Visan opgeborgen (*zie blz. 352*).

In een valleitje even buiten het dorp (*er staat een bord, richting Vaison-la-Romaine*) en afgeschermd van moderne kavels door een haag, prijkt de **Chapelle Notre-Dame-des-Vignes**. In het 13de-eeuwse koor van deze kapel staat een veelkleurig houten Mariabeeld dat op 8 september tijdens een processie wordt rondgedragen. Schip met 15de-eeuwse lambriseringen.

Keer via de D 976 terug naar Valréas.

☺ VALRÉAS: ADRESBOEKJE

OVERNACHTEN

DOORSNEEPRIJZEN

Chambre d'hôte Domaine des Grands Devers – *Rte de St-Maurice via la Montagne -* ☎ *04 90 35 15 98 - www.grandsdevers. com -* 🅿 *- 4 kamers € 65* ☕ *- maaltijd (ma, wo en vr) € 22.* Bevallige Provençaalse mas te midden van de wijngaarden. De vier broers-eigenaars zijn tevens duurzame wijnbouwers. Uitstekende prijs-kwaliteitverhouding.

In de Enclave des papes
Hotel Le Mas du Sillot – *Les Plans - 84600 Grillon -* ☎ *04 90 28 44 00 - www.giteprovence.net -* ♿ 🅿 *- 18 kamers € 54* ☕ *- halfpens. € 72/94, rest. € 17.* Deze oude schaapskooi midden in de wijngaarden in de Enclave des papes ligt heerlijk uit de wind achter een haag van levensbomen. De kamers zijn vrij klein, maar met zorg onderhouden. Een adresje om te onthouden, vanwege de eenvoud én vanwege de ongelooflijk lage prijs voor logies in deze streek.

WAT MEER LUXE
In de Enclave des papes
Chambre d'hôte Le Mas des Sources – *Chemin Notre-Dame-des-Vignes - rte de Vaison-la-Romaine - 84820 Visan -* ☎ *06 98 10 13 00 - www.mas-des-sources.*

com - 🔥 🅿 📶 *- 5 kamers € 75/80* ☕ *- rest. € 25 id.* Deze gerestaureerde boerderij tussen de wijn- en fruit-boomgaarden biedt verzorgde kamers met balkon (waaronder een gezinskamer en een suite) met gezellige brocantemeubels. In de zomer table d'hôte bij de grote lindeboom. 's Zomers maaltijden bij het zwembad. Themaweekenden rond Provençaalse specialiteiten als wijn en truffel…

Chambre d'hôte Domaine de Château Vert – *84820 Visan -* ☎ *04 90 41 91 21 - www.hebergement-chateau-vert.com -* 🔥 🅿 📶 *- 5 kamers € 70* ☕ *- maaltijd € 25.* Imposant 18de-eeuws landgoed op een wijn- en truffeldomein. Van eind december tot half maart worden truffelweekends georganiseerd (na reserv.).

UIT ETEN

DOORSNEEPRIJZEN
Au Délice de Provence – *6 La Placette -* ☎ *04 90 28 16 91 - gesl. wo - menu € 15/43.* In de grote zonnige eetzaal van deze voormalige synagoge worden heerlijke, dagverse gerechten geserveerd.

In de Enclave des papes
L'Escapade – *Av. de la Rabasse - 84600 Richerenches -* ☎ *04 90*

28 01 46 - gesl. ma (van half juni tot eind sept.), ma-di, wo avond, do avond, zo avond (van okt. tot half juni) - € 17/45, truffelmenu € 40/70. Dit hoofdkwartier van de truffeltelers is tegelijk een prima restaurant, waar Jeannot de plak zwaait.

EEN HAPJE TUSSENDOOR

Au Pain d'Antan – *76 cours du Berteuil - 𝄞 04 90 28 15 76 - 6.00-13.00 u, 15.00-19.30 u - gesl. wo.* Uitstekende bakkerij, waar continu klanten in de rij staan. Brood, sandwiches en gebak: alles is even lekker.

WINKELEN

Provençaalse markt – Traditionele weekmarkt op woensdagochtend in het historisch centrum van Valréas (van de Place de l'hôtel-de-ville tot de Cours du Berteuil), vrijdagochtend in Visan, zaterdagochtend in Grillon en Richerenches (nov.-maart).
Marchés aux truffes – *Cours du Mistral - 84600 Richerenches - 𝄞 04 90 28 05 34 - www.riche renches.fr*. Richerenches is het centrum van de truffelteelt en is op grond daarvan met het label 'Site remarquable du Goût' onderscheiden. Elke derde zondag van januari komt de Confrérie van de 'zwarte diamant' bijeen om de eucharistie te vieren. Tijdens de collecte geven de parochianen hun bijdrage in de vorm van verse truffels! Er zijn twee truffelmarkten. Er is er een in Richerenches (op zaterdag, nov.-maart) en een in Valréas, maar die is alleen voor professionele handelaren. Hun transacties zijn zo geheim dat er geen truffel te zien is.
Chocolats Jef Challier – *16 pl. A.-Briand - 𝄞 04 90 35 05 22 - www.*

enclave-passion.com. Een van de beste chocolatiers in de streek. Heerlijke gebakjes.
Geitenkaas – *C. et V. Charansol - chemin des Étangs - 𝄞 04 90 35 58 25 - april-dec.: 17.00-20.00 u.* Bezichtiging van de geitenboerderij (er wordt gemolken om 18.00 u) met gelegenheid tot aankoop van verse geitenkaas.

In de Enclave des Papes

Cave des Coteaux de Visan – *84820 Visan - 𝄞 04 90 28 50 80 - ma-vr 9.00-12.00 u, 14.00-18.30 u.* Proeverij en verkoop van de Visan Villages (A.O.C. Côtes-du-Rhône) in de in 2009 gerenoveerde kelder.

SPORT EN ONTSPANNING

Wandeltochten en wielertoerisme – Het toeristenbureau van Valréas verspreidt een gratis mapje met 18 fiets- en wandellussen, waaronder wandeltochten in Valréas, Grillon, Richerenches en Visan. Het **circuit des Bornes papales** (11,8 km) voert naar de grenspalen die in de 14de eeuw het grondgebied van de Enclave afbakenden.

EVENEMENTEN

Festival des Nuits et Salon de l'Enclave – Van half juli tot half aug., concerten, theatervoorstellingen en schilderijenexposities.
Fête médiévale – Half aug., ambachtslieden en artiesten zetten Richerenches terug in de middeleeuwen.
Cuvée du Marot – Tweede zondag van juli, 10.000 magnums rode wijn uit Visan worden bevrijd uit de grotten van het kasteel (de 'Marot'), waar ze het jaar daarvoor werden ingemetseld.
Corso de la lavande – Begin aug., optocht met bloemenpraalwagens.

Vaison-la-Romaine

★★

6313 inwoners – Vaucluse (84)

🅰 ADRESBOEKJE: BLZ. 360

🅱 INLICHTINGEN

Toeristenbureau van Vaison-la-Romaine – *Pl. du Chanoine-Sautel - 84110 Vaison-la-Romaine - ℘ 04 90 36 02 11 - www.vaison-ventoux-tourisme.com - juli-aug.: 9.30-18.45 u; mei-juni en sept.: 9.30-12.30, 14.00-17.45 u, zo 9.00-12.00 u; okt.-april: dagelijks behalve zo en feestd. 9.30-12.30, 14.00-17.45 u-gesl. 1 jan. en 25 dec.*

Rondleidingen door de stad – Van april tot sept. organiseert de gemeentelijke erfgoeddienst rondleidingen (inbegrepen bij het toegangskaartje) naar Romeinse vindplaatsen, de kathedraal en de middeleeuwse bovenstad. Vraag om het programma bij het toeristenbureau of bij het gidsenbureau in het stadhuis van Vaison. *Inl. en reserv.: ℘ 04 90 36 50 48 - www.vaison-la-romaine.com.*

◑ LIGGING

Regiokaart B1 (blz. 334) – *Michelinkaart van de departementen 332 D8.* Vaison-la-Romaine is te bereiken vanuit Orange (28 km zuidwestwaarts) via de D975 en vanuit Carpentras (27,5 km zuidwaarts) via de D938. De stad bestaat uit twee delen. Op de ene oever van de Ouvèze ligt de middeleeuwse bovenstad, op de andere de Romeinse en moderne benedenstad.

🅿 PARKEREN

Waar u ook vandaan komt, parkeer uw auto bij voorkeur op het parkeerterrein op de place Burrus, en verken daarna lopend de twee stadsdelen.

☺ AANRADER

De Romeinse ruïnes; de middeleeuwse bovenstad; de kloostergang van de oude kathedraal.

◷ PLANNING

Bezichtiging van de Romeinse ruïnes neemt 2 tot 3 uur in beslag; wie ook de oude middeleeuwse stad wil verkennen, heeft meer tijd nodig. In de zomer wordt op zondagochtend een Provençaalse markt gehouden. Probeer te vermijden op di ochtend de stad binnen te komen, dan is er markt in de benedenstad.

⚎ MET KINDEREN

Haal bij het toeristenbureau het boekje *Sur les pas de Lucius* (in de voetsporen van Lucius) waarmee kinderen op ontdekkingstocht kunnen gaan naar Romeinse resten.

6

Vaison is op z'n zachtst gezegd trots op haar overblijfselen. Toen de stad in 1924 de aanvraag deed 'la-Romaine' aan haar naam toe te voegen, bevestigde ze daarmee haar Romeinse verleden, maar verdoezelde ze een beetje haar rijke middeleeuwse erfgoed. Want van Vaison-la-Romaine naar Vaison-la-Romane is het slechts één stap, of beter gezegd

een brug over de Ouvèze, die de eeuwigdurende verbinding tussen de antieke benedenstad en de middeleeuwse bovenstad vormt. Het theater slaat ook een brug door de eeuwen heen: in de oudheid klonken er de koren, nu zijn er concerten en festivals waarin het huidige ritme van de stad weerklinkt.

★★ De Gallo-Romeinse ruïnes

☎ 04 90 36 50 05 - juni-sept.: 9.30-18.30 u; maart en okt.: 10.00-12.30, 14.00-17.30 u; april-mei: 9.30-18.00 u; rest van het jaar: 10.00-12.00, 14.00-17.00 u - rondleiding mogelijk (1.30 u) - € 8 (12-18 jaar € 3); combinatiekaartje met de antieke ruïnes van Vaison en het theater van Orange € 12 (12-18 jaar € 7,20). Reken op 2 tot 3 uur.

Het indrukwekkende ruïnecomplex van Vaison-la-Romaine strekt zich uit over 15 ha. Een bezoek aan de ruïnes is een regelrechte stap in het verleden en het dagelijks leven van de inwoners van het oude Vasio. Omdat het moderne Vaison boven op het centrum van de vroegere Gallo-Romeinse stad (forum en omgeving) is gebouwd, zijn alleen de wijken aan de rand blootgelegd. Nu bewegen de opgravingen zich in de richting van de kathedraal in de wijk La Villasse en rond de heuvel Colline de Puymin, waar een winkelwijk en een luxeueze villa (**Villa du Paon** of Pauwenhuis) met prachtige mozaïeken zijn blootgelegd. Aan de noordkant van de oude stad hebben de opgravingen van de ongeveer twintig zalen van de thermen aangetoond *(gesloten voor het publiek)* dat deze tot aan het eind van de 3de eeuw zijn gebruikt.

QUARTIER DE PUYMIN

Het **Maison à l'Apollon Lauré** was een huis van een rijke familie uit Vaison-la-Romaine. De *domus* (deels verborgen onder de huidige straat) was ruim van opzet, hét bewijs van een luxe en comfortabele levensstijl. De ingang, een hal en een gang leiden naar het *atrium* (**1**) waaromheen verschillende vertrekken liggen, waaronder het *tablinum* (werkkamer, bibliotheek) van de pater familias. In het midden van het atrium lag een *impluvium*, een vierkant

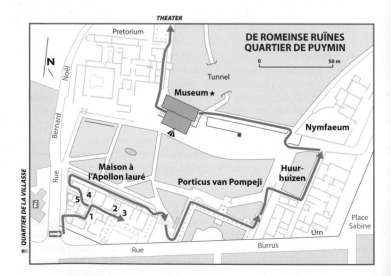

Voor- en tegenspoed in Vaison

IN DE TIJD VAN DE VOCONTII

Vaison was de zuidelijke hoofdstad van de Keltische stam van de Vocontii. Na de Romeinse verovering aan het eind van de 2de eeuw v.C. werd de stad ingelijfd bij de *Provincia* die heel Zuidoost-Gallië bestreek. Vaison kreeg de status van *civitas* (en niet van kolonie) en bleef lang zelfstandig. De **Vocontii** steunden Caesar tijdens de Gallische oorlogen (58 tot 51 v.C.) en pasten zich probleemloos aan het Romeinse leven aan. Tot de Vocontii behoorden onder andere de historicus Trogus Pompeius en Burrus, de leraar van Nero. **Vasio** ging in de tijd van het Romeinse Rijk door voor een van de welvarendste steden in Gallia Narboniensis. De stad strekte zich uit over 70 ha en had nog geen 10.000 inwoners. Omdat door de bestaande landelijke infrastructuur geen Romeins stratenplan kon worden ingevoerd, ontbeert het stadsplan samenhang. Pas onder de Flavische dynastie (na het jaar 70 n.C.) werden rechte straten aangelegd. De bestaande indeling werd aangepast, de kavels werden herverdeeld en de gevels veranderd. Er verschenen portieken en zuilengalerijen. De stad kreeg er een zeer gevarieerde aanblik door met naast elkaar luxueuze Romeinse villa's, kleine paleisjes, bescheiden huizen, krotten en piepkleine winkeltjes. Afgezien van het theater en de thermen is verder niets bekend over grote openbare monumenten. Archeologen constateerden dat een *domus* in Vasio veel groter was dan in Pompeji, wat veel zegt over het welvaartspeil van de stad. Volgens C. Goudineau vormden ze een 'gesloten wereld met een perfecte architectuur voor zowel de bewoners als de bezoekers'.

VAN VASIO TOT VAISON

Vaison werd aan het eind van de 3de eeuw gedeeltelijk verwoest en in de 4de eeuw maar deels weer opgebouwd. In de 5de en de 6de eeuw had Vaison, ondanks de barbaarse overheersing, een vrij belangrijke positie als zetel van een bisdom: in 442 en 529 werden hier twee concilies gehouden. Daarna raakte de stad in verval. Uit onveiligheid verhuisden de inwoners uit de benedenstad naar het voormalige oppidum op de linkeroever van de Ouvèze, waar de graaf van Toulouse een kasteel had laten bouwen. De bovenstad raakte in de 18de en de 19de eeuw in verval, toen op de plaats van de Gallo-Romeinse nederzetting de nieuwe stad verrees.

DE KOLKENDE OUVÈZE

22 september 1992, 11 uur 's ochtends: boven Vaison barst een wolkbreuk los. In een paar minuten verandert de rustig kabbelende Ouvèze in een verwoestende modderstroom die overal in de stad vernielingen aanricht. De schade is enorm: er zijn niet alleen meer dan 30 doden te betreuren, ook 150 huizen en het bedrijventerrein worden met de grond gelijkgemaakt. Alleen de Romeinse brug, die al meer natuurgeweld van de rivier te verduren heeft gehad, blijft gespaard...

bassin waarin door het *compluvium*, een opening in het dak, het regenwater werd opgevangen. Interessant zijn het vertrek (**2**) met de beeltenis van het gelauwerde hoofd van Apollo (te bezichtigen in het museum), de grote ontvangsthal of *oecus* (**3**), de peristylezaal met het waterbekken en, in de bijgebouwen, de keuken (**4**) met de dubbele stookplaats en het privébad (**5**) met de drie vertrekken (met warm, lauw en koud water).

De **Porticus van Pompeji** (rechts) was een soort wandelpromenade in de vorm van een ommuurd terrein van 64 m bij 52 m. Vier zuilengalerijen die oorspronkelijk door een lessenaarsdak werden overdekt, staan rond een tuin met in het midden een waterbekken met een klein, vierkant *ediculum*. In de drie nissen in de noordelijke galerij staan afgietsels van beelden van Diadumenes (het origineel staat in het British Museum in Londen), Hadrianus en zijn echtgenote Sabina. De galerij aan de westkant is bijna volledig blootgelegd, terwijl de andere twee onder de moderne bebouwing zijn verdwenen. De rondgang eindigt bij de **huurhuizen**, waar de minder vermogende burgers woonden. Bijzonder is de *dolium*, de grote voorraadkruik. Aan de overkant zijn overblijfselen van een **nymfaeum**, een langwerpig waterbekken, rond een bron. Iets verder naar het oosten bevonden zich de **winkelwijk** en de **Villa du Paon**.

★ Musée archéologique Théo-Desplans

In de wijk Puymin. ℰ 04 90 36 50 05 - www.vaison-la-romaine.com - april-sept.: 9.30-18.00 u; rest van het jaar: 10.00-12.00, 14.00-17.00 u - gesl. jan.-feb., 25 dec. - € 8 (12-18 jaar € 3); combinatiekaartje met het toegangskaartje voor de 'sites antiques'.

Dit museum belicht op een originele manier diverse aspecten van het dagelijks leven in de Gallo-Romeinse tijd: godsdienst, behuizing, aardewerk, glaswerk, wapens, gereedschap, sieraden en toiletgerei. Bijzonder zijn vooral de prachtige **witmarmeren beelden**: Claudius (uit 43) met een krans van eikenbladeren om zijn hoofd, Domitianus in zijn harnas, en Hadrianus (uit 121) die naar hellenistisch voorbeeld als een naakte held is voorgesteld, en zijn echtgenote Sabina, die traditioneler wordt voorgesteld als een vorstin in staatsiekleed. De beelden zonder hoofd stellen de gemeenteraadsleden voor. Omdat zij hun bestaansrecht uitsluitend aan hun functie ontleenden, waren hun hoofden uitwisselbaar. Andere interessante beelden zijn het marmeren gelauwerde hoofd van Apollo uit de 2de eeuw, de zilveren buste van een patriciër (3de eeuw) en de **mozaïeken** uit de Villa du Paon.

De rondgang loopt verder over de westflank van Puymin met het huis 'met het prieel' naar het **theater★** dat in de 1ste eeuw gebouwd, in de 3de eeuw gerestaureerd en de 5de eeuw afgebroken werd. Met een diameter van 95 m, een hoogte van 29 m en een capaciteit van 6000 toeschouwers is het iets kleiner dan dat van Orange, dat eveneens tegen een heuvel is gebouwd. De banken werden nagebouwd door Jules Formigé. De beelden die nu in het museum staan, werden onder het podium gevonden. In tegenstelling tot andere antieke theaters in de Provence is in Vaison de colonnade van de porticus op de eerste verdieping deels bewaard gebleven.

QUARTIER DE LA VILLASSE

De wandeling begint in de **hoofdstraat**, een brede geplaveide straat, waaronder een riool naar de nieuwe huizen in de richting van de Ouvèze loopt. De zuilengalerijen langs deze straat waren speciaal voor voetgangers die langs de winkels in de bijgebouwen van de huizen wilden lopen. Links verschijnen de restanten van de **thermen** omringd door diepe afvoerkanalen. De grote zaal heeft een arcade met pilasters.

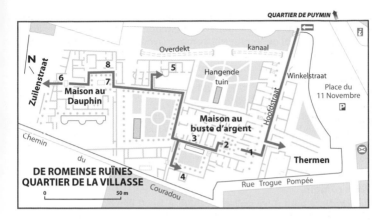

In de winkelstraat tegenover de thermen is de ingang (**1**) van het **Maison au Buste d'argent**, een grote *domus*. In dit huis is de zilveren buste (nu in het museum) van de eigenaar gevonden. Het woonhuis van ongeveer 5000 m² is volledig intact gebleven: met de betegelde hal, het *atrium* (**2**), het *tablinum* (**3**), een eerste peristylezaal en daarna een tweede, grotere, met eveneens een tuin en een waterbekken. In een aangrenzend huis aan de zuidzijde zijn verschillende mozaïeken (**4**) en fresco's rond een *atrium* gevonden. Ten noorden van de tweede peristylezaal ligt het privébad (**5**) aan een voorhof. Ter verfraaiing was ernaast een grote hangende tuin aangelegd.

Iets verder, in de noordoosthoek van een groot ommuurd terrein, stond het **Maison au Dauphin** (huis met de dolfijn, 40 v.C.) in een destijds landelijke omgeving. Het hoofdvertrek van dit 2700 m² grote huis ligt rond een peristylezaal (**7**) met een waterbekken van natuursteen. Aan de noordkant stond een apart gebouw met een privébad (**8**), het oudst bekende in Gallië, met aan de westkant het *triclinium*, een grote zaal voor staatsiebanketten. Het *atrium* (**6**) komt uit op de straat met zuilen. Het is een van de twee ingangen van het huis. Aan de zuidkant ligt nog een peristylezaal. De tuin is verfraaid met een waterbekken met witmarmeren oplegwerk. De **zuilenstraat**, die deels is blootgelegd, loopt over een lengte van 43 m langs het Maison au Dauphin. Net als de vloeren in de meeste huizen was de straat niet geplaveid, maar met een laag grind bedekt.

Wandelen Plattegrond blz. 358

Hoewel Vaison-la-Romaine vooral bekend is om de bijzondere archeologische vindplaatsen uit de Romeinse tijd, is de middeleeuwse stad met de kathedraal en de wijk Villasse ook zeker het bezoeken waard.

Ancienne cathédrale Notre-Dame-de-Nazareth
Av. Jules-Ferry - juni-sept.: 9.30-12.00, 14.00-18.00 u; rest van het jaar op afspraak.
De bouwfragmenten uit het eind van de 1ste eeuw die hier werden gevonden, doen vermoeden dat de kathedraal op de ruïnes van een Gallo-Romeins gebouw staat. Het prachtige romaanse bouwwerk heeft een koorsluiting met apsiskapellen uit de 11de eeuw. Ook de muren zijn oorspronkelijk. In de 12de eeuw, toen het schip een tongewelf kreeg, zijn ze met steunberen versterkt. De versiering van de kroonlijsten en friezen met ranken aan de buitenkant

6

van de koorsluiting is op de klassieke oudheid geïnspireerd. Het schip heeft zijbeuken en twee traveeën met een spitstongewelf met daarop een achthoekige koepel met gedecoreerde trompen (symbolen van de evangelisten). Licht valt naar binnen door ramen aan de basis van het gewelf.

★ Cloître
📞 04 90 36 50 05 - april-okt.: 9.30-18.00 u - rondleiding (1 u) op afspraak (6 dagen van tevoren) - gesl. feestd. - gratis.
Drie van de vier galerijen uit de 12de en 13de eeuw zijn oorspronkelijk; alleen die aan de zuidoostkant is in de 19de eeuw herbouwd. De kapitelen in de oostgalerij zijn het rijkst versierd met acanthusbladeren, vlechtwerk en figuurtjes.
Loop terug naar de av. Jules-Ferry en neem rechts de Quai Pasteur langs de Ouvèze.

Pont romain
De Romeinse brug, 12 m boven de Ouvèze, heeft één boog met een spanwijdte van 17,20 m. Ze is 2000 jaar oud en nog helemaal intact. Alleen de borstwering die tijdens het natuurgeweld in 1992 verloren ging, is herbouwd.
Steek de rivier over en loop naar de middeleeuwse stad.

★ Haute Ville
Vanaf de place du Poids is de middeleeuwse bovenstad toegankelijk via de **versterkte poort** met belfort en smeedijzeren torenspits. De ommuring rond de steile straatjes van de stad is voor een deel opgetrokken uit stenen afkomstig van de Romeinse ruïnes. Wie door de schilderachtige straatjes slentert als de rue de l'Église, de rue de l'Évêché en de rue de Fours en over pleintjes als de place du Vieux-Marché, ontdekt mooie fonteinen, oude herenhuizen in warme tinten en kleurige daken met oude ronde pannen. Deze aangename wandeling voert naar de **kerk**: deze is gebouwd aan het eind van de 15de eeuw en werd gebruikt totdat er weer kerkdiensten werden ge-

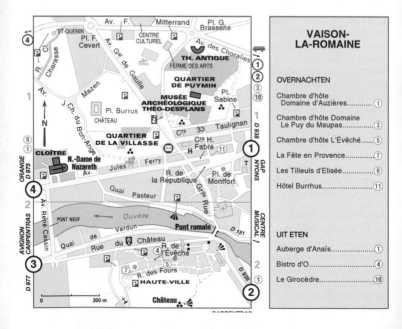

VAISON-LA-ROMAINE

OVERNACHTEN

Chambre d'hôte Domaine d'Auzières	①
Chambre d'hôte Domaine Le Puy du Maupas	③
Chambre d'hôte L'Évêché	⑤
La Fête en Provence	⑦
Les Tilleuls d'Elisée	⑨
Hôtel Burrhus	⑪

UIT ETEN

Auberge d'Anaïs	①
Bistro d'O	④
Le Girocèdre	⑩

Vaison-la-Romaine, de Romeinse brug
B. Morandi / Hemis.fr

houden in de kathedraal in de benedenstad. Wie bij de façade van de kerk (1776) staat, die is gebouwd in Jezuïtische stijl, heeft een mooi **uitzicht** over de Ouvèze die daaronder stroomt, op de heuvel van de Vierge noire (zwarte Maria), die verrijst aan overzijde van de rivier, en op de Mont Ventoux. Voor wie nog zin heeft in een wandeling: een steil pad voert naar het **kasteel**, dat aan het eind van de 12de eeuw door de graven van Toulouse boven op de rots van de bovenstad werd gebouwd.

In de omgeving Regiokaart, blz. 334

Entrechaux B2
◐ *6 km zuidoostwaarts via de D 938 en daarna de D 54.*
Dit dorp, een voormalig domein van de bisschoppen van Vaison, wordt beheerst door de hoog gelegen resten van het kasteel en een donjon van 20 m. Het ligt aan de nauwe toegang tot het **dal van de Toulourenc★★**, een rivier die op de Mont Ventoux ontspringt en langs de noordelijke helling van de berg stroomt. De Toulourenc slingert door woeste kloven en komt uit in de Ouvèze, ongeveer 30 km verderop.

★ Brantes C2
◐ *28 km oostwaarts via de D 938, vervolgens de D 54 tot Entrechaux, de D 13 richting Mollans en daarna rechts de D 40.*
In dit versterkte plaatsje met zijn kapel van de Witte Boetelingen, tegenwoordig een tentoonstellingsruimte, zijn de resten van een buitenhuis uit de renaissance (mooi gebeeldhouwd portaal) en een rijkversierde kerk een bezoek waard. Bovendien is het plaatsje **prachtig gelegen★** aan de voet van de Mont Ventoux op de zeer steile noordhelling van het **dal van de Toulourenc**.

😊 VAISON-LA-ROMAINE: ADRESBOEKJE

BEZICHTIGEN

Toeristenpas – € 8 (12-18 jaar € 3,50, tot 12 jaar gratis) - gratis audiogids. Met de toeristenpas hebt u één etmaal overal in de stad toegang. Inl.: ☎ 04 90 36 50 48 - www.vaison-la-romaine.com.

Treintje van Vaison-la-Romaine – ☎ 04 90 36 05 22 - april- sept.: dag. behalve di 14.00-18.00 u; juli-aug.: dag. behalve di 10.00-12.00, 14.00-18.00 u - vertrekt elke 45 min. voor het toeristenbureau - € 4,50 (12-18 jaar € 2,50, tot 12 jaar gratis). Rondrit (35 min.) door Vaison.

OVERNACHTEN

DOORSNEEPRIJZEN

Hôtel Burrhus – 1 pl. Montfort - ☎ 04 90 36 00 11 - www.burrhus. com - 37 kamers € 51/89 - ☕ € 9. Het had een eenvoudig, onopvallend hotel kunnen zijn, daar tussen de cafés op het plein, maar een paar liefhebbers van moderne kunst hebben er iets bijzonders van gemaakt. In de kamers en andere ruimtes overal design meubels, schilderijen en beeldhouwwerken. Aangename salon en mooi terras boven het plein.

Les Tilleuls d'Élisée – 1 av. Jules-Mazen (achter de kathedraal) - ☎ 04 90 35 63 04 - www. vaisonchambres.info - 🅿 - 5 kamers € 65/70 ☕. Dit stenen gebouw omringd door een tuin waar vrijuit genoten kan worden van de geneugten van het platteland is een droomadres. Op een steenworp afstand van het stadshart en de Romeinse vindplaatsen. Lichte, met smaak ingerichte kamers. Ontbijt in de mooie eetzaal of op het terras in de schaduw van lindebomen. Gezellige sfeer en hartelijke ontvangst.

Omgeving van Vaison

Chambre d'hôte Domaine Le Puy du Maupas – Rte de Nyons - 84110 Puyméras - ☎ 04 90 46 47 43 - www.puy-du-maupas.com - gesl. nov.-maart - 🅿 - 5 kamers € 60/65 - ☕. Dit huis in de wijngaarden (42 ha) is tegen het wijnpakhuis van het domein aangebouwd. Ontbijten met uitzicht op de Mont Ventoux. Bezichtiging van de wijnkelder en gelegenheid tot proeverij. Zwembad. Tevens gîte.

WAT MEER LUXE

La Fête en Provence – pl. du Vieux Marché - Haute Ville - ☎ 04 90 36 36 43 - www.hotellafete-provence. com - 🛏 - 8 studio's € 75, 2 appartementen € 105, 6 maisonnettes € 120 - ☕ € 10. Fijn adresje midden in de middeleeuwse stad. Wie graag onafhankelijk is, weet vast te waarderen dat de studios, appartementen en maisonnettes een keukenhoek hebben en soms ook een terras. Prettige afmetingen en een eenvoudige maar verzorgde inrichting.

Chambre d'hôte L'Évêché – 14 r. de l'Évêché - ☎ 04 90 36 13 46 - http://eveche.free.fr - 🖃 - 5 kamers € 80/135 ☕. Dit aantrekkelijke 16de-eeuwse huis in de bovenstad hoorde bij het bisschoppelijk paleis. De verzorgde, leuk gemeubileerde kamers zijn verdeeld over diverse niveaus. Er zijn twee vrij nieuwe suites. Mooie collectie gravures uit een handboek over smeedwerk. Terras met onvergetelijk uitzicht over de benedenstad.

Omgeving van Vaison

Chambre d'hôte Domaine des Auzières – 84110 Roaix - ☎ 04 90 46 15 54 - www.auzieres.fr - 🛏 🅿 - 5 kamers € 92 ☕. Vind maar eens een meer afgelegen plek. Dit immense huis, omringd door lavendel en oleander, en met ruime, koele kamers, is bijzonder rustig gelegen midden tussen de wijn- en olijfgaarden. Ontbijt aan de grote houten tafel in de eetkamer of op het terras in de schaduw van de druiven. Wijnverkoop.

UIT ETEN

DOORSNEEPRIJZEN

Le Bistro d'O – *1 r. du Château - ℘ 04 90 41 72 90 - gesl. jan., zo en ma - lunch € 19 - € 28.* Bistro met een elegante, verfijnde inrichting. Modern en antiek gaan samen met houten balken en natuursteen. Het voorzichtig creatieve menu wordt regelmatig aangepast. Lekkere wijnen tegen zachte prijzen.

Omgeving van Vaison

Auberge d'Anaïs – *Le Péreyras - 84340 Entrechaux - ℘ 04 90 36 20 06 - www.aubergeanais.com - gesl. ma (april-sept.) en za (maart en okt.-nov.), dec. - feb. - & ⚓ ◘ - lunch € 11 - € 17/29 - 7 kamers € 70/80 ☕ - halfpens. € 100/110.* Deze herberg midden in de wijn- en olijfgaarden wordt druk bezocht door stamgasten die, naast de eenvoud van het pretentieloze etablissement, afkomen op de smakelijke menu's, de wijn van het eigen domein en de vriendelijke bediening.

Le Girocèdre – *Montée du Portalet - 84110 Puyméras - ℘ 04 90 46 50 67 - www.legiro cedre.fr - gesl. ma en di (begin okt. tot Pasen), nov.-dec. - & ◘ - lunch € 18 id - € 26.* Hoog in het dorp, boven op een kobaltkalkheuvel, staat dit huis met speciale holten die in eerste instantie voor de teelt van zijderupsen waren bedoeld en nu wijnkelders zijn. Aangenaam terras en tuin in de schaduw van ceders, olijf-, vijgen- en tamarindebomen. Op zomerse avonden barbecue met rundvlees en vis.

WINKELEN

Markt – Traditionele weekmarkt op dinsdagochtend in het centrum.

Moulin à huile Chauvet – *Porte Major - 26170 Mollans-sur-Ouvèze - ℘ 04 75 28 90 12 - april-juni: 10.00-12.30, 14.30-19.00 u (za, zo en feestd.); juli-sept.: 10.00-12.30, 14.30-19.00 u.* Deze driehonderd jaar oude molen is multifunctioneel. In de winter wordt hij gebruikt voor de productie van olijfolie, in de zomer is de molen ter bezichtiging voor toeristen opengesteld. Proeverij en verkoop van producten waarin olijfolie is verwerkt.

SPORT EN ONTSPANNING

Wandeltochten

Diverse wandelpaden doorkruisen het platteland rond Vaison. *Inlichtingen bij het toeristenbureau van Vaison.*

Fietsroutes

Drie routes vertrekken vanaf het toeristenbureau. De kaart kan worden gedownload op www.provence-a-velo.fr.

EVENEMENTEN

Vaison Danses – *℘ 04 90 28 74 74 - www.vaison-danses.com.* De laatste twee weken van juli. Internationaal dansfestival in het antieke theater.

Choralies – *Inlichtingen bij de vereniging 'À cœur joie' - ℘ 04 72 19 83 40 - www.acoeurjoie.com.* Om de drie jaar vinden in de eerste twee weken van augustus in Vaison de Choralies plaats, waar zangers en zangeressen uit de hele wereld bijeenkomen voor een uniek korenfestival. Het volgende festival is in 2013.

6

Dentelles de Montmirail

★

Vaucluse (84)

ADRESBOEKJE: BLZ. 365

INLICHTINGEN

Toeristenbureau van Beaumes-de-Venise – *Pl. du Marché - 84190 Beaumes-de-Venise - ℘ 04 90 62 94 39 - www.ot-beaumesdevenise.com - juli-aug.: 9.00-12.00, 14.30-18.30 u; rest van het jaar: 9.00-12.00, 14.00-18.00 u - gesl. zo en feestd.*

LIGGING

Regiokaart B2 (blz. 334) – *Michelinkaart van de departementen 332 D8-D9.* Hoewel de Dentelles niet zo hoog zijn (734 m bij Mont St-Amand), maken ze een meer alpiene indruk dan hun indrukwekkende buurman, de Mont Ventoux, die 1912 m hoog is. Gigondas en Lafare (aan de D90) zijn de twee belangrijkste plaatsen van waaruit u toegang hebt tot de Dentelles de Montmirail.

AANRADER

Séguret; wandelen in het gebergte vanuit Gigondas; de proeverijen in de wijnkelders van Gigondas, Vacqueyras en Beaumes-de-Venise.

PLANNING

Minstens een halve dag voor een volledige rondrit langs de Dentelles. In het gebergte zelf kunnen heel wat aantrekkelijke wandelingen worden gemaakt. Opgepast dus voor de wijnkelders: van te veel proeverijen krijgt men weke benen!

Een blik op het onregelmatige silhouet van dit massief en iedereen zal begrijpen waar de naam 'mons mirabilis' (bewonderenswaardige berg) vandaan komt. Deze belangrijkste uitlopers van de Mont Ventoux lijken een soort stenen kantwerk *(dentelle)*, een schip met gehesen zeilen boven een oceaan van wijngaarden. De Dentelles bestrijken zo'n tien kilometer tussen Vaison-la-Romaine in het noorden, en Beaumes-de-Venise in het zuiden. Op de hellingen liggen pittoreske dorpen. In het westen dorpen met veelbetekende namen, beroemd om de kwaliteit van de wijnen die ervandaan komen: Beaumes-de-Venise, Vacqueyras, Gigondas en Séguret. In het oosten liggen de vreedzame gehuchten Lafare en Suzette die met elkaar verbonden zijn via een route die prachtige panorama's biedt. De hellingen van de gekartelde bergkammen zijn een populaire locatie voor bergbeklimmers. Maar ook wandelaars, fietsers en ruiters genieten volop in dit grootse landschap. En na alle inspanning volgt gewoonlijk de ontspanning, bijvoorbeeld met een proeverij in een van de wijnkelders langs de Route de Vins (zie blz. 346).

De Dentelles de Montmirail
P. Thomas / Hemis.fr

Rondrit Regiokaart, blz. 334

LANGS DE DENTELLES B2

▶ *De 55 km lange route vanuit Vaison-la-Romaine staat aangegeven op de regiokaart - ongeveer 1.30 u zonder pauzes. Verlaat Vaison-la-Romaine via de D977, de weg naar Avignon, en sla na 5,5 km linksaf de D88 in. De stijgende weg biedt mooi uitzicht op het dal van de Ouvèze.*

★ Séguret
Dit prachtige dorpje aan de voet van een kalkrots is terrasgewijs tegen een steile helling aangebouwd. Volg aan het begin van het dorp de hoofdweg. Deze begint bij een overdekte doorgang en loopt langs de mooie, in lokale stijl opgetrokken Fontaine des Mascarons die uit de 15de eeuw dateert, het 14de-eeuwse belfort en de 12de-eeuwse Église St-Denis. Vanaf het plein (oriëntatietafel) ontvouwt zich een weids uitzicht op de Dentelles de Montmirail en de vlakte van het Comtat Venaissin. Een tot ruïne vervallen kasteel en de steile, nauwe steegjes met oude huizen geven Séguret iets schilderachtigs. *Verlaat Séguret en sla linksaf de D23 in, richting Sablet, neem vervolgens de D7 en de D79 naar Gigondas.*

Gigondas *(zie blz. 344)*
🛈 *R. du Portail - ℘ 04 90 65 85 46 - www.gigondas-dm.fr - juli-aug.: ma-za 10.00-12.30, 14.30-18.30 u, zo 10.00-13.00 u; april-juni en sept.-okt.: dagelijks behalve zo 10.00-12.30, 14.30-18.00 u; jan.-maart en nov.-dec.: 10.00-12.00, 14.00-17.00 u.*
Dit middeleeuwse dorpje behoorde toe aan het prinsdom Orange *(zie blz. 338)*. Het heeft vele vestingwerken die herinneren aan de geduchte invallen van de Saracenen. Boven in het dorp is nog een deel van de vestingmuren te zien en de ruïnes van het eerste kasteel waartussen een korte **botanische route** is aangelegd, gewijd aan de wingerd en de wijn (overzicht van de gebieden,

6

terrassen met wilde en gecultiveerde wingerd, bekende druivensoorten en onbekende mediterrane variëteiten, aromatische kruiden die gebruikt worden bij de bereiding van wijn enz.). *Ingang via de r. du Corps-de-Garde en de Révérend Père-Signoret - gratis toegang.*

Vlakbij staat de **Sainte-Catherine d'Alexandrie-kerk** uit de 18de eeuw met een typische Provençaalse façade, klokkentoren en zonnewijzer. Het kerkplein biedt **uitzicht★** over de Rhône-vallei.

Wandeling langs beeldhouwwerken – Bovenin het dorp, aan weerskanten van de kerk, rondom en binnen in de feodale kerk van Gigondas (die eind 17de eeuw veranderde in een gasthuis) worden moderne beeldhouwwerken tentoongesteld. *Openingstijden expositieruimtes juli-aug.: dagelijks 10.30-12.30, 14.30-18.30 u; april-mei: wo-zo 11.00-12.30, 14.00-18.00 u; juni en sept.-okt.: wo-zo 14.00-18.00 u; nov.-maart: wo-zo 14.00-17.00 u - gratis.*

Verlaat het dorp via Les Florets en rijd vervolgens naar de Col du Cayron.

Col du Cayron

Deze 396 m hoge pas ligt te midden van de belangrijkste toppen van de Dentelles, die een uitstekend oefenterrein zijn voor alpinisten: er zijn wanden van bijna 100 m.

Een uur lopen heen en terug. Neem de onverharde weg rechts die door de Dentelles slingert. Deze weg biedt schitterend **uitzicht★** op het Rhônedal, die wordt begrensd door de Cevennen, het Plateau de Vaucluse en de Mont Ventoux.

Rijd terug naar de D7 en sla linksaf richting Vacqueyras, een ander centrum van de Côtes-du-Rhône.

Vacqueyras *(zie blz. 344)*

Vervolg de D7 en sla 1 km voor het dorp Beaumes-de-Venise linksaf een kleine smalle weg in.

Chapelle Notre-Dame-d'Aubune

Deze romaanse kapel ligt vlak bij de boerderij Fontenouilles op een kleine ophoging aan de voet van de Dentelles de Montmirail. De kapel heeft een sierlijke **klokkentoren★** met aan elke zijde lange pilasters naar klassiek voorbeeld en vier galmgaten in rondboogvorm tussen rechte pilaren of colonnetten. Vooral de opmerkelijke ornamenten, zoals rechte en gedraaide cannelures, druiven, wijnranken, acanthusbladeren en grijnzende gezichten, zijn interessant.

Keer terug op de D7 en volg links de D81 die door wijn- en olijfgaarden slingert.

Beaumes-de-Venise

Dit plaatsje ligt op de eerste uitlopers van de Dentelles de Montmirail (de naam Beaumes-de-Venise is een verdraaiing van Venaissin). Op het pleintje met de fontein en de mooie platanen is het heerlijk koel. Neem ook een kijkje in de smalle straatjes van Beaumes, waar de bekende geurige **muskaatwijn** van dezelfde naam geproduceerd wordt.

Verlaat Beaumes-de-Venise in oostelijke richting via de D90.

Na Suzette voert de weg door het steile **keteldal van St-Amand**. In de richting van Crestet klimt de weg naar een kleine pas die een mooi **uitzicht★** biedt op de Dentelles, de Mont Ventoux, het dal van de Ouvèze en Les Baronnies.

Crestet

Laat de auto staan op de parkeerplaats bij het kasteel.

Dit middeleeuwse dorpje met steegjes en huizen in renaissancestijl is nog authentiek, iets wat van veel dorpen die te toeristisch zijn geworden helaas niet meer gezegd kan worden. Het ligt een beetje van de route af, langs een *crête* (bergkam), waaraan het zijn naam dankt, heeft veel interessant erfgoed (fonteinen, wasplaatsen en booggewelven) en biedt vanaf het terras van het 12de eeuwse kasteel *(privé-eigendom)* schitterend uitzicht over dal van de Ouvèze, de Mont Ventoux en Les Baronnies.

Keer terug via de D 938 en sla linksaf om terug te keren naar Vaison-la-Romaine.

☺ DENTELLES DE MONTMIRAIL: ADRESBOEKJE

OVERNACHTEN

GOEDKOOP

Gîte d'étape des Dentelles – *In het dorp - 84190 Gigondas - ℰ 04 90 65 80 85 - www.gite-dentelles.com - geopend van maart-dec. - in eigen beheer.* 49 bedden € 13,50/15,50 - Goedkoop alternatief om van de streek te genieten. De gîte bestaat uit twee slaapzalen met 13 bedden, elf 2-3 pers. kamers, vier sanitaire ruimtes en een keuken met faciliteiten.

DOORSNEEPRIJZEN

Chambre d'hôte La Farigoule – *Le Plan de Dieu - 84150 Violès - ℰ 04 90 70 91 78 www.la-farigoule.com - gesl. van Allerheiligen (1 nov.)-Pasen -* P ⊟ *- 5 kamers € 58/65* ☕. Dit wijnbouwershuis uit de 18de eeuw is nog helemaal authentiek. De kamers met een mooie trap en antiek meubilair, hebben elk de naam van een Provençaalse schrijver gekregen. Het ontbijt wordt geserveerd in een gewelfde zaal, waar het op warme dagen heerlijk koel is. Tuin, zomerse gerechten.

WAT MEER LUXE

Chambre d'hôte Mas de la Lause – *40 chemin de Geysset - rte de Suzette - 84330 Le Barroux - ℰ 04 90 62 33 33 - www.provence-gites.com - gesl. begin nov.-half maart -* P *- 5 kamers € 67/81* ☕ *-* rest. € 22. Deze mas uit 1883 ligt verscholen tussen wijnstokken en olijfbomen. De kamers zijn in moderne stijl verbouwd maar met behoud van de Provençaalse kleuren. De gerechten op basis van lokale producten worden geserveerd in de eetzaal of onder het prieel tegenover het kasteel. Lager tarief vanaf 3 nachten.

Chambre d'hôte Le Mas de la Fontaine – *Rte de Vacqueyras - 84260 Sarrians - ℰ 04 90 12 36 63 - www.lemasdelafontaine. com - gesl. half nov.-eind jan. -* P ⊟ *- 5 kamers € 67/93* ☕ *- rest. € 29 id.* Heerlijk koel staat dit fraai gerenoveerde pand in de schaduw van een driehonderd jaar oude plataan die vergroeid is met een fontein. De sobere, onopgesmukte kamers bevinden zich op de verdieping. Provençaalse table d'hôte.

Hôtel-restaurant Montmirail – *2 km ten oosten van Vacqueyras - 84190 Vacqueyras - ℰ 04 90 65 84 01 - www.hotelmontmirail.com -* ⚒ P *- 39 kamers € 86/123 -* ☕ *lunch € 13 - rest. € 23/38 (gesl. do middag en za middag).* Karakteristiek onderkomen (19de eeuw) te midden van een aangename boomrijke tuin. Goed onderhouden kamers, deels gerenoveerd. Gezellige eetruimte en overdekt terras, waar heerlijke, traditionele gerechten worden geserveerd.

6

Le Grand Jardin – *In het dorp - 84190 Lafare -* ☏ *04 90 62 97 93 - www.legrandjardin.biz - gesl. half nov.-half maart -* 🍽 *- 5 kamers* € 102 - 🍴 € 12. Dit chicque en goed onderhouden adres is ideaal gelegen langs diverse wandelwegen. Er zijn vijf comfortable 'Provençaalse' kamers, alle met een terras dat uitkomt op de aangename tuin met bloemen en wingerd. Klein zwembad ter verfrissing na de wandeling.

UIT ETEN

DOORSNEEPRIJZEN

La Bastide Bleue – *Rte de Sablet - 84110 Séguret -* ☏ *04 90 46 83 43 - www.bastidebleue.com - gesl. 7 jan.-28 feb. -* ♿ 🍽 🅿 *- 7 kamers* € 71/83 🍴 - rest. € 23/26 - half-pens. € 125/137. In dit voormalige poststation kunnen dagelijks wisselende streekgerechten worden besteld. 's Zomers wordt het terras ingericht op de binnenplaats, heerlijk in de schaduw. Sfeervolle kamers en achter een prettig zwembad midden in de tuin.

L'Éloge – *Cave des Vignerons de Caractère - rte de Vaison-la-Romaine - 84190 Vacqueyras -* ☏ *04 90 65 84 54 - www.leloge. fr - gesl. okt.-mei: ma, di en zo avond -* € 14/35. Het gaat de semi-gastronomische restaurants die zich hebben gevestigd in de wijnkelders voor de wind. Moderne inrichting en dito keuken.

WAT MEER LUXE

Le Dolium – *Cave des vignerons de Beaumes-de-Venise - 84190 Beaumes-de-Venise -* ☏ *04 90 12 80 00 - www.dolium-restaurant.com - gesl. zo-do avond (15 sept.-15 juni) en wo - lunch* € 20 - € 29/50. Moderne bistro in een van de wijnkelders van Beaumes-de-Venise. Hier worden smakelijke regionale gerechten geserveerd met eerlijke verse producten (de kaart wijzigt elke twee weken); landwijnen. Overigens geeft chef-kok Pascal Poulain van sept. tot mei op maandag een kookcursus, gevolgd door een maaltijd (€ 60).

L'Oustalet – *Pl. du village - 84190 Gigondas -* ☏ *04 90 65 85 30 - www.restaurant-oustalet.fr - gesl. 22 dec.-20 jan., ma avond, wo avond, zo avond, do avond van nov. tot maart en ma behalve half juni-eind aug. -* € 26/75. Mooie gemoderniseerde eetzaal, terras onder oude platanen, moderne keuken met Provençaalse *touch* en goede keuze aan regionale wijn: het zoete zuiden!

WINKELEN

♿ Zie ook de adressen onder 'Wijn kopen' in het hoofdstuk 'Orange' *(blz. 346)*.

Domaine de Fenouillet – *123 allée St-Roch - 84190 Beaumes-de-Venise -* ☏ *04 90 62 95 61 - www.domaine-fenouillet.fr - 's zomers: 9.00-12.00, 14.00-19.00 u; 's winters: 9.00-12.00, 13.30-18.30 u - gesl. zo.* Op dit domein wordt aan duurzame landbouw gedaan, wat resulteert in een mooie selectie wijnen: witte, rode en rosé Côtes-du-Ventoux, Beaumes-de-Venise, muskaatwijn en *marc de muscat* uit Beaumes-de-Venise. Er wordt ook olijfolie verkocht, afkomstig van de eigen oliemolen, een paar kilometer verderop.

Moulin à huile La Balméenne – *82 av. Jules-Ferry - 84190 Beaumes-de-Venise -* ☏ *04 90 62 93 77 - www.labalmeenne.fr - 8.30-11.30 ('s zomers 12.00 u), 14.00-18.00 ('s zomers 18.30 u), zo 10.30-11.30, 14.30-17.30 u (Pasen-eind aug.).* Bij deze coöperatie zijn 600 olieproducenten uit de streek aangesloten. De oude molen is gratis te bezoeken.

SPORT EN ONTSPANNING

Bergbeklimmen

Sinds 1940 worden de Dentelles de Montmirail al bezocht in alle seizoenen. Er zijn vele mogelijkheden voor bergbeklimmers, er zijn zo'n 630 routes van verschillende niveaus, van 3+ tot 8b, die geklommen kunnen worden over de steile hellingen van 20 tot 100 m hoog. In de toeristenbureau van Beaumes en Gigondas enin de gîte d'étape van Gigondas is een stafkaart te koop.

Twee berggidsen organiseren cursussen en expedities: **Régis Leroy** (*℘ 04 90 65 80 85 - http://regisleroyguide.perso.sfr.fr/*) en **André Charmetant** (*℘ 04 90 82 20 72 - www.charmetant.org*).

Wandeltochten

In de Dentelles de Montmirail is meer dan 40 km wandelroute uitgezet. De brochures met wandelroutes in het gebergte en de omgeving zijn verkrijgbaar bij de toeristenbureaus van Beaumes-de-Venise *(€ 5)* en Gigondas *(€ 2,50)*.

🙂 **Goed om te weten** – Let op: in de zomerperiode kunnen er speciale regels gelden voor de toegang tot het bergmassief. *Inlichtingen: ℘ 04 88 17 80 00 - www.vaucluse.pref.gouv.fr.*

Mountainbiken en fietsen

Vanuit Gigondas zijn er drie fietsroutes van 13 tot 21 km, alledrie worden ze bestempeld als 'moeilijk'. Omschrijvigen van deze fietstochten zijn gratis verkrijgbaar in de toeristenbureaus van Beaumes-de-Venise en Gigondas.

6

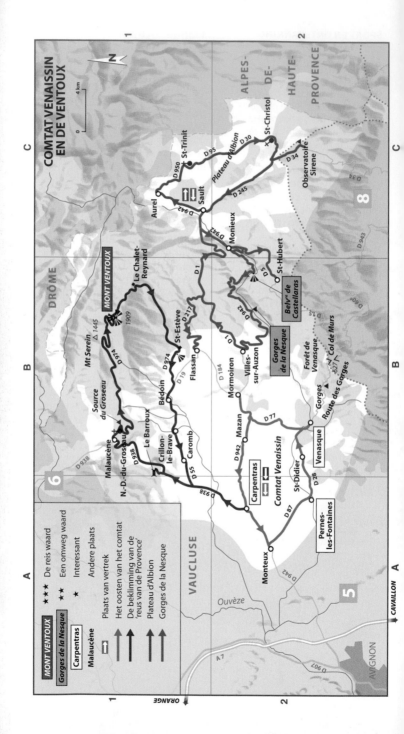

COMTAT VENAISSIN EN DE VENTOUX

MONT VENTOUX
Gorges de la Nesque

Carpentras
Malaucène

★★★ De reis waard
★★   Een omweg waard
★   Interessant
     Andere plaats

     Plaats van vertrek
     Het oosten van het comtat
     De beklimming van de
     'reus van de Provence'
     Plateau d'Albion
     Gorges de la Nesque

Comtat Venaissin en de Ventoux 7

Michelinkaart van de departementen 332 – Vaucluse (84)

▶ **CARPENTRAS★ EN RONDRIT** 370

6 km ten zuiden van Carpentras:
▶ **PERNES-LES-FONTAINES★** 379

9,5 km ten oosten van Pernes-les-Fontaines:
▶ **VENASQUE★** 384

Vanuit Carpentras:
▶ **MONT VENTOUX★★★: RONDRIT** 386

40 km ten oosten van Carpentras:
▶ **SAULT EN RONDRITTEN** 393

Carpentras

★

27.451 inwoners – Vaucluse (84)

😊 ADRESBOEKJE: BLZ. 377

ℹ INLICHTINGEN

Toeristenbureau van Carpentras – *97 pl. du 25-Août-1944 - 84200 Carpentras - ☏ 04 90 63 00 78 - www.carpentras-ventoux.com - ♿ - juli-aug.: 9.00-13.00, 14.00-19.00 u, feestd. 9.30-13.00 (zo 14.00 u); rest van het jaar: 9.30-12.30, 14.00-18.00 u - gesl. 1 jan., 1 mei en 11 nov.*

Rondleiding – *Inlichtingen bij het toeristenbureau ☏ 04 90 63 00 78 - april-sept.: € 4 (10-18 jaar € 2,50).* Inlichtingen over de rondleidingen (1.30 u) door Carpentras en omgeving met gidsen die benoemd zijn door het ministerie van Cultuur en Communicatie.

▶ LIGGING

Regiokaart A2 (blz. 368) – *Michelinkaart van de departementen 332 D9.* De mooiste weg naar Carpentras is de D950 vanuit Orange (24 km ten noordwesten). De route voert onder de porte d'Orange door, die in het midden van de weg staat, en doorkruist de groene vallei van de Auzon tot bij de boulevards, in de schaduw van platanen.

🅿 PARKEREN

Aan de allée des Platanes zijn er veel gratis parkeerplaatsen en het centrum is vlakbij.

😊 AANRADER

Een wandeling door het oude stadscentrum; de synagoge, het laatste overblijfsel van de joodse wijk; de truffelmarkt in de winter.

🕐 PLANNING

Ongeveer twee uur voor de bezichtiging van het oude Carpentras en de synagoge. Reken op meer tijd op vrijdagochtend, want dan is het marktdag en bijzonder druk.

👥 MET KINDEREN

Carpentras ontdekken in de voetsporen van Berli *(gratis gids verkrijgbaar bij het toeristenbureau)*; het Écomusée des Appeaux in Saint-Didier; de verzameling mechanische muziekinstrumenten in de Moulin à musique van Mormoiron; een confiserie waar *berlingots* worden vervaardigd *(zie 'Adresboekje').*

Loom gelegen aan de oevers van de Auzon, aan de voet van de Mont Ventoux en de Dentelles de Montmirail, ligt Carpentras ineengerold tussen de wijn- en boomgaarden op de vlakte van de Comtat. Die loomheid slaat echter op vrijdagochtend om in een bijzondere koorts, als de markt in het oude centrum vol staat met heerlijke Provençaalse producten: aardbeien, truffels, wijn en ambachtelijke creaties als berlingots en gekonfijte vruchten. Al staat de hoofdstad van het Comtat Venaissin een beetje in de schaduw van haar prestigieuze en mooie buurvrouw Avignon, toch straalt van Carpentras nog altijd iets af van het pauselijke

paars en goud uit haar bloeitijd. In de grootsheid van monumenten en bijzondere herenhuizen is het talent te ontwaren van de kunstenaars uit die tijd. Ga op zoek naar haar rijke verleden vla de steegjes en langs de schaduwrijke platanen, en geniet er van het prettige leven.

Wandelen

HET STADSCENTRUM Plattegrond blz. 372

◑ *Vertrek vanaf de place A.-Briand. Ongeveer drie uur.*

Hôtel-Dieu

Rondleiding (Hôtel-Dieu en apotheek) april-okt. - inl. bij het toeristenbureau.

Dit gasthuis uit de 18de eeuw is in opdracht van bisschop d'Inguimbert gebouwd. Het werd buiten de stadsmuren neergezet om te zorgen dat de zieken niet te lijden hadden van de ongezonde dampen in de stad. De gevel heeft een driehoekig fronton met barokke vuurpotten en op het plein staat het standbeeld van de bisschop.

De indrukwekkende staatsietrap heeft een sierlijke smeedijzeren leuning. In de gang hangen talloze schilderijtjes aan de muur. De **apotheek**★ verkeert nog in originele staat, met panelen en kasten die beschilderd zijn met landschappen en gapers. In de kasten staat een bijzondere verzameling aardewerken en glazen apothekerspotten.

Steek de place du 25-Août-1944 over en loop de oude stad in via de rue de la République, een voetgangersstraat.

Vanaf de place Ste-Marthe zijn rechts in de rue Moricelly een paar mooie **classicistische herenhuizen** uit de 17de en 18de eeuw te zien. Links staat de **Chapelle du collège**, die in de 17de eeuw in jezuïetenstijl is gebouwd en waar tentoonstellingen van hedendaagse kunst worden gehouden.

Loop verder door de rue de la République naar de place du Général-de-Gaulle.

★ Ancienne cathédrale Saint-Siffrein

In opdracht van paus Benedictus XIII werd in 1404 een begin gemaakt met de bouw van de kathedraal, een mooi voorbeeld van Zuid-Franse gotiek, maar ze werd pas in het begin van de 16de eeuw voltooid. De aanvankelijk onbewerkte gevel kreeg in de 17de eeuw een façade in Italiaanse stijl.

In de kapellen hangen schilderijen van Mignard en Parrocel en van de plaatselijke schilder Duplessis. In het koor bevinden zich een paar werken van de Provençaalse beeldhouwer **Bernus**, waaronder een stralenkrans van verguld hout die beïnvloed is door Bernini; links een retabel uit de late 15de eeuw met een voorstelling van de kroning van Maria.

Kijk in het oratorium links van het koor naar de schat aan gewijde kunst daar en mis het hoogtepunt niet: de **Heilige Bit**, in de 4de eeuw vervaardigd voor de Romeinse keizer Constantijn uit een nagel van het kruis van Christus. Het bevindt zich sinds 1260 in Carpentras en staat op het stadswapen.

Palais de justice

In het voormalige bisschoppelijk paleis is het 17de-eeuwse **gerechtsgebouw** ondergebracht. De voormalige staatsiekamer van de bisschoppen van Carpentras en de zaal waar de staten van het Comtat Venaissin bijeenkwamen, hebben in Franse stijl beschilderde plafonds en een fries van schilderijen uit de 17de eeuw. ℰ 04 90 63 66 00 - *rondleiding (1.30 u) april-okt. en sommige schoolvakanties: inlichtingen bij het toeristenbureau. - € 4 (tot 18 jaar € 2,50).*

7

Sla rechtsaf en loop langs de zuidmuur van de kathedraal.

Let op het laatgotische portaal van de kathedraal, dat uit het einde van de 15de eeuw dateert en dat ook wel de **Porte juive★** wordt genoemd, ter herinnering aan de bekeerde joden die hier naar binnen gingen om te worden gedoopt.

Loop om de koorsluiting heen via de rue de la Poste naar de place d'Inguimbert.

Vlak bij de koorsluiting van de huidige kathedraal zijn de **resten** van de eerste romaanse kathedraal te zien, die door een koepel wordt bekroond. Wie vanaf het hek naar boven kijkt, ziet een gedraaide zuil met daarop een kapiteel met een verhalende voorstelling. Tegenover de resten van de oude kathedraal staat een Romeinse **triomfboog** uit het begin van de 1ste eeuw. De versiering, hoewel beschadigd, is zeer boeiend, vooral de afbeelding van

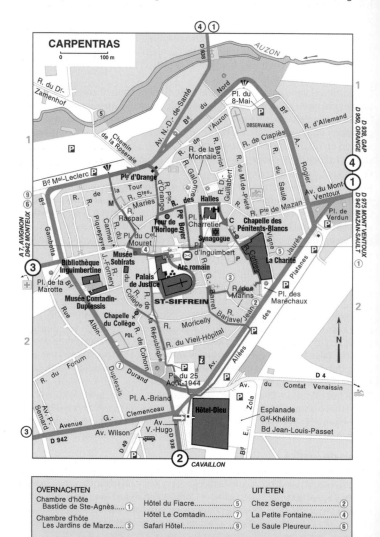

OVERNACHTEN		UIT ETEN	
Chambre d'hôte Bastide de Ste-Agnès.....①	Hôtel du Fiacre.................⑤	Chez Serge......................②	
Chambre d'hôte Les Jardins de Marze.....③	Hôtel Le Comtadin.............⑦	La Petite Fontaine.............④	
	Safari Hôtel.......................⑨	Le Saule Pleureur.............⑥	

Carpentras en het Comtat Venaissin

EEN PAUSENSTAD

De moeder van keizer Constantijn zou een paardenbit hebben laten maken met een nagel van het kruis van Christus. Het heilige bit werd bewaard in de Aya Sophia in Constantinopel, maar verdween in 1204 toen kruisvaarders de stad plunderden. In 1260 dook het bit op in Carpentras en werd het het embleem van de stad. Toen **Clemens V** zich in 1313 in Carpentras vestigde, maakte de stad een grote bloeiperiode door. Na zijn dood in 1314 gaf zijn opvolger de voorkeur aan Avignon. Toen Carpentras in 1320 **hoofdplaats van het Comtat Venaissin** werd, maakte het dankbaar gebruik van de vrijgevigheid van de pausen: Carpentras werd bestuurd door de bisschop en een rector. De stad breidde zich uit en er werd een indrukwekkende vestingmuur gebouwd. Tegenwoordig zijn slechts enkele overblijfselen van de muur en de toren van de porte d'Orange bewaard gebleven. Door de eeuwen heen werden mooie monumenten gebouwd: het nieuwe bisschoppelijke paleis (17de eeuw), talrijke fonteinen die in verbinding stonden met het nieuwe aquaduct en, op initiatief van bisschop d'Inguimbert, het Hôtel-Dieu en de Bibliothèque Inguimbertine (18de eeuw).

HET COMTAT VENAISSIN

Het gebied tussen de Rhône, de Durance en de Mont Ventoux, dat naar Venasque is genoemd, viel onder de graven van Toulouse en werd, net als al hun andere bezittingen, aan het einde van de strijd tegen de Albigenzen in 1229 bij de Franse kroon ingelijfd. In 1274 werd het door Filips de Stoute weer aan paus Gregorius X afgestaan, waarna het gebied tot 1791 onder pauselijk gezag bleef. In die tijd beschikte de regio over eigen ambtenaren en rechtbanken in Carpentras. Het Comtat Venaissin bestaat uit de vruchtbare, kalkrijke **vlakte van de Vaucluse** en beslaat het grootste en meest zuidelijke deel van het Rhônedal. De kalkgrond is door irrigatie geschikt gemaakt (nadat in 1860 een kanaal werd afgeleid van de Durance) voor het verbouwen van eersteklas gewassen die over heel Frankrijk worden gedistribueerd. De Ouvèze, de Sorgue en de Durance voorzien de grote vlakten van vruchtbaar slib. De **aardbei van Carpentras** (verkrijgbaar in vier variëteiten: Pajaro, Ciflorette, Garriguette en Cigoulette) is sinds 1987 een gedeponeerd handelsmerk. Met 5000 ton per jaar is het Comtat Venaissin nog steeds de grootste producent in de Provence.

EEN ZOETE MARKTSTAD

Na de eenmaking met Frankrijk in 1791 kende Carpentras opnieuw welvaart dankzij de snelle groei van de in 1768 geïntroduceerde **meekrap**. De landbouwmarkt die toen ontstond, is nog altijd een belangrijke bron van inkomsten. Vermoedelijk is het recept van de **berlingot** bedacht door de chef-kok van paus Clemens V. Oorspronkelijk was het viervlakkige snoepje rood en wit gestreept en smaakte het naar pepermunt. Al gauw werd de berlingot ook in andere smaken bereid: anijs, sinaasappel, citroen en koffie. **Gekonfijte vruchten**, een andere lokale lekkernij, kenden hun hoogtepunt in de 18de en 19de eeuw. Hoewel de ambachtelijke bereiding geleidelijk aan is vervangen door industriële productie, blijven enkele banketbakkers trouw aan het traditionele recept.

twee gevangenen, geketend aan oorlogstrofeeën: de een gekleed in een tuniek, de ander gehuld in een dierenhuid.

Ga linksaf de rue d'Inguimbert in, loop langs de place du Colonel-Mouret en sla dan rechtsaf de rue Raspail in. Deze straat volgt het tracé van de voormalige stadsmuren. Ga na 50 m linksaf de rue des Frères Laurens in.

Deze straat passeert de 16de-eeuwse Chapelle des Visitandines en komt uit bij een trap, die een fraai uitzicht biedt op het **dal van de Auzon** en op de **Dentelles de Montmirail** (*zie onder deze naam*) in de verte.

Wandel onder aan de trap rechts de boulevard Leclerc in.

Porte d'Orange

Te bezichtigen via rondleidingen door het toeristenbureau.

Deze 14de-eeuwse poort staat aan de noordkant van de oude stad en was een van de vier versterkte toegangspoorten van Carpentras. De 26 m hoge poort is het enige wat over is van de vroegere ommuring, die in totaal 32 torens telde.

Loop de rue de Porte-Orange weer in en sla dan linksaf de rue des Halles in.

Rue des Halles

De rue des Halles heeft aan weerszijden bogengalerijen met allerlei winkeltjes. Dit is de ideale plek om op een warme zomerdag wat verkoeling te zoeken. Aan het begin van de straat staat rechts een belfort, de **Tour de l'Horloge**, die in de 15de eeuw bij het eerste gemeentehuis hoorde. Verderop, aan de rechterkant van de straat, begint de **Passage Boyer** die vanwege de glazen overkapping ook wel de rue Vitrée wordt genoemd. Deze passage werd in 1848 door werklozen gebouwd.

Sla aan het einde van de Passage Boyer links de rue d'Inguimbert in.

Deze straat komt uit bij de place Maurice-Charretier. Dit plein is op een deel van het voormalige **getto** aangelegd.

★ Synagogue

Pl. Maurice-Charretier - ☎ 04 90 63 39 97 - 10.00, 11.00, 11.30, 15.00, 15.30, 16.00 en 16.30 u - rondleiding (1.30 u) - gesl. weekend en joodse feestd. - € 4 (10-18 jaar € 2,50) rondleiding, vrije bezichtiging gratis.

De synagoge dateert uit 1367 en werd in de 18de eeuw herbouwd. Op de eerste verdieping bevindt zich de gebedsruimte, die sober en tegelijk weelderig is versierd. Er gaat een bijzondere sfeer van uit, die verder reikt dan het zuiver artistieke element. Op de benedenverdieping staat de oven, waar tot

---

DE JODEN VAN DE PAUS

Tussen de 12de en 14de eeuw werden de joden verscheidene malen uit Frankrijk verjaagd. Ze zochten hun toevlucht tot de pauselijke gebieden, waar ze veilig waren en vrij in hun geloof. Net als Avignon, Cavaillon en de Isle-sur-la-Sorgue, had Carpentras een belangrijke joodse wijk, die pas aan het einde van de 16de eeuw een **getto** werd, de zogenaamde *carrière*. Het was een straat van 80 m lang die iedere avond werd afgesloten en waar meer dan 1500 joden woonden, die verplicht werden tot het dragen van een gele hoed. Bovendien mochten de joden slechts enkele beroepen uitoefenen, waaronder woekeraar en uitdrager. Het getto werd pas tijdens de Franse Revolutie afgeschaft. Tegenwoordig is de synagoge het laatste overblijfsel van de joodse wijk in Carpentras. Ook in de Isle-sur-la-Sorgue zijn de sporen van de joodse gemeenschap verdwenen.

aan het begin van de 20ste eeuw ongedesemd brood werd gebakken. In het souterrain bevindt zich de *mikve*, het bad voor de rituele reiniging van de vrouwen. Dit bad is 13 tot 15 m² groot en meer dan 2 m diep. Het werd gevuld met natuurlijk bronwater. Iedere maand, na hun menstruatie, kwamen vrouwen hier baden.

Loop door naar de rue des Halles, om het stadhuis heen, en sla de rue Bidauld in.
Deze straat voert naar de 17de-eeuwse **Chapelle des Pénitents-Blancs** die een ingang met een driehoekig fronton heeft. Aan de rue Cottier staat het gebouw van de **Charité**, het in 1669 opgerichte armenhuis. Nu worden er in de kelders exposities gehouden (*toegankelijk via de rue Vigne*).
Ga vanaf de place des Maréchaux rechtsaf de rue des Marins in.
Aan deze straat staan een paar mooie herenhuizen, waaronder het met kariatiden versierde Hôtel de Bassompierre.
Ga links de rue Gaudibert-Barret in, die overgaat in de rue Barjavel. Steek de avenue Jean-Jaurès over en sla de allée des Platanes in die uitkomt bij het Hôtel-Dieu.

Wat is er nog meer te zien? Plattegrond blz. 372

Musée Sobirats
112 r. du Collège - ☎ 04 90 63 04 92 - www.carpentras.fr - april-sept.: 10.00-12.00, 14.00-18.00 u; rest van het jaar: op aanvraag - gesl. di en feestd. - € 2.
Dit museum bevindt zich in een fraai 18de-eeuws herenhuis in het oude centrum. De collectie decoratieve kunst omvat meubilair, schilderijen, wandtapijten en faience.

Musée comtadin-Duplessis
234 bd Alain-Durand - zelfde openingstijden als het Musée Sobirats.
Het **Musée comtadin** beneden geeft een indruk van de plaatselijke folklore en ambachten van het Comtat Venaissin in de 19de eeuw: munten, hoofddeksels, kerststallen, lokvogels, bellen, votiefbeelden enzovoort.
Boven worden in het **Musée Duplessis** schilderijen uit de 16de-20ste eeuw tentoongesteld van Parrocel, Vernet en Rigaud en de uit Carpentras afkomstige Duplessis, Bidould en Laurens. Er is ook een reproductie van studeerkamer van Dom Malachie d'Inguimbert te zien.

Rondrit Regiokaart, blz. 368

HET OOSTEN VAN HET COMTAT

▷ *De 50 km lange route vanuit Carpentras staat aangegeven op de regiokaart - ongeveer een halve dag. Verlaat Carpentras in het zuidwesten, richting Monteux.*

Monteux A2
Dit stadje leeft van de tuinbouw. Het is de geboorteplaats van de H. Gentius, de beschermheilige van de Provençaalse landbouwers, die de gave bezat om het te laten regenen (*bedevaart op 16 mei*). De **Tour Clémentine** is het enige overblijfsel van het kasteel waar paus Clemens V wel kwam uitrusten. Daarnaast zijn er nog twee poorten van de vroegere 14de-eeuwse stadsmuur bewaard gebleven.
Verlaat Monteux in noordelijke richting en volg rechts de D87.

7

★ **Pernes-les-Fontaines** *(zie blz. 379)*
Verlaat Pernes via de D28 in oostelijke richting.

Saint-Didier B2

Écomusée des Appeaux – ☎ 04 90 66 13 13 - *www.appeaux-raymond.com* - *rondleiding (1.15 u) 9.00-11.30, 14.30-17.30 u - gesl. van half maart tot half april, in het weekend en op feestd. - € 4,50 (tot 10 jaar gratis).* 👥 De fluitjes werden kortgeleden nog gebruikt voor de jacht, maar hebben een nieuw bestaan gekregen. Halverwege de 19de eeuw werden in de heuvels rond de Mont Ventoux door Théodore Raymond diverse typen van dit soort fluitjes gemaakt. Nu zijn daarvan tachtig modellen gemaakt in het atelier van achterkleinzoon Bernard Raymond. Hij geeft met een veertigtal fluitjes een **demonstratie★** van allerlei dierengeluiden (van lijster tot everzwijn).
Vervolg de D28.

★ **Venasque** *(zie onder deze naam, blz. 384)*
Volg de D4 noordwaarts. Sla rechtsaf de D77 in en neem weer rechts de D942.

Mormoiron B2

🏠 *Pl. du Clos - 84380 Mormoiron -* ☎ 04 90 61 89 73 - *www.mormoiron.com* - *Pasen-eind sept.: 10.00-12.00, 16.00-18.00 u, weekend 10.00-12.00 u.*
Dit charmante dorp ligt hoog op een heuvel, met in het midden een kerk en rondom wijngaarden. Daaronder ligt het aangename **plan d'eau des Salettes**, een meertje met een zandstrandje dat in de zomer wat verkoeling biedt *(vissen is het gehele jaar toegestaan, zwemmen onder toezicht in juli-aug.).*
Musée – *R. de la mairie -* ☎ 04 90 61 96 35 - *april-sept.: dagelijks behalve di 15.00-18.00 u (19.00 u in juli-aug.) - € 3.* Dit kleine museum toont de bijzondere geologische formaties van het bekken van Mormoiron (kalksteen, oker- en kiezelhoudend zand en bonte kleisoorten) en hoe deze grondsoorten in het verleden werden geëxploiteerd. Kleine verzameling lokale archeologie.
Musée de la Musique mécanique – *Rte de Carpentras (rechts voor de bordjes 'centre ville') -* ☎ 04 90 61 75 91 - *http://perso.wanadoo.fr/musique.mecanique* - ♿ *- rondleiding (1 u) - wo 15.00 u of op afspraak - € 5 (tot 12 jaar € 4).* 👥 Dit museum met een een collectie mechanische muziekinstrumenten is een echte aanrader om de korte geschiedenisbeschrijving en technische uitleg (er is een restauratieatelier), maar vooral om de demonstraties. Bezoekers mogen spelen op een kanarieorgeltje uit 1740, een groot orkestrion uit 1900 (9 instrumenten) en een paardenmolenorgel, en aan straatorgels draaien.
Rijd verder via de D942 in de richting van Carpentras.

Mazan B2

🏠 *Pl. du 8-Mai - 84380 Mazan -* ☎ 04 90 69 74 27 - *www.mazantourisme.com* - *9.00-12.00, 14.00-18.00 u, za 9.00-12.00, 14.00-17.00 u (april-sept.), zo 9.00-12.00 u (in juli-aug.) - gesl. feestd.*
Plaatsje in de vallei van de Auzon, bekend om zijn gips, dat vlak bij Mormoiron wordt gewonnen uit de grootste gipsgroeve van Europa. Verder is het de geboorteplaats van de beeldhouwer **Jacques Bernus** (1650-1728).
Het **kasteel** van Mazan, nu hotel-restaurant, vormde herhaaldelijk het toneel voor de losbandige praktijken van markies De Sade. Vlak bij de kerk bevindt zich in de Chapelle des Pénitents Blancs het **Musée communal**, waar meubilair, klederdracht en landbouwwerktuigen een indruk geven van het leven in de streek. Verder te bezichtigen: een beeldhouwwerk van Bernus en vooral resten uit het stenen tijdperk gevonden tijdens opgravingen aan de zuidzijde van de Mont Ventoux. Op de binnenplaats staat een gemeenschappelijke

oven uit de 14de eeuw. *04 90 69 75 01 - van half juni tot half sept.: dagelijks behalve di 15.00-18.00 u - gesl. feestd. - gratis.*

Rond de **begraafplaats** (*pl. du 8-Mai, volg de omhooggaande weg voor het uitrijden van het dorp richting Villes-sur-Auzon*) staan 66 Gallo-Romeinse sarcofagen, die de oude heirweg van Carpentras naar Sault afbakenden; er staat ook een 12de-eeuwse kapel, de Notre-Dame-de-Pareloup, die gedeeltelijk onder de grond is gebouwd. Mooi **uitzicht★** op de Dentelles de Montmirail, de Mont Ventoux en de Montagne de Lure.

Vervolg de D942 naar Carpentras.

😊 CARPENTRAS: ADRESBOEKJE

OVERNACHTEN

GOEDKOOP

Lou Comtadou – *881 av. Pierre-de-Coubertin (1 km vanaf het centrum, naast het stade nautique) - * 04 90 67 03 16 - www.campingloucomtadou.com - 75 plaatsen - maart-okt. - € 9,80-25,50/per nacht voor 2 pers. en 1 voertuig.* Aangename gemeentecamping met schaduwrijke plaatsen van 100 m². Verhuur van (sta)caravans en bungalowtenten. Van juni tot aug. gratis entree tot het nabijgelegen zwembad.

WAT MEER LUXE

Hôtel du Fiacre – *153 r. Vigne - * 04 90 63 03 15 - www.hotel-du-fiacre.com - **P** - 18 kamers € 68 - ⌑ € 11.* In dit 18de-eeuwse herenhuis in het oude stadsgedeelte is de burgerlijke sfeer bewaard gebleven. Elke kamer is anders ingericht, maar ze zijn allemaal ruim en schoon, sommige komen uit op de fraaie patio of hebben een balkonnetje.

Les Jardins de Marze – *29 r. des Marins - * 06 12 99 18 65 - www.lesjardinsdemarze.fr - ⌑ **P** - 4 kamers € 75/120 ⌑.* Dit immense 18de-eeuwse herenhuis ligt verscholen in de doolhof van de steegjes in de oude stad. Vier sfeervolle kamers en een gîte van 150 m². Verrassend: een tuin van 1000 m² met in het midden een mooi zwembad.

Hôtel Le Comtadin – *65 bd Albin-Durand - * 04 90 67 75 00 - www.le-comtadin.com - & **P** - gesl. 19 dec.-4 jan., zo okt.-feb. - 19 kamers € 75/125 - ⌑ € 12.* Fraai 18de-eeuws herenhuis met lichte, geluiddichte kamers. De meeste kijken uit op de patio waar tijdens de zomer ontbeten wordt. Aangename lounge.

Chambre d'hôte Bastide de Ste-Agnès – *1043 chemin de la Fourtrouse - * 04 90 60 03 01 - www.sainte-agnes.com - ⌑ **P** - 5 kamers € 76/120 ⌑.* De breuksteen herinert nog aan het oude vestingwerk (bastide). Het is heerlijk toeven in de okerleurige kamers en de sfeervolle serene Provençaalse tuin. Het vroegere waterreservoir is nu een mooi zwembad.

Safari Hôtel – *1060 av. J.H.-Fabre - * 04 90 63 35 35 - www.safarihotel.fr - ⌑ **P** - 29 kamers € 95/120 ⌑.* Modern driesterrenhotel, een van de nieuwste, gelegen aan begin van de stad dorp (vlakbij het ziekenhuis). Ruime, comfortabele kamers. Spa, salon, bar en restaurant.

UIT ETEN

DOORSNEEPRIJZEN

La Petite Fontaine – *13 pl. du Col.-Mouret - * 04 90 60 77 83 - lapetitefontaine84@orange.fr - gesl. twee weken tijdens krokusvakantie, drie weken tijdens herfstvakantie,*

zo en wo - lunch € 15 - € 27/43.
De kleine eetzaal boven is versierd
met schilderijen over de Provence.
Traditionele, semigastronomische
gerechten. Er kan ook worden gegeten op het leuke terras met de
murmelende fontein.

Chez Serge – *90 r. Cottier -*
☏04 90 63 21 24 - www.chez-
serge.com - lunch € 15 - € 32/69 id.
Zowel voor de inrichting als
voor de gerechten zoekt de
eigenaar een evenwicht tussen
een moderne (staal, zink en glas)
en een Provençaalse, rustieke
stijl (gepatineerd meubilair, lommerrijk terras). Op de kaart staan
lekkere lunchgerechten 's middags en uitgebreidere gerechten
's avonds.

WAT MEER LUXE

In het Comtat Venaissin
Le Saule Pleureur – *145 chemin*
de Beauregard - 84180 Monteux -
☏04 90 62 01 35 - www.le-saule-
pleureur.com - gesl. 2-8 jan., zo
avond, ma behalve feestd. en
3 juni-27 sept., za middag - P
- € 29/89. De bloemrijke tuin
rond de villa doet de nabijgelegen snelweg snel vergeten.
Vriendelijke, aandachtige bediening. Gulle, verfijnde gerechten met creatieve toets. Een
Michelinster in de *Michelin Gids*
van 2011.

EEN HAPJE TUSSENDOOR

Pâtisserie Jouvaud – *40 r. de*
l'Évêché - ☏ 04 90 63 15 38 -
ma 10.30-19.30, di-zo 9.00-19.30 u.
Al drie generaties kunnen zoetekauwen genieten van de knap-
perige taarten met seizoensfruit,
traditioneel gebak en originele
creaties, chocolade, vruchten-
cake, caramel, meringues en
suikerwaren. Enkele tafels om
aan te zitten.

WINKELEN

Marché provençal – Op vrijdagochtend, tijdens de grote weekmarkt van Carpentras is het hele
stadscentrum bezet. Dankzij de
hoge kwaliteit van de aangeboden producten is de markt in 1996
uitverkozen tot 'marché excep-
tionnel'. In een kleurrijke sfeer
worden goede zaken gedaan.

**Marché des producteurs
locaux** – *Sq. de Champeville -*
april-sept.: di 17.00-19.00 u.

Marché aux truffes – *Pl. Aristide-*
Briand - ☏ 04 90 60 33 33 - www.
carpentras.fr - half nov.-eind maart:
vr 9.00 u. Dit is een van de grootste truffelmarkten in de Vaucluse.
De vrijdag vóór 27 november is
er een feestelijke optocht van de
confréries, waarna de Amicale
truffe passion omelet met truffel
serveert voor iedereen.

Lekkernijen
**👥 Confiserie du Mont-
Ventoux** – *1184 av. Dwight-*
Eisenhower - 84200 Carpentras -
☏04 90 63 05 25 - www.berlingots.
net - dagelijks behalve zo en ma
9.00-12.00, 14.00-18.45 u - gesl.
eerste week van feb., eerste week
van juni en feestd. De berlingot
van Carpentras, een snoepje met
muntsmaak, blijft de topper van
dit eerbiedwaardige huis, dat
overgebleven is van de vele gerenommeerde suikerbakkerijen in
de stad. Liefhebbers kunnen op
afspraak de fabriek bezichtigen.

Chocolaterie Clavel – *allées*
J-Jaurès - 84200 Carpentras -
☏ 04 90 29 70 39- dagelijks behalve
zo en ma 8.30-12.30, 14.30-19.00 u.
Een must voor de echte smulpa-
pen! Liefhebbers kunnen er onder
andere proeven van berlingots
(munt-, aardbei- of meloensmaak),
lavendelrotsjes en gekonfijte
vruchten. De eigenaar, René
Clavel, heeft het record van de

grootste berlingot van de wereld op zijn naam staan (537 kg)!

Nougats Silvain – *Rte de Venasque - 84210 Saint-Didier - ℘ 04 90 66 09 57 - www.nougat-silvain-freres.fr - juli-aug.: dag. 10.00-12.00, 15.00-19.00 u; juni en sept.-dec.: dag. 10.00-12.00, 14.00-18.00 u; feb.-mei: di-zo 10.00-12.00, 14.00-18.00 u; - rondleiding juli-aug.: di en do 10.15 u; rest van het jaar: wo 10.15 u.* Tegenover het Écomusée des Appeaux staat het atelier van de gebroeders Silvain, die hun deuren met genoegen openen voor een bezichtiging. Zij noemen zich graag boer-nogama-ker, omdat zij zelf de amandelen en de honing produceren.

EVENEMENTEN

Truffelfestival – Eerste zondag van februari organiseert de ver-eniging 'Ordre de la truffe' een truffelfeest met een truffelwed-strijd, recepten op basis van truf-fel, kookcursussen, stands met proeverij en verkoop…

Les Trans'Art – Van juni tot aug.: muziek, dans, theater, lezingen, exposities, workshops… meer dan 150 uitvoeringen en activitei-ten, veelal gratis, op verschillende plaatsen in de stad.

Festival de musique juive – *Inlichtingen bij het toeristenbureau.* Festival van de joodse muziek be-gin augustus, in de synagoge en het cultureel centrum.

Noëls insolites In december door de hele stad: voorstellin-gen op straat, een kunstijsbaan, Kerstmarkt, reusachtige kribbe en rondritjes in een koets.

Pernes-les-Fontaines

★

10.410 inwoners – Vaucluse (84)

😊 ADRESBOEKJE: BLZ. 383

🛈 INLICHTINGEN

Toeristenbureau van Pernes-les-Fontaines – *Pl. Gabriel-Moutte - 84210 Pernes-les-Fontaines - ℘ 04 90 61 31 04 - www.tourisme-pernes.fr - juli-aug. 9.00-13.00, 14.00-18.30 u, za 9.00-13.00, 14.00-17.00 u, zo en feestd. 9.30-12.30 u; rest van het jaar: dagelijks beh. zo 9.00-12.00, 14.00-17.00 u, za en feestd. 9.00-12.00 u - gesl. 1 jan,. paaszondag, 1 mei, pinksterzondag, 25 dec.*

Rondleidingen – *Op afspraak via het toeristenbureau - van half juni tot half sept. Het toeristenbureau organiseert rondleidingen door de stad (2 u - di - € 3, tot 16 jaar gratis) en themawandelingen (2.30 u - wo - € 6, 12-16 jaar € 3).*

◐ LIGGING

Regiokaart A2 (blz. 368) – *Michelinkaart van de departementen 332 D10.* Pernes ligt aan de Nesque op de kruising van de D28 uit Avignon (20 km in westelijke richting) en de D938 van Carpentras (6 km in noordelijke richting) en Cavaillon (21 km in zuidelijke richting).

7

P **PARKEREN**

Het is raadzaam de drukke weg te verlaten en de auto achter te laten op het parkeerterrein niet ver van het toeristenbureau, rechts aan de cours Frizet (D1 in de richting Mazan) en te voet naar het centrum te gaan.

☺ **AANRADER**

Fonteinenroute; de prachtige fresco's in de Tour Ferrande.

◔ **PLANNING**

Trek minstens twee uur uit voor een wandeling door de steegjes, vooral als u alle veertig fonteinen wilt zien. De meeste fonteinen dateren uit de 18de eeuw. In die tijd werd een bron ontdekt in de buurt van de chapelle Saint-Roch.

👪 **MET KINDEREN**

De vertelling over de gevechten van Karel van Anjou op de muren van de Tour Ferrande.

Op Pernes-les-Fontaines, de 'parel' van het Comtat Venaissin, een stadje in de schaduw van een hoge donjon, lijkt de tijd geen vat te hebben. De pleintjes met fonteinen, overwelfde steegjes en kleine musea met erfgoed uit het Comtat maken het stadje tot een populaire trekpleister, vooral op zwoele zomeravonden als de klaterende fonteinen voor verkoeling zorgen tijdens de avondlijke rondleidingen.

Wandelen Plattegrond

DE FONTEINEN ONTDEKKEN

▶ *De route staat aangegeven op de plattegrond hieronder - 2 u, of meer voor wie ook door de wirwar van kleine steegjes in de oude stad wil dwalen. Start bij de Église Notre-Dame-de-Nazareth (volg vanaf het toeristenbureau de Nesque).*

☺ **Goed om te weten** – Er bestaat een gedetailleerde plattegrond waarop twee rondwandelingen staan. Die is gratis verkrijgbaar bij het toeristenbureau en in talloze winkels.

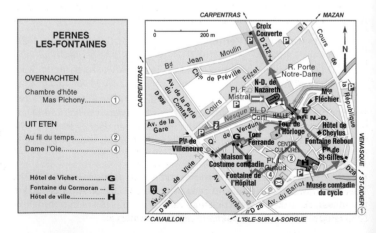

Tour Ferrande
C. Moirenc / Hemis.fr

Het oudste deel van de **Église Notre-Dame-de-Nazareth** dateert uit het einde van de 11de eeuw. De op de oudheid geïnspireerde decoratie van de deur in het zuidportaal is helaas zwaar beschadigd.

Een oude brug onder de wilgen leidt over de Nesque naar de **Porte Notre-Dame★**. Op een van de pijlers staat de Chapelle Notre-Dame-des-Graces.

Meteen na de poort rechts staat tegenover een overdekte 17de-eeuwse markthal de **Fontaine du Cormoran (E)**, een van de boeindste fonteinen van Pernes *Sla rechtsaf de rue Victor Hugo in, parallel aan de Nesque. Loop daarna de rue de Brancas in en sla meteen rechtsaf.*

Tour de l'Horloge

ℰ *04 90 61 31 04 - www.tourisme-pernes.fr - 9.00-17.00 u - gratis.*

Deze donjon is het laatste overblijfsel van het kasteel van de graven van Toulouse. Het terras biedt uitzicht over de Plaine du Comtat, de streek rond Avignon met in het noorden en oosten de Dentelles de Montmirail en de Mont Ventoux aan de horizon.

In de rue Victor-Hugo bevindt zich de Clos de Verdun, een idyllisch parkje dat is aangelegd op plek waar eerst een oude oliemolen stond.

★ Tour Ferrande

ℰ *04 90 61 31 04 - www.ville-pernes-les-fontaines.fr - rondl. (1 u) op afspr. in juli en aug.: dag. beh. in het weekend 10.00 u; gesl. feestd. - € 2 (tot 16 jaar gratis)*

Deze 13de-eeuwse gekanteelde toren staat ingesloten tussen de huizen op een pleintje met de Fontaine de Guilhaumin of Fontaine du Gigot (lamsbout). Op de derde verdieping zijn bijzondere 13de-eeuwse **fresco's** te zien waarop als in een stripverhaal de Italiaanse ridderavonturen van Karel van Anjou, een broer van Sint Louis te bewonderen zijn. Aan het eind van de rue Gambetta staat tussen twee ronde torens met machicoulis de **Porte de Villeneuve**, een restant van de 16de-eeuwse stadsmuur.

Loop terug tot de rue de la République en sla die rechtsaf in.

Maison du costume comtadin

☎ 04 90 61 31 04 - www.ville-pernes-les-fontaines.fr - half april- eind april: 14.00-17.00 u; mei-juni en half sept.-eind sept.: 15.00-18.30 u; begin juli-half sept.: 10.00-12.30, 15.00-18.30 u - gesl. di - gratis.

De benedenverdieping ademt nog altijd de sfeer van een 19de-eeuwse stoffenwinkel. De collectie bestaat uit traditionele kleding, hoofddeksels en omslagdoeken uit het Comtat Venaissin. Op de eerste verdieping zijn elf kostuums (van alle standen), schenkingen van plaatselijke families, te zien.

Tegenover het Maison staat het 16de-eeuwse **Hôtel de Vichet** (G) met een sierlijk smeedijzeren balkon boven het portaal. Loop langs het 17de-eeuwse Hôtel de Francheville en dan linksaf de Rue Barrau in, waar tegenover het Hôtel des Ducs de Berton de **Fontaine de l'Hôpital** uit 1760 staat. In de voormalige augustijnenkerk op de place Louis-Giraud een eindje verderop is nu een cultureel centrum gevestigd.

Ga via de rue des Istres naar de place des Comtes-de-Toulouse en sla rechtsaf de smalle rue Brancas in.

Hôtel de ville H

Dag. beh. weekend: 8.30-12.00, 13.15-17.30 u; vr: 8.30-12.00, 13.15-16.00 u - gratis.

Het stadhuis is gevestigd in de voormalige herenwoning van de hertogen van Branca, onder wie de Franse maarschalk en ambassadeur van Lodewijk XIV in Spanje. Let op de fraaie trap met balustrade. Op de verdieping bevinden zich ontvangstzalen met plafonds in Franse stijl, voluten en afbeeldingen in trompe-l'œil. En vergeet niet even de trouwzaal binnen te lopen waar een prachtig voorbeeld van Corduaans leer te vinden is. Het is weliswaar een imitatie in pleisterwerk, maar niet van echt te onderscheiden.

De 17de-eeuwse gewelfde kelders bieden onderdak aan het **Musée comtadin du Cycle**, waar 60 fietsen tentoongesteld staan, met als oudste exemplaar de Grand Bi uit 1870. *Half april-eind april en half de.-eind dec.: wo en za 14.00-17.00 u; mei-juni: wo en za 15.00-18.00 u; juli-aug.: dagelijks behalve di 10.00-12.30, 15.00-18.30 u; sept.: wo en za 15.00-18.30 u - gratis.*

De binnenplaats oversteken om de 18de-eeuwse Fontaine de l'Ange, een fontein met zuilengalerij, te bezichtigen. Er is ook een aangename tuin. Ga via de avenue du Bariot linksaf naar de **Porte de Saint-Gilles**. Deze vierkante toren met weergang maakte deel uit van de 14de-eeuwse stadsmuur.

Ga door de poort en neem de rue Raspail.

Op nr. 214 staat iets van de weg het Hôtel de Jocas met een prachtig portaal in Lodewijk XV-stijl. Op nr. 23 van de Place de la Juiverie is binnen het Hôtel de Cheylus uit de 16de-18de eeuw het enige particuliere **joods rituele bad** (*mikvé*) te zien. Het is mooi gerestaureerd en nog steeds in gebruik en kan worden bezocht tijdens rondleidingen georganiseerd door het toeristenbureau. *☎ 04 90 61 31 04 - www.ville-pernes-les-fontaines.fr - rondleiding (1.30 u) op afspraak van half juni tot half sept.: wo om 10.00 u - € 3 (tot 16 jaar gratis).*

Ga daarna langs de **Fontaine Reboul** bijgenaamd 'Grand Font', een met visschubben versierde fontein.

Sla voor de porte Notre-Dame rechtsaf om bij de place Fléchier te komen.

Maison Fléchier

☎ 04 90 61 31 04 - juli-sept.: 10.00-12.30, 15.00-18.30 u; half april-eind juni: 15.00-18.30 u; rest van het jaar: inlichtingen over rondleidingen op aanvraag bij het toeristenbureau. - gesl. di, 1 mei, 25 dec., begin okt.-half dec. - gratis.

In dit 17de-eeuwse herenhuis werd redenaar Esprit Fléchier geboren. Nu worden hier verdeeld over twee verdiepingen typisch Provençaalse tradities aanschouwelijk gemaakt: een 19de-eeuwse eetkamer waar de tafel gedekt staat voor het grote kerstmaal, een droom van een babykamer en reconstructies van een werkplaats van een santonmaker en een zijderupskwekerij. *Loop terug naar de Porte Notre-Dame, steek de brug over en loop ongeveer 200 m de cours Frizet in.*

Croix couverte
Sierlijk rechthoekig monument met een overdekt kruis dat in de 15de eeuw gebouwd is door een inwoner van Pernes-les-Fontaines, Pierre de Boët.

🌐 PERNES-LES-FONTAINES: ADRESBOEKJE

OVERNACHTEN

WAT MEER LUXE
Maison d'hôtes Saint-Barthélemy – *1 623 chemin de la Roque* - ℘ *04 90 66 47 79 - www.ville-pernes-les-fontaine.fr/st-barthelemy* - 🅿 🏊 *- 5 kamers € 75* 🍽. Deze mooie, 18de-eeuwse Provençaalse mas heeft gezellig ingerichte kamers. Het smakelijke ontbijt wordt geserveerd bij het zwembad. 4 ha groot park met waterval, ook voor picknicks.

Chambre d'hôte Mas Pichony – *1454 rte de St-Didier (RD 28)* - ℘ *04 90 61 56 11 - www.maspichony.com - gesl. nov.-maart* - 🅿 🏊 - 🚭 - *5 kamers € 88/98* 🍽. *Table d'hôte (€ 28).* Dit huis temidden van de wijngaarden lijkt wel een ansichtkaart uit de Provence. Met zorg ingerichte kamers en zwembad.

UIT ETEN

DOORSNEEPRIJZEN
Dame l'Oie – *56 r. Troubadour-Durand* - ℘ *04 90 61 62 43 - www.dameloie.fr* - ♿ *- lunch € 15 - € 15/25.* Het Provençaalse interieur is opgevrolijkt met een grote verzameling miniatuurganzen. Klassieke gerechten, streekwijnen.
Au Fil du Temps – *pl. Louis-Giraud* - ℘ *04 90 30 09 48 - gesl. di, wo middag (het hele jaar) en ma-do middag in juli en aug. lunch € 19 - € 28/35.* Frisse locatie op een plein-

tje met een bruisende fontein tegenover de kerk. In de smakelijke, verfijnde gerechten worden streekproducten verwerkt.

EEN HAPJE TUSSENDOOR

Le Haricot magique – *95 pl. Louis-Giraud* - ℘ *04 88 50 85 05 - www.leharicotmagique.com -15.00-18.30 u, za 10.30-13.00, 15.00-18.30 u - gesl. zo en ma, 15-31 aug.* Theesalon annex bibliotheek met veel kunstzinnige en culturele activiteiten. Bioproducten.

WINKELEN

L'Atelier-galerie Courtepointe – *7 pl. du Portalet* - ℘ *04 32 85 07 59 -* 🅿 *- 10.00-12.00, 14.30-18.30 u.* Atelier galerie van een kunstenaar die *boutis* (Provençaalse borduurtechniek) en patchwork maakt en restaureert. Er is ook een expositie over de geschiedenis van de *boutis* van 1820 tot heden.

SPORT EN ONTSPANNING

Topogidsen – Een mountainbikeroute en twee wandellussen (9 tot 15 km, 4 à 6 u) in de nabijgelegen heuvels zijn gratis verkrijgbaar bij het toeristenbureau.

EVENEMENTEN

Font'Arts – 3 dagen begin augustus, kunstfestival op straat, in het oude centrum.

7

Venasque

★

1131 inwoners – Vaucluse (84)

😊 **ADRESBOEKJE: BLZ. 385**

🛈 INLICHTINGEN

Toeristenbureau van Venasque – *Grand-Rue - 84210 Venasque - ☎ 04 90 66 11 66 - www.tourisme-venasque.com - juli-aug.: 10.00-12.30 u, 15.00-19.00 u, zo en ma 15.00-19.00 u; april-juni en sept.-okt.: 10.00-12.00 u, 14.00-18.00 u, ma 14.00-18.00 u. - gesl. nov.-maart.*

▶ LIGGING

Regiokaart B2 (blz. 368) – *Michelinkaart van de departementen 332 D10.* De smalle D4 ten zuiden van Carpentras loopt door heuvelland naar Venasque, dat op de rand van een rots boven het dal van de Nesque ligt. Een klein kronkelweggetje voert naar het dorp.

🕓 PLANNING

Bezichtiging van de doopkapel duurt ongeveer een uur; trek voor een wandeling door het dorp zeker ook een uur uit. Wie zin heeft om hier langer te blijven, kan een kookcursus doen (*zie 'Adresboekje'*).

Met de huisjes op de steile rots hoog boven het dal vormt Venasque een intrigerend plaatje. Maar Venasque is meer dan zo maar een dorpje. Met de pleintjes met fonteinen en de stijlvolle herenhuizen en de opmerkelijke homogene architectuur is Venasque met recht een van de 'mooiste dorpen van Frankrijk'. Behoefte aan kalmte en rust? Serene stilte vindt u ongetwijfeld tijdens een wandeling door de rustige straatjes van het dorp, langs de ateliers van de schilders, pottenbakkers en keramisten en de fraai gerestaureerde, vaak begroeide oude huizen.

Wandelen

Op de Esplanade de la Planette, en meer nog vanaf de zogeheten **Tours sarrasines**, overblijfselen van de middeleeuwse versterkingen hoog boven het dorp, ontvouwt zich een prachtig uitzicht op de Mont Ventoux en de Dentelles de Montmirail.

★ Baptistère

Ingang rechts van de pastorie - ☎ 04 90 66 62 01 - www.venasque.fr - april-okt.: 9.00-13.00, 14.00-18.30 u; rest van het jaar: 9.15-13.00, 14.00-17.00 u - rondleiding (20 min.) op afspraak - gesl. half dec.-begin jan. - € 3 (tot 12 jaar gratis).

Deze doopkapel die via een lange gang met de Église Notre-Dame in verbinding staat, is een van de oudste religieuze gebouwen van Frankrijk. De kapel dateert waarschijnlijk uit de Merovingische tijd (6de eeuw) en werd in de 11de eeuw verbouwd. Ze heeft de vorm van een Grieks kruis. Binnen heeft de kapel de vorm van een vierkante zaal met een kruisgewelf. Aan weerszijden daarvan ligt een apsiskapel met een halfkoepelgewelf. De bogen van de apsiskapellen rusten op marmeren colonnetten met antieke of Merovingische kapitelen. Midden in de zaal is in de grond de plaats van de doopvont aangegeven.

Église Notre-Dame
Bezienswaardig in deze meermaals verbouwde kerk zijn een mooi 17de-eeuws retabel met houtsnijwerk en de **Kruisiging★** uit de school van Avignon uit 1498.

In de omgeving Regiokaart, blz. 368

Route des Gorges B2
10 km in oostelijke richting via de D4 naar Apt.
Deze bochtige, schilderachtige weg voert via een rivierkloof door het **forêt de Venasque**, dat hoofdzakelijk uit steeneiken bestaat, en vervolgens over het Plateau de Vaucluse. Na zo'n 400 m klimmen komt de weg uit op de **Col de Murs** (627 m). Voorbij de pas bieden de eerste bochten van de afdaling naar Murs weidse vergezichten op de Plaine d'Apt en Roussillon.

😊 VENASQUE: ADRESBOEKJE

OVERNACHTEN EN UIT ETEN

DOORSNEEPRIJZEN
Restaurant Les Remparts – *R. Haute - ☎ 04 90 66 02 79 - www. hotellesremparts.com - gesl. half nov.-half maart - **P** - 8 kamers € 57 ☕ - halfpens. € 96 - lunch € 16,50 - € 25/32.* Restaurant op de oude vestingwallen van het hooggelegen dorp. De maaltijden worden geserveerd in elegante, kleurrijkeruimtes met moderne schilderijen aan de muren. Een paar eenvoudige kamers.
Maison de Charme La Fontaine – *Pl. de la Fontaine - ☎ 04 90 60 64 05 - www.maison decharme-venasque.com - **P** - 4 suites € 115/125 ☕.* Dit karakteristieke huis ligt tegenover de dorpsfontein. De vier prachtig ingerichte suites kijken uit over de daken. De kamers zijn elegant en licht, de andrere ruimtes knus. Op de begane grond drijft de eigenaresse een leuke decoratiewinkel.

SPORT EN ONTSPANNING

Kookcursussen – *Auberge La Fontaine - Pl. de la Fontaine - ☎ 04 90 66 02 96 - www.auberge-lafontaine.com - het hele jaar door kookcursussen, uitsl. na reserv. - € 80 per pers. per dag.* Leer de basisbeginselen van de mediterrane keuken tijdens een kookcursus in Auberge La Fontaine (*zie hierboven*). Een uitstekende manier om het hele jaar in vakantiesfeer te blijven!

Mont Ventoux

★★★

Vaucluse (84)

ADRESBOEKJE: BLZ. 390

ⓘ INLICHTINGEN

Toeristenbureau van Bédoin – *Espace Marie-Louis-Gravier - 84410 Bédoin - ☎ 04 90 65 63 95 - www.bedoin.org - juli-aug.: 9.00-12.30, 14.00-18.00 u, za 9.00-12.30, 15.00-18.00 u, zo en feestd. 9.30-12.30; begin sept.-half okt. en half april-eind sept.: dag. beh. zo 9.00-12.30, 14.00-18.00 u, za 9.30-12.30 u; rest van het jaar: dag. beh. zo 9.00-12.30, 14.00-18.00 u, wo en za 9.30-12.30 u - gesl. 1 jan., 1 en 11 nov., 25 dec.*

Toeristenbureau van Malaucène – *Cours des Isnards - ☎ 04 90 65 22 59 - www.malaucene.fr - dag. beh. zo 9.00-12.00, 14.30-17.30 u, za 9.00-12.00 u.*

▶ LIGGING

Regiokaart B1 (blz. 368) – *Michelinkaart van de departementen 332 E8*. Met de auto kan de Mont Ventoux via drie wegen bereikt worden: via Malaucène in het westen, Bédoin in het zuiden (D974) en Sault in het oosten (D164). Waarschuwing: de top is bij prefectoraal decreet gesloten voor verkeer van half november tot half april (half mei vanaf Malaucène). Dan komt u slechts tot Station Mont-Serein in het westen en Chalet-Reynard in het oosten. Houd rekening met de grote hoeveelheid wielrenners die over de route naar de top rijdt.

Verkeersinformatie – *☎ 0892 68 24 84 (weer en verkeer).*

☺ AANRADER

Het prachtige panorama vanaf de top van de 'Reus van de Provence'; wandelen over de paden van de Mont Ventoux.

🕐 PLANNING

De rondrit zoals hieronder beschreven duurt ongeveer een halve dag.

👥 MET KINDEREN

Station Mont-Serain organiseert zowel in de winter als de zomer talloze activiteiten; MTB-tochten voor de hele famiie *(zie 'Adresboekje')*.

OOG VOOR DE FLORA

Op de hellingen van de Mont Ventoux groeien typisch Provençaalse bloemen en planten. Maar op de top komen ook planten voor die doorgaans in poolstreken voorkomen, zoals Groenlandse papaver en bijzondere steenbreeksoorten. Pas in de eerste helft van juli bloeien de bloemen op de Mont Ventoux. De bomen op de hellingen werden vanaf de 16de eeuw gerooid voor de scheepsbouwindustrie in Toulon, maar sinds 1860 zijn nieuwe bossen aangeplant. Aleppodennen, steeneiken, witte eiken, ceders, beuken, bergdennen, sparren en lariksen maken vanaf 1600 m hoogte plaats voor een uitgestrekt veld met stralend witte keien. In het najaar is de beklimming door het prachtig gekleurde herfstbos een onvergetelijke belevenis.

EEN BIOSFEERRESERVAAT

Het behoud van de natuurlijke rijkdommen gaat hier samen met de ontwikkeling van menselijke activiteit. Het reservaat telt een aantal kerngebieden waar de bescherming van het oorspronkelijke ecosysteem de prioriteit heeft: de top van de Ventoux, de Mont Serein, het cederbos van Bédoin, de Tête des Mines en de Gorges de la Nesque. In de zogeheten bufferzones wordt geprobeerd traditionele economische activiteiten te combineren met ecotoerisme, terwijl met het oog op duurzame ontwikkeling in de overgangsgebieden juist de industriële activiteit (papierindustrie, zand- en okerwinning, landbouw) in stand wordt gehouden.

Als een schildwacht kijkt de Mont Ventoux uit over de vlakte van het Comtat Venaissin en het Pays de Sault en biedt hij een van de meest weidse vergezichten van Europa. Met zijn 1909 m hoogte staat deze 'Géant de la Provence' (Reus van de Provence) meestal met zijn hoofd in de wolken, maar hij is nog altijd goed verankerd in de aarde nadat hij 120 miljoen jaar geleden is ontstaan. Deze 'oude kale man' is afhankelijk van het seizoen, het uur van de dag en het humeur van weer de ene keer gehuld in het groen van de bossen, dan weer onder een wit sneeuwdek, omringd door een band van nevel of omwikkeld met een roze sluier door de ondergaande zon. De berg is vanuit alle windrichtingen al van veraf te zien, maar vanuit Malaucène, Bédoin en Sault lijkt hij binnen handbereik. De top kan eenvoudig via de weg worden bereikt, maar wie echt van de rijkdommen van de berg wil genieten kan beter gaan wandelen.

Rondrit Regiokaart, blz. 368

★★ DE BEKLIMMING VAN DE 'REUS VAN DE PROVENCE' B1

*◐ De 78 km lange rondrit vanuit **Carpentras** staat aangegeven op de regiokaart - ongeveer 1.30 u zonder pauze. Verlaat **Carpentras** in noordelijke richting via de D938.*

Le Barroux

Parkeer aan het begin van het dorp. Boven dit schilderachtige dorpje verrijst het indrukwekkende silhouet van het kasteel.

Château du Barroux – ☏ 04 90 62 35 21 - www.chateau-du-barroux.com - junisept.: 10.00-19.00 u; 1-15 okt.: 14.00-18.00 u; mei: 14.00-19.00 u - gesl. half okt.-eind april - € 5 (tot 14 jaar gratis). In de 12de eeuw was deze ruime, door ronde torens geflankeerde vierhoekige burcht een vesting die de vlakte van het Comtat Venaissin bewaakte. Het kasteel werd tijdens de renaissance verbouwd en na een brand in de Tweede Wereldoorlog gerestaureerd. Na de kapel, de benedenzalen en de Salle des Gardes gaat de bezichtiging verder op de andere verdiepingen, waar tentoonstellingen van hedendaagse kunst worden gehouden. Mooie vergezichten vanuit de tuin.

Verlaat Le Barroux in noordelijke richting en rijd door via de D938.

Malaucène

Deze grote burcht is voor een groot deel omgeven door een rondweg beplant met platanen. De **burchtkerk** uit de 14de eeuw op de plek waar ooit

7

DE KONING VAN DE PROVENCE

De Mont Ventoux vormt een mythische etappe in de Tour de France. Van over de hele wereld komen wielrijders zich meten op deze favoriete bergroute die al sinds 1900 bestaat. Om de top te bereiken moeten ze 1600 m klimmen over een afstand van 20 km. Zelfs de meest gehard wielrenners zeggen dat de verschrikkelijke beklimming van de Mont Ventoux via Bédoin of Malaucène niet onder doet voor de mooiste hellingen van de Alpen. Langs de route staat een gedenkteken die herinnert aan de Brit Tom Simpson, de wereldkampioen van 1965 die hier op 13 juli 1967 de dood vond tijdens de 13de etappe van de Tour de France.

een romaans bouwwerk stond, maakte deel uit van de stadswallen en is zeker een bezoek waard. Bijzonder zijn het Provençaals-romaanse schip en de 18de-eeuwse orgelkast versierd met muziekinstrumenten. De **porte Soubeyran** naast de kerk geeft toegang tot de oude stad. Het centrum is een doolhof van straatjes met oude huizen, fonteinen, wasplaatsen en kapelletjes met in het midden een oud belfort met een smeedijzeren klokkentoren. Links van de kerk loopt een weggetje naar de calvarie: hier hebt u uitzicht over de bergen van de Drôme en de Mont Ventoux.
Sla rechtsaf de D974 in.

Chapelle Notre-Dame-du-Groseau

Deze kapel is het enige overblijfsel van de benedictijnenabdij die tot het klooster van Saint-Victor van Marseille behoorde. Het vierkante gebouw (*gesloten voor publiek*) is het oude koor van de 12de-eeuwse abdijkerk.
Hiervandaan vertrekt een **rondwandeling** langs kapellen in de streek (*2 lussen van 9 km die ook aaneengesloten kunnen worden afgelegd. Reken op 3-7 u. Het toeristenbureau levert gratis de plattegrond-gids 'Les chapelles du Ventoux'.*

Source vauclusienne du Groseau

Links van de weg komt water uit rotsspleten aan de voet van een meer dan 100 m hoge rots. Daardoor is tussen de bomen een meertje met kristalhelder water ontstaan. De Romeinen hadden hier een aquaduct om het water naar Vaison-la-Romaine te leiden.
De bochtige weg klimt langs de noordkant, de steilste wand van de Mont Ventoux, omhoog door weiden en dennenbossen, nabij het chalet-refuge van Mont-Serein. Vanaf de belvedère bij Les Ramayettes hebt u **uitzicht★** over de dalen van de Ouvèze en de Groseau, Les Baronnies en de top van La Plate.

Mont-Serein

Een bekend zomer- en wintersportcentrum (*zie 'Adresboekje'*).
🥾 *2 en 5 km - reken op 45 min. en 2 uur.* Bij het informatiehuisje vertrekt het **Sentier botanique Jean-Henri Fabre** (*zie blz. 342*).
De Mont Serein biedt een steeds weidser panorama dat zich uitstrekt tot de Dentelles de Montmirail, de hellingen op de rechteroever van de Rhône en de Alpen. Na twee grote haarspeldbochten bereikt de weg de top.

★★★ Sommet du Mont Ventoux

Op de top van de Mont Ventoux staat een radarstation van de Franse luchtmacht en aan de noordkant een straalzendertoren. Het platform aan de zuidkant biedt het mooiste **panorama★★★** (oriëntatietafel): van het Massif du Pelvoux tot de Cévennes via de Luberon, de Montagne Sainte-Victoire, de heuvels van de Estaque, Marseille en het Étang de Berre, de Alpilles en het

Rhônedal, en als het heel helder weer is zelfs de Mont Canigou. De weg daalt via de zuidkant van de Mont Ventoux, eerst vlak langs de rand van een steile helling en daarna langs een uitgestrekt keienveld. Deze weg dateert uit 1885 en is de oudste route naar de Mont Ventoux. Hij daalt over een afstand van slechts 22 km van 1909 m naar 310 m (Bédoin) hoogte.

Op 1440 m hoogte, biedt het **Chalet-Reynard** en zijn grote zonnige terras een heerlijke rustplaats voor iedereen die de Ventoux beklimt. De weg loopt door het sparrenbos, daarna door beuken- en eikenbos en ten slotte langs prachtige cederhagen. Daarna keert u terug in de typische Provençaalse begroeiing met wingerds, perzik-, kersen- en olijfbomen. Uitzicht op het Plateau de Vaucluse en in de verte de bergen van de Luberon.

Laat de D164 links liggen, rijd via de hoge vallei van de Nesque terug naar Sault (zie onder deze naam) en vervolg de D974.

De bocht van **Saint-Estève**, ooit een nachtmerrie voor deelnemers aan de autorally van de Mont Ventoux (gestopt in 1973), biedt rechts **uitzicht★** op de Dentelles de Montmirail en het Comtat Venaissin, en links op het Plateau de Vaucluse.

Bédoin

Bédoin is een goede uitvalsbasis om de streek te bezoeken. Het dorp ligt op een heuvel aan de zuidzijde van de Mont Ventoux, tussen wijngaarden en fruitbomen. De schilderachtige straatjes leiden naar de kerk in jezuïetenstijl. Er passeren vele wandelaars en fietsers die de Mont Ventoux gaan beklimmen en elke maandagochtend is er markt op de schaduwrijke binnenplaats.

Neem de D138.

Crillon-le-Brave

Louis de Balbe de Crillon, heer van het dorp, kreeg vanwege zijn heldenmoed de bijnaam 'le brave des braves' (dapperste der dapperen). Ter ere van hem richtten de dorpsbewoners een standbeeld op en voegden ze 'le brave' (de dappere) toe aan de naam van dit gezellige bergdorpje op een uitloper tegenover de Mont Ventoux. Er zijn hier nog enkele overblijfselen van de oude omwalling bewaard gebleven.

Rijd door via de D138.

Caromb

Ver van de toeristische routes ligt dit mooie Provençaalse dorpje te midden van olijfgaarden en fruitbomen. In 1766 werd hier de **Barrage du Paty**, de oudste stuwdam van Frankrijk, gebouwd. Het 450.000 m³ grote stuwmeer is een favoriet wandelgebied *(bereikbaar ten noorden van Caromb, via de D13 richting Malaucène; zwemmen is hier verboden).*

Keer terug naar Carpentras via de D938.

Wandelingen

Beklimming vanuit Bédoin

Reken op 4.30 u, 1450 m hoogteverschil, moeilijk, gele en wit-rode bewegwijzering. Vertrek vanuit Ste-Colombe, 4 km vanaf Bédoin. Zorg dat er een auto klaarstaat bij het aankomstpunt of reken 3.30 u om weer terug af te dalen. Deze sportieve beklimming van de zuidzijde van de Mont Ventoux voert langs alle vegetatieniveaus; van de bossen met Piemontese steeneiken tot aan de groepen cederbomen en aan de steenvelden in het hooggebergte. De route naar de kapel Ste-Croix en de top voert langs enige schaapskooien.

Beklimming vanuit Mont-Serein

Reken op 1.30-2 u, ca. 500 m hoogteverschil, gemiddeld, eerst gele bewegwijzering, daarna wit-rood. Vertrek vanaf de camping aan de oostkant van de plaats.
Dit parcours volgt de GR4 en voert via haarspeldbochten omhoog. Vanaf de top kunt u afdalen langs dezelfde weg of via de oostelijke route over de bergkam. Ter hoogte van de Tête-de-la-Grave neemt u linksaf het pad dat samenkomt met de GR9; na 5 km bent u terug in Mont-Serein.

Beklimming vanuit Brantes

Reken op 5-6 u, moeilijk. Vertrek uit het gehucht Frache, tegenover Brantes.
Onverschrokkenen kunnen de Mont Ventoux beklimmen vanuit het dal van de Toulourenc ter hoogte van het fraaie dorpje Brantes. Neem het pad dat langs Serres-Gros loopt en vervolgens de GR 9 naar Mont-Serein, van waar de GR 4 naar de top leidt. De paden zijn smal, de beklimming is lastiger dan via de zuidhelling, maar uw inspanningen worden beloond door onvergetelijke uitzichten.

☺ MONT VENTOUX: ADRESBOEKJE

WEERBERICHT

Zorg voor een trui, want nergens waait de mistral zo hard als op de Mont Ventoux. Op de top is het gemiddeld 11 °C kouder dan aan de voet en het regent er twee keer zoveel. In de **winter** daalt het kwik bij het observatorium tot -27 °C! In de **zomer** is de top van de Ventoux bij warm weer vaak in nevel gehuld. Om op de top van het uitzicht te kunnen genieten is het zaak om vroeg op pad te gaan. Een andere mogelijkheid is om tot zonsondergang op de top te blijven.

OVERNACHTEN

GOEDKOOP

Camping du Mont Serein – *Station du Mont-Serein -* ℘ *04 90 60 49 16 - www.camping-ventoux. com - 60 plaatsen* ✕ *supermarkt. Hele jaar geopend -€ 13,20 per nacht voor 2 pers. en 1 voertuig.* Deze rustige familiecamping is een goede uitvalsbasis om van de omliggende natuur te genieten, temeer omdat de temperaturen wat lager liggen op deze hoogte. Verhuur van (sta) caravans en chalets (€ 13-28 per persoon).

DOORSNEEPRIJZEN

Hôtel La Garance – *Sainte-Colombe - 84410 Bédoin -* ℘*04 90 12 81 00 - www.lagarance.fr -* ♿ *-* 🅿 *– geopend 1 april-31 okt. - 13 kamers € 56/89 -* ☕ *€ 8.* Oude, eenvoudige en goed onderhouden boerderij te midden van wijn- en fruitboomgaarden. De kamers met terras en uitzicht op de Mont Ventoux zijn vooral in trek bij wandelaars. Verkoop van plaatselijke en bio-producten.

Le Chalet Liotard – *Station du Mt-Serein - 84340 Beaumont-du-Ventoux -* ℘ *04 90 60 68 38 - www. chaletliotard.fr-* 🅿 *- 8 kamers € 60 -* ☕ *€ 7 - rest. € 11/29 - halfpens. € 100.* Hier heerst de sfeer van een berghut: gezinskamers met stapelbedden, een inrichting met veel hout, een rustiek restaurant.

Stevige porties en een hartver-warmende ontvangst.

WAT MEER LUXE

Hôtel des Pins – *chemin des Crans - 84410 Bédoin* - ℘ *04 90 65 92 92 - www.hoteldespins.net* - ☇ ℙ - *25 kamers € 75/180* - ☕ *€ 10 - diner € 28/40.* Verrassend verfijnd hotel. De zeer aantrek-kelijke en frisse kamers zijn stuk voor stuk ingericht in een eigen moderne stijl. Het restaurant is geopend van april tot okt. Smakelijke streekgerechten, waarin veel dagverse producten zijn verwerkt.

Domaine des Tilleuls – *Rte du Mont-Ventoux (D 9/4) - 84340 Malaucène* - ℘ *04 90 65 22 31 - www.hotel-domainedestilleuls. com* - ☇ ℙ - *20 kamers € 81/97* - ☕ *€ 13.* Indrukwekkend gerenoveerd gebouw midden in het dorp met moderne kamers met eigen in-richting. Omheinde tuin met bo-men en verschillende ligstoelen en hangmatten. Pétanque-baan, schommel, decoratiewinkel.

Chambre d'hôte La Bastide des Gramuses – *Rte de Buis-les-Baronnies - 84340 Entrechaux* - ℘ *04 90 46 01 08* - ℙ - ⊡ - *3 3 kamers € 120* ☕. Deze afgelegen oude 17de-eeuwse boerderij tussen de wijn- en olijf-gaarden heeft drie kamers met een authentieke sfeer en modern comfort. Ze komen uit op een kleine vierkante binnenplaats. Minikoelkast, eersteklasbedden en badkamer, oude meubels en terracottategeltjes.

PURE VERWENNERIJ

Hôtel Crillon le Brave – *Pl. de l'Église - 84410 Crillon-le-Brave* - ℘ *04 90 65 61 61* - *www.crillonlebrave.com* - ge-opend 7 maart-30 nov. - *28 kamers € 250/780* - ☕ *€ 19 - halfpens. € 178.* Zeven typische oude hui-zen in een hooggelegen dorp

tegenover de Mont Ventoux. Tuin in Italiaanse stijl met daarin een zwembad en een mini-spa. Bekoorlijke Provençaalse kamers. De lekkere gerechten worden ge-serveerd in de eetzaal of op het romantische terras. 's Middags be-perkte kaart.

UIT ETEN

WAT MEER LUXE

La Chevalerie – *Pl. de l'église - 84340 Malaucène* - ℘ *04 90 65 11 19 - gesl. zo avond en ma* - *€ 19,50/45.* De gezellige bloem-rijke tuin en het aangename terras beloven al veel goeds, maar het blijkt ook nog eens het beste restaurant van Malaucène te zijn: overvloedige streekgerechten. Prima prijs-kwaliteitverhouding.

Le Vieux Four – *In het dorp - 84410 Crillon-le-Brave* - ℘*04 90 12 81 39* - gesl. 11 nov.-13 feb., ma en 's mid-dags (behalve zo) - ☇ ⊡ - *€ 28.* In deze voormalige dorpsbakke-rij heeft een dynamische jonge kokkin haar restaurant geopend. Ze ontvangt u in het ovenhuis, waarin de oven is behouden, of op het terras op de stadswallen met uitzicht op de Mont Ventoux.

Le Mas des Vignes – *Au virage de Saint-Estève - 84410 Bédoin* - ℘*04 90 65 63 91 - lemasdesvig nes@aol.com* - geopend april-nov. en gesl. ma en di behalve juli-aug. en 's middags in juli-aug. behalve zo en feestd. - ℙ - ⊡ - *€ 35/50.* Schitterende mas in idylische omgeving met prach-tig uitzicht vanaf het terras. In de streekgerechten zijn mooie producten verwerkt. Prima be-diening.

WINKELEN

Markt in Bédoin – Provençaalse markt op maandagochtend, bij-zonder druk in de zomer.

7

SPORT EN ONTSPANNING

Toerfietsen

👫 Op de hellingen van de Ventoux – *Gratis brochure in de toeristenbureaus en te downloaden routes op www.provence-a-velo.fr.* Om te genieten van de kleine weggetjes en vergezichten op de Ventoux werden elf fietsroutes ontwikkeld. Bovendien kunnen de toerfietsers terecht bij een netwerk van verhuurders, hotels, restaurants en nog veel meer.

De gids *Je me bouge* geeft 14 routes van 9,5 tot 45 km en is ook gratis verkrijgbaar in de toeristenbureaus in de streek.

U moet de inspanning die nodig is om de top te beklimmen niet onderschatten: de Ventoux is een beruchte berg die om een gedegen voorbereiding vraagt.

Wandeltochten

Van een wandeling met het gezin in het bos aan de voet van de berg tot sportief naar de top klimmen, de hellingen van de Reus van de Provence zijn doorschoten met bewegwijzerde paden die iedereen aankan. Er zijn drie Grande Randonnée-paden: de GR 4 (Malaucène en Sault), de GR 9 (Buis-les-Baronnies en Sault) en de GR 91 met zijn varianten GR 91a, GR 91b en GR 91c. De toeristenbureaus verkopen verschillende *topoguides* met wandelroutes.

😊 **Goed om te weten** – Ga goed geschoeid en gekleed op pad (beschut tegen wind, water en kou). De Ventoux is blootgesteld aan onvoorspelbare weersomstandigheden, het weer kan heel snel omslaan. Denk aan voldoende water, want onderweg is weinig drinkwater te vinden

Nachtelijke beklimmingen –

Een onvergetelijke belevenis: uitzicht over de Provençaalse vlakte als de lichten van de dorpen en de steden fonkelen in de duisternis. In juli en aug. organiseren de toeristenbureause van Malaucène en Bédoin elke vrijdagavond een nachtelijke voettocht (3 u) naar de top met als beloning een zonsopgang boven de Mont Ventoux.

Wintersport

Station du Mont-Serein – *14,5 km van Malaucène via de D 974 -* 📞 *04 90 63 42 02 - www.stationdu-montserein.com.* Bewegwijzerde pistes: 12 km om te skiën, 7 km om te langlaufen en 8 km voor tochten met sneeuwschoenen. Aparte stukken voor sleeën en snowboards en kinderen.

In het seizoen werken de skiliften van 9.00 tot 17.00 u. Abonnementen zijn te koop in de **informatiechalet** (dag. 9.00-12.30 u, 13.00-16.00 u). Reken op € 15,30 per dag, € 12,30 vanaf 13.00 u.

Twee winkels verkopen en verhuren de benodigde uitrusting: **Ski Service** (📞 *04 90 63 20 93*) en **Rayne Skis** (📞 *04 90 60 34 89*). Enige pistes op de zuidhelling beginnen bij de Chalet-Reynard.

Workshops

Safran des Papes – *Domaine de la Madelène - rte de Malaucène - 84410 Bédoin -* 📞 *06 81 30 84 13 - www.safrandespapes.com.* Verkoop van saffraan, bezoek van de saffraanboerderij (1 u) en kennismakingscursus (3 d.). Op het mooie domein strekken de saffraanvelden zich uit rond een romaanse kapel.

Sault

1285 inwoners – Vaucluse (84)

👀 ADRESBOEKJE: BLZ. 398

🛈 **INLICHTINGEN**

Toeristenbureau van Sault – *Av. de la Promenade - 84390 Sault -* 📞 *04 90 64 01 21 - www.saultenprovence.com - juli-aug.: 9.00-13.00, 14.00-18.00 u; rest van het jaar: 9.00-12.00, 14.00-18.00 u (dec. 17.00 u) - gesl. van half dec. tot begin jan., 1 mei.*

▶ **LIGGING**

Regiokaart C1 (blz. 368) – *Michelinkaart van de departementen 332 F9*. Sault is verbonden met Carpentras (41 km) via de D942 en met Apt (36 km) via de D943. Sault heeft de vorm van een amfitheater en werd 765 m hoog op een rotsachtige uitloper aan de westkant van het Plateau de Vaucluse gebouwd met uitzicht over het dal van de rivier de Nesque. Het dorpje is een ideaal vertrekpunt voor tochten naar de Mont Ventoux, Les Baronnies en de Montagne de Lure (*zie 'De Groene Gids Franse Alpen'*).

🅿 **PARKEREN**

De auto kan worden geparkeerd op de ruime Place des Aires.

😊 **AANRADER**

Het lavendelfeest op 15 aug.

🕐 **PLANNING**

Een bezoek aan Sault vraagt een hele dag: reserveer de ochtend voor het dorp en het Plateau d'Albion, en de middag voor de Gorges de la Nesque. Wie ook een rondje om de Mont Ventoux wil maken, heeft twee dagen nodig. Bezoek de streek in juni of juli, als de lavendel in bloei staat.

👪 **MET KINDEREN**

Het Centre de découverte de la nature In Sault.

Sault, vroeger de hoofdstad van het graafschap, ligt op een rotsachtige uitloper aan het uiteinde van het Plateau de Vaucluse. Het kleurrijke tapijt waarop van alles wordt verbouwd lijkt wel een offergave aan de 'Reus van de Provence'. In de zomer vormen de goudgele spelt (een oude Gallische graansoort!), het blauw van de lavendel en het diepe groen van de omringende bossen samen een prachtige lappendeken. Al die natuurliefhebbers hebben groot gelijk als ze gaan wandelen en fietsen

---

EEN STRATEGISCHE BASIS

Van 1971 tot 1996, tijdens de 'Koude Oorlog', was het Plateau d'Albion hét symbool van de Franse kernmacht. Vanaf 1964 had het leger rond **Saint-Christol** gewerkt aan de aanleg van een ondergrondse raketbasis met een oppervlakte van 1000 km². Op een diepte van 30 m onder de grond lagen 18 opslagplaatsen voor nucleaire raketten. In 1996 werd de basis ontruimd na de herverdeling van de Europese troepenmacht.

en er hun basiskamp opslaan voordat ze de Mont Ventoux bedwingen of eenvoudigweg de streek gaan verkennen.

Wandelen

Het oude, vroeger versterkte stadje is een wirwar van straatjes met zo nu en dan ongebruikelijke namen (zoals de rue des Esquiche-Mouches die gezien de naam heel smal moet zijn!), oude huizen en pittoreske pleintjes.

😊 **Goed om te weten** – De brochure *Une heure sur les pas du loup* beschrijft een route door het historische centrum en is gratis verkrijgbaar bij het toeristenbureau.

De **Église Notre-Dame-de-la-Tour**, waarvan de bouw in de 12de eeuw begon, heeft nog altijd een mooi romaans schip met een spitstongewelf. Aan de noordkant van het stadje ontvouwt zich vanaf de avenue de la Promenade (tegenover het toeristenbureau) een mooi **uitzicht★** over het Plateau de Sault, de ingang van de Gorges de la Nesque en de Mont Ventoux.

Musée

R. du Musée - 𝒫 04 90 64 02 30 - juli-aug.: dagelijks beh. zo 15.00-18.00 u - gratis. Op de eerste verdieping van de bibliotheek zijn voorwerpen uit de prehistorie en de Gallo-Romeinse tijd uitgestald: muntstukken, wapens, gesteente, maar ook oude documenten over de streek en een Egyptische mummie!

Centre de découverte de la nature et du patrimoine cynégétique

Av. de l'Oratoire - Toegang vanaf de rue des Écoles. Neem de hoge trap vanaf de place des Martyrs-d'Izou-la-Bruisse - 𝒫 04 90 64 13 96 - 🚹 - begin juli-half aug.: 10.00-12.00, 15.00-19.00 u; rest van het jaar: 10.00-12.00, 14.00-18.00 u - rondleiding (1 u) - gesl. half dec.-half feb., weekenden en feestd. - € 3 (tot 8 jaar gratis).
👪 Speel-leeractiviteiten met touchscreens, infoborden en projecties over fauna, flora, geologie en economie, tradities (jagers, herders) en producten (honing, lavendel, enz.) uit de streek. Ook wisselende tentoonstellingen.

Rondritten Regiokaart, blz. 368

PLATEAU D'ALBION

▶ *De 39 km lange route vanuit Sault staat aangegeven op de regiokaart - ongeveer 1.30 u zonder pauze. Verlaat Sault in noordelijke richting via de D942 richting Aurel.*

Het Plateau d'Albion is een gebarsten kalksteenplateau waar meer dan 200 grotten of *avens* zijn ontdekt met soms smalle en moeilijk te vinden openingen. Van boven gezien is de karstput Le Cervi in de buurt van St.-Christol het mooist. De diepste karstputten in de omgeving zijn die van Jean Nouveau, met een verticale schacht van 168 m, en die van Autran die meer dan 600 m diep zijn. De putten vullen zich met regenwater dat door de kalkgrond sijpelt en zich via spleten en scheuren ondergronds verspreidt. De grootste vertakking komt bij de beroemde Fontaine de Vaucluse aan de oppervlakte.

Aurel C1

De resten van de vroegere versterkingen en de robuuste kerk van kalksteen torenen in de Plaine de Sault boven de lavendelvelden uit.

Lavendelvelden bij Sault
G. Roland / Prisma/Age fotostock

Verlaat Aurel in westelijke richting via de D95. Neem daarna de D1 en sla tot slot links de D950 in.

Saint-Trinit C1

De 12de-eeuwse kerk, die ooit onder de benedictijner abdij van Villeneuve-lez-Avignon ressorteerde, is een mooi voorbeeld van romaans-Provençaalse architectuur.
Neem de D95 naar het zuiden daarna de D30 naar Saint-Christol.

Saint-Christol C2

In het dorp liggen diverse lavendeldistilleerderijen en een mooie romaanse **kerk** uit de 12de eeuw, die in de 17de eeuw met een tweede schip werd uitgebreid. Prachtige decoratie met fabeldieren in de apsis en beelden op het Karolingische altaar.
Musée Marceau-Constantin – *Le Cours* - ☏ *06 84 37 96 76 - www.musee-marceau-constantin.com - half juni-eind sept: dag. beh. ma en di 15.00-18.00 u - € 3 (tot 16 jaar gratis).* Dit museum is gewijd aan de schilder Marceau Constantin (in Saint-Christol geboren in 1918). Expositie van alle kunstvormen en technieken die hij beoefende (schilder- en tekenkunst, inkt, gouache, inclusion, met goud bedekt keramiek, zeefdruk, illustraties).
Verlaat St-Christol en neem de D34 richting Lagarde-d'Apt.

De sterk stijgende weg voert naar het plateau waar op 1100 m hoogte het landschap wordt gedomineerd door de Mont Ventoux en **Lagarde-d'Apt**, met de Alpen op de achtergrond.

Observatoire Sirene C2

Voor het bord aan het begin van Lagarde-d'Apt, na het weggetje naar de Chapelle Notre-Dame-de-Lamaro - ☏ *04 90 75 04 17 - www.obs-sirene.com - rondleidingen op afspraak - € 50 (8-15 jaar € 25), avondbezoek (4 u), € 15 (8-15 jaar € 7,50), avondwandeling 2 u.*
'Silo réhabilité pour nuit étoilée' ('Raketsilo hergebruikt voor de sterrennacht')

DE WATERRESERVOIRS IN HET PAYS DE SAULT

De **aiguiers** of waterreservoirs herinneren aan de onherbergzaamheid van het gebied, waar water schaars is. De reservoirs werden door boeren gegraven om er de regen in op te vangen, soms met een opvangbekken ervoor en in de rots uitgehakte goten voor de watertoevoer. Sommige reservoirs werden overdekt met een gewelfd afdak van los op elkaar gestapelde stenen in de stijl van de *bories*. Ze werden waarschijnlijk vooral gebruikt als drinkplaats voor vee, maar ook als waterput voor afgelegen woningen. In de Gorges de la Nesque liggen er diverse *aiguiers* (Le Puits-Verrier, Fayol en Les Annelles). Vanaf de Aiguiers de Castellaras loopt een wandelpad naar de schitterende Aiguiers du Champ-de-Sicaude.

🐝 **Goed om te weten** – Het toeristenbureau van Sault heeft drie wandelingen uitgezet langs de waterreservoirs. Ook daar verkrijgbaar is het boekje *Le Guide des Aiguiers* (€ 12).

luidt de slogan sinds in deze voormalige raketbasis een sterrenwacht is geïnstalleerd. Het zicht is 360° rondom en de lucht is ongekend zuiver; ideale omstandigheden om de sterrenhemel te observeren, zeker met de volledig automatische telescoop. Tip: neem een trui mee, het kan koud zijn.
Volg de D34 in omgekeerde richting en rijd linksaf over de D245 terug naar Sault.

★★ GORGES DE LA NESQUE

▶ *De 90 km lange route vanuit Sault staat aangegeven op de regiokaart - ongeveer 4 u met pauzes. Verlaat Sault in zuidoostelijke richting via de D942. De weg is hoog boven de rechteroever van de Nesque aangelegd.*
De 70 km lange rivier de Nesque ontspringt op de oosthelling van de Mont Ventoux en stroomt iets voorbij Pernes-les-Fontaines samen met de Sorgue de Velleron. In het gebied voor de vlakte van het Comtat Venaissin baant de rivier zich een weg door de kalkrijke bodem van het Plateau de Vaucluse. Deze gorges vormen het spectaculairste deel van de loop van de rivier.

Monieux C2

🏛 *Pl. Léon-Doux - 84390 Monieux -* 📞 *04 90 64 14 14 - www.ot-monieux.com.*
Onder meer inlichtingen over het dorp, topogidsen over de tochten rond Monieux *(ook te downloaden via de website).*
Dit schilderachtige, oude dorpje met uitzicht over de Nesque wordt gedomineerd door een hoge 12de-eeuwse toren die via de vestingwallen verbonden is met het dorp. Mooie middeleeuwse huizen met oude deuren.
Musée de la Truffe du Ventoux - *Le Moustiers* - 📞 *04 90 64 16 67 - www.musee-delatruffeduventoux.com - april-sept.: 14.30-18.00 u, zo 15.00-18.00 u; okt.-maart: 14.00-17.30, zo 14.00-17.00 u - gesl. ma en di - gratis.* Voor wie meer wil weten over de fameuse 'rabasse': foto-expositie en objecten over de geschiedenis, de teelt, de oogst en het gebruik van de lokale zwarte truffel. Tevens een verbazingwekkende collectie eierdopjes van over de hele wereld.

★★ Gorges de la Nesque B1-2

🥾 *3 u heen en terug, rood-wit bewegwijzerd pad (GR9), 9 km, gemiddelde moeilijkheidsgraad (380 m hoogteverschil), alleen 's zomers mogelijk, als de rivier niet te hoog staat. Vertrek in Monieux, bij het toeristenbureau.*
Dit wandelpad voert door een landschap van overwegend olijfbomen en

steeneiken, dat verrassend anders is dan de D942 doet vermoeden. Loop langs de linkeroever in de richting van de 'Chapelle Saint-Michel' en steek vervolgens de bergbeek over. Op de rechteroever loopt het pad langs de **Rotskapel Saint-Michel**, een onder een rots uitgehouwen romaans kapelletje dat ontroerende eenvoud uitstraalt. Op het kleine altaar staat een beeld van de aartsengel Michaël die de draak verslaat. Het pad loopt door op de rechteroever en bereikt na een steile klim de D942. Wie hier links afslaat, komt na een kwartier lopen bij de Belvédère de Castellaras; rechtdoor is het een halfuur lopen naar Monieux.

Volg bij het verlaten van Monieux de eerste weg links in de richting van het 'Plan d'eau' (bewegwijzerd). Rijd om het waterreservoir en sla bij het stopteken rechts af, richting 'Méthamis'; volg deze weg gedurende 10 km tot de 'Gîte d'étape de Saint-Hubert'. Parkeer hier de auto.

Sentier botanique Saint-Hubert B2

Ongeveer 2.30 u heen en terug, makkelijke lus van 4,5 km. Langs deze niet al te moeilijke, goed bewegwijzerde route staan diverse borden waarop de plantensoorten van het biosfeerreservaat van de Mont Ventoux worden voorgesteld. De route komt ook voorbij een deel van de **Pestmuur** (een 25 km lange muur van los op elkaar gestapelde stenen die in 1720 werd gebouwd in de Monts de Vaucluse), **aiguiers** *(zie kadertekst blz. 396)* en kolenbranderijen.

Rijd over dezelfde weg terug naar de Gorges de la Nesque.

★★ Belvédère de Castellaras B2

Dit uitkijkpunt op 734 m hoogte aan de linkerkant van de weg dankt zijn naam aan een oud oppidum. Op een zuil staat een deel van het gedicht *Calendau* van Mistral. Mooi **uitzicht** over de kloven en de steile, 872 m hoge **Rocher du Cire**.

De afdaling gaat door drie tunnels. Tussen de tunnels biedt de weg prachtig uitzicht op de rivier die in de diepe kloof tussen dichte begroeiing stroomt. Alleen het klaterende water duidt op haar aanwezigheid. De D942 gaat iets van de kloof vandaan door de Combe de Coste Chaude. Na de laatste tunnel is het raadzaam even terug te kijken voor een mooi uitzicht op de kloven en de Rocher du Cire. De weg loopt onderlangs het vervallen en volledig overwoekerde gehucht Fayol. Dan verandert het landschap ineens en gaat de kloof over in de laagvlakte van het Comtat Venaissin met **uitzicht** op de Mont Ventoux en Carpentras en omgeving.

Het schitterende ravijn van de Hermitage leidt naar **Villes-sur-Auzon**, een groot boerendorp op de flanken van de Mont Ventoux. Om de dorpskern loopt een boulevard met platanen en fonteinen.

Neem de D1 richting La Gabelle.

Deze weg loopt over het plateau en biedt een mooi uitzicht op de Mont Ventoux, de Dentelles de Montmirail en het dal van Carpentras. Bij binnenkomst in La Gabelle ontvouwt zich aan de andere kant van de weg een **uitzicht** op de Gorges de la Nesque met de bergen van de Luberon aan de horizon.

Rijd na La Gabelle in noordelijke richting verder, steek de D1 over en neem de D217 naar Flassan.

7

De weg daalt via een koel dal met sparren en dennen naar **Flassan**, een vrolijk dorpje met geel gepleisterde huizen en een typisch Provençaals pleintje.

Rijd terug naar Sault via de D217 en sla daarna linksaf de D1 in.

😊 SAULT: ADRESBOEKJE

OVERNACHTEN

GOEDKOOP

Hôtel-restaurant Signoret – *Av. de la Résistance - 📞 04 90 64 11 44 - www.lesignoret. fr - (gesl. zo avond en vr buiten het seizoen) - ♿ - 26 kamers € 45/57 - 🍽 € 7- diner € 16/22- halfpens. € 87/99.* Niets oogverblindends, maar wel een net en aantrekkelijk geprijsd adres. Bij mooi weer wordt gegeten op het terras.

DOORSNEEPRIJZEN

Omgeving van Sault

La Bastide des Bourguets – *Hameau les Bourguets - 3 km van Sault aan de weg naar Monieux (D 942) - 📞 04 90 64 11 90 - www.bastidedesbourguets.com - 🏊 🅿 - 4 kamers € 60 🍽 - 2 gîtes - geopend van feb. tot nov.* Dit is een 19de-eeuws gebouw temidden van de lavendelvelden met ruime en kleurrijke kamers en twee goed geoutilleerde gîtes. Grote gemeenschappelijke ruimte. Hartelijke ontvangst.

Ferme Les Bayles – *84390 Saint-Trinit - de Saint-Trinit, de weg naar Saint-Christol (D 95) nemen, vervolgens linksaf slaan na 2 km (met borden aangegeven) - 📞 04 90 75 00 91 - http:// les-bayles.com - 🏊 🅿 - 🍽 - 4 kamers € 60 🍽 - halfpens. € 50.* In deze oude schaapskooi binnen een groot landbouwbedrijf kunt u genieten van ongerepte natuur. Wandelaars, fietsers en ruiters kunnen verblijven in een van de vier gastenkamers, drie vakantiehuisjes (4 tot 11 pers.) of gîte d'étape (12 pers.). Alles goed onderhouden en prima comfort. Heerlijk eten bereid met producten van de boerderij.

WAT MEER LUXE

Le Louvre – *Pl. du Marché - 📞 04 90 64 08 88 - www.louvre- provence.com - gesl. nov.-maart - 16 kamers € 75/90 - 🍽 € 9 - diner € 23/35.* Rustieke kamers verfraaid met Provençaalse stoffen en kleurtoetsen. Zeer goed onderhouden en vriendelijke ontvangst.

PURE VERWENNERIJ

Hostellerie du Val de Sault – *Ancien chemin d'Aurel - rijd richting St-Trinit, sla vervolgens linksaf na de brandweerkazerne - 📞 04 90 64 01 41 - www.valdesault.com - 🏊 🅿 - geopend Pasen-eind nov. - 20 kamers € 242/290 - diner € 28/47 - begin mei-eind sept., half- pens. verplicht € 356/396.* Luxe, rust en genot. Alle kamers zijn buitengewoon comfortabel en beschikken over een terras. Er zijn ook geweldige dubbele suites ´Provence-Asie´. Groot aanbod van activiteiten, buitenzwembad in de zomer, overdekt golfslag- bad, tennis, sportzaal en jacuzzi. De keuken van Yves Gattechaut is vermaard om zijn gastronomie.

UIT ETEN

DOORSNEEPRIJZEN

Le Provençal – *R. Porte-des- Aires - 📞 04 90 64 09 09 - restoleprovencal@orange.fr - gesl. 15 nov.-1 jan., 1ste week voorjaarsvak. ma avond en di (behalve 14 juli-15 aug.) - ♿ 🍽 - lunch € 11 - € 16/22.* Ga niet af op de bescheiden gevel van dit restaurant, dat in de omgeving veel waardering geniet om zijn eenvoud en hartelijke sfeer. De jonge chef-kok bereidt streekgerechten die in de gerenoveerde eetzaal of op het beschaduwde terras worden geserveerd.

Omgeving van Sault

Les Lavandes – *pl. Léon-Doux - 84390 Monieux - ☎ 04 90 64 05 08 - gesl. zo avond, ma en jan. -feb. - lunch € 18 - € 21,50/28.* Chef Alain Gabert bereidt met verve alle streekspecialiteiten van Sault: lam van de Mont Ventoux, spelt en truffel als het de tijd van het jaar is. Zelfs de grootste lekkerbekken zullen verrukt zijn over het gegratineerde lamsvlees. Met mooi weer aangenaam terras. Hartelijke bediening.

WINKELEN

Maison des producteurs – *R. de la République - 84390 Sault - ☎ 04 90 64 08 98 - 9.30-12.30, 14.00-19.00 u, gesl. 24 dec. 1 jan.* Coöperatie van lavendel- en spelttelers in het Pays de Sault. Aromatische planten, etherische oliën, honing, noga en olijfolie.
André Boyer – *Pl. de l'Europe - 84390 Sault - ☎04 90 64 00 23 - www.nougat-boyer.fr - 7.00-19.00 u - gesl. feb. - atelierbezoek in juli-aug. op di en vr 15.00 u.* Deze winkel van André Boyer is een absolute must: hier wordt de ambachtelijke productie van noga van vader op zoon voortgezet. Lavendelhoning en Provençaalse amandelen vormen de hoogwaardige grondstoffen voor de bereiding van de zachte, witte of de krokante, donkere noga. Tevens onvergetelijk lekkere bitterkoekjes en koekjes van spelt.
Cave TerraVentoux – *Rte de Sault - 84570 Villes sur Auzon - ☎ 04 90 61 79 47 - www.terra ventoux.fr - begin april -eind juni: 9.00-12.00, 14.00-18.30 u, zo en feestd. 9.00-12.00, 15.00-18.00 u; rest van het jaar: 9.00-12.00, 14.00-19.00 u- gesl. zo (okt.-maart).* De medewerkers van de in 1929 gestichte wijnkelder TerraVentoux gaan er prat op dat hun vakkennis mettertijd alleen maar is toegenomen. De 1200 ha grote wijngaarden aan de voet van de Mont Ventoux leveren kwaliteitsvolle witte, rode en roséwijnen onder de herkomstbenaming A.O.C. Côtes du Ventoux. Het topproduct is zonder twijfel de 'Terres de Truffes'. De wijnhandel is te vinden even buiten het dorp, op de weg naar Carpentras. Op het domein kunnen wandeltochten en ritjes met de koets worden gemaakt (alleen in de zomer en na reservering). En uiteraard mag alles geproefd worden.

SPORT EN ONTSPANNING

Accueil spéléologique du plateau d'Albion – *1 r. de l'Église - 84390 Saint-Christol - ☎ 04 90 75 08 33 - www.aspanet.net - het hele jaar geopend - jaarlijkse bijdrage: € 2,50; overnachting € 7/11; activiteiten € 18/60.* Met de *avens* Autran, La Cervi en Le Trou Souffleur in de buurt is St-Christol hét speleologisch centrum op het Plateau d'Albion. Dag- en halve dagactiviteiten. Geologische en speleologische tochten, afdalingen in de kloof, avontuurlijke parcours, beklimmingen…

EVENEMENT

Fête de la lavande – Lavendelfeest op 15 aug. met veel folklore en lavendel. Demonstraties op de paardenrenbaan.

Omgeving van de Luberon 8

Michelinkaart van de departementen 332 en 340 – Vaucluse (84) - Bouches-du-Rhône (13) - Alpes-de-Haute-Provence (04)

▷ **APT**   **402**

▷ **LUBERONGEBERGTE★★★: RONDRITTEN**   **407**

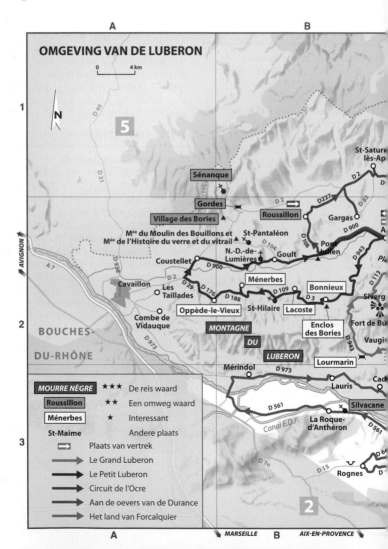

⬗ **ROUSSILLON EN HET OKERLAND**★★**: RONDRIT**   **424**

⬗ **GORDES**★★   **430**

⬗ **ABBAYE DE SÉNANQUE**★★   **434**

⬗ **CAVAILLON**   **437**

⬗ **LA TOUR-D'AIGUES EN RONDRIT**   **442**

⬗ **ABBAYE DE SILVACANE**★★   **451**

⬗ **MANOSQUE**★   **453**

⬗ **FORCALQUIER**★ **EN RONDRIT**   **462**

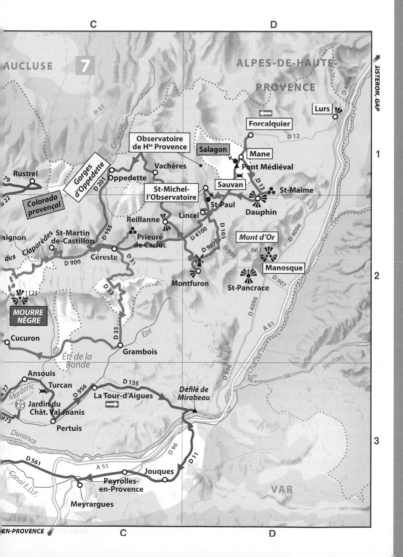

Apt

11.229 inwoners – Vaucluse (84)

🙂 ADRESBOEKJE: BLZ. 405

ℹ INLICHTINGEN

Toeristenbureau van het Pays d'Apt – *20 av. Philippe-de-Girard - 84400 Apt - ℘ 04 90 74 03 18 - www.luberon-apt.fr - mei-sept.: 9.30-12.30, 14.00-18.30 u, zo en feestd. 9.30-12.30 u; rest van het jaar: 9.30-12.30, 14.00-18.00 u - gesl. zo in juni, 1 jan., 1 mei, 25 dec.* Hier is tevens informatie te vinden over de 12 buurgemeenten.

Maison du Parc naturel régional du Luberon – *60 pl. Jean-Jaurès - 84400 Apt - ℘ 04 90 04 42 00 - www.parcduluberon.fr - april-sept.: dag. beh. zo 8.30-12.00, 13.30-18.00 u, za 8.30-12.00 u; rest van het jaar: dag. beh. zo 8.30-12.00, 13.30-18.00 u - informatie voor de tentoonstellingen - gesl. feestd. - gratis.* Tentoonstellingen en brochures over het natuurpark.

◐ LIGGING

Regiokaart B2 (blz. 400-401) – *Michelinkaart van de departementen 332 F10.* Apt is niet zonder moeite te bereiken. Via de N100 vanuit het westen (Cavaillon ligt op 31 km, Avignon op 52 km) moet u via de D900 heel wat buitenwijken doorkruisen voordat u de rivier de Calavon oversteekt en aankomt bij de place de la Bouquerie, het epicentrum van het stadje.

🅿 PARKEREN

Het stadscentrum is verkeersvrij. Er zijn parkeerplaatsen beschikbaar langs de oevers *(gratis)* en de place Lauze de Perret, behalve op dinsdag- en zaterdagochtend, want dat zijn de marktdagen.

😊 AANRADER

Bezoek Apt op zaterdagochtend (marktdag); het Maison du Parc naturel régional du Luberon; wandeling 'Le sentier des ocres'.

🕐 PLANNING

Ongeveer een uur voor een wandeling door de stad, twee uur en meer op marktdagen. Reken op een halve dag voor het 'Sentier des ocres' in Roussillon.

👫 MET KINDEREN

Het vrijetijdscentrum van het Plan d'eau d'Apt *(zie 'Adresboekje')*.

De Romeinse kolonie Colonia Julia Apta was in het begin van onze tijdrekening een welvarende stad aan de Via Domitia. Het is een belangrijk productiecentrum van gekonfijte vruchten en tevens de belangrijkste winplaats in Frankrijk van oker (in Apt staat de laatste nog werkende fabriek). Maar Apt heeft meer in petto: de charmante steegjes en de gezellige markt houden de bezoeker misschien langer op dan voorzien.

Wandelen Plattegrond blz. 404

◐ *Zie de plattegrond van blz. 404 - ongeveer een uur. Neem op de place de la Bouquerie de rue de la République tot de place du Septier (mooie herenhuizen). Loop door naar de place Carnot en sla rechts de rue de la Cathédrale in.*

Markt in Apt
S. Sauvignier / MICHELIN

Cathédrale Sainte-Anne

℘ 04 90 04 85 44 - www.apt-cathedrale.com - *dagelijks behalve za 9.00-12.00, 14.30-18.00 u (behalve tijdens erediensten), zo 14.30-18.00 u - rondleiding op afspraak via ℘ 04 90 04 61 71.*

De huidige kathedraal dateert uit de 11de of 12de eeuw en is vaak herbouwd. De rechterzijbeuk is romaans, de linkerzijbeuk gotisch en het schip is in de 18de eeuw vernieuwd. Boven de viering is een koepel op trompen geplaatst, vergelijkbaar met de koepel van de Notre-Dame-des-Doms in Avignon (*zie onder deze naam*). Achter in de apsis stelt een 15de-eeuws glas-in-loodraam de H. Anna met Maria en het Kind voor.

De kathedraal is gewijd aan de verering van de heilige Anna, moeder van Maria, van wie relieken worden bewaard in het onderste deel van de crypte. De **Chapelle Sainte-Anne** is gebouwd in 1664, nadat Anna van Oostenrijk hier haar beschermpatrone kwam bedanken voor de geboorte van Lodewijk XIV. In de kapel staat ook een marmeren beeldengroep van de Italiaanse kunstenaar Benzoni met de H. Anna en Maria. Op de laatste zondag van juli

EEN ZOET VERHAAL

Auzias Maseta werd in 1348 door paus Clemens VI ingehuldigd als 'jonkheer van de confituur'. Dit bewijst dat het **gekonfijt fruit van Apt** (vroeger 'droge confituur' genoemd) lang geleden al een lekkernij was bij hooggeplaatsten. Apt werd door Madame de Sévigné vergeleken met een reusachtige ketel confituur. Aanvankelijk werd het fruit gekonfijt in honing, maar vanaf de periode van de kruistochten werd suiker toegevoegd. Sindsdien is het recept voor gekonfijt fruit onveranderd gebleven: het water in de vrucht wordt vervangen door suiker. Hiervoor bestaat maar één goede methode: het fruit in kokende siroop onderdompelen en dit 5 tot 12 keer herhalen in een maand tijd.

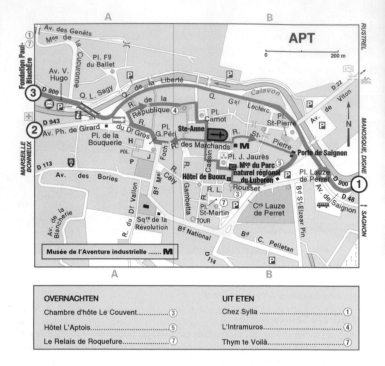

OVERNACHTEN		UIT ETEN	
Chambre d'hôte Le Couvent	③	Chez Sylla	①
Hôtel L'Aptois	⑤	L'Intramuros	④
Le Relais de Roquefure	⑦	Thym te Voilà	⑦

wordt er trouwens een bedevaart gehouden ter ere van de heilige Anna (26 juli), die bewerkt dat vrouwen vruchtbaar worden.

In de oude sacristie bevindt zich een **kerkschat** met reliekschrijnen die bewerkt zijn met Limoges-email uit de 12de eeuw, 14de-eeuwse vergulde houten kistjes uit Florence, liturgische manuscripten en een kaliefenmantel die in 1097 is geweven in Damietta. *℘ 04 90 74 36 60 - www.apt-cathedrale.com - rondleiding (15 min.) juli-aug.: 11.00-12.30, 17.00-18.30 u; rest van het jaar: za 11.00-12.30 u, op werkdagen op aanvraag - gratis.*

De **crypte** heeft twee verdiepingen. In het bovenste, romaanse deel, in de vorm van een miniatuurkerk, bevindt zich een altaar uit de 5de eeuw. Het onderste deel dateert uit de Karolingische periode.

Ga via de rue des Marchands onder de klokkenpoort door, naar de place du Postel.

Musée de l'Aventure industrielle M

14 pl. du Postel - ℘ 04 90 74 95 30 - www.apt.fr - juni-sept.: 10.00-12.00, 15.30-18.30 u, zo 15.00-19.00 u; rest van het jaar: dag. beh. zo 10.00-12.00, 14.30-17.30 u - rondleiding (1 u) na afspraak - gesl. di en feestd. - € 4 (tot 16 jaar gratis).

Dit museum is ondergebracht in een oude fabriek van gekonfijt fruit en schetst een beeld van de drie voornaamste economische activiteiten van Apt: de bereiding van **gekonfijt fruit** en zijn verpakking (machines, werktuigen en een collectie etiketten); de winning van **oker** (schaalmodel over de ontginning, reconstructie van de zuiveringsfase); en de **aardewerkindustrie** (tentoonstelling van 17de-20ste-eeuws aardewerk). Volg de rue Saint-Pierre tot aan de **porte de Saignon**, een overblijfsel van de stadsmuur.

Volg rechts de Cours Lauze-de-Perret, langs de onvermijdelijke jeu de boules-baan, naar de rue Louis-Rousset, die terugvoert naar de oude stad.

Op de hoek van de rue P-Achard staat links de klassieke gevel van de 17de-eeuwse **Chapelle des Récollets**. Het Maison du Parc du Luberon is gevestigd in een voornaam herenhuis aan de place Jean-Jaurès.

Maison du Parc naturel régional du Luberon

Zie blz. 402. Deze uitstekende kennismaking met het Parc du Luberon is onontbeerlijk voor de bezoeker die de regio wil verkennen. Door middel van touch-screens, verlichte panelen, bewegende afbeeldingen en een diavoorstelling komt de bezoeker bijna alles te weten over de natuurlijke omgeving en het leven in de Luberon, zowel over het geografische als het menselijke aspect. In het Maison bevindt zich bovendien een interessant **Musée de Géologie** met een collectie fossielen. Op ludieke wijze wordt de geologische geschiedenis van de streek vanaf 150 miljoen jaar geleden weergegeven.

Sla rechtsaf naar de place du Postel en dan linksaf de rue des Marchands in.

Op de **place Gabriel-Péri** staat het pand van de onderprefectuur, dat een prachtige classicistische gevel heeft, met twee fonteinen met dolfijnen.

Via de rue du Dr-Gros teruglopen naar de place de la Bouquerie.

In de omgeving

Fondation Jean-Paul-Blachère

384 av. des Argiles (in het industriegebied van Apt, bij het Plan d'eau) - ☎ 04 32 52 06 15 - www.fondationblachere.org - dag. beh. ma 14.00-18.30 u (19.00 in de zomer) - gesl. feestd. - gratis. Dit centrum met wisselende exposities van hedendaagse **Afrikaanse kunstenaars** is opgericht door Jean-Paul Blachère, een zakenman met een passie voor Afrika.

😊 APT: ADRESBOEKJE

OVERNACHTEN

GOEDKOOP

Hôtel L'Aptois – *289 cours Lauze-de-Perret - ☎ 04 90 74 02 02 - www.aptois.fr - gesl. 25 dec.-1 jan. - ♿ - 26 kamers € 41/66 - ☕ € 8.* Eenvoud en functionaliteit zijn de kenmerken van dit hotel in het centrum. De gerenoveerde kamers zijn gezelliger en moderner. Er zijn ook grote kamers voor wie met het hele gezin reist.

DOORSNEEPRIJZEN

Le Relais de Roquefure – *Quartier de Roquefure - 3 km ten westen van Apt via de D 900 -* ☎ 04 90 04 88 88 - www.relaisde roquefure.com - gesl. begin dec.-eind jan. - 🏊 - 16 kamers € 64/84 - ☕ € 10. Mooi pand in een park met eeuwenoude ceders en een zwembad: dolce far niente! Eenvoudige maar comfortabele kamers.

WAT MEER LUXE

Chambre d'hôte Le Couvent – *36 r. Louis-Rousset - ☎ 04 90 04 55 36 - www.loucouvent.com - ♿ 🏊 🅿 - 5 kamers € 95/140 ☕.* Binnen de muren van dit voormalige 17de-eeuwse klooster verdwijnen de geluiden van de stad. Mooie, sfeervolle kamers. Overwelfde eetzaal.

UIT ETEN

GOEDKOOP

Chez Sylla – D 900 - aan de rand van Apt - ☎ 04 90 74 95 80 - www.sylla.fr - rest.: 12.00-14.00 u, gesl. zo - € 12/17. Deze wijncoöperatie biedt de bezoekers ook een lunch: schotels met salade, boerenkazen, zuurdesembrood, wijn en koffie.

DOORSNEEPRIJZEN

Thym te Voilà – 59 pl. St-Martin - ☎ 04 90 74 28 25 - http://thymtevoila.free.fr - geopend di-za middag en do-zo avond (middag en avond van half juni tot half sept.) - gesl. zo en ma, jan.-maart - € 21/26. Echt een prima adres dat kan rekenen op een schare trouwe klanten. Achter het fornuis staat een hartstochtelijke chef die de wereld heeft afgereisd en toen is teruggekeerd naar zijn geboortestreek. Logisch dat de streekgerechten een exotisch tintje hebben.

WAT MEER LUXE

L'Intramuros – 120-124 r. de la République - ☎ 04 90 06 18 87 - gesl. zo en ma ('s zomers ma geopend), 10 jan.-28 feb. - lunch € 18 - € 30. Provençaalse gerechten met dagverse producten worden hier geserveerd in een bevallig interieur met de allure van een antiekzaak. Ook meeneemgerechten.

EEN HAPJE TUSSENDOOR

Les Gourmands Disent (...) – 17 pl. du Septier - ☎ 04 90 74 27 97 - ma-za 9.00-18.00 u (22.00 u april-nov.). Eenvoudige, onopvallende tearoom met een uitgebreide keuze aan thee, zelfgemaakt gebak en hartige taarten.

WINKELEN

Markt – Traditionele markt op zaterdagochtend in het centrum, een van de drukstbezochte in de streek.

Boerenmarkt, dinsdagochtend op de place Lauze-de-Perret.

Confiserie Le Coulon – 24 quai de la Liberté - ☎ 04 90 74 21 90 - april-sept.: 9.15-12.15, 15.00-19.00 u; rest het jaar: 9.15-12.15, 14.30-18.30 u - gesl. zo en ma, 2 weken in jan. en 2 weken in juni. Hier wordt gekonfijt fruit ambachtelijk bereid, zonder kleur- of conserveringsmiddelen. In de mooie, winkel zijn onder andere de twee beroemdste producten te vinden: abrikoos en mandarijn.

Confiserie Aptunion/les Fleurons d'Apt – D 900 - in Salignan - ☎ 04 90 76 31 43 - www.lesfleurons-apt.com - rondleiding in de fabriek op afspraak - gesl. zo en feestd. In deze geweldige fabriekswinkel zijn ontelbare soorten gekonfijt fruit te koop. De geglaceerde kersen, zwarte bessen, meloenen, peren, witte perziken, abrikozen en mango's worden gepureerd of als ijs verkocht en ze liggen uitgestald in manden in fraaie composities.

Château de Mille – Rte de Bonnieux - ☎ 04 90 74 11 94 - www.chateau-de-mille.fr - 8.00-12.00, 14.00-18.00 u. De wijnen van het domein dragen het label 'Appellation d'Origine Contrôlée Côtes-du-Luberon' en zijn verschillende keren bekroond met gouden medailles. Neem vooral ook een kijkje bij de gistkuip die is uitgehouwen in de rotsen!

SPORT EN ONTSPANNING

Base de loisirs – Plan d'eau d'Apt - rte de St-Saturnin-lès-Apt - ☎ 04 90 04 85 41 - sports@apt.fr - 8.30-12.00, 13.30-19.00 u - gesl. eind nov.-half maart. Dit vrijetijdscentrum organiseert tal van activiteiten: zeilen, surfen, kajakken, boogschieten, mountainbiken, klimmen… Maar let op: zwemmen is hier niet toegestaan.

Luberongebergte

★★★

Vaucluse (84) – Alpes-de-Haute-Provence (04)

☺ ADRESBOEKJE: BLZ. 420

❓ INLICHTINGEN
La Maison du Parc – *Zie Apt (blz. 402).*

◖ LIGGING
Regiokaart ABC2 (blz. 400) – *Michelinkaart van de departementen 332 E11 tot G11.* Van Gordes tot Forcalquier en van de Durance tot de Monts de Vaucluse is de Luberon uitgegroeid tot een aantrekkelijke toeristische regio. In werkelijkheid splitst het dal van Lourmarin de Luberon in twee ongelijke delen. In het westen ligt **Le Petit Luberon**, een door kloven en ravijnen uitgesneden plateau van nog geen 700 m hoogte. In het oosten ligt **Le Grand Luberon** met brede, ronde toppen van soms wel 1125 m hoog, zoals de Mourre Nègre. De noordkant met steile, diep

Parc naturel régional du Luberon

uitgesneden hellingen is koeler en vochtiger en begroeid met donzige eiken. De vegetatie van de zuidkant, die naar het Pays d'Aix toe ligt, heeft een mediterraan karakter met steeneiken en dichte rozemarijnstruiken.

▣ PARKEREN
Laat de auto staan op een van de parkeerterreinen (*vaak niet gratis*) en verken de hooggelegen dorpjes te voet.

☺ AANRADER
De Petit Luberon, met de beroemdste hooggelegen dorpen, zoals Bonnieux en Ménerbes; de Grand Luberon, met minder bekende plekjes, zoals Sivergues, Saignon en Grambois.

◷ PLANNING
Bezoek het gebergte, als het even kan, liever in het najaar of in de winter, dan is het veel rustiger in de dorpen.

Halverwege de Alpen en de Middellandse Zee bevindt zich het Luberongebergte. Met zijn schilderachtige, rotsachtige landschappen, zijn hooggelegen dorpjes en zijn geheimzinnige hutten van gestapelde stenen is dit een zeer karakteristieke streek. Het hele gebied is een regionaal natuurpark dat door de Unesco werd erkend als 'biosfeerreservaat'. Vooral tijdens de zomer heeft dit beloofde land een enorme aantrekkingskracht op de toeristen. Maar liefhebbers van eenzaamheid hoeven daar niet bezorgd om te zijn: zelfs 's zomers zijn er ver van de platgetreden paden genoeg plekjes te vinden die het oorspronkelijke karakter van deze regio onthullen.

8

Rondritten Regiokaart, blz. 400-401

★★ LE GRAND LUBERON

▶ *De 103 km lange route vanuit Apt staat aangegeven op de regiokaart - een dag. Verlaat Apt in zuidoostelijke richting via de D48 (avenue de Saignon).*
De omhooggaande weg biedt mooieuitzicht op het hooggelegen Saignon, het bassin van Apt, het plateau van Vaucluse en de Mont Ventoux.

Saignon C2
Parkeer de auto op de ruime parkeerplaats aan het begin van het dorp.
Saignon heeft een fraaie **ligging**★ op een rotsachtige uitloper boven Apt. Vertrekpunt van de wandeling is de romaanse **Église Notre-Dame-de-Pitié** die opvalt door haar afmetingen. De voorgevel heeft een fraaie rij blinde driepasbogen met pilasters en zuiltjes, en een portaal met fraai houtsnijwerk van Elzéar Sollier uit de 14de eeuw.

De hoofdstraat voert naar de **place de la Fontaine**, een aardig pleintje met een kleine wasplaats links. Volg rechts de rue de l'Horloge tot een ander pleintje, dat uitkijkt over het dal. Hier is nog een in de rotsen uitgehakte **olie-molen** bewaard gebleven. Loop door tot de **Rocher Bellevue** (*oriëntatietafel*). Boven ontvouwt zich een fraai panorama van de kale Mont Ventoux, het plateau van Vaucluse en Apt, en helemaal beneden de roze stenen daken van Saignon. De Grand Luberon en de Mourre Nègre vormen het achtergrond-decor.

Potager d'un curieux – *La Molière* - ☎ *04 90 74 44 68 - maart-okt.: dag. behalve za - gratis.* In de Quartier de la Molière ligt de moestuin van een hartstochte-lijke tuinliefhebber, Jean-Luc Danneyrolles, die zich met zorg en toewijding

---

INTERESSANT VOOR WANDELAARS

Ook al is dit deel van de Luberon op sommige plaatsen nog vrij ongerept, toch werden er bewegwijzerde wandelpaden uitgestippeld. Die routes worden gepubliceerd in tal van gidsen. Beslist de moeite loont 'Balades en Luberon', een reeks topogidsen vol nuttige informatie die wordt uit-gegeven door het natuurpark. Elke titel is gewijd aan een bepaalde ge-meente en vermeldt de wandelpaden in de omgeving (*€ 5 per boekje*). De boekjes zijn te koop bij de receptie van het natuurpark.

Het dorp Lourmarin in de Luberon
S. Sauvignier / MICHELIN

toelegt op het kweken van lang vergeten planten en groenten die vroeger werden gegeten. 's Zomers, als alles in bloei staat, is de tuin op zijn mooist.
Neem de auto en rijd verder via de D48 in de richting van Auribeau.

Le plateau des Claparèdes BC2

De D48 biedt fraai uitzicht op het 500 à 700 m hoge plateau tussen Saignon en Bonnieux, waar her en der *bories* staan. In dit dunbevolkte gebied wordt lavandin geteeld, en er zijn ook truffelgronden en bijenkasten. De naam stamt van 'clapas', verspreide hopen stenen die van het land werden opgeraapt door de boeren om de kwaliteit te verbeteren.
Rijd door tot Auribeau, een mooi dorpje te midden van de lavandinvelden. Wandelaars volgen de borden 'Parking du Mourre Nègre'. Dit parkeerterrein is het vertrekpunt van het bewegwijzerde pad naar de top van de Mourre Nègre (4,9 km).

★★★ Le Mourre Nègre C2

De Mourre Nègre (zwart gezicht) is met 1125 m het hoogste punt van het Luberongebergte. Sportieve wandelaars zorgen voor een goede voorbereiding van de beklimming.
Een topogids en een degelijke uitrusting zijn onmisbaar voor de vijf uur lange tocht, maar die loont echt de moeite! Het schitterende **panorama★★★** vanaf de top omvat de Montagne de Lure en de Vooralpen van Digne in het noordoosten, het dal van de Durance met de Montagne Ste-Victoire op de achtergrond in het zuidoosten, het Étang de Berre en de Alpilles in het zuidwesten en het Bassin d'Apt, het Plateau de Vaucluse en de Mont Ventoux in het noordwesten. Wie minder in zijn mars heeft, kan de Mourre Nègre bewonderen vanaf Auribeau!
De D48 doorkruist het gehucht Castellet en komt uit bij het dal van de Calavon. Sla rechts de D900 in en volg 2 km verder links de D48 richting Saint-Martin-de-Castillon.

Saint-Martin-de-Castillon C2

Dit hooggelegen dorp (op 551 m) in terrasvorm biedt een mooi **uitzicht★** op het dal van de Calavon en de Grand Luberon. Het bezit een aangenaam café *(zie 'Adresboekje')* en een kruidenierszaak.
Keer terug naar de D900 en rijd in de richting van Céreste. Steek de Calavon over en volg gedurende 2 km het weggetje rechts (richting 'Camping de Sibourg').
Voorbij de camping gaat de weg voorbij de indrukwekkende, bijna blinde gevel van de **Tour d'Embarbe** uit de 12de eeuw.
Maak rechtsomkeert en rijd via de D900 naar Céreste.

EEN GEËNGAGEERD DICHTER

De dichter **René Char** woonde in Céreste en leidde er tijdens de oorlog het verzetswerk. Op zekere dag werd zijn makker Roger Bernard voor zijn ogen terechtgesteld en hij kon niets ondernemen om dat te voorkomen: 'We zaten in de heuvels boven Céreste, we waren tot de tanden toe bewapend en in aantal minstens even sterk als de SS. [...] Ik gaf geen teken omdat we het dorp tot elke prijs moesten sparen.' (*Feuillets d'Hypnos*).

Céreste C2

🏛 *Pl. de la République - 04280 Céreste - 𝄞 04 92 79 09 84 - www.luberon-apt.fr - 9.30-12.30, 14.00-17.30 u, za 9.30-12.30, 14.00-18.00 u, zo 9.30-12.30 u - gesl. feestd.*
Dit voormalige Romeinse plaatsje lag aan de Via Domitia. Het heeft een deel van de verdedigingswerken behouden en vormt een mooi architectonisch geheel. De D900 verdeelt het dorp in twee delen. Het oude dorp bij het gemeentehuis is nog omgeven door een deel van de oude muren. Langs de doolhof van typisch Provençaalse straatjes staan middeleeuwse en 17de-eeuwse huizen, een broodoven en een fontein. Daartegenover ligt het nieuwere deel van het dorp (bij het toeristenbureau). De rue de la Bourgade voert naar de kerk met een opmerkelijk brede voorgevel, een klokkentoren met campanile en het groene gras aan het kerkplein. Een uitgesproken Provençaals plaatje! Aan het einde van Céreste, richting Forcalquier, bevindt zich het voormalige kerkplein van een **vroegchristelijke kerk**. Deze bezit nog een fraai romaans portaal met rondbogen.
Bij het verlaten van de kerk leidt het eerste weggetje links 300 m verder naar een **Romeinse** (maar romaanse) **brug** met knik over de Encrème.
Vervolg de weg van de Romeinse brug. De slecht bewegwijzerde priorij ligt 5 km verder, net voor een beekje bij een open plek op een verborgen heuveltje achter bomen (volg de borden voor toerfietsers die de richting Forcalquier aangeven).

Prieuré de Carluc C2

De priorij is gesloten - een rondleiding is mogelijk na afspraak, reserveren bij het toeristenbureau van Céreste.
De merkwaardige overblijfselen van het bouwwerk domineren een natuurlijk toevluchtsoord, het Cure-ravijn. Over het klooster zelf is maar weinig bekend. In 2011 is het duizend jarig bestaan gevierd, omdat in een handvest van oktober 1011 voor het eerst gewag werd gemaakt van een religieuze instelling in Carluc. Toen maakte het nog deel uit van de abdij van Montmajour. Slechts een van de drie kerken is blijven bestaan, met een schip dat uitgehouwen werd in de rotsen. De linkerkant biedt toegang tot een geheimzinnige galerij in het gesteente. In de bodem zijn talrijke **antropomorfe graven** uitgegraven. De galerij voerde naar een tweede kerk waarvan alleen het gedeelte in de rots is blijven bestaan. De mooie open plek hier vlakbij is prima geschikt voor een picknick.
Keer terug naar de D900 en rijd opnieuw door Céreste. Volg daar de D31 in de richting van Vitrolles-en-Luberon (13 km).
Deze kronkelweg over de noordelijke helling van de Grand Luberon biedt mooi **uitzicht★** op het dal van de Calavon en het Plateau de Vaucluse. Voorbij het hoogste punt, de col de l'Aire deï Masco (696 m), bereikt de weg de met rozemarijn begroeide zuidelijke helling van de Luberon
Daal af langs de zuidelijke helling naar Vitrolles en neem daar dan de D33 naar Grambois (8 km). Fraai uitzicht op het hooggelegen dorpje.

Grambois C2

🏛 ℰ 04 90 08 97 45 - www.grambois-provence.com - ma 8.00-12.00, 15.00-17.30 u, do 9.00-12.30 u.

Dit oude bekoorlijk dorpje boven op een heuvel is volgens sommigen authentieker dan Ménerbes en Bonnieux. Op het aardige dorpsplein staat een versterkte kerk, de **Église Notre-Dame-de-Beauvoir**. Binnen (*eerste kapel links*) hangt een triptiek van de gotische school van Aix, *Het leven van Johannes de Doper*, dat door sommigen wordt toegeschreven aan André Tavel, een schilder uit Pont-St-Esprit. In de kerstperiode kunt u in de kerk de levendige **santons** van **Pierre Graille** komen bezichtigen. Overigens stonden dorpsbewoners de model voor de kunstenaar!

Verlaat Grambois aan de westkant via de D27, richting Saint-Martin-de-Brasque. Rijd voorbij de Motte d'Aigues en het Étang de la Bonde naar Cucuron (15 km).

Cucuron C2

Hoe komt het dat de sfeer in dit dorp zo heerlijk Provençaals is? Zijn het de roze dakpannen waartussen de klokkentoren van de kerk, de donjon en het belfort zich oprichten, de middeleeuwse straatjes met adellijke gebouwen, de fonteinen en wasplaatsen of de enorme **vijver** die schaduw krijgt van de twee eeuwenoude platanen? Waarschijnlijk van alles een beetje. Ridley Scott heeft er niet voor niets de opnames gemaakt voor zijn film *A good year* (2006).

De 13de-eeuwse kerk **Notre-Dame-de-Beaulieu** heeft nog een romaans schip. In de doopkapel is een 16de-eeuws beeld van veelkleurig beschilderd hout te zien, dat de geketende, zittende Christusfiguur voorstelt. De preekstoel is van verschillende tinten marmer.

Musée archéologique Marc-Deydier – R. de l'église - ℰ 04 90 77 25 02 - mei-okt.: 10.00-12.00, 14.00-18.30 u, di 14.00-18.30 u; rest van het jaar: 10.00-12.00, 14.00-16.00 u, di 14.00-16.00 u - gesl. do - rondleiding op afspraak bij het toeristenbureau - gratis. Marc Deydier (1844-1920) was notaris in Cucuron en groot liefhebber van geschiedenis en fotografie. Hij verzamelde zijn leven lang foto's van het dagelijks leven in zijn dorp. In het museum dat is gevestigd in het 17de-eeuwse Hôtel de Bouliers zijn ook collecties over de prehistorie en plaatselijke tradities van Cucuron en omgeving te bezichtigen.

Het platform aan de voet van de **Donjon St-Michel** (10de eeuw) biedt mooi uitzicht over het bassin van Cucuron en de Montagne Ste-Victoire in de verte.

🥾 4 km. Vertrek bij de kelder van de wijncoöperatie. Folder beschikbaar in de toeristenbureaus en in het Maison du Parc. Het **Sentier des Vignerons**, dat is voorzien van informatieborden, loopt door de wijngaarden.

Neem de D56 in de richting van Lourmarin.

DE MEIBOOM VAN CUCURON

De zaterdag na 21 mei begeven enkele dorpsbewoners zich samen met de 'boomkapper' op weg. Ze gaan op zoek naar de hoogste populier, de *piboulo*, die hoger moet zijn dan de kerk. De boom wordt gekapt en een kind (de vaandeldrager) wordt er schrijlings op gezet. Vervolgens wordt de meiboom op de schouders van de mannen door de straten van het dorp naar het kerkplein vóór de Église Notre-Dame-de-Beaulieu gedragen. Daar wordt hij versierd en opgericht, en blijft hij staan tot 14 augustus. Dit evenement gaat gepaard met een optocht en Provençaalse volksdansen. Het feest is een blijk van dankbaarheid aan de **H. Tulle**, schutspatrones van Cucuron, die in 1720 een einde maakte aan een pestepidemie.

Een beschermde regio

HET PARC NATUREL RÉGIONAL DU LUBERON

Het hele gebied, van de Vaucluse en de Alpes-de-Haute-Provence, van Manosque tot Cavaillon en van het dal van de Coulon (of de Calavon) tot het dal van de Durance, is sinds 1977 een regionaal natuurpark. Het omvat 77 gemeentes en beslaat een oppervlakte van 185.000 ha, verspreid over de departementen Vaucluse en Alpes-de-Haute-Provence. De belangrijkste doelstelling is het behoud van het natuurlijk evenwicht in de streek en tegelijkertijd het verbeteren van de levensomstandigheden van de dorpsbewoners en het stimuleren van agrarische activiteiten door middel van irrigatie, mechanisering en herverkaveling. Ten behoeve van het toerisme zijn diverse initiatieven ontwikkeld. In Apt en La Tour d'Aigues zijn informatiecentra en musea geopend. Er zijn bewegwijzerde wandelroutes uitgezet in het cederbos bij Bonnieux, bij de okerrotsen van Roussillon, de bebouwde terrassen bij Goult en de heuvels van Cavaillon; de muren van Saignon werden gerestaureerd en er zijn thematische routes ontwikkeld, zoals de Route des Vaudois (Waldenzen) en meestal voortreffelijke uitgaven op de markt gebracht. Sinds 1997 maakt het natuurpark deel uit van de door Unesco erkende biosfeerreservaten (in Frankrijk zijn dat er tien, onder meer de Mont Ventoux – *zie blz. 387*). In mei 2009 werd het handvest verbeterd; het interventiegebied is daardoor uitgebreid tot de wijde omgeving van Forcalquier.

DE NATUURLIJKE HABITAT

Natuurliefhebbers kunnen hun hart ophalen aan de grote verscheidenheid aan planten. Naast eiken groeien er tal van andere boomsoorten, zoals de atlasceder (op de toppen van de Petit Luberon), de beuk en de grove den. Overal op de rotsachtige hellingen groeien brem, buksusbomen en allerlei soorten Provençaalse kruiden. Door toedoen van de mistral wordt de plantengroei op sommige plaatsen op zijn kop gezet: door de wind komt de steeneik ook aan de schaduwzijde op de noordelijke hellingen voor en de donzige eik aan de zonzijde op de zuidelijke hellingen. In de winter zijn er opmerkelijke contrasten waar te nemen tussen groenblijvers en bladverliezende struiken en bomen. De **flora** van de Luberon telt enkele eigen soorten zoals de *Leuzea conifera* (herkenbaar aan zijn harskegel), de rotsroos met pluizige bladeren en de welriekende Etruskische kamperfoelie. De **fauna** is ook zeer gevarieerd. Er komen wel zeven soorten veldslangen voor, en daarnaast zijn er nog tal van andere dieren te vinden, zoals de zandloper (een hagedis), de grasmus, de blauwe rotslijster, de oehoe, de haviksarend en de slangenarend.

DORPEN HOOG IN DE HEUVELS

Al in de prehistorie werd het Luberongebergte door mensen bewoond. In de middeleeuwen verschenen de eerste dorpen op de rotsen. De huizen werden dicht op elkaar gebouwd, vaak aan de voet van een kasteel of bij de kerk. Bijna alle huizen hadden kamers die in de rots waren uitgehakt. De mannen gingen op het omliggende land werken. Als dat te ver van huis was, woonden ze enige tijd in hutten die werden gebouwd door stenen los op elkaar te stapelen, de *bories*. Elk bebouwbaar perceel werd zorgvuldig van stenen ontdaan. Deze werden op elkaar gestapeld tot zogeheten *clapiers*. Vervolgens werden er muurtjes om de percelen gezet zodat de grond niet door de regen zou wegspoelen. Ook het vee graasde binnen met stenen omheinde weiden. De bevolking leefde voornamelijk van veeteelt (schapen), olijven, een paar karige graanproducten en wijnbouw. Ook werd er lavendel verbouwd en werden zijderupsen gekweekt. Door de veranderingen die de landbouw in de 19de en 20ste eeuw heeft ondergaan, is deze traditionele economie verdwenen en zijn de dorpen ontvolkt en in verval geraakt. Tegenwoordig is er echter een omgekeerde tendens waar te nemen. De meeste dorpen zijn weer gerestaureerd en de bevolking neemt vrijwel constant toe. Nieuwkomers vervangen de autochtone bevolking.

DE BORIES

Op de hellingen van het Luberongebergte en het plateau de Vaucluse staan intrigerende hutjes van los op elkaar gestapelde stenen met een of twee verdiepingen. Ze worden *bories* genoemd. Ze staan apart of in groepjes; er zijn er ongeveer drieduizend. Sommige van deze hutten dienden alleen maar als schuur voor gereedschap of als schaapskooi. Door de eeuwen heen zijn er echter ook veel bewoond geweest, vanaf de ijzertijd tot de 18de eeuw. De *bories* werden gemaakt van materiaal dat ter plaatse werd aangetroffen, zo als dunne lagen kalk die van de rotsen waren gevallen of platte stukken steen die bij het ontginnen van het bouwland werden gevonden. Deze stenen, **lauzes** genoemd, zijn gemiddeld 10 cm dik. Ze werden samengevoegd zonder specie of water. De dikte van de muren varieert van 0,80 m tot 1,60 m. Voor de dakconstructie werd gebruikgemaakt van een zogeheten vals gewelf, bestaande uit een overkraging van steenlagen. De muren lopen naar boven schuin toe zodat de diameter bovenin, bij een hoogte van drie of vier meter, niet groter is dan een klein gat, dat met een platte steen kon worden afgedekt. De verschillende steenlagen helden enigszins naar buiten toe, zodat het water niet naar binnen kon sijpelen. Binnen ziet het gewelf eruit als een halfronde koepel op pendentieven. Er bestaat heel wat variatie in de bouw van de *bories*. De meest eenvoudige zijn rond, ovaal of vierkant met één ruimte en één deur op het oosten of zuidoosten. Van enige indeling binnen is nauwelijks sprake: er zijn hooguit wat uitsparingen bij wijze van kastruimte in de dikke muren aangebracht. De temperatuur binnen blijft het hele jaar door constant. Er zijn ook grotere *bories*. Die zijn rechthoekig met een paar smalle openingen. Voor de constructie van de schuine daken met twee of vier dakschilden werd gebruik gemaakt van de techniek van valse rondboog- en spitstongewelven, of gewelven in de vorm van een omgekeerde scheepsromp. De indeling van deze *bories* lijkt op die van een traditionele boerenhoeve. Binnen een hof met een hoge muur bevinden zich behalve de woonruimte (de meest 'luxueuze' *bories* hebben betegelde vloeren, banken en haarden) ook de broodoven en verschillende werkplaatsen.

Ⓖ *Zie de Village des Bories in Gordes (blz. 432) en de Enclos des Bories in Bonnieux (blz. 416).*

Vaugines B2

Dit dorpje ligt verscholen in een idyllisch dalletje. Vooraan in het dorp staan enkele oude huizen en een romaans kerkje, de **Église Saint-Pierre-et-Saint-Barthélemy★**, dat met het naburige kerkhof een serene **aanblik** biedt. Film-liefhebbers zullen wellicht de kerk herkennen uit *Jean de Florette* en *Manon des Sources* van Claude Berry.

★ Lourmarin B2

🗊 *Pl. Henri-Barthélemy - 84160 Lourmarin - ℘ 04 90 68 10 77 - www.lourmarin. com - dag. behalve zo 10.00-12.30, 15.00-18.00 u, vr 10.00-13.30, 15.00-18.00 u - gesl. feestd.*

🐾 **Goed om te weten** – Het toeristenbureau organiseert een **rondleiding** door het dorp *(do 10.00 u - € 4)* en **literaire wandelingen** 'In de voetsporen van Albert Camus' *(di 10.00 u - € 4)* en 'In de voetsporen van Henri Bosco' *(wo 10.00 u - € 4)*.

In dit mooie dorp aan de voet van de zuidhelling van de Grand Luberon met smalle keienstraatjes (sommigen zullen het iets te gelikt vinden) heerst een Provençaalse *art de vivre*. De kunstgaleries, kunstnijverheidswinkeltjes en zonovergoten caféterrassen dragen bij aan de charme.

In de zomer wordt Lourmarin overspoeld door toeristen. Toch worden er het hele jaar door culturele evenementen georganiseerd. Men is enorm trots op de befaamde schrijvers-dorpsgenoten, **Albert Camus** (1913-1960) en **Henri Bosco** (1888-1976), die ook beiden in Lourmarin begraven liggen.

Voor lekkerbekken is er een plaatselijke specialiteit, de *gibassier*, een zoete koek met olijfolie.

Château★ – *℘ 04 90 68 15 23 - www.chateau-de-lourmarin.com - juni-aug.: 10.00-18.00 u; rest van het jaar: 10.30-11.30, 14.30-16.00 u - rondleiding (1 u) op afspraak - gesl. jan., 25 dec.- € 6 (tot 10 jaar gratis).*

🐾 **Goed om te weten** – Op vertoon van een vol tarief entreekaartje voor het kasteel krijgt u korting bij het Musée de Géologie et d'Ethnographie in La Roque-d'Anthéron, bij de klooster in Silvacane, het Conservatoire des ocres in Roussillon en de Bruoux-mijnen in Gargas.

De laatste eigenaar, Robert Laurent-Vibert, liet het kasteel bij zijn dood in 1925 na aan de Académie des Arts et Belles-Lettres van Aix-en-Provence, om het om te vormen tot een 'villa d'Medici van de Provence'. Het staat hoog op een heuvel en bestaat uit een 15de-eeuws en een renaissancistisch gedeelte. Vooral dit laatste is bijzonder evenwichtig qua stijl en opbouw. Interessant is de grote trap met bovenaan een rank zuiltje, dat een stenen koepel draagt.

EEN KOPPIGE UITVINDER

Philippe de Girard (1775-1845) werd geboren in Lourmarin. Deze geta-lenteerde, vindingrijke man was de uitvinder van een toestel om golven te gebruiken (1789), de hydrostatische lamp (1801), een methode om le-vensmiddelen te conserveren (1806), een vlasspinmachine (1810), de stoommitrailleur (1814), een toestel om vergelijkingen me op te lossen, een chronothermometer en heel veel meer! Girard was echter niet prak-tisch aangelegd, zodat gewetenloze vennoten meestal aan de haal gingen met zijn uitvindingen. Hij overleed als een arm man, maar in Lourmarin is men hem niet vergeten en dat geldt ook voor het naar hem genoemde Zirardov, een stad in Polen waar hij een vlasspinnerij liet bouwen. Er be-staan nog altijd goede banden tussen Zirardov en Lourmarin.

In het 15de-eeuwse gedeelte bevinden zich de bibliotheek en de kamers van de studenten van de academie, die uitkomen op aangenaame stenen of houten galerijen.

De D943 klimt in noordwestelijke richting uit het dal van Lourmarin omhoog. Volg na 8,5 km rechts de D113 in de richting van Buoux.

De bochtige weg loopt door nauwe kloofdalen met steile rotswanden die de rivier, de Aigue Brun, heeft uitgesleten in het massief. Onderweg, op de 30 tot 120 m hoge **rotsen van Buoux**, zijn vaak klimmers te zien. Sinds de jaren zeventig wordt hier inderdaad aan rotsklimmen gedaan.

Steek de brug over en rijd door in de richting van het 'Fort de Buoux' tot aan de parkeerplaats.

Fort de Buoux B2

20 min. lopen heen en terug. Bezichtiging: een uur. Ga door het hek en onder een overhangende rots naar het huis van de bewaker. ✆ *04 90 74 25 75 - www. buoux-village.com - van zonsopgang tot zonsondergang (behalve bij slecht weer) € 4 (tot 12 jaar gratis) - bij het kaartje is een plattegrond van het fort inbegrepen.*

Goed om te weten – De bezichtiging voert langs rotsen zonder afsluiting. Wees daarom voorzichtig, zeker als er kinderen bij zijn.

De steile wandeling te midden van een indrukwekkende omgeving met steile wanden en middeleeuwse overblijfselen, deels in de rotsen, wordt op de top beloond met een schitterend **panorama**★★ op de Mont Ventoux, de Montagne de Lure en de bergen van de Vaucluse. De rotsachtige uitloper van het fort van Buoux is altijd een verdedigingswerk geweest. Eerst werd het door de Liguriërs bezet, daarna door de Romeinen. Later was het de stille getuige van de gevechten tussen katholieken en protestanten. In 1660 werd het op last van Lodewijk XIV ontmanteld. Drie verdedigingsmuren, een romaanse kapel, woonvertrekken, in de rots uitgehouwen silo's, een donjon, een Ligurische offersteen en een geheime trap zijn blijven bestaan. Twee mogelijkheden voor de terugkeer: ofwel rechtsomkeert maken en de hoofdweg naar het huis van de bewaker nemen; ofwel een indrukwekkende, in de rotsen uitgehouwen trap volgen (niet voor mensen met hoogtevrees!).

Rijd terug naar het kasteel en sla rechtsaf de D113 in, rijd door Buoux, ga rechtsaf de D569 op en neem dan weer rechts de D114.

Sivergues B2

Dit afgelegen dorpje ligt hoog tegen de hellingen van de Grand Luberon. Het werd ooit bewoond door de **Waldenzen** die, dankzij de geïsoleerde ligging van Sivergues, ontsnapten aan de vervolging van de katholieke kerk, om zich vervolgens bij het officiële protestantisme aan te sluiten (*zie blz. 47*). Wie de stilte en de verlatenheid van deze 'verduiveld hoog gelegen' plek (aldus Henri Bosco) goed op zich laat inwerken, proeft de ware sfeer van het Luberongebergte.

Rijd terug naar Apt via de D114.

★★ LE PETIT LUBERON AB2

De 101 km lange rondrit vanuit Apt staat aangegeven op de regiokaart - een dag. Verlaat Apt via de D943 en sla daarna rechtsaf de D3 in.

Neem de tijd om volop van deze rondrit en de bevallige hooggelegen dorpjes te genieten: een kopje koffie op een terras, rustig door de straatjes kuieren, de wijngaarden verkennen en hier en daar halt houden bij een lokale wijnbouwer, op zoek gaan naar plantjes in een van de vele boomkwekerijen… Voor de mooiste uitzichten moet u uiteraard omhoog, dus dat wordt klimmen!

★ Bonnieux B2

7 pl. Carnot - 84480 Bonnieux - ℘ 04 90 75 91 90 - www.tourisme-en-luberon. com - 9.30-12.30, 14.00-18.00 u, zo 14.00-18.00 u - gesl. feestd.

Goed om te weten – Parkeer de auto in de benedenstad, waar zich de meeste parkeerterreinen bevinden. Komend vanuit Lourmarin is er ook beperkte parkeergelegenheid in de bovenstad, rechts van de weg.

Dit dorp, dat trapsgewijs tegen een uitloper is aangebouwd, domineert de vallei van de Calavon. Mede door zijn bijzondere ligging op het kruispunt van de Petit en de Grand Luberon is Bonnieux de ideale uitvalsbasis om de streek te verkennen. Verderop in de bossen geurt het heerlijk naar ceder.

De verkenning van dit hooggelegen dorp vergt wel de nodige krachtinspanning, maar de wandelaar wordt daar ruimschoots voor beloond: een wirwar van buitengewoon bevallige straatjes en steegjes met oude stenen trappen met hier en daar een verdwaalde grassnriet. Via de steile rue de la Mairie (overwelfde doorgang) kunt u naar de **bovenstad van Bonnieux** gaan. Het terras onder de oude kerk biedt een mooi **uitzicht★** op het dal van de Calavon met helemaal links het hooggelegen dorp Lacoste; meer naar rechts de zijkant van het plateau de Vaucluse met de dorpjes Gordes (*zie onder deze naam*) en Roussillon (*zie onder deze naam*) op een heuvel tussen rode rotswanden. Vanaf het terras loopt een trap naar een met schitterende ceders omringde **oude kerk** *(niet te bezichtigen, met uitzondering van de rondleidingen in de zomer die georganiseerd worden door vrijwilligers; inl. bij het toeristenbureau).*

Musée de la Boulangerie – *12 r. de la République - ℘ 04 90 75 88 34 - www. vaucluse.fr - juli-aug.: 10.00-13.00, 14.00-18.00 u ; rest van het jaar: 10.00-12.30, 14.30-18.00 u - gesl. di, nov.- maart, 1 mei - € 3,50 (tot 18 jaar € 1,50).* In dit bakkerijmuseum wordt door middel van gebruiksvoorwerpen, documenten en reproducties van gravures een indruk gegeven van de geschiedenis van het brood en het bakkersvak. De grote oven werd stilgelegd in 1920.

Enclos des Bories★ – *Een kwartier vanaf de camping in Bonnieux via een bewegwijzerd pad. Ga met de auto richting Lourmarin tot het Forêt de cèdres (zie hierna) en volg dan de weg rechts gedurende 1 km. ℘ 06 08 46 61 44 - april-nov.: 10.00-19.00 u; buiten het zomerseizoen: op afspraak - € 5 (tot 12 jaar gratis) - laatste bezichtiging 1 u voor sluitingstijd - rondleiding na afspraak.* Het duurde tien jaar eer dit overwoekerde terrein helemaal was blootgelegd. Eiken en kreupelhout bedekken de 4 ha grote vindplaats die door een indrukwekkende, 250 m lange **muur** is opgedeeld in twee delen met in totaal een twintigtal ingesloten *bories*. Andere interessante vondsten in het dorp zijn een prachtig **bijenhuis**, terreinen voor het vee en een dorsvloer voor het graan. Het regenwater werd opgevangen in een **aiguier** of watertank en putten in de rotsen die soms wel 7 m diep zijn. Tot de eigenaardigheden behoren de zogenaamde **'tweeling-bories'** (met een opening tussen beide *bories*) en de *bories* met schietgaten die in de 16de eeuw vermoedelijk dienstdeden als schuilplaats voor de Waldenzen. De vindplaats biedt ook nog een mooi **uitzicht★** op Bonnieux, de Petit Luberon en de Mont Ventoux.

Forêt de cèdres – *Vanaf Bonnieux 5 km rijden via de weg naar Lourmarin. 2 uur.* Deze cederbomen zijn afkomstig uit het Atlasgebergte in Algerije en in 1861 hier geplant. Op een oppervlakte van 250 ha groeien hier drie generaties ceders. Er is een **botanische wandeling** met acht informatiepunten uitgezet, waar de wandelaar uitleg krijgt over de planten in de regio van het Luberongebergte.

Ga terug naar Bonnieux en rijd dan via de D109 door naar Lacoste. Laat de auto staan onder aan het dorp.

★ **Lacoste** B2

La Cure - pl. de l'Église - 84480 Lacoste - ☎ 04 90 06 11 36 - www.lacoste-84. com - juli-aug.: 9.00-12.00, 14.00-18.00 u; mei-sept.: 9.00-11.30, 14.00-18.00 u, za 9.00-11.30 u; rest van het jaar: 9.00-11.30, 14.00-16.00 u - gesl. zo en feestd.

Dit dorpje aan de overzijde van Bonnieux verrijst in de schaduw van de in- drukwekkende, gedeeltelijk herbouwde ruïne van het **kasteel**, ooit eigendom van de familie De Sade. Na verscheidene malen te zijn gevangengenomen en na bij verstek ter dood te zijn veroordeeld, hield markies De Sade zich er vanaf 1774 schuil. Uit liefde voor het theater liet hij er een luxueuze toneelzaal inrichten. De huidige eigenaar, couturier Pierre Cardin, laat het theater en een groot deel van het dorp restaureren. Jammer is wel dat daarmee het dorp met de jaren in een soort dorp-museum is veranderd en weinig authentieks meer heeft. Langs de hoofdstraat staan mooie huizen van natuursteen. Het is een heel steile *calade* die naar de voet van de muren voert en een fraai uit- zicht op Bonnieux biedt. Keer terug langs dezelfde weg, want de weg naar boven loopt dood.

Rijd via de D109 richting Ménerbes. De weg gaat voorbij de steengroeven van Lacoste waar een bekende natuursteen wordt gedolven. Ga na 2,5 km links een bosweg op in de richting van de Abbaye de Saint-Hilaire (bewegwijzerd).

Abbaye Saint-Hilaire B2

www.prieuresthilaire.com - 1 april-30 nov.: 9.00-19.00 u; € 2.

De Prieuré de Saint-Hilaire, een voormalig klooster (nu privébezit) heeft een mooie ligging op een vroegere holwoning tegenover het Luberongebergte. In 1975 werd het een historisch monument. Het werd van de 13de tot de 18de eeuw bewoond door karmelieten en is nu privébezit, maar bezichtiging is mogelijk. Bekijk in de aan St-Antoine-le-Grand gewijde kapel het verrassende fresco, geïnspireerd op 15de-eeuwse fresco's uit de Piemonte waarop de een kruisiging te zien is. Naast de klokkentoren van het klooster staat een cister- ciënzer apsis met talloze gaten, overblijfsels van een van de oudste duiven- torens van de Provence. Vanaf de D3, die Ménerbes met Bonnieux verbindt, hebt u een bijzonder uitzicht op het gehele klooster.

🐾 Volg het voetpad te midden van de olijfbomen voor een mooi uitzicht op de priorij *(blauwe borden, een kwartier lopen).*

Rijd door via de D109.

★ **Ménerbes** B2

De beschermvrouw van Ménerbes is Minerva, godin van wijsheid en kunst. Het plaatsje was dan ook een trekpleister voor schrijvers (Albert Camus woonde in Lourmarin) en kunstenaars. Zo verbleef Picasso er in 1945, terwijl Nicolas de Staël zich er in 1953 vestigde. Het is een van de beroemdste hoog- gelegen dorpen van de Luberon. Is het ook een van de mooiste? Misschien… er is namelijk veel concurrentie.

Boven in het dorp bevindt zich de fraaie **place de l'Horloge**. Het belfort van het stadhuis en de eenvoudige smeedijzeren klokkentoren kijken uit op dit plein. Op een van de hoeken van het plein staat een mooi herenhuis uit de 17de eeuw met een rondboogportaal.

Maison de la truffe et du vin du Luberon – *Pl. de l'Horloge - ☎ 04 90 72 38 37 - www.vin-truffe-luberon.com - 10.00-12.30, 14.30-19.00 u - gesl. nov., zo-wo van okt. tot maart.* Het prachtige herenhuis van Astier de Montfaucon, waarin de vereniging voor de truffel en de wijn in de Luberon zetelt, is tevens dé plek voor wie alles wil weten over de wijnbouw en truffelteelt in de streek. Er is een klein museum annex boekhandel over truffels en wijn. Er is ook een **wijn-**

kelder met alle cru's die worden geproduceerd in het Parc Naturel Régional du Luberon. Er is gelegenheid tot proeverij (zie 'Adresboekje'). Vanaf het terras is er **uitzicht★** op het dal van de Calavon, Gordes, Roussillon en de Mont Ventoux. De 14de-eeuwse **Église Saint-Luc** staat aan het einde van het dorp. Vroeger was deze kerk een priorij van St-Agricol in Avignon (bezichtiging op afspraak via het gemeentehuis).

Beneden in het dorp, in de rue du Portail-Neuf, staat het **huis van Dora Maar** met tuin (geen bezichtiging, alleen tijdens vernissages). Picasso verbleef er in de jaren veertig met zijn muze, die er bleef wonen tot haar dood in 1997. In het fraaie herenhuis is nu een kunstcentrum gevestigd.

De 13de-eeuwse **citadel** die in de 16de en 19de eeuw is herbouwd, heeft een belangrijke rol gespeeld tijdens de godsdienstoorlogen. In 1573 konden de calvinisten door middel van een list de burcht innemen. Pas vijf jaar later gingen ze weer weg, na betaling van losgeld. Er is nog een deel van de verdedigingswerken met de hoektorens en weergang te zien (privébezit).

> **WEETJE**
>
> Sinds het verschijnen van het boek A Year in Provence van de Britse schrijver **Peter Mayle**, die hier in de buurt woonde, is Ménerbes wereldberoemd. Bussen vol Amerikaanse en Japanse toeristen komen het Provençaalse dorp bezoeken. Inmiddels is Peter Mayle vertrokken, maar de toeristen blijven komen…

Maison Jane-Eakin – R. Sainte-Barbe - ℘ 04 90 72 22 05 (gemeentehuis) - www.jane-eakin.com - juli-sept.: dag. behalve ma 15.30-19.00 u; mei-juni: vr-zo 15.00-18.00 u; okt.-nov.: za-zo 14.30-17.30 - gesl. dec.-april - € 3 (tot 18 jaar gratis). Deze Amerikaanse kunstenares (1919-2002) schonk haar huis aan de stad Ménerbes die het omvormde tot museum ter ere van haar figuratieve en heldere werk Mooi dakatelier.

Musée du Tire-Bouchon – Verlaat Ménerbes in westelijke richting via de D3 naar de Cavaillon. ℘ 04 90 72 41 58 - www.domaine-citadelle.com - april-sept.: 9.00-12.00, 14.00-19.00 u, weekend en feestd. 10.00-12.00, 14.00-19.00 u; rest van het jaar: dag. behalve weekend en feestd. 9.00-12.00, 14.00-17.00 u - gesl. 1 jan., 1 nov. en 25 dec. - € 4 (tot 16 jaar gratis). Dit museum bevindt zich op het landgoed van het wijnhuis La Citadelle. Het bezit een verzameling van 1000 kurkentrekkers, daterend van de 17de eeuw tot de huidige tijd. Ze zijn gemaakt van allerlei materialen, zoals hoorn, metaal en ivoor, maar vooral de vormen zijn zeer verschillend. Er zijn kurkentrekkers in de vorm van een T en met de beeltenis van de Amerikaanse senator Volstead, die in de Verenigde Staten het verbod op alcohol instelde. Ook de verschillende systemen voor het ontkurken van flessen komen aan bod. De wijnkelders kunnen eveneens worden bezichtigd en er is gelegenheid om te proeven van de Côtes-du-Luberon.

★ Oppède-le-Vieux A2

Laat de auto staan op het parkeerterrein (€ 2 per voertuig van Pasen tot Allerheiligen (1 nov.)) buiten het dorp en ga te voet verder. Dit hoog op een rots gebouwde plaatsje heeft een zeer schilderachtige **ligging★**. Vanaf 1912 werd een nieuw dorp gebouwd in de vlakte, waarna Oppède-le-Vieux voor een groot deel tot ruïne verviel. Dankzij de tussenkomst van een aantal kunstenaars en schrijvers heeft het zijn oorspronkelijke uiterlijk teruggekregen. Enkele huizen zijn nu weer bewoond en door een slimme organisatie van het autoverkeer blijft het oude dorp gespaard voor de grote verkeersdrukte. Via het vroegere dorpsplein gaat de bezoeker door een oude poort naar het bovendorp, waar de 16de-eeuwse **kerk** (*wordt gerestaureerd*) en de kasteelruïnes staan. Het terras voor de kerk biedt een mooi **uitzicht★** op het dal van de Coulon, het plateau de Vaucluse en Ménerbes. Achter het **kasteel**, dat door de graven van Toulouse is gebouwd en in de 15de en 16de eeuw is herbouwd, ontvouwt zich een weids uitzicht op de bergkloven in de noordkant van het Luberongebergte.

🥾 *1.30 u. Vertrek bij het Oratoire Saint-Joseph, een kapel. Een brochure is beschikbaar bij het toeristenbureau en in het Maison du Parc. Het traject is vergelijkbaar met dat in Cucuron.* Bordjes met de afbeelding van een druiventros staan langs deze wandelroute door de **wijngaarden** aan de voet van Oppède.
Rijd via de D176 en de D29 door Maubec en sla rechts de D2 in.

Coustellet A2

In het begin van de jaren tachtig werd hier de eerste **boerenmarkt** van Frankrijk gestart. 's Ochtends vroeg op zondag *(23 maart -23 dec.)* worden hier allerlei plaatselijke producten tegen redelijke prijzen verkocht (aromatische kruiden, zuurdesembrood, kaas). Overigens heerst er ook een prettige sfeer.
Musée de la Lavande – *276 rte de Gordes. Op de D 2 rechts, even voorbij de D900. -* 📞 *04 90 76 91 23   www.museedelalavande.com -* ♿ *Bezichtiging met audiogids (1 uur) - mei-sept.: 9.00-19.00 u; rest van het jaar: 9.00-12.15, 14.00-18.00 u - gesl. jan., 25 dec. - € 6,50 (tot 15 jaar gratis).* In dit museum zijn allerlei oude koperen distilleertoestellen tentoongesteld. Men distilleerde met behulp van open vuur, waterdamp of onverdunde concentraties. Het oudste apparaat is uit 1626. Leer wat 'lavandin' is, namelijk een kruising van fijne, 'echte' lavendel en spijklavendel. De meest subtiele parfums zijn gemaakt van fijne lavendel, maar lavandin is makkelijker te kweken. De verkochte producten zijn gemaakt van de lavendel die op het Plateau d'Albion (*zie onder Sault*) bij het Château du Bois in Lagarde-d'Apt wordt gekweekt.
Keer terug naar de D900 in de richting van Apt en volg links de D60 naar Goult.
Aan de linkerkant in een fijn park staat **Notre-Dame-de-Lumières**, een beroemd bedevaartsoord in de Provence, met daarin een grote verzameling ex voto's.

Goult B2

Laat de auto staan op het parkeerterrein voor de kerk. In dit minder hoog gelegen dorpje staan ook een kasteel *(privé)* en een **windmolen**, die nieuwe wieken heeft gekregen. Het is er heerlijk slenteren door de minder steile straatjes en op het kerkplein wachten enkele terrasjes.
🥾 *Een uur. Vertrek boven in het dorp.* Het **Conservatoire des Terrasses** is een instantie die zich ten doel stelt de oude landbouwmethodes van terrasbouw met behulp van muurtjes van gestapelde stenen te behouden (de zogenaamde *restanques* of *bancaus*).
Rijd terug naar Apt via de D900 die door het dal van de Calavon omhoogvoert.
Links strekt zich het **Pays de l'Ocre** uit (*zie Roussillon*).
Neem 3,5 km voorbij Goult de D149 naar rechts richting Bonnieux.

Pont Julien B2

Deze brug werd in het jaar 3 v.C. over de Coulon (of Calavon) gebouwd. De twee pijlers hebben boogvormige openingen, zodat de rivier bij hoog water sneller onder de brug door kan stromen.
Rijd via de D900 terug naar Apt.

8

😊 DE LUBERON: ADRESBOEKJE

OVERNACHTEN

GOEDKOOP

Hôtel L'Aiguebelle – *Pl. de la République - 04280 Céreste - ☏ 04 92 79 00 91 - www.hotel-luberon-aiguebelle.com - gesl. 14 nov.-13 feb. - 12 kamers € 37/57 - ☐ € 7- rest. € 16/30.* Dit pretentieloze hotel-restaurant ligt in het dorpscentrum. Het heeft sobere, maar goed uitgeruste kamers. Eenvoudige, copieuze streekgerechten tegen redelijke prijzen.

Auberge des Seguins – *84480 Buoux - ☏ 04 90 74 16 37 - www.aubergedesseguins.com - 27 kamers € 50/78 p.p. halfpens. - slaapzaal 20 bedden € 38 halfpens. - rest. één menu € 25 - bar.* Grote plattelandsherberg bij de rotsen van Buoux, een trefpunt voor trekkers, klimmers en wandelaars. Eenvoudige, comfortabele kamers. Zwemvijver.

DOORSNEEPRIJZEN

Villa St-Louis – *35 r. Henri-de-Savournin - 84160 Lourmarin - ☏ 04 90 68 39 18 - www.villasaintlouis.com - 5 kamers € 65/75 ☐.* Fantastisch smaakvol en verfijnd ingericht gasthuis in een oud 17de-eeuws poststation omgeven door een heerlijke schaduwrijke tuin. Gezellige sfeer, vooral dankzij de sympatieke eigenaresse, die faam geniet in heel Lourmarin.

Chambre d'hôte La Lombarde – *In Puyvert (D 973) - 84160 Lourmarin - ☏ 04 90 08 40 60 - www.lalombarde.fr - gesl. nov.-feb. - ☒ ☒ - 4 kamers € 79 ☐.* In een eeuwenoud pand gelegen op een rustig, 10 ha groot domein zijn 4 kamers en 2 gîtes (€ 490-550 per week) beschikbaar. Privéterrassen en zwembad. Het ontbijt wordt geserveerd aan de lange houten tafel. Vliegtochtjes mogelijk.

Chambre d'hôte La Ferme de l'Avellan – *Chemin St-Jean - 84480 Lacoste - ☏ 04 90 75 85 10 - www.lavellan.com - 5 kamers € 70/100 ☐ - 's avonds table d'hôte € 23.* Een landelijke, duurzame sfeer kenmerkt deze vijf eenvoudige kamers op een bio-boerderij met 'Gîte Panda'-label. Zwemvijver. Ter plaatse verkoop van biowijn van eigen teelt.

Chambre d'hôte Domaine de Layaude Basse – *Chemin de St-Jean - 84480 Lacoste - 1,5 km ten noorden van Lacoste richting Roussillon, secundaire weg - ☏ 04 90 75 90 06 of 06 42 21 35 73 - www.domainedelayaude. com - gesl. 1 dec.-1 maart - ☒ - 5 kamers € 75/98 ☐ - table d'hôte (alleen ma, wo en vr avond) € 27 id.* Midden in een groot landbouwbedrijf tegenover de Mont Ventoux wacht een gastvrij onthaal in dit 17de-eeuwse familiebuiten met mooie kamers.

Chambre d'hôte Les Grandes Garrigues – *84160 Vaugines - 3 km ten westen van Cucuron via de D 56 en de D 45 (rte de Cadenet) - ☏ 04 90 77 10 71 - www.grandes garrigues.com - gesl. okt.-april - ☒ ☒ - 5 kamers € 80/110 ☐.* Dit mooie domein met okergele muren en gezellige kamers ligt op een terrein van 11 ha, aan de voet van de Luberon. In de zomer staan het zwembad en de keuken ter beschikking van de gasten. Fraai uitzicht op de Alpilles en de Montagne Ste-Victoire.

Les Trois Sources – *chemin de la Chaîne - 84480 Bonnieux (volg vanuit Bonnieux gedurende ca. 3 km de D149 richting Goult) - ☏ 04 90 75 95 58 - www.lestrois sources.com - ☒ 🅿 - 5 kamers*

€ 80/140 ⌛. Proeven van het kasteelleven? Dan is dit fantastische middeleeuwse landhuis met versterkingen uit de 15de eeuw omringd door 8 ha wijn- en boomgaarden het aangewezen adres. Een monumentale wenteltrap leidt naar de zeer ruime kamers die sober maar authentiek renaissancistisch zijn ingericht.

Chambre d'hôte Chambre de séjour avec vue – *1 r. de la Burgade - 84400 Saignon - ☏ 04 90 04 85 01 - www.chambreavecvue. com - gesl. dec.-feb. - 5 kamers € 80/110* ⌛. Dit atypische *maison d'hôtes* is tegelijk kunstgalerie en pension voor kunstenaars die soms hun werken achterlaten. Minimalistische kamers met een zeer minutieuze inrichting.

WAT MEER LUXE

Le Clos du Buis – *R. Victor-Hugo - 84480 Bonnieux - ☏ 04 90 75 88 48 - www.leclosdubuis.fr - gesl. van half nov. tot eind feb. -* ♿ 🛋 ₽ *- 8 kamers € 92/132* ⌛ *- maaltijd € 28 (reserveren).* Dit pand, een voormalige bakkerij annex kruidenierszaak, staat vlak bij de kerk. Lichte en smaakvolle kamers met airco. Aangename tuin met zwembad en mooi uitzicht.

L'Hostellerie du Luberon – *Cours St-Louis - 84160 Vaugines - ☏ 04 90 77 27 19 - www.hos tellerieduluberon.com - gesl. 11 nov.-9 maart -* ♿ 🛋 ₽ *- 16 kamers € 99/118* ⌛ *- rest. € 24/35 (gesl. wo middag en di).* Familiehotel met mooie Provençaalse kamers tegenover het dal van de Durance. Bibliotheek en spelletjesdozen voor groot en klein. Restaurant in de grote eetzaal of op het terras naast het zwembad.

La Bastide du Bois Bréant – *501 chemin du Puits-de-Grandaou - 84660 Maubec - ☏ 04 90 05 86 78 - www.hotel-bastide-bois-breant.*

com - geopend van maart tot nov. - 🛋 ₽ *- 13 kamers € 128/215* ⌛ *table d'hôte € 28.* Familiehotel in een Provençaals pand, net zo charmant en gezellig als een gastenverblijf. Ruime, lichte kamers. Fraai terrein (2 ha) met aanlokkelijk verwarmd zwembad. Twee blokhutten op palen (€ 110/120).

UIT ETEN

GOEDKOOP

Bar de la Fontaine – *84750 St-Martin-de-Castillon - ☏ 04 90 75 24 67 - lunch het hele jaar door, diner alleen tijdens de zomer- € 12/15.* Kleine dorpsbar met 'Bistrot de pays' label. Dagschotels die 's zomers een Provençaals tintje krijgen.

DOORSNEEPRIJZEN

Le Restaurant de l'Horloge – *55 r. Léonce-Brieugne - 84160 Cucuron - ☏ 04 90 77 12 74 - www.horloge.netfirms.com - gesl. di avond en wo (ma avond van okt. tot Pasen) - reserveren nodig - lunch € 13,50 - € 18,50/39.* In deze vroegere olijvenkelder kan men aan tafel in gewelfde zalen genieten van verfijnde streekgerechten die zijn bereid met uitsluitend verse producten. Redelijke prijs-kwaliteitverhouding.

L'Escanson – *450 av. Aristide-Briand - 84440 Robion - ☏ 04 90 76 59 61 - www.lescanson.fr - gesl. wo middag, di en 2 jan-2 feb. - € 22/49.* Gemoderniseerd restaurantje met fijnzinnige, traditionele en toch creatieve gerechten. Schaduwrijk terras.

Maison de la truffe et des vins du Luberon – *Pl. de l'Horloge - 84560 Ménerbes - ☏ 04 90 72 38 37 - april-okt.: 12.00-17.00 u (en vr avond) - € 20/30.* Wijnbar in de prachtige omgeving van een

18de-eeuws herenhuis met schitterend terras. Koude schotels en gerechten met truffels.

Le Garage à Lumières – *Hameau de Lumières - 84220 Goult - ℘ 04 32 50 29 32 - € 26/39.* Een oude garage omgebouwd tot trendy designrestaurant. De muren zijn versierd met autootjes en hedendaagse schilderijen, en er worden films geprojecteerd. Fraaie creatieve en eigentijdse gerechten.

Bistrot La Cour de Ferme – *Auberge la Fenière - 84160 Lourmarin - 2 km in de richting van Cadenet - ℘ 04 90 68 11 79 - www.reinesammut.com - gesl. jan. - € 25/35.* Deze bistro is een alternatief voor de fijnzinnige Auberge de la Fenière van Reine Sammut (één Michelinster in 2009). Gezellige sfeer op de binnenplaats, plattelandsgerechten.

WAT MEER LUXE

Le Fournil – *Pl. Carnot - 84480 Bonnieux - ℘ 04 90 75 83 62 - gesl. za middag en ma (april-sept.), ma en di (okt.-maart), dec.-jan. - € 27/45 - reserveren aanbevolen.* Dit huis tegen de heuvel heeft een oorspronkelijke troglodieteneetzaal en is als bistro ingericht. 's Zomers terras met schoduw van de platanen. Op de kaart staan streekgerechten.

Auberge de la Bartavelle – *R. du Cheval-Blanc - 84220 Goult - ℘ 04 90 72 33 72 - gesl. di en wo, van half nov. tot begin maart - € 41.* De gewelfde eetzaal met terracottategels is gezellig ingericht met oude meubels. Regionale gerechten bereid met verse ingrediënten.

L'Auberge des Tilleuls – *Moulin du Pas - 84240 Grambois - ℘ 04 90 77 93 11 - www.tilleuls.com - gesl. ma en di - P - € 35/55 - 5 kamers € 100 ⌑.* Deze gezellige platte-

landsherberg wordt gerund door een in de streek bekende kok. Hij serveert Provençaalse gerechten afgestemd op de heersende smaak. Er zijn ook enkele kamers.

La Petite Maison – *Pl. de l'Étang - 84160 Cucuron - ℘ 04 90 68 21 99 - www.lapetitemaisondecucuron. com - gesl. ma en di - € 40/65.* Dit etablissement bij het waterbekken ligt in het centrum en heeft een schaduwrijk prieel. Aan het fornuis van het restaurant staat Éric Sapet, een getalenteerde chef-kok die zijn gerechten klaarmaakt met ingrediënten van het seizoen, het marktaanbod en zijn inspiratie.

PURE VERWENNERIJ

La Bastide de Capelongue – *Chem. Les cabannes - via de D 232 en dan secundaire weg - 84480 Bonnieux - ℘ 04 90 75 89 78 - www.capelongue.com - geopend van half maart tot half nov. - gesl. di middag en wo - ♿ ⌑ P - lunch € 70 - € 140/190.* Verborgen in de garrigue staat deze grote Provençaalse mas met aantrekkelijke eetzaal. De vindingrijke gerechten worden bereid door een tweesterrenchef, Édouard Loubet.

EEN HAPJE TUSSENDOOR

Épicerie du Luberon – *84560 Ménerbes - ℘ 04 32 50 12 86 - ma-za 8.00-12.30, 15.30-19.00 u, zo en feestd. 8.00-12.30 u.* Alles voor de picknick, van uitstekend brood (voor de kenners: Auzet de Cavaillon) tot kaasjes… Kortom: alles voor een picknick.

Saladerie Chez Christine – *R. St-Louis - 84400 Saignon - ℘ 04 90 04 50 10 - paas- en zomervakantie: 7.30-19.00 u; rest van het jaar: gesl. wo en feb. - € 7/9.* Snacks en gebakjes in dit internetcafé met aandachtige bediening. Fraai terras.

Le Thé dans l'Encrier - *R. de la Juiverie 84160 Lourmarin - 𝄐 04 90 68 88 41 - 10.30-18.30 u - gesl. zo en ma.* Deze charmante onopvallende theesalon annex boekhandel serveert lichte kost rond lunchtijd: salades, hartige taarten, enzovoort. 's Zomers terras.

IETS DRINKEN

Café Dol – *84240 Grambois - 𝄐 04 90 77 93 87 - 's zomers 's avonds pizza - € 10/12.* Een rustiek dorpscafé dat al vier generaties in handen is van dezelfde familie. Klein terras en 'de mooiste wc's van het dal'.

UITGAAN

La Gare – *105 quai des Entreprises - Coustellet - 84660 Maubec - 𝄐 04 90 76 84 38 - www.aveclagare.org - vr-za 21.30-2.00 u, zo 9.00-14.00 u - gesl. jan., aug. en feestd. - € 10.* Deze gelegenheid heeft met recht het label gekregen van dé hotspot voor hedendaagse muziek. Het vroegere station van Maubec is nu een multimediaruimte waar concerten, toneelstukken, debatten en andere evenementen plaatsvinden met programma's die in positieve en negatieve zin verbazen.

WINKELEN

Boerenmarkten – Apt (di ochtend, mei-nov.), Coustellet (zo ochtend, april-nov.), Saint-Martin-de-la-Brasque (zo ochtend, april-nov.).

Verzorging en welzijn
Distillerie Bio Lavande 1100 – *Bastide Notre-Dame - 84400 Lagarde-d'Apt - 𝄐 04 90 75 01 42 - het hele jaar op afspraak.* In deze familiedistilleerderij worden al vier generaties lang etherische oliën geproduceerd

en verkocht. Vriendelijke ontvangst.

La Ferme de Gerbaud – *Campagne Gerbaud - 84160 Lourmarin - 𝄐 04 90 68 11 83 - www.plantes-aromatique-provence.com - april-okt.: di, do za 17.00 u (rondleiding); 14.00-19.00 u (winkel)- nov.-maart: weekend 15.00 u - gesl. jan.* Een hobbelweg leidt naar dit domein van 25 ha waar aromatische en geneeskrachtige planten worden gekweekt. Bij een bezichtiging wordt uitleg gegeven over de teelt, de eigenschappen en de toepassing van de planten. Verkoop van etherische oliën, Provençaalse kruiden en honing.

SPORT EN ONTSPANNING

Toerfietsen
Met de fiets – In de voorbije jaren werden inspanningen geleverd om bewegwijzerde fietspaden in de Luberon aan te leggen. Enkele voorbeelden: 'Le tour du Luberon' (236 km), 'Les Ocres' (51 km), 'Le Pays d'Aigues' (91 km), de fietsroute van de Calavon (18 km tussen Pont-Julien en Le Boisset) en de groene route Apt-Cavaillon. In totaal 450 km bewegwijzerde en beveiligde fietspaden. De trajecten zijn voorzien van wegwijzers bij elk kruispunt. In een veertigtal dorpen staan informatieborden over cultuur en praktische thema's. Inlichtingen bij het Parc naturel régional du Luberon *(zie blz. 402).*

Tochten
Wandeltochten – De Fédération française de la randonnée pédestre publiceert gidsen: *Tour du Luberon, GR 9* en *Le Parc Naturel Régional du Luberon à pied.* De reeks 'Balades en Luberon', die wordt uitgegeven door het PNR

du Luberon, bevat een lijst van parcours die kunnen worden gevolgd (te voet of met de fiets) vanuit Roussillon, Buoux, Apt, Les Taillades, Murs en Robion. Het Maison du Parc geeft informatie over trektochten met gids (gratis) en de overnachtingsmogelijkheden in gîtes d'étape.

Ruitertochten – Het traject van de Tour du Luberon, de adressen van maneges en de gegevens van de begeleiders zijn verzameld in de *Guide des Loisirs de plein air en Vaucluse* uitgegeven door het Comité Départemental de Tourisme.

Andere activiteiten

Bergbeklimmen – In de rotsen van Buoux werden diverse klimparcours aangelegd. Inlichtingen bij de toeristenbureaus van Cavaillon en Apt (*zie onder deze namen*).

EVENEMENTEN

Luberon Jazz Festival – eind mei-begin juni, in diverse dorpen in de Luberon. Inlichtingen: ℰ 04 90 74 55 98 - www.luberonjazz.net

Festival international de quatuors à cordes – Strijkkwartetten van half juli tot half sept. in Cabrières- d'Avignon, L'Isle-sur-la-Sorgue, Goult, Roussillon en het klooster van Silvacane. Inl. ℰ 04 90 75 89 60 - www.quatuors-luberon.com.

Festival de Lacoste – Begin juli-begin augustus. Theater- en operafestival in de oude steengroeven van het kasteel van markies De Sade. Inl.: ℰ 04 90 75 93 12.

Roussillon

★★

1265 inwoners – Vaucluse (84)

😊 ADRESBOEKJE: BLZ. 429

🅸 **INLICHTINGEN**

Toeristenbureau van Roussillon – *Pl. de la Poste - 84220 Roussillon* - ℰ *04 90 05 60 25 - www.roussillon-provence.com - informeer naar de openingstijden - gesl. zo 1 jan., 1 en 11 nov., 25 dec.*

◖ **LIGGING**

Regiokaart B2 (blz. 400-401) – *Michelinkaart van de departementen 332 E10.* Rijd vanuit Apt (12 km in zuidoostelijke richting) of Gordes (10 km in westelijke richting) naar het parkeerterrein op de place du Pasquier en laat daar de auto achter *('zone bleue' van 1 uur tussen 9.00 en 18.00 u).* In het zomerseizoen is het terrein gegarandeerd vol en is het raadzaam de auto, indien mogelijk, langs de toegangsweg te parkeren. In het dorp moet voor elke parkeerplaats worden betaald.

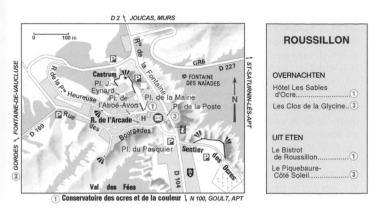

① Conservatoire des ocres et de la couleur \ N 100, GOULT, APT

ROUSSILLON

OVERNACHTEN

Hôtel Les Sables
d'Ocre........................①
Les Clos de la Glycine..③

UIT ETEN

Le Bistrot
de Roussillon..............①
Le Piquebaure-
Côté Soleil..................③

 AANRADER

Een wandeling door de okerkleurige straatjes in het dorp; een bezoek aan de steenhouwerij en de steenfabriek.

🕐 **PLANNING**

In Roussillon verdient een wandeling bij avondzon de voorkeur: ten eerste zijn de meeste toeristen tegen die tijd vertrokken en bovendien zijn de kleuren dan op hun mooist. In het voor- en najaar heerst in het dorp meer rust die uitnodigt tot esthetische overpeinzingen.

👥 **MET KINDEREN**

Het Conservatoire des ocres en het Sentier des ocres; Colorado Aventures in Rustrel *(zie 'Adresboekje')*.

Rousillon betekent letterlijk 'het rode dorp' en verwijst naar de huizen met de okerkleurige gevels die het dorp net zo rood kleuren als de omgeving. BIj ondergaande zon hult het dorp zich in alle denkbare kleurschakeringen tussen geel en rood. Een droombeeld dat bezoekers van de Provence vor geen goud mogen missen!

Wandelen Plattegrond hierboven

Roussillon is een schilderachtig dorp met smalle, soms trapsgewijs aangelegde straatjes, dicht op elkaar gebouwde huizen met gevels in allerlei okertinten, kunstgaleries en pottenbakkerswerkplaatsen, en her en der verrassende doorkijkjes. Kortom, een betoverende wereld, vooral aan het eind van de dag als de stralen van de ondergaande zon het dorp in de prachtigste kleuren zetten. Neem links van het toeristenbureau de rue des Bourgades naar de rue de l'Arcade, een deels overdekte, trapsgewijs aangelegde straat. Loop via de place Pignotte naar de rondgang voor een mooi uitzicht op de **Aiguilles du val des Fées**, verticale insnijdingen in de okerrots waarop grillig gevormde dennen groeien. Loop onder de Tour du Beffroi door naar het **castrum** *(de pijlen volgen)*. De voormalige legerplaats biedt een schitterend uitzicht op de Mont Ventoux in het noorden, de Grand Luberon met de Mourre Nègre in het zuiden en hoog op de rots het dorp Gordes in het noordwesten.

GESCHIEDENIS VAN DE OKERWINNING

Oker is een minerale kleurstof. De ijzeroxide (voornamelijk limoniet en goethiet) waarmee het zand is gemengd kleurt geel, bruin of rood. Het pigment is al bekend sinds de prehistorie (er zijn sporen van gevonden in de grotten van Lascaux) en het werd geëxploiteerd in de Romeinse tijd, maar pas sinds het eind van de 18de eeuw ook op industriële wijze geproduceerd. Het idee om het okerzand te wassen zodat er een puur pigment overblijft, kwam van **Jean-Étienne Astier**, de eerste okerproducent uit Roussillon. De okerindustrie beleefde zijn bloeiperiode in het begin van de 20ste eeuw, toen er maar liefst 36.000 ton oker werd geproduceerd in het Pays d'Apt. **Oker** werd niet alleen gebruikt in verf en muurkalk, maar had ook andere, soms ongebruikelijke toepassingen. Zo is oker naast hevea een van de bestanddelen van rubber en wordt het verwerkt in binnenbanden, elastiek, linoleum, in het velletje om de Straatsburger saucijsjes en als kleurstof van het maïspapier rondom de 'gele' Gitanes. Door de crisis van 1930 en de groeiende concurrentie van synthetische kleurstoffen kwam er een einde aan van de okerproductie.

Oker werd gewonnen door het zand waarmee het is vermengd te geleiden door lange greppels met water, waarin het zand naar de bodem zakte. Nadat het zandgehalte was gepeild (door te proeven!) liep een mengsel van oker en klei via afvoerbuizen naar bezinkingsbassins. Vervolgens bleef de oker een tijd staan in de bassins (een per kleur). De klei zakte naar de bodem en daarna werd het water afgevoerd. Tot aan het eind van de winter werd het zo laag op laag opgeslagen in de bassins waar het de hele zomer te drogen lag. Totdat het de consistentie had van boetseerklei en in brokken werd gesneden. Die werden naar de oven gebracht en daar verder gedroogd (sommige rode oker wordt verkregen door gele oker op 450 °C te bakken), en daarna in een molen fijngemalen en verpakt.

Het okerland ontdekken

Een bezoek aan Roussillon biedt een unieke gelegenheid om meer te weten te komen over oker: van de winning in de steengroeven en de verwerking tot pigment in de fabriek tot de toepassing op de muren. Eventueel aan te vullen met een rondrit, het 'Circuit de l'Ocre'.

★★ Sentier des Ocres

Vanaf de begraafplaats tegenover de place Pasquier - half feb.-eind dec.. - € 2,50 (tot 10 jaar gratis). Op de route is het verboden oker mee te nemen, te roken en te picknicken. Bij regen gesloten. Trek kleren aan die vuil mogen worden.

Er lopen twee goed begaanbare en bewegwijzerde wandelpaden *(van 30 min. en van 50 min.)* langs de oude groeves met informatieborden over de geologie, de vegetatie en de okerwinning. Zo vlak bij de berghelling is het verbazingwekkende landschap te bewonderen dat door het ingrijpen van de mens én natuurlijke erosie is ontstaan. Let op de bijzondere flora die tussen het okergesteente groeit (steen- en truffeleiken, jeneverstruiken). De wandeling voert langs sprookjesachtige aardpijlers naar de indrukwekkende rotswand **Chaussée des Géants★★** *(volg de rode bewegwijzering).*

★ Conservatoire des ocres et de la couleur - Ôkhra

Voormalige fabriek Mathieu - weg naar Apt - D104 - ☎ 04 90 05 66 69 - www. okhra.com - ♿ - juli-aug.: 9.00-19.00 u; april-juni en sept.-nov.: dag. behalve

Wandelpad 'le sentier des Ocres'
SIME/ F. Cogoli / Simeone/Photononstop

weekend 9.00-18.00 u; dec.-maart: dag. beh. weekend 9.30-13.00, 14.00-18.00 u - rondleiding (50 min.) - gesl. begin jan.-half jan., 25 dec. - € 6 (tot 10 jaar gratis).

🐾 **Goed om te weten** – Het Conservatoire organiseert op afspraak bezoeken aan de oude steengroeven voor groepen (1 u), rondleidingen met een gids 'Van het dorp naar de steengroeven via de fabriek' (2.30 u), en dagtochten waarbij ook de mijnen van Bruoux tot Gargas worden aangedaan.

👥 In de oude fabriek werd met bezinkingsbassins en molens het zand uitgewassen en de oker gewonnen. Hij sloot in 1963 en sindsdien is er een **cultureel samenwerkingsverband** in gevestigd dat zich richt op kleur en vooral aandacht besteedt aan het industriële erfgoed van de okerwinning: aan de geologische oorsprong van het pigment en de verschillende manieren waarop het in de geschiedenis is gebruikt, en aan de verschillende productiefases; het wassen, drogen, bakken en breken. Aan het eind bevindt zich een moderne expositie over kunst. De Griekse naam van dit cultureel samenwerkingsverband betekent 'gele aarde'. Het hele jaar door worden bezichtigingen en rondritten langs het industrieel erfgoed georganiseerd. Ook thema-exposities, workshops en cursussen okerbewerking voor klein en groot. Verkoop van pigmenten en gespecialiseerde boekhandel over kleur.

Rondrit Regiokaart, blz. 400-401

★★ CIRCUIT DE L'OCRE

◐ *De 49 km lange rondrit vanuit Roussillon staat aangegeven op de regiokaart - ongeveer 4 u. Verlaat Roussillon via de D227 (met een mooi uitzicht op de okerrotsen en de Luberon rechts, en het Vaucluseplateau links). Neem vervolgens rechts de D2 en opnieuw meteen rechts de D101.*

In het veld rechts liggen een twintigtal bezinkingsbassins voor de behandeling van de oker, afkomstig uit steengroeven in de omgeving.

Mines de Bruoux in Gargas B2

Rte de Croagne - ℘ 04 90 06 22 59 - www.minesdebruoux.fr - uitsluitend rondlei-dingen (vraag om de tijden) - april-okt.: 10.00-18.00 u (19.00 in juli en aug.); maart en nov.: 10.00-12.30, 13.30-17.00 u - € 7,50 (€ 6 gered. tarief) - reserveren aanbe-volen. NB: in de groeves is de gemiddelde temperatuur 10 °C: neem een trui mee.

In de laatste Europese steengroeve van Gargas wordt nog steeds oker ge-wonnen, maar dan op veel kleinere schaal dan in de 19de eeuw. De naam 'mijnen' is misleidend, het zijn veeleer ondergrondse galerijen met een to-tale lengte van 40 km, waarvan 650 m bezichtigd wordt. Ze werden uitgegra-ven met houwelen en de gewelven lijken op die van kathedralen. De zoek-tocht naar een goede, rendabele ader met een hoog okergehalte was een gigantische onderneming, zoals blijkt uit de monumentale architectuur en de oppervlakte van het netwerk. De verlaten groeven werden een tijdje ge-bruikt als champignonkwekerijen.

Keer terug en volg de D2.

Saint-Saturnin-lès-Apt B1

🚩 *Av. Jean-Geoffroy - 84490 St-Saturnin-lès-Apt - ℘ 04 90 05 85 10 - geopend tijdens de paasvakantie en in de zomerperiode: 9.30-12.30, 14.00-17.30 u.*

Dit dorpje met zijn kronkelige straatjes en oude stenen huizen ligt aan de rand van het Plateau van de Vaucluse. Het silhouet wordt bepaald door de **ruïne** van het kasteel die uit de rots lijkt te steken. De romaanse kapel en de 17de-eeuwse windmolen verlenen het dorp een Provençaalse charme. Boven in het plaatsje staat de 15de-eeuwse **Porte Ayguier**, een overblijfsel van de vroegere verdedigingswerken. St-Saturnin is een goede uitvalsbasis voor wandelingen, want in de omgeving zijn over een afstand van meer dan 250 km talloze bewegwijzerde wandelingen uitgezet, die vaak de oude trekroutes van het vee volgen. Onderweg zijn er *aiguiers* of waterreservoirs (*zie onder Sault*) te zien en overblijfselen van *bories* (*zie onder Gordes*).

Vervolg de D179 en neem dan de D30 richting Rustrel.

Rustrel C1

De klokkengevel van het kerkje en een groot landhuis bepalen de silhouet van dit rustige dorpje, maar Rustrel dankt zijn faam aan de okergroeven die vanaf de 18de eeuw tot 1956 werden geëxploiteerd.

🥾 *1.15 u. Vertrek bij de begraafplaats van Rustrel, gele markering.* In het mid-den van de 18de eeuw trokken Italiaanse kolenbranders naar Rustrel om er houtskool te produceren, die onontbeerlijk was voor de plaatselijke ijzerfa-brieken. Deze route houdt de herinnering aan de kolenbranders levendig.

Neem in het centrum van het dorp de D30^A richting Sault, sla dan meteen rechts de boulevard du Colorado in en volg die gedurende 500 m.

★★ Colorado provençal de Rustrel C1

Laat de auto op een van de parkeerterreinen (€ 4) staan. Gidsen en kaarten zijn verkrijgbaar bij het Maison du Colorado. ℘ 04 90 04 96 07 of 06 81 86 82 20 - www.colorado-provencal.com - rondleidingen op afspraak - € 6 (kind € 3). Trek kleren aan die vuil mogen worden.

😊 **Goed om te weten** – Een plattegrond is beschikbaar in het Maison du Colorado, maar koop liever de brochure 'Rustrel' in de reeks 'Balades en Luberon', uitgegeven door het natuurpark (€ 5). Ga in elk geval goed voorbe-reid op pad en trek stevige schoenen aan.

🥾 Er zijn verschillende wandelmogelijkheden langs de Sahara, het Cirque de Barriès, de Cascades (watervallen), de Rivière de sable (zandrivier) en de tunnel (*de Cheminées des Fées zijn niet toegankelijk*), stuk voor stuk imposante verschijnselen die zowel door toedoen van de mens (tot in 1956) als door erosie zijn ontstaan. Jammer genoeg zullen deze vreemde landschappen gaandeweg verdwijnen.

Keer terug naar Rousillon via Apt.

☺ ROUSSILLON: ADRESBOEKJE

OVERNACHTEN

DOORSNEEPRIJZEN

Hôtel Les Sables d'Ocre – *Rte d'Apt - ☎ 04 90 05 55 55 - www. sablesdocre.com - gesl. nov.-maart - P - 22 kamers € 69/92 - ☕ € 10.* Deze centraal gelegen mas combineert comfort met een Provençaalse inrichting. Vrolijk meubilair van beschilderd metaal.

WAT MEER LUXE

Hôtel Les Clos de la Glycine – *Pl. de la Poste - ☎ 04 90 05 60 13 - www.luberon-hotel.com - P - 9 kamers € 105/175 - ☕ € 13 - rest. David: € 33/55.* Boven in het dorp staat dit aardige hotel met knusse kamers en een schitterend uitzicht op de Chaussée des Géants en de Mont Ventoux. Op het panoramisch terras met blauweregen worden Provençaalse gerechten geserveerd.

Omgeving van Roussillon

Chambre d'hôte La Forge – *Notre-Dame-des-Anges - 84400 Rustrel - 2 km via de weg naar Apt en dan secundaire wegen - ☎ 04 90 04 92 22 - www.laforge. com.fr - geopend 1 april-5 nov. - ♨ - 5 kamers € 120 ☕.* Dit aantrekkelijke maison d'hôtes aan de rand van het Provençaalse Colorado was vroeger een metaalgieterij. Ruime kamers in een originele, kleurrijke stijl. Tuin met bloemen en fraai zwembad.

UIT ETEN

GOEDKOOP

Omgeving van Roussillon

Auberge de Rustréou – *3 pl. de la Fête - 84400 Rustrel - ☎ 04 90 04 90 90 - gesl. 24 dec.-1 jan. - € 12,90/21,90 - 7 kamers € 53 - ☕ € 6.* Dit etablissement, gelegen in het rustige Rustrel vlak bij de oude okergroeven, geniet sinds jaren een uitstekende reputatie. De met veel zorg bereide gerechten worden geserveerd in een gezellige zaal met airco.

DOORSNEEPRIJZEN

Le Bistrot de Roussillon – *Pl. de la Mairie - ☎ 04 90 05 74 45 - 's winters 's avonds gesloten - € 15/22.* Een paradijselijk terras achter het huis met uitzicht op de rode daken en de Val des Fées: de ideale locatie voor een Provençaals getint menu en een glas streekwijn. Okerkleurige eetzaal en nog een terras op het levendige plein.

Omgeving van Roussillon

La Table de Pablo – *Hameau des Petits-Cléments - 84400 Villars - ☎ 04 90 75 45 18 - www.latable depablo.com - gesl. do middag, za middag en wo (sept.-mei), 1 jan.- 13 feb. - € 16/50 - reserveren aanbevolen - cursussen op za ochtend na reserv.* Voor wie zoekt naar verfijnde creatieve gerechten is dit afgelegen restaurant. Rustig terras.

WAT MEER LUXE

Le Piquebaure-Côté Soleil – *Quartier les Estrayas - rte de Gordes - ℰ 04 90 05 79 65 - gesl. half nov.-half dec., jan., wo buiten het zomerseizoen en di - € 30.* Dit restaurant is genoemd naar een rots langs het Circuit de l'Ocre. Stijlvol landelijk interieur en mooi overdekt terras met uitzicht op het dal. Dagverse gerechten.

SPORT EN ONTSPANNING

Toerfietsen

Twee uitgestippelde routes met aangepaste infrastructuur; te volgen over de hele lengte of gedeeltelijk: **'Autour du Luberon'** (236 km lange lus met vertrek in Cavaillon, via Apt, Forcalquier, Manosque, Lourmarin) en **'Les ocres à vélo'** (51 km, via Apt, Rustrel en Roussillon). Inlichtingen bij het Parc naturel régional du Luberon *(zie blz. 402).*

Andere activiteiten

Colorado Aventures – *Forêt Notre-Dame-des-Anges - 84400 Rustrel - ℰ 06 78 26 68 91 - www.colorado-aventures.fr - juli-aug.: 9.30-17.00 u (laatste vertrek); rest van het jaar: op afspraak 10.00-16.30 u (laatste vertrek) - € 18 (parcours Canyon, Forêt en Indiana) - kind. € 13 (parcours Mempapeur et Pasifacile).* Tijd voor avontuur in dit hindernissenpark tussen de bomen. De apenbruggen en *death rides* zijn toegankelijk voor kinderen vanaf zes jaar. Er is een pizzeria en er kan worden gepicknickt. Nieuw: de Beji Ejéction *(katapultsprong € 5 per keer).*

École Rustr'Aile Colorado – *Le Stade - 84400 Rustrel - ℰ 04 90 04 96 53 - www.parapente.biz.* Parapenten, onvergetelijke vluchten boven de okergroeven van Rustrel *('s avonds - € 100).*

Gordes

★★

2126 inwoners – Vaucluse (84)

ADRESBOEKJE: BLZ. 433

🛈 **INLICHTINGEN**

Toeristenbureau van Gordes – *Pl. du Château - 84220 Gordes - ℰ 04 90 72 02 75 - www.gordes-village.com - 9.00-12.00, 14.00-18.00 u - gesl. 1 jan., 25 dec.*

◔ **LIGGING**

Regiokaart B2 (blz. 400-401) – *Michelinkaart van de departementen 332 E10.* De D15 vanuit Cavaillon (17 km in zuidwestelijke richting) biedt het fraaiste uitzicht op deze schilderachtige, hooggelegen plek met huizen van gestapelde stenen rond de steunberen van het kasteel.

🅿 **PARKEREN**

De bezoeker heeft weinig keuze: van april tot november moet de auto worden geparkeerd op een van de verplichte parkeerterreinen bij het dorp (€ 3 per voertuig). Wie meer dagen blijft kan beter een parkeersticker kopen (€ 5, een jaar geldig!)

🕐 **PLANNING**
In de zomer is het er superdruk, maar in het voor- en het najaar heerst er echt een magische sfeer. Neem de kans om het 's winters te bezoeken: de mistral zorgt dan voor een helderblauwe hemel. Neem dan wel een trui, een windjack, een sjaal en een muts mee!

👥 **MET KINDEREN**
Het Village des Bories, nu een openluchtmuseum.

Lang voor het in de 21ste eeuw uitgroeide tot drukstbezochte plek in de Luberon werd Gordes bewoond door een Keltisch-Ligurische stam, de Vordenses. Ze noemden hun nederzetting Vorda ('hooggelegen dorp') en spraken het uit als *gworda*, wat later evolueerde tot Gorda. Het dorp ligt nog altijd op de steile rots die aan de rand van het Plateau de Vaucluse boven het dal van de Imergue en de Calavon uitsteekt. Prachtig uitzicht over de lagergelegen vlakte, slenteren door de smalle geplaveide straatjes (*calades*) waar het nog rustig toeven is, de huizen, het kasteel en de mediterane vegetatie schitteren in de zon. Geen wonder dat Gordes deel uitmaakt van 'de mooiste dorpen van Frankrijk'.

Wandelen

★ Het dorp
Het is bijzonder aangenaam om rond te wandelen door de **calades** (kleine, geplaveide straatjes met aan weerszijden goten voor het regenwater, waarin hier en daar treden zijn uitgehakt) onder overdekte passages en arcaden van oude en hoge huizen door, en langs de overblijfselen van de vestingmuren. Hier en daar is er een doorkijkje op het garriguelandschap, dat geteisterd wordt door de zon. De boetiekjes en de kraampjes met handgemaakte artikelen worden in het zomerseizoen overspoeld door toeristische massa's.

Kasteel
Dit renaissancekasteel is door **Bertrand de Simiane** gebouwd op de plaats waar een middeleeuwse burcht stond. De strenge en sobere indruk van het kasteel staat in schril contrast met het rijkelijk versierde interieur. Een mooie renaissancepoort geeft toegang tot de binnenplaats. De grote zaal op de eerste verdieping heeft een schitterende **schouw★**, die versierd is met frontons, schelpen, bloemmotieven en pilasters. Op de bovenste drie verdiepingen van het kasteel is een **museum** met werk van de hedendaagse Antwerpse kunstenaar **Pol Mara** (1920-1998) ingericht. Zijn werk straalt vaak een sterke symboliek uit. ☏ 04 32 50 11 41 - 10.00-12.00, 14.00-18.00 u - gesl. 1 jan., 25 dec. - € 4 (tot 17 jaar € 3).

Caves du palais Saint-Firmin
Ingang vanaf de place Genty-Pantaly via de rue de l'Église. Volg daarna de rue du Belvédère (bord 'Point de vue'). ☏ 04 90 72 02 75 - www.caves-saint-firmin.com - rondleiding met audiogids mei-sept.: dag. behalve di 10.00-18.00 u; rest van het jaar: op afspraak - € 5 (kind. gratis).
Tijdens een bezoek aan de ondergrondse ruimten van dit 'paleis' leert de bezoeker een onvermoede kant van Gordes kennen: in de grote overwelfde

kelders, die in de rots zijn uitgehouwen en waar een wat onwezenlijke sfeer heerst, zijn waterreservoirs, trappen en een paar overblijfselen van een oude, wellicht 15de-eeuwse oliemolen te zien, die een indruk geven van de bezigheden van de vroegere bewoners van Gordes.

In de omgeving Regiokaart, blz. 400

★★ Village des Bories B2

3 km ten zuiden van Gordes via de D 15 richting Cavaillon. Sla kort na de splitsing met de D2 rechtsaf de asfaltweg in die tussen stenen muurtjes door naar een 2 km verderop aangelegd parkeerterrein leidt. ☎ 04 90 72 03 48 - www.gordes-villages. com - 9.00-20.00 u - gesl. 1 jan. en 25 dec. - € 6 (12-18 jaar € 4).

In dit dorpje, dat nu het **Musée de l'Habitat rural** is, staan rond een broodoven twintig gerestaureerde *bories*. Zij zijn tussen de 200 en de 500 jaar oud en opgetrokken uit materialen die werden aangetroffen in de omgeving (grote, platte stenen en kalksteen, gestapeld zonder water en mortel). De grootste stenen hutten deden dienst als woning, de overige als schaapskooien, schuren en opslagplaatsen. Over de herkomst van deze bories, die tot het begin van de 19de eeuw in gebruik zijn geweest, tast men echter nog steeds in het duister. Misschien werden ze gebruikt als tijdelijke of permanente woning of als schuilplaats in oorlogstijd. Een bezoek aan dit gehucht (beter niet bij grote drukte) is als een reis terug in de tijd.

Musée du Moulin des Bouillons B2

5 km ten zuiden van Gordes via de D15 (richting Cavaillon), de D2 en de D103, linksaf naar Les Beaumettes. Neem dan nogmaals linksaf de D148 richting Saint-Pantaléon en volg deze 100 m tot de 'Moulin des Bouillons'. ☎ 04 90 72 22 11 - april-okt.: dag. behalve di 10.00-12.00, 14.00-18.00 u - € 5 (kind. € 3,50); € 7,50 combinatiekaartje met het Musée de l'Histoire du verre et du vitrail.

Dit buitenhuis uit de 16de-17de eeuw is nu een klein museum over de geschiedenis van de olijfolie. Bezichtig de werktuigen voor de olijfbomenteelt, de mooie collectie olielampen én de indrukwekkende **olijfpers★**, die uit één stuk is gemaakt van de stam van een eik en maar liefst 7 ton weegt.

Musée de l'Histoire du verre et du vitrail B2

Naast het Musée du Moulin des Bouillons - www.musee-verre-vitrail.fr - voor dit museum gelden dezelfde adresgegevens en toegangstijden en -prijzen.

Het museum is gehuisvest in een glazen gebouw van 600 m² dat half ondergronds is gebouwd. Het besteedt aandacht aan de geschiedenis van het glas sinds de uitvinding ervan zo'n 6000 jaar geleden in Syrië. De fraaie collectie toont alle mogelijke gebruiksvormen, van glasparels, over ruiten en glas-inloodramen tot fotovoltaïsche cellen. In de kleine galerie wordt werk van de eigenares tentoongesteld, en het 3 ha grote park is de geschikte omgeving voor de enorme sculpturen van Frédérique Duran.

Saint-Pantaléon B2

7 km ten zuidoosten van Gordes via de D104 en dan de D148 naar rechts.

In dit dorp staat een mooi, **romaans kerkje** op de kale rots. Rondom de kerk ligt een begraafplaats met rotsgraven van vooral kleine kinderen. Het gaat hier waarschijnlijk om een van de zogeheten 'sanctuaires à répit'. Kinderen die voor de doop stierven, kwamen volgens de geloofsopvatting uit die tijd tijdens de mis weer tot leven om te worden gedoopt. Daarna werden ze ter plaatse begraven.

🙂 GORDES: ADRESBOEKJE

OVERNACHTEN

DOORSNEEPRIJZEN

Omgeving van Gordes

Chambre d'hôte Les Hauts de Véroncle – *84220 Murs - 8,5 km ten noorden van Gordes via de D15 - 𝄞 04 90 72 60 91 - http:// hauts.de.veroncle.free.fr - gesl. 4 nov.-1 maart -*📷*- 3 kamers € 65 ☕ - maaltijd € 27 id.* In deze afgelegen mas midden in de garrigue is er niets wat de rust verstoort. Aangename, eenvoudige maar verzorgde kamers. Diner in het prieel en 's winters bij de haard (gerechten uit Zuid-Frankrijk en Lyon).

Chambre d'hôte La Badelle – *7 km ten zuiden van Gordes via de D104 richting St-Pantaléon en-Goult - 𝄞 04 90 72 33 19 - www.la-badelle.com - 5 kamers € 94/105 - ☕ reserv. verplicht in de winter -* In de vroegere schuren van deze oude boerderij zijn kamers gemaakt. Door de sobere inrichting en de terracotta tegelvloer komt het oude meubilair goed tot zijn recht. Zomergasten kunnen gebruikmaken van een keuken.

WAT MEER LUXE

Hôtel Le Mas des Romarins – *Rte de Sénanque - 𝄞 04 90 72 12 13 - www.masromarins.com - gesl. half nov.-half dec., jan.-feb. - 13 kamers € 99/198 ☕.* Eeuwenoude boerderij met koele kamers in een eigen stijl. Bij mooi weer ontbijt op het terras.

Chambre d'hôte Le Mas de la Beaume – *𝄞 04 90 72 02 96 - www.labeaume.com -* 🏊 *- 5 kamers € 110/180 ☕ - maaltijd € 30/40.* De fraaie boerderij ligt verscholen in een tuin met olijf- en amandelbomen en lavendel. Ruime kamers in Provençaalse kleuren en mooi uitzicht op Gordes.

Omgeving van Gordes

Chambre d'hôte Le Mas Val - Chênaie – *Les Sauvestres - 7 km ten zuidoosten van Gordes via de D2 en D156 - 𝄞 04 90 72 13 30 - www.mas-val-chenaie.com - gesl. van half nov. tot half april -* 🏊 📷 *- 4 kamers € 100/120 ☕.* Deze prachtige mas te midden van een eikenbos bezit vier grote kamers met gebijtste balken en Italiaanse douches. Zomerse gerechten bij het zwembad tussen de bomen.

UIT ETEN

GOEDKOOP

Omgeving van Gordes

La Farigoule – *Les Imberts (D2, tussen Gordes en Cabrières-d'Avignon) - 4 km van Gordes - 𝄞 04 90 76 92 76 - lafarigoule@wanadoo.fr - gesl. wo avond en do - lunch € 13,50 - € 13,50/27,50.* De heerlijke Provençaalse gerechten worden opgediend in de gezellige en zonnige eetzaal. Aangenaam overdekt terras en redelijke prijzen, gezien de ligging. Reserveren.

DOORSNEEPRIJZEN

L'Artegal – *Pl. du Château - 𝄞 04 90 72 02 54 - € 15/35.* In dit restaurant staan heerlijke dagschotels en copieuze salades op het menu. Bij mooi weer kan het lekkere gebak worden gegeten op het terras. Leuk interieur in bistrostijl met designelementen.

WAT MEER LUXE

Le Mas Tourtouron – *Chemin de St-Blaise - 𝄞 04 90 72 00 16 - geopend 4 maart-11 nov, za en zo in nov. en dec., gesl. op zo avond in okt. en maart, ma en di - € 29/51.* Schitterende, gezellige mas in een idyllische tuin. De vrouwelijke chef-kok is heel bedreven in het bereiden van streekgerechten. Rustieke Provençaalse inrichting.

8

SPORT EN ONTSPANNING

Montgolfière Hot-Air Ballooning – *Le Mas Fourniguière - Joucas - 84220 Gordes -* 📞 *04 90 05 76 77 - www.montgolfiere-provence-ballooning.com - van*

€ 175 tot € 245. Met een heteluchtballon in stilte boven de Luberon vliegen. Duur ongeveer 3 u (inclusief transport naar de plaats van afvlucht en voorbereidingen). Er wordt meestal 's ochtends gevlogen, als de thermiek gunstig is.

Abbaye de Sénanque

★★

Vaucluse (84)

◐ **LIGGING**

Regiokaart B1 (blz. 400-401) – *Michelinkaart van de departementen 332 E10.* De D177 vanuit Gordes biedt een adembenemend uitzicht op het harmonieuze abdijcomplex in het kleine erosiedal dat door de rivier de Sénoncule in het Plateau de Vaucluse is uitgesleten.

◑ **PLANNING**

Ongeveer 1 uur. Uit respect voor de zes monniken die de abdij bewonen, is de abdij niet vrij toegankelijk voor publiek. Bezichtiging uitsluitend onder leiding van een Franse gids na afspraak. Passende kleding vereist. De missen en kerkdiensten zijn toegankelijk voor publiek. Tijden: ma 8.30 u, overige dagen 12.00 u, zo en feestdagen 10.00 u; vespers 18.00 u.

De naam Sénanque is afgeleid van de rivier de Sénancole. In Sénanque is *sin* herkenbaar, een woord voor 'berg', dat ook terug te vinden is in de naam van de berg Sinaï. De abdij staat dus onder 'verheven' bescherming. Wie op zoek is naar rust en bezinning vindt in deze sobere maar vredige abdij net buiten Gordes, maar ver weg van de zomerse drukte, de serene sfeer die uitnodigt tot mediteren, en nog wel in een zonovergoten omgeving tussen de lavendelvelden.

Wandelen

De Abbaye Notre-Dame de Sénanque is een levende gemeenschap van monniken. Een paar keer per week geven de monniken een beperkte groep bezoekers de gelegenheid de 12de-eeuwse gebouwen te bezichtigen onder leiding van een Franssprekende gids. Reserveren verplicht 📞 04 90 72 05 72 - www.senanque.fr - passende kleding vereist. - € 7 (6-18 jaar € 3).

Het oorspronkelijke klooster is een magnifiek voorbeeld van cisterciënzer kunst. Alleen de vleugel van de lekenbroeders dateert uit de 18de eeuw. De middeleeuwse delen zijn gemetseld van gehouwen natuursteen uit de streek. Vanwege beperkingen die door het reliëf werden opgelegd, is de kerk niet zoals gebruikelijk naar het oosten maar naar het noorden gericht. De sobere leefregels van de orde zijn doorgevoerd in de bouw- en kunstwerken die van

---

DE CISTERCIËNZERS

De cisterciënzer orde werd gesticht door **Robert de Molesme** en stond een ascetisch ideaal voor. De oorspronkelijke leefregel van Benedictus wordt in de cisterciënzer kloosters strikt nagevolgd. Zo moeten de monniken leven in afzondering, armoede en soberheid om gelukzaligheid te bereiken. De cisterciënzers leiden hun leven volgens strenge regels. Ze werken lang en nemen per dag hoogstens zeven uur rust. Diensten, gebeden en Bijbellezingen wisselen af met huishoudelijk werk en landarbeid. De maaltijden worden in stilte genuttigd en zijn sober. De monniken slapen in hun pij in slaapzalen zonder enig comfort.

---

elke versiering verstoken zijn, omdat decoratie de aandacht van de monniken zou kunnen afleiden. Gekleurde vensters, standbeelden, schilderijen en gebeeldhouwde timpanen zijn dan ook nergens te vinden.

Dezelfde sfeer van soberheid heerst in de abdijen van Thoronet *(zie 'De Groene Gids Côte d'Azur')* en Silvacane *(zie onder die naam)* die nog altijd in nagenoeg dezelfde staat verkeren als tijdens de bloeiperiode van de cisterciënzer orde. *De bezichtiging begint in het dormitorium aan de noordwestkant van het klooster, op de eerste verdieping.*

Dormitorium

In deze grote gewelfde zaal met een oculus en smalle vensters sliepen de monniken op een stromatras. De vloer is bedekt met bakstenen. Om 2 uur werden de metten gehouden, bij zonsopgang de lauden. In de slaapzaal is een tentoonstelling over de bouw van het klooster ingericht.

★ Kerk

De kerk werd gebouwd tussen 1150 en het begin van de 13de eeuw. De zuivere lijnen en de sobere schoonheid worden benadrukt doordat elke vorm

EEN BEWOGEN GESCHIEDENIS

De abdij van Sénanque werd in 1148 gesticht door monniken uit Mazan (Haut-Vivarais). Sénanque kwam snel tot bloei en in 1152 was de gemeenschap groot genoeg om een tweede abdij in de Vivarais te kunnen stichten. De abdij ontving een groot aantal giften in de vorm van landerijen. Algauw werden *grangiae* of uithoven bijgebouwd. Daar konden de bekeerlingen of leken verblijven die door de boeren werden geworven om de monniken op de landerijen te helpen. Al met al vergaarde de abdij een hoop rijkdom, wat onverenigbaar was met de regel van armoede. In de 14de eeuw raakte Sénanque in verval. Met het aantal monniken namen de toewijding aan het geloof en de discipline af. Toch nam de situatie een keer. De kloosterlingen gaven het kloosterleven een nieuwe impuls in de geest van de oprichters. Tijdens de opstand van de Waldenzen in 1544 kreeg de abdij een zware slag te verduren, die de abdij niet meer te boven kwam. De monniken werden opgehangen en diverse gebouwen platgebrand. Aan het eind van de 17de eeuw woonden er nog twee monniken. De abdij werd in 1791 als staatsbezit verkocht en kwam per toeval in bezit van een koper met goede bedoelingen die de sloop voorkwam. In 1854 werd de abdij door een geestelijke gekocht die het gebouw zijn oorspronkelijke functie teruggaf. Er werden nieuwe gebouwen gebouwd en 72 monniken namen er hun intrek. Ondanks een aantal problemen tijdens de Derde Republiek duurt het kloosterleven in Sénanque voort onder de toegewijde zorg van de cisterciënzer monniken.

van versiering ontbreekt. Overal heerst een ingetogen sfeer. Wie van achter in het schip de kerk inkijkt, krijgt een goed beeld van de evenwichtige verhoudingen en vormen. Op de viering prijkt een grote koepel op opengewerkte trompen. De arcaturen, bewerkte steen en gecanneleerde pilasters herinneren aan de stijl van de kerken in de Velay en de Vivarais. Het gebouw eindigt in een halfcirkelvormige apsis met drie vensters (symbool van de drie-eenheid) en vier apsiskapellen. Het middenschip, het transept en de zijbeuken hebben een dak van platte stenen dat direct op het gewelf rust.

★ Kloostergang

De galerijen (eind 12de eeuw) hebben een tongewelf met gordelbogen op gebeeldhouwde consoles. De kapitelen zijn bescheiden versierd met blad- en kabelmotieven, bloemen, palmetten en lofwerk.

De kloostergang biedt toegang tot de verschillende kloostervertrekken, die elk een specifieke functie hadden.

★ Kloostergebouwen

De monniken kwamen samen in de **kapittelzaal**. Daar bestudeerden ze de Heilige Schrift, namen ze novieten de gelofte af, waakten ze bij de doden en namen ze belangrijke beslissingen. Een smalle gang leidt naar de **verwarmde zaal**, waar een van de twee oorspronkelijke haarden bewaard is gebleven. Hier werd gestookt voor de kopiisten die er hun schrijfwerk deden.

De **refter** aan de westkant van de kloostergang is in de 16de eeuw verwoest en later in oorspronkelijke staat hersteld (*niet toegankelijk voor publiek*).

In het **gebouw van de conversen**, dat in de 18de eeuw werd herbouwd, huisden de lekenbroeders gescheiden van de monniken: zij voegden zich alleen bij hen tijdens de landarbeid en tijdens bepaalde godsdienstoefeningen.

Cavaillon

25.819 inwoners – Vaucluse (84)

😊 ADRESBOEKJE: BLZ. 440

ℹ INLICHTINGEN

Toeristenbureau van Cavaillon-Luberon – *Pl. François-Tourel - BP 176 - 84305 Cavaillon Cedex - ℘ 04 90 71 32 01 - www.cavaillon-luberon.fr - april- sept.: 9.00-12.30, 14.00-18.30 u; okt.-maart: 9.00-12.00, 14.00-18.00 u, za 10.00- 12.00 u - gesl. zo. Andere informatiecentra: 466 av. de la-Canebière-à Cheval-Blanc ℘ 04 90 76 09 26 ; Les Taillades (pl. de la Mairie - ℘ 04 90 75 09 26); Mérindol (r. des Écoles - ℘ 04 90 72 88 50).*

😊 **Goed om te weten** – Het toeristenbureau organiseert rondleidingen en thematische tochten, waaronder 'Autour du melon et de l'irrigation' en 'Huile d'olive dans le village de Mérindol'.

▷ LIGGING

Regiokaart A2 (blz. 400-401) – *Michelinkaart van de departementen 332 D10.* Cavaillon is via de A7 verbonden met Marseille in het zuiden, en met Avignon, Lyon en Paris in het noorden. Veel bezoekers zullen Cavaillon alleen associëren met de handels- en ambachtszone aan de randweg, die hen in verbinding brengt met Le Luberon. Het centrum is bereikbaar via de brede lanen die naar de place Gambetta leiden.

🅿 PARKEREN

Probeer te parkeren in de buurt van de place Gambetta of op een van de parkeerterreinen van de place François-Tourel.

😊 AANRADER

De synagoge en het Musée juif comtadin getuigen van de joodse cultuur.

🕓 PLANNING

Ongeveer 2 à 3 uur voor de benedenstad, met inbegrip van de synagoge. Cavaillon wordt minder druk bezocht dan de Luberon, maar is wel een geschikte en vooral goedkopere uitvalsbasis om de streek te verkennen.

Cavaillon wordt door velen beschouwd als wereldstad van de meloen, hét symbool van de zomer. En nochtans is het embleem op het wapen van Cavaillon geen meloen, maar de heuvel van St-Jacques die de stad domineert en waar zich vroeger de vestingstad Cabellio bevond. Een ander opmerkelijk hoofdstuk in de geschiedenis van de stad werd ge- schreven door de joden, van wie de lotgevallen kunnen worden beke- ken in het Musée juif comtadin. Met de grootschalige productie van groenten en fruit in de streek is de stad bovendien de grootste markt van Frankrijk voor primeurs (alleen groothandel).

Wandelen Plattegrond blz. 439

▷ *Groene route staat aangegeven op de plattegrond op blz. 439.*
De stad werd al bewoond in de prehistorie en in de oudheid vormde ze een

8

belangrijke strategische plek. In de 4de eeuw werd ze een bisschopsstad, tot aan de plunderingen in 1562 door de protestanten. Pas in de loop van de 17de en 18de eeuw werd Cavaillon weer herbouwd. Wie wandelt door de straatjes in het oude centrum komt als bij toeval langs al het historische en architecturale erfgoed. Loop van de place Tourel naar de nabijgelegen place du Clos, waar vroeger een meloenmarkt werd gehouden. Uiterst westelijk van het plein staat een kleine **Romeinse boog** met beeldhouwwerk die werd gebouwd in de 1ste eeuw. Oorspronkelijk stond de boog boven de Via Domitiana in het hart van de oude binnenstad, maar in 1880 is hij verplaatst toen de stad naar het zuiden toe werd uitgebreid.

Ga de cours Sadi-Carnot in en neem dan rechts de rue Diderot.

Cathédrale Saint-Véran

Toegang via de place Voltaire en de place Joseph-d'Arbaud - ℘ 04 90 78 03 44 - mei-sept.: 8.30-12.00, 14.00-18.00 u, za 14.00-17.00; okt.-april: 9.00-12.00, 14.00-17.00 u, za 14.00-17.00 u - gesl. zo en feestd.

Deze kathedraal is gewijd aan de beschermheilige van de herders, die in de 6de eeuw bisschop van Cavaillon was. Het oorspronkelijke romaanse bouwwerk werd grondig veranderd, in het bijzonder in de 18de eeuw. Toegang aan de rechterzijde via een fraaie smalle kloostergang. In de kerk hangen enkele schilderijen van Mignard en Parrocel.

Neem de Grand'Rue die het oude gedeelte van Cavaillon doorkruist.

De wandeling voert langs de voorgevel van het **Grand Couvent** en gaat dan door de **porte d'Avignon**, een restant van de de verdedigingswerken.

Musée de l'Hôtel-Dieu

℘ 04 90 76 00 34 - www.cavaillon.org - mei-sept.: 9.30-12.30, 14.30-18.30 u; okt.: 9.00-12.00, 14.00-17.00 u - gesl. di - € 3 (tot 18 jaar gratis) combinatiekaartje met de synagoge en het Musée juif comtadin.

In de kapel van het vroegere hôtel-Dieu (gasthuis) uit 1755 is een glyptotheek ondergebracht. De archeologische verzameling toont dat de westelijke Luberon al sinds de prehistorie bewoond is en de plaats Cavaillon sinds de 5de eeuw v.C. (stèles en grafurnen, beeldhouwwerken, aardewerk, munten enz.). Er zijn ook regelmatig exposities met hedendaagse onderwerpen.

Neem rechts de cours Gambetta en loop naar het gelijknamige plein, sla dan weer rechtsaf de rue de la République in (winkelstraat en voetgangersgebied).

Dit stukje van de stad heette de *carrière*, vroeger was dit het joodse getto. Rechts leidt de **rue Hébraïque** naar de synagoge.

Synagogue et Musée juif comtadin

Rue Hébraïque (toegang op de hoek met de rue Chabran) - ℘ 04 90 72 26 86 - mei-sept.: 9.30-12.30, 14.00-18.00 u; okt.: 10.00-12.00, 14.00-17.00 u; nov.-april:

EEN LEKKERE ONDERSCHEIDING

De stad telt ongeveer 300 ereburgers, met name de 'Grands chevaliers de l'Ordre du melon de Cavaillon': prominenten uit de kunst-, literatuur- en economische wereld die een voor een in de voetsporen treden van **Alexandre Dumas**. De auteur van de *Drie Musketiers* schonk in 1864 zijn hele oeuvre aan de stadsbibliotheek in ruil voor een lijfrente van twaalf meloenen per jaar. De gemeenteraad ging akkoord en kende hem de lijfrente toe tot aan zijn dood in 1870.

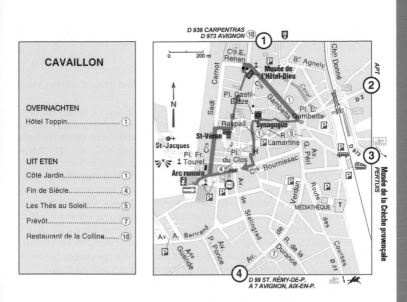

CAVAILLON

OVERNACHTEN

Hôtel Toppin........................①

UIT ETEN

Côté Jardin...........................①
Fin de Siècle........................④
Les Thés au Soleil...............⑤
Prévôt..................................⑦
Restaurant de la Colline.......⑩

dag. behalve zo 10.00-12.00, 14.00-17.00 u - gesl. di, 1 jan., 1 mei en 25 dec. - € 3 (tot 18 jaar gratis) combinatiekaartje met het Musée de l'Hôtel-Dieu.

Deze synagoge is tussen 1772 en 1774 herbouwd, en is tot in de jaren twintig en dertig in gebruik geweest. Samen met de synagoge van Carpentras is het een van de laatste voorbeelden van Provençaalse barokarchitectuur. De 15de-eeuwse toren is het enige overblijfsel van het oorspronkelijke gebouw. Aangezien de gebouwen voor de joodse eredienst volgens de pauselijke bullen niet mochten opvallen in het stadsbeeld, is alleen het interieur weelderig versierd.

De gebedsruimte heeft een kleurrijke houten lambrisering, stucwerk verfraaid met olijftakken en bloemen, mooi siersmeedwerk en gegroefde zuilen. De benedenzaal, waar de vrouwen bijeenkwamen en waar ongedesemd brood werd gebakken, is nu een **museum** *(wordt gerenoveerd)*. Er worden foto's en vier grafzuilen afkomstig van de oude joodse begraafplaats tentoongesteld en er worden tijdelijke exposities gehouden.

Loop via de rue Raspail en sla rechtsaf de cours Bournissac in, terug naar de place Tourel.

LA COLLINE SAINT-JACQUES

🐾 *De top van de heuvel is te voet bereikbaar via een bewegwijzerd pad dat begint bij de Romeinse boog en dat voorzien is van themaborden (ongeveer drie kwartier), of ga per auto via de D938 (richting Carpentras) en neem na een groot kruispunt een weg naar links.*

Boven is een aangename plek voor een picknick onder de cipressen, pijnbomen en amandelbomen… Vanaf de oriëntatietafel ontvouwt zich een **mooi uitzicht★** op Cavaillon en de vele tuinbouwgronden in de omgeving, de Vallée de la Durance, de Mont Ventoux en de Alpilles.

De van oorsprong romaanse **Chapelle St-Jacques** ligt in een mooie tuin. Maak daarvandaan een rondwandeling *(3 uur)* over de heuvel die al sinds de late steentijd wordt bewoond.

8

In de omgeving Regiokaart, blz. 400-401

Les Taillades A2

▶ *5 km ten oosten van Cavaillon via de D143. Volg bij de rotonde de borden 'Vieux village'. Parkeer de auto op de place de la Mairie.*

Dit dorpje aan de rand van het plateau van de Petit Luberon is heel wonderlijk gebouwd. Dat is het gevolg van het werk van steenhouwers die letterlijk de fundamenten onder de huizen hebben weggehakt om bij de molasse (fijnkorrelige zandsteen) te kunnen komen, vroeger een veelgevraagde steensoort in de bouw. De huizen staan op een soort reusachtige stenen stalagmieten, die het dorp een spectaculaire en tegelijk serene **aanblik**★ geven.

Volg de rue de l'Église die slingerend omhoogloopt. Hier staat een **toren**, vermoedelijk een overblijfsel van een voormalige donjon. Links is een wonderlijke sculptuur te zien, de 'Mourvellous', die volgens de overlevering de Heilige Véran zou voorstellen. Tegenover de **Église Sainte-Luce** ligt een omheind terreintje, het vroegere kerkhof, dat mooi uitkijkt over het dorp met de oude huizen, de bemoste pannendaken, de holwoningen en her en der loodrechte wanden die door het werk van de steenhouwers zijn ontstaan.

Loop terug en sla rechtsaf de rue des Carrières in.

Een overwelfde boog vormt de toegang tot deze steengroeve midden in het dorp. De verticaal uitgehakte rotswanden vormen het decor van het **Théâtre des carrières**, waar 's zomers openluchtconcerten plaatsvinden.

Volg de D143 verder en rijd op het kruispunt richting Cavaillon. Aan het Canal de Carpentras staat de **Moulin Saint-Pierre**, een watermolen met een groot schoepenrad, die tot 1870 in bedrijf is geweest en waar eerst **meekrap** (soort verfplant) en later graan werd gemalen.

Combe de Vidauque A2

▶ *5 km zuidoostwaarts vanuit Cavaillon via de D973, daarna linksaf slaan richting Vidauque. Maximumsnelheid 30 km/u. De weg is afgesloten van half juni tot half sept.*

De weg langs dit ravijn is heel steil en maakt veel haarspeldbochten, maar biedt adembenemend **uitzicht**★★: in het noorden de rotspunt van het Plateau de Vaucluse en het dal van de Calavon, in het zuiden en het westen de Alpilles, het dal van de Durance en de vlakte van Cavaillon.

CAVAILLON: ADRESBOEKJE

VERVOER

Trein – De **TER** verbindt Cavaillon met Avignon (ongeveer 40 min.).

OVERNACHTEN

DOORSNEEPRIJZEN

Hôtel Toppin – *70 cours Léon-Gambetta* - ☎ *04 90 71 30 42* - *www.hotel-toppin.com* - **P** - *32 kamers € 48/80* - ☐ *€ 5/8*. Dit tweesterrenhotel hartje centrum is een prima uitvalsbasis. Aangename schone kamers, groot terras en zeer vriendelijke bediening. De kamers aan de achterzijde zijn het prettigst.

UIT ETEN

GOEDKOOP

Les Thés au Soleil – *61 cours Victor-Hugo* - ☎ *04 32 50 23 87* -

10.00-18.00 u - gesl. 's zomers op za-zo en 's winters op zo-ma - lunch € 12/14. In deze grappige kleurrijke in neobarokstijl ingerichte theesalon staat een verrassende apothekerstoonbank (made in India). Er is heerlijke (hartige) taart te koop. Dagelijks wisselende kaart, groot assortiment theesoorten.

Fin de Siècle – 46 pl. du Clos (1ste verdieping) - ℘ 04 90 71 12 27 - http://findesiecle.facite.com - gesl. za en zo (half okt.-eind juni), 15 aug.-3 sept. - € 13,50/29,50. De 'style empire'-inrichting van dit huis uit 1899 maakt dit adres al een bezoekje waard: velours stoelen, kroonluchters, lijsten met afbeeldingen van Napoleon III, geciseleerde glazen, zilveren bestek… Traditionele keuken en efficiënte bediening. Patio-terras op de eerste verdieping.

DOORSNEEPRIJZEN

Côté Jardin – 49 r. Lamartine - ℘04 90 71 33 58 - www.cotejardin provence.com - gesl. 3 weken in feb. - lunch € 13/15 - € 24/32. Leuk adresje met smakelijke moderne gerechten vol Provençaalse dagverse ingrediënten van goede kwaliteit. In de rustige bloemrijke binnentuin ruist een fontein.

Prévôt – 353 av. Verdun - ℘04 90 71 32 43 - www.restaurant-prevot. com - gesl. zo en ma behalve juli-aug. en feestd. - € 25/85. Sympathiek familiebedrijf, schilderijen, snuisterijen, vaatwerk… en een exclusief menu uitsluitend met meloen! Verder besteedt de kaart veel aandacht aan truffels en groenten uit de streek. Workshop koken, gevolgd door een maaltijd (za 17.00 u - € 110 id), u mag een gast meenemen (€ 70). Workshop koek en taart bakken voor kinderen, inclusief proeverij achteraf (zo 15.00 u - € 35), waarbij de ouders ook welkom zijn (€ 14/p.p.).

WAT MEER LUXE

Restaurant de la Colline – Chemin des Chênes-Verts - Ermitage Saint-Jacques - ℘ 04 90 71 44 99 - gesl. ma avond en di (okt.-mei), jan. -♿ ⌿ 🅿 - lunch € 17/21,50 - € 21,50/35. Dit etablissement geniet van een rustige ligging op de Colline St-Jacques. Bekoorlijke gerechten met een exotische toets (chop soy van garnaal met citroenkruid en eendenfilet met bieslooksaus) en plaatselijke, maar ongewone wijnen.

TUSSENDOOR

Sole Pan – 61 cours Bournissac - ℘ 04 90 78 06 54 - 7.00-19.30 u - gesl. di. Al vijf generaties lang levert deze mooie bakkerij brood aan de inwoners van Cavaillon. De huidige zaakvoerder verkoopt 30 verschillende soorten, gekneed en gebakken op ambachtelijke wijze: met knoflook, met noten, met roquefort, met rode wijn, olijven, geitenkaas enzovoort. De kleine tearoom is doorlopend geopend.

WINKELEN

🐒 **Een meloen uitkiezen** – Om miskopen te vermijden bestaan er twee methoden. De onsystematische aanpak en vertrouwen op de intuïtie, of de wetenschappelijke methode: de meloen moet zwaar zijn en de steel moet bijna loskomen. Als de meloen klaarstaat om te barsten, is het hoog tijd om hem op te eten.

Markt – Traditionele markt op maandagochtend op de place du Clos. Markt met streekproducten van begin april tot eind sept. op donderdag van 17.00 tot 19.00 u.

Patissier-chocolatier Étoile du Délice – 57 pl. Castil-Blaze - ℘ 04 90 78 07 51 - www.etoile-delice.fr - dag. behalve wo 7.00-13.00, 15.00-19.30 u, zo en feestd.

7.00-13.00 u - Een bekend adres voor heerlijke *melonettes*, meloen met een laagje chocolade. Ook de sorbet van meloen (alleen in de zomer) is niet te versmaden (van tevoren telefoneren voor de bereiding van individuele porties).

EVENEMENTEN

Melon en fêtes – Het weekend voor 14 juli, 4 dagen feest van de meloen met proeverijen, boekenverkoop, kookwedstrijden en voorstellingen.

Les Estivales des Taillades – In juli. Concerten van klassieke muziek en jazz in het Théâtre des carrières en op de binnenplaats van de Moulin Saint-Pierre. Inlichtingen: ℰ 04 90 76 09 26 - www.lestaillades.fr

La Tour-d'Aigues

3912 inwoners – Vaucluse (84)

😊 ADRESBOEKJE: BLZ. 449

🛈 **INLICHTINGEN**
Toeristenbureau van Luberon-Durance – *Le château - 84240 La Tour-d'Aigues - ℰ 04 90 07 50 29 - www.sourireduluberon.com - mei-sept.: 10.00-13.00, 14.00-18.00 u; rest van het jaar: dag. behalve zo 10.00-12.00, 14.00-17.00 u - gesl. eind dec. tot begin jan., 2de Paasdag, Hemelvaartsdag.*

▶ **LIGGING**
Regiokaart C3 (blz. 401-401) – *Michelinkaart van de departementen 332 G11.* Het dorp met het allesoverheersende kasteel, 27 km ten noorden van Aix-en-Provence en 30 km ten zuiden van Apt, tussen de Durance en de Luberon, is de hoofdplaats van het Pays d'Aigues.

🅿 **PARKEREN**
Er is een groot parkeerterrein op het plein voor het kasteel.

🏅 **AANRADER**
Een tocht langs de Durance.

🕐 **PLANNING**
Een rondgang door het kasteel, inclusief het museum en de expositieruimte, kost ongeveer 1 uur; de rondrit langs de Durance vergt een dag.

👫 **MET KINDEREN**
Het Musée de Géologie et d'Ethnographie in La Roque-d'Anthéron.

Voor wie uit de ruige Luberon komt, lijkt de zonovergoten streek rond La Tour d'Aigues een klein Toscane aan de rand van het gebergte en een onder de welgezinde bescherming van de goden staande streek met vriendelijke landschappen en vruchtbare landerijen, waar wijnstokken, kersenbomen en groenteteelt de aanblik bepalen.

Het kasteel ontdekken

📞 04 90 07 50 33 - www.chateaulatourdaigues.com - 10.00-12.30, 14.00-18.00 u, ma en zo 14.00-18.00 u - gesl. 1 jan. en 25 dec. - € 4,50 (tot 8 jaar gratis).

Het kasteel oogt nog altijd even statig met zijn imposante silhouet, ook al verbergen de muren leegte. Het werd tussen 1555 en 1575 in renaissancestijl gebouwd door een Italiaanse architect op een groot terras met uitzicht over de Èze. In 1579 verbleef Catherine de'Medici hier. Na een verwoestende brand in 1780 en plundering door de revolutionairen in 1792, was het kasteel totaal geruïneerd. In 1974 besloot het departement van de Vaucluse de restauratie ter hand te nemen.

Tussen twee indrukwekkende paviljoenen staat een monumentale toegangspoort in de vorm van een triomfboog, die weelderig versierd is met Korinthische zuilen en pilasters, en een fries met oorlogsattributen.

In het midden van de ommuurde hof staat de donjon die in 16de-eeuwse stijl is hersteld. In een hoek staat de kapel. In de kelders zijn naast expositie- en conferentiezalen de collecties van twee musea ondergebracht.

Musée des Faïences

Tijdens de restauratie werd in de kelders van het kasteel bij toeval een grote hoeveelheid veelal wit of veelkleurig **geglazuurd aardewerk** ontdekt. Het was in de plaatselijke porseleinfabriek van Jerôme Bruny gemaakt tussen 1750 en 1785. Een van de topstukken is een ovale schotel met een vossenjachttafereel in camaieu naar een gravure van J.-B. Oudry.

De museumcollectie is uitgebreid met Europees (Delft, Moustiers, Marseille) en Aziatisch (China, Japan) porselein uit de 18de eeuw, marmeren medaillons uit de 16de eeuw en geglazuurde terracottategels uit de 17de en 18de eeuw.

Musée de l'Habitat rural du pays d'Aigues

Een van de zalen in het kasteel is gewijd aan de geschiedenis van de bevolking en de verschillende woonvormen in de regio.

Rondrit Regiokaart, blz. 400-401

AAN DE OEVERS VAN DE DURANCE

▶ *De 129 km lange route vanuit La Tour-d'Aigues staat op de regiokaart - hele dag.*

De Durance is een grillige rivier die parallel aan de Middellandse Zee langs de **Luberon** stroomt. Ten zuiden van Avignon mondt ze in de Rhône uit. Dat was niet altijd het geval, want in de laatste ijstijd stroomde de Durance via een vernauwing ter hoogte van Lamanon rechtstreeks in de zee. De enorme steenmassa die de rivier daar achterliet, is nu de vlakte van **La Crau**.

😊 **Goed om te weten** – Nu het water weer schoon is, zijn de vissen, aalscholvers, reigers en bevers terug in de rivier.

Verlaat La Tour-d'Aigues aan de oostkant via de D135 richting Mirabeau.

Links na het dorp volgt de D996 (in de richting Manosque) het **Défilé de Mirabeau**, een smalle doorgang van de Haute-Provence naar de Vaucluse die de Durance in de rots heeft uitgesleten.

Steek de Durance over via de Pont de Mirabeau, sla bij de rotonde linksaf richting Saint-Paul-lez-Durance, neem daarna rechts de D11, richting Jouques.

8

DE DURANCE

De geschiedenis van de Durance wordt gekenmerkt door het onregelmatig debiet. In periodes van zeer hoog water liet de rivier niet zelden een spoor van vernieling achter. Door het stuwmeer van Serre-Ponçon *(zie 'De Groene Gids Franse Alpen')* is de loop nu gereguleerd en kunnen in droge periodes de vlaktes langs de benedenloop worden geïrrigeerd. Tussen de Durance en de Middellandse Zee zijn kanalen gegraven om de steden van water te voorzien, het land te bevloeien en elektriciteit op te wekken. Een van de oudste is het Canal de Craponne (16de eeuw).

Jouques C3

Dit dorpje ligt op een helling aan de oever van de Réal. De sfeer is typisch Provençaals met een plein in de schaduw van grote platanen, huizen met gevels in warme tinten en trapsgewijs klimmende steegjes die soms door bogen worden overspannen. Een leuke wandeling voert naar het hoogste punt van het dorp waar zich bij de kerk van **Notre-Dame-de-la-Roque** een prachtig uitzicht over de groene omgeving ontvouwt.
Neem de D561 richting Peyrolles.

Peyrolles-en-Provence C3

🅸 *Pl. Albert-Laurent - 13860 Peyrolles - ℘ 04 42 57 89 82 - dag. behalve zo en ma 9.00-12.00, 14.00-17.00 u, za 10.00-12.00 u.*

Van de middeleeuwse muur om het dorp is een belfort (smeedijzeren klokkentorentje) en een vervallen ronde toren overgebleven. Het **kasteel**, de voormalige residentie van René d'Anjou die in de 17de eeuw ingrijpend werd verbouwd, is nu als gemeentehuis in gebruik. Binnen zijn een grote trap en 18de-eeuwse gipsen beelden te bewonderen. Het terras met een 'gladiatorfontein' kijkt uit op het dal ℘ *04 42 57 80 05 - rondleiding in het museum op afspraak - 8.00-12.00, 14.00-17.00 u - gratis.*

Aan de voet van het kasteel zijn in een grot sporen van **versteende palmbomen** uit het tertiair ontdekt, voor Europa een unieke vondst. ℘ *04 42 57 89 82 - rondleiding (half uur) op afspraak (4 dagen van tevoren reserveren) - 9.30-19.00 u - gesl. 1 jan. - gratis.*

De meermaals gerenoveerde **Église Saint-Pierre** heeft een romaans schip. Op een rotspunt staat de **Chapelle du Saint-Sépulcre**. De 12de-eeuwse kapel heeft een grondplan in de vorm van een Grieks kruis. De muurschilderingen verbeelden de schepping van Adam en Eva (boven het portaal) en een heiligenprocessie.
Rijd verder via de D96 in de richting van Meyrargues.

Meyrargues C3

Het imposante kasteel dat boven het stadje uittorent, is nu een hotel. Onderlangs loopt een wandeling naar de overblijfselen van een Romeins aquaduct dat via de ruige kloof van de Étroit Aix-en-Provence van water voorzag.
Verlaat Meyrargues en sla rechtsaf de D561 in richting La Roque-d'Anthéron, ga daarna linksaf via de D15 naar Puy-Sainte-Réparade. Rijd vervolgens naar Rognes 9 km verderop.

Rognes B3

🅸 *5 cours St-Étienne - 13840 Rognes - ℘ 04 42 50 13 36 - www.ville-rognes.fr - van begin juni tot half aug.: dag. behalve ma 10.00-12.00, 14.00-18.00 u, zo 10.00-*

12.00 u; rest van het jaar: dag. behalve ma zo en feestd. 10.00-12.00, 15.00-18.00 u.
Rognes is bekend om de 'pierre de Rognes', een steensoort die in de Provence als bouw- en decoratiemateriaal wordt gebruikt *(steengroeve aan de weg naar Lambesc; in de 19de eeuw telde Rognes zes steengroeves, waarvan er nog twee in bedrijf zijn)*, en, sinds kort, om de truffels.

Kerk – 📞 *04 42 57 01 01 - 14.00-19.00 u, di 14.00-17.00 u, vr 8.30-12.00, 14.00-15.00 u - gesl. 2de Paasdag, 1 en 8 mei , 2de Pinksterdag.* De 17de-eeuwse kerk bezit een opmerkelijk geheel van tien **retabels★** uit de 17de en 18de eeuw.
Verlaat Rognes en neem rechts de D66, richting Saint-Estève-Janson.
De weg doorkruist een mooie, dunbevolkte en bosrijke vallei naar het dorpje Saint-Estève-Janson.
Volg links de D561, richting La Roque-d'Anthéron.
De weg gaat langs de **elektriciteitscentrale**, waar het Canal de Marseille begint dat in de 19de eeuw werd gegraven om het stadje van drinkwater te voorzien, en voert dan naar het **Bassin de Saint-Christophe**, een groot stuwmeer tussen rotsen en dennen aan de voet van de Chaîne des Côtes.

★★ Abbaye de Silvacane *(zie onder deze naam)*

La Roque-d'Anthéron B3

🏢 *Cours Foch - 13640 La Roque-d'Anthéron* 📞 *04 42 50 70 74 - informeer naar de openingstijden.*
In het **Château de Florans**, een 17de-eeuws herenhuis met roze hoektorens midden in het dorp, is nu een privékliniek gevestigd *(niet te bezichtigen)*. In het prachtige park wordt elk jaar een beroemd internationaal pianofestival gehouden.
Op de Place Paul-Cézanne herinnert het **Centre d'évocation vaudois et huguenot** aan de komst van de Waldenzen *(zie blz. 47)* naar La Roque tussen 1514 en 1545 (zie ook de expositie die hierover in de kerk van 1825 is ingericht in de oude Waldenzer wijk).

Musée de Géologie et d'Ethnographie – *Cours Foch -* 📞 *04 42 53 41 32 - juli-aug.: 15.00-19.00 u; rest van het jaar: 14.30-17.30 u, zo 10.00-12.00 u, rondleiding (1.30 u op afspraak - gesl. feestd. - € 4 (12-18 jaar € 2); combinatiekaartje mogelijk met de Abbaye de Silvacane en het Château de Lourmarin.*
👥 Dit gerenoveerde museum is gewijd aan 300 miljoen jaar geologische geschiedenis in de Provence. De fossielen, afgietsels en reconstructies zijn interessant voor groot en klein.
Neem de D561 en volg daarna rechtsaf de D 23ᶜ naar Mallemort. De weg biedt mooi uitzicht op de Luberon en de landbouwvlakte. Steek de Durance over en sla links de D973 in. Neem na 2 km rechtsaf een weggetje langs een steengroeve (aangegeven) en rijd naar een parkeerterrein met olijfbomen.

EEN GELUK BIJ EEN ONGELUK

Ongeveer tien jaar geleden verwoestte een brand 1300 ha van het Forêt de Rognes, dat hoofdzakelijk uit dennenbomen bestond. De dorpsbewoners waren niet vergeten dat de bodem waarop ze leefden goede **truffelgrond** was en herbeplantten het terrein met truffelbomen, hoofdzakelijk eiken, om het onderhout schoon te houden. En zo hield **Rognes** aan deze rampzalige gebeurtenis een specialiteit over: truffels met een heel bijzondere geur vanwege de vochtige zandgrond.

Mérindol B3

Een houten verhoging op de oever van de Durance biedt een uniek uitzicht op honderden vogels die zich hier in alle rust laten bekijken. Deze **vogelspot-tershut** *(vrije toegang, borden met informatie over de verschillende soorten)* is neergezet door het Parc naturel régional du Luberon. 's Ochtends laten de vogels zich het best observeren. Tip: vergeet vooral uw verrekijker niet! *Rijd verder via de D973.*

Lauris B3

🛈 *Le château - 84360 Lauris -* 📞 *04 90 08 39 30 - www.laurisenluberon.com - juli-aug.: 9.30-12.30, 15.00-18.00 u; lente en herfst: 9.30-12.30, 14.00-17.30 u; winter: 9.30-12.00, 14.00-17.00 u, za 9.30-12.00 u - gesl. zo*
Ondanks de vele nieuwbouw bezit het dorp nog een oud gedeelte met een doolhof van straatjes waaraan mooie oude panden staan. De **kerk** heeft een van de mooiste smeedijzeren klokkentorens van de regio. Het 18de-eeuwse **kasteel** op de steile rotspunt kijkt uit over het dal van de Durance. Op de binnenplaats zijn acht ambachtswerkplaatsen. De terrasgewijs aangelegde tuinen zijn vrij te bezichtigen. Op de tweede verdieping bevindt zich het **Conservatoire des plantes tinctoriales** met 300 soorten verfplanten uit de hele wereld die gebruikt worden als natuurlijke kleurstoffen in onder meer voedingsmiddelen, cosmetica en verf. 📞 *04 90 08 40 48 - www.couleurgarance. com - van half mei tot eind okt.: dag. behalve ma 14.00-19.30 u (18.30 u in sept.-okt.) - rondleiding (1.30 u) op afspraak - € 5 (- 12 jaar gratis).*

Cadenet B3

🛈 *Pl. du Tambour-d'Arcole - 84160 Cadenet -* 📞 *04 90 68 38 21 - www.ot-cadenet. com - juli-aug.: 9.30-12.30, 14.00-19.00 u; rest van het jaar: 9.30-12.30, 13.30-17.30 u - gesl. zo en feestd.*
De regio Cadenet is vooral bekend om de mandenvlechterij die zich halverwege de 20ste eeuw ontwikkelde in de bedding van de Durance waar veel riet groeide. Na een bloeiperiode van 1920 tot 1930 volgde hevige concurrentie van rotan uit het Verre Oosten. Voortaan werden ook huishoudelijke en decoratieve voorwerpen gemaakt. De laatste fabriek sloot in 1978.
Musée de la Vannerie – 📞 *04 90 68 24 44 - van begin maart tot half okt. 10.00-12.00, 14.30-18.30 u, - rondleiding (1 uur) na afspraak (3 weken van tevoren reserveren) - gesl. zo ochtend, wo ochtend, di en feestd - € 3,50 (12-18 jaar € 1,50).*
Het in de voormalige werkplaats La Glaneuse gehuisveste museum toont gereedschap, gebruiksvoorwerpen, koloniale ligstoelen, kinderwagens en wiegjes, mandflessen, hutkoffers en kleine valiezen. De videofilm op de tussenverdieping geeft een beeld van het dagelijkse leven in het vroegere Cadenet
Op het dorpsplein staat een beeld van de lokale held André Estienne, beter bekend als de **trommelaar van Arcole** *(zie kader)*.
De **kerk** met een mooie vierkante klokkentoren dateert uit de 14de eeuw maar is herhaaldelijk verbouwd. Binnen staat een mooie **doopvont★** van een 3de-eeuwse Romeinse sarcofaag met bas-reliëfs.
Sla na Villelaure op de D973 linksaf in de richting

> **WEETJE**
> November 1796. Het Franse leger en de Oostenrijkers vechten om de **Pont d'Arcole**. De afloop is onzeker. Dan zwemt een jonge trommelslager de rivier over en trommelt op de oever verder. De Oostenrijkers denken dat ze omsingeld zijn en blazen de aftocht.

van Pertuis en volg de borden 'Château Val Joanis' (3 km). Opgelet: kijk goed uit als u links de laan naar het kasteel inslaat.

Jardin du château Val Joanis C3

Bezichtiging van de tuin en proeverij van de wijn van het domein (côtes-du-lube-ron). ℘ 04 90 09 69 52 - www.val-joanis.com - april-okt.: 10.00-18.00 u - rondlei-ding op afspraak - € 4,50 (tot 16 jaar gratis).

Achter de kelders van dit wijndomein ligt een prachtige tuin verscholen, ver-deeld over drie terrassen met een moestuin, een bloementuin en een arbo-retum met sierbomen. Links eindigt de tuin met een met rozen overgroeid prieel en rechts met een olijfboomgaard. Een tuin als een verfrissende bloe-menzee tussen de wijngaarden.

Maak rechtsomkeert richting Villelaure en volg rechts de D37 tot Ansouis (4 km).

Ansouis C3

🖪 Pl. du Château - 84240 Ansouis - ℘ 04 90 09 86 98 - www.sourireduluberon. com - mei-okt.: 10.00-13.00, 14.00-18.00 u; rest van het jaar: 10.00-12.00, 14.00-17.00 u - gesl. zo, ma en feestd.

Ansouis ligt op de zuidelijke flank van een rotspunt in de schaduw van het vorstelijk kasteel van de Sabran-Pontevès, tussen de Durance en de Luberon. Al eeuwenlang is het slot de residentie van dat oude adellijke geslacht, dat zijn oorsprong heeft in de 13de eeuw. Met zijn smalle straatjes en zijn omlig-gende wijngaarden ademt het dorpje een mediterrane charme.

De **kerk** dateert uit de 13de eeuw en werd gebouwd op de eerste verdedi-gingsmuur van het kasteel, zoals te zien is aan de zuidelijke muur met smalle schietgaten.

Kasteel★ – *℘ 04 90 77 23 36 of 06 84 62 64 34 - www.chateauansouis.fr - van april tot Allerheiligen (1 nov.): rondleiding met gids dag. behalve di om 14.45 en 16.00 u (17.00 u in juli en aug.); rest van het jaar: voor groepen op afspraak - € 8 (kind € 6).*

In het begin van de 12de eeuw bouwden de baronnen van Ansouis hier een burcht. Door de verbouwingen in de 17de en 18de eeuw werd het een bui-tenplaats. Het kasteel kreeg een voorgevel als die van de beroemde heren-huizen in Aix-en-Provence *(zie onder deze naam)* en er werden hangende tuinen vol buksusbomen aangelegd. In het interieur zijn uiteenlopende stij-len te zien met een kapel in de voormalige Salle des Gardes, 17de-eeuwse vertrekken (salons en kamers) met grote ramen en 18de-eeuwse staatsie-vertrekken (een kamer met toiletruimte, een boudoir en een eigen tuin). Naast de Provençaalse keuken ligt nog altijd een moestuin.

Ruim duizend jaar was het kasteel het bezit van het geslacht Sabran-Pontevès, maar in 2009 werd het verkocht. De nieuwe eigenaars, die de buitenplaats bewonen, gaan door met de verfraaiing en restauratie van het monument dat ingericht wordt met persoonlijke bezittingen. De dame des huizes heeft overigens een passie voor 18de-eeuwse kunstvoorwerpen.

Musée extraordinaire – *R. du Vieux-Moulin - ℘ 04 90 09 82 64 - april-sept.: 14.00-18.00 u; rest van het jaar: op afspraak - rondleiding met gids (25 min.) - gesl. 1 jan. en 25 dec. - € 3,50 (tot 16 jaar € 1,50).*

Een onderwaterwereld in de uitlopers van de Luberon? Dat is niet onvoor-stelbaar, want ooit was de hele streek overspoeld door de zee… In de over-welfde kelders van dit oude gebouw is een onderzeese grot ingericht met een voorstelling van de wereld onder water. De **grotte bleue aux coraux** (blauw grot met koraal), het hoogtepunt van het bezoek, baadt in een blauw licht en is versierd met glas-in-loodramen.

Er zijn ook schilderijen en aardewerk van **Georges Mazoyer** te zien. Zijn passie voor diepzeeduiken lag aan de oorsprong van dit ietwat vreemde museum. *Volg de D56 richting Pertuis. Sla 2 km verder links een weg met cipressen in (borden).*

Château Turcan - musée de la Vigne et du Vin C3

℘ *04 90 09 83 33 - www.chateau-turcan.com - juli-aug.: 9.00-13.00, 14.30-19.00 u; jan.-juni: dag. behalve wo, zo en feestd. 9.30-12.00, 14.30-18.00 u; sept.-dec.: op afspraak - gesl. van 1 tot 8 jan. en 25 dec. - € 5 (tot 16 jaar gratis).*

In dit kleine wijnkasteel is een museum ingericht met ongeveer drieduizend voorwerpen en werktuigen uit de periode van de 16de eeuw tot de huidige tijd. Er zijn mooie en gekke dingen bij, en allemaal hebben ze te maken met wijnbouw, wijnbereiding en daarmee samenhangende bezigheden (zoals het maken van wijnvaten, wat in een gereconstrueerde werkplaats uit 1900 wordt getoond), en een mooie collectie oud glaswerk (flessen, karaffen, glazen enz.). Neem vooral ook een kijkje bij de twaalf oude tot zeer oude **wijnpersen**. Er zijn er zelfs bij uit de middeleeuwen. De wijnpersen en perstechnieken zijn zeer divers: verticaal, horizontaal, met een hefboom of een schroef in het midden, met een lange essenhouten hefboom (à étiquet), een extra hefboom onder de persbak (à grand point) en een groot tandrad (à perroquet).

Na de bezichtiging kan de volleerde kenner de wijnen van het domein proeven.

Vervolg over de D56 richting Pertuis.

Pertuis C3

In de hoofdplaats van het Pays d'Aigues herinneren diverse gebouwen aan het verleden, zoals de 13de-eeuwse klokkentoren en de 14de-eeuwse Tour Saint-Jacques met machicoulis. In de **Église Saint-Nicolas** staan twee 17de-eeuwse marmeren beelden en een 16de-eeuwse triptiek.

Keer via de D956 terug naar La Tour-d'Aigues.

🙂 LA TOUR-D'AIGUES: ADRESBOEKJE

OVERNACHTEN

DOORSNEEPRIJZEN

Hôtel-restaurant Le Petit Mas de Marie – *Quartier Revol - ℰ 04 90 07 48 22 - www.lepetit masdemarie.com - gesl. herfst- en krokusvakantie -* 🅿 *- 15 kamers € 65/80 -* 😐 *€ 10 - rest. voor gasten.* Dit gezellige huis in de Pays d'Aigues wordt omringd door een gezellige tuin. Onberispelijke kamers in Provençaalse stijl. De zuidelijke gerechten worden geserveerd in een ruime eetzaal of op het terras.

In de omgeving

Bastide de la Roquemalière – *Rte de Font-de-l'Orme - 84360 Mérindol - ℰ 04 90 72 86 72 -* 🛆 *- 5 kamers € 65 - maaltijd € 25.* Eenvoudig maar bevallig familiehuis aan de voet van de Luberon. Veel groen en stilte. Keurige kamers en grote tuin met zwembad.

Chambre d'hôte Un Patio en Luberon – *R. du Grand-Four - 84240 Ansouis - ℰ 04 90 09 94 25 - www.unpatioenluberon.com - gesl. 1 jan.-15 maart -* 🚭 *- 5 kamers € 70/80* 😐 *- table d'hôte (vr avond) € 25.* Dit 16de-eeuwse hotel-restaurant in het centrum van het middeleeuwse plaatsje onderging een grondige, maar geslaagde restauratie. Zorgvuldige inrichting. Overwelfde eetzaal en verrukkelijke patio met fontein.

Chambre d'hôte Domaine de La Carraire – *Chemin de la Carraire - 84360 Lauris - ℰ 04 90 08 36 89 - www.lacarraire.com - gesl. 15 nov.-1 april -* 🛆 🚭 *- 5 kamers € 75/85 -* 😐 *€ 8.* Provençaalser kan haast niet! Stelt u zich eens voor: een prachtige oude herenboerderij, wijnstokken, een zwembad en oude platanen! Alles tegen redelijke prijzen, zelfs in de zomer. Echt een adresje om te onthouden.

Chambre d'hôte La Maison des Sources – *Chemin des Fraisses - 84360 Lauris - ℰ 04 90 08 22 19 of 06 08 33 06 40 - www. maison-des-sources.com - gesl. eind nov.-begin jan. -* 🚭 *- 4 kamers € 92* 😐. In deze gerenoveerde boerderij zijn de kamers geverfd met gepigmenteerde kalk. In een origineelste kamer zijn vier hemelbedden bij elkaar gezet.

UIT ETEN

GOEDKOOP
In de omgeving

La Table de Margot – *9 av. Joseph-Garnier - 84360 Lauris - ℰ 04 90 08 40 40 - www.latable demargot.com - € 10/12.* Wat dacht u van een slaatje of hartige taart in deze bekoorlijke tearoom vol oude spulletjes en boeken? Even verder hebben de eigenaars ook nog een winkel in Provençaalse stijl. Terras.

DOORSNEEPRIJZEN
In de omgeving

La Table des Mamées – *1 r. du Mûrier - 84360 Lauris - ℰ 04 90 08 34 66 - www.latabledes mamees.com - gesl. zo avond en ma, 17 nov.-8 dec. - € 18,50/35 - reserveren aanbevolen.* In dit dorpsrestaurant is het traditie dat vrouwen in de keuken de scepter zwaaien. In de twee overwelfde zalen uit de 14de en 15de eeuw smullen de gasten van grootmoeders recepten.

La Source – *3 r. Hoche - 84160 Cadenet - ℰ 04 90 08 57 66 - www.restaurant-lasource. fr - gesl. wo (april-mei en sept.), zo en ma (okt.-maart), herfstvakantie, van half dec. tot half jan. - lunch € 12-€ 19.* Deze oude mandenmakerswerkplaats met wasplaats werd omgebouwd tot restaurant waar de nieuwe eigenaars traditionele gerechten serveren.

La Closerie – *Bd des Platanes - 84240 Ansouis - ☎ 04 90 09 90 54 - gesl. herfstvakantie en jan. - € 23/36.* Geuren en smaken staan centraal in dit restaurant waar de bezielde chef voortdurend nieuwe dingen bedenkt. Mooi terras met uitzicht op de Luberon. Privézaal voor 10 personen.

EEN HAPJE TUSSENDOOR

Biscuiterie de Rognes maison Georjon – *6 rte d'Aix - 13840 Rognes - ☎ 04 42 50 21 75 - 6.00-13.00, 15.15-20.00 u - gesl. ma.* Bij deze banketbakkerij, gelegen in een 18de-eeuws poststation met een haard en pleisterwerk aan het plafond, zijn zuurdesembrood, handgebakken koekjes en broodjes te koop.

L'Art Glacier – *Les Hautes Terres - 5 km vanuit Ansouis via de D 135 richting La Tour-d'Aigues - ☎ 04 90 77 75 72 - www.artglacier.com. juli-aug.: 14.00-23.30 u; april-juni en sept.-okt.: wo-zo 14.00-19.00 u (za 23.00 u); nov.-maart: weekend 14.00-19.00 u.* Het ligt een beetje afgelegen, maar is het omrijden zeker waard. De famillie Perrière is gespecialiseerd in de ambachtelijke bereiding van (sorbet)ijs. Er zijn 50 tot 70 smaken verkrijgbaar afhankelijk van het seizoen. Mooi terras met uitzicht.

WINKELEN

Boerenmarkten – Cadenet (april-nov.: za ochtend), Pertuis (wo en za ochtend), La Tour-d'Aigues (juli-aug.: di ochtend en do avond).

Traditionele weekmarkten – Pertuis *(vr ochtend)*, Rognes *(wo ochtend)*, La Roque-d'Anthéron (do ochtend aan de cours Foch).

Marché aux truffes – Grote truffel- en gastronomiemarkt in La Tour-d'Aigues op de laatste zondag voor Kerstmis met 120 exposanten, lezingen, workshops, spelletjes en opvoeringen.

EVENEMENT

Festival international de piano – De laatste week van juli en de eerste drie weken van augustus, in het park van het kasteel **La Roque d'Anthéron**. Inlichtingen: ☎ 04 42 50 51 15 - www.festival-piano.com.

Abbaye de Silvacane

★★

Bouches-du-Rhône (13)

◐ **LIGGING**
Regiokaart B3 (blz. 400-401) – *Michelinkaart van de departementen 340 G3*. De abdij ligt op de oever van de Durance, onder aan de D561ᴬ, net voor La Roque-d'Anthéron (*zie onder La Tour-d'Aigues*). Bezoekers kunnen hun auto op het parkeerterrein achterlaten. De abdij is toegankelijk via een speciaal gebouw op de plaats van het vroegere gastenverblijf.

◔ **PLANNING**
De bezichtiging van het klooster vergt ongeveer een uur.

In dit woud *(sylva)* van riet *(cana)* besloten de monniken van Saint-Victor de Marseille zich in de 11de eeuw te vestigen. De Abbaye de Silvacane met de roze daken en de vierkante klokkentoren die zij op de linkeroever van de Durance bouwden, is een prachtig voorbeeld van sobere cisterciënzer architectuur.

Wandelen

Ongeveer 1.15 u. ℘ 04 42 50 41 69 - www.monum.fr - juni-sept.: 10.00-18.00 u; rest van het jaar: dag. behalve ma 10.00-12.30, 14.00-17.00 u - (toegang tot een half uur voor sluiting) rondleiding met gids op afspraak - gesl. 1 jan., 1 mei en 25 dec. - € 7. In de abdij worden het hele jaar door talrijke activiteiten georganiseerd.
◔ **Goed om te weten** – *Op vertoon van een voltarief-entreebewijs van de abdij, krijgt u korting bij het musée de Géologie et d'Ethnographie in La Roque-d'Anthéron, het kasteel van Lourmarin, het Conservatoire des ocres in Roussillon en bij de okermijnen van Bruoux in Gargas.*

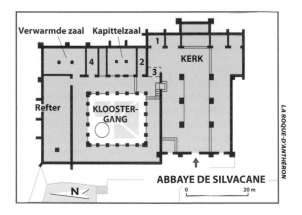

EEN BEWOGEN GESCHIEDENIS

Nadat het klooster zich had aangesloten bij de **orde van Cîteaux**, nam een groep cisterciënzers van Moribond het bestuur van Silvacane over. Het omringende land werd ontgonnen. In de 13de eeuw brak een hevig conflict uit tussen de monniken van Silvacane en die van Montmajour *(zie blz. 219)*. Een aantal cisterciënzers uit Sylvacane werd zelfs door hun collega's gegijzeld. Er volgde een proces waarna Sylvacane aan de rechtmatige bewoners werd teruggegeven. Onder de bescherming van de heren van de Provence kwam de abdij tot grote bloei. Er werd zelfs een nieuwe abdij gesticht in Valsainte, niet ver van Apt. Maar na de plundering in 1358 door de heer van Aubignan en de hevige vorstperiode die in 1364 de olijven- en de wijnoogst verwoestte, trad het verval in. In 1443 kwam de abdij onder toezicht van het kapittel van de kathedraal van Aix. Vroeg in de 16de eeuw werd Sylvacane de parochiekerk van La Roque-d'Anthéron. Tijdens de godsdiensttoorlogen raakte de kerk zwaar beschadigd. Toen de Franse Revolutie uitbrak, stonden de gebouwen leeg. Ze werden als staatsbezit verkocht en tot boerderij verbouwd. Kort na de Tweede Wereldoorlog kocht de staat ze terug en werden ze in fasen gerestaureerd. Zo werden aan de westkant de ommuring en het gastenverblijf weer opgebouwd op de oorspronkelijke fundamenten die in 1989 werden ontdekt.

Kerk

De kerk, die van grote soberheid getuigt, werd tussen 1175 en 1220 gebouwd op een hellend terrein, vandaar de niveauverschillen die aan de westgevel het duidelijkst te zien zijn. Opvallend aan deze gevel zijn de vele openingen: boven het centrale portaal en de twee zijdeuren zitten kleine vensters, drie ramen en een deels verwoeste oculus. Het middenschip met drie traveeën eindigt met een vlakke koorsluiting. Aan weerszijden van het brede transept bevinden zich twee kapellen. Aan het niveauverschil tussen de zuidelijke zijbeuk, het middenschip en de kloostergang is duidelijk te zien hoe de architect rekening heeft moeten houden met een zeer schuin aflopend terrein.

Kloostergang

De kloostergang dateert uit de tweede helft van de 13de eeuw, ook al zijn de gewelven romaans. De arcaden aan de kant van de kloosterhof hebben nu rondbogen; vroeger hadden ze gekoppelde openingen.

Kloostergebouwen

Met uitzondering van de refter zijn de kloostergebouwen tussen 1210 en 1300 gebouwd. De kleine, in de lengte gebouwde **sacristie** (**2**) grenst aan het **armarium** (**3**) (bibliotheek) onder de noordelijke kruisarm. De kapittelzaal lijkt op die in Sénanque met zes kruisribgewelven die steunen op twee centrale pijlers. Na de **spreekzaal** (**4**), die vroeger de doorgang naar buiten was, komt de **verwarmde zaal** waarin de haard bewaard is gebleven. Op de bovenverdieping bevindt zich de **slaapzaal**. De schitterende **refter** is in de 14de eeuw herbouwd met hoge vensters en een groot rozet dat voldoende licht binnenliet voor de lector (voorlezer), wiens leesstoel er nog altijd staat. De kapitelen zijn hier meer versierd dan in andere vertrekken. Het verblijf van de lekenbroeders is totaal verdwenen. Tijdens opgravingen, die nog niet zijn voltooid, zijn aan de buitenkant de resten van de portierswoning en een deel van de ommuring van de abdij blootgelegd.

Manosque

★

21.162 inwoners – Alpes-de-Haute-Provence (04)

😊 ADRESBOEKJE: BLZ. 459

🛈 INLICHTINGEN

Toeristenbureau van Manosque – *Pl. du Dr-Joubert - 04100 Manosque -* ℘ *04 92 72 16 00 - www.manosque-tourisme.com - van half juni tot eind okt.: 9.00-12.30, 14.00-18.30 u, zo 10.00-12.00 u; van half maart tot half juni 9.00-12.15, 13.30-18.00 u; nov.-feb.: 9.00-12.15, 13.30-18.00 u, za 9.00-12.15 u - gesl. feestdag.*

Rondleiding door de stad – *Inlichtingen bij het toeristenbureau - duur: 1.30 u - juli-aug.: di 10.00 u; juni en sept.: di 14.30 u (om de twee weken); okt.-mei: na afspraak en schoolvak.: di 14.00 u - € 5 (tot 12 jaar gratis).*

Bezichtiging van een olijfgaard – *Juli-sept.: wo ochtend - vertrek om 9.00 u met de eigen auto - inlichtingen en reserveringen bij het toeristenbureau - € 6 (tot 12 jaar gratis).* Commentaar door een olijvenkweker.

Maison du Parc naturel régional du Luberon – *Zie blz. 402.*

◐ LIGGING

Regiokaart D2 (blz. 400-401) – *Michelinkaart van de departementen 334 C10.* Manosque ligt op 80 km van Marseille in het dal van de Durance en wordt omringd door vijf heuvels. De oude stad ligt ingesloten tussen een ringweg op de plaats van de oude muren.

🅿 PARKEREN

Het meest centraal gelegen is de Parking du Terreau, waar de eerste 50 min. gratis zijn; dat geldt ook voor de Parking de la Poste. Andere mogelijkheden zijn de Parking la Villette (gratis, ten noorden van de stad, bij de Porte Soubeyran) en de Parking Drouille (in het zuiden, deels gratis).

😊 AANRADER

De markt op de place du Terreau; de Fondation Carzou en het Centre Jean-Giono; het uitzicht op de stad vanaf de top van de Mont d'Or.

🕑 PLANNING

Het vergt minstens een halve dag om alle mooie plekjes in de stad te verkennen.

👥 MET KINDEREN

Het Maison de la Biodiversité; de activiteiten bij het waterbekken Les Vannades *(zie 'Adresboekje').*

Manosque ligt op een steenworp van de Durance op de uitlopers van de Luberon. Brede, lange boulevards met platanen leiden naar een bijna ellipsvormige stadskern. Het is een gastvrije plaats, al zal alleen de aandachtige wandelaar oog hebben voor de verborgen Provençaalse straatjes en hoge huizen 'waar de daken elkaar overlappen als de platen van een harnas'. Dit schreef de Franse schrijver Jean Giono die veel sporen naliet in de stad waar hij zijn hele leven woonde.

Wandelen Plattegrond blz. 457

★ DE OUDE STADSKERN VAN MANOSQUE

◐ *Groene rondwandeling, zie de plattegrond.*
Het is heerlijk wandelen langs de vele *andrônes* (naar het Grieks *andron*): steile, vaak overwelfde passages die de stad omtoveren in een doolhof van straatjes.

★ Porte Saunerie

De naam stamt van de voormalige zoutpakhuizen. De hoge middeleeuwse gevel met machicoulis en vier tweelichtvensters ziet eruit alsof hier elk moment een mooie dame uit ver vervlogen tijden zal verschijnen. Onder de poort prijkt op de grond een grote afbeelding van het **wapenschild** van de stad: in de vier azuurblauwe en rode kwartieren zijn zilverkleurige handpalmen afgebeeld.

Rue Grande

Fraaie deuren, trappenhuizen en binnenplaatsen sieren de pittoreske en drukke hoofdstraat van het stadje. Het geboortehuis van Jean Giono, de zoon van een schoenlapper en een strijkster, bevindt zich op de hoek van de rue Torte en de rue Grande, maar hij groeide op in het **nr 14**. Mirabeau verbleef in het Hôtel Gassaud op **nr. 23**, een 16de-17de-eeuws herenhuis.

Église Saint-Sauveur

9.00-17.00 u - gesl. feestd.
Deze sobere kerk staat aan een pleintje met fontein. Kijk op de noordflank *(bij nr. 3 aan de rue Voland)* even naar boven: daar bestrijden een pelgrim met een stok en een kip een slang. Binnen wordt de tribune gedragen door indrukwekkende atlanten. De mooie **orgelkast★** van verguld hout (1625) is in 1826 compleet nagebouwd door Piantanida, de beroemde orgelbouwer uit Lombardije (Italië). De **campanile** is het meesterwerk van een smid uit Rians (1725). Het is een van de meest kunstig bewerkte torentjes van de Provence.

★ Église Nôtre-Dame-de-Romigier

Pl. de l'Hôtel-de-Ville.
Deze kerk bezit een verfijnd renaissanceportaal. Het altaar is een prachtige, 5de-eeuwse **sarcofaag** van carraramarmer waarop de apostelen worden afgebeeld met opgeheven armen. De gekroonde **zwarte Madonna** dateert uit de preromaanse periode en is daarmee een van de oudste van Frankrijk. Sinds de restauratie in 1993 is de zwarte kleur wel verdwenen. In de 10de eeuw zag een boer zijn ossen knielen voor een braamstruik (*roumi* in het Provençaals, vandaar Romigier). Hij liet de struik afbranden en ontdekte de sarcofaag waarin het beeld in de 9de eeuw verstopt werd voor de Saracenen.

IN DE VOETSPOREN VAN JEAN GIONO

De schrijver Jean Giono (1895-1970) is geboren in Manosque en is altijd in zijn geboortestad blijven wonen. Beurtelings woonde hij aan de rue Torte 13, op nummer 8 en 14 van de rue Grande, en daarna in zijn huis Le Paraïs. Het is dus niet verwonderlijk dat een groot deel van zijn werk geïnspireerd is door Manosque en omgeving: van *Manosque-des-Plateaux* (1930) en *Jean le Bleu* (1932) tot *Hussard sur le toit* (1951). Er zijn verschillende mogelijkheden om de stad te bezoeken in de voetsporen van deze schrijver.

Het Centre Jean Giono in een herenhuis van eind 18de eeuw.
C. Moirenc / Hemis.fr

Hôtel de ville
De 17de-eeuwse **voorgevel★** is bijzonder opmerkelijk. Binnen in het stadhuis zijn een fraaie trap, moulures en 15de-eeuwse sluitstenen te zien.

Porte Soubeyran
Deze 12de-eeuwse stadspoort kreeg veel later een verfijnde stenen balustrade. Eveneens van latere datum is het opengewerkte bolvormige torendak dat zo lijkt te zijn weggeplukt uit een oriëntaals decor.
Keer terug en sla af naar links. Steek de place M.-Pagnol over en volg dan de rue Soubeyran.

Place des Observantins
Het dans- en muziekconservatorium is gehuisvest in een voormalig klooster. Daartegenover bevindt zich de bibliotheek in het **Hôtel d'Herbès** met een fraaie, 17de-eeuwse trap.
Keer via de rue J.-J.-Rousseau, de rue des Ormeaux en de rue de la Saunerie terug naar de Porte Saunerie.

Wat is er nog meer te zien? Plattegrond blz. 457

Centre Jean-Giono
3 bd Élémir-Bourges - ℘ 04 92 70 54 54 - www.centrejeangiono.com - april-sept.: 14.00-18.00 u, di en weekends 9.30-12.30 (zo juli-sept. 12.00 u); okt.-maart: dag. behalve ma 14.00-18.00 u - gesl. kerstvakantie - € 4 (kind. € 2).
Dit pand in Provençaalse stijl was het eerste herenhuis buiten de stadsmuren. Het werd gebouwd door M. de Raffin, de burgemeester die er tijdens de Franse Revolutie in slaagde om het erfgoed te vrijwaren. Let op de mooie plafonds en de vloeren met Provençaalse terracottategeltjes.
Leven en werk van de schrijver komen aan bod in twee **tentoonstellings-**

ruimtes. De **bibliotheek** bevat enkele manuscripten, naast versies van zijn boeken in verschillende talen. Op verzoek worden in een **videotheek** voorstellingen gegeven van zijn films, interviews en televisieuitzendingen. Op de eerste verdieping worden wisselende thematische tentoonstellingen gehouden. Wie in de voetsporen van Jean Giono wil treden, kan hier ook terecht voor enkele **literaire wandelingen**.

Fondation Carzou

Église du couvent de la Présentation - 7- 9 bd Élémir-Bourges - ℘ 04 92 87 40 49 - www.fondationcarzou.fr - dag. behalve zo 9.00-12.00, 14.00-18.00 u - gesl. feestd. en kerstvakantie - gratis.

Het is bevreemdend, deze 19de-eeuwse, neoclassicistische kerk met **caissonzoldering**, fries en antieke zuilen, vol surrealistische muurschilderingen. Vroeger scheidde een traliewerk de kloosterlingen van de leerlingen. Tegenwoordig gaan hier academisme en vrije expressie wonderwel samen.

De bezichtiging begint rechts van de ingang. Het kostte Carzou zeven jaar om de **Apocalyps★** te schilderen. Elk paneel van dit aangrijpende fresco, voornamelijk in blauw-groene kleuren, verbeeldt een apart thema. De glas-in-loodramen zorgen voor een natuurlijke lichtinval.

In de linkervleugel van het koor worden de grote menselijke beproevingen (verwoestingen, moordpartijen) afgebeeld, terwijl de apsis wellust verbeeldt. De koepel wordt gedragen door vier bewerkte pijlers die de evangelisten voorstellen. Rechts worden de werken van de Vrouw getoond. Carzou ontwierp eveneens de **glas-in-loodramen★** (behalve dat in de centrale deur), die een aantal oorlogen afbeelden. De vier ruiters van de Apocalyps symboliseren de bekendste volkenmoorden, zoals de genocide op de indianen in Amerika en die op de Armeniërs door de Turken in 1915, de Bartholomeüsnacht in Parijs (klein paneel) en de Duitse concentratiekampen.

ROMANTIEK EN LITERATUUR

Giono houdt vol dat Frans I nooit naar Manosque kwam, al beweert een hardnekkig verhaal het tegendeel. Péronne de Voland, dochter van de schepen, zou de koning verwelkomd hebben bij de Porte Saunerie. De vorst was meteen smoorverliefd op het razendknappe meisje dat hem op een fluwelen kussen de sleutels van de stad aanbood. Ze weigerde in te gaan op zijn avances en misvormde haar gelaat met zwaveldampen. Sindsdien spreekt men van het 'kuise' Manosque.

Het oeuvre van **Jean Giono** (zie blz. 454) speelt zich grotendeels af in Manosque en omgeving: 'De stad lag onder aan de heuvel: het pantser van een schildpad in het gras.' *Jean le Bleu* is het verhaal van zijn jeugd aan de oevers van de Durance. Hij vertelt daarin over zijn verblijf bij de herders in de bergen en hij schetst een portret van zijn vader.

Het hoofdpersonage van *L'Homme qui plantait des arbres* is dan weer een eenzame herder die bomen plant. Een andere bekende figuur uit Manosque is **Joseph-Toussaint Avril** (1775-1841), die het eerste Frans-Provençaalse woordenboek samenstelde. De 20ste-eeuwse Franse schrijver **Pierre Magnan** (1922) is ook geboren in Manosque. Romans als *La Naine* en *L'Amant du poivre d'âne* spelen zich eveneens af in zijn geboortestad.

De rechterveugel verbeeldt de wederopbouw van de wereld door liefde en werk. In de hoek van de linkermuur brengt de schilder hulde aan **Millet** en zijn **Angélus**.

Maison de la biodiversité

Chemin de la Thomassine - volg in het centrum de richting 'Dauphin' (of de borden naar het Hôtel Pré Saint-Michel), neem voorbij de begraafplaats en het stadion links het chemin de la Thomassine en volg die 2 km (bewegwijzerd) - parkeerterrein met schaduw. ℘ 04 92 87 74 40 - www.parcduluberon.fr - juli-sept.: dag. behalve zo en ma 10.30-13.00, 15.00-18.30 u (rondleiding (1 u) om 10.30 en 16.30 u) - okt.-juni: wo 10.00-12.30, 14.00-16.30 u (rondleiding (1 u) om 10.30 en 15.00 u) - € 4 (tot 18 jaar gratis) - picknickplaats, toiletten, tappunten.

Gelegen op een afgezonderde plek tussen beboste heuvels rond Manosque staat dit landbouwdomein dat door het Parc régional naturel du Luberon werd omgevormd tot een beschermde boomgaard. In de drie permanente tentoonstellingszalen van de gerestaureerde boerderij verklaren borden het begrip biodiversiteit. Het doel van dit centrum wordt echter pas duidelijk als u een kijkje neemt in de acht terrasvormige tuinen, waar 500 oude fruitsoorten geteeld en geoogst worden, zoals vijgen, appels, peren, olijven en kersen, die ook ter plaatse worden verkocht. Bezichtig ook de kleine moestuin met vergeten groenten en de mooie rozentuin, en ga vervolgens naar de gerenoveerde boerderij waar een permanente expositie is over biodiversiteit.

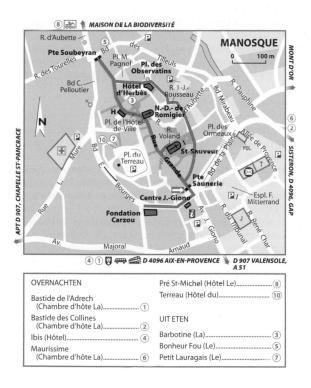

OVERNACHTEN	Pré St-Michel (Hôtel Le) .... ⑧
	Terreau (Hôtel du) .... ⑩
Bastide de l'Adrech (Chambre d'hôte La) .... ①	
Bastide des Collines (Chambre d'hôte La) .... ②	UIT ETEN
Ibis (Hôtel) .... ④	Barbotine (La) .... ③
Maurissime (Chambre d'hôte La) .... ⑥	Bonheur Fou (Le) .... ⑤
	Petit Lauragais (Le) .... ⑦

JEAN CARZOU
Deze Franse kunstenaar van Armeense afkomst (1907-2000) gebruikte zijn eigen doeken als inspiratiebron voor de muurschilderingen van de *Apocalyps* die hij realiseerde voor dit voormalig klooster in Manosque. Na een korte omweg via de abstracte kunst begon hij, tegen een monochrome achtergrond, moderne steden, Venetië en de Provence te schilderen in een complexe grafische stijl met bovennatuurlijke elementen. Hij leverde belangrijk werk als ontwerper van toneeldecors.

In de omgeving Regiokaart, blz. 400-401

Chapelle Saint-Pancrace (de Toutes Aures) D2
🐾 *2 km ten zuidwesten van Manosque.*
Bij de kapel op de heuveltop ontvouwt zich een uitgestrekt **panorama★** over de Luberon, Manosque, de vallei van de Durance, het plateau van Valensole en de Vooralpen in Digne.

★ OP DE TOP VAN DE MONT D'OR D2

◔ *3,5 km km ten noordoosten van Manosque.*
Deze met olijfbomen begroeide heuvel verrijst 150 m hoog boven Manosque, een idyllisch plekje dat prima geschikt is voor een heerlijke uitstap.
Rijd bij de Porte Saunerie in de richting van Sisteron, sla dan links de rue Dauphine in en vervolgens rechts de montée des Vraies-Richesses. Bij nr. 190 ('Résidence Jean-Giono') voert een kleine weg naar Le Paraïs, het laatste huis rechts.

Maison de Giono Le Paraïs
Dit huis wordt nog altijd bewoond door de familie Giono: wees dus bijzonder discreet. Montée des Vraies-Richesses - 📞 *04 92 87 73 03 - www.jeangiono.org -* ♿ *- rondleiding (1 u) op afspraak (7 dagen van tevoren) vr middag - gesl. feestd. en de laatste vr van juli - gratis.*
Giono, die sinds 1930 in deze wijk woonde, kocht het huis in 1968. De muur in zijn bibliotheek is beschilderd met een fresco van Lucien Jacques. Let op de opvallend uitgebreide verzameling Chinese literatuur, waaruit blijkt dat Giono veel belangstelling had voor andere culturen. Het precolumbiaanse hoofd op de schouw heeft een raadselachtige glimlach. Ontroerende herinneringen sieren zijn werkkamer, onder meer de hamer van zijn vader, zijn pijpen en een afgietsel van zijn rechterhand. Door het dakkamervenster zijn de opeengepakte daken in de oude stad te zien.
Rijd naar boven en zet de auto op het parkeerterrein.

★ Top van de Mont d'Or
🐾 *10 min. heen en terug.* Op de top staan de resten van een kasteel dat toebehoorde aan de graven van Forcalquier. Het **uitzicht★** omvat Manosque, de boomgaarden in de vallei van de Durance, de Luberon en in de verte de Montagne Sainte-Victoire en de Sainte-Baume.

MANOSQUE: ADRESBOEKJE

OVERNACHTEN

GOEDKOOP

Hôtel du Terreau – *21 pl. du Terreau - ✆ 04 92 72 15 50 - www.hotelmanosque.fr - gesl. 27 dec.-17 jan. - P - 19 kamers € 41/80 - ☕ € 7,50.* Comfortabel hotel aan een mooi pleintje in het oude centrum van Manosque. De geluiddichte kamers zijn soms ingericht in ouderwetse Provençaalse stijl met kalkverf en hout. Sympathieke ontvangst.

Chambre d'hôte La Bastide des Collines – *82 chemin de Valvéranne - ✆ 04 92 87 87 67 - www.gites-de-france-04.fr/G111018.html - ♿ P ⊠ - 3 kamers € 50/52 ☕ - rest. € 18.* Dit gastenverblijf buiten de stad te midden van boomgaarden en olijfgaarden biedt drie eenvoudige kamers met terras en uitzicht op het platteland. De biologische streekgerechten worden bereid met producten van de boerderij.

Omgeving van Manosque

Chambre d'hôte La Maurissime – *Chemin des Oliviers - 04180 Villeneuve - ✆ 04 92 78 47 61 - gesl. 10 jan.-1 maart - P ⊠ - 4 kamers € 50 ☕ - rest. € 20.* In deze recent gebouwde villa gaan een prettige ontvangst en gezelligheid samen met levenskunst en goede smaak. De Provençaals getinte kamers kijken uit op de tuin. Dineren kan op het terras.

DOORSNEEPRIJZEN

Chambre d'hôte la Bastide de l'Adrech – *Av. des Serrets - ✆ 04 92 71 14 18 - www.bastide-adrech.com - P ⊠ - 5 kamers € 68 ☕.* Deze imposante, 18de-eeuwse bastide op het platteland bij Manosque is schitterend gerestaureerd, met authentieke haarden, grote ramen, deuren, balken, terracottategeltjes en een monumentale trap. De salons en slaapkamers werden ingericht in een uitgesproken Provençaalse stijl met kalkverf, oud meubilair en fraaie stoffen. Thematische uitstapjes en kookcursussen zijn ook mogelijk op deze boerderij waar olijfolie geoogst wordt. In het park staan beschermde bomen.

Hôtel Le Pré Saint-Michel – *1,5 km ten noorden via de bd M.-Bret en de rte de Dauphin - ✆ 04 92 72 14 27 - www.presaintmichel.com - ♿ P - 24 kamers € 70/120 - ☕ € 10.* Ruime, smaakvol ingerichte kamers in Provençaalse stijl kenmerken dit recente gebouw. Sommige kamers hebben een eigen terras en uitzicht op de daken van Manosque.

Hôtel Ibis – *Péage A 51 (sortie 18) - ✆ 04 92 71 18 00 - www.ibishotel.com - ♿ P - 48 kamers € 59/89 - ☕ € 8.* Dit opvallend moderne hotel met gele gevel is gemakkelijk te vinden. De functionele kamers, ingericht volgens de meest recente normen van de keten, zijn praktisch als tussenstop. In de heldere eetzaal worden traditionele gerechten geserveerd.

UIT ETEN

DOORSNEEPRIJZEN

Le Petit Lauragais – *6 pl. du Terreau - ✆ 04 92 72 13 00 - gesl. wo middag, za middag en zo - lunch € 13,50 - € 23,50/35.* Achter de onopvallende gevel huist een restaurant vol gerechten die typisch zijn voor Zuidwest-Frankrijk, al worden er ook enkele Provençaalse *musts* geserveerd. De mensen hier hebben zo hun vaste gewoontes en dat is meestal een goed teken. Vriendelijke ontvangst.

La Barbotine – *pl. de l'Hôtel-de-Ville* - ✆ *04 92 72 57 15 - vanaf 9 u - gesl. zo*. Schaduwrijke plek in het historisch centrum dat veel weg heeft van een Parijse bistrot. Op elk uur van de dag kan er thee of koffie worden gedronken en iets worden gegeten: zoetigheden (crêpes, ijs, taart van het huis), lunch of diner (salades, quiches en Provençaalse gerechten).

Le Bonheur fou – *11 bis bd des Tilleuls* - ✆ *04 92 87 77 52 - www. lebonheurfou.com - gesl. wo avond en do - € 16/25 - reserveren aanbevolen*. Deze intieme en gezellige plek is genoemd naar een boek van Giono, vast ook omdat er culturele bijeenkomsten, literaire lezingen en exposities worden gehouden. In de keuken, bereid kok en reiziger David Arcos onophoudelijk nieuwe fusion-gerechten met verse ingrediënten. Ook thuis bezorgd.

WINKELEN

Markt – Op za ochtend, Place du Terreau, met uitlopers op de place de l'Hôtel-de-ville en de place Marcel-Pagnol. Op-en-top Provençaalse markt met kleurrijke kraampjes en de geur van lavendel en olijven.

Rue Grande – Winkeltjes met kleding, decoratieartikelen en ambachtskunst zijn te vinden in deze lommerrijke, verkeersvrije hoofdstraat van de oude stad.

Le Moulin de l'Olivette – *Pl. de l'Olivette* - ✆ *04 92 72 00 99 - www.moulinolivette.fr - april-sept.: 8.00-12.30, 13.30-19.00 u; rest van het jaar: 8.00-12.00, 14.00-18.30 u - gesl. zo en feestd*. Deze molen is een van de grootste olijfolieproducenten in Les Alpes-de-Haute-Provence. De extra vierge olijfolie A.O.C. heeft sinds 2000 diverse gouden medailles behaald op het grote landbouwconcours. De win-

kel verkoopt daarnaast ook streekproducten als Provençaals vaatwerk en voorwerpen van olijfhout.

Santons Gilli – *27 r. Grande* - ✆ *04 92 87 70 60 - http://santons. gilli.free.fr - 9.00-12.00, 14.30-18.00 u (19.00 u mei-aug.) - gesl. zo (behalve de zo voor Kerstmis), feestd. en ma (behalve juli-aug.)*. In de winkel is een ruime selectie traditionele santons verkrijgbaar en er worden ook beeldjes (van 6 en 10 cm) voor de kerststal beschilderd. Wie er maar geen genoeg van krijgt, kan ook een kijkje nemen in het elders gelegen atelier. Daar wordt de productie van de figuurtjes uit de doeken gedaan. Verkoop van streekproducten.

L'Occitane en Provence – *ZI St-Maurice (ten oosten van Manosque via de D901, vlak bij de A51)* - ✆ *04 92 70 19 00 - www.loccitane. com - ma-za 10.00-19.00 u*. Winkel in de oude binnenstad: *21 r. Grande* - ✆ *04 90 72 41 02 - di-za 10.00-12.30, 14.30-19.00 u*. Dit wereldbefaamde merk produceert verzorgingsmiddelen voor lichaam en huishouding die zijn bereid met lokale ingrediënten als honing, lavendel, olijfolie, verveine en amandelen. Bezoekers van de fabriek en de winkel krijgen 10% korting. Gratis rondleiding (1 u) door de fabriek op inschrijving bij het toeristenbureau.

Omgeving van Manosque
Cave des Vignerons de Pierrevert – *1 av. Auguste-Bastide - 04860 Pierrevert* - ✆ *04 92 72 19 06 - www.cave-pierrevert.com - van half juni tot half sept.: 9.00-12.00, 15.00-19.00 u; rest van het jaar: 9.00-12.00, 14.00-18.00 u - gesl. zo en feestd*. Aan de voet van dit dorpje bevindt zich de winkel van de wijncoöperatie waar een indrukwekkende hoeveelheid regionale cru's wordt verkocht. Sommige wijnen zijn

al herhaaldelijk bekroond. Deze wijnen worden ook verkocht in Villeneuve en Quinson.

SPORT EN ONTSPANNING

Les Vannades – *Quartier Saint-Jean - 5 km ten noorden van Manosque (toegang via de D4096) - 04 92 70 34 25 (stadhuis) - het hele jaar geopend.* Dit 11 ha grote vakantiepark biedt talloze ontspanningsmogelijkheden in het water en op het land: zwemmen (bewaakt in juli en aug.), zeilen en roeien, wandeltochten, volleybalterreinen, banen voor jeu de boules en minigolf.

Forêt de Pélicier – *5 km vanaf Manosque via de D5 (volg richting Dauphin en de Col de la Mort d'Imbert en neem links de piste DFCI (brandgang)).* Er lopen talrijke bewegwijzerde paden door dit mooie bos dat in het begin van de 20ste eeuw is aangelegd om de bodemerosie tegen te gaan. Het staat vol Zwarte of Oostenrijkse dennen, steeneiken, Aleppodennen en grove dennen *(kaart te koop bij het toeristenbureau - € 2).*

Centre permanent d'initiatives pour l'environnement (CPIE) – *Château de Drouille - 04 92 87 58 81 - www.cpie04.com.* Het CPIE Alpes de Provence dat verschillende educatieprojecten coördineert over het milieu, heeft verschillende **boerenroutes** uitgezet, waarbij een bezoek wordt gebracht aan verschillende boerenbedrijven in de streek *(het hele jaar door - bezoek en proeverij: € 7, 6-12 jaar € 3,50),* en **natuurroutes**, wandelingen om het landschap, de flora en fauna van de Haute-Provence te leren kennen *(juli-aug.: di, wo en do 16.00-19.00 u - € 11, 6-14 jaar € 6 - opgave verplicht bij het toeristenbureau).*

EVENEMENTEN

Les Rencontres Jean-Giono – eind juli in het théâtre Jean le Bleu. Literaire dagen met lezingen, optredens, films en discussies.

Les Correspondances – Literair festival met briefschrijfkunst als thema, eind september. Inlichtingen: www.correspondances-manosque.org.

Forcalquier

★

4654 inwoners – Alpes-de-Haute-Provence (04)

😊 ADRESBOEKJE: BLZ. 469

🅸 INLICHTINGEN

Toeristenbureau van het Pays de Forcalquier en de Montagne de Lure – *13 pl. du Bourguet - BP 15 - ☎ 04 92 75 10 02 - www.forcalquier.com - informeer naar de openingstijden.*

Rondleiding door de stad – *Op afspraak in juli en aug.: do 9.30 u - € 5 (6-16 jaar € 2,50). Rondleiding door de oude stad, met het stadhuis, de kathedraal, de citadel en de herenhuizen.* Het toeristenbureau biedt tevens een bijzonder uitgebreid programma *(inschrijving verplicht)* van **tochten onder begeleiding** van plaatselijke gidsen of berggidsen: thematische wandelingen of tochten te voet of te paard.

Maison du Parc naturel régional du Luberon – *Zie blz. 402.*

◐ LIGGING

Regiokaart D1 (blz. 400-401*) – Michelinkaart van de departementen 334 C9.* Forcalquier ligt 23 km ten noorden van Manosque op een schilderachtige plek tussen de Montagne de Lure en de Luberon. Het is ook een ideale uitvalsbasis voor tochten naar Sault *(zie onder deze naam)* en het Plateau d'Albion (54 km in noordoostelijke richting).

😊 AANRADER

In Forcalquier zelf het panorama vanaf het terras van de Notre-Dame-de-Provence; in de omgeving: Oppedette, onder meer om zijn daken.

🕐 PLANNING

Op maandagochtend wordt hier een van de grootste markten in de Provence gehouden: een kleurrijke, geurige verzamelplaats van producenten, handwerkers en bewoners. Samen met de bezichtiging van de stad kost dat een halve dag. Maak de rondrit 's middags, want de bezichtiging van het kasteel van Sauvan begint om 15.30 u.

👫 MET KINDEREN

Het Centre d'astronomie de Saint-Michel, een afdeling van het observatorium van de Haute-Provence, organiseert voorstellingen en nachtelijke waarnemingen van de sterrenhemel.

De voormalige hoofdplaats van een bloeiend graafschap is nu de culturele hoofdstad van de streek. Forcalquier fungeert vooral als uitvalsbasis voor tochten in de omgeving, al heeft het zelf ook best veel te bieden. De smalle straaatjes met hoge huizen zijn speciaal ontworpen om te bescherming te bieden tegen de mistral. Ongeacht de gekozen route, overal vallen er mooie gevels met tweelichtvensters te bewonderen, naast deuren en portalen in gotische, renaissance- en classicistische stijl.

HET GRAAFSCHAP FORCALQUIER

Het in de 11de eeuw gestichte Forcalquier was een machtig graafschap. Het grondgebied strekte zich uit langs de Durance en omvatte de steden Manosque, Sisteron, Gap en Embrun, naast de hoofdstad Forcalquier. De heren trotseerden zelfs de graven van de Provence. De kerk van Forcalquier was een zogenaamde 'conkathedraal'. Omdat het bisdom Sisteron niet opgeheven kon worden, besliste men in 1065 om het in tweeën te splitsen, waardoor een bisdom zonder bisschop ontstond, uniek in de kerkgeschiedenis. In 1195 kwam er een eind aan de rivaliteit tussen beide graafschappen met het huwelijk van Gersende de Sabran, gravin van Forcalquier, met Alphonse II, graaf van de Provence. Hun zoon **Raymond Bérenger V** erfde de twee graafschappen, die in 1481 bij Frankrijk zijn gevoegd.

Wandelen

Cathédrale Notre-Dame

Het eerste wat opvalt aan deze witte kathedraal zijn de hoekige contouren. De massieve hoge toren ziet er romaans uit, maar werd pas voltooid in de 17de eeuw en staat in schril contrast met de opengewerkte campanile. Het transept en het koor, gebouwd voor 1217, zijn de oudste voorbeelden van gotische kunst in het Pays d'Oc. Uit de 17de eeuw dateren de zijbeuken en het **orgel**, een van de beste in de Provence.
Loop om de kerk heen via de boulevard des Martyrs en neem daartegenover de straat naar het Couvent des Cordeliers.

Couvent des Cordeliers

De stichting in Forcalquier (1236) is een van de eerste kloosters van de kordeliers in de Provence. De inmiddels gerestaureerde middeleeuwse gebouwen raakten zwaar beschadigd tijdens de godsdiensttoorlogen en de Franse Revolutie. Ze werden verkocht als staatsbezit en deden ook dienst als landbouwbedrijf. Nu biedt het klooster onderdak aan de **Université européenne des saveurs et des senteurs**, een opleidingscentrum voor geuren en smaken dat een gemengd publiek trekt (℘ 04 92 72 50 68 - www.uess.fr).
De **kloostergang** bezit een mooie tuin met in vorm gesnoeide buksusbomen. Opvallend zijn de boogvormige gotische grafnissen, waarin de heren van Forcalquier begraven werden. Aan de kant van de kapittelzaal is de romaanse deur omgeven door sierlijke tweelichtvensters.

De stad van de graven

De **Porte des Cordeliers**, het enige overblijfsel van de ringmuur, bfedt toegang tot de oude stadswijk. Ga aan het eind van de rue des Cordeliers naar rechts de rue Passère in en loop vervolgens door in de rue St-Mari. Let rechts op het Hôtel de Castellane-Adhémar, een 17de-eeuws herenhuis met een boogvormige deur. Klim dan naar de citadel, het grafelijk kasteel waarvan slechts enkele stenen overeind zijn gebleven. De achthoekige **kapel** (1875) op de top is opgedragen aan Notre-Dame-de-Provence. Op het terras ontvouwt zich een **panorama★** over de stad en de omliggende bergen (oriëntatietafel). Werp ook nog een blik op het unieke **klokkenspel** dat bespeeld wordt op traditionele manier, met de vuisten, want het bezit een ouderwets klavier. De beiaardier gaat aan de slag op zondag om 11.30 u.

8

Ga weer naar beneden naar de rue de la Citadelle. Volg op de hoek van de rue Bérenger de mooie, 19de-eeuwse **trap** naar de place du Palais. Ga daar naar rechts, tot de place St-Michel. Op dit plein prijkt een fraaie, piramidevormige **renaissancefontein** met gesculpteerde taferelen en een beeld van de Heilige Michiel die de draak verslaat. Ga via de rue Mercière naar de place du Bourguet in het centrum van Forcalquier.

◗ *Verlaat het stadscentrum in noordelijke richting via de D16.*

★ Begraafplaats

Goed om te weten – In de zomer zijn er rondleidingen (1.30 u) op de begraafplaats. De gids vertelt over de geschiedenis en de voor Frankrijk unieke tuinarchitectuur. Vraag om inlichtingen bij het toeristenbureau.

Bijzonder opvallend zijn de in vorm gesnoeide taxusbomen.

In de omgeving Regiokaart, blz. 400-401

★ Observatoire de Haute-Provence D1

◗ *Bereikbaar via de D305 ten noorden van de stad.*

Wie het observatorium wil bezichtigen moet eerst 60 treden beklimmen. ☎ 04 92 70 64 00 - www.obs-hp.fr - rondleiding (1 u) juli-aug.: di, wo, do 14.00-17.00 u; april-juni en sept.-nov.: wo 14.00-16.00 u - gesl. feestd. - € 4,50 (6-16 jaar € 2,50) koop een kaartje in het toeristenbureau - neem in het dorp de gratis pendeldienst (vertrek ieder half uur). Kort na de stichting van het Centre national de la recherche scientifique door minister Jean Perrin werd besloten om hier het observatorium van de Haute-Provence te bouwen. De werkzaamheden begonnen in 1937, maar werden stilgelegd tijdens de Tweede Wereldoorlog. Het duurde nog tot 1958 eer de grote telescoop in gebruik werd genomen. Vandaag bevinden de belangrijkste observatoria in de wereld zich op grote hoogte, op het zuidelijk halfrond (Chili) en in de Stille Oceaan (Hawaï). De kwaliteit van de beelden in dit observatorium is dan misschien niet optimaal, er zijn wel uitzonderlijk veel nachten dat aan lichtmeting kan worden gedaan. De drie telescopen zijn zodanig ontworpen dat ze de natuurlijke kenmerken van het landschap zo goed mogelijk benutten.

Het observatorium werd hier gevestigd omdat de atmosfeer rond Forcalquier bijzonder zuiver is. De veertien koepels bieden onderdak aan astronomische instrumenten, laboratoria, werkplaatsen en huisvesting voor Franse en buitenlandse astronomen. Met hun grote telescoop (diameter 1,93 m) en hun bijzonder geavanceerde spectrograaf ontdekten ze in 1995 de eerste planeet buiten ons zonnestelsel. Een spectrograaf analyseert het licht van de sterren, bepaalt hun chemische samenstelling, temperatuur en radiale beweging. Een team geofycici bestudeert de dampkring met lasersondes, terwijl andere wetenschappers de toestellen van de toekomst bouwen, zoals reuzentelescopen.

👥 Het **Centre d'astronomie de Saint-Michel** op het plateau van de Moulin-à-Vent organiseert thematische voorstellingen en nachtelijke waarnemingen onder leiding van specialisten. *☎ 04 92 76 69 09 - www.centre-astro.fr - voorstellingen op afspraak, juli-sept.: 'astrozomer', ontdekkingen van het hemelgewelf en lezingen na afspraak - waarneming van de zon van okt. tot mei: 1 tot 2 voorstellingen per maand om 14 u € 6,75 (6-16 jaar € 4,75); 's avonds: waarnemingen en introductie over het gebruik van de instrumenten: 1 voorstelling per maand om 21.00 of 21.30 u, € 10,50 (6-16 jaar € 8,25).*

DE HEROPLEVING VAN LURS

In de middeleeuwen telde deze machtige versterkte plaats 3000 inwoners. De bisschoppen van Sisteron werden zelfs 'vorsten van Lurs' genoemd omdat ze er in de zomer verbleven en er uiteindelijk een seminarie stichtten. De laatste bewoners trokken weg in het begin van de 20ste eeuw en Lurs raakte in verval. Na de Tweede Wereldoorlog kwam het plaatsje opnieuw in de belangstelling onder impuls van een groep grafici onder leiding van **Jean Giono** en **Maximilien Vox** (een van de beste Franse typografen, de ontwerper van het titelblad voor de *Larousse du XXe siècle*). Sinds 1955 wordt hier een vakbeurs voor drukkers gehouden, de **Rencontres internationales de Lure** (genoemd naar het gebergte).

Chapelle Saint-Jean-des-Fuzils

Een weg rechts van de ingang van het observatorium voert naar deze 11de-eeuwse eenvoudige kapel met spiraalvormige versiering.

★ **Lurs** D1

◗ *11 km ten oosten van Forcalquier.*

🏠 *Pl. de la Fontaine - 04700 Lurs - 🕾 04 92 79 10 20 - vraag naar de openingstijden.*

De **Tour de l'Horloge** met campanile vormt de toegang tot het hooggelegen, zorgvuldig gerestaureerde dorpje, waar het **kerkje** een klokkengevel met drie openingen bezit. Stokrozen sieren de straatjes die verrassende ontdekkingen in petto hebben, zoals huizen met erkers, oude deuren en middeleeuwse overblijfselen. Een kleine weg links van de kerk voert naar de Chancellerie des compagnons de Lure, een trefpunt voor drukkers en ontwerpers, en naar het openluchttheater. Rechts leidt een straatje naar de **priorij**, nu een cultureel centrum, en naar het **kasteel** van de prins-bisschoppen dat gedeeltelijk herbouwd werd. Bij het kasteel begint de **Promenade des Évêques** langs 15 bidkapelletjes naar de Chapelle Notre-Dame-de-Vie. Hier ontvouwt zich een panoramisch uitzicht met in het oosten de vallei van de Durance, het Plateau de Valensole en de Vooralpen van Digne, en in het westen de Montagne de Lure en het bekken van Forcalquier.

Rondrit Regiokaart, blz. 400-401

HET LAND VAN FORCALQUIER CD1-2

◗ *De 100 km lange rondrit vanuit Forcalquier is staat op de regiokaart - ongeveer 4 u.*

Deze vruchtbare regio staat in schril contrast met de strenge hoogvlakten in de omgeving en met de Montagne de Lure. Hier en daar zijn de heuvels bezaaid met aantrekkelijke, hooggelegen dorpjes die beschut liggen tegen de mistral. Benader ze vanuit oostelijke of zuidelijke richting.

Verlaat Forcalquier in de richting van Manosque en volg links de D13.

★ **Mane** D1

Het dorp met middeleeuwse citadel ligt op een rotspunt te midden van het gelijknamige laagland.

De 16de-eeuwse **Église Saint-André** bezit een Florentijns portaal met palmversiering. In de kerk prijkt een mooi altaar van veelkleurig marmer. Neem links de **Grande Rue**, een straat vol huizen in renaissancestijl met bewerkte bovendorpels. Ga bij de fontein verder in de rue Haute en volg dan links via de trappen de chemin de Palissat. De 12de-eeuwse **citadel** *(niet te bezichtigen)* bezit twee boven elkaar geplaatste ringmuren, waar men rond kan lopen. Hier ontvouwt zich een mooi **uitzicht** op het Plateau du Vaucluse, de Luberon, het observatorium van Saint-Michel en de vallei van de Durance.

Prieuré de Salagon★★ – *℘ 04 92 75 70 50 - www.musee-de-salagon.com - juni-aug.: 10.00-20.00 u; mei en sept.: 10.00-19.00 u; feb.-april en van begin okt. tot half dec.: 14.00-18.00 u - gesl. half dec. tot begin feb. - € 7 (12-18 jaar € 5).* Deze priorij, gebouwd op de locatie van een Gallo-Romeinse boerderij, wordt voor het eerst vermeld in 1105. Het initiatief tot restauratie werd genomen door de vereniging Les Alpes de Lumière en ook de gemeente en het departement leverden een bijdrage. De onopgesmukte voorgevel met diep roosvenster en het portaal van de 12de-eeuwse **kerk**★ doen denken aan Ganagobie *(zie Guide Vert Alpes du Sud)*. In de vensteropeningen zitten hedendaagse glas-in-loodramen van Aurélie Nemours. Het **hoofdgebouw** kwam in de plaats van een 15de-eeuws klooster en deed tijdens de Franse Revolutie dienst als boerderij. Opvallende elementen zijn het vreemde hoekvenster en de toren met wenteltrap. In het **Musée départemental ethnologique** bevinden zich drie permanente tentoonstellingen, de eerste over de ambachtslieden in het dorp, de tweede met als thema lavendel en aromatische planten in de Haute-Provence, en de laatste over de 2000 jaar geschiedenis van de priorij. De gebouwen liggen rond een mooie, deels beschermde **binnenplaats met keien**. Het hele jaar door worden ook wisselende tentoonstellingen gehouden, naast allerlei activiteiten (nocturnes, concerten, cursussen tuinieren, rondleidingen).

👫 In het museum zijn er in juli-aug., dec. en april workshops voor kinderen van 6 tot 12 jaar.

Rond de priorij strekken zich diverse **thematische tuinen** uit, zoals een middeleeuwse tuin met moestuin, een bloementuin, een kruidentuin, de Jardin de la Noria die uitnodigt tot rust, naast tuinen opgebouwd rond een witte eik, de moderne tijden, geneeskrachtige planten en welriekende planten. In totaal worden hier ruim 2000 soorten en variëteiten voorgesteld. De aromatische en zeldzame planten worden ook verkocht.

Middeleeuwse brug over de Laye – De hoogste boog van deze brug met neuzen is romaans.

DROOMKASTEEL

In 1719 engageerde markies Joseph-Palamède de Forbin-Janson de architect **Jean-Baptiste Franque** uit Avignon. Hij belastte hem met het ontwerp van het kasteel van Sauvan. Een goed jaar later wierp een pestepidemie roet in het eten. Franque werd afgelost door een leerling, Rollin, maar de binnenafwerking schoot niet op en toen de werkzaamheden in 1729 eindelijk voltooid waren, was Joseph-Palamède al dood. Mede dankzij de reputatie van de heren van Forbin bleef het kasteel gespaard tijdens de Franse Revolutie, maar daarna begon een lange periode van verwaarlozing. Pas in 1981 werden twee jonge mensen verliefd op het kasteel en besloten ze om het te restaureren. Vandaag is die omvangrijke missie zogoed als volbracht. Het gebouw is helemaal opgeknapt en een aanhoudende zoektocht leverde oorspronkelijk meubilair op. Het nieuwste project bestaat erin om de 4 ha grote tuin in Franse stijl in zijn vroegere staat te herstellen.

De priorij van Salagon
F. Guiziou / Hemis.fr

Château de Sauvan★ – 📞 04 92 75 05 64 - www.chateaudesauvan.com - *rond-leiding juli-aug.: 15.30 en 16.30 u (en 11.00 u op do en zo); april-juni en 1 sept.-14 nov.: dag. behalve di en wo 15.30 u; feb.-maart: zo 15.30 u - gesl. 15 nov.-31 jan. - € 7,50 (tot 14 jaar € 3).* Tijdens de restauratie werd echt aandacht besteed aan de kleinste details. In de prachtige zalen (sommige kregen opnieuw het oorspronkelijke behangpapier), de salon, Lodewijk XIII-, Lodewijk XV-vertrekken en de kamer van de markiezin, de muzieksalon, eetkamer en kapel, komt het 17de-, 18de- en 19de-eeuwse meubilair uitstekend tot zijn recht. Het uitzicht door de ramen aan de noordkant of vanaf het terras tegenover Mane en Forcalquier doet door zijn lichtinval en plantengroei aan Toscane denken.
Rijd terug naar het centrum van het dorp en volg de D13.

Saint-Maime D1

De hooggelegen ruïne en kapel zijn de overblijfselen van het kasteel van de graven van Provence. Naar verluidt groeiden de vier koninginnen, dochters van Raymond Bérenger V, hier op.

Musée de la Mine – *Naast de feestzaal van het dorp, aan de D13 -* 📞 *04 92 79 55 42 ou 04 92 79 58 15 (stadhuis) - tijdens de schoolvakanties (behalve Kerstmis): dag. behalve ma 14.30-16.30 u; rest van het jaar op afspraak - € 2 (kind. € 1).* Dit museum brengt de geschiedenis van de arbeiders in herinnering. U maakt kennis met een minder bekend facet van de lokale geschiedenis, namelijk die van de expoitatie van de kolenmijnen in het bekken van Manosque-Forcalquier. De expositie, die is ingericht in de vroegere vergaderzaal van de vakbond van de mijnwerkers, toont door middel van foto's, getuigenissen en voorwerpen van vroegere mijnwerkers van Saint-Maine, de geschiedenis van de mijnbouw in de Haute-Provence van eind 19de eeuw tot 1950.

Dauphin D2

Dauphin bezit nog 14de-eeuwse versterkingen, middeleeuwse straatjes en een donjon, bekroond met een beeld van Maria. Eenmaal boven wordt de bezoeker beloond met een weids **panorama** over de omgeving.
Rijd door via de D16 en vervolgens via de D5 (steek de D4100 over).

★ Saint-Michel-l'Observatoire D1

Aanleunend tegen een heuvel ligt dit aantrekkelijke **dorpje** met fonteinen en oude huizen voorzien van mooie deuren. Saint-Michel is uiteraard vooral bekend voor het observatorium met glanzende koepels.

Het terrras bij de stralend witte **bovenkerk** met evenwichtige volumes biedt een fraai **uitzicht** op de streek rond Forcalquier. De **benedenkerk** is gebouwd door de graven van Anjou en wordt vanaf 1302 vermeld als koninklijke kerk. Binnen hangt een 15de-eeuws houten Christusbeeld.

Verlaat Saint-Michel in zuidelijke richting (D105).

Chapelle Saint-Paul D2

Deze bescheiden kapel bezit gedrongen zuilen met Korinthische kapitelen, overblijfselen van een 12de-eeuwse priorij.

Rijd door via de D105 en sla vervolgens rechts de D205 in.

Lincel D2

Verscholen tussen een heuvelbocht ligt dit dorpje met kerk en 16de-eeuwse overblijfselen van een kasteel.

Steek de D4100 over, rijd door via de D105 en sla dan rechts de D907 in; rijd vervolgens links in de richting van Montfuron.

Montfuron D2

Hier staat een mooie, gerestaureerde **windmolen**. *Bezichtiging op afspraak met de heer Saunier - ✆ 06 32 00 60 74 - rondleiding mogelijk op za middag - € 1,50 (tot 12 jaar € 0,50).*

Uitzicht op de bergen van de Haute-Provence en de Sainte-Victoire.

Keer terug naar de D907 en rijd door via de D14.

Reillanne C2

In dit schilderachtige dorpje lijken de huizen zich vast te klampen aan de heuvel. De avenue Long-Barri naar de top en de Chapelle Saint-Denis (18de eeuw) loopt om de heuvel en voorbij de Portail des Forges, het enige overblijfsel van het kasteel. **Panorama** op de oude dorpskern, de Montagne Sainte-Victoire in het zuiden en de Luberon in het westen.

Rijd door via de D14 en maak een omweg via Vachères.

Vachères C1

Op het grondgebied van dit hooggelegen dorp ontdekte men een krijger uit de oudheid die nu te bezichtigen is in het Musée Calvet van Avignon.

Musée paléontologique et archéologique – ✆ 04 92 75 67 21 - juli-aug.: 14.00-18.00 u; rest van het jaar: wo, zo en feestd. 14.00-18.00 u - rondleiding op

---

PUNTHUISJES NAAR HET MODEL VAN DE BEROEMDE BORIES

Met de stenen die ze van hun land haalden, bouwden de boeren in de 18de en 19de eeuw vreemde, spits toelopende huisjes die dienstdeden als schuur, schaapskooi of schuilplaats op hete dagen. Ten noorden en ten oosten van **Mane** prijkt een tiental bouwsels tussen het struikgewas. De huisjes zijn 3 à 7 m hoog, gewoonlijk rond en hebben soms een vierkante basis. Het **gewelf** tart de wetten van de zwaartekracht, want elke rij van op elkaar gestapelde stenen is gebouwd in overstek, waardoor het gewicht van het gewelf verschoven wordt naar de voet van de dragende muur. Ook ramen, haarden en kasten zijn opgebouwd uit stenen.

afspraak (1 maand van tevoren) - gesl. van half dec. tot half feb. - € 2,30 (tot 7 jaar € 0,80). In het museum komt het verleden van Vachères weer tot leven: bewerkte vuursteen, bijlen, fossielen, een reproductie van 'de krijger van Vachères' (een Gallo-Romeins beeld uit de 1ste eeuw) en het 300 miljoen jaar oude skelet van de plantenetende *Bachyterium*, zo groot als een gazelle.

Op de weg van Vachères naar Oppedette bevindt zich een groot uitzichtterras (822 m) waar het panorama 7 departementen omvat (waaronder Bouches-du-Rhône en Alpes-Maritimes).

Neem tegenover de Chapelle Notre-Dame-de-Bellevue de weg naar Oppedette.

WEETJE
De Prieuré de Salagon en het kasteel van Sauvan zijn gebouwd met 'pierre de Mane', een lokale natuursteen, die is gewonnen uit de steengroeven van Porchères.

Oppedette C1

Dankzij een ingehouden restauratie passen de rustieke huizen perfect in de omgeving. De belvédère bij de begraafplaats biedt een zeer fraai **uitzicht**★ op het geheel. Komend van Vachères lijkt het net alsof het hooggelegen dorp opklimt uit de rotsen. Het steekt uit boven de **Gorges d'Oppedette**, een smalle, 2,5 km lange rotsspleet die de Calavon hier heeft uitgeslepen. Op sommige plaatsen zijn de rotswanden 120 m hoog.

Gorges d'Oppedette★ – Via een 7 km lange lus kan om de rotskloven worden gereden (ongeveer 3 u). De uitzonderlijk rijke fauna en flora in deze canyon zijn beschermd (respecteer de voorschriften).

Volg de D201 en dan de D155 die naast de Calavon terugvoert naar de D4100.

😊 FORCALQUIER: ADRESBOEKJE

OVERNACHTEN

DOORSNEEPRIJZEN

Auberge Charembeau – *Rte de Niozelles* - ☏ 04 92 70 91 70 - *www.charembeau.com* - geopend 1 maart-15 nov. - ♿ 🅿 - 25 kamers € 60/128 - ☕ € 10. Te midden van een heuvelrijk park staat deze 18de-eeuwse boerderij. De ruime kamers in Provençaalse stijl vormen een oase van rust.

Omgeving van Forcalquier

Chambre d'hôte Jas des Nevières – *Rte de St-Pierre - 04300 Pierrerue* - ☏ 04 92 75 24 99 - *www.jasdesnevieres.com* - gesl. nov.-maart - 🅿 🚭 - € 70/80 ☕. Een tot gastenverblijf verbouwde schaapskooi in een rustig dorpje. De gezellige kamers zijn sober en smaakvol ingericht. Bij mooi weer

wordt het ontbijt geserveerd op de fraaie binnenplaats of op het overdekte terras, waar de gasten gebruik kunnen maken van een buitenkeuken.

Chambre d'hôte le Relais d'Elle – *Rte de La Brillanne - 04300 Niozelles* - ☏ 04 92 75 06 87 - *www.relaisdelle.com* - gesl. 7 jan.-7 feb. - 🅿 🚭 - 5 kamers € 62/67 ☕ - maaltijd € 22 id. Deze fraai gerestaureerde, 19de-eeuwse boerderij ligt tussen Brillanne en Forcalquier, aan de voet van de Montagne de Lure. In dit gastenverblijf heerst een gezellige, hartelijke en familiale sfeer; de vrouw des huizes laat niets aan het toeval over. Er zijn behaaglijke salons met open haard en ruime, comfortabele kamers in Provençaalse stijl met uitzicht op de heuvels of het beboste park. Het ontbijt met streekproducten wordt geserveerd in de herberg, de kleine keuken of op het grote terras. Aangenaam landschapszwembad.

Hôtel du Mas du Pont Roman – *Chemin Châteauneuf (rte Apt) - 04300 Mane -* ℘ *04 92 75 49 46 - www.pontroman.com -* 🛏 📶 🅿 *- 9 kamers € 80/110 -* 🍽 *€ 9.* Niet ver van de N100, bij een oude Romeinse brug, staat deze traditionele mas. Mooie salon en rustige kamers met Provençaals meubilair. Er zijn twee zwembaden: een bubbelbad en een tegenstroombad.

UIT ETEN

😊 **Goed om te weten** – Maak tijdens uw verblijf in de streek kennis met de fameuze **Bistrots de Pays** *(www.bistrotdepays.com).* Daar worden dagelijks tegen een schappelijke prijs steeds andere tradtionele gerechten geserveerd die zijn bereid met streekproducten. Vergeet niet te reserveren. Van de 11 bistrots in Forcalquier en omgeving volgt een keuze: **Le Bistrot** *(Pierrerue -* ℘ *04 92 75 33 00),* **Le Café du Nord** *(Limans -* ℘ *04 92 74 53 31),* **Le Bistrot des Lavandes** *(Vachères -* ℘ *04 92 75 62 14)* en **Le Café de la Lavande** *(Lardiers -* ℘ *04 92 73 31 52).*

DOORSNEEPRIJZEN

L'Aïgo Blanco – *5 pl. Vieille -* ℘ *04 92 75 27 23 - gesl. jan. en ma avond (buiten schoolvak.) - lunch € 17 - € 24.* Dit restaurant met eetzaal in Provençaalse stijl ligt centraal in de oude stad, aan een pleintje achter de Église Notre-Dame. Gulle regionale gerechten die in de winter aangevuld worden met bereidingen uit de Savoye. Eenvoudige, sympathieke bediening.

La Tourette – *20 bd Latourette -* ℘ *04 92 75 14 00 - latourette04@ free.fr - gesl. zo - lunch € 11 -* € 18/25. Een inrichting in Zuid-Franse stijl en zowel traditionele als Provençaalse gerechten kenmerken dit centraal gelegen restaurant, dat zijn gasten verwelkomt met de glimlach. Op zonnige dagen is het heerlijk toeven op het terras onder de kastanjeboom.

WINKELEN

😊 **Goed om te weten** – De streek rond Forcalquier kreeg het label 'Site remarquable du goût' *(zie blz. 13).*

Markt – De beroemde markt op maandagochtend lokt zowel lokale bewoners als toeristen naar het stadscentrum. Naast de gebruikelijke streekproducten is hier ook *banon* te vinden, een ambachtelijke geitenkaas gewikkeld in kastanjebladeren. Wie hier in de zomer is, kan beter heel vroeg gaan, anders is het te druk.

Boerenmarkten – In Forcalquier (do middag), Pierrerue (za ochtend). Het Parc naturel régional du Luberon nam in 1982 het initiatief tot deze markten, waar plaatselijke boeren hun producten rechtstreeks verkopen.

La Fontaine sucrée – *Pl. St-Michel -* ℘ *04 92 75 02 50 - 8.00-12.30, 15.30-19.30 u, zo 8.00-12.30, 16.00-19.30 u - gesl. di middag, wo (behalve juli-aug.), feb. en okt.* Deze banketbakkerij-confiserie verkoopt onder meer de specialiteit *Pierre du Luberon.*

Distilleries et Domaines de Provence – *9 av. St-Promasse -* ℘ *04 92 75 15 41 - www.distilleries-provence.com - juli-aug.: dag. behalve zo 9.00-19.00 u; rest van het jaar: ma, wo-za 10.00-12.30, 14.00-19.00 u - gesl. jan.-maart.* Een eeuwenoude distilleerkolf siert het mooie, rustieke interieur van deze distilleerderij uit 1898 die zich kan beroepen op haar traditionele knowhow. De plek bij uitstek voor een kennismaking met Provençaalse sterke dranken als Henri Barouin (pastis), Rinquinquin (aperitief), Farigoule of Absente (absintlikeur).

Omgeving van Forcalquier

Maison des produits de pays de Haute Provence – *Rte de Salagon - 04300 Mane - ℘ 04 92 75 37 60 - ma-vr: 10.00-18.00 u; za-zo: 10.00-19.00 u.* Zo'n vijftig producenten uit de streek van Manosque tot het dal van de Jabron verkopen samen hun producten in dit huis dat zich specialiseert in lekkernijen en kunstnijverheid. Het aanbod omvat aardewerk, wijn, fijne vleeswaren, etherische oliën en nog veel meer: genoeg souvenirs om uit te kiezen.

Charcuterie La Brindille-Melchio – *Pl. de la République - 04150 Banon - ℘ 04 92 73 23 05 - www.charcuterie-melchio. fr - juli-aug.: 8.00-19.00 u; april-juni en sept.: 8.00-12.30, 14.30-19.00 u; okt.-maart: 8.00-12.30, 14.30-18.30 u - gesl. 25 dec. en 1 jan.* Achter een piepklein winkelraam verschuilt zich een ware schatkamer met allerlei soorten worst. Worst met noten, bonenkruid, Spaanse peper, geitenkaas: voor elk wat wils. Daarnaast nog meer fijne vleeswaren en uiteraard kaas, zoals de heerlijke *banon, tomme* en schapenkaas.

SPORT EN ONTSPANNING

Wandeltochten

In de omgeving van Forcalquier en de Montagne de Lure zijn diverse wandelroutes uitgestippeld. Door deze streek lopen trouwens vier langeafstandspaden: de GR4, GR6 en GR97 en het langeafstandspad naar Santiago de Compostela.

Alpes de Lumière – *1 pl. du Palais - 04300 Forcalquier - ℘ 04 92 75 22 01 - www.alpes-de-lumiere. org.* Deze vereniging zet zich al 50 jaar lang in voor het herstel en de opwaardering van het erfgoed van de Haute-Provence en organiseert ook bezoeken aan diverse plaatsen van belang.

Toerfietsen

Vélo Loisir en Luberon –*203 r. Oscar-Roulet - 84440 Robien - ℘ 04 90 76 48 05 - www.veloloi-sirluberon.com.* Deze professionele organisatie promoot twee bewegwijzerde routes: 'Autour du Luberon à vélo' (236 km), via Manosque en Forcalquier, en 'Le Pays de Forcalquier-montagne de Lure' (78 km). Bovendien geeft de organisatie tal van tips om de tocht goed voor te bereiden. In een jaarlijks nieuw uitgegeven gratis gids staat informatie over aangesloten leden (overnachtingen, fietsverhuur, taxi's, restaurants, bezienswaardigheden, wijnkelders, begeleiders…). Met een interactieve kaart is het ook mogelijk om uw verblijf en de af te leggen kilometers van dag tot dag te plannen.

Overige activiteiten

Vluchten met de luchtballon – *France Montgolfières - ℘ 0 810 600 153 - www.france-montgolfiere. com - van begin maart tot eind nov., in nov. vluchten afhankelijk van het weer - € 398 per koppel (€ 159 per kind 6-12 jaar), lastminutekaartje € 165/p.p.*

EVENEMENT

Goed om te weten – In het maandblad *Le Petit Colporteur* staat de kalender van de culturele activiteiten in de streek van Forcalquier (verkrijgbaar bij het toeristenbureau).

Avignon: steden, bezienswaardigheden en toeristische gebieden.
Cézanne, Paul: naam van historische persoon of uitleg van een term.
Afgelegen bezienswardigheden zijn opgenomen onder hun eigen naam.
Het nummer tussen haakjes duidt op het nummer van het departement waarin een plaats of bezienswaardigheid zich bevindt. Gebruikte
departementsnummers:
04 : Alpes-de-haute-Provence
13 : Bouches-du-Rhône
30 : Gard
83 : Var
84 : Vaucluse

A

Aardbei van Carpentras (84) 373
Aiguiers 396
Aïoli 38
Aix-en-Provence (13) 182
  Atelier Cézanne 184
  Café Les Deux Garçons 185
  Carrières de Bibémus 185
  Cathédrale Saint-Sauveur 190
  Cloître Saint-Sauveur 191
  Cours Mirabeau 187
  Église Sainte-Marie-Madeleine . 187
  Église Saint-Jean-de-Malte 192
  Fondation Vasarely 193
  Fontaine de la Rotonde 185
  Fontaine des Neuf Canons 187
  Fontaine des Prêcheurs 187
  Fontaine du Roi René 187
  Fontaine moussue 187
  Hôtel Boyer d'Éguilles 188
  Hôtel d'Albertas 189
  Hôtel d'Arbaud 189
  Hôtel d'Arbaud-Jouques 191
  Hôtel de Caumont 191
  Hôtel de Forbin 187
  Hôtel de Marignane 191
  Hôtel de Panisse-Passis 187
  Hôtel de Roquesante 187
  Hôtel d'Isoard de Vauvenargues 187
  Hôtel du Poët 187
  Hôtel Maurel de Pontevès 187
  Hôtel Peyronetti 189
  Jas de Bouffan 184
  Musée bibliographique et
    archéologique Paul-Arbaud 191
  Musée des Tapisseries 190
  Musée Granet 192

  Muséum d'histoire naturelle 188
  Pavillon de Vendôme 193
  Place d'Albertas 189
  Place de l'Hôtel-de-Ville 189
  Quartier Mazarin 191
  Rue de l'Opéra 187
  Thermes Sextius 193
Albaron (13) 230
Albertas, jardins (13) 194
Albion, plateau (84) 394
Alchimiste, jardin (13) 267
Allauch (13) 166
De Alpilles (13) 263
Les Alpilles d'Eygalières (13) 266
Alpilles, musée (13) 257
Amfitheater 60
Ansouis (84) 447
Appeaux, écomusée (84) 376
Apt (84) 402
Archeologie 14
Architectuur 59
Arc, vallée (13) 194
Arles (13) 210
  Allée des Sarcophages 218
  Alyscamps 217
  Amphithéâtre 212
  Arènes 212
  Cloître Saint-Trophime 217
  Cryptoportiques 216
  École nationale supérieure de
    photographie 213
  Église Saint-Honorat 218
  Église Saint-Trophime 216
  Espace Van-Gogh 217
  Fondation Vincent-
    Van-Gogh-Arles 213
  Hôtel de ville 216
  Musée départemental

Arles antique 218
Musée Réattu 214
Museon Arlaten 217
Notre-Dame-de-la-Major 212
Palais des Podestats 216
Place du Forum 216
Place Nina-Berberova 214
Priorij van de Maltezer ridders ... 214
Théâtre antique 212
Thermes de Constantin 214
Arlésienne 33
Artaud, Antonin 73
Astier, Jean-Étienne 426
Aubagne (13) 162
Augustus, keizer 44
Aurel (84) 394
Aureliaanse weg 43
Auzon, dal (84) 374
Avignon (84) 292
    Cathédrale Notre-Dame-
        des-Doms 299
    Chapelle des Pénitents gris 305
    Chapelle des Pénitents noirs 306
    Clocher des Augustins 306
    Collection Lambert 308
    Couvent des Célestins 304
    Église de la Visitation 306
    Église Saint-Agricol 303
    Église Saint-Didier 306
    Église Saint-Pierre 307
    Église Saint-Symphorien 306
    Hôtel d'Adhémar de Cransac 307
    Hôtel de Forbin de Sainte-Croix 303
    Hôtel de Madon de
        Châteaublanc 306
    Hôtel de Rascas 306
    Hôtel de Sade 303
    Hôtel de Salvador 305
    Hôtel de Salvan Isoard 305
    Hôtel Desmarez
        de Montdevergues 303
    Hôtel des Monnaies 299
    Huis van René van Anjou 305
    Livrée Ceccano 306
    Manutention 298
    Musée Angladon 307
    Musée Calvet 303
    Musée lapidaire 308
    Musée Louis-Vouland 307
    Muséum Requien 304

Palais des Papes 293
Palais du Roure 303
Petit Palais 298
Place de l'Horloge 303
Place des Carmes 306
Place Saint-Jean-le-Vieux 306
Pont Saint-Bénezet 302
Promenade des papes 297
Quartier de la Balance 297
Rocher des Doms 298
Rue de la Balance 302
Rue de la Banasterie 306
Rue de la République 304
Rue des Teinturiers 305
Rue du Roi-René 305
Rue Jean-Viala 303
Stadhuis 303
Stadsmuren 302
Tour de l'Horloge 303
Avignon, château (13) 230
Avril, Joseph-Toussaint 456

B

Ballonvaren 14
Barbarossa, Frederik 215
Barbegal, aqueduc (13) 265
Barben, château La (13) 247
Barbentane (13) 287
Baroncelli-Javon, graf (13) 231
Barroux, Le (84) 387
Bastide 68
Les Baux-de-Provence (13) 271
Beauduc, strand (13) 234
Beaumes-de-Venise (84) 364
Beaurecueil (13) 206
Bédarrides (84) 343
Bédoin (84) 389
Belegeringstuig, middeleeuws .. 276
Bérenger V, Raymond 463
Bergbeklimmen 14
Berlingot 373
Bernus, Jacques 67
Berre, étang (13) 156
Beverrat 232
Bimont, barrage (13) 205
Boetelingen, broederschap 308
Bollène (84) 342
Bonnieux (84) 416
Bonpas, chartreuse (84) 310

Boottochten 14
Bories 413
Bories, enclos (84) 416
Bories, village (84) 432
Bosco, Henri 73
Bouillabaisse 38
Boulbon (13) 287
Branden 57
Brantes (84) 359
Brayer, Yves 273
Brocante 14
Brousse du Rove 151
Bruoux, mines de (84) 428
Buoux, fort (84) 415

C

Cabane de gardian 68
Cabanon 126
Cabrières-d'Avignon (84) 332
Cabriès (13) 195
Cadenet (84) 446
Caderousse (84) 340
Caesar, Gaius Julius 44
Caesarius van Arles 44
Cairanne (84) 344
Calanques (13) 125
Callelongue (13) 126
Camargue (13) 227
Camarguepaard 234
Canaille, cap (13) 137
Cantona, Éric 74
Capelière, domaine, La (13) 231
Capitaine Danjou, domaine (13) 205
Carluc, prieuré (04) 410
Caromb (84) 389
Carpentras (84) 370
Carrèse, Philippe 73
Carro (13) 149
Carry-le-Rouet (13) 148
Carzou, Jean 458
Cassis (13) 134
Castellaras, belvédère (84) 397
Casteret, collection (84) 330
Caume, panorama, La (13) 267
Caumont-sur-Durance (84) 310
Cavaillon (84) 437
Cayron, col (84) 364
Cèdres, forêt (84) 416
Céreste (04) 410

César Baldaccini 74
Cézanne, Paul 69, 76, 184, 204
Chabaud, Auguste 286
Le Chalet-Reynard 389
Char, René 410
Château-Bas (13) 248
Château-Gombert (13) 108
Châteauneuf-du-Pape (84) 343
Châteaurenard (13) 309
Château Turcan, musée
    de la Vigne et du Vin (84) 448
Chronologie 45
Ciotat, La (13) 141
Claparèdes, plateau (84) 409
Clérissy, Joseph 70
Comités de tourisme 10
Conclaaf 299
Conservatoire des ocres (84) 426
Constantijn, keizer 44
Cornillon-Confoux (13) 158
Corridas, Spaanse 35
Cosmos, parc (30) 321
Cosquer, Henri 128
Côte Bleue (13) 146
Côte Bleue, Parc marin (13) 148
Courses camarguaises 35
Coussoul 53
Coustellet (84) 419
Coustière de Crau, La (13) 222
Crau (13) 221
Crau, écomusée (13) 221
Crestet (84) 365
Crêtes, route (13) 136
Crillon-le-Brave (84) 389
Croix de Provence (13) 206
Cucuron (84) 411

D

Daudet, Alphonse 72, 76
Dauphin (04) 467
Digue à la mer (13) 237
Domitiaanse weg 43
Duiken 15, 132, 140, 151
Durance 444

E

Edgar-Mélik, musée (13) 195
Éguilles (13) 195
Enfer, val (13) 264

Entrechaux (84) 359
Entremont, Oppidum (13) 196
En-Vau, calanque (13) 129
Espérandieu, Henri 76
Espigoulier, col (13) 172
Étoile, chaîne (13) 196
Evenementen 25
Eygalières (13) 267
Eyguières 249

F

Fabre, Jean-Henri 342
Faïence 70
Faraman, phare (13) 232
Farandole 33
Fauna 56
Fauvisten 70
Félibres 76
Félibrige 72
Ferias 35
Fernandel 74
Ferrades 35
Film 73
Flamingo 236
Flassan (84) 397
Flora 55
Fontaine-de-Vaucluse (84) 329
Fontvieille (13) 265
Forcalquier (04) 462
Forêt méditerranéenne,
    écomusée (13) 196
Fos-sur-Mer (13) 155
Franque, Jean-Baptiste 466
Froment, Nicolas 67

G

Gacholle, phare (13) 237
Gardanne (13) 196
Gardian 234
Garlaban, massif (13) 164
Garrigue 56
Gehandicapten 11
Gekonfijte vruchten 373
Gémenos (13) 171
Gezin 23
Gigondas (84) 363
Giono, Jean 455, 456, 465
Giovannetti, Matteo 67, 295
Girard, Philippe de 414

Glanum (13) 254
Gleizes, Albert 258
Gogh, Vincent van ... 69, 77, 214, 223
Golf 15
Gordes (84) 430
Gorges, route (84) 385
Goult (84) 419
Grambois (84) 411
Grande Crau (13) 221
Graveson (13) 286
Gréasque, Pôle historique
    minier (13) 197
Grillon (84) 350
Groseau, source
    vauclusienne (84) 388
Groupe F 74

H

Harmas Jean-Henri Fabre (84) 341
Haute-Provence,
    observatoire (04) 464
Histoire 1939-1945, musée (84) .. 331
Histoire du Verre et du Vitrail,
    musée (84) 432

I-J

IJskelders 174
Indiennes 71
Industrieel toerisme 15
Infernet, gorges (13) 205
Instellingen toerisme 10
Isle-sur-la-Sorgue, L' (84) 326
Istres (13) 158
Izzo, Jean-Claude 73, 74, 91, 126
Jardin romain (84) 310
Jeugdherbergen 12
Jouques (13) 444

K

Kanoën en kajakken 15
Kelto-Liguriërs 42
Kerstmis 34
Kookcursussen 15
Kunstnijverheid 70

L

Lacoste (84) 417
Lacroix, Christian 74

REGISTER

Lamanon (13) 249
Lamanon, Bertrand de 249
Lambesc (13) 248
Landschappen 53
Landschapsschilders 69
Lauris (84) 446
Lavendel 16, 51
Lavéra (13) 152, 157
Leestips 28
Légion étrangère, musée (13) 165
Lincel (04) 468
Literatuur 71
Livrées 306
Lourmarin (84) 414
Luberon, gebergte (04, 84) 407
Luberon, Parc naturel
  régional (84, 04) 405
Lurs (04) 465

M

Madrague-de-Gignac, La (13) 148
Magnan, Pierre 456
Maillane (13) 285
Malaucène (84) 387
Manades 234
Mane (04) 465
Manosque (04) 453
Maria Magdalena, heilige ... 174, 230
Markten 16, 151
Marseille (13) 49, 82
  Alcazar 99
  Basilique Notre-Dame-
    de-la-Garde 95
  Basilique Saint-Victor 94
  Bonne Mère 95
  Canebière, La 95
  Carré Thiars 94
  Cathédrale de la Major 93
  Château de la Buzine 109
  Château d'If 109
  Château et parc Borély 105
  Château-Gombert 108
  Civilisations de l'Europe et
    de la Méditerranée, musée ... 93
  Clocher des Accoules 90
  Cours Honoré-d'Estienne-
    d'Orves 94
  Cours Julien 100
  Docks de la Joliette 107
  Église Saint-Ferréol 89

Église Saint-Laurent 93
Estaque (L') 107
Ferry-Boat 89
Fort Saint-Jean 93
Fort Saint-Nicolas 93
Hôtel de Cabre 90
Hôtel de ville 89
Hôtel-Dieu 90
Îles du Frioul 108
Jardin des Vestiges 99
Jardin Valmer 105
Maison de l'artisanat et
  des métiers d'art 94
Maison diamantée 90
Mémorial des Camps de la mort . 93
Monument aux morts
  de l'armée d'Orient 104
MuCEM 93
Musée-boutique de l'OM 103
Musée Cantini 100
Musée d'Archéologie
  méditerranéenne 92
Musée d'Art contemporain 106
Musée d'Arts africains, océaniens,
  amérindiens (MAAOA) 92
Musée de la Marine et
  de l'Économie de Marseille 98
Musée des Beaux-Arts 102
Musée des Docks romains 89
Musée d'Histoire de Marseille 98
Musée du Santon Marcel-
  Carbonel 95
Musée du Terroir marseillais 108
Musée Grobet-Labadié 101
Muséum d'histoire naturelle 102
Palais de la Bourse 98
Palais Longchamp 101
Pavillon Daviel 90
Pharo, Le 104
Place de Lenche 94
Place du Marché-des-Capucins . 100
Port 107
Préau des Accoules 91
Promenade de la Plage 105
Quai des Belges 89
Quai du Port 89
Quartier des Arcenaulx 94
Quartier du Panier 91
Rive Neuve 94
Rue Longue-des-Capucins 100

Rue Saint-Ferréol.............................. 100
Stade Vélodrome.............................. 103
Théâtre de la Criée 95
Vallon des Auffes............................. 104
Vieille Charité, Centre.................... 91
Vieux Port... 89
Marseilleveyre, calanque (13) 126
Martel, Karel 44
Martigues (13)................................. 152
Mas 68
Maussane-les-Alpilles (13)............ 267
Mayle, Peter 75, 418
Mazan (84) 376
Mazaugues (83)............................... 174
Media... 16
Meiboom.. 411
Mélik, Edgar..................................... 195
Ménerbes (84)................................. 417
Mérindol (84).................................... 446
Meubilair 70
Meyrargues (13).............................. 444
Micheladeopstand 47
Mignard, Nicolas........... 304, 306, 318
Mignard, Pierre 67
Milieu 57
Milles, site-mémorial (13) 194
Mimet (13) 197
Mirabeau 76, 191
Miramas-le-Vieux (13).................... 158
Mistral.. 54
Mistral, Frédéric 72, 217, 284, 397
Monieux (84)..................................... 396
Montagnette (13) 285
Montand, Yves 75
Monteux (84)..................................... 375
Montfavet (84).................................. 309
Montfuron (04).................................. 468
Montmajour, abbaye (13) 219
Montmirail, Dentelles (84) 362
Mont Ventoux (84) 386
Morgiou, calanque (13) 128
Mormoiron (84)................................ 376
Mornas (84)....................................... 342
Moulin à papier, Vallis
   Clausa (84)..................................... 330
Moulin des Bouillons,
   musée (84)...................................... 432
Mourre Nègre (84)........................... 409
Musée de la Musique
   mécanique..................................... 376

N

Napoleon Bonaparte.................... 268
Nassau, Maurits van 338
Naturalisten.. 69
Nesque, gorges (84)......................... 396
Niolon (13).. 147
Noodnummers..................................... 17
Nostradamus 76, 246
Notre-Dame-d'Aubune,
   chapelle (84).................................. 364
Notre-Dame-des-Marins,
   chapelle (13) 155
Notre-Dame-du-Groseau,
   chapelle (84).................................. 388
Noves (13)... 310

O

Occitaans.. 72
Ocre, circuit (84).............................. 427
Ocres, sentier (84).......................... 426
Oenologie, cursussen....................... 15
Oker.. 69
Olijven 37
OM (Olympique Marseille)........... 103
Oppède-le-Vieux (84).................... 418
Oppedette (04)................................. 469
Oppedette, gorges (04).................. 469
Orange (84).. 336
Orgon (13)... 268
Oudheid................................... 42, 59
Oursinades... 151
Overnachten 11
Overstromingen................................. 58

P

Paardrijden 20
PACA... 48
Pagnol, Marcel.................. 73, 76, 164
Palissade, domaine, La (13)......... 236
Paradou (13) 265
Paraïs, Le (04) 458
Parijs, verdrag van.......................... 46
Pastis... 38
Pastorales... 35
Pastrage... 34
Pavillon de la reine Jeanne (13).. 276
Pavillon, Pierre................................. 189
Pernes-les-Fontaines (84) 379

Pertuis (84) 448
Peste, mur (84) 332
Pétanque 32
Petite Provence du
   Paradou (13) 265
Petrarca, Francesco 331
Pétrarque, musée-
   bibliothèque (84) 331
Peyrolles-en-Provence (13) 444
Phocaeërs 42
Picasso, Pablo 75
Piémanson, plage (13) 236
Plan-d'Aups (83) 172
Pleziervaart 17
Pont-de-Gau, parc
   ornithologique (13) 231
Pont-Julien (84) 419
Port-Miou, calanque (13) 129
Port-Pin, calanque (13) 129
Praalwagens 310
Prassinos, Mario 259
Provençaalse kruiden 37
Puget, Pierre 67, 77, 92
Pyramide, mas (13) 259

Q-R

Quarton, Enguerrand 67
Rasteau (84) 344
Reillanne (04) 468
René, koning 186
Ricciotti, Rudy 75
Richerenches (84) 350
Rièges, îlots (13) 231
Riz, musée (13) 236
Rochefort-du-Gard (30) 321
Rognes (13) 444
Rondleidingen 17
Roque-d'Anthéron, La (13) 445
Roquefavour, aqueduc (13) 195
Roquemartine, castelas (13) 249
Roquemaure (30) 322
Roquevaire (13) 177
Rostand, Edmond 72
Rouet-Plage, Le (13) 148
Roussillon (84) 424
Rustrel, colorado (84) 428

S

Sade, markies De 77
Saignon (84) 408
Saint-Antonin-sur-Bayon (13) 206
Saint-Blaise, site
   archéologique (13) 156
Saint-Cannat (13) 248
Saint-Chamas (13) 158
Saint-Christol (84) 395
Saint-Didier (84) 376
Sainte-Baume, massif (13,83) 170
Sainte-Croix, chapelle (13) 220
Saintes-Maries-de-la-Mer (13) ... 228
Saint-Estève (84) 389
Sainte-Victoire, montagne (13) . 204
Saint-Gabriel, chapelle (13) 284
Saint-Hubert, sentier
   botanique 397
Saint-Jean-de-Garguier,
   chapelle (13) 166
Saint-Jean-des-Fuzils,
   chapelle (04) 465
Saint-Jean-du-Puy, oratoire (13) 177
Saint-Julien-les-Martigues (13)... 149
Saint-Maime (04) 467
Saint-Martin-de-Castillon (84) .. 409
Saint-Martin-de-Crau (13) 221
Saint-Maximin-la-Sainte-
   Baume (83) 174
Saint-Michel-de-Frigolet,
   abbaye (13) 283
Saint-Michel-l'Observatoire
   (04) 468
Saint-Mitre-les-Remparts (13) 156
Saint-Pancrace, chapelle (04) 458
Saint-Pantaléon (84) 432
Saint-Paul, chapelle (04) 468
Saint-Pilon (13) 173
Saint-Pons, parc (13) 171
Saint-Rémy-de-Provence (13).... 253
Saint-Saturnin-lès-Apt (84) 428
Saint-Sixte, chapelle (13) 267
Saint-Trinit (84) 395
Saint-Zacharie (13) 176
Salagon, prieuré (04) 466
Salin-de-Badon (13) 231
Salin-de-Giraud (13) 234
Salon-de-Provence (13) 244
Saluviërs 195
Santons 34, 265

Saoupe, mont La (13) 136
Sault (84)... 393
Saumane-de-Vaucluse (84) 332
Sausset-les-Pins (13) 149
Sauvan, château (04)...................... 466
Schilderkunst...................................... 68
Scotto, Vincent................................... 94
Séguret (84).. 363
Sénanque, abbaye (84) 434
Serein, mont (84)........................... 388
Sicard, Louis 164
Silvacane, abbaye (13) 451
Sirene, observatoire (84) 395
Sivergues (84).................................... 415
Sormiou, calanque (13) 127
Souleiado 281
Souvenirs... 18
Speleologie 19
Stierengevechten...................... 35, 226
Stieren uit de Camargue.............. 234
Sugiton, calanque (13)................... 128

T

Taillades, Les (84)............................ 440
Tandbaars.. 57
Tarascon (13)..................................... 278
Tarasque... 282
Textiel.. 71
Thermen.. 60
Thor, Le (84)...................................... 327
Thouzon, grottes (84).................... 327
Toerfietsen... 19
Tour-d'Aigues, La (84).................... 442
Train bleu 150
Treille, La (13).................................... 165
Trektochten te paard 20
Trektochten te voet........................ 20
Truffels...................................... 350, 445
Turcan, château (84)....................... 448
Turenne, Raymond de 272

U-W

Uit eten 13
Utrecht, verdrag van....................... 48
Vaccarès, étang (13)........................ 229

Vachères (04)..................................... 468
Vacqueyras (84)................................ 344
Vaison-la-Romaine (84)................. 353
Val Joanis, jardins du
château (84).................................. 447
Vallis Clausa, moulin
à papier (84)................................ 330
Valréas (84) 348
Vaugines (84) 414
Vélo et Moto, musée (30)............. 321
Venaissin, comtat (84) 373
Venasque (84).................................... 384
Ventabren (13)................................... 195
Ventoux, mont (84).......................... 386
Verdon, plage (13) 149
Verte, île (13)..................................... 143
Vervoer.. 8
Vidauque, combe (84) 440
Vieux Vernègues (13) 249
Vigne et du Vin, musée (84) 448
Vigueirat, marais (13) 222
Vilar, Jean 304
Villeneuve-lez-Avignon (84) 316
Villers-Cotterêts, edict 47
Villes et Pays d'art et d'histoire 18
Villes-sur-Auzon (84) 397
Vin, musée (84)................................. 343
Visan (84).. 350
Vissen.. 21
Vocontii.. 355
Vox, Maximilien................................ 465
Waldenzen, slachtpartij................. 47
Wijn 39

Y

Yves-Brayer, musée (13) 273

Z

Zeilen... 21
Zidane, Zinedine 75
Ziem, Félix.. 69
Zola, Émile 72
Zoutpannen 233, 235
Zwemmen.. 22

OVERZICHTSKAART

Binnenkant voorflap omslag

KAARTEN VAN DE REGIO'S

1 Marseille en omgeving 80
2 Aix-en-Provence
   en Sainte-Victoire........................180
3 Arles en de Camargue 208
4 De Alpilles
   en de Montagnette 242
5 Avignon
   en Pays des Sorgues...................290
6 Orange en omgeving 334
7 Comtat Venaissin
   en de Ventoux 368
8 Omgeving van de Luberon 400

STADSPLATTEGRONDEN

Aix-en-Provence...................... 188, 189
Apt...404
Arles...212, 213
Avignon..300
Les Baux-de-Provence.....................274
Carpentras..372
Cavaillon...439
Marseille.......................................84, 86
Manosque..457
Orange...337
Pernes-les-Fontaines 380
Roussillon..425
Saint-Rémy-de-Provence..............258
Salon-de-Provence..........................245
Tarascon..280

Vaison-la-Romaine 358
Valréas 349
Villeneuve-lez-Avignon.................319

KAART OPENBAAR VERVOER

Marseille 88

PLATTEGRONDEN VAN
BIEZIENSWAARDIGHEDEN

Abbaye de Montmajour 220
Abbaye de Saint-Maximin-
   la-Sainte-Baume..........................176
Abbaye de Sénanque 435
Abbaye de Silvacane.......................451
Chartreuse du Val-de-Bénédiction
   (Villeneuve-lez-Avignon) 320
Château de Tarascon.......................279
Glanum (Saint-Rémy-
   de-Provence)................................255
Palais des Papes
   (Avignon)..............................295, 298
Quartier de Puymin (Vaison)........354
Quartier de la Villasse (Vaison).....357

THEMATISCHE KAARTEN

Reliëf 55
De calanques 127
Marseille:
   de grecoromaanse stad 90

KAART WANDELROUTE

La Sainte-Baume 171, 173

WIJZIGING WEGENNUMMERS!

Op talloze trajecten zijn de 'routes nationales' onder verantwoordelijk-
heid van de departementen gaan vallen. De wegennummering wordt
daar aangepast.

Dit proces is in 2006 begonnen, maar zal nog vele jaren voortduren.
Bovendien is bij het sluiten van de redactie van deze gids voor sommige
wegen nog niet definitief de status bepaald.

BOUWKUNDIGE TERMEN

Zie het 'ABC van de architectuur' in de
Inleiding.

BEZIENSWAARDIGHEDEN

beffroi	belfort
château	kasteel
cimetière	begraafplaats
cloître	kloostergang
cour	binnenhof
couvent	klooster
écluse	sluis
église	kerk
halle	markthal
jardin	tuin
mairie	stadhuis
maison	huis
marché	markt
monastère	klooster
moulin	molen
musée	museum
place	plein
pont	brug
port	haven
quai	kade
remparts	stadsmuur
rue	straat

IN DE NATUUR

abîme	kloof, afgrond
barrage	stuwdam
belvédère	uitzichtpunt
col	bergpas
côte	helling; kust
forêt	bos
grotte	grot
plage	strand
rivière	rivier
ruisseau	beek
signal	baken
source	bron

OP DE WEG

autoroute	snelweg
diesel/gazole	diesel
droite	rechts
essence	benzine
est	oost
feu tricolore	verkeerslicht
gauche	links
GPL	LPG
nord	noord
ouest	west
péage	tol
permis de conduire	rijbewijs

pneu	band
rond-point	rotonde
sabot	wielklem
sans plomb	ongelood
station essence	benzinestation
sud	zuid

TIJD

vandaag	**aujourd'hui**
morgen	**demain**
gisteren	**hier**
herfst	**automne**
winter	**hiver**
lente	**printemps**
zomer	**été**
week	**semaine**
maandag	**lundi**
dinsdag	**mardi**
woensdag	**mercredi**
donderdag	**jeudi**
vrijdag	**vendredi**
zaterdag	**samedi**
zondag	**dimanche**

GETALLEN

0	**zéro**
1	**un**
2	**deux**
3	**trois**
4	**quatre**
5	**cinq**
6	**six**
7	**sept**
8	**huit**
9	**neuf**
10	**dix**
11	**onze**
12	**douze**
13	**treize**
14	**quatorze**
15	**quinze**
16	**seize**
17	**dix sept**
18	**dix huit**
19	**dix neuf**
20	**vingt**
30	**trente**
40	**quarante**
50	**cinquante**
60	**soixante**
70	**soixante dix**
80	**quatre vingts**
90	**quatre-vingt dix**
100	**cent**
1000	**mille**

WINKELEN

apotheek	**pharmacie**
bakker	**boulangerie**
bank	**banque**
boekwinkel	**librairie**
gesloten	**fermé**
groot	**grand**
hoestsiroop	**sirop pour la toux**
ingang	**entrée**
klein	**petit**
kruidenier	**épicerie**
open	**ouvert**
pijnstiller	**analgésique**
pleister	**pansement adhésif**
postkantoor	**poste**
postzegels	**timbres**
slager	**boucherie**
uitgang	**sortie**
viswinkel	**poissonnerie**
winkel	**magasin**

REIZEN

creditcard	**carte de crédit**
koffer	**valise**
luchthaven	**aéroport**
paspoort	**passeport**
pendeldienst	**navette**
perron	**voie**
portefeuille	**portefeuille**
station	**gare**
treinkaartje	**billet de train**
vliegticket	**billet d'avion**

KLEDING

jas	**manteau**
kousen	**bas**
overhemd	**chemise**
pak	**costume/tailleur**
pantalon	**pantalon**
panty	**collant**
regenjas	**imperméable**
schoenen	**chaussures**
sokken	**chaussettes**
trui	**pull**

HOE ZEG IK...

tot ziens	**au revoir**
goedemorgen/ goedemiddag/hallo	**bonjour**
goedenavond	**bonsoir**
Neemt u mij niet kwalijk	**excusez-moi**
pardon	**pardon**
dank u	**merci**
ja/nee	**oui/non**
alstublieft	**s'il vous plaît**
hoe	**comment**
wanneer	**quand**
waarom	**pourquoi**
Spreekt u Nederlands/Engels?	**parlez-vous néerlandais/anglais?**
Ik begrijp het niet.	**Je ne comprends pas.**
Wilt u langzaam praten?	**parlez lentement, s'il vous plaît.**
Waar is...?	**Où est...?**
Hoe laat vertrekt…?	**A quelle heure part...?**
Hoe laat komt… aan?	**A quelle heure arrive...?**
Hoe laat gaat het museum open?	**A quelle heure ouvre le musée?**
Hoe laat begint de voorstelling?	**A quelle heure est la représentation?**
Hoe laat is het ontbijt?	**A quelle heure sert-on le petit-déjeuner?**
Hoeveel kost dat?	**Combien cela coûte?**
Waar is het dichtstbijzijnde	**Où se trouve la station essence la plus proche?**
Waar kan ik travellercheques inwisselen?	**où puis-je échanger des traveller's cheques?**
Waar zijn de toiletten?	**où sont les toilettes?**
Accepteert u creditcards?	**Acceptez-vous les cartes de crédit?**

CULINAIRE TERMEN

A

à la	bereidingswijze
à point	lett.: op punt; bij vlees: roze, net niet doorbakken; bij wijn: rijp om te drinken
A.o.c. (Appellation d'origine contrôlée)	gecontroleerde herkomstbenaming gebruikelijk bij wijn
abats *m*	orgaanvlees
acide	zuur
addition *v*	rekening
agneau *m*	lam
agrumes *m*	citrusvruchten
aiglefin (églefin) *m*	schelvis
aigre-doux (aigre-douce)	zoetzuur
ail *m*	knoflook
aile *v*	vleugel
aïoli *m*	mayonaise met knoflook (Provence)
airelle *v*	bosbes
- rouge *v*	rode bes
allumettes *v*	langwerpig of vierkant gebakje van bladerdeeg
alsacienne, à l'	lett.: 'op de wijze van Elzas': met zuurkool; bij vis: gekookt in witte wijn
amande *v*	amandel; ook: slijkmossel
amer (amère)	bitter, scherp
anchois *m*	ansjovis
andouille *v*	worst, meestal van de pens, varkensbuik en -maag
anguille *v*	paling
arête *v*	graat
artichaut *m*	artisjok
asperge *v*	asperge
assiette *v*	bord
au four	in de oven
Avèze	gentiaanlikeur (Auvergne)
avocat *m*	avocado
avoine *v*	haver
axoa(hachua)	eenpansgerecht met gehakt, paprika, look, ui en rode wijn (Baskenland)

B

baba *m*	gebakje met sterkedrank
bachique, crème *v*	crème met wijn
baeckeoffa *m* (beckeofe)	eenpansgerecht met aardappelen, vlees, gevogelte en groente (uit de Elzas)

baiser *m*	lett.: 'kussen'; meringue, gesuikerd schuimgebakje
boule *v*	bol
bambou *m*	bamboe
banon chèvre *m*	rond geitenkaasje, gewikkeld in druiven- of kastanjebladeren (Provence)
bar *m*	zeebaars (vis uit de Atlantische Oceaan)
baron *m*	gebraden rug van een dier, bijv. baron de bœuf (rundergebraad van de lende of filet)
basilic *m*	basilicum
baudroie *v*	zeeduivel
bavette *v*	lendenstuk van rund
bayonnaise, à la	op Bayonese wijze: met rauwe ham en eekhoorntjesbrood
Beaufort *m*	milde, aromatische harde kaas (Rhône, Savoye)
bécasse *v* (bécasseau *m*, bécassine *v*)	snip
béchamelle *v*	saus van boter, bloem en melk
beignet *m*	oliebol met zoete of hartige vulling
belon *v*	platte oester (Bretagne)
bette *v*	snijbiet
betterave *v*	rode biet
beurre *m*	boter
- blanc	botersaus met witte wijn en sjalotten
biche *v*	hinde
bien cuit(-e)	doorbakken, gaar
bière *v*	bier
bifteck *m*	biefstuk
blanc *m* de poisson	visfilet
blanc *m* de volaille	borst van gevogelte
blanc(-he)	wit, helder
blanchi(-e)	geblancheerd
blanquette de veau *v*	kalfsragout
blé *m*	tarwe
blé noir (blé rouge) *m*	boekweit
bleu	lett. 'blauw'; bij vlees: bijna rauw; bij vis: gekookt in een mengsel van bouillon, wijn en azijn; bij kaas: blauwe of fijne schimmelkaas
bœuf *m*	rund, os; rundvlees
- bourguignon	rundvlees op Bourgondische wijze: gestoofd in Bourgondische saus

	met champignons en sjalotten
- vinaigrette	rundvleeslaatje met een dressing van olie en azijn
boisson *v*	drank
bon(-**ne**) *m*	goed
bonite	boniet, kleine tonijn
boucané(-**e**)	gerookt
bouchée *v* **à la reine**	koninginnenhapje met ragout en champignons
boudin *m* **noir**	bloedworst
bouillabaisse *v*	vispannetje met vis uit de Middellandse Zee, geserveerd met pikante, rode mayonaise (rouille) en getoast broodkruim (croûtons) (Provence)
bouillinade *v*	vispannetje met aardappelen (Languedoc-Roussillon)
bouilli(-**e**)	gekookt, soepvlees
bourdelot	appelflap (Normandië)
bourguignonne, à la	op Bourgondische wijze; bij vlees: met Bourgondische saus; bij wijngaardslakken: met kruidenboter
bourrache *v*	bernage
bourride *v*	witte vissoep met aardappelen, uien, venkel en/of sinaasappelschil, gebonden met eigeel (Provence)
braisé(-**e**)	gebraden
brandade *v* **de morue**	puree van gezouten kabeljauw, olijfolie, knoflook en room (Zuid-Frankrijk)
brebis *v*	ooi, schapenkaas (Pyreneeën)
brème *v*	brasem (zoetwatervis)
brioche *v*	zoete bol
brochet *m*	snoek
brochette *v*	braadvlees aan spies, brochette
brosme	lom (zeevis)
brûlé(-**e**)	aangebrand
brun(-**e**)	bruin
bûche *v* **de noël**	kerststronk van biscuit-deeg in de vorm van een boomstronk, chocolade- of mokkacrème

C

cabillaud *m*	kabeljauw
cacahouète *v*	pinda
café *m*	koffie
- calva	koffie met Calvados
-liégeois	ijskoffie

caille *v*	kwartel
caillettes *v* **de madame**	soort blinde vink, vulling van varkensvlees, ingewanden en kruiden in een netje en ter grootte van een kwartel (Provence)
calamar *m*	inktvis
calvados *m*	digestief op basis van appel
camomille *v*	kamille
campagne *v*	platteland
canapés *m*	belegde sneetjes brood
canard *m*	eend
- gavé	vetgemeste eend
- sauvage	wilde eend
cancre *m*	krab
cannelle *v*	kaneel
cantal *m*	halfharde, pittig aromatische kaas (Auvergne)
câpre *v*	kapper
carafe d' eau *v*	kan water
cari *m*	kerrie
carpe *v*	karper
carré *m*	ribstuk
carrelet *m*	griet, ook grote schol
carte *v*	menukaart
casse-croûte *m*	hap uit het vuistje, snack
cassis *m*	zwarte bes, ook likeur van zwarte bessen
caviar *m*	kaviaar
céleri *m* **en branches**	selderiestengels
cèpe *m*	eekhoorntjesbrood
céréales *v*	graan
cerf *m*	hert
cerise *v*	kers
cervelle *v*	hersens
chamois *m*	gems
champignon *m*	paddestoel (alle soorten)
- de couche	champignon
chanterelle *v*	cantharel
chantilly, crème *v*	slagroom
chapon *m*	kapoen (gecastreerde haan), ook met knoflook ingewreven brood
charbon *m* **de bois**	houtskool
chasseur, à la	lett.: 'op jagerswijze': met een saus van witte wijn, paddenstoelen en sjalotten
châtaigne *v*	tamme kastanje
châtaigne de mer *v*	zee-egel
châteaubriand *m*	dik stuk runderfilet voor twee personen

chaud(-e)	warm		hoorntje of wafeltje voor
chausson *m*	lett.: 'slof, flap';		ijsroom
	bladerdeeggebak, vaak	**cornichon** *m*	augurk
	met vulling van appel,	**corps** *m* **gras**	vet, boter of margarine
	andere stukken fruit of	**corsé(-e)**	krachtig; bij eten: pikant,
	compote		gekruid; bij wijn: vol,
cheval *m*	paard, paardenvlees		sterk
chèvre *v*	geit, ook kort voor	**côte** *v*	rib(stuk), kotelet,
	geitenkaas	**cotriade** *v*	vispannetje met
chevreuil *m*	ree, reevlees		aardappelen en groenten
chevrotin *m*	reekalf, ook geitenkaasje		(Bretagne)
chipiron *m*	inktvis	**cou** *m*	hals
chocolat *m*	chocolade	**coupe** *m*	beker, kelk
- chaud	warme chocolademelk	**courgettes** *v*	courgettes
- liégeois	chocolademelk met	**couronne** *v*	krans, kroon
	roomijs	**couteau** *m*	mes
choisi(-e)	uitgekozen	**couvert** *m*	bestek, couvert
choix, au	naar keuze	**crème** *v*	room, crème; ook
choix, de	van uitstekende		roomsoep
	kwaliteit	**- brûlée**	vanillecrème met een
chou *m*	spruitjes		aangebrande suikerkorst
de Bruxelles		**- chantilly**	slagroom
- farci	gevulde kool	**- Sabayon**	sabayon
-frisé	savooi	**crêpe** *v*	dunne pannenkoek
- vert	groene kool		(Bretagne)
choucroute *v*	zuurkool	**- dentelle**	flinterdunne flensjes/
chou-fleur *m*	bloemkool		pannenkoekjes
chou-rave *m*	koolrabi	**- Suzette**	flensje geflambeerd met
ciboulette *v*	bieslook		sinaasappellikeur
cidre *m*	cider, appelwijn	**crevette** *v*	garnaal
citron *m*	citroen	**crottin** *m* **de**	kleine, vaste
citrouille *v*	pompoen	**chavignol**	geitenkaas (Loiredal)
civet *m*	wildragout met rode	**croustillant(-e)**	knapperig, krokant
	wijn en uien	**croûte** *v*	korst
clafoutis *m*	clafoutis, soort	**croûtons** *m*	getoaste kruimels of
	vruchtenvlaai, meestal		sneetjes witbrood
	met kersen of hartig met	**cru(-e)**	rauw
	kerstomaten enz.	**crudités** *v*	rauwkost; als voorge-
clouté(-e)	gespikkeld		recht: verschillende
cochon *m*	varkensvlees		groenten, geblancheerd
cochon de lait *m*	speenvarken		of rauw geserveerd
cocotte *v*	stoofpot	**crustacés** *m*	schaaldieren (kreeften,
commande, sur	op bestelling		krabben, langoesten
compris(-e)	inbegrepen		enz.)
comté *m*	harde kaas (Franche-	**cuillère** *v*	lepel
	Comté)	**(cuiller) cuire**	koken
concentré *m*	tomatenconcentraat	**cuisine** *v*	keuken
detomates		**cuisse** *v*	bout, bil
concombre *m*	komkommer	**- de grenouilles**	kikkerbilletjes
confit(-e)	ingemaakt in eigen vet	**cuisseau** *m*	kalfslendenstuk
congre *m*	zeepaling, kongeraal	**cuissot** *m*	bout van wild of
contre-filet *m*	lendenbiefstuk		gevogelte
coq *m*	haan	**cuit(-e)**	gekookt
coq *m* **au vin**	haan gestoofd in rode	**cumin** *m*	komijn
	wijn (Bourgondië) of	**cure-dents** *m*	tandenstoker
	riesling (Elzas)		
coquillages *m*	schaaldieren (slakken,	**D**	
	mosselen en oesters)		
coquilles *v*	sint-jakobsschelpen	**daim** *m*	damhert
Saint-Jacques		**(daine** *v*)	
corail *m*	kuit van schaaldieren	**darne** *v*	vismoot
cornet *m*	rolletje, bladerdeeg	**datte** *v*	dadel

daube, en gesmoord, suddergerecht
daurade v goudbrasem, dorade (**dorade**)
dégustation v wijnproeverij
déjeuner m middagmaal
délice m heerlijkheid, specialiteit
demi half, ook: een tapbier (0,25 l)
demi-glace donkere jus
dés, en in vierkante blokjes gesneden
dessert m dessert
diable, à la lett.: 'op duivelse wijze': pikant gekruid
dieppoise, à la op de wijze van Dieppe; bij vis: met een saus van witte wijn, mosselen, oesters en/of kreeft (Normandië)
diététique dieet-, diëtisch
digestif m likeur die de spijsvertering bevordert na het eten
dinde v kalkoen
dîner m avondeten
discrétion, à naar believen
doré(-e) goudbruin gebraden
dos m rug
double twee
doux (douce) zoet, zacht
douzaine v een dozijn
dragon m **de mer** pieterman
dubarry, crème v bloemkoolsoep
dur(-e) hard

E

eau v **de robinet** kraanwater
eau v **gazeuse** spuitwater, mineraal water met prik
eau v **minérale** mineraalwater
eau v **plate** water zonder koolzuur
eau-de-vie v lett.: 'levenswater', brandewijn
écrasé(e) geperst, fijngestampt
effilé(e) in reepjes gesneden
églefin m schelvis (**morue noir**)

elzekaria v groentepot met bonen, uien, en kolen (Baskenland)
enchaud m varkensrollade (Périgord)
entier volledig, helemaal; (**entière**) bij zuivelproducten: volvet
entrecôte m tussenribstuk van rund
entrée v voorgerecht
épaule v schouder, nek

épices v kruiden
épinards m spinazie
escargot m wijngaardslak
espadon m zwaardvis
estouffat m ragout van witte **deharicots** bonen, uien, spek en/ of tomaten (Languedoc-Roussillon)
estragon m dragon
esturgeon m steur
étouffé(-e) gesmoord
étuvé(-e) gestoomd
extrait m extract

F

façon v wijze
faisan m fazant
falette v gevulde kalfs-, **d'Auvergne** schapen- of lamsborst
far m **(fas, faz)** gebak met rozijnen **breton** en rum (Bretagne)
farce v vulling
farée koolrollade
farine v bloem
faux-filet m lendenstuk van rund
fayot m witte boon
fenouil m venkel
ferme v boerderij
feu m **de bois** houtskoolvuur
feuille v blad
-de chêne eikenbladsla
- de vigne druivenblad
feuilleté m bladerdeeggebak
fèves v dikke bonen
fiélas doornhaai (Provence)
figue v vijg
fin (-e) fijn, mals
fines v **de claire** soort kweekoesters
flan m pudding, vlaai, taart
flet m bot, platvis
flétan m heilbot
fleurs v **pralinées** gekonfijte bloesems (Provence)
floutes aardappelbolletjes (Elzas)
flûte v dun stokbrood
foie m lever
- de volaille lever van gevogelte
- gras ganzen- of eendenlever
fondant(-e) smeltend
fondu(-e) gesmolten
fort(-e) sterk, pittig, voedzaam, scherp
fougasse v zoete ovenkoek, (**fouace**) ook hartig met olijven (Zuid-Frankrijk)
four m oven
fourchette v vork
Fourme v blauwgroene, fijne **d' Ambert** schimmelkaas (Centraal-Massief, Auvergne)

fourré(-e) gevuld
frais v **(fraîche)** vers
fraise v aardbei
framboise v framboos
frangipane amandelgebak
fressure v ingewanden
frisée v gekrulde en ietwat
bittere sla
frit(-e) gefrituurd
froid(-e) koud
fromage m kaas
 - blanc kwark, vaak als dessert
met suiker
fruits m fruit, vruchten
 - de mer zeevruchten
fumé(-e) gerookt

F

galette v ronde, platte
boekweitpannenkoek
(Bretagne)
gâteau m taart, gebak
gaufre v wafel
genièvre m jeneverbes, jenever
germe m kiem
gésier m **d' oie** ganzenkrop
gibelotte v **de** fricassee van
 lapin konijn, gestoofd in witte
wijn
gibier m wild
gigot (gigue v) m, lams- of reebout
gingembre m gember
girofle m kruidnagel
girolle v cantharel, dooierzwam
gîte m **à la noix** lende, beste stuk van een
runderbout
glace v roomijs
 - de viande fond, vleesextract
glaçons m ijsklontjes
goulache v goulash
gourmand m smulpaap
gourmet m fijnproever
goût m smaak
graisse v vet
grand(-e) groot
gras(-se) vet, dik
gratiné(-e) gegratineerd,
aangebakken
gratuit (-e) gratis
gravenche forelachtige vis uit het
Meer van Genève
grenade v granaatappel
grenadin m kalfsmedaillon
grenouille v kikker
grillé(-e) gegrild
gros(-se) dik, sterk, groot
groseille v aalbes
 - à maquereau stekelbes
gruyère v **de** pittige, vaste
 Comté gruyèrekaas (Franche-
Comté)

H

haché(-e) gehakt
hachis v rundergehakt
 de bœuf
haddock m gerookte schelvis
hareng m haring
haricot m bonen
herbes v kruiden
 - de Provence Provençaalse kruiden:
tijm, rozemarijn
basilicum, salie
hochepot m stoofpot van vlees en
groenten
homard m kreeft
hors-d'œuvre koud voorgerecht,
bijgerecht
huile v olie
huître v oester
 - de claire kweekoester
hure v (varkens)preskop,
hoofdkaas

I

infusion v kruidenthee

J

jambon m ham
jambon m **braisé** gekookte ham
 (cuit, de Paris)
 - cru rauwe ham
jarret m schenkel, grote poot
 - de veau kalfsschenkel
jets m loot
julienne v groentereepjes als
bijgerecht of in de soep
Jurassic harde kaas (Jura)
jus m sap, ook braadsap
jus d' orange m sinaasappelsap

K

kir m **royal** aperitief, champagne
met cassis
kugelhopf tulband (Elzas)
 (kouglof) m
kuign-aman m platte ovenkoek met
veel boter en suiker
(Bretagne)

L

laguiole m harde kaas (Auvergne)
lait m melk
laitue v kropsla
lamproie v lamprei, negenoog
(palingachtige vis)
langouste langoest
langue v tong
lapin m konijn
lard m spek

laurier *m* — laurier
lavande *v* — lavendel
lavaret *m* — meerforel (zoetwatervis)
léger (légère) — licht
légumes *m* — groente
lentilles *v* — linzen
levroux — geitenkaas (Loire)
levure *v* — gist
lièvre *m* — haas
limace *v* — naaktslak (Provence)
lotte *v* **de mer (baudroie)** — zeeduivel
loup *m* **de mer** — zeebaars (Middellandse Zee)
lourd(-e) — zwaar, vet

M

macaron *m* — bitterkoekje, amandelkoekje
macédoine *v* **de fruits** — vruchtensla
mâche *v* — veldsla
magrets *m* — eendenborstfilet
de canard maigre — mager; zeebaars
maïs *m* — mais
maison (à la maison) — op de wijze van het huis
mangue — mango
maquereau *m* — makreel
marc *m* — droesembrandewijn (Auvergne, Burgund)
mariner — inmaken, marineren
marjolaine *v* — marjolein
marmite *v* — kookpot, eenpansgerecht
marron *m* — tamme kastanje
marseillaise, à la — op de wijze van Marseille: met tomaten, olijven, knoflook en/of sardines
massepain *m* — marsepein; ook amandelgebak
mélange *m* — mengeling
ménagère, à la — op grootmoeders wijze: eenvoudige en traditionele bereiding, bijv. met worteltjes, uien en/of erwten
menthe *v* — munt, pepermunt
menu *m* — menu; ook de menukaart
- du terroir — streekgerechtenmenu
- gastonomique — uitgebreid menu met minstens vier gangen
merguez *v* — pikante, dunne schapenworst
merlu *m* — heek
mesclun *m* — mengeling van verschillende slasoorten (Provence)
meunière, à la — lett.: 'op de wijze van de molenaarster'; in bloem gewenteld en in boter gebakken

meurette *v* **de Bourgogne** — ragout van zoetwatervis, gekookt in rode wijn (Bourgondië)
mi-... — half...
miel *m* — honing
mignardise *v* — klein gebakje (bij de koffie na het eten)
millassou — pompoenkoekje (Périgord)
millefeuille *v* — bladerdeeg
millet *m* — gerst
minute, à la — slechts eventjes gebakken; ook snel en vers bereid
mirabelles *v* — mirabellen
moelle *v* — rundermerg
mollusques *m* — weekdieren (mosselen, slakken)
monaco — bier met grenadine
morille *v* — morielje
morue *v* — schelvis, gedroogde kabeljauw
moule *v* — mossel
mousse *v* **au chocolat** — chocolademousse
moutarde *v* — mosterd
mouton *m* — schaap; schapenvlees
mulet *m* — harder (zoutwatervis)
munster *m* — kaas met sterk aroma (Elzas)
mûr(-e) — rijp
mûre *v* — braambes
murène *v* — murene (vis uit de Middellandse Zee)
muscade *v* — muskaat
museau *m* **de bœuf** — ossenkop
myrtille *v* — blauwe bosbes

N

nage, à la — in (eigen) nat
nantais *m* — amandelkoekje
nappé(-e) — overgoten met saus
neige *v* — sneeuw; stijfgeklopt eiwit
niçoise, à la — lett.: 'op de wijze van Nice': met tomaten, sardines, knoflook en olijven; bij vis: met een saus van tomaten en sardines
nids *m* — nestjes
noilly prat — vermout gerijpt in eiken vaten
noir(-e) — zwart, donker
noisette *v* — hazelnoot; bij vlees: lende, klein sneetje van de lende
noix *v* — walnoot, bij vlees: lende

de coco	kokosnoot
de muscade	muskaatnoot
nonnettes v	kruidkoekje
nonnette voilée	bruine ringboleet
nougatine v	krokant
nouilles v	noedels
(nouvelle) nouveau	nieuw, jong, van dit jaar

O

œuf m	ei
à la coque	zachtgekookt eitje
au plat (sur le plat)	spiegelei
œufs m brouillés	roereieren
-durs	hardgekookte eieren
ofenkiechlas	vanillekoekje (Elzas-Lotharingen)
oie v	gans
oignon m	ui
oloron	romige schapenkaas (Béarn)
omble m	rode forel (zoetwatervis)
omelette v surprise	geflambeerd ijs in biscuitdeeg
onctueux (onctueuse)	olieachtig, vettig, romig
onglet m de boeuf	biefstuk van de middenrifspier
orange v pressée	versgeperst sinaasappelsap
origan m	oregano
ortie v	brandnetel
os m	been, bot
oseille v	zuring
ossau- iraty m	vaste schapenkaas, mild-aromatisch (Baskenland en Béarn)
oursin m	zee-egel

P

paille v	lett.: 'stro(halm)'; rietje
pa(i)n-bagna(t) m	broodje gedrenkt in olijfolie en gevuld met tomaten, olijven en sardines (Provence)
pain m	brood
complet	volkorenbrood
d'épices	ontbijtkoek, kruidkoek (Bourgondië)
- de poisson	lichte vispastei
paire v	paar
palette v de porc	varkensschouder
palourde v	venusschelp
pamplemousse m	grapefruit
panaché	gemengd; ook kort voor bier met citroenlimonade
panade v	broodsoep
panais m	pastinaak

pané(-e)	gepaneerd
pannequets m	gevulde pannenkoek
parfait m	ijs met room en eieren, ook: bolletje ijs
parfums m	smaken
Parmentier, à la	bereid of versierd met aardappelen
Pasten de Châteaulin	paasgebak (Bretagne)
pastèque v	watermeloen
patate v	zoete aardappel
pâte v	deeg
- levée	gistdeeg
- brisée	zandtaartdeeg
- feuilletée	bladerdeeg
pâtes v	pasta
pâté m	vleespastei, paté
- creusois aux pommes de terre	aardappelpastei (Limousin)
- de campagne	voedzame boerenpastei van vlees en lever
- vendéen	terrine van konijn (Vendée)
pâtisserie v	gebak
patron (patronne)	eigenaar (eigenares)
paupiette v	blinde vink
pays m	land, streek
pays, du	regionaal, van de streek, typisch voor de streek
paysan(-ne)	boeren-, rustiek
peau v	huid, schaal,
pêche v	perzik
pêcheur, à la	lett. 'op de wijze van de visser'; met vis en zeevruchten
perche v	rivierbaars
perdrix v	patrijs
persil m	peterselie
petit(-e)	klein
petit-déjeuner m	ontbijt
petit noir m	kleine, zwarte koffie
petit pain m	broodje
petits fours m	gevuld koekje, theegebak
petits-pois m	doperwten
pichet de vin m	karafje wijn
picodon m	klein, zacht geitenkaasje
pièce v	stuk
pied m	poot
pieds m de cochon	varkenspoten
pieds m de mouton	schapenpoten
pigeon (ramier) m	duif
pignon m	pijnboompit
piment m	algemeen: specerijen, kruiden; ook Spaanse peper (Baskenland)
pintade v	parelhoen
piperade v	omelet met tomaten, paprika, knoflook en

	Bayonne- ham of spek (Baskenland)
pissaladière v	quiche met tomaten, zwarte olijven, sardines (Provence)
pissenlit m	paardenbloem
pistache v	pistache
pistou m	saus van basilicum, knoflook, kaas en olijfolie (Provence)
plat m	bord, gerecht, schotel
- **du jour**	dagschotel
- **principal**	hoofdschotel
plein(-e)	vol
poché(-e)	gepocheerd
pochouse	ragout van zoetwatervis, gekookt in witte wijn (Bourgondië)
poêle v	braadpan
poids m	gewicht
poire v	peer
poireau m	prei
pois m	erwten
- **chiches**	grauwe erwten
poisson m	vis
poitrine v	borst
poivre m	peper
poivron m	paprika
pomme v	appel
pommes v **de terre**	aardappelen
- **nature**	gezouten aardappelen
- **sautées**	gebakken aardappelen
- **en chemise** (**en robe des champs**)	aardappelen in de schil
pompe v	feestelijk koekje, zoet of hartig (Zuid-Frankrijk)
Pont l' Évêque m	pittige, zachte gewassenkorstkaas (Normandië)
porc m	varken, varkensvlees
porto m	portwijn
Port-Salut	traditionele trappistenkaas
pot m	pot, pul
potable	drinkbaar
potage m	soep
pot-au-feu m	stoofpot met rundvlees, mergpijp en groenten, ook met kip
poularde v	mesthoen, poularde
poule v	kip, hen
poulet m **rôti**	braadkip
Pouligny-Saint-Pierre m (**Centre**)	geitenkaas in piramidevorm
poulpe m	inktvis
pourboire m	fooi
pousse v	spruit, scheut
pousses m **de bambou**	bamboescheuten
pré m	weide

pré-salé m	vlees van schapen die op zoute weiden aan de Atlantische kust hebben gegraasd
pressé	geprest
pression, une v	tapbier
prêt(-e)	klaar
primeurs v	eersteling, vroege oogst van groente of fruit
prix m	prijs
- **tout compris**	prijs incl. bediening en btw
profiterole v	gevulde soes met saus erover
provençale, à la	op Provençaalse wijze, met tomaten, knoflook, kruiden, olijven en wijn
prune v	pruim
pruneau m	gedroogde pruim
pulpe v	vruchtvlees, pulp
pur(-e)	echt, zuiver
purée v	puree
pyrénées v **pur brebis**	pittige schapenkaas uit de Pyreneeën

Q

quatre	lett.: 'viervierden' cake
- **quarts** m	van de vier basisingrediënten bloem, boter, eieren en suiker
quenelles v **de brochet**	klompje fijngemalen snoek (Bourgondië)
quetsche v	kwets
queue v **de bœuf**	ossenstaart
quiche v	hartige zandtaart met eieren, groenten, vlees en kaas
quiche v **lorraine**	taart met spek, ei en kaas (Lotharingen)

R

râble m **de lapin**	konijnenrug
radis m	radijs
raie v	rog
raisin m	(wijn)druif
raisins m **secs**	rozijnen, krenten
raïto	pittige saus met tomaten, olijfolie, rode wijn, knoflook, uien en kruiden, vooral bij vis
râpé(-e)	geraspt
rascasse v	schorpioenvis (Middellandse Zee)
rave v	knol
Reblochon m **de Savoie**	romige, milde kaas met lichte noten smaak (Savoye)
recette v	recept
réchaud m	warmhoudplaat
régime m	dieet

reine-claude *v* gele pruimen
renversé(e) gestort
requin *v* haai
rhubarbe *v* rabarber
rhum *m* rum
rich(-e) rijk, overvloedig
rigodon *m* hamvlaai (Bourgondië)
rillettes *v* reuzelpastei, varkens-
of gevogeltevlees
ingemaakt in eigen
smout en gepureerd
(Loiredal)
rillons *m* kaantjes
ris *m* zwezerik
rissole *v* bladerdeeggebak met
zoete of hartige vulling
rissolé(-e) goudbruin gebraden,
knapperig gebakken
riz *m* rijst
 - au lait rijstebrij
 - brun ongepelde rijst
rognon *m* niertje
rognonnade *v* kalfsnierstuk
romaine *v* bindsla
romarin *m* rozemarijn
rond(-e) rond
Roquefort *m* pikante blauwe
schimmelkaas van
schapenmelk
rosbif *m* roastbeef
rosé *m* **des forêts** bospaddenstoel
rôti *m* gebraden, braden
rougetbarbet *m* zeebarbeel
rouille *v* knoflooksaus met rode
Spaanse pepers bij
vissoep en visgerechten
(Provence)
roux *m* roux, bloemsaus
rustique landelijk, rustiek

S

sablé *m* zandkoekdeeg
sachet *m* zakje
 - de thé theezakje
saignant(-e) weinig doorbakken,
bloedend
Saint-Albray *m* zachte kaas van koemelk
Saint-nectaire *m* halfpikante kaas met
fijne, witte schimmels
(Centraal-Massief)
saint-pierre *m* petrusvis, zonnevis
salade *v* salade
 - composée gemengde salade
 - cuite groentesalade
 - niçoise groene sla met paprika,
witte bonen, uien,
sardines, olijven, ei en
tonijn
salé *m* gezouten spek

Salers *m* pittige kaas (Auvergne)
salière *v* zoutstrooier
salmis *m* salmi, ragout van wild of
gevogelte met rode wijn
salpicon *m* ragout van vlees en
groenten
salsifis *m* **noir** schorseneren
sandre *v* snoekbaars
sang *m* bloed
sanglier *m* everzwijn
sans zonder
sar *m* witte brasem
(zoutwatervis)
sarrasin *m* boekweit
sauce *v* **antiboise** mayonaise met
tomatenmoes,
sardinemoes en dragon,
bij schaaldieren
sauce *v* heldere botersaus met
 béarnaise eigeel, azijn of witte wijn,
sjalotten, dragon en
andere kruiden
sauce *v* Bourgondische saus:
 bourguignonne donkere saus van rode
wijn met tijm, laurier,
champignons en
peterselie
sauce *v* **diable** duivelssaus met witte
wijn en tomaten
sauce *v* **gribiche** kruidenmayonaise met
hardgekookte eieren,
kappertjes en augurken
sauce *v* heldere saus van eigeel
 hollandaise en boter
sauce *v* **royale** gevogelteroomsaus met
truffels en sherry
saucisse *v* worst (om te koken of
braden)
saucisson *m* worst (als beleg)
sauge *v* salie
saumon *m* zalm
sauté(-e) gestoofd; ook ragout
sauvage wild
sauvage, à la onvermengd, natuurlijk
savoyarde, à la lett.: 'op de wijze van
Savoye': met room, kaas
en aardappelen
sec (sèche) droog
seiche *v* zeekat, inktvis
seigle *m* rogge
sel *m* zout
selle *v* **de** reerug
 chevreuil
semoule *v* griesmeel
service *m* bediening
sésame sesam
silure glane meerval
sirop *m* siroop
sole *v* zeetong
soupe *v* soep

- du berger	herderssoep, uiensoep met groente en kaas (Béarn)	**trempé(-e)**	doordrenkt, geweekt
		tripeaux *m*	gevulde schapen poot (Auvergne)
souper *m*	laat avondeten, in sommige streken ook avondeten	**tripes** *v*	ingewanden, pens
		tripous (tripoux)	pens van lam of schaap (Auvergne)
steak de cheval	paardensteak	**trouville**	zachte kaas
sucre *m*	suiker	**truffade** *v*	pannetje met aard-appelen en spek, (Auvergne), ook van aardappelen en tomaten (Dauphiné)
supion *m*	inktvis		
supplément *m*	meerprijs		
suprême *m*	het beste stuk vlees; bij dessert: fijn roomdessert		
sur commande	op bestelling	**truffes** *v*	truffel
surgelé(-e)	diepgevroren	**truite** *v*	forel
surprise *v*	verrassing	**ttorro**	visragout (vis van de Atlantische Oceaan (Baskenland)
Suze	kruidenaperitief		
T		**turbot** *m*	tarbot
taboulé (tabbouleh)	couscous met munt, uien, tomaten enz.	**V**	
tanche *v*	zeelt (zoetwatervis)		
tapenade *v*	olijvenmoes met sardines, kappertjes en olijfolie (Provence)	**vache** *v*	koe
		vacherin *m*	rijkelijk dessert van roomijs, room en schuimgebak
tarte *v*	plat gebak van zand-taartdeeg of bladerdeeg, zoet of hartig		
		vapeur *m*	stoom
		varié(-e)	verscheiden
- à l' oignon	uientaart (Elzas)	**veau** *m*	kalf, kalfsvlees
- bourbonnaise	zoete kwarktaart (Bourgondië)	**velouté** *m*	gebonden soep, roomsoep
tartine *v*	boterham	**venaison** *v*	wildgebraad
tendre	zacht, mals	**ventre** *m*	buik
tête *v*	kop, ook kort voor hoofdkaas/preskop	**verdure** *v*	sla, groente
		véritable	echt
thé *m*	thee	**verre** *m*	glas
thon *m*	tonijn	**vert(-e)**	groen
thym *m*	tijm	**verveine** *v*	ijzerkruid
tiède	lauw	**viande** *v*	vlees
tilleul *m*	linde	**vieux (vieille)**	oud
tisane *v*	kruidenthee	**vigneronne, à la**	op wijnbouwerswijze; met wijnsaus
tomme de Savoie *v*	zachte kaas van kormrlk (Savoye)		
		vin *m* **blanc**	witte wijn
tortue *v*	schildpad	**vin** *m* **rouge**	rode wijn
tourain *m*	tomatensoep met kaas (Périgord)	**vinaigre** *m*	azijn
		vinaigrette *v*	sladressing van azijn, olie en kruiden
tournedos *m*	ossenhaas		
tournesol *m*	zonnebloem	**volaille** *v*	gevogelte
tourte *v*	rond brood; ook gevulde pastei of taart	**volonté, à**	naar believen
tourteau *m*	Noordzeekrab; ook zachte kaastaart met bruine bovenlaag (Charente)	**Y**	
		yaourt *m*	yoghurt
tout compris	alles in de prijs inbegrepen	**Z**	
tranche *v*	sneetje, stuk	**zeste** *m*	schilletje van citrus-vruchten
trancher	af- of versnijden	**Ziwelwai**	uientaart met spek (Elzas)